CAMPING
FRANCE

Sélection

2 300 terrains sélectionnés dont :
2 100 avec chalets, mobile homes, cabanes perchées
1 300 équipés pour camping-cars

Selection	Auswahl	Selectie
2,300 selected camping sites including: **2,100** with chalets, bungalows, mobile homes **1,300** with campervan facilities	Eine Auswahl von **2300** Campingplätzen, darunter : **2100** mit Chalets, Bungalows, Mobilhiemen **1300** ausgestattet für Wohnmobile	Een selectie van **2300** campings, waarvan : **2100** met huisjes, bungalows, stacaravans **1300** geschikt voor campingcars

 *Cher lecteur,*

Amateur d'« hébergement au grand air », sous tente, en caravane, en camping-car, dans un bungalow ou dans un mobile home à louer, pour vous Michelin a préparé avec le plus grand soin ce guide qui est une sélection des meilleurs terrains et emplacements en France, ceux qui offrent les cadres les plus agréables et des services de qualité.

Fidèle à l'esprit de classification cher à Michelin, ce guide vous propose en outre de connaître en un coup d'œil le niveau de chaque terrain grâce à un symbole, allant de 1 à 5 tentes (⋀ à ⋀⋀⋀ tentes). Les terrains 4 et 5 tentes sont listés p. 12.

Quelques clefs pour utiliser ce guide

→ Pour choisir un terrain

Le guide est découpé en 22 régions. Reportez-vous donc d'abord au sommaire (p. 6) et à la carte des régions (p. 7). Votre choix fait, vous trouverez pour chaque région, reconnaissable à son bandeau de couleur, une carte détaillée de toutes les localités où est sélectionné au moins un terrain.

→ Pour retrouver une localité

Reportez-vous à l'index en fin de guide qui répertorie par ordre alphabétique toutes les localités citées.

→ Pour décider selon certains thèmes

Dans le tableau thématique par régions (p. 32) sont spécifiés des aménagements et activités particuliers : tranquillité, ouverture permanente, structure adaptée aux enfants, parc aquatique, centre balnéo et animations.

→ Pour une description détaillée

Pour bien profiter de la présentation de chaque terrain, consultez dans votre langue la légende des « Signes conventionnels » (p. 14), puis reportez-vous aux descriptions des terrains à partir de la page 41.

→ Pour les non francophones

Reportez-vous au lexique (p. 26) : il vous permettra de mieux comprendre les renseignements et descriptions.

 *Dear Reader,*

If you love the outdoor life – in a tent, a caravan, a camper van, a bungalow or a rental mobile home – this Michelin guide is for you. We have carefully prepared this selection of the best camping grounds in France, those with the nicest surroundings and the best facilities.

Using the traditional Michelin classification method, this guide provides you with an easy, speedy reference for assessing the category of each site: 1 to 5 tents (⋀ to ⋀⋀⋀ tents). The 4 and 5 tents campsites are listed p. 12.

Here are a few tips on how to use the guide

→ To select a campsite

The guide covers all 22 regions of France. First, look at the list (p. 6) and map of regions (p .7). Once you have selected a region, turn to the detailed map at the start of that region's section, easily recognized by the coloured band. It shows all the localities that have at least one campsite.

→ To find a specific locality

Refer to the index at the end of the guide, where all the places are listed in alphabetical order.

→ To make a selection based on specific themes

See the list of localities (p. 32) for a at-a-glance summary of selected facilities available at sites: tranquility, opening perms, structures for children, aquatic park, balneo center and animations.

→ Descriptions of the sites start on page 41

The essential information and brief descriptiion given for each site are supplemented by symbols, wich provide a wealth of additional information an detai. See page 17-19 for the key to the symbols used in both the campsite entries ans the maps.

→ To understand French terms

For a list of useful words, turn to the Glossary (p. 26) for a translation of common terms.

© Lizzie_Lamont/iStock

Liebe Leser,

für Sie als Liebhaber der „Freiluftunterkunft" jeglicher Art – ob im Zelt, im Wohnwagen, in einem gemieteten Bungalow oder Mobilheim – hat Michelin mit größter Sorgfalt diesen Führer zusammengestellt. Er enthält eine Auswahl der besten Camping- und Stellplätze in Frankreich, die eine angenehme Umgebung und gute Dienstleistungen bieten.

Dank der von Michelin vorgenommenen Art der Klassifizierung können Sie außerdem anhand dieses Führers durch das Zelte-Symbol (⛺ bis ⛺⛺⛺ Zelte) auf einen Blick die Einstufung der Plätze erkennen. Die 4 und 5 Zelte Campingplätze sind Seite 12 aufgelistet.

Einige Hinweise zur Benutzung des Führers

→ *Auswahl eines Campingplatzes*

Der Führer ist in 22 Regionen unterteilt. Schauen Sie sich zunächst das Verzeichnis (S. 6) und die Karte der Regionen (S. 7) an. Nachdem Sie so eine Auswahl getroffen haben, finden Sie zu jeder Region, die an ihrer farbigen Markierung zu erkennen ist, eine Detailkarte mit allen Orten, die denen es mindestens einen Platz gibt.

→ *Ortswahl*

Im alphabetischen Ortsregister (am Ende des Führers) sind alle im Buch aufgeführten Orte aufgelistet.

→ *Auswahl nach bestimmten Thematiken*

In der thematische Tabelle (S. 32) sind Besonderheiten der Ausstattung oder Dienstleistungen angegeben : Ruhe, dauerhafte Öffnung, Kinderfreundliches Konzept, Wasserpark, Balneozentrum und Animation.

→ *Detaillierte Beschreibung*

Um die Beschreibung eines jeden Platzes voll nutzen zu können, sollten Sie sich zunächst mit der Zeichenerklärung (S. 20) vertraut machen. Ab S. 41 finden Sie die Beschreibung der Campingplätze.

→ *Für nicht französischsprachige Leser*

Das Glossar (S. 26) hilft Ihnen, Informationen und Beschreibungen besser zu verstehen.

Beste lezer,

Als liefhebber van een "verblijf in de buitenlucht", waarbij u in een tent, caravan, camper, bungalow of stacaravan overnacht, heeft Michelin met de grootste zorg deze gids voor u gemaakt, een selectie van de beste kampeerterreinen in Frankrijk, die stuk voor stuk in een mooie omgeving liggen en uitstekende kwaliteit bieden.

Zoals u weet maakt Michelin graag een indeling in categorieën, zodat u in deze gids in één oogopslag kunt zien welke klasse elk kampeerterrein heeft, dankzij een symbool (van ⛺ tot ⛺⛺⛺ tenten). 4 en 5 tenten campings vermelde pagina 12.

Aanwijzingen voor een optimaal gebruik van deze gids

→ *Om een kampeerterrein te kiezen*

De gids is onderverdeeld in 22 streken. U kunt dus het beste eerst naar de kaart (blz. 6) en het overzicht van de streken (blz. 7) gaan. Als u uw keuze hebt bepaald, vindt u voor elke streek een gedetailleerde kaart waarop alle plaatsnamen staan vermeld die ten minste één kampeerterrein hebben. De streken zijn gemakkelijk terug te vinden dankzij de kleurstroken.

→ *Om een plaatsnaam terug te vinden*

In de index achter in de gids staan alle genoemde plaatsen op alfabetische volgorde.

→ *Om op basis van bepaalde criteria te beslissen*

In de thematische beeld per streken (blz. 32) staat vermeld welke voorzieningen of bijzondere diensten worden aangeboden : rust, opening perms, structuren voor kinderen, waterpark, balnoetherapie centrum en animaties.

→ *Voor een gedetailleerde beschrijving*

Om een zo goed mogelijk beeld te krijgen van elk kampeerterrein, kunt u in uw taal de legenda van de "tekens" (blz. 23) raadplegen en daarna de beschrijvingen van de kampeerterreinen doornemen (vanaf blz. 41).

→ *Voor wie geen Frans spreekt*

Aan de hand van de woordenlijst (blz. 28) kunt u de gegevens en beschrijvingen beter begrijpen.

© bensib/iStock

SOMMAIRE / CONTENTS / INHALT / INHOUD

Votre avis est essentiel !

Pour nous aider à améliorer nos produits, répondez à notre questionnaire en ligne, en allant sur le site :

satisfaction.michelin.com

VOTRE AVIS EST ESSENTIEL
POUR AMÉLIORER NOS PRODUITS

Aidez-nous en répondant à notre questionnaire sur le site :
satisfaction.michelin.com

Informations pratiques sur la localité et référence aux
cartes Michelin Départements

Practical information for each location with cross-
reference to Michelin maps

Praktische Hinweise zu den Orten und anderen Michelin-
Karten

Praktische inlichtingen over de plaats en verwijzing
naar de Michelin-kaarten

Classement Michelin des terrains

Michelin classification of selected sites

Michelin-Klassifizierung des Campingplatzes

Classificatie van de kampeerterreinen volgens Michelin

Types de locations proposées et tarifs

Rental options and rates

Ausstattung und Preise (Vermietung)

Huurmogelijkheden en tarieven

Descriptif du terrain

Description of the site

Beschreibung des Campingplatzes

Beschrijving van het kampeerterrein

Confort, services et loisirs proposés

Confort, services and leisure facilities available

Komfort, Serviceangebot und Freizeitmöglichkeiten

Comfort, voorzieningen en ontspanningsmogelijkhed

Tarifs haute saison

Peak season rates

Tarif in der Hochsaison

Tarieven hoogseizoen

AQUITAINE

SARLAT-LA-CANÉDA

24200 - Carte Michelin **329** I6 - 9 541 h. - alt. 145
▣ Paris 526 - Bergerac 74 - Brive-la-Gaillarde 52 - Cahors 60

⚠ La Palombière ♠♠

✆ 0553594234, www.lapalombiere.fr - peu d'emplacements pour
tentes et caravanes

Pour s'y rendre : à Ste-Nathalène, lieu-dit : Calmier (9 km au nord-
est sur D 43 et à gauche)

Ouverture : de déb. avr. à mi-sept.

8,5 ha/4 campables (177 empl.) en terrasses, peu incliné, plat,
herbeux, pierreux

Empl. camping : ✻ 10,10€ ⇐ 📧 14,40€ – ⚡ (10A) 3,30€ - frais de
réservation 25€

Location : (de déb. avr. à mi-sept.) - 64 ⟮⟯ - 10 ⌂. Nuité
52 à 252€ - Sem. 365 à 1 770€ - frais de réservation 25€

*Agréable chênaie autour d'un joli parc aquatique en partie cou-
vert.*

Nature : 🌿 ⌁ ♨
Loisirs : ♈ ✕ ⛱ ♣ ♨ hammam jacuzzi ⚓
⚵ ⚘ ♘ ⛲ ⚒ ⚐
Services : ⟞ ⚖ ♨ ⚐ 🛜 laverie ♨ ♨

G P S   E : 1.29157
          N : 44.90639

⚠ Les Castels Le Moulin du Roch ♠♠

✆ 0553592027, www.moulin-du-roch.com ✖

Pour s'y rendre : à St-André d'Allas, sur la D 47 (10 km au nord-
ouest, rte des Eyzies, au bord d'un ruisseau)

Ouverture : de mi-mai à mi-sept.

8 ha (200 empl.) non clos, en terrasses, peu incliné, plat, herbeux,
petit étang

Empl. camping : 42€ ✻✻ ⇐ 📧 ⚡ (10A) - pers. suppl. 10,50€ - frais
de réservation 16€

Location : (de mi-mai à mi-sept.) - ✖ (de mi-mai à mi-sept
- 54 ⟮⟯ - 17 cabanons. Nuitée 43 à 127€ - Sem. 258 à 1169€ - frai
de réservation 16€

*Emplacements autour d'un ancien moulin périgourdin, sur le
rochers ou près de l'étang, mais préférer les plus éloignés d
la route.*

Nature : ⌁ ♉
Loisirs : ♈ ✕ ⛱ ♣ ♨ ⚓ ⚒ ⚐ terrain
multisports
Services : ⟞ ♨ ♨ ⚐ 🛜 laverie ♨ ♨

G P S   E : 1.11481
          N : 44.90843

⚠ Flower La Châtaigneraie ♠♠

✆ 0553590361, www.camping-lachataigneraie24.com

Pour s'y rendre : à Prats-de-Carlux, lieu-dit : La Garrigue Basse
(10 km à l'est par la D 47 et à drte)

Ouverture : de fin avr. à fin sept.

9 ha (193 empl.) en terrasses, plat, herbeux, sablonneux

Empl. camping : 16€ ✻✻ ⇐ 📧 ⚡ (10A) - pers. suppl. 8€ - frais de
réservation 20€

Location : (de fin avr. à fin sept.) - 58 ⟮⟯ - 11 ⌂ - 1 ⍃ - 5 tente
lodges - 5 cabanons. Nuitée 39 à 243€ - Sem. 196 à 1 701€ - frai
de réservation 20€

⟮⟯ borne artisanale 33€ - 15 📧 33€

*i parc aquatique et ludique entouré de murets en pierre du
*ys et grands espaces verts propices à la détente ou les sports
*lectifs.

ature :
oisirs : ♈ ✕ 🏠 ⑨ ⚘ 🚴 ✂ ⏃ 🏊 ⚓
ervices : ⚬━ 🛁 ♨ ⚱ ☕ laverie ⚒ ⚯

G P S E : 1.29871 N : 44.90056

⛺ Domaine de Loisirs le Montant ⚥

05 53 59 18 50, www.camping-sarlat.com

ur s'y rendre : lieu-dit : Nègrelat (2 km au sud-ouest par D 57, rte
Bergerac puis 2,3 km par chemin à dr.)

ha/8 campables (135 empl.) fort dénivelé, vallonné, en terrasses,
, herbeux

ation : 26 🚐 - 26 🏠 - 2 gîtes.

atif varié et de qualité dans un cadre sauvage, vallonné et
isé.

ature :
oisirs : ♈ ✕ 🏠 ⑨ nocturne ⚘ jacuzzi ⚓
🏊 ⚓ terrain multisports
ervices : ⚬━ 🛁 ♨ ⚱ ☕ laverie ⚯

G P S E : 1.18903 N : 44.86573

⛺ Huttopia Sarlat ⚥

05 53 59 05 84, www.huttopia.com

ur s'y rendre : r. Jean-Gabin (1 km au nord-est, à la sortie de la
)

verture : de déb. avr. à déb. nov.

na/5 campables (195 empl.) fort dénivelé, en terrasses, plat,
beux

pl. camping : 43,50€ 🔌🔌 ⚌ 🔲 ⚡ (10A) - pers. suppl. 7,90€

ation : (de déb. avr. à déb. nov.) - 20 🚐 - 4 🏠 -
tentes lodges - 4 roulottes - 15 gîtes. Nuitée 43 à 172€ - Sem.
à 1 204€

borne artisanale 7€

terrasses souvent ombragées, beaux emplacements et loca-
variés, de bon confort.

ature :
oisirs : ♈ ✕ 🏠 ⑨ ⚘ 🚴 ✂ 🏊 ⚓
ervices : ⚬━ 🛁 ♨ ⚱ ☕ laverie ⚯

G P S E : 1.22767 N : 44.89357

⛺ Domaine des Chênes Verts ⚥

05 53 59 21 07, www.chenes-verts.com - peu d'emplacements pour
tes et caravanes

ur s'y rendre : rte de Sarlat et Souillac (8,5 km au sud-est)

verture : de déb. avr. à fin sept.

a (176 empl.) en terrasses, peu incliné, plat, herbeux

pl. camping : 31€ 🔌🔌 ⚌ 🔲 ⚡ (10A) - pers. suppl. 7€ - frais de
ervation 20€

ation : (de déb. avr. à fin sept.) - ♿ (1chalet) - 70 🚐 - 70 🏠 -
bungalows toilés. Nuitée 32 à 180€ - Sem. 224 à 1 290€ - frais
réservation 20€

ace vie et animations au pied d'une jolie bâtisse périgour-
e et bon confort des chalets en location.

ature :
oisirs : ♈ ✕ 🏠 ⑨ ⚘ 🚴 🎠🏊 ⚓ mini
rme terrain multisports
ervices : ⚬━ ☕ laverie ⚒ ⚯

G P S E : 1.2972 N : 44.86321

Coordonnées du terrain
Adress of campsite
Adresse des Campingplatzes
Adressen van het kampeerterrein

Mentions d'accès au camping
Directions to campsite
Anfahrtsweg zum Campingplatz
Aanduiding toegangswegen naar het terrein

Type de borne et tarifs des services -
nombre d'emplacements pour camping-cars et tarifs
Type of service point and rates - Number of pitches for
campervans and rates
**Art der Ver- u. Entsorgungsstation und Preis -
Anzahl der Plätze für Wohnmobile und Preis**
Type aansluitpalen en prijs -
Aantal plaatsen voor camping cars en prijs

GPS

Pour les légendes détaillées, se reporter aux pages 14 à 16
For detailed legends, see pages 17 to 19
Einzelheiten der Zeichenerklärung, siehe Seite 20 bis 22
Gedetailleerde verklaring van de tekens, zie blz. 23 en 25

Le guide Camping Michelin retient dans sa sélection les meilleures adresses dans chaque catégorie de confort :

- ▲▲▲ ▲▲▲ Très confortable, parfaitement aménagé
- ▲▲ ▲▲ Confortable, très bien aménagé
- ▲▲ ▲▲ Bien aménagé, de bon confort
- ▲▲ ▲▲ Assez bien aménagé
- ▲ ▲ Simple mais convenable

Il distingue les terrains exceptionnels dans chaque catégorie :

- ▲▲▲ ... ▲ particulièrement agréable pour le cadre, la qualité et la variété des services.

Ce qu'il faut savoir sur la sélection :

• Les terrains sont cités par ordre de préférence dans chaque catégorie.

• Pour garder un point de vue parfaitement objectif, la sélection s'effectue en toute indépendance et l'inscription des terrains dans le guide est totalement gratuite.

• Notre classification indiquée par un nombre de tentes (▲▲▲ ... ▲) est indépendante du classement officiel établi en étoiles par les préfectures.

• Toutes les informations pratiques, tous les classements sont revus et mis à jour chaque année afin d'offrir l'information la plus fiable.

• Les terrains sont visités régulièrement par nos inspecteurs ; le courrier des lecteurs nous fournit par ailleurs de précieuses informations qui sont prises en compte lors des visites des inspecteurs.

En 2019, 30 campings ont été classés ▲▲▲ / ▲▲▲ et 109 ▲▲ / ▲▲ .
Cette sélection se trouve page 12.

The Michelin Camping Guide selection lists the best sites in each 'comfort' category:

- ▲▲▲ ▲▲▲ Extremly comfortable, equipped to a very high standard
- ▲▲ ▲▲ Very comfortable, equipped to a high standard
- ▲▲ ▲▲ Confortable and well equipped
- ▲▲ ▲▲ Reasonably comfortable
- ▲ ▲ Satisfactory

Exceptional campsites in each category are awarded an additional rating:

- ▲▲▲ ... ▲ Particularly pleasant setting, good quality and range of services available

How the selection works:

• Campsites are listed in order of preference within each category.

• In order for the guide to remain wholly objective, the selection is made on an entirely independent basis. There is no charge for being selected for the guide.

• The Michelin classification (▲▲▲ ... ▲) is totally independent of the official star classification system awarded by the local prefecture.

• All the practical information and the classification are revised and updated annually so that the information is as reliable and up to date as possible.

• Our inspectors make regular visits to campsites; our readers' comments are also a valuable source of information, and regular follow-up visits are undertaken.

30 campsites have been classified ▲▲▲ / ▲▲▲ and 109 ▲▲ / ▲▲ in 2019.
This selection can be found page 12.

Der Michelin Camping-Führer bietet in seiner Auswahl die besten Adressen jeder Komfortkategorie :

ΛΛΛΛ ΛΛΛΛ   Sehr komfortabel, ausgezeichnet ausgestattet

ΛΛΛΛ ΛΛΛ   Komfortabel, sehr gut ausgestattet

ΛΛΛ ΛΛ   Mit gutem Komfort ausgestattet

ΛΛ ΛΛ   Ausreichend ausgestattet

Λ Λ   Einfach, aber ordentlich

Die besonders bemerkenswerte Adressen haben eine Auszeichnung erhalten :

ΛΛΛΛ … Λ   Besonders schöne Lage, gutes und vielfältiges Serviceangebot

Was man von der Auswahl kennen muß:

• Die Reihenfolge der Campingplätze innerhalb einer Kategorie entspricht unserer Empfehlung.

• Um einen objektiven Standpunkt zu bewahren, wird die Auswahl der Campingplätze in kompletter Unabhängigkeit erstellt. Die Empfehlung im dieser Führer ist daher kostenlos.

• Unsere Klassifizierung, durch eine entsprechende Anzahl von Zelten (ΛΛΛΛ … Λ) ausgedrückt, ist unabhängig von der offiziellen Klassifizierung durch Sterne, die von den Präfekturen vorgenommen wird.

• Alle praktischen Hinweise, alle Klassifizierungen werden jährlich aktualisiert, um die genauestmögliche Information zu bieten.

• Die Inspektoren testen regelmässig die Campingplätze ; die Zuschriften unserer Leser stellen darüber hinaus wertvolle Erfahrungsberichte für uns dar und wir benutzen diese Hinweise, um unsere Besuche vorzubereiten.

In den 2019, 30 Campingplätze sind ΛΛΛΛ / ΛΛΛΛ und 109 ΛΛ / ΛΛ geordnet. Diese Auswahl findet sich Zeite 12.

De guide Camping Michelin in haar selectie de beste adressen in elke categorie van comfort:

ΛΛΛΛ ΛΛΛΛ   Buitengewoon comfortabel, uitstekende inrichting

ΛΛΛΛ ΛΛΛ   Comfortabel, zeer goede inrichting

ΛΛΛ ΛΛ   Goed ingericht, geriefelijk

ΛΛ ΛΛ   Behoorlijk ingericht

Λ Λ   Eenvoudig maar behoorlijk

Uitzonderlijke camping ontving een award in elke categorie :

ΛΛΛΛ … Λ   Bijzonder aangenaam vanwege de omgeving, de kwaliteit en de diversiteit van de voorzieningen.

Wat het noodzakelijk over de selectie te weten is:

• De terreinen worden voor iedere categorie opgegeven in volgorde van voorkeur.

• Om objectief te blijven gebeurt de selectie van de terreinen in alle onafhankelijkheid en is een vermelding in de Gids volledig gratis.

• Onze classificatie wordt aangegeven met een aantal tenten (ΛΛΛΛ … Λ). Zij staat los van de officiële classificatie die wordt uitgedrukt in sterren.

• Ieder jaar worden alle praktische inlichtingen en classificaties herzien en eventueel aangepast om zo de meest betrouwbare en actuele informatie te kunnen bieden.

• Onze inspecteurs testen regelmatig de adressen ; brieven en e-mails van lezers zijn voor ons ook een belangrijke bron van informatie.

In 2019, zijn 30 kampeerterreinen ΛΛΛΛ / ΛΛΛΛ en 109 ΛΛ / ΛΛ ingedeeld. De selectie pagina 12.

⛰ (4 tentes)

ARGELÈS-GAZOST	Sunêlia Les Trois Vallées	DOL-DE-BRETAGNE	Les Castels Domaine des Ormes
ARGELÈS-SUR-MER	Village Vacances La Sirène et l'Hippocampe	GHISONACCIA	Arinella Bianca
BERNY-RIVIÈRE	La Croix du Vieux Pont	LABENNE-OCÉAN	Yelloh! Village Sylvamar
BISCARROSSE	Club Airotel Domaine de la Rive	LECTOURE	Yelloh! Village Le Lac des 3 Vallées
CANET-PLAGE	Yelloh! Village Le Brasilia	PERROS-GUIREC	Yelloh! Village Le Ranolien
CARNAC	Les Castels La Grande Métairie	ST-JUST-LUZAC	Le Séquoia Parc

⛰

ARZANO	Iris Parc Ty Nadan	MARSEILLAN-PLAGE	Les Méditerranées Beach Garden
AZUR	Capfun La Paillotte	MÉZOS	Club Airotel Le Village Tropical Sen Yan
BELVÈS	RCN Le Moulin de la Pique	MONTCLAR	Yelloh! Village Domaine d'Arnauteille
BIRON	Capfun Le Moulinal		
BISCARROSSE	AMAC - Mayotte Vacances	MUROL	Sunêlia La Ribeyre
BONIFACIO	Pertamina Village - U-Farniente	Pornic	Club Airotel La Boutinardière
CANET-DE-SALARS	Les Castels Le Caussanel	PYLA-SUR-MER	Yelloh! Village Panorama du Pyla
CARANTEC	Yelloh! Village Les Mouettes	QUIMPER	Les Castels L'Orangerie de Lanniron
LA CHAPELLE-HERMIER	Yelloh! Village Le Pin Parasol	RAMATUELLE	Village Vacances Toison d'Or
CHASSIERS	Sunêlia Domaine Les Ranchisses	RUOMS	Sunêlia Aluna Vacances
CONTIS-PLAGE	Yelloh! Village Lous Seurrots	ST-BREVIN-LES-PINS	Sunêlia le Fief
DIENNÉ	DéfiPlanet à Dienné	ST-CAST-LE-GUILDO	Les Castels Le Château de Galinée
FRÉJUS	Yellow! Village Domaine du Colombier	ST-CRÉPIN-ET-CARLUCET	Sandaya Les Peneyrals
GHISONACCIA	Homair Vacances Marina d'Erba Rossa	ST-LÉON-SUR-VÉZÈRE	Le Paradis
GRANVILLE	Les Castels Le Château de Lez-Eaux	SAMPZON	Yelloh! Village Soleil Vivarais
GRIMAUD	Les Prairies de la Mer	SARLAT-LA-CANÉDA	La Palombière
GUÉRANDE	Domaine de Léveno	SERIGNAN-PLAGE	Yelloh! Village Aloha
HOURTIN-PLAGE	Club Airotel La Côte d'Argent	SOMMIÈRES	Le Domaine de Massereau
ÎLE D'OLÉRON	Camping-Club Verébleu	SOUSTONS	Sandaya Soustons Village
ÎLE DE RÉ	Sunêlia Interlude	TALMONT-ST-HILAIRE	Sandaya Le Littoral
LACANAU-OCÉAN	Yelloh! Village Les Grands Pins	VALLON-PONT-D'ARC	Nature Parc L'Ardéchois
LONGEVILLE-SUR-MER	MS Vacances Les Brunelles	VIAS-PLAGE	Yelloh! Village Club Farret
MARSEILLAN-PLAGE	Les Méditerranées Beach Club Nouvelle Floride	VITRAC	AMAC - Domaine Soleil Plage

⛰

AGAY	Esterel Caravaning	ROQUEBRUNE-SUR-ARGENS	Les Castels Domaine de la Bergerie
BADEN	Yelloh! Village Mané Guernehué	ST-ALBAN	Sunêlia Le Ranc Davaine
BÉNODET	Sunêlia L'Escale St-Gilles	ST-AVIT-DE-VIALARD	Les Castels St-Avit Loisirs
BIDART	Le Ruisseau des Pyrénées	ST-GIRONS	Sandaya Le Col Vert
FRÉJUS	La Baume - La Palmeraie	ST-RAPHAËL	Sandaya Douce Quiétude
LACANAU-OCÉAN	Club Airotel L'Océan	SÉRIGNAN	Yelloh! Village Le Sérignan Plage
MESSANGES	Club Airotel Le Vieux Port	VALRAS-PLAGE	Domaine de La Yole
PIERREFITTE-SUR-SAULDRE	Les Alicourts	VIAS-PLAGE	Sunêlia Domaine de la Dragonnière
RAMATUELLE	Yellow! Village Les Tournels		

AIGUES-MORTES	Yelloh! Village La Petite Camargue	MOLIETS-ET-MAA	Le Saint-Martin
		MONTERBLANC	Le Haras
L'AIGUILLON-SUR-MER	Oléla Bel Air	MONTREVEL-EN-BRESSE	La Plaine Tonique
ARGELÈS-SUR-MER	Le Front de Mer	OLONNE-SUR-MER	Sunêlia La Loubine
ARGELÈS-SUR-MER	Club Airotel Le Soleil	OLONNE-SUR-MER	MS Vacances Le Trianon
AVRILLÉ	Capfun Les Forges	LA PALMYRE	Palmyre Loisirs
LE BARCARÈS	Club Airotel Le Floride et l'Embouchure	LA PALMYRE	Siblu Villages Bonne Anse Plage
		PARENTIS-EN-BORN	Yelloh! Village Au Lac de Biscarrosse
BELVÈS	Capfun Les Hauts de Ratebout		
BÉNODET	Le Letty	PORT-CAMARGUE	Yelloh! Village Les Petits Camarguais
BIDART	Yelloh! Village Ilbarritz		
BORMES-LES-MIMOSAS	Le Camp du Domaine	PORTIRAGNES-PLAGE	Les Sablons
BOURDEAUX	Yelloh! Village Les Bois du Châtelas	PORTO-VECCHIO	Golfo di Sogno
CARNAC-PLAGE	Les Menhirs	RONCE-LES-BAINS	La Clairière
CASTELLANE	Sandaya Le Domaine du Verdon	RUOMS	Tohapi Domaine de Chaussy
CHAMBON-SUR-LAC	Yelloh! Village Le Pré Bas	ST-AYGULF	L'Étoile d'Argens
CHÂTEAU-D'OLONNE	Cybele Vacances Le Bel Air	ST-CYPRIEN-PLAGE	Cala Gogo
CHÂTEAU-D'OLONNE	Les Pirons Aloa Vacances	ST-CYPRIEN-PLAGE	Le Soleil de la Méditerranée
CHÂTEAUNEUF-DE-GALAURE	Iris Parc Le Château de Galaure	ST-HILAIRE-DE-RIEZ	Les Biches
		ST-JEAN-DE-LUZ	Club Airotel Itsas Mendi
COL-ST-JEAN	Yelloh! Village L'Étoile des Neiges	ST-JEAN-DE-MONTS	Les Amiaux
CORCIEUX	Yelloh! Village Le Domaine des Bans	ST-JEAN-DE-MONTS	Le Bois Joly
LE CROISIC	L'Océan	ST-JULIEN-DES-LANDES	Les Castels La Garangeoire
DEAUVILLE	La Vallée de Deauville	STE-CATHERINE-DE-FIERBOIS	Les Castels Parc de Fierbois
DOUCIER	Domaine de Chalain		
FOUESNANT	Sunêlia L'Atlantique	STE-MARIES-DE-LA-MER	Sunêlia Le Clos du Rhône
FRÉJUS	Sunêlia Holiday Green	SARLAT-LA-CANÉDA	Les Castels Le Moulin du Roch
GHISONACCIA	Sunêlia Village Vacances Perla Di Mare		
		TORREILLES-PLAGE	AMAC 6 Les Dunes
GIEN	Les Castels Les Bois du Bardelet	TORREILLES-PLAGE	Sunêlia Les Tropiques
ÎLE D'OLÉRON	Club Airotel Les Gros Joncs	TORREILLES-PLAGE	Marisol
ÎLE DE RÉ	L'Océan	VARENNES-SUR-LOIRE	Sunêlia Domaine de la Brèche
LIT-ET-MIXE	Tohapi Les Vignes		
MARIGNY	Capfun La Pergola	VIAS-PLAGE	Cap Soleil
LES MATHES	AMAC - La Pinède	VINSOBRES	Capfun Le Sagittaire
LES MATHES	L'Orée du Bois	VOGÜÉ	Domaine du Cros d'Auzon
MIMIZAN-PLAGE	Club Airotel Marina-Landes	VOLONNE	Sunêlia L'Hippocampe

Pour retrouver une localité dans le guide, consultez l'index en fin de guide.

You can find a particular village or town the index at the end of the guide.

Um eine Örtlichkeit im Führer wiederzufinden, sehen Sie die Inhaltsangabe am Ende des Führers.

Op zoek naar een dorp in de gids, raadpleeg de index achter in de gids.

TERRAINS

Classement Michelin

 Très confortable, parfaitement aménagé

Confortable, très bien aménagé

Bien aménagé, de bon confort

Assez bien aménagé

Simple mais convenable

• **Les terrains sont cités par ordre de préférence dans chaque catégorie.**

• **Notre classification indiquée par un nombre de tentes (...) est indépendante du classement officiel établi en étoiles par les préfectures.**

Ouvertures

Permanent   terrain ouvert toute l'année

Sélections particulières

❅   caravaneige – campings spécialement équipés pour les séjours d'hiver (chauffage, branchements électriques de forte puissance, salle de séchage, etc.).

👥   structure adaptée à l'accueil des enfants, proposant, entre autres, des sanitaires pour les tout-petits, des aires de jeux et des animations encadrées par des professionnels

Exceptionnel dans sa catégorie

... △   particulièrement agréable pour le cadre, la qualité et la variété des services.

🦢🦢   terrain très tranquille, isolé – tranquille surtout la nuit

≪≪   vue exceptionnelle – vue intéressante ou étendue

Situation et fonctionnement

Pour s'y rendre   adresse indiquée par rapport au centre de la localité

📞   Téléphone

⚷   Présence d'un gardien ou d'un responsable pouvant être contacté 24h/24 ; attention, ceci ne signifie pas nécessairement une surveillance effective

⚷   Gardé le jour seulement

🐕‍🦺   Accès interdit aux chiens ; en l'absence de ce signe, la présentation d'un carnet de vaccination à jour est obligatoire.

🅿   Parking obligatoire pour les voitures en dehors des emplacements

📷   Pas de réservation

💳   Cartes Bancaires non acceptées

✓   Chèques-vacances non acceptés

Caractéristiques générales

3 ha   Superficie en hectares

60 ha/ 3 campables   Superficie totale (d'un domaine) et superficie du camping proprement dit

(90 empl.)   Capacité d'accueil en nombre d'emplacements

▭   Emplacements nettement délimités

♀ ♀♀ ♀♀♀   Ombrage léger – moyen – fort (sous-bois)

⛵   Au bord de l'eau avec possibilité de baignade

Services

▥   Installations chauffées

🛁   Salle de bains pour bébés

🚰 ⚒   Branchements individuels : Eau – Évacuation

Lave-linge

Supermarché – Magasin d'alimentation

Plats cuisinés à emporter

Wifi

Services pour camping-cars

Service pour camping-cars

borne Raclet
4 €   Type de borne et prix

3 🔳 15,50 €   Emplacements aménagés pour camping-cars – nombre d'emplacements – redevance journalière pour l'emplacement

Formule Stop accueil camping-car FFCC

8 à 13 €   Redevance journalière pour la formule (avec ou sans électricité)

Loisirs

Bar (licence III ou IV)

Restauration, snack

Salle de réunion, de séjour, de jeux

Animations diverses (sportives, culturelles, détente)

Club pour enfants

Salle de remise en forme

Sauna

Jeux pour enfants

Location de vélos

Tennis découvert – couvert

Golf miniature

Piscine couverte – découverte

Bains autorisés ou baignade surveillée

Toboggan aquatique

Pêche

Canoë

Voile (école ou centre nautique)

Ponton d'amarrage, halte fluviale

Promenade à cheval ou centre équestre

● **La plupart des services et certains loisirs de plein air ne sont généralement accessibles qu'en saison, en fonction de la fréquentation du terrain et indépendamment de ses dates d'ouverture.**

À prox.   Nous n'indiquons que les aménagements ou installations qui se trouvent dans les proches environs (500 m)

Tarifs en €

Redevances journalières :

5 €   par personne

2 €   pour le véhicule

🔳 7,50 €   pour l'emplacement (tente/caravane)

2,50 € (4A)   pour l'électricité (nombre d'ampères)

Redevances forfaitaires :

25€ 🔳 (10A)   emplacement pour 2 personnes, véhicule et électricité compris

● **Les prix ont été établis à l'automne 2018 et s'appliquent à la haute saison (à défaut, nous mentionnons les tarifs pratiqués l'année précédente). Dans tous les cas, ils sont donnés à titre indicatif et susceptibles d'être modifiés si le coût de la vie subit des variations importantes.**

● **Le nom des campings est inscrit en caractères maigres lorsque les propriétaires ne nous ont pas communiqué tous leurs tarifs.**

Locations et tarifs

12 	Nombre de mobile homes
20	Nombre de chalets
6	Nombre de chambres
Nuitée 30 à 50€	Prix mini/maxi à la nuitée
Sem. 300 à 800€	Prix mini/maxi à la semaine
&#9855;	Locatif accessibles aux personnes à mobilité réduite

LOCALITÉS

23700	Numéro de code postal
343 B8	N° de la carte Michelin Départements et coordonnées de carroyage
Rennes 47	Distance en kilomètres
1050 h.	Population
alt. 675	Altitude de la localité
	Station thermale
1200/1900 m	Altitude de la station et altitude maximum atteinte par les remontées mécaniques

• **Certaines prestations (piscine, tennis) de même que la taxe de séjour peuvent être facturées en sus.**

• **Les enfants bénéficient parfois de tarifs spéciaux ; se renseigner auprès du propriétaire.**

• **En cas de contestation ou de différend, lors d'un séjour sur un terrain de camping, au sujet des prix, des conditions de réservation, de l'hygiène ou des prestations, efforcez-vous de résoudre le problème directement sur place avec le propriétaire du terrain ou son représentant.**

• **Faute de parvenir à un arrangement amiable, et si vous êtes certain de votre bon droit, adressez-vous aux Services compétents de la Préfecture du département concerné.**

• **En ce qui nous concerne, nous examinons attentivement toutes les observations qui nous sont adressées afin de modifier, le cas échéant, les mentions ou appréciations consacrées aux campings recommandés dans notre guide, mais nous ne possédons ni l'organisation, ni la compétence ou l'autorité nécessaires pour arbitrer et régler les litiges entre propriétaires et usagers.**

CAMPSITES

Michelin classification

𝖬𝖬𝖬 𝖬𝖬𝖬𝖬	Extremly comfortable, equipped to a very high standard
𝖬𝖬 𝖬𝖬𝖬	Very comfortable, equipped to a high standard
𝖬 𝖬𝖬	Confortable and well equipped
𝖬 𝖬	Reasonably comfortable
ᐃ ᐃ	Satisfactory

• **Camping sites are ranked according to their location, facilities, etc., within each category.**

• **Michelin classification (𝖬𝖬𝖬 … ᐃ) is totally independent of the official star classification system awarded by the local prefecture.**

Opening times

Permanent   Site open all year round

Special features

❄ Winter caravan sites – These sites are specially equipped for a winter holiday in the mountains. Facilities generally include central heating, electricity and drying rooms for clothes and equipment.

👥 Child-friendly sites, including washing facilities for young children, playgrounds and activities monitored by professionals

Exceptional in its category

𝖬𝖬𝖬 … ᐃ Particularly pleasant setting, quality and range of services available

🦢 🦢 Tranquil, isolated site – Quiet site, particularly at night

≼ ≼ Exceptional view – Interesting or panoramic view

General information

Pour s'y rendre	Direction from the city center
ℰ	Telephone
�smartkey	24 hour security: a warden usually lives on site and can be contacted during reception hours, although this does not mean round-the-clock surveillance outside normal hours
� key	Day security only
🐕̸	No dogs (if dogs are permitted, a current vaccination certificate is required)
℗	Cars must be parked away from pitches
℞	Reservations not accepted
⊘	Credit cards not accepted
⊘	Chèque-vacances (French holiday vouchers) not accepted

General characteristics

3 ha	Area available (in hectares; 1ha = 2.47 acres)
60 ha/ 3 campables	Total area of the property/ total area available for camping
(90 empl.)	Number of pitches
⊏⊐	Marked-off pitches
♀ ♀♀ ♀♀♀	Shade – Fair amount of shade – Well shaded
⛵	Waterside location with swimming area

Facilities

▥	Heating facilities ›
⨆	Baby changing facilities
⌁ ⌂	Each bay is equipped with water – drainage

Washing machines

Supermarket – Grocery

Takeaway meals

Wifi

Facilities for campervans

Services for campervans

borne Raclet
4 € — Type of service points and rates

3 📧 15,50 € — Number of pitches equipped for campervans – daily rate per site

Special FFCC price for campervans at the site (Fédération Française de Camping et Caravaning)

8 à 13 €
[⚡] — Daily charge for this special price (with or without electricity)

Sports and leisure facilities

Bar (serving alcohol)

Eating places (restaurant, snack-bar, etc.)

Common room or games room

Miscellaneous activities (sports, culture, leisure)

Children's club

Exercice room

Sauna

Playground

Cycle hire

Tennis courts: open air – indoor

Minigolf

Swimming pool: indoor – open air

Bathing allowed or super-vised bathing

Waterslide

Fishing

Canoeing

Sailing (school or centre)

Mooring pontoon (river mooring)

Pony trekking or riding

• **The majority of outdoor leisure facilities are only open in season and during peak periods; opening times are not necessarily the same as those of the site and some facilities are only available during the summer season.**

À prox. — The guide only features facilities that are in the vicinity of the campsite (500 m)

Charges in euros (€)

Daily charge:

🚶 5 € — per person

🚗 2 € — per vehicle

📧 7,50 € — per pitch (tent/caravan)

[⚡] 2,50 €
(4A) — for electricity (calculated by number of ampere units)

Inclusive rates:

25€ 🚶🚶 🚗 — pitch for 2 people

📧 [⚡] (10A) — including vehicle and electricity

• **The prices listed were supplied by the campsites owners in Autumn 2018 (if prices were not available, those from the previous year are given). The fees should be regarded as basic charges and may fluctuate with inflation.**

• **Listings shown in** light type **(i.e. not bold) indicate that not all revised charges have been provided by the owners.**

• **Additional charges may apply for some facilities (e.g., swimming pool, tennis courts), as well as for long stays.**

• **Special rates may apply for children – ask owner for details.**

Rentals

12	Number of mobile homes
20	Number of chalets
6	Number of rooms to rent
Nuitée 30 à 50€	Minimum/maximum rates per night
Sem. 300 à 800€	Minimum/maximum rates per week
	Facilities for the disabled

LOCALITY INFORMATION

23700	Postcode
343 B8	Michelin map reference
Rennes 47	Distance in kilometres
1 050 h.	Population
alt. 675	Altitude (in meters)
	Spa
1200/1900 m	Altitude (in metres) of resort / highest point reached by lifts

• **Should you have grounds for complaint during your stay at a campsite about your reservation, the prices, standards of hygiene or facilities available, we recommend that you first try to resolve the problem with the proprietor or the person responsible.**

• **If you are unable to resolve the disagreement, and if you are sure that you are within your rights, you could take the matter up with the relevant prefecture of the departement.**

• **We welcome all suggestions and comments, wether in criticism or praise, relating to the campsites recommended in our guide. However, we must stress that we have neither the facilities, nor the authority to deal with complaints between campers and proprietors.**

CAMPINGPLÄTZE

Michelin-Klassifizierung

ⵉⵉⵉⵉ ⵉⵉⵉⵉ Sehr komfortabel, ausgezeichnet ausgestattet

ⵉⵉⵉ ⵉⵉⵉ Komfortabel, sehr gut ausgestattet

ⵉⵉ ⵉⵉ Mit gutem Komfort ausgestattet

ⵉ ⵉ Ausreichend ausgestattet

⚠ ⚠ Einfach, aber ordentlich

- **Die Reihenfolge der Campingplätze innerhalb einer Kategorie entspricht unserer Empfehlung.**

- **Unsere Klassifizierung, durch eine entsprechende Anzahl von Zelten (ⵉⵉⵉ ... ⚠) ausgedrückt, ist unabhängig von der offiziellen Klassifizierung durch Sterne, die von den Präfekturen vorgenommen wird.**

Öffnungszeiten

Permanent   Campingplatz ganzjährig geöffnet

Besondere Merkmale

❄ Diese Gelände sind speziell für Wintercamping ausgestattet (Heizung, Starkstromanschlüsse, Trockenräume usw.)

👥 Kinderfreundliches Konzept, das u.a. Sanitäranlagen für die Kleinsten, Spielplätze und ein Animations-Programm durch geschultes Personal bietet

Besonders schöne und ruhige Lage

ⵉⵉⵉ ... ⚠ Besonders schöne Lage, gutes und vielfältiges Serviceangebot

🦢 🦢 Ruhiger, abgelegener Campingplatz – Ruhiger Campingplatz, besonders nachts

≪ ≪ Eindrucksvolle Aussicht – Interessante oder weite Sicht

Lage und Dienstleistungen

Pour s'y rendre   Richtung vom Stadtzentrum entfernt

☎ Telefon

⚷ Eine Aufsichtsperson kann Tag und Nacht bei Bedarf erreicht werden: Dies bedeutet jedoch nicht, dass der Platz nachts bewacht ist.

⚷ – nur tagsüber

🐕 Hunde nicht erlaubt – wenn dieses Zeichen nicht vorhanden ist, muss ein gültiger Impfpass vorgelegt werden

🅿 Parken nur auf vorgeschriebenen Parkplätzen außerhalb der Stellplätze.

🏨 Keine Reservierung

💳 Keine Kreditkarten

☑ Keine « Chèques vacances »

Allgemeine Beschreibung

3 ha   Nutzfläche (in Hektar)

60 ha/ 3 campables   Gesamtfläche (eines Geländes) und Nutzfläche für Camping

(90 empl.)   Anzahl der Stellplätze

🔲 Abgegrenzte Stellplätze

🌳 🌳 🌳 Leicht schattig – ziemlich schattig – sehr schattig

⚠ Am Wasser – mit Bademöglichkeit

Service

🔳 Beheizte sanitäre Anlagen

👶 Wickelraum

🚰 Individuelle Anschlüsse : Wasser – Abwasser

🧺 Waschmaschinen

🛒 Supermarkt – Lebensmittelgeschäft

🍽 Fertiggerichte zum Mitnehmen

📶 Wifi

Service für Wohnmobile

🚐	Service-Einrichtungen für Wohnmobile (Stromanschluss, Ver-/Entsorgung Wasser)
borne Raclet 4 €	Art der Ver- u. Entsorgungsstation und Preis
3 ▣ 15,50 €	Stellplatz für Wohnmobile – Anzahl der Stellplätze – Pauschalpreis/Stellplatz.
🌙	Sonderpreis für FFCC-Karteninhaber mit Wohnmobil auf dem Campingplatz
8 à 13 € [⚡]	Pauschalpreis (mit oder ohne Strom)

Freizeitmöglichkeiten

🍸	Bar mit Alkoholausschank
✕	Restaurant, Snack-Bar
🏠	Gemeinschaftsraum, Aufenthaltsraum, Spielhalle …
🎭	Diverse Freizeitangebote (Sport, Kultur, Entspannung)
🤸	Kinderspielraum
🏋	Fitnesscenter
⌓s	Sauna
🛝	Kinderspielplatz
🚲	Fahrradverleih
🎾 🎾	Tennisplatz – Hallentennisplatz
m	Minigolfplatz
🏊 🏊	Hallenbad – Freibad
🏖	Baden erlaubt, teilweise mit Aufsicht
🛝	Wasserrutschbahn
🎣	Angeln
🛶	Kanu
⛵	Segeln (Segelschule oder Segelclub)
⚓	Festmachen Ponton, Flußhalt
🐎	Reiten

- **Die meisten dieser Freizeitmöglichkeiten stehen nur in der Hauptsaison zur Verfügung oder sie sind abhängig von der Belegung des Platzes. Auf keinen Fall sind sie identisch mit der Öffnungszeit des Platzes.**

À prox.	Wir geben nur die Einrichtun-gen an, welche sich in der Nähe des Platzes befinden (500 m)

Preise in €

Tagespreise:

🧍 5 €		pro Person
🚗 2 €		für das Auto
▣ 7,50 €		Platzgebühr (Zelt/Wohnwagen)
[⚡] 2,50 € (4A)		Stromverbrauch (Anzahl der Ampere)

Pauschalpreise:

25€ 🧍🧍 🚗 Stellplatz für 2 Personen
▣ [⚡] (A) Fahrzeug und Strom

- **Die Preise wurden uns im Herbst 2018 mitgeteilt, es sind Hochsaisonpreise (falls nicht, sind die Preise des Vorjahres angegeben). Die Preise sind immer nur als Richtpreise zu betrachten. Sie können sich seit Redaktionsschluss noch einmal geändert haben.**

- **Der Name eines Campingplatzes ist dünn gedruckt, wenn der Eigentümer uns keine Preise genannt hat.**

- **Für einige Einrichtungen (Schwimmbad, Tennis) sowie die Kurtaxe können separate Gebühren erhoben werden.**

- **Für Kinder erhält man im Allgemeinen spezielle Kindertarife. Erkundigen Sie sich beim Eigentümer.**

Vermietung und Preise

12	Anzahl der Mobilheime
20	Anzahl der Chalets
6	Anzahl der Zimmer
Nuitée 30 à 50€	Mindest-/Höchstpreis pro Nacht
Sem. 300 à 800€	Mindest-/Höchstpreis pro Woche
&#9855;	Mietunterkünfte behindertengerecht

ORTE

23700	Postleitzahl
343 B8	Nr. der Michelin-Karte und Planquadrat
Rennes 47	Entfernung in Kilometern
1 050 h.	Einwohnerzahl
alt. 675	Höhe in Metern
♨	Heilbad
1200/1900 m	Höhe des Wintersportgebietes und Maximalhöhe, die mit Kabinenbahn oder Lift erreicht werden kann

• **Falls bei Ihrem Aufenthalt auf dem Campingplatz Schwierigkeiten bezüglich der Preise, Reservierung, Hygiene o.ä. auftreten, sollten Sie versuchen, diese direkt an Ort und Stelle mit dem Campingplatzbesitzer oder seinem Vertreter zu regeln.**

• **Wenn Sie von Ihrem Recht überzeugt sind, es Ihnen jedoch nicht gelingt, zu einer allseits befriedigenden Lösung zu kommen, können Sie sich an die entsprechende Stelle bei der zuständigen Präfektur wenden.**

• **Unsererseits überprüfen wir sorgfältig alle bei uns eingehenden Leserbriefe und ändern gegebenenfalls die Platzbewertung im Führer. Wir besitzen jedoch weder die rechtlichen Möglichkeiten noch die nötige Autorität, um Rechtsstreitigkeiten zwischen Platzeigentümern und Platzbenutzern zu schlichten.**

TERREINEN

Classificatie Michelin

AAAA AAAA Buitengewoon comfortabel, uitstekende inrichting

AAA AAA Comfortabel, zeer goede inrichting

AAA AAA Goed ingericht, geriefelijk

AA AA Behoorlijk ingericht

A A Eenvoudig maar behoorlijk

• **De terreinen worden voor iedere categorie opgegeven in volgorde van voorkeur.**

• **Onze classificatie wordt aangegeven met een aantal tenten (AAAA ... A). Zij staat los van de officiële classificatie die wordt uitgedrukt in sterren.**

Openingstijden

Permanent Terrein het gehele jaar geopend

Bijzondere kenmerken

❄❄ Geselecteerd caravaneige – Deze terreinen zijn speciaal ingericht voor winterverblijf in de bergen (verwarming, electriciteitsaansluiting met hoog vermogen, droogkamer, enz.).

👥 Kindvriendelijk etablissement met o.a. speciaal sanitair voor de kleintjes, speeltuintje en kinderactiviteiten onder begeleiding van professionals

Aangenaam en rustig verblijf

AAAA ... A Bijzonder aangenaam vanwege de omgeving, de kwaliteit en de diversiteit van de voorzieningen.

🦢🦢 Zeer rustig, afgelegen terrein – Rustig, vooral 's nachts

≼≼ Bijzonder mooi uitzicht – Interessant uitzicht of vergezicht

Ligging en service

Pour s'y rendre Richting van het stadscentrum

📞 Telefoon

🔑 Er is een bewaker of een toezichthouder aanwezig die 24 uur per dag bereikbaar is. Dit betekent echter niet noodzakelijkerwijs dat er sprake is van een daad-werkelijke bewaking

🔑 – alleen overdag bewaakt.

🐕 Honden niet toegelaten – Bij afwezigheid van dit teken dient men een recent vaccinatieboekje te kunnen tonen.

🅿 Verplichte parkeerplaats voor auto's buiten de staanplaatsen

ℝ Reservering niet mogelijk

💳 Creditcards niet geaccepteerd

☑ « Chèques vacances » niet geaccepteerd

Algemene kenmerken

3 ha Oppervlakte in hectaren

60 ha/ 3 campables Totale oppervlakte (van een landgoed) en oppervlakte van het eigenlijke kampeerterrein

(90 empl.) Maximaal aantal staanplaatsen

▭ Duidelijk begrensde staanplaatsen

♀ ♀♀ ♔♔ Weinig tot zeer schaduwrijk

⚓ Aan de waterkant met mogelijkheid tot zwemmen

Voorzieningen

▥ Verwarmde installaties

♨ Wasplaats voor baby's

⚲ Waslokalen – Stromend water

⚱ ⚰ Individuele aansluitingen : Watertoevoer en-afvoer

Wasmachines

Supermarkt – Kampwinkel

Dagschotels om mee te nemen

Wifi

Voorzieningen voor campingcars

Serviceplaats voor campingcars

borne Raclet 4 € Type aansluitpalen en prijs

3 ▣ 15,50 € Serviceplaats voor camping cars – aantal plaatsen – dagtarief voor de plaats.

Ter plaatse speciale formule voor camper

8 à 13 € [⚡] Dagtarief voor formule (met of zonder elektriciteit)

Ontspanning

Bar (met vergunning)

Eetgelegenheid (restaurant, snackbar)

Zaal voor bijeenkomsten, dagverblijf of speelzaal

Diverse activiteiten (sport, cultuur, ontspanning)

Kinderopvang

Fitness

Sauna

Kinderspelen

Verhuur van fietsen

Tennis: overdekt – openlucht

Mini-golf

Zwembad : overdekt – openlucht

Vrije zwemplaats of zwemplaats met toezicht

Waterglijbaan

Hengelsport

Kano

Zeilsport(schoolofwater-sportcentrum)

Afmeren ponton, rivier stilstand

Tochten te paard, paardrijden

• **De meeste voorzieningen en bepaalde recreatiemogelijkheden in de open lucht zijn over het algemeen alleen toegankelijk tijdens het seizoen. Dit is afhankelijk van het aantal gasten op het terrein en staat los van de openingsdata.**

À prox. Wij vermelden alleen de faciliteiten of voorzieningen die zich in de omgeving van de camping bevinden (500 m)

Tarieven in €

Dagtarieven:

🧍 5 € per persoon

🚗 2 € voor het voertuig

▣ 7,50 € voor de staanplaats (tent, caravan)

[⚡] 2,50 € (4A) voor elektriciteit (aantal ampères)

Vaste tarieven:

25€ 🧍🧍 🚗
▣ [⚡](10A) Staanplaats voor 2 personen, voertuig en elektriciteit inbegrepen

• **De prijzen zijn vastgesteld in het najaar van 2018 en gelden voor het hoogseizoen (indien deze niet beschikbaar zijn, vermelden wij de tarieven van het afgelopen jaar).**

• **De prijzen worden steeds ter indicatie gegeven en kunnen gewijzigd worden indien de kosten voor levensonderhoud belangrijke veranderingen ondergaan.**

Verhuur en tarieven

12	🚐	Aantal stacaravans
20	🏠	Aantal huisjes
6	🛏	Aantal kamers
Nuitée 30 à 50€		Minimum/maximum prijs voor één nacht
Sem. 300 à 800€		Minimum/maximum prijs voor een week
♿		Huuraccomodaties voor lichamelijk gehandicapten

PLAATSEN

23700	Postcodenummer
343 B8	Nummer Michelinkaart en vouwbladnummer
G. Bretagne	Zie de Groene Michelingids Bretagne
Rennes 47	Afstanden in kilometers
1 050 h.	Aantal inwoners
alt. 675	Hoogte
♨	Kuuroord
1200/1900 m	Hoogte van het station en maximale hoogte van de mechanische skiliften

• **Indien er tijdens uw verblijf op een kampeerterrein een meningsverschil zou ontstaan over prijzen, reserverings-voorwaarden, hygiëne of dienstverle-ning, tracht dan ter plaatse met de eigenaar van het terrein of met zijn vervanger een oplossing te vinden.**

• **Mocht u op deze wijze niet tot over-eenstemming komen, terwijl u over-tuigd bent van uw goed recht, dan kunt u zich wenden tot de prefectuur van het betref-fende departement.**

• **Van onze kant bestuderen wij zorgvul-dig alle opmerkingen die wij ontvangen, om zo nodig wijzigingen aan te bren-gen in de omschrijving en waarde-ring van door onze gids aanbevolen terreinen. Onze mogelijkheden zijn echter beperkt en ons personeel is niet bevoegd om als scheidsrechter op te treden of geschillen te regelen tussen eigenaren en kampeerders.**

LEXIQUE	GLOSSARY	GLOSSAR	WOORDENLIJST
accès difficile	difficult access	schwierige Zufahrt	moeilijke toegang
accès direct à	direct access to...	Zufahrt zu...	rechtstreekse toegang tot...
accidenté	uneven, hilly	uneben	heuvelachtig
adhésion	membership	Beitritt	lidmaatschap
août	August	August	augustus
après	after	nach	na
Ascension	Feast of the Ascension	Himmelfahrt	Hemelvaartsdag
assurance obligatoire	insurance cover compulsory	Versicherungspflicht	verzekering verplicht
automne	autumn	Herbst	herfst
avant	before	vor	voor
avenue (av.)	avenue	Avenue	laan
avril	April	April	april
baie	bay	Bucht	baai
base de loisirs	leisure and activity park	Freizeitanlagen	recreatiepark
bois, boisé	wood, wooded	Wald, bewaldet	bebost
bord de...	shore, riverbank	Ufer, Rand	aan de oever van...
boulevard (bd)	boulevard	Boulevard	boulevard
au bourg	in town	im Ort	in het dorp
«Cadre agréable»	attractive setting	angenehme Umgebung	aangename omgeving
«Cadre sauvage»	natural setting	urwüchsige Umgebung	woeste omgeving
carrefour	crossroads	Kreuzung	kruispunt
cases réfrigérées	refrigerated food storage facilities	Kühlboxen	Koelvakken
centre équestre	equestrian center	Reitzentrum	manege
château	castle	Schloss, Burg	kasteel
chemin	path	Weg	weg
conseillé	advised	empfohlen	aanbevolen
cotisation obligatoire	membership charge obligatory	ein Mitgliedsbeitrag wird verlangt	verplichte bijdrage
en cours d'aménagement,	work in progress rebuilding	wird angelegt, wird umgebaut	in aanbouw, wordt verbouwd
croisement difficile	difficult access	schwierige Überquerung	gevaarlijk Kruispunt
crêperie	pancake restaurant/stall	Pfannkuchen-Restaurant	pannekoekenhuis
décembre (déc.)	December	Dezember	december
«Décoration florale»	floral decoration	Blumenschmuck	bloemversiering
derrière	behind	hinter	achter
discothèque	disco	Diskothek	discotheek
à droite	on/to the right	nach rechts	naar rechts
église	church	Kirche	kerk
électricité (élect.)	electricity	Elektrizität	elektriciteit
emplacement (empl.)	pitch	Stellplatz	Staanplaats
entrée	way in, entrance	Eingang	ingang
«Entrée fleurie»	flowered entrance	blumengeschmückter Eingang	door bloemen omgeven ingang
étang	pond, pool	Teich	vijver
été	summer	Sommer	zomer
exclusivement	exclusively	ausschließlich	uitsluitend
falaise	cliff	Steilküste	steile kust
famille	family	Familie	gezin
fermé	closed	geschlossen	gesloten
février (fév.)	February	Februar	februari
forêt	forest	Wald	bos
garage	parking	überdachter Abstellplatz	parkeergelegenheid
garage pour caravanes	covered parking for caravans	Unterstellmöglichkeit für Wohnwagen	garage voor caravans

garderie (d'enfants)	children's crèche	Kindergarten	kinderdagverblijf
gare (S.N.C.F.)	railway station	Bahnhof	station
à gauche	on/to the left	nach links	naar links
gorges	gorges	Schlucht	bergengten
goudronné	surfaced road	geteert	geasfalteerd
gratuit	free, no charge	kostenlos	kosteloos
gravier	gravel	Kies	grint
gravillons	fine gravel	Rollsplitt	steenslag
hammam	Turkish-style steam bath	Türkisches Bad	Turks bad
herbeux	grassy	mit Gras bewachsen	grasland
hiver	winter	Winter	winter
hors saison	out of season	außerhalb der Saison	buiten het seizoen
île	island	Insel	eiland
incliné	sloping	abfallend	hellend
indispensable	essential	unbedingt erforderlich	noodzakelijk, onmisbaar
intersection	junction	Kreuzung	kruispunt
janvier (janv.)	January	Januar	januari
juillet (juil.)	July	Juli	juli
juin	June	Juni	juni
lac	lake	See	meer
lande	heath/moorland	Heide	hei
licence obligatoire	camping licence/ international camping carnet compulsory	Lizenz wird verlangt	vergunning verplicht
lieu-dit	small locality	Flurname, Weiler	oord
mai	May	Mai	mei
mairie	town hall	Bürgermeisteramt	stadhuis
mars	March	März	maart
matin	morning	Morgen	morgen
mer	sea	Meer	zee
mineurs non-accompagnés/non admis	under 18s must be accompanied by an adult	Minderjährige ohne Begleitung nicht zugelassen	minderjarigen zonder geleide niet toegelaten
montagne	mountain	Gebirge	gebergte
Noël	Christmas	Weihnachten	Kerstmis
non clos	open site	nicht eingefriedet	niet omheind
novembre (nov.)	November	November	november
océan	ocean	Ozean	oceaan
octobre (oct.)	October	Oktober	oktober
ouverture prévue	opening scheduled	Eröffnung vorgesehen	vermoedelijke opening
Pâques	Easter	Ostern	Pasen
parcours de santé	fitness trail	Fitness-Pfad	trimbaan
passage non admis	no touring pitches	kein Kurzaufenthalt	niet toegankelijk voor kampeerders op doorreis
pente	slope	Steigung, Gefälle	helling
Pentecôte	Whitsun	Pfingsten	Pinksteren
personne (pers.)	person	Person	persoon
pierreux	stony	steinig	steenachtig
pinède	pine trees, pine wood	Kiefernwäldchen	dennenbos
place (pl.)	square	Platz	plein
places limitées pour le passage	limited number of touring pitches	Plätze für kurzen Aufenthalt in begrenzter Zahl vorhanden	beperkt aantal plaatsen voor kampeerders op doorreis

LEXIQUE	GLOSSARY	GLOSSAR	WOORDENLIJST
plage	beach	Strand	strand
plan d'eau	stretch of water	Wasserfläche	watervlakte
plat	flat	eben	vlak
poneys	ponies	Ponys	pony's
pont	bridge	Brücke	brug
port	port, harbour	Hafen	haven
prairie	grassland	Wiese	weide
près de...	near	nahe bei...	bij...
presqu'île	peninsula	Halbinsel	schiereiland
prévu	projected	geplant	verwacht, gepland
printemps	spring	Frühjahr	voorjaar
en priorité	as a priority	mit Vorrang	voorrangs...
à proximité	nearby	in der Nähe von	in de nabijheid
quartier	quarter, district	Stadtteil	wijk
Rameaux	Palm Sunday	Palmsonntag	Palmzondag
réservé	reserved, booked	reserviert	gereserveerd
rive droite, gauche	right, left bank	rechtes, linkes Ufer	rechter, linker oever
rivière	river	Fluss	rivier
rocailleux	stony	steinig	vol kleine steentjes
rocheux	rocky	felsig	rotsachtig
route (rte)	road	Landstraße	weg
rue (r.)	street	Straße	straat
ruisseau	stream	Bach	beek
sablonneux	sandy	sandig	zanderig
saison	tourist season	Reisesaison	seizoen
avec sanitaires individuels	with individual sanitary facilities	mit sanitären Anlagen für jeden Stellplatz	met eigen sanitair
schéma	local map	Kartenskizze	schema
semaine	week	Woche	week
septembre (sept.)	September	September	september
site	site	Landschaft	landschap
situation	situation	Lage	ligging
sortie	way out, exit	Ausgang	uitgang
sous-bois	undergrowth	Unterholz	geboomte
à la station	at the filling station	an der Tankstelle	bij het benzinestation
supplémentaire (suppl.)	extra	zuzüglich	extra
en terrasses	terraced	in Terrassen	terrasvormig
toboggan aquatique	waterslide	Wasser- rutschbahn	waterglijbaan
torrent	torrent	torrent	bergstroom
Toussaint	All Saints' Day	Wildbach Allerheiligen	Allerheiligen
tout compris	all inclusive	alles inbegriffen	alles inbegrepen
vacances scolaires	school holidays	Schulferien	schoolvakanties
vallonné	undulating	hügelig	heuvelachtig
verger	orchard	Obstgarten	boomgaard
vers	in the direction of/towards	nach (Richtung)	naar (richting)
voir	see	sehen, siehe	zien, zie

ENVIE DE BONS MOMENTS ENTRE COPAINS ?

Réservez votre restaurant sur
restaurant.michelin.fr :

- Plus de 8400 restaurants en France
- Une sélection pour tous les budgets

Ou téléchargez gratuitement l'application
MICHELIN Restaurants

Légende

Key

Vous trouverez dans le tableau des pages suivantes un classement par région des localités dont au moins un camping offre les prestations suivantes :

On the following pages you will find a region-by-region selection of localities with at least one site with the following facilities:

BRETAGNE	Nom de la région
Carnac	Nom de la localité
🛶	Localité possédant au moins un terrain très tranquille
P	Localité possédant au moins un terrain sélectionné ouvert toute l'année
👥	Localité possédant au moins un camping « famille » : structure adaptée à l'accueil des enfants, proposant, entre autres, des sanitaires pour les tout-petits, des aires de jeux et des animations encadrées par des professionnels
🛝	Localité dont un terrain au moins possède un toboggan aquatique
B	Localité dont un terrain au moins possède un centre balnéo
🎭	Localité dont un terrain au moins propose des animations diverses (sportives, culturelles, détente)

BRETAGNE	Name of the region
Carnac	Name of the locality
🛶	Locality with at least one very quiet and peaceful site
P	Locality with at least one campsite open all year round
👥	Locality with at least one campsite suitable for families: child-friendly site including washing facilities for young children, playgrounds and activities monitored by professionals
🛝	Locality with at least one campsite with a water slide
B	Locality with at least one campsite with a spa center
🎭	Locality with at least one campsite offering miscellaneous activities (sports, culture, leisure)

● Se reporter à la nomenclature pour la description complète des campings sélectionnés.

● For more details on specific sites, refer to the individual campsite entries.

Zeichenerklärung

Im folgenden Ortsregister werden Orte mit mindestens die folgenden Leistungen nach Region geordnet aufgelistet :

BRETAGNE   Name der Region

Carnac   Ortsname

🛶   Ort mit mindestens einem sehr ruhigen Campingplatz

P   Ort mit mindestens einem ganzjährig geöffneten Campingplatz

👨‍👧   Ort mit mindestens einem Familien-Campingplatz : Kinderfreundliches Konzept, das u. a. Sanitäranlagen für die Kleinsten, Spielplätze und ein Animations-Programm durch geschultes Personal bietetr

🛝   Ort mit mindestens einem Campingplatz mit Wasserrutsche

B   Ort mit mindestens einem Campingplatz mit einem balneo Zentrum

🎭   Ort mit mindestens einem Campingplatz mit Diverse Freizeitangebote (Sport, Kultur, Entspannung)

• Die vollständige Beschreibung der ausgewählten Plätze befindet sich im Hauptteil des Führers.

Verklaring van de tekens

Vindt u volgende pagina's een indeling van de regio's met de dorpen een camping waarvan ten minste biedt de volgende diensten :

BRETAGNE   Naam van de streek

Carnac   Plaatsnaam

🛶   Plaats met minstens één zeer rustig terrein

P   Plaats met minstens één gedurende het gehele jaar geopend kampeerterrein

👨‍👧   Plaats met minstens één Kampeerterrein voor families : kindvriendelijk etablissement met o.a. speciaal sanitair voor de kleintjes, speeltuintje en kinderactiviteiten onder begeleiding van professionals

🛝   Plaats met minstens één kampeerterrein met een waterglijbaan

B   Plaats met minstens één kampeerterrein met een balneotherapie centrum

🎭   Plaats met minstens één kampeerterrein met diverse activiteiten (sport, cultuur, ontspanning)

• Raadpleeg het deel met gegevens over de geselecteerde terreinen voor een volledige beschrijving.

Localité	Page	✎	Permanent	👥	🏊	Balnéo	🎭
ALSACE							
Bassemberg	45						🎭
Geishouse	46		P				
Heimsbrunn	46		P				
Lièpvre	47	✎					
Mittlach	47	✎					
Moosch	47	✎					
Munster	48						🎭
Ranspach	48		P				
Rhinau	49				🏊		
Seppois-le-Bas	49						🎭
Strasbourg	50		P				
Wasselonne	50		P				
Wattwiller	50	✎		👥			🎭
AQUITAINE							
Ainhoa	54		P		🏊		
Anglet	54				🏊		🎭
Angoisse	55						🎭
Antonne-et-Trigonant	55			👥			🎭
Arcachon	55	✎	P	👥	🏊		🎭
Arès	56		P		🏊		🎭
Atur	56	✎		👥	🏊		🎭
Audenge	56			👥			
Azur	57	✎		👥	🏊		🎭
Baudreix	57				🏊		
Bazas	57	✎		👥	🏊		🎭
Beauville	57	✎					
Bélus	58				🏊		
Belvès	58	✎		👥	🏊		🎭
Bias	59			👥			🎭
Bidart	59	✎		👥	🏊		🎭
Biron	60			👥	🏊		🎭
Biscarrosse	61			👥	🏊	B	🎭
Biscarrosse-Plage	62			👥	🏊		🎭
Blasimon	62	✎					
Bordeaux	62		P				
Brantôme	63	✎		👥			
Le Bugue	63	✎		👥	🏊		
Le Buisson-de-Cadouin	63	✎		👥	🏊		
Bunus	63	✎					
Campagne	64			👥			
Carsac-Aillac	64	✎					
Castelmoron-sur-Lot	64	✎				B	
Castelnaud-la-Chapelle	64	✎		👥	🏊		
La Chapelle-Aubareil	65	✎					
Contis-Plage	65			👥	🏊		🎭
Courbiac	66	✎					
Coux-et-Bigaroque	66	✎		👥			
Dax	66			👥			
Domme	67	✎		👥			
Douville	68				🏊		
Les Eyzies-de-Tayac	68	✎		👥	🏊		
Fumel	68	✎	P				
Gradignan	69		P				
Groléjac	69			👥	🏊		
Hendaye	70			👥	🏊		🎭
Hourtin	70	✎		👥			🎭
Hourtin-Plage	71			👥	🏊		🎭
La Hume	71	✎					
Labenne-Océan	71			👥	🏊	B	🎭
Lacanau	72			👥	🏊		🎭
Lacanau-Océan	72			👥	🏊	B	🎭
Lamonzie-Montastruc	73			👥	🏊		
Lanouaille	73	✎					
Larrau	73	✎					
Laruns	73		P				
Lescun	74	✎					
Linxe	74				🏊		🎭
Lit-et-Mixe	74			👥	🏊		🎭
Mauléon-Licharre	75	✎	P				
Messanges	75			👥	🏊	B	🎭
Mézos	76			👥	🏊	B	🎭
Mimizan-Plage	76			👥	🏊	B	🎭
Moliets-et-Maa	77	✎		👥	🏊		🎭
Moliets-Plage	77			👥			🎭
Monpazier	77	✎		👥	🏊		🎭
Le Nizan	78	✎					
Nontron	78		P				
Ondres	78			👥			🎭
Parentis-en-Born	79			👥	🏊	B	🎭
Peyrignac	80		P				
Peyrillac-et-Millac	80	✎		👥			
Pissos	80	✎					
Plazac	80			👥			
Pomport	80			👥	🏊		🎭
Le Porge	81			👥			🎭
Pujols	81			👥			🎭
Pyla-sur-Mer	81	✎		👥	🏊		🎭
Rauzan	82	✎					
Réaup	82	✎		👥			
La Roque-Gageac	82	✎		👥			🎭
Rouffignac	82	✎	P				
Saint-Amand-de-Coly	83	✎		👥	🏊		🎭
Saint-Antoine-d'Auberoche	83				🏊		
Saint-Avit-de-Vialard	84	✎		👥	🏊		🎭
Saint-Crépin-et-Carlucet	84	✎		👥	🏊		🎭
Saint-Émilion	84			👥	🏊		
Saint-Étienne-de-Villeréal	85	✎		👥			
Saint-Geniès	85			👥	🏊		🎭
Saint-Girons-Plage	85			👥			🎭
Saint-Jean-de-Luz	86		P	👥	🏊		🎭
Saint-Justin	88				🏊		
Saint-Laurent-Médoc	88			👥	🏊		
Saint-Léon-sur-Vézère	89			👥		B	🎭
Saint-Martin-de-Seignanx	89			👥			
Saint-Paul-lès-Dax	89	✎		👥			
Saint-Pée-sur-Nivelle	90	✎		👥			
Saint-Saud-Lacoussière	90	✎		👥	🏊		🎭

	Page	🐚	Permanent	👥	🏊	Balnéo	🎭
Salignac-Eyvigues	91	🐚					
Salles	91				🏊		
Sanguinet	92			👥			🎭
Sarlat-la-Canéda	92	🐚		👥	🏊		🎭
Saubion	94				🏊		🎭
Soulac-sur-Mer	94			👥	🏊		🎭
Soustons	95	🐚			🏊	B	🎭
Le Teich	95			👥	🏊		🎭
La Teste-de-Buch	96			👥	🏊		🎭
Tournon-d'Agenais	96				🏊		🎭
Tursac	96	🐚			🏊		
Urrugne	97		P	👥			
Le Verdon-sur-Mer	98			👥	🏊		🎭
Vielle-Saint-Girons	98			👥	🏊	B	🎭
Villeréal	99	🐚		👥	🏊		🎭
Vitrac	99		P	👥	🏊		🎭
AUVERGNE							
Abrest	103	🐚		👥			
Ambert	103		P				
Arnac	103						🎭
Aydat	104						🎭
Bagnols	104		P				
Bellerive-sur-Allier	104			👥	🏊		🎭
Billom	104	🐚					
La Bourboule	104				🏊		
Chambon-sur-Lac	105	🐚		👥	🏊	B	🎭
Le Chambon-sur-Lignon	106	🐚					
Champagnac-le-Vieux	106						🎭
Champs-sur-Tarentaine	106	🐚					
Châtelguyon	106			👥			🎭
Dompierre-sur-Besbre	107	🐚					
Gannat	107		P				
Langeac	108						🎭
Lanobre	108						🎭
Mauriac	109						🎭
Le Mont-Dore	110	🐚					
Murol	111			👥	🏊		🎭
Neuvéglise	112						🎭
Nonette	112	🐚			🏊		
Orcet	112		P		🏊		
Paulhaguet	112	🐚	P				
Pierrefitte-sur-Loire	113	🐚					
Pontgibaud	113		P				
Royat	113			👥			🎭
Saint-Germain-l'Herm	114		P				
Saint-Gérons	115	🐚					
Saint-Jacques-des-Blats	115		P				
Saint-Martin-Cantalès	116	🐚					
Saint-Martin-Valmeroux	116		P				
Saint-Nectaire	116	🐚		👥	🏊		
Saint-Rémy-sur-Durolle	117	🐚					
Sainte-Sigolène	117			👥			🎭
Singles	117	🐚		👥			🎭
Vic-sur-Cère	118		P		🏊		🎭

	Page	🐚	Permanent	👥	🏊	Balnéo	🎭
Vorey	118				🏊		
BOURGOGNE							
Andryes	121	🐚					
Arnay-le-Duc	121						🎭
Chambilly	122	🐚					
Charolles	122			👥			
Crux-la-Ville	124	🐚					
Dompierre-les-Ormes	124				🏊		
Épinac	124		P				
Gigny-sur-Saône	125			👥			
Laives	126		P				
Luzy	126	🐚		👥			🎭
Matour	127				🏊		🎭
Merry-sur-Yonne	127	🐚	P				
Meursault	127				🏊		
Montbard	128						🎭
Nolay	128		P				
Saint-Honoré-les-Bains	129				🏊		
Saint-Léger-de-Fougeret	130	🐚					
Vandenesse-en-Auxois	131			👥	🏊		
Venarey-les-Laumes	132		P				
Vincelles	132			👥			
BRETAGNE							
Arradon	136	🐚			🏊		
Arzano	136	🐚		👥	🏊		🎭
Baden	136	🐚		👥	🏊	B	🎭
Bégard	137						🎭
Beg-Meil	137			👥			
Belle-Île	138	🐚			🏊		🎭
Bénodet	139			👥	🏊	B	🎭
Binic	139				🏊		
Callac	140	🐚					
Camaret-sur-Mer	140	🐚					
Carantec	140			👥	🏊	B	🎭
Carnac	141	🐚		👥	🏊		🎭
Carnac-Plage	142	🐚		👥	🏊		🎭
Concarneau	143	🐚		👥			
Crach	144				🏊		🎭
Dol-de-Bretagne	145	🐚					🎭
Douarnenez	145	🐚		👥			
Erdeven	145						
Erquy	146	🐚		👥	🏊		🎭
La Forêt-Fouesnant	147	🐚		👥	🏊		🎭
Fouesnant	148			👥	🏊	B	🎭
Guidel	148	🐚		👥			
Hillion	148	🐚					
Jugon-les-Lacs	149			👥	🏊		🎭
Kervel	149			👥	🏊		🎭
Landéda	150			👥			
Lannion	150	🐚			🏊		🎭
Larmor-Baden	151	🐚					
Lesconil	151				🏊		
Louannec	152						🎭
Martigné-Ferchaud	153		P				

	Page	🦢	Permanent	👥	🏊	Balnéo	🎭
Merdrignac	153		P				
Milizac	153		P				
Monterblanc	154	🦢			🏊	B	🎭
Morgat	154	🦢			🏊		
Mousterlin	154			👥	🏊		🎭
Névez	154	🦢					
Noyal-Muzillac	155	🦢			🏊		🎭
Pénestin	155			👥	🏊		🎭
Penmarch	155			👥	🏊		🎭
Pentrez-Plage	156			👥	🏊		🎭
Perros-Guirec	156			👥	🏊	B	🎭
Pléneuf-Val-André	156			👥			
Pleubian	157	🦢		👥			
Pleumeur-Bodou	157	🦢			🏊		
Plobannalec-Lesconil	157	🦢		👥	🏊		🎭
Ploemel	157	🦢		👥			
Plomeur	158	🦢					
Plomodiern	158				🏊		
Plouézec	158	🦢	P				
Plougasnou	159	🦢					
Plougastel-Daoulas	159			👥	🏊		🎭
Plougoumelen	159	🦢					
Plouguerneau	160	🦢					
Plouharnel	160	🦢					🎭
Plouhinec	160	🦢					
Plouhinec	160			👥	🏊		🎭
Plouigneau	160	🦢					
Plozévet	161			👥			
Pontrieux	161		P				
Pont-Scorff	161		P				
Port-Manech	162				🏊		
Le Pouldu	162				🏊	B	🎭
Poullan-sur-Mer	163			👥	🏊		
Primel-Trégastel	163	🦢					
Priziac	163	🦢	P				
Quiberon	163			👥			🎭
Quimper	164			👥	🏊		🎭
Raguenès-Plage	164			👥	🏊		🎭
Rennes	165		P				
Rochefort-en-Terre	165	🦢					
Le Roc-Saint-André	166	🦢					
Saint-Briac-sur-Mer	166				🏊		
Saint-Cast-le-Guildo	166	🦢		👥	🏊	B	🎭
Saint-Coulomb	167	🦢					
Saint-Gildas-de-Rhuys	167			👥	🏊		
Saint-Jouan-des-Guérets	168			👥	🏊		🎭
Saint-Lunaire	168		P		🏊		
Saint-Malo	168			👥	🏊		
Saint-Marcan	168	🦢					
Saint-Philibert	168				🏊		
Saint-Pol-de-Léon	169			👥	🏊		🎭
Saint-Yvi	169	🦢			🏊		🎭
Sarzeau	170	🦢		👥	🏊		🎭
Sulniac	171	🦢			🏊		🎭

	Page	🦢	Permanent	👥	🏊	Balnéo	🎭
Taupont	171	🦢					
Telgruc-sur-Mer	171				🏊		
Theix	172				🏊		
Treffiagat	172	🦢					
Trédrez	172				🏊		🎭
Trélévern	173	🦢					
La Trinité-sur-Mer	173	🦢		👥	🏊		🎭
Vannes	174			👥			🎭
CENTRE VAL-DE-LOIRE							
Bessais-le-Fromental	179	🦢			🏊		
Chaillac	180		P				
Châteauroux	181		P				
Chécy	181	🦢					
Chemillé-sur-Indrois	181				🏊		
Cheverny	182			👥			
Cloyes-sur-le-Loir	182				🏊		
Éguzon	183		P				
Gargilesse	183	🦢					
Gien	183			👥	🏊		🎭
Mesland	185			👥	🏊		
Montoire-sur-le-Loir	185		P				
Muides-sur-Loire	186			👥	🏊		🎭
Nouan-le-Fuzelier	186			👥			
Pierrefitte-sur-Sauldre	187	🦢		👥	🏊	B	🎭
Rillé	188						
Saint-Père-sur-Loire	188		P				
Sainte-Catherine-de-Fierbois	189			👥	🏊		🎭
Sainte-Maure-de-Touraine	189		P				
Senonches	190	🦢		👥			🎭
Sonzay	190			👥	🏊		
Suèvres	191			👥	🏊		🎭
Thoré-la-Rochette	191		P				
La Ville-aux-Dames	192		P				
CHAMPAGNE-ARDENNE							
Bannes	195	🦢					
Braucourt	195			👥			🎭
Buzancy	195	🦢					
Eaux-Puiseaux	196	🦢	P				
Éclaron	196			👥			🎭
Ervy-le-Châtel	197	🦢					
Giffaumont-Champaubert	197	🦢					🎭
Langres	197	🦢		👥	🏊		
Mesnil-Saint-Père	197			👥	🏊		
Sézanne	198				🏊		
Thonnance-les-Moulins	198			👥			🎭
CORSE							
Aléria	203	🦢		👥			🎭
Bastia	203			👥			
Bonifacio	203	🦢		👥	🏊		🎭
Calvi	205			👥	🏊		
Casaglione	206	🦢					
Castellare-di-Casinca	206	🦢		👥		B	🎭
Centuri	206	🦢					
Cervione	206	🦢			🏊		🎭

Name	Page	🏊	Permanent	👥	⛷	Balnéo	🎭
Corte	206	🏊					
Ghisonaccia	207			👥		B	🎭
Lumio	208	🏊					
Moltifao	208	🏊	P				
Patrimonio	208	🏊					
Piana	208	🏊					
Pinarellu	209	🏊		👥			
Porto	209	🏊		👥		B	
Porto-Vecchio	210			👥			🎭
Saint-Florent	211			👥			
Sainte-Lucie-de-Porto-Vecchio	211			👥	⛷		🎭
Sartène	212	🏊					
Solenzara	212	🏊		👥			🎭
Tiuccia	212	🏊					
FRANCHE-COMTÉ							
Bonnal	217			👥	⛷		🎭
Champagnole	218			👥	⛷		🎭
Châtillon	218	🏊		👥	⛷		
Clairvaux-les-Lacs	218			👥	⛷		
Dole	219						🎭
Doucier	219			👥	⛷	B	🎭
Foncine-le-Haut	219	🏊					
Huanne-Montmartin	220				⛷		🎭
Lons-le-Saunier	220						🎭
Maisod	221						🎭
Malbuisson	221			👥	⛷		🎭
Marigny	221			👥	⛷		🎭
Mesnois	222				⛷		
Ornans	222			👥			
Ounans	223			👥			🎭
Ranchot	224		P				
Uxelles	225	🏊					🎭
Vesoul	225						🎭
ÎLE-DE-FRANCE							
Boulancourt	229	🏊					
Champigny-sur-Marne	229		P				
Paris	230		P				
Pommeuse	230			👥			🎭
Rambouillet	230			👥			
Touquin	231	🏊			⛷		
Tournan-en-Brie	231				⛷		
Villiers-sur-Orge	231		P				
LANGUEDOC-ROUSSILLON							
Agde	236	🏊		👥	⛷	B	🎭
Aigues-Mortes	237			👥	⛷		
Allègre-les-Fumades	237			👥	⛷		
Anduze	237	🏊		👥	⛷	B	🎭
Argelès-sur-Mer	238	🏊		👥	⛷	B	🎭
Balaruc-les-Bains	242	🏊		👥			
Le Barcarès	242	🏊		👥	⛷		🎭
Barjac	243	🏊					
Bessèges	244	🏊					
Blavignac	244	🏊					

Name	Page	🏊	Permanent	👥	⛷	Balnéo	🎭
Boisset-et-Gaujac	244	🏊		👥	⛷		🎭
Boisson	244	🏊		👥	⛷		🎭
Le Bosc	244					B	
Brissac	245		P	👥			🎭
Brousses-et-Villaret	245				⛷		
Canet	245				⛷		
Canet-Plage	245			👥	⛷		🎭
Carcassonne	247			👥			🎭
Carnon-Plage	247				⛷		🎭
Castries	247	🏊	P				
Cendras	247			👥			🎭
Clermont-l'Hérault	248			👥			
Connaux	248		P				
Crespian	249			👥			
Égat	249	🏊					
Err	249	🏊	P				
Estavar	249	🏊		👥			
Fabrezan	250				⛷		
Florac	250			👥			
Font-Romeu	250			👥			🎭
Formiguères	250	🏊					
Frontignan-Plage	251			👥			🎭
Gallargues-le-Montueux	251			👥			🎭
Goudargues	251			👥			
La Grande-Motte	252			👥			
Le Grau-du-Roi	252			👥	⛷		🎭
Lanuéjols	253	🏊					
Laroque-des-Albères	254	🏊			⛷		
Lattes	254		P				
Laurens	254			👥			🎭
Marseillan-Plage	254	🏊		👥	⛷	B	🎭
Marvejols	256						🎭
Massillargues-Attuech	256			👥			
Matemale	256	🏊	P				
Mende	256		P				
Meyrueis	257	🏊					🎭
Mirepeisset	257	🏊		👥			🎭
Montagnac	257	🏊					🎭
Montclar	258	🏊		👥	⛷		🎭
Narbonne	258			👥	⛷		🎭
Naussac	258	🏊					
Palau-de-Cerdagne	258	🏊	P				
Palavas-les-Flots	259			👥	⛷	B	🎭
Port-Camargue	260			👥	⛷	B	🎭
Portiragnes-Plage	260			👥	⛷		🎭
Port-la-Nouvelle	261	🏊			⛷		
Preixan	261	🏊					
Remoulins	261			👥	⛷		🎭
Rochegude	262			👥			
Rocles	262	🏊					
La Roque-sur-Cèze	262			👥	⛷		
Le Rozier	262			👥	⛷		
Saint-Alban-sur-Limagnole	263	🏊					
Saint-Cyprien-Plage	263		P	👥	⛷		🎭

	Page	♨	Permanent	👥	⛺	Balnéo	🎭
Saint-Georges-de-Lévéjac	264	♨		👥	⛺		
Saint-Hippolyte-du-Fort	264	♨	P				
Saint-Jean-du-Gard	265	♨		👥			🎭
Saint-Victor-de-Malcap	265			👥	⛺		
Sainte-Enimie	265	♨					
Sainte-Marie	266			👥	⛺		🎭
Sérignan	266			👥	⛺		🎭
Sérignan-Plage	267			👥	⛺	B	🎭
Sommières	268	♨			⛺	B	🎭
Soubès	268	♨					
Torreilles-Plage	268			👥	⛺	B	🎭
Tuchan	269	♨					
Uzès	270	♨		👥			
Valras-Plage	270			👥	⛺		🎭
Verdun-en-Lauragais	271	♨					🎭
Vernet-les-Bains	271	♨					
Vers-Pont-du-Gard	272			👥	⛺		
Vias-Plage	272			👥	⛺	B	🎭
Les Vignes	274		P				
Villefort	274		P				
Villeneuve-lès-Avignon	275			👥			🎭

LIMOUSIN							
Argentat	279			👥			🎭
Aubazines	280	♨		👥			🎭
Auriac	280	♨					
Beaulieu-sur-Dordogne	280	♨		👥			
Beynat	280	♨			⛺		🎭
Bonnac-la-Côte	281	♨					
Boussac-Bourg	281	♨		👥	⛺		🎭
La Celle-Dunoise	282		P				
Chamberet	282	♨					
Châteauponsac	282		P				
Laguenne	284	♨					
Liginiac	284	♨					
Lissac-sur-Couze	284	♨		👥			
Magnac-Laval	284	♨					
Meyssac	285				⛺		
Neuvic	285	♨		👥			🎭
Saint-Germain-les-Belles	286		P				

LORRAINE							
La Bresse	291				⛺		
Burtoncourt	291	♨					
Bussang	292	♨		👥	⛺	B	🎭
Celles-sur-Plaine	292	♨		👥			
Corcieux	292	♨			⛺		🎭
Épinal	293		P				
Plombières-les-Bains	295		P				
Saint-Avold	295		P				
Saint-Maurice-sous-les-Côtes	296	♨					
Saint-Maurice-sur-Moselle	296				⛺		
Sanchey	296		P				🎭
Saulxures-sur-Moselotte	296		P				
Vagney	297	♨					
Verdun	297				⛺		

	Page	♨	Permanent	👥	⛺	Balnéo	🎭
Villers-lès-Nancy	298						🎭
Xonrupt-Longemer	298			👥			

MIDI-PYRÉNÉES							
Agos-Vidalos	302				⛺		
Aigues-Vives	302	♨					
Albi	302					B	
Aragnouet	303		P				
Arcizans-Avant	303	♨					
Argelès-Gazost	303			👥	⛺		🎭
Auch	304	♨					
Aucun	304		P				
Augirein	304	♨					
Ax-les-Thermes	305		P	👥			🎭
Ayzac-Ost	305				⛺		
Bagnères-de-Bigorre	306				⛺		
Bagnères-de-Luchon	306		P	👥			
Barbotan-les-Thermes	306			👥	⛺		
Beaumont-de-Lomagne	307			👥	⛺		🎭
Le Bez	307	♨					
Boisse-Penchot	307		P				
Bor-et-Bar	308	♨					
Bourisp	308		P	👥			🎭
Brusque	308	♨					🎭
Calmont	308		P				
Canet-de-Salars	309	♨		👥	⛺		🎭
Carennac	309			👥			
Carlucet	309	♨					
Castelnau-de-Montmiral	310				⛺		
Cayriech	311			👥			
Cordes-sur-Ciel	312				⛺		
Cos	312		P				
Crayssac	313	♨		👥			🎭
Damiatte	313			👥	⛺		
Duravel	313	♨		👥	⛺		🎭
Entraygues-sur-Truyère	314	♨					
Estang	314		P	👥			
Figeac	314						🎭
Flagnac	315				⛺		
La Fouillade	315	♨	P				
Garin	315		P				
Gondrin	316			👥			
Hèches	317		P				
Lacam-d'Ourcet	317	♨					
Lacave	317			👥			
Lau-Balagnas	318						🎭
Lectoure	318			👥	⛺		🎭
Loupiac	319			👥			
Lourdes	319			👥			
Luz-Saint-Sauveur	320			👥	⛺	B	
Martres-Tolosane	321	♨		👥	⛺		🎭
Millau	322			👥	⛺		🎭
Mirandol-Bourgnounac	322	♨					
Mirepoix	323	♨					
Moissac	323			👥			

	Page	🌊	Permanent	👥	🛝	Balnéo	🎭
Monclar-de-Quercy	323	🌊					
Nages	324			👥			🎭
Nailloux	324		P				
Nant	324			👥	🛝		🎭
Oust	325		P				
Padirac	325			👥	🛝		🎭
Pamiers	325			👥			
Payrac	326			👥	🛝		
Pont-de-Salars	326		P	👥			🎭
Puybrun*	326						
Rieux-de-Pelleport	327	🌊	P				
Rivière-sur-Tarn	327			👥	🛝		🎭
Rocamadour	327	🌊		👥			
Rodez	328	🌊		👥			
La Romieu	328	🌊		👥			🎭
Roquelaure	329	🌊		👥			🎭
Saint-Amans-des-Cots	329	🌊		👥	🛝		🎭
Saint-Antonin-Noble-Val	329			👥			
Saint-Cirgue	329	🌊	P				
Saint-Cirq-Lapopie	330	🌊		👥			
Saint-Geniez-d'Olt	330	🌊		👥	🛝		🎭
Saint-Girons	330			👥			
Saint-Pantaléon	331				🛝		
Saint-Pierre-de-Trivisy	331				🛝	B	
Saint-Pierre-Lafeuille	331				🛝		
Saint-Rome-de-Tarn	331		P				🎭
Saint-Salvadou	332	🌊					
Sainte-Marie-de-Campan	332		P				
Salles-Curan	332	🌊		👥			🎭
Sassis	333		P				
Sénergues	333	🌊					
Séniergues	333	🌊					
Septfonds	333		P				
Serviès	334	🌊			🛝		
Sévérac-l'Église	334			👥			🎭
Sorgeat	334	🌊					
Souillac	334	🌊		👥	🛝		🎭
Tarascon-sur-Ariège	335			👥			🎭
Thégra	335			👥			
Thérondels	335				🛝		
Thoux	336				🛝		
Vayrac	336	🌊					
Vers	337	🌊					🎭
Le Vigan	337	🌊					

NORD-PAS-DE-CALAIS

	Page	🌊	Permanent	👥	🛝	Balnéo	🎭
Condette	341			👥			
Grand-Fort-Philippe	342		P				
Guînes	342			👥	🛝		
Willies	342	🌊					

NORMANDIE

	Page	🌊	Permanent	👥	🛝	Balnéo	🎭
Annoville	346	🌊					
Aumale	347	🌊					
Barneville-Carteret	347			👥			🎭
Baubigny	347	🌊					

	Page	🌊	Permanent	👥	🛝	Balnéo	🎭
Beauvoir	348				🛝		
Le Bec-Hellouin	348	🌊					
Blangy-le-Château	348			👥			🎭
Bréhal	349						🎭
Bréville-sur-Mer	349			👥	🛝		🎭
Courseulles-sur-Mer	350			👥	🛝		🎭
Courtils	350			👥			
Deauville	350			👥	🛝	B	🎭
Dieppe	351				🛝		
Donville-les-Bains	351			👥			
Étréham	351	🌊					
Fiquefleur-Équainville	352			👥	🛝		
Flers	352	🌊					
Genêts	352				🛝		
Granville	352			👥			🎭
Honfleur	353			👥			🎭
Houlgate	353			👥			🎭
Isigny-sur-Mer	353	🌊			🛝		
Martragny	354	🌊					
Maupertus-sur-Mer	355			👥	🛝		🎭
Merville-Franceville-Plage	355			👥			🎭
Moyaux	355	🌊					
Les Pieux	356	🌊					
Pontorson	356			👥			🎭
Port-en-Bessin	357			👥	🛝		🎭
Ravenoville	357			👥			🎭
Le Rozel	357	🌊			🛝		
Saint-Aubin-sur-Mer	358			👥	🛝		🎭
Saint-Jean-de-la-Rivière	358			👥	🛝		🎭
Saint-Martin-en-Campagne	359				🛝		🎭
Saint-Symphorien-le-Valois	359			👥	🛝		🎭
Saint-Vaast-la-Hougue	359			👥			
Saint-Valery-en-Caux	360				🛝		
Surrain	360				🛝		
Le Tréport	361		P				
Le Vey	361	🌊					
Vierville-sur-Mer	362	🌊					🎭
Villers-sur-Mer	362						🎭

PAYS-DE-LA-LOIRE

	Page	🌊	Permanent	👥	🛝	Balnéo	🎭
L'Aiguillon-sur-Mer	366			👥	🛝	B	🎭
Ancenis	366		P		🛝		
Angers	367			👥			
Angles	367			👥	🛝		🎭
Assérac	368			👥	🛝		
Aubigny-les Clouzeaux	368		P				
Avrillé	368			👥	🛝		🎭
La Baule	369			👥	🛝		🎭
La Bernerie-en-Retz	369			👥	🛝		🎭
Brem-sur-Mer	370			👥			🎭
Brétignolles-sur-Mer	370		P	👥	🛝		🎭
La Chaize-Giraud	372				🛝		
La Chapelle-Hermier	372	🌊		👥	🛝	B	🎭
Château-d'Olonne	373			👥	🛝		🎭

	Page	🏊	Permanent	👥	🛝	Balnéo	🎭
Cholet	373			👥	🛝		🎭
Coëx	374	🏊		👥	🛝		
Commequiers	374	🏊					
Les Conches	374				🛝		
Concourson-sur-Layon	374			👥			
Coutures	375						
Le Croisic	375		P	👥	🛝	B	🎭
Fresnay-sur-Sarthe	376			👥			
Fromentine	376			👥			🎭
Givrand	377			👥	🛝		🎭
Le Givre	377	🏊	P				
Le Grez	377	🏊					
Guémené-Penfao	377				🛝		
Guérande	378	🏊		👥	🛝		🎭
La Guyonnière	378	🏊					
Île-de-Noirmoutier	378	🏊		👥	🛝		🎭
L'Île-d'Olonne	379			👥			
Jard-sur-Mer	379		P	👥	🛝		🎭
Landevieille	380			👥	🛝		🎭
Longeville-sur-Mer	381			👥	🛝		🎭
Luché-Pringé	381		P				
Luçon	382	🏊			🛝		
Mansigné	383		P				
Maulévrier	383		P				
Mesquer	384			👥			
Mézières-sous-Lavardin	384	🏊	P				
Montreuil-Bellay	384			👥			🎭
Mouilleron-le-Captif	385		P				
Nantes	385		P				
Nort-sur-Erdre	385	🏊					
Notre-Dame-de-Monts	386	🏊					🎭
Olonne-sur-Mer	386			👥	🛝		🎭
Piriac-sur-Mer	388			👥	🛝		🎭
La Plaine-sur-Mer	388			👥	🛝		
Les Ponts-de-Cé	388			👥			
Pornic	388			👥	🛝	B	🎭
Préfailles	389						🎭
Les Sables-d'Olonne	390						🎭
Sablé-sur-Sarthe	390						
Saint-Brevin-les-Pins	390		P	👥	🛝	B	🎭
Saint-Étienne-du-Bois	391	🏊					
Saint-Hilaire-de-Riez	392	🏊		👥	🛝	B	🎭
Saint-Hilaire-la-Forêt	394				🛝		🎭
Saint-Hilaire-Saint-Florent	394	🏊		👥			
Saint-Jean-de-Monts	394	🏊	P	👥	🛝	B	🎭
Saint-Julien-des-Landes	398	🏊		👥	🛝	B	
Saint-Michel-Chef-Chef	399				🛝		🎭
Saint-Révérend	399						🎭
Saint-Vincent-sur-Jard	400				🛝		🎭
Sainte-Luce-sur-Loire	400	🏊	P				
Saumur	400			👥			🎭
La Selle-Craonnaise	400						🎭
Sillé-le-Guillaume	400	🏊					
Sillé-le-Philippe	401	🏊		👥			🎭

	Page	🏊	Permanent	👥	🛝	Balnéo	🎭
Talmont-Saint-Hilaire	401			👥	🛝	B	🎭
La Tranche-sur-Mer	402	🏊		👥	🛝		
La Turballe	403	🏊					
Varennes-sur-Loire	404			👥	🛝		🎭
Vendrennes	404				🛝		🎭
Villiers-Charlemagne	404		P				
PICARDIE							
Berny-Rivière	407		P	👥	🛝	B	🎭
Bresles	407		P				
Carlepont	408		P				
Cayeux-sur-Mer	408	🏊					
Le Crotoy	408			👥			
Fort-Mahon-Plage	409			👥			
Moyenneville	409			👥			
Nampont-Saint-Martin	410						🎭
Le Nouvion-en-Thiérache	410	🏊					
Saint-Leu-d'Esserent	411	🏊					
Saint-Quentin-en-Tourmont	411				🛝		
Saint-Valery-sur-Somme	411			👥	🛝		🎭
Seraucourt-le-Grand	412	🏊					
Villers-sur-Authie	412			👥			
POITOU-CHARENTES							
Châtelaillon-Plage	417	🏊		👥			🎭
Couhé	417			👥	🛝		🎭
Coulon	418			👥			
Dienné	418	🏊				B	🎭
Fouras	418		P	👥	🛝		🎭
Île-de-Ré	419	🏊		👥	🛝	B	🎭
Île d'Oléron	421	🏊		👥	🛝	B	🎭
Jonzac	424			👥			🎭
Le Lindois	424	🏊					
Les Mathes	425			👥	🛝	B	🎭
Montbron	426			👥	🛝		🎭
La Palmyre	427	🏊	P	👥	🛝		🎭
Pons	428		P				
Pressac	428	🏊					
Rochefort	428	🏊			🛝		
La Roche-Posay	429			👥	🛝		🎭
Ronce-les-Bains	429			👥	🛝		🎭
Royan	429			👥	🛝		🎭
Saint-Augustin	430	🏊					
Saint-Cyr	430			👥			🎭
Saint-Georges-de-Didonne	430			👥			🎭
Saint-Georges-lès-Baillargeaux	431		P		🛝		🎭
Saint-Hilaire-la-Palud	431	🏊					
Saint-Just-Luzac	431			👥	🛝	B	🎭
Saint-Laurent-de-la-Prée	432		P	👥	🛝		🎭
Saint-Yrieix-sur-Charente	433	🏊					
Secondigny	433				🛝		
Semussac	433				🛝		
Vaux-sur-Mer	434						🎭
PROVENCE-ALPES-CÔTE D'AZUR							
Agay	438			👥	🛝	B	🎭

	Page	🐾	Permanent	👥	🏊	Balnéo	🎭
Aix-en-Provence	439		P	👥			
Ancelle	439	🐾		👥			
Apt	440	🐾					
Arles	440			👥	🏊		🎭
Avignon	441			👥			
Baratier	441	🐾		👥			🎭
Barret-sur-Méouge	442	🐾					
Beaumont-du-Ventoux	442	🐾					
Bollène	442	🐾					
Bormes-les-Mimosas	443	🐾	P	👥			🎭
Briançon	443		P				
Cadenet	443	🐾			🏊		🎭
Callas	444				🏊		
Carpentras	444			👥			
Carro	445	🐾					🎭
Castellane	445	🐾		👥	🏊		🎭
Cavalaire-sur-Mer	446	🐾			🏊		
Charleval	446			👥			🎭
Clamensane	447			👥	🏊		
La Colle-sur-Loup	447			👥			
Col-Saint-Jean	447			👥	🏊	B	🎭
La Couronne	448			👥			🎭
La Croix-Valmer	448			👥			🎭
Cros-de-Cagnes	449			👥			🎭
Cucuron	449	🐾					
Curbans	449				🏊		🎭
Embrun	450			👥			🎭
Fréjus	450	🐾		👥	🏊	B	🎭
Gap	452			👥	🏊		
Giens	452	🐾		👥			🎭
La Grave	452	🐾					
Gréoux-les-Bains	453	🐾					
Grillon	453	🐾		👥	🏊		
Grimaud	453	🐾		👥	🏊	B	🎭
Guillestre	454		P				
Hyères	454			👥	🏊		🎭
Lourmarin	455			👥	🏊		
Malemort-du-Comtat	456	🐾					
Méolans-Revel	457			👥			🎭
Mondragon	457			👥	🏊		
Montgenèvre	457		P				
Montpezat	457			👥			🎭
Mornas	458			👥	🏊		🎭
Moustiers-Sainte-Marie	458	🐾					
Le Muy	458			👥	🏊		🎭
Nans-les-Pins	459			👥			🎭
Niozelles	459			👥			🎭
Orgon	459	🐾					
Orpierre	459				🏊		🎭
Pertuis	460	🐾		👥	🏊		
Puget-sur-Argens	460			👥			
Ramatuelle	460			👥		B	🎭
Régusse	461				🏊		🎭
La Roche-de-Rame	461		P				
La Roche-des-Arnauds	462		P				
Roquebrune-sur-Argens	462	🐾		👥	🏊	B	🎭
La Roque-d'Anthéron	462				🏊		
Rousset	463				🏊		
Saint-Apollinaire	463	🐾					
Saint-Aygulf	463			👥	🏊		🎭
Saint-Laurent-du-Verdon	464	🐾		👥			
Saint-Mandrier-sur-Mer	464						
Saint-Martin-de-Queyrières	465			👥			
Saint-Martin-d'Entraunes	465	🐾					
Saint-Paul-en-Forêt	465	🐾		👥			
Saint-Raphaël	466			👥	🏊		🎭
Saintes-Maries-de-la-Mer	466			👥	🏊		
Sanary-sur-Mer	467			👥	🏊		
Serres	468	🐾		👥			
Seyne	468	🐾					
Sorgues	468		P		🏊		
Taradeau	469		P				🎭
Le Thor	469			👥	🏊		🎭
Vaison-la-Romaine	469			👥	🏊		🎭
Vallouise	470			👥			🎭
Vence	470	🐾					
Veynes	470	🐾					
Les Vigneaux	471				🏊		
Villar-Loubière	471	🐾					
Villecroze	471			👥	🏊		
Villeneuve-Loubet-Plage	472						🎭
Visan	472		P				🎭
Volonne	473			👥	🏊		🎭

RHÔNE-ALPES

	Page	🐾	Permanent	👥	🏊	Balnéo	🎭
Les Abrets	478	🐾		👥			
Anse	478		P		🏊	B	
Aussois	479	🐾	P				
Autrans	479	🐾		👥	🏊	B	🎭
La Balme-de-Sillingy	479	🐾					
Barbières	480	🐾					
Beaufort	480	🐾					
Bénivay-Ollon	480	🐾			🏊		
Berrias-et-Casteljau	480			👥	🏊		🎭
Bourdeaux	481			👥	🏊	B	🎭
Le-Bourg-d'Oisans	481			👥	🏊		🎭
Le-Bourget-du-Lac	482						
Bramans	482		P				
Buis-les-Baronnies	483	🐾			🏊		
Casteljau	483	🐾					
Chabeuil	484	🐾		👥	🏊		🎭
Champdor	484		P				
Chassagnes	484	🐾					
Chassiers	485			👥	🏊	B	🎭
Châteauneuf-de-Galaure	485			👥	🏊		🎭
Châteauneuf-sur-Isère	485	🐾		👥			🎭
Châtel	485			👥			🎭
Châtillon-en-Diois	486	🐾					
Cordelle	487	🐾					

	Page	🐾	Permanent	👥	🏊	Balnéo	🎭
Cormoranche-sur-Saône	487			👥			
Crest	487			👥			🎭
Dardilly	488		P	👥			
Die	488			👥		B	
Dieulefit	489	🐾		👥			🎭
Divonne-les-Bains	489	🐾	P	👥			
Doussard	489			👥			
Eclassan	490	🐾					
Excenevex	490						🎭
Faramans	491		P				
La Ferrière	491	🐾					
Gravières	492	🐾					
Gresse-en-Vercors	493	🐾					
Issarlès	493	🐾					
Joannas	494	🐾	P		🏊		
Lagorce	494	🐾					
Larnas	495			👥	🏊		🎭
Lathuile	495			👥	🏊		
Lépin-le-Lac	496	🐾					
Lescheraines	496	🐾					
Mars	497	🐾					
Matafelon-Granges	497	🐾					
Les Mazes	498	🐾		👥	🏊		🎭
Menglon	499	🐾		👥	🏊		🎭
Montchavin	500		P				
Montrevel-en-Bresse	500			👥	🏊		🎭
Murs-et-Gélignieux	501			👥	🏊		
Neydens	501						🎭
Novalaise-Lac	501	🐾					
Les Ollières-sur-Eyrieux	502	🐾		👥	🏊		🎭
Pélussin	503	🐾		👥			
Le Poët-Célard	503				🏊		
Poncins	504	🐾					
Pont-de-Vaux	504			👥			🎭
Pradons	505			👥			🎭
Privas	505			👥	🏊		
Rosières	506	🐾					
Ruoms	507	🐾		👥	🏊	B	🎭
Sablières	508	🐾					
Sahune	508	🐾					🎭
Saint-Agrève	509	🐾					
Saint-Alban-Auriolles	509			👥	🏊	B	🎭
Saint-Avit	509	🐾		👥			
Saint-Christophe-en-Oisans	509	🐾					
Saint-Clair-du-Rhône	510	🐾			🏊		
Saint-Donat-sur-l'Herbasse	510				🏊		🎭
Saint-Ferréol-Trente-Pas	510				🏊		
Saint-Galmier	511			👥			🎭
Saint-Jean-le-Centenier	512	🐾					
Saint-Jorioz	512			👥	🏊		🎭
Saint-Laurent-du-Pont	512	🐾					
Saint-Laurent-les-Bains	513	🐾					
Saint-Martin-d'Ardèche	513			👥			
Saint-Martin-en-Vercors	514	🐾					
Saint-Maurice-d'Ardèche	514	🐾		👥	🏊		
Saint-Paul-de-Vézelin	514	🐾					🎭
Saint-Privat	515	🐾					
Sainte-Catherine	516	🐾					
Sallanches	516						🎭
La Salle-en-Beaumont	516	🐾					
Samoëns	516		P				🎭
Sampzon	516	🐾		👥			🎭
Séez	517		P				
Serrières-de-Briord	518						🎭
Sévrier	518						🎭
Taninges	518		P				
La Toussuire	518						🎭
Trept	519			👥	🏊		🎭
Tulette	519	🐾					
Ucel	519			👥			🎭
Vagnas	520	🐾					
Vallon-Pont-d'Arc	520		P	👥	🏊	B	🎭
Vernioz	521	🐾			🏊		
Villard-de-Lans	522			👥	🏊		
Villars-les-Dombes	522			👥			
Vinsobres	522			👥	🏊		🎭
Vogüé	523			👥	🏊		🎭

Les **terrains** sélectionnés ■

Selected **campisites** ■

Ausgewählten **Campingplätze** ■

De geselekteerde **campings** ■

ALSACE

Nigel Blythe/Cephas/Photononstop

Si l'Alsace vous était contée, l'histoire décrirait le romantisme des châteaux forts érigés au pied des Vosges, les douces collines submergées d'une mer de ceps ou la féerie des villages de poupée égayant la plaine. Elle exalterait Colmar et l'adorable « petite Venise » avec ses balcons fleuris et ses cigognes, et inviterait à flâner dans Strasbourg dont le marché de Noël fait resplendir la cathédrale… Il se dégage de la capitale de l'Europe une chaleur que même la rudesse de l'hiver ne peut atténuer : nid douillet de la « Petite France » dont les belles maisons à colombages se reflètent dans l'Ill, ambiance conviviale des brasseries propices à la dégustation d'une bonne bière, et pittoresque décor des winstubs aptes à calmer les appétits les plus féroces avec force choucroutes, bäeckeoffes et kouglofs.

Alsace is perhaps the most romantic of France's regions, a place of fairy-tale castles, gentle vine-clad hills and picture-perfect villages perched on rocky outcrops or nestling in lush green valleys. From Colmar's Little Venice with its flower-decked balconies and famous storks to the lights of Strasbourg's Christmas market or the half-timbered houses reflected in the meanders of the River Ill, Alsace radiates a warmth that even the winter winds cannot chill. So make a beeline for the boisterous atmosphere of a brasserie and sample a real Alsace beer or head for a local "winstub" and tuck into a steaming dish of choucroute — sauerkraut with smoked pork — and a huge slice of kugelhof cake, all washed down with a glass of fruity Sylvaner or Riesling

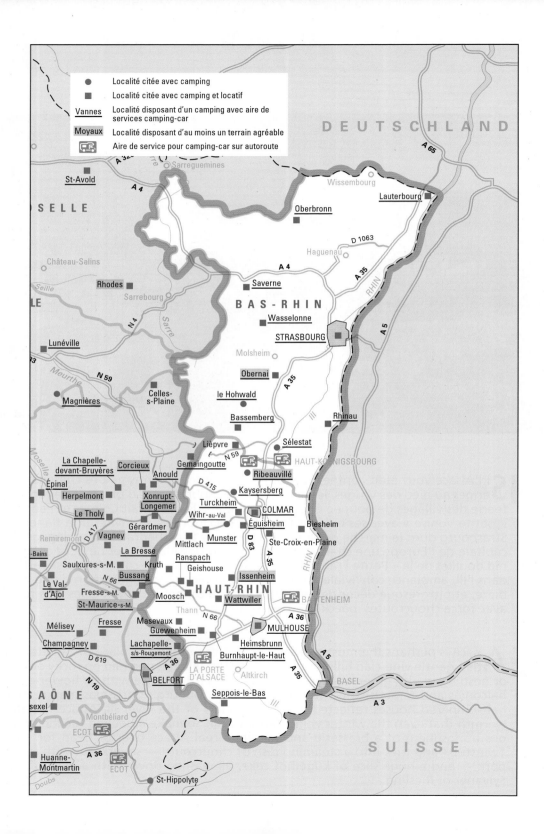

Localité citée avec camping
Localité citée avec camping et locatif
Vannes   Localité disposant d'un camping avec aire de services camping-car
Moyaux   Localité disposant d'au moins un terrain agréable
Aire de service pour camping-car sur autoroute

DEUTSCHLAND

A 65

St-Avold
Sarreguemines
Wissembourg
Lauterbourg
Oberbronn
D 1063
Haguenau
A 4
A 35
Château-Salins
Seille
Rhodes
Sarrebourg
Saverne
RHIN
BAS-RHIN
N 4
Sarre
Wasselonne
A 5
Lunéville
STRASBOURG
Meurthe
Molsheim
N 59
Celles-s-Plaine
Obernai
A 35
Magnières
le Hohwald
Bassemberg
Rhinau
Liépvre
Sélestat
La Chapelle-devant-Bruyères
Corcieux
Gemaingoutte
N 59
HAUT-KOENIGSBOURG
Anould
Ribeauvillé
Épinal
D 415
Kaysersberg
Herpelmont
Xonrupt-Longemer
Turckheim
COLMAR
Le Tholy
Wihr-au-Val
Éguisheim
Biesheim
Gérardmer
Munster
Ste-Croix-en-Plaine
Remiremont
D 417
Vagney
Mittlach
D 83
La Bresse
Ranspach
A 35
Saulxures-s-M.
Kruth
Geishouse
N 66
Bussang
Issenheim
Le Val-d'Ajol
Fresse-s-M.
HAUT-RHIN
BATTENHEIM
St-Maurice-s-M.
Moosch
Wattwiller
Thann
N 66
A 36
Mélisey
Fresse
Masevaux
Guewenheim
MULHOUSE
A 5
Champagney
Lachapelle-s/s-Rougemont
Heimsbrunn
D 619
Burnhaupt-le-Haut
A 36
Altkirch
A 35
LA PORTE D'ALSACE
BELFORT
SAÔNE
N 19
BASEL
sexel
Seppois-le-Bas
A 3
Montbéliard
ECOT
SUISSE
Huanne-Montmartin
A 36
ECOT
Doubs
St-Hippolyte

BASSEMBERG

67220 - Carte Michelin **315** H7 - 268 h. - alt. 280
▶ Paris 432 - Barr 21 - St-Dié 35 - Sélestat 19

⚑ Campéole Le Giessen

✆ 03 88 58 98 14, www.campeole.com/camping/post/le-giessen-bassemberg

Pour s'y rendre : rte de Villé (sortie nord-est sur D 39)

Ouverture : de fin mars à fin sept.

4 ha (155 empl.) plat, herbeux

Empl. camping : (Prix 2018) 32€ ♣♣ ⛺ 🅿 (10A) - pers. suppl. 7€

Location : (Prix 2018) (de fin mars à fin sept.) - ♿ (1 mobile home) - 63 🛏 - 20 🏠 - 8 bungalows toilés - 8 tentes lodges (avec sanitaires). Nuitée 34 à 149€ - Sem. 238 à 1 043€

🚐 borne AireService - 26 🅿 13€

Préférer les emplacements les plus éloignés de la route, au bord du ruisseau, le Giessen, qui traverse le camping.

Nature : 🐟 ⛰ ♤♤		
Loisirs : ♟ ✗ 🎮 ☼diurne 🛶	**G**	E : 7.28911
Services : ⚬➤ 🎰 ♨ ☂ laverie 🧺 réfrigérateurs	**P** **S**	N : 48.33602
À prox. : ✂ 🎯 ▦ ⛸ ⛷ skate parc		

BIESHEIM

68600 - Carte Michelin **315** J8 - 2 398 h. - alt. 189
▶ Paris 520 - Strasbourg 85 - Freiburg-im-Breisgau 37 - Basel 68

⚑ Tohapi L'Ile du Rhin

✆ 0825 00 20 30, www.tohapi.fr

Pour s'y rendre : zone touristique de l'Île du Rhin (5 km à l'est par N 415, rte de Fribourg)

3 ha (220 empl.) plat et peu incliné, herbeux

Location : ♿ (1 mobile home) - 50 🛏.

Site et cadre agréables entre le Rhin et le canal d'Alsace, à la frontière France-Allemagne.

Nature : ♤♤		
Loisirs : ✗ 🎮 🚲	**G**	E : 7.57278
Services : ⚬➤ ♨ ⛽ ☂ laverie 🧺	**P** **S**	N : 48.02746
À prox. : ▦ ⛸ 🛥 ski nautique		

BURNHAUPT-LE-HAUT

68520 - Carte Michelin **315** G10 - 1 596 h. - alt. 300
▶ Paris 454 - Altkirch 16 - Belfort 32 - Mulhouse 17

⚑ Les Castors

✆ 03 89 48 78 58, www.camping-les-castors.fr

Pour s'y rendre : 4 rte de Guewenheim (2,5 km au nord-ouest par D 466)

2,5 ha (135 empl.) plat, herbeux

Location : - 3 🛏 - 4 🏠 - 1 cabane perchée - 4 Cabanes insolites - 1 Cabane flottante.

🚐 borne artisanale - 3 🅿

Cadre champêtre avec grande pelouse en bordure de rivière et de deux étangs (pêche et baignade).

Nature : ♤♤		
Loisirs : ♟ ✗ 🛶 ≋ (étang) 🎣	**G**	E : 7.12383
Services : ⚬➤ 🎰 ♨ ☂ laverie	**P** **S**	N : 47.77455
À prox. : parcours dans les arbres		

COLMAR

68000 - Carte Michelin **315** I8 - 67 214 h. - alt. 194
▶ Paris 450 - Basel 68 - Freiburg 51 - Nancy 140

⚑ Camping L'Ill Colmar

✆ 03 89 41 15 94, www.campingdelill.fr

Pour s'y rendre : 2 km à l'est par N 415, rte de Fribourg, au bord de l'Ill

Ouverture : de fin mars à déb. janv.

2,2 ha (150 empl.) plat, herbeux, terrasse

Empl. camping : (Prix 2018) 27€ ♣♣ ⛺ 🅿 (10A) - pers. suppl. 6€ - frais de réservation 15€

Location : (Prix 2018) Permanent - 8 🛏 - 12 🏠 - 10 tentes lodges . Nuitée 44 à 115€ - Sem. 240 à 719€ - frais de réservation 15€

🚐 borne flot bleu 7€ - 12 🅿 27€

Camping de ville avec bruit de la route dans un cadre verdoyant, ombragé, au bord de la rivière.

Nature : ♤♤		
Loisirs : ♟ ✗ 🎮 🛶 🚲 🎣	**G**	E : 7.38676
Services : ⚬➤ 🎰 ☂ laverie 🧺 🧺	**P** **S**	N : 48.07838
À prox. : 🛒		

ÉGUISHEIM

68420 - Carte Michelin **315** H8 - 1 622 h. - alt. 210
▶ Paris 452 - Belfort 68 - Colmar 7 - Gérardmer 52

⛰ Des Trois Châteaux

Camping les Trois Châteaux

✆ 03 89 23 19 39, www.camping-eguisheim.fr

Pour s'y rendre : 10 r. du Bassin (à l'ouest)

Ouverture : de déb. avr. à mi-déc.

2 ha (133 empl.) plat et peu incliné, gravier, herbeux

Empl. camping : 20€ ♣♣ ⛺ 🅿 (10A) - pers. suppl. 4€ - frais de réservation 10€

Location : (de déb. avr. à mi-déc.) - 22 🛏 . Nuitée 42 à 138€ - Sem. 272 à 636€ - frais de réservation 10€

🚐 borne artisanale 5€

Emplacements ombragés au milieu du vignoble et tout près du très beau village d'Eguisheim.

Nature : 🐟 ⛰ ♤♤		
Services : ⚬➤ ☂ laverie	**G** **P** **S**	E : 7.29909 N : 48.04274

GEISHOUSE

68690 - Carte Michelin **315** G9 - 484 h. - alt. 730
▶ Paris 467 - Belfort 53 - Bussang 23 - Colmar 55

⚠ Au Relais du Grand Ballon

✆ 03 89 82 30 47, www.aurelaisdugrandballon.com - peu d'emplacements pour tentes et caravanes

Pour s'y rendre : 17 Grand-Rue (sortie sud)

Ouverture : Permanent

0,3 ha (24 empl.) plat, herbeux

Empl. camping : ⋆ 6€ ⟿ 2€ 🖭 5€ – 🔌 (10A) 5€

Location : (de mi-mars à mi-nov.) - 4 🏠 . Nuitée 62€ - Sem. 338 à 408€

Beau petit terrain familial en pleine montagne, avec restaurant très prisé.

Nature : 🏞 ⌑ ♀
Loisirs : ▾ ✗ 🏛 ⛵
Services : ⊶ 🏢 🛁 📶 laverie

GPS E : 7.05852
N : 47.88056

GUEWENHEIM

68116 - Carte Michelin **315** G10 - 1 256 h. - alt. 323
▶ Paris 458 - Altkirch 23 - Belfort 36 - Mulhouse 21

⛰ La Doller

✆ 03 89 82 56 90, www.campingdoller.com

Pour s'y rendre : r. du Cdt-Charpy (1 km au nord par D 34, rte de Thann et chemin à dr., au bord de la Doller)

Ouverture : de déb. avr. à fin oct.

0,8 ha (40 empl.) plat, herbeux

Empl. camping : (Prix 2018) ⋆ 4€ ⟿ 🖭 4€ – 🔌 (6A) 4€ - frais de réservation 80€

Location : (Prix 2018) Permanent - 6 🛖 . Nuitée 30 à 80€ - Sem. 300 à 550€

🚐 borne artisanale - 5 🖭 14€ - 🚐 8€

Ambiance familiale dans un cadre verdoyant et fleuri. Très belle salle de restauration.

Nature : 🏞 ♀
Loisirs : ▾ 🏛 ⛵ ⛸ 🎣
Services : ⊶ 🏢 🛁 🗑 📶 💻
À prox. : ✗ 🧗

GPS E : 7.09827
N : 47.75597

HEIMSBRUNN

68990 - Carte Michelin **315** H10 - 1 453 h. - alt. 280
▶ Paris 456 - Altkirch 14 - Basel 50 - Belfort 34

⚠ Parc la Chaumière

✆ 03 89 81 93 43, www.camping-lachaumiere.com - peu d'emplacements pour tentes et caravanes

Pour s'y rendre : 62 r. de Galfingue (sortie sud par D 19, rte d'Altkirch)

Ouverture : Permanent

1 ha (53 empl.) plat, herbeux, gravillons

Empl. camping : 14€ ⋆⋆ ⟿ 🖭 🔌 (10A) - pers. suppl. 4€

Location : (de déb. avr. à fin oct.) - 6 🛖 - 1 🏠 - 2 bungalows toilés - 2 cabanons. Nuitée 15 à 70€ - Sem. 105 à 500€

🚐 borne artisanale 4€ - 5 🖭 14€ - 🚐 9€

Convivial et familial, dans un agréable cadre arbustif.

Nature : 🏞 ⌑ ♀
Loisirs : ⛵ ⛸ (petite piscine)
Services : ⊶ 🏢 📶 🛁

GPS E : 7.22477
N : 47.72242

LE HOHWALD

67140 - Carte Michelin **315** H6 - 496 h. - alt. 570 - Sports d'hiver : 600/1100 m
▶ Paris 430 - Lunéville 89 - Molsheim 33 - St-Dié 46

⚠ Municipal

✆ 03 88 08 30 90, lecamping.herrenhaus@orange.fr - alt. 615

Pour s'y rendre : 28 r. du Herrenhaus (sortie ouest par D 425, rte de Villé)

Ouverture : de mi-juin à mi-sept.

2 ha (100 empl.) fort dénivelé, en terrasses, gravillons, plat, herbeux

Empl. camping : (Prix 2018) 14€ ⋆⋆ ⟿ 🖭 🔌 (6A) - pers. suppl. 4€

Cadre agréable en pleine montagne au milieu des épicéas, hêtres et sapins.

Nature : ♀
Loisirs : 🏛 ⛵ parcours sportif
Services : 🏢 🖭

GPS E : 7.32328
N : 48.4063

ISSENHEIM

68500 - Carte Michelin **315** H9 - 3 418 h. - alt. 245
▶ Paris 487 - Strasbourg 98 - Colmar 24 - Mulhouse 22

⚠ Le Florival

✆ 03 89 74 20 47, www.camping-leflorival.com

Pour s'y rendre : rte de Soultz (2,5 km au sud-est par D 430, rte de Mulhouse et D 5 à gauche, rte d'Issenheim)

Ouverture : de déb. mai à fin sept.

3,5 ha (93 empl.) plat, herbeux, pierreux

Empl. camping : (Prix 2018) 20€ ⋆⋆ ⟿ 🖭 🔌 (10A) - pers. suppl. 4€

Location : (Prix 2018) (de déb. mai à fin sept.) - ♿ (2 chalets) - ⛵ - 20 🏠 . Nuitée 75 à 120€ - Sem. 300 à 510€

🚐 4 🖭 20€ - 🚐 🔌 17€

Cadre agréable, à l'orée du bois, avec un joli petit village de chalets.

Nature : ⌑ ♀♀
Loisirs : 🏛 ⛵
Services : ⊶ 🏢 🛁 📶 laverie
À prox. : parc aquatique

GPS E : 7.23879
N : 47.90014

KAYSERSBERG

68240 - Carte Michelin **315** H8 - 2 721 h. - alt. 242
▶ Paris 438 - Colmar 12 - Gérardmer 46 - Guebwiller 35

⚠ Municipal

✆ 03 89 47 14 47, www.camping-kaysersberg.com 🚫 (de déb. avr. à fin juin)

Pour s'y rendre : r. des Acacias (sortie nord-ouest par N 415, rte de St-Dié et à droite)

Ouverture : de déb. avr. à fin sept.

1,6 ha (110 empl.) plat, herbeux

Empl. camping : (Prix 2018) 20€ ⋆⋆ ⟿ 🖭 🔌 (13A) - pers. suppl. 4€

🚐 borne artisanale

Terrain charmant au bord de la rivière la Weiss, et des emplacements au bord de la mini-cascade.

Nature : ≤ ♀♀
Loisirs : 🏛 ⛵ 🚫
Services : ⊶ 🏢 🛁 🗑 🗑 📶 laverie

GPS E : 7.25404
N : 48.14887

KRUTH

68820 - Carte Michelin **315** F9 - 1 029 h. - alt. 498
▶ Paris 453 - Colmar 63 - Épinal 68 - Gérardmer 31

🏔 Le Schlossberg

📞 03 89 82 26 76, www.schlossberg.fr

Pour s'y rendre : r. du Bourbaach (2,3 km au nord-ouest par D 13b, rte de La Bresse et rte à gauche)

5,2 ha (200 empl.) terrasse, peu incliné, herbeux

Location - 12 🏠 .

Site agréable au cœur du Parc des Ballons d'Alsace, à proximité du magnifique lac de Kruth. Piste cyclable à l'entrée.

Nature : 🌿 ≤ ♀
Loisirs : 🍴 🚣
Services : ⚲ �🏪 ♨ 📶 laverie

G E : 6.9546
P
S N : 47.94535

Campeurs... N'oubliez pas que le feu est le plus terrible ennemi de la forêt. Soyez prudents !

LAUTERBOURG

67630 - Carte Michelin **315** N3 - 2 266 h. - alt. 115
▶ Paris 519 - Haguenau 40 - Karlsruhe 22 - Strasbourg 63

🏔 Municipal des Mouettes

📞 03 88 54 68 60, camping-lauterbourg@wanadoo.fr - peu d'emplacements pour tentes et caravanes

Pour s'y rendre : chemin des Mouettes (1,5 km au sud-ouest par D 3 et chemin à gauche, à 100 m d'un plan d'eau (accès direct))

2,7 ha (136 empl.) plat, herbeux

Location : - 5 🏠 - 4 tentes sur pilotis - 4 tipis - 5 cabanons.
🚰 borne Sanistation

À côté d'une grande base de loisirs.

Loisirs : 🍴 ✕
Services : ⚲ ⏧ 📶 📱
À prox. : 🚣 ⛵ 🛶 💧

G E : 8.1654
P
S N : 48.9708

LIEPVRE

68660 - Carte Michelin **315** H7 - 1 751 h. - alt. 272
▶ Paris 428 - Colmar 35 - Ribeauvillé 27 - St-Dié-des-Vosges 31

🏔 Haut-Koenigsbourg

📞 03 89 58 43 20, www.camping-hautkoenigsbourg.com

Pour s'y rendre : rte de La Vancelle (900 m à l'est par C 1 rte de la Vancelle)

Ouverture : de mi-mars à mi-oct.

1 ha (56 empl.) plat et peu incliné, herbeux

Empl. camping : 12€ ⚡ 🚗 🔲 ⚡ (8A) - pers. suppl. 4€
Location : (de mi-mars à mi-oct.) - ♿ (1 chalet) - 🏕 - 6 🏠 .
Nuitée 60 à 90€ - Sem. 280 à 450€

Entrée bordée par un séquoia centenaire. Calme absolu au milieu de la verdure.

Nature : 🌿 ≤ ♀♀
Loisirs : 🎮 🚣
Services : ⚲ ⏧ 📶 laverie

G E : 7.2903
P
S N : 48.27303

MASEVAUX

68290 - Carte Michelin **315** F10 - 3 278 h. - alt. 425
▶ Paris 440 - Altkirch 32 - Belfort 24 - Colmar 57

🏔 Les Rives de La Doller

📞 03 89 39 83 94, www.masevaux-camping.fr

Pour s'y rendre : 3 r. du Stade (au bord de la Doller)

Ouverture : de déb. avr. à mi-oct.

3,5 ha (126 empl.) plat, herbeux

Empl. camping : 19€ ⚡ 🚗 🔲 ⚡ (6A) - pers. suppl. 5€
Location : Permanent - 2 🚐 - 5 🏠 - 2 bungalows toilés. Nuitée 45 à 75€ - Sem. 289 à 549€ - frais de réservation 8€

Contigu aux installations sportives municipales (piscine...), emplacements ombragés. Préférez les plus éloignés de la route.

Nature : ♀♀
Loisirs : 🍴 ✕ 🎮 🚣 🎣
Services : ⚲ ⏧ ♨ 📶 laverie
À prox. : 🚲 ⛷ ⛷ terrain multisports

G E : 6.99093
P
S N : 47.77833

MITTLACH

68380 - Carte Michelin **315** G8 - 323 h. - alt. 550
▶ Paris 467 - Colmar 28 - Gérardmer 42 - Guebwiller 44

⛺ Municipal Langenwasen

📞 03 89 77 63 77, www.mittlach.fr - alt. 620

Pour s'y rendre : chemin du Camping (3 km au sud-ouest, au bord d'un ruisseau)

Ouverture : de mi-avr. à mi-oct.

3 ha (77 empl.) terrasse, plat et peu incliné, gravier, herbeux

Empl. camping : (Prix 2018) ⚡ 4€ 🚗 🔲 4€ – ⚡ (10A) 6€
Location : (Prix 2018) (de mi-avr. à mi-oct.) - 1 studio. Nuitée 34€ - Sem. 240€

Site boisé au fond d'une vallée au calme.

Nature : 🌿 ≤ 🚐 ♀
Loisirs : 🎮 🚣
Services : (juil.-août) 📶 📱

G E : 7.01867
P
S N : 47.98289

MOOSCH

68690 - Carte Michelin **315** G9 - 1 764 h. - alt. 390
▶ Paris 463 - Colmar 51 - Gérardmer 42 - Mulhouse 28

⛺ La Mine d'Argent

📞 03 89 82 30 66, www.camping-la-mine-argent.com - peu d'emplacements pour tentes et caravanes

Pour s'y rendre : r. de la Mine-d'Argent (1,5 km au sud-ouest par r. de la Mairie, au bord d'un ruisseau)

Ouverture : de déb. mai à fin sept.

2 ha (85 empl.) en terrasses, peu incliné, plat, herbeux

Empl. camping : 18€ ⚡ 🚗 🔲 ⚡ (10A) - pers. suppl. 4€
Location : (de déb. mai à fin sept.) - 5 🚐 . Nuitée 35 à 55€ - Sem. 240 à 300€ - frais de réservation 70€
🚰 borne artisanale 4€ - 🔌 ⚡18€

Dans un site vallonné et verdoyant de pleine montagne.

Nature : 🌿 ≤ ♀
Loisirs : 🎮 🚣
Services : ⚲ 📶 laverie

G E : 7.03054
P
S N : 47.85102

MULHOUSE

68100 - Carte Michelin **315** I10 - 111 156 h. - alt. 240
▶ Paris 465 - Basel 34 - Belfort 43 - Besançon 130

⛰ L'Ill

📞 03 89 42 64 76, www.camping-mulhouse.com

Pour s'y rendre : 1 r. Pierre-de-Coubertin (au sud-ouest, par autoroute A 36, sortie Dornach)

Ouverture : de mi-mars à fin déc.

5 ha (193 empl.) plat, herbeux

Empl. camping : (Prix 2018) 22€ ⚎ ⚎ 🚗 ▣ ⚡ (10A) - pers. suppl. 6€
Location : (de mi-mars à fin déc.) - 8 🛖 - 18 cabanons - 1 cabane (avec sanitaire). Nuitée 29 à 90€ - Sem. 203 à 650€
🚐 borne eurorelais 6€
Cadre boisé en bordure de rivière, le long de l'Eurovéloroute 6 et de la rivière l'Ill.

Nature : 🌳🌳	
Loisirs : 🏠 🛁	**G** E : 7.32283
Services : ⚬🔫 🏢 👤 🛜 laverie	**P** N : 47.73424
À prox. : 👥 🛶 🎣 patinoire, bi-cross	**S**

To make the best possible use of this Guide, READ CAREFULLY THE EXPLANATORY NOTES.

MUNSTER

68140 - Carte Michelin **315** G8 - 4 889 h. - alt. 400
▶ Paris 458 - Colmar 19 - Gérardmer 34 - Guebwiller 40

⛰ Tohapi Le Parc de la Fecht

📞 0825 00 20 30, www.tohapi.fr/113

Pour s'y rendre : rte de Gunsbach (1 km à l'est par D 10, rte de Turckheim)

Ouverture : de fin avr. à déb. sept.

4 ha (192 empl.) plat, herbeux

Empl. camping : (Prix 2018) 18€ ⚎ ⚎ 🚗 ▣ ⚡ (8A) - pers. suppl. 5€
- frais de réservation 15€
Location : (Prix 2018) (de mi-avr. à déb. sept.) - 24 🛖. Nuitée 55 à 72€ - frais de réservation 15€
🚐 borne eurorelais
Cadre boisé, au bord de la Fecht. Sanitaires vieillissants.

Nature : 🌳🌳	
Loisirs : 🏠 👓 🛁 🚲	**G** E : 7.15102
Services : ⚬🔫 laverie	**P** N : 48.04316
À prox. : 🛶 🎣 parc aquatique	**S**

OBERBRONN

67110 - Carte Michelin **315** J3 - 1 543 h. - alt. 260 - ⛲
▶ Paris 460 - Bitche 25 - Haguenau 24 - Saverne 36

⛰ Flower L'Oasis

📞 06 85 92 65 99, www.opale-dmcc.fr

Pour s'y rendre : 3 r. du Frohret (1,5 km au sud par D 28, rte d'Ingwiller et chemin à gauche)

2,5 ha (139 empl.) plat et peu incliné, pierreux, herbeux
Location : 👤 (2 chalets) - 5 🛖 - 39 🛖 - 7 tentes lodges.
🚐 borne eurorelais - 10 ▣

À la lisière d'une forêt, magnifique vue dégagée sur la montagne et le village d'Oberbronn.

Nature : 👓 ⋜	
Loisirs : 🍽 🍴 🏠 🛁 ⛷ jacuzzi 🛶 🎣 🛁 parcours sportif	**G** E : 7.60347
Services : ⚬🔫 🏢 👤 🛜 laverie 🚿	**P** N : 48.9286
À prox. : 👥	**S**

OBERNAI

67210 - Carte Michelin **315** I6 - 10 803 h. - alt. 185
▶ Paris 488 - Colmar 50 - Erstein 15 - Molsheim 12

⛺ Municipal le Vallon de l'Ehn

📞 03 88 95 38 48, www.obernai.fr

Pour s'y rendre : 1 r. de Berlin (sortie ouest par D 426, rte d'Ottrott, pour caravanes : accès conseillé par rocade au sud de la ville)

Ouverture : de mi-mars à déb. janv.

3 ha (150 empl.) plat et peu incliné, herbeux, gravier

Empl. camping : 23€ ⚎ ⚎ 🚗 ▣ ⚡ (16A) - pers. suppl. 5€
Location : (de mi-mars à déb. janv.) - 🎣 - 4 🛖. Sem. 440 à 580€
🚐 borne eurorelais 3€
Site au calme avec jolie vue sur le mont Sainte-Odile.

Nature : 👓 ⋜ 🌳🌳	
Loisirs : 🏠 🛶 🚲 👥	**G** E : 7.46715
Services : ⚬🔫 🏢 👤 🚿 🛜 laverie cases réfrigérées	**P** N : 48.46505
À prox. : 🎣 🍽 🛶 🐎	**S**

Avant de vous installer, consultez les tarifs en cours, affichés obligatoirement à l'entrée du terrain, et renseignez-vous sur les conditions particulières de séjour. Les indications portées dans le guide ont pu être modifiées depuis la mise à jour.

RANSPACH

68470 - Carte Michelin **315** G9 - 852 h. - alt. 430
▶ Paris 459 - Belfort 54 - Bussang 15 - Gérardmer 38

⛰ Flower Les Bouleaux

📞 03 89 82 64 70, www.alsace-camping.com

Pour s'y rendre : 8 r. des Bouleaux (au sud du bourg par N 66)

Ouverture : Permanent

1,75 ha (75 empl.) plat, herbeux

Empl. camping : 28€ ⚎ ⚎ 🚗 ▣ ⚡ (6A) - pers. suppl. 6€ - frais de réservation 10€
Location : Permanent 👤 (2 chalets) - 30 🛖 . Nuitée 55 à 85€ - Sem. 275 à 854€ - frais de réservation 10€
🚐 borne artisanale 4€ - 5 ▣ 22€
Belles étendues verdoyantes sous les bouleaux. Sanitaires vieillissants.

Nature : ⋜ 🌳	
Loisirs : 🍽 🍴 🏠 hammam 🛶 🚲 👥 🛁 spa massages	**G** E : 7.01037
Services : ⚬🔫 👤 🛜 laverie	**P** N : 47.88084
	S

RHINAU

67860 - Carte Michelin **315** K7 - 2 698 h. - alt. 158
▶ Paris 525 - Marckolsheim 26 - Molsheim 38 - Obernai 28

⚠️ Ferme des Tuileries

📞 03 88 74 60 45, www.fermedestuileries.com ⚗️

Pour s'y rendre : 1 r. des Tuileries (sortie nord-ouest, rte de Benfeld)

Ouverture : de déb. avr. à fin sept. - 🅟

4 ha (150 empl.) plat, herbeux

Empl. camping : 16€ ✦✦ ⇦ 🔲 🔌 (6A) - pers. suppl. 4€

Location : (de déb. avr. à fin déc.) - ⚗️ - 5 🏠. Nuitée 60 à 85€ - Sem. 400 à 600€

🚰 borne artisanale 2€ - 15 🔲 16€

Terrain confortable planté d'arbres fruitiers, attenant à un magnifique plan d'eau.

Nature : 🦌 ♀
Loisirs : ✕ 🖼️ 🛶 🚣 🚴 ✕ 🗿 ≋
(plan d'eau) ⚓ 🎣
Services : ⛽ 🚽 🏧 🚿 🛗 laverie 🧹

GPS : E : 7.6986
N : 48.32224

RIBEAUVILLÉ

68150 - Carte Michelin **315** H7 - 4 798 h. - alt. 240
▶ Paris 439 - Colmar 16 - Gérardmer 56 - Mulhouse 60

⚠️ Municipal Pierre-de-Coubertin

📞 03 89 73 66 71, camping-alsace.com/camping-pierre-coubertin-ribeauville

Pour s'y rendre : 23 r. de Landau (sortie est par D 106 puis r. à gauche)

Ouverture : de mi-mars à mi-nov. - 🅟

3,5 ha (208 empl.) plat, herbeux

Empl. camping : ✦ 5€ ⇦ 🔲 6€ – 🔌 (16A) 4€

🚰 borne artisanale - 18 🔲

Emplacements bien ombragés avec vue sur le vignoble et le château pour quelques-uns.

Nature : 🦌 ♀♀
Loisirs : 🖼️ 🛶 ✕
Services : ⛽ 🚽 🏧 🚿 🚻 laverie 🧹
À prox. : 🗿 🎣 ⚓

GPS : E : 7.336
N : 48.195

STE-CROIX-EN-PLAINE

68127 - Carte Michelin **315** I8 - 2 661 h. - alt. 192
▶ Paris 471 - Belfort 78 - Colmar 10 - Freiburg-im-Breisgau 49

⚠️ Capfun Clair Vacances

📞 03 89 49 27 28, www.capfun.com

Pour s'y rendre : rte de Herrlisheim (sur la D1)

Ouverture : de fin avr. à déb. oct.

4 ha (145 empl.) plat, herbeux

Empl. camping : (Prix 2018) 32€ ✦✦ ⇦ 🔲 🔌 (16A) - pers. suppl. 8€ - frais de réservation 15€

Location : (Prix 2018) (de fin avr. à déb. oct.) - 62 🚐 - 1 cabane perchée. Nuitée 44 à 67€ - Sem. 175 à 931€ - frais de réservation 27€

Agréable décoration arbustive, terrain au calme.

Nature : 🖼️ ♀
Loisirs : 🍴 ✕ 🖼️ 🛶 🗿
Services : ⛽ 🚽 🚿 🚿 laverie

GPS : E : 7.35289
N : 48.01454

SAVERNE

67700 - Carte Michelin **315** I4 - 12 046 h. - alt. 200
▶ Paris 450 - Lunéville 88 - St-Avold 89 - Sarreguemines 65

⚠️ Seasonova Les Portes d'Alsace

📞 03 88 91 35 65, www.camping-lesportesdalsace.com

Pour s'y rendre : 40 r. du Père-Libermann (1,3 km au sud-ouest par D 171)

2,1 ha (145 empl.) peu incliné, plat, herbeux

Location : - 16 🚐.

🚰 borne artisanale - 12 🔲

Un petit coin de campagne dans un cadre urbain, terrain paisible et confortable.

Nature : ≤ ♀
Loisirs : 🖼️ 🛶 🏊 (découverte en saison)
Services : ⛽ 🚽 🏧 🚿 laverie
À prox. : ✕✕ 🐎

GPS : E : 7.35539
N : 48.73095

SÉLESTAT

67600 - Carte Michelin **315** I7 - 19 332 h. - alt. 170
▶ Paris 441 - Colmar 24 - Gérardmer 65 - St-Dié 44

⚠️ Municipal les Cigognes

📞 03 88 92 03 98, www.selestat-haut-koenigsbourg.com

Pour s'y rendre : 1 r. de la 1re-Division-France-Libre

Ouverture : de fin mars à mi-oct. et de mi-nov. à fin déc.

0,7 ha (48 empl.) plat, herbeux

Empl. camping : (Prix 2018) 18€ ✦✦ ⇦ 🔲 🔌 (10A) - pers. suppl. 5€

🚰 borne eurorelais - 16 🔲 18€

Agréable terrain à 5mn du centre-ville. Préférer les emplacements les plus éloignés de la route. Ouvert pendant le marché de Noël.

Nature : ♀
Loisirs : 🛶
Services : 🚻 🚿 laverie
À prox. : ✕✕ 🖼️ 🗿

GPS : E : 7.44828
N : 48.25444

SEPPOIS-LE-BAS

68580 - Carte Michelin **315** H11 - 1 164 h. - alt. 390
▶ Paris 454 - Altkirch 13 - Basel 42 - Belfort 38

⚠️ Les Lupins

📞 03 89 25 65 37, www.camping-les-lupins.fr

Pour s'y rendre : 1 r. de la Gare (sortie nord-est par D 17 2, rte d'Altkirch)

Ouverture : de déb. avr. à fin oct.

3,5 ha (158 empl.) terrasse, plat, herbeux

Empl. camping : 18€ ✦✦ ⇦ 🔲 🔌 (16A) - pers. suppl. 2€

Location : (de mi-mars à mi-nov.) - 🅿 - 1 🚐 - 10 🏠 - 1 bungalow toilé. Nuitée 35 à 90€ - Sem. 245 à 650€

🚰 10 🔲 17€

Sur le site verdoyant de l'ancienne gare, terrain tout en longueur.

Nature : 🦌 ♀
Loisirs : 🖼️ 🎱 🛶 🗿
Services : ⛽ 🚽 🚿 🚿 laverie
À prox. : ✕

GPS : E : 7.17893
N : 47.53956

STRASBOURG

67000 - Carte Michelin **315** K5 - 271 708 h. - alt. 143
▶ Paris 488 - Stuttgart 160 - Baden-Baden 63 - Karlsruhe 87

▲▲▲ Camping de Strasbourg

✆ 03 88 30 19 96, www.citykamp.com

Pour s'y rendre : 9 r. de L'Auberge-de-Jeunesse

Ouverture : Permanent

3 ha (195 empl.) plat, herbeux

Empl. camping : (Prix 2018) 34 € ♣♣ ⇌ 回 ⌀ (9A) - pers. suppl. 6 €
- frais de réservation 15 €

Location : (Prix 2018) Permanent - 24 ⏢ - 35 ⌂ - 24 tentes
lodges - 5 tentes odges (avec sanitaires). Nuitée 61 à 129 € - Sem.
385 à 819 € - frais de réservation 15 €

🚐 borne flot bleu - 19 回 20 €

*Camping de ville, verdoyant, traversé par ruisseau, avec le train
en fond sonore. Bus pour le centre ville.*

		GPS
Nature : ⌑ ♀		E : 7.71441
Loisirs : ♈ ✗ ⌂ ⇌ ⚲ ⚓		N : 48.57537
Services : ⚬ ▥ ♨ ⇌ laverie réfrigérateurs		

TURCKHEIM

68230 - Carte Michelin **315** H8 - 3 747 h. - alt. 225
▶ Paris 471 - Colmar 7 - Gérardmer 47 - Munster 14

▲ Le Médiéval

Camping le Médiéval

✆ 03 89 27 02 00, www.camping-turckheim.com

Pour s'y rendre : quai de la Gare (à l'ouest du bourg, derrière le stade - accès par chemin entre le passage à niveau et le pont)

Ouverture : de déb. avr. à mi-déc.

2,5 ha (117 empl.) plat, herbeux

Empl. camping : 18 € ♣♣ 回 ⌀ (16A) - pers. suppl. 4 € - frais de réservation 10 €

Location : (de déb. avr. à mi-déc.) - 16 ⏢ - 4 ⌂. Nuitée 48 à 138 €
- Sem. 302 à 708 € - frais de réservation 10 €

🚐 borne artisanale 4 €

Au bord d'un petit canal, près de la Fecht, avec vue sur les vignobles.

		GPS
Nature : ≤ ⌑ ♀♀		E : 7.27144
Loisirs : ⌂		N : 48.08463
Services : ⚬ ▥ ♨ ⇌ laverie		
À prox. : ⚲		

WASSELONNE

67310 - Carte Michelin **315** I5 - 5 562 h. - alt. 220
▶ Paris 464 - Haguenau 42 - Molsheim 15 - Saverne 15

▲▲▲ Municipal

✆ 03 88 87 00 08, www.camping-wasselonne.com

Pour s'y rendre : r. des Sapins (1 km à l'ouest par D 224, rte de Wangenbourg)

Ouverture : Permanent

1,5 ha (100 empl.) en terrasses, herbeux

Empl. camping : (Prix 2018) ♣ 5 € ⇌ 回 5 € – ⌀ (10A) 4 €

Location : (Prix 2018) Permanent ♿ (1 chalet) - 12 ⌂ - 3 tentes
lodges . Nuitée 45 à 83 € - Sem. 260 à 520 €

🚐 borne eurorelais 2 € - 10 回 9 €

Belles étendues verdoyantes dans l'enceinte du centre de loisirs.

		GPS
Nature : ≤ ♀		E : 7.44869
Loisirs : ⚓ ⚲		N : 48.63691
Services : ⚬ ⇌ ⇌ laverie ⚲		
À prox. : ✗ ⚲ ⊞		

WATTWILLER

68700 - Carte Michelin **315** H10 - 1 734 h. - alt. 356
▶ Paris 478 - Strasbourg 116 - Freiburg-im-Breisgau 81 - Basel 56

▲▲▲ Huttopia Wattwiller ♣♣

✆ 03 89 75 44 94, europe.huttopia.com/site/wattwiller/

Pour s'y rendre : rte des Crêtes

Ouverture : de déb. avr. à mi-oct.

15 ha (200 empl.) fort dénivelé, en terrasses, gravier, pierreux

Empl. camping : 32 € ♣♣ ⇌ 回 ⌀ (10A) - pers. suppl. 7 €

Location : (de déb. avr. à mi-oct.) - 20 ⏢ - 38 ⌂ - 6 chalets
sur pilotis - 7 tentes lodges - 19 tentes lodges (avec sanitaires).
Nuitée 41 à 155 € - Sem. 287 à 1 085 € - frais de réservation 15 €

🚐 borne artisanale

*Agréable site boisé avec du locatif varié de bon et souvent très
bon confort.*

		GPS
Nature : ⚲ ⌑ ⚲		E : 7.16736
Loisirs : ♈ ✗ ⌂ ⚲ nocturne ⚲ ⚲ ⚲ ⚲ ⚲ ⚲		N : 47.83675
Services : ⚬ ▥ ♨ ⇌ laverie ⚲ ⚲		

WIHR-AU-VAL

68230 - Carte Michelin **315** H8 - 1 237 h. - alt. 330
▶ Paris 463 - Colmar 14 - Gérardmer 38 - Guebwiller 35

▲ La Route Verte

✆ 03 89 71 10 10, www.camping-routeverte.com

Pour s'y rendre : 13 r. de la Gare (sortie Sud par D 43 rte de
Soultzbach-les-Bains)

Ouverture : de fin avr. à fin sept.

1,2 ha (55 empl.) plat et peu incliné, herbeux

Empl. camping : ♣ 3 € ⇌ 回 4 € – ⌀ (10A) 7 €

🚐 borne artisanale 5 €

Beau petit terrain familial au sein d'un charmant village entouré de vignobles.

		GPS
Nature : ⚲ ♀		E : 7.20513
Loisirs : ⚓		N : 48.05159
Services : ⚬ ♨ ⇌ ⊡		
À prox. : ♈ ✗		

Oks_Mit/iStock

Bienvenue en Aquitaine, immuable terre d'accueil où déjà l'homme préhistorique avait élu domicile. La région se compose d'une mosaïque de paysages, mais tous ses habitants partagent le même sens de l'hospitalité. Après une visite aux maîtres ès foies gras et confits du Périgord et du Quercy, suivie d'un crochet par le Bordelais, ses châteaux et son vignoble si justement réputé, direction la Côte d'Argent, ses surfeurs, ses bars à tapas et ses amateurs de rugby ou de corridas élevés au gâteau basque et au piment d'Espelette… On cultive ici le goût du défi et de la fête, comme en témoignent ces paisibles villages préparant derrière leurs façades à colombages et volets rouges de fougueuses réjouissances où danses, jeux et chants célèbrent l'identité d'un peuple aux traditions toujours vivantes.

Aquitaine has welcomed mankind throughout the ages. Its varied mosaic of landscapes is as distinctive as its inhabitants' hospitality and good humour: a quick stop to buy confit of goose can easily lead to an invitation to look around the farm! No stay in Aquitaine would be complete without visiting at least one of Bordeaux' renowned vineyards. Afterwards head for the « Silver Coast », loved by surfers and rugby fans alike, have a drink in a tapas bar or even take ringside seats for a bullfight! This rugged, sunny land between the Pyrenees and the Atlantic remains fiercely proud of its identity: spend a little time in a sleepy Basque village and you'll soon discover that, at the first flourish of the region's colours, red and green, the locals still celebrate their traditions in truly vigorous style.

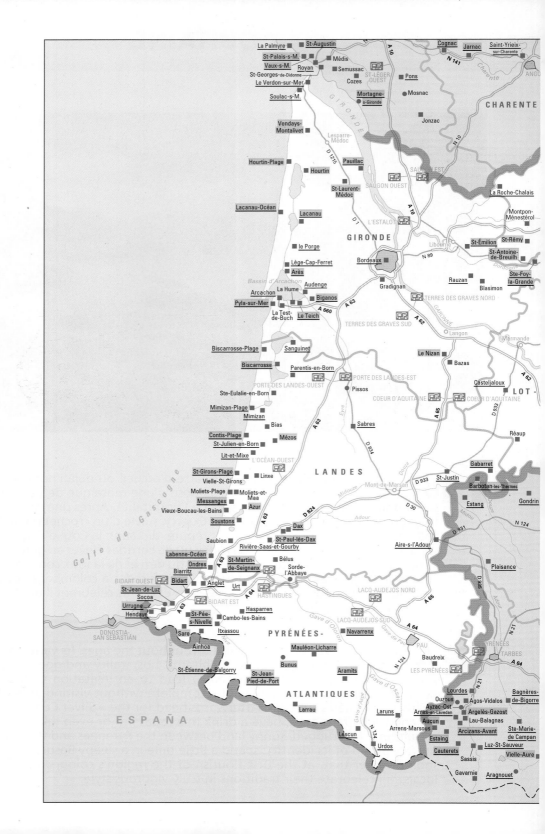

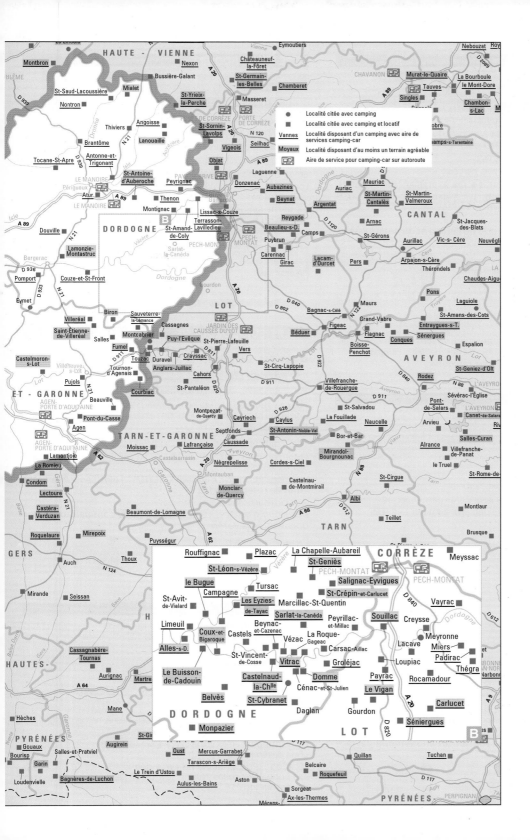

AGEN

47000 - Carte Michelin **336** F4 - 33 920 h. - alt. 50
▶ Paris 662 - Auch 74 - Bordeaux 141 - Pau 159

⚲ Le Moulin de Mellet

✆ 05 53 87 50 89, www.camping-moulin-mellet.com

Pour s'y rendre : à St-Hilaire-de-Lusignan, rte de Prayssas (8 km au nord-ouest par D 813 et à dr. par D 107)

Ouverture : de déb. avr. à déb. oct.

5 ha/3,5 campables (65 empl.) plat, herbeux

Empl. camping : (Prix 2018) 29 € ♥♥ ⇌ 🔲 💧 (10A) - pers. suppl. 7 €
Location : (Prix 2018) (de déb. avr. à déb. oct.) - 🍳 - 2 🚐
- 6 🏠. Nuitée 65 à 235 € - Sem. 255 à 730 €
🚐 9 🔲 18 € - 🚐 11 €
Préférer les emplacements près de l'étang et du petit ruisseau, plus éloignés de la route.

Nature : 🏞 ♀♀		**G** W : 0.54188
Loisirs : 🍸 ✕ 🛖 🚣 🏊 🎣 mini ferme		**P**
Services : ⚡ 🛁 � 📶 🔲 🛒		**S** N : 44.2436
À prox. : 🛒		

Ce guide n'est pas un répertoire de tous les terrains de camping mais une sélection des meilleurs campings dans chaque catégorie.

AINHOA

64250 - Carte Michelin **342** C3 - 672 h. - alt. 130
▶ Paris 791 - Bayonne 28 - Biarritz 29 - Cambo-les-Bains 11

⚠ Xokoan

✆ 05 59 29 90 26, www.camping-xokoan.com

Ouverture : Permanent - 🅿

0,6 ha (30 empl.) peu incliné, plat, herbeux

Empl. camping : 23 € ♥♥ ⇌ 🔲 💧 (10A) - pers. suppl. 9 €
Location : Permanent🍳 (de déb. avr. à fin oct.) - 2 🚐 - 2 🛏.
Nuitée 90 € - Sem. 430 €
🚐 borne artisanale 10 €
Le long du ruisseau qui sépare la France de l'Espagne.

Nature : 🏞 ♀♀		**G** W : 1.50369
Loisirs : 🍸 ✕ 🛖		**P**
Services : ⚡ 🖾 🛁 📶 laverie 🛒		**S** N : 43.29139
À prox. : 🛒		

⚠ Harazpy

✆ 05 59 29 89 38, www.camping-harazpy.com

Pour s'y rendre : quartier Gastelu-Gaïna (au nord-ouest du bourg, derrière l'église)

Ouverture : de déb. mars à fin oct. - 🅿

1 ha (25 empl.) terrasse, peu incliné, herbeux

Empl. camping : 23 € ♥♥ ⇌ 🔲 💧 (10A) - pers. suppl. 8 €
Location : (de déb. mars à fin oct.) - 2 🚐 - 1 gîte. Sem. 430 €
🚐 borne artisanale 10 €
Belle prairie au calme avec vue sur un authentique paysage basque.

Nature : 🏞 ≤♀🏔		**G** W : 1.50172
Loisirs : 🛖 🏄 terrain multisports		**P**
Services : ⚡ 📶 laverie		**S** N : 43.3089

AIRE-SUR-L'ADOUR

40800 - Carte Michelin **335** J12 - 6 275 h. - alt. 80
▶ Paris 722 - Auch 84 - Condom 68 - Dax 77

⚠ Les Ombrages de l'Adour

✆ 05 58 71 75 10, www.camping-adour-landes.com

Pour s'y rendre : r. des Graviers (près du pont, derrière les arènes)

Ouverture : de fin mars à déb. nov.

2 ha (100 empl.) plat, herbeux

Empl. camping : (Prix 2018) 21 € ♥♥ ⇌ 🔲 💧 (10A) - pers. suppl. 5 €
Location : (Prix 2018) (de fin mars à déb. nov.) - 8 🚐
- 2 bungalows toilés. Nuitée 32 à 60 € - Sem. 195 à 395 €
🚐 borne AireService 3 € - 20 🔲 21 €
Proche du centre-ville, des arènes et au bord de l'Adour.

Nature : 🏞 ♀♀		**G** W : 0.25793
Loisirs : 🏄 🏃 🛝 (petite piscine) 🎣		**P**
Services : ⚡ 🛁 📶 laverie		**S** N : 43.70257
À prox. : 🚴		

Benutzen Sie den Hotelführer des laufenden Jahres.

ALLES-SUR-DORDOGNE

24480 - Carte Michelin **329** G6 - 344 h. - alt. 70
▶ Paris 534 - Bergerac 36 - Le Bugue 12 - Les Eyzies-de-Tayac 22

⚲ Port de Limeuil

✆ 05 53 63 29 76, www.leportdelimeuil.com

Pour s'y rendre : 3 km au nord-est sur D 51e, près du pont de Limeuil, au confluent de la Dordogne et de la Vézère

Ouverture : de fin avr. à fin sept.

7 ha/4 campables (90 empl.) plat, herbeux, sablonneux

Empl. camping : 36 € ♥♥ ⇌ 🔲 💧 (10A) - pers. suppl. 8 € - frais de réservation 15 €
Location : (de fin avr. à fin sept.) - 15 🚐 - 1 gîte. Sem. 175 à 1 200 €
- frais de réservation 15 €
🚐 borne artisanale
Beaucoup d'espaces verts et baignade au confluent de la Dordogne et de la Vézère.

Nature : 🏞 ♀♀🏔		**G** E : 0.88599
Loisirs : 🍸 ✕ 🛖 🏄 🚲 🏊 🎣		**P**
Services : ⚡ 🛁 🛒 📶 laverie 🛒 🛒		**S** N : 44.87968

ANGLET

64600 - Carte Michelin **342** C2 - 37 661 h. - alt. 20
▶ Paris 773 - Bordeaux 187 - Pamplona 108 - Donostia-San Sebastián 51

⚲ Bela Basque

✆ 05 59 23 03 00, www.camping-belabasque.com

Pour s'y rendre : 2 allée Etchecopar (près de l'aéroport)

Ouverture : de déb. avr. à fin sept.

3,5 ha (162 empl.) en terrasses, plat et peu incliné, herbeux, pierreux, gravier

Empl. camping : (Prix 2018) 19 € ♥♥ ⇌ 🔲 💧 (10A) - pers. suppl. 3 €
- frais de réservation 5 €
Location : (Prix 2018) (de fin avr. à déb. oct.) - 103 🚐 - 13 🏠
- 13 bungalows toilés. Nuitée 30 à 185 € - Sem. 210 à 1 295 € - frais de réservation 15 €
🚐 19 🔲 17 €

Locatif de confort varié. Préférer les emplacements éloignés de la route. Bus pour la ville.

Nature : 🌊 🌳🌳
Loisirs : 🍹✕ 🛶 🎣🏃 🚣 🖼 🛝 ⛷
terrain multisports
Services : ⚡🚐 ♨ 🛜 laverie 🚿

GPS
W : 1.53238
N : 43.4643

ANGOISSE

24270 - Carte Michelin **329** H3 - 610 h. - alt. 345
▶ Paris 445 - Bordeaux 180 - Périgueux 51 - Limoges 53

🏔 **Rouffiac en Périgord**

🖋 05 53 52 68 79, www.sejour-dordogne.fr

Pour s'y rendre : à la base de loisirs de Rouffiac (4 km au sud-est par D 80, rte de Payzac, à 150 m d'un plan d'eau (accès direct))

Ouverture : de déb. mai à fin oct.

54 ha/6 campables (78 empl.) peu incliné, plat, herbeux

Empl. camping : (Prix 2018) 21€ 🚻 🚐 📺 ⚡ (16A) - pers. suppl. 4€
Location : (Prix 2018) Permanent♿ (1 chalet) - 4 🛖 - 32 🏠.
Nuitée 88 à 208€ - Sem. 220 à 728€
🚐 borne artisanale

Cadre verdoyant qui domine en partie la base de loisirs aux nombreuses activités. Quelques locatifs de bon confort.

Nature : 🌊 🏕 🌳🌳
Loisirs : 🛶 🎣diurne 🏃🚴
Services : ⚡🚐 🛜 laverie
À prox. : 🍹✕ 🚿 🏊 (plage) 🛶 ⛷ télé-ski
nautique pédalos tyrolienne , tir à l'arc

GPS
E : 1.16648
N : 45.41449

ANTONNE-ET-TRIGONANT

24420 - Carte Michelin **329** F4 - 1 203 h. - alt. 106
▶ Paris 484 - Bordeaux 139 - Périgueux 10 - Limoges 91

🏔 **Au Fil de l'Eau**

🖋 05 53 06 17 88, www.campingaufildeleau.com

Pour s'y rendre : à Antonne, 6 allée des Platanes (sortie nord-est et rte d'Escoire à dr., au bord de l'Isle, sur la D 6)

Ouverture : de mi-avr. à mi-sept.

1,5 ha (50 empl.) non clos, plat, herbeux

Empl. camping : (Prix 2018) 22€ 🚻 🚐 📺 ⚡ (6A) - pers. suppl. 5€
Location : (Prix 2018) (de mi-avr. à mi-sept.) - 13 🛖 - 4 bungalows toilés. Nuitée 60 à 100€ - Sem. 200 à 700€
🚐 borne artisanale 2€

Cadre verdoyant avec beaucoup d'espaces verts qui s'étendent jusqu'à la rivière.

Nature : 🌊 🏕 🌳🌳
Loisirs : 🛶 🚣 🛝 🎣 🐾 mini ferme
Services : ⚡🚐 🚿 ♨ 🛜 laverie 🚿

GPS
E : 0.83754
N : 45.213

🏔 **Huttopia Lanmary Forest Camp** 👥

🖋 05 53 45 88 63, www.huttopia.com

Pour s'y rendre : Camp forestier ONF - RD 69 (5 km au nord-est par N21 rte de Thiviers et D 69 à gauche)

Ouverture : de fin avr. à fin sept.

20 ha (140 empl.) fort dénivelé, en terrasses, pierreux, gravier

Empl. camping : (Prix 2018) 59€ 🚻 🚐 📺 ⚡ (16A) - pers. suppl. 11€

Location : (Prix 2018) (de fin avr. à fin sept.) - ⓟ - 20 🛖 - 34 tentes lodges - 30 cabanons. Nuitée 45 à 235€ - Sem. 315 à 1 645€

Cadre naturel au milieu de la forêt de Lanmary et traversé par le GR 36. Pas d'emplacement caravane ou camping-car.

Nature : 🌊 ⩻ 🌳🌳
Loisirs : 🍹✕ 🎣🏃 🚣 🚴 🛝
Services : ⚡🚐 ⓟ ♨ laverie 🚿 🚿

GPS
E : 0.82906
N : 45.24033

ARAMITS

64570 - Carte Michelin **342** H4 - 677 h. - alt. 293
▶ Paris 829 - Mauléon-Licharre 27 - Oloron-Ste-Marie 15 - Pau 49

🏔 **Barétous-Pyrénées**

🖋 05 59 34 12 21, www.camping-pyrenees.com

Pour s'y rendre : quartier Ripaude (sortie ouest par D 918, rte de Mauléon-Licharre, au bord du Vert de Barlanes)

Ouverture : de fin mars à mi-oct.

2 ha (61 empl.) plat, herbeux

Empl. camping : (Prix 2018) 29€ 🚻 🚐 📺 ⚡ (10A) - pers. suppl. 7€ - frais de réservation 16€
Location : (Prix 2018) (de mi-déc. à mi-oct.) - ♿ (chalet) - 10 🛖 - 11 🏠 - 3 bungalows toilés. Nuitée 45 à 103€ - Sem. 260 à 727€ - frais de réservation 19€
🚐 borne artisanale

Joli village de chalets en bois de bon confort (en formule hôtelière sur demande).

Nature : 🏕 🌳🌳
Loisirs : 🍹✕ 🛶 🎣 jacuzzi 🏃 🚴 🛝
Services : ⚡🚐 🚿 🛜 laverie 🚿

GPS
W : 0.73243
N : 43.12135

Dieser Führer stellt kein vollständiges Verzeichnis aller Campingplätze dar, sondern nur eine Auswahl der besten Plätze jeder Kategorie.

ARCACHON

33120 - Carte Michelin **335** D7 - 12 153 h. - alt. 5
▶ Paris 651 - Bordeaux 73 - Mont-de-Marsan 125

🏔 **Camping Club d'Arcachon** 👥

🖋 05 56 83 24 15, www.camping-arcachon.com

Pour s'y rendre : 5 allée de la Galaxie (au sud de la ville, quartier des Abatilles)

Ouverture : Permanent

6 ha (300 empl.) vallonné, en terrasses, peu incliné, plat, sablonneux

Empl. camping : 53€ 🚻 🚐 📺 ⚡ (10A) - pers. suppl. 11€ - frais de réservation 35€
Location : Permanent - 80 🛖 - 4 🏠. Nuitée 42 à 169€ - Sem. 250 à 1 200€ - frais de réservation 35€
🚐 borne flot bleu 5€ - 50 📺 14€ - 🚐13€

Nombreux emplacements en petites terrasses individuelles sous les pins.

Nature : 🌊 🏕 🌳🌳
Loisirs : 🍹✕ 🛶 🎣🏃 jacuzzi 🚣 🚴
🛝 🚣
Services : ⚡🚐 🚿 ♨ 🛜 laverie 🚿 🚿
cases réfrigérées

GPS
W : 1.17667
N : 44.65194

ARÈS

33740 - Carte Michelin **335** E6 - 5 548 h. - alt. 6
▶ Paris 627 - Arcachon 47 - Bordeaux 48

⚠ Les Goëlands

℘ 05 56 82 55 64, www.goelands.com

Pour s'y rendre : 64 av. de la Libération (1,7 km au sud-est, près d'étangs et à 500 m du bassin)

Ouverture : de déb. mars à fin oct.

10 ha/6 campables (400 empl.) plat, sablonneux

Empl. camping : (Prix 2018) 38€ ★★ ⇱ 国 [½] (6A) - pers. suppl. 9,50€ - frais de réservation 25,50€

Location : (Prix 2018) (de déb. mars à fin oct.) - 10 ⏣. Sem. 315 à 995€ - frais de réservation 25,50€

🚐 borne artisanale

Agréable ombrage sous les pins avec beaucoup de mobile homes de propriétaires-résidents.

Nature : ⌛ ⬜ ♀♀
Loisirs : ♈ ✕ ⌂ ⑤ ☆ ⤴ ⚲ ⤳ terrain multisports
Services : ⚬⇥ ☎ laverie ⚘ ⚃
À prox. : ≋ (étang) ⚓ ⚲

GPS W : 1.11979
N : 44.75747

⚠ La Cigale

℘ 05 56 60 22 59, www.camping-lacigale-ares.com - peu d'emplacements pour tentes et caravanes

Pour s'y rendre : 53 r. du Gén.-de-Gaulle (sortie nord)

Ouverture : de fin avr. à fin sept.

2,4 ha (75 empl.) plat, herbeux, sablonneux

Empl. camping : (Prix 2018) 39€ ★★ ⇱ 国 [½] (10A) - pers. suppl. 9€ - frais de réservation 10€

Location : (Prix 2018) (de déb. avr. à déb. nov.) - 4 ⏣ - 6 ⌂ - 2 chalets sur pilotis - 3 tentes lodges. Nuitée 40 à 145€ - Sem. 280 à 1 010€ - frais de réservation 20€

🚐 borne artisanale

Cadre verdoyant avec du locatif varié.

Nature : ⌛ ⬜ ♀♀
Loisirs : ♈ ✕ ⌂ ⤴ ⚲
Services : ⚬⇥ ☎ laverie ⚃

GPS W : 1.14188
N : 44.77287

⚠ Les Abberts

℘ 05 56 60 26 80, www.lesabberts.com

Pour s'y rendre : 17 r. des Abberts (sortie nord puis r. à gauche)

Ouverture : de déb. juin à fin sept.

2 ha (124 empl.) plat, herbeux, sablonneux

Empl. camping : 35€ ★★ ⇱ 国 [½] (10A) - pers. suppl. 8€ - frais de réservation 24€

Location : (de déb. juin à fin sept.) - ⚵ - 25 ⏣ - 1 ⌂. Nuitée 50 à 114€ - Sem. 180 à 750€ - frais de réservation 24€

Ambiance familiale autour de la piscine et du toboggan aqua-tique.

Nature : ⌛ ⬜ ♀♀
Loisirs : ♈ ⌂ ⤴ ⚲ ⚲
Services : ⚬⇥ ☎ laverie ⚃

GPS W : 1.1444
N : 44.77163

⚠ Pasteur

℘ 05 56 60 33 33, www.atlantic-vacances.com - peu d'emplacements pour tentes et caravanes

Pour s'y rendre : 1 r. du Pilote (sortie sud-est, à 300 m du bassin)

Ouverture : Permanent

1 ha (50 empl.) plat, herbeux, sablonneux

Empl. camping : 21€ ★★ ⇱ 国 [½] (6A) - pers. suppl. 6€ - frais de réservation 18€

Location : Permanent - 31 ⏣. Sem. 260 à 1 040€ - frais de réservation 18€

🚐 borne artisanale

Cadre soigné au milieu d'une zone pavillonnaire.

Nature : ⌛ ♀♀
Loisirs : ⤴ ☆ ⚲ (petite piscine)
Services : ⚬⇥ ☎ 🖥

GPS W : 1.13681
N : 44.76174

ATUR

24750 - Carte Michelin **329** F5 - 1 744 h. - alt. 224
▶ Paris 499 - Bordeaux 134 - Périgueux 6 - Brive-la-Gaillarde 83

⚠ Iris Parc Le Grand Dague ♣♣

℘ 05 53 04 21 01, www.irisparc.com - peu d'emplacements pour tentes et caravanes

Pour s'y rendre : rte du Grand-Dague (3 km au sud-est par rte de St-Laurent-sur-Manoire - Par déviation sud, venant de Brive ou Limoges : prendre dir. Bergerac et chemin à dr.)

Ouverture : de fin avr. à fin sept.

22 ha/12 campables (420 empl.) en terrasses, plat, herbeux

Empl. camping : 44€ ★★ ⇱ 国 [½] (16A) - pers. suppl. 9€ - frais de réservation 20€

Location : (de fin avr. à fin sept.) - ⚵ - ⓟ - 361 ⏣ - 134 tentes lodges. Nuitée 23 à 245€ - Sem. 161 à 1 715€ - frais de réservation 20€

🚐 borne AireService 2€

Important parc locatif de mobile homes et de tentes avec des installations adaptées aux familles autour d'une ancienne ferme rénovée.

Nature : ⌛ ♀
Loisirs : ♈ ✕ ⌂ ⑤ ☆ ⤴ ⚲ ⚲ ⚲ terrain multisports
Services : ⚬⇥ ⛤ ⚘ ⚅ ☎ laverie ⚘ ⚃

GPS E : 0.77656
N : 45.14816

AUDENGE

33980 - Carte Michelin **335** E6 - 5 225 h. - alt. 12
▶ Paris 638 - Bordeaux 59 - Mont-de-Marsan 112

⚠ Le Braou ♣♣

℘ 05 56 26 90 03, www.camping-audenge.com

Pour s'y rendre : 26 r. de Bordeaux

5 ha (200 empl.) plat, herbeux, sablonneux

Location : - 42 ⏣ - 2 ⌂ - 2 bungalows toilés.

🚐 borne eurorelais

Préférer les emplacements les plus éloignés de la route. Nombreux mobile homes de propriétaires-résidents.

Nature : ⬜ ♀
Loisirs : ♈ ✕ ☆ ⤴ ⚲
Services : ⚬⇥ ⚅ ☎ laverie cases réfrigérées

GPS W : 1.00444
N : 44.68416

AZUR

40140 - Carte Michelin **335** D12 - 575 h. - alt. 9
▶ Paris 730 - Bayonne 54 - Dax 25 - Mimizan 79

⋀⋀ Capfun La Paillotte ♣♣

(pas d'emplacement tentes et caravanes)

✆ 05 58 48 12 12, www.capfun.com

Pour s'y rendre : 66 rte des Campings (1,5 km au sud-ouest, au bord du lac de Soustons)

7 ha (314 empl.) plat, herbeux, sablonneux

Location : (Prix 2018) (de déb. avr. à mi-sept.) - ♿ (2 mobile homes) - ⚒ - 262 ⊞ - 50 ⌂. Nuitée 54 à 405€ - Sem. 210 à 2 835€ - frais de réservation 27€

Joli village de chalets à la décoration exotique et important parc aquatique en bordure du lac.

Nature : ⛵ ⟨ ⟿ ♨♨⚐
Loisirs : ♟ ✗ ⊞ ⚒♿⟗ ⚔⚓ ▣ ⟰ ⚑⟿ ⟿
Services : ⟿ ⚖ ⟿ ♿ ⟿ laverie ⚖ ⚖
À prox. : ⚲⚯ ⚄ ⍩ pédalos
GPS W : 1.30875 N : 43.78731

⋀⋀ Azur Rivage ♣♣

✆ 05 58 48 30 72, www.campingazurivage.com

Pour s'y rendre : 720 rte des Campings (2 km au sud, à 100 m du lac de Soustons)

Ouverture : de fin mars à fin sept.

6,5 ha (250 empl.) plat, herbeux, pierreux, sablonneux

Empl. camping : (Prix 2018) 37€ ♣♣ ⟿ ▣ ⚐ (10A) - pers. suppl. 7€
Location : (Prix 2018) (de fin mars à fin sept.) - ♿ (1 mobile home) - 62 ⊞ - 8 bungalows toilés. Nuitée 45 à 165€ - Sem. 210 à 1 085€

Accueil de groupes et colonies sur une partie réservée du camping.

Nature : ⛵ ⟿ ♨♨
Loisirs : ♟ ⟗diurne ⚔ ⚓ ⟰ ⚑⟿ terrain multisports
Services : ⟿ ⚖ ⟿ ▣ ⚖ ⚖ cases réfrigérées réfrigérateurs
À prox. : ⚲⚯ ⚄ ⍩ ⚓ ⟿ pédalos
GPS W : 1.30461 N : 43.78452

---

*Die Klassifizierung (1 bis 5 Zelte, **schwarz** oder **rot**), mit der wir die Campingplätze auszeichnen, ist eine Michelin-eigene Klassifizierung. Sie darf nicht mit der staatlich-offiziellen Klassifizierung (1 bis 5 Sterne) verwechselt werden.*

BAUDREIX

64800 - Carte Michelin **342** K3 - 537 h. - alt. 245
▶ Paris 791 - Argelès-Gazost 39 - Lourdes 26 - Oloron-Ste-Marie 48

⋀⋀ Les Ôkiri

✆ 05 59 92 97 73, www.lesokiri.com ⚒ (de déb. avr. à fin mai)

Pour s'y rendre : av. du Lac (à la base de loisirs)

Ouverture : de mi-avr. à fin sept.

20 ha/2 campables (60 empl.) plat, herbeux

Empl. camping : (Prix 2018) 26€ ♣♣ ⟿ ▣ ⚐ (10A) - pers. suppl. 9€ - frais de réservation 10€

Location : (Prix 2018) Permanent ⚒ (de déb. janv. à fin mai) - ℗ - 10 ⊞ - 24 ⌂ - 5 bungalows toilés. Nuitée 65 à 120€ - Sem. 220 à 715€ - frais de réservation 10€

Camping sur une importante base de loisirs avec des chalets en bois de confort simple et des mobile homes avec ou sans sanitaires.

Nature : ⛵ ⟿ ♨♨⚐
Loisirs : ♟ ✗ ⚔ ⚓⚯ ⚑ (plage) ⟰ ⚑ télé-ski nautique terrain multisports
Services : ⟿ (juil.-août) ⟿ laverie ⚖
GPS W : 0.26124 N : 43.20439

BAZAS

33430 - Carte Michelin **335** J8 - 4 585 h. - alt. 70
▶ Paris 637 - Agen 84 - Bergerac 105 - Bordeaux 62

⋀⋀ Capfun Le Paradis de Bazas ♣♣

✆ 05 56 65 13 17, www.capfun.com/camping-france-aquitaine-paradis_de_bazas-FR.htm

Pour s'y rendre : lieu-dit : Harbieu (3 km au sud-est par D 655, rte de Grignols et chemin à drte.)

Ouverture : de mi-avr. à mi-sept.

17 ha (297 empl.) plat, herbeux

Empl. camping : (Prix 2018) 38€ ♣♣ ⟿ ▣ ⚐ (10A) - pers. suppl. 7€ - frais de réservation 11€
Location : (Prix 2018) (de mi-avr. à mi-sept.) - ♿ (1 mobile home) - 241 ⊞ - 5 tentes lodges. Nuitée 74 à 162€ - Sem. 147 à 1 176€ - frais de réservation 26€

Nombreux mobile homes avec une petite partie en sous-bois et baignade possible dans un plan d'eau écologique.

Nature : ⛵ ⟿ ♨
Loisirs : ♟ ✗ ⊞ ♨⚔⚯ ⚓⚲⚄ ▣ (découverte en saison) ⟰ terrain multisports
Services : ⟿ ⚖ ⟿ laverie ⚖
GPS W : 0.19753 N : 44.42698

To visit a town or region : use the **MICHELIN Green Guides**.

BEAUVILLE

47470 - Carte Michelin **336** H4 - 584 h. - alt. 208
▶ Paris 641 - Agen 26 - Moissac 32 - Montaigu-de-Quercy 16

⋀⋀ Les 2 Lacs

✆ 05 53 95 45 41, www.les2lacs.com

Pour s'y rendre : lieu-dit : Vallon de Gerbal (900 m au sud-est par D 122, rte de Bourg de Visa)

Ouverture : de déb. avr. à fin oct.

22 ha/2,5 campables (80 empl.) non clos, terrasse, plat, herbeux, bois, étang

Empl. camping : ♣ 7€ ⟿ ▣ 12€ – ⚐ (10A) 4€
Location : (de déb. avr. à fin oct.) - 2 ⊞ - 1 ⌂ - 7 bungalows toilés. Sem. 180 à 725€

Au fond de la vallée, cadre boisé avec deux grands étangs pour la pêche et la baignade.

Nature : ⛵ ⟿ ♨♨
Loisirs : ♟ ✗ ⚔⚓⚯ ⚄ ⚑ (plage) ⟰ ⚑ barques
Services : ⟿ ⚖ ⟿ laverie
GPS E : 0.88819 N : 44.27142

BÉLUS

40300 - Carte Michelin **335** E13 - 605 h. - alt. 135
▶ Paris 749 - Bayonne 37 - Dax 18 - Orthez 36

⚞ La Comtesse

☎ 05 58 57 69 07, www.campinglacomtesse.com

Pour s'y rendre : lieu-dit : Claquin (2,5 km au nord-ouest par D 75 et rte à dr.)

Ouverture : de déb. avr. à déb. nov.

6 ha (100 empl.) plat, herbeux

Empl. camping : 25€ ♟♟ ⇔ ▣ (½) (10A) - pers. suppl. 8€ - frais de réservation 10€

Location : (de déb. avr. à déb. nov.) - ⍓ - 14 ⌷ - 5 mobile homes (sans sanitaire). Nuitée 45 à 120€ - Sem. 295 à 835€ - frais de réservation 10€

Emplacements à l'ombre des peupliers et autour de l'étang.

Nature : ⌂ ⌐ 🏕
Loisirs : ♟ ✕ ⌂ 🏃 ✗ 🎯 ⛱
Services : ⛽ 🛁 🛜 laverie 🧺

G P S	W : 1.13075 N : 43.60364

⚞⚞ ... ⌂
Terrains particulièrement agréables dans leur ensemble et dans leur catégorie.

BELVÈS

24170 - Carte Michelin **329** H7 - 1 432 h. - alt. 175
▶ Paris 553 - Bergerac 52 - Le Bugue 24 - Les Eyzies-de-Tayac 25

⚞⚞ RCN Le Moulin de la Pique ♟♟

☎ 05 53 29 01 15, www.rcn.nl/fr

Pour s'y rendre : lieu-dit : Moulin de la Pique (3 km au sud-est par D 710, rte de Fumel.)

Ouverture : de mi-avr. à fin sept.

15 ha/6 campables (219 empl.) terrasse, plat, herbeux

Empl. camping : (Prix 2018) 60€ ♟♟ ⇔ ▣ (½) (10A) - pers. suppl. 9€ - frais de réservation 23€

Location : (de mi-avr. à fin sept.) - ♿ (1 mobile home) - 69 ⌷ - 4 bungalows toilés - 5 tentes lodges - 3 appartements. - frais de réservation 23€

🚿 borne artisanale

Emplacements implantés autour d'un joli moulin du 18e s. avec ses dépendances, et du locatif de bon confort. Préférer les emplacements les plus éloignés de la route.

Nature : ⌐ 🏕
Loisirs : ♟ ✕ ⌂ 🏃 ✗ 🚲 ✗ 🎯 ⛱ ⛳
Services : ⛽ 🛁 🛜 laverie 🧺

G P S	E : 1.01438 N : 44.76192

⚞⚞ Capfun Les Hauts de Ratebout ♟♟

☎ 05 53 29 02 10, www.capfun.com/camping-france-aquitaine-haut_ratebout-FR.html - peu d'emplacements pour tentes et caravanes ⍓

Pour s'y rendre : à Ste-Foy-de-Belvès, lieu-dit : Ratebout (7 km au sud-est par D 710, rte de Fumel, D 54 et rte à gauche)

Ouverture : de mi-avr. à mi-sept.

12 ha/6 campables (220 empl.) non clos, en terrasses, plat et peu incliné, herbeux

Empl. camping : (Prix 2018) 45€ ♟♟ ⇔ ▣ (½) (16A) - pers. suppl. 7€ - frais de réservation 27€

Location : (Prix 2018) (de mi-avr. à mi-sept.) - ♿ (1 mobile home) - ⍓ - 202 ⌷ - 12 tentes lodges - 5 gîtes. Nuitée 37 à 214€ - Sem. 147 à 1 498€ - frais de réservation 27€

Jolie ferme périgourdine restaurée ; jeux de qualité pour enfants.

Nature : ⌂ ⩤ 🏕
Loisirs : ♟ ✕ ⌂ 🏃 ✗ ✗ 🎯 🎿 ⛱ cinéma terrain multisports
Services : ⛽ ⫿ 🛁 🛜 laverie 🧺

G P S	E : 1.04529 N : 44.74151

⚞ Flower Les Nauves ♟♟

☎ 05 53 29 12 64, www.lesnauves.com

Pour s'y rendre : lieu-dit : Le Bos Rouge (4,5 km au sud-ouest par D 53, rte de Monpazier et rte de Larzac à gauche)

Ouverture : de mi-avr. à mi-août

40 ha/5 campables (100 empl.) peu incliné à incliné, herbeux

Empl. camping : 28€ ♟♟ ⇔ ▣ (½) (10A) - pers. suppl. 6€

Location : (de mi-avr. à mi-sept.) - 36 ⌷ - 3 ⌂ - 4 bungalows toilés - 7 tentes lodges. Nuitée 46 à 130€ - Sem. 196 à 910€

Locatif varié dans un cadre verdoyant. Mini-ferme pour les enfants.

Nature : ⌂ ⌐ 🏕
Loisirs : ♟ ✕ ⌂ 🏃 ✗ ⛱ mini ferme
Services : ⛽ 🛁 🛜 ▣ 🧺 réfrigérateurs
À prox. : 🐎

G P S	E : 0.98167 N : 44.75306

BEYNAC-ET-CAZENAC

24220 - Carte Michelin **329** H6 - 522 h. - alt. 75
▶ Paris 537 - Bergerac 62 - Brive-la-Gaillarde 63 - Fumel 60

⚞ Le Capeyrou

☎ 05 53 29 54 95, www.campinglecapeyrou.com

Pour s'y rendre : au bourg, rte de Sarlat (sortie est, par la D 57, au bord de la Dordogne)

Ouverture : de déb. mai à fin sept.

4,5 ha (120 empl.) plat, herbeux

Empl. camping : (Prix 2018) ♟ 9€ ⇔ ▣ 11€ – (½) (10A) 5€ - frais de réservation 10€

Location : (Prix 2018) (de déb. mai à fin sept.) - ⍓ - 4 tentes lodges - 4 tentes sur pilotis. Sem. 280 à 820€ - frais de réservation 10€

🚿 borne artisanale

Préférer les emplacements près de la rivière, plus éloignés de la route.

Nature : ⩤ château de Beynac 🏕
Loisirs : ♟ ⌂ 🏃 ✗ ⛱ 🐟 ✗
Services : ⛽ 🛁 🛜 laverie
À prox. : 🛒 ✕ 🧺 ✗ 🏊 (plage)

G P S	E : 1.14843 N : 44.83828

Avant de vous installer, consultez les tarifs en cours, affichés obligatoirement à l'entrée du terrain, et renseignez-vous sur les conditions particulières de séjour. Les indications portées dans le guide ont pu être modifiées depuis la mise à jour.

BIARRITZ

64200 - Carte Michelin **342** C4 - 25 397 h. - alt. 19
▶ Paris 772 - Bayonne 9 - Bordeaux 190 - Pau 122

⚠ Club Airotel Biarritz-Camping

📞 05 59 23 00 12, www.biarritz-camping.fr ✗
Pour s'y rendre : 28 r. Harcet
Ouverture : de déb. avr. à fin sept.
3 ha (168 empl.) en terrasses, peu incliné, plat, herbeux
Empl. camping : 57€ ♣♣ ⟺ 🖥 🔲 (10A) - pers. suppl. 10€ - frais de réservation 28€
Location : (de déb. avr. à fin sept.) - ✗ - 72 🚐 - 14 bungalows toilés. Nuitée 55 à 172€ - Sem. 330 à 1 205€ - frais de réservation 28€
🚐 borne eurorelais 3€
À 300 m de la Cité de l'Océan et à 700 m de la plage. Bus pour la ville.

Nature : ♀♀		
Loisirs : 🍴 ✗ jacuzzi 🏊 🚲 🔲 (découverte en saison)	**G P S**	W : 1.56685 N : 43.46199
Services : ⟿ 🛁 🛜 laverie 🔧 🛒		
À prox. : 🐎		

Utilisez le guide de l'année.

BIAS

40170 - Carte Michelin **335** D10 - 736 h. - alt. 41
▶ Paris 706 - Castets 33 - Mimizan 7 - Morcenx 30

⚠ Municipal Le Tatiou ♣♣

📞 05 58 09 04 76, www.campingletatiou.com
Pour s'y rendre : rte de Lespecier (2 km à l'ouest)
Ouverture : de déb. avr. à fin sept.
10 ha (501 empl.) plat, herbeux, sablonneux
Empl. camping : (Prix 2018) 24€ ♣♣ ⟺ 🖥 🔲 (10A) - pers. suppl. 6€ - frais de réservation 22€
Location : (Prix 2018) (de déb. avr. à fin sept.) - ✗ (1 mobile home) - 11 🚐 - 20 bungalows toilés - 2 tentes lodges - 4 cabanons. Nuitée 35 à 75€ - Sem. 150 à 700€ - frais de réservation 22€
Beaucoup d'emplacements pour tentes et caravanes et du locatif varié en gamme et en confort.

Nature : 🌲 ♀		
Loisirs : 🍴 ✗ 🏠 🎮 🏃 🏊 🚲 🎿 ⛰ 🏓	**G P S**	W : 1.24029 N : 44.14531
Services : ⟿ 🛁 🛜 laverie 🔧 🛒 cases réfrigérées		

BIDART

64210 - Carte Michelin **342** C2 - 6 117 h. - alt. 40
▶ Paris 783 - Bordeaux 196 - Pau 119 - Bayonne 13

⚠ Le Ruisseau des Pyrénées ♣♣

📞 05 59 41 94 50, www.camping-le-ruisseau.fr - peu d'emplacements pour tentes et caravanes
Pour s'y rendre : r. Burruntz (2 km à l'est, au bord de l'Ouhabia et d'un ruisseau - en deux parties distinctes)
Ouverture : de mi-avr. à fin sept.
15 ha/7 campables (440 empl.) en terrasses, plat, herbeux
Empl. camping : (Prix 2018) 62€ ♣♣ ⟺ 🖥 🔲 (6A) - pers. suppl. 8€

Location : (Prix 2018) (de mi-avr. à fin sept.) - ✗ (1 mobile home) - 200 🚐 - 7 chalets sur pilotis - 3 tentes lodges. Nuitée 42 à 308€ - Sem. 294 à 2 156€
🚐 borne flot bleu
En deux parties distinctes, avec beaucoup d'espaces verts pour les loisirs et deux parcs aquatiques, un zen en partie couvert et un ludique avec de nombreux toboggans.

Nature : 🌲 🏞 ♀♀		
Loisirs : 🍴 ✗ 🏠 🎮 🏃 🎿 ⛴ hammam jacuzzi 🏊 🚲 ⛰ 🔲 🎿 🏓 parcours de santé parcours dans les arbres mini ferme terrain multisports	**G P S**	W : 1.56835 N : 43.43704
Services : ⟿ 🛁 🛜 laverie 🔧 🛒		
À prox. : 🐎		

⚠ Yelloh! Village Ilbarritz ♣♣

📞 05 59 23 00 29, www.camping-ilbarritz.com
Pour s'y rendre : av. de Biarritz (2 km au nord)
Ouverture : de déb. avr. à fin sept.
6 ha (338 empl.) en terrasses, plat et peu incliné, herbeux, sablonneux
Empl. camping : 57€ ♣♣ ⟺ 🖥 🔲 (10A) - pers. suppl. 9€
Location : (de déb. avr. à fin sept.) - ✗ (1 mobile home) - 250 🚐 - 24 🏠 - 2 cabanes (avec sanitaires). Nuitée 39 à 468€ - Sem. 273 à 3 276€
Belle et vaste entrée avec de jolis bâtiments à l'architecture basque et du locatif de grand confort.

Nature : 🌲 🏞 ♀♀		
Loisirs : 🍴 ✗ 🏠 🎮 🏃 🎿 ⛴ 🏊 🚲 🎿 🔲 🎿 🏓 surf terrain multisports	**G P S**	W : 1.57374 N : 43.45315
Services : ⟿ 🚿 🛁 🛜 laverie 🛒		
À prox. : 🎵 discothèque		

⚠ Ur-Onea ♣♣

📞 05 59 26 53 61, www.uronea.com ✗
Pour s'y rendre : r. de la Chapelle (300 m à l'est, à 500 m de la plage)
Ouverture : de déb. avr. à fin sept.
5 ha (245 empl.) en terrasses, peu incliné, herbeux, sablonneux
Empl. camping : 46€ ♣♣ ⟺ 🖥 🔲 (10A) - pers. suppl. 8€ - frais de réservation 25€
Location : (de déb. avr. à fin sept.) - ✗ - 29 🚐 - 5 🏠. Nuitée 42 à 160€ - Sem. 295 à 1 110€ - frais de réservation 35€
Des emplacements en terrasse, ombragés et une tenue exemplaire.

Nature : ♀♀		
Loisirs : 🍴 ✗ 🏠 🏃 🎿 🔲 🎿 terrain multisports	**G P S**	W : 1.59035 N : 43.43416
Services : ⟿ 🛁 🛒 🚿 🛜 laverie 🛒 cases réfrigérées		

⚒⚒⚒ Sunêlia Berrua ♣

Berrua

𝒫 05 59 54 96 66, www.berrua.com

Pour s'y rendre : r. Berrua (500 m à l'est, rte d'Arbonne)

Ouverture : de déb. avr. à fin sept.

5 ha (261 empl.) en terrasses, peu incliné, herbeux

Empl. camping : (Prix 2018) 44 € ★★ ⇌ 📧 🌢 (6A) - pers. suppl. 9 € - frais de réservation 36 €

Location : (Prix 2018) (de déb. avr. à fin sept.) - ♿ (1 mobile home) - 173 🚐 - 8 🏠 - 8 bungalows toilés. Nuitée 43 à 283 € - Sem. 301 à 1 981 € - frais de réservation 36 €

🚐 borne AireService 3 €

Cadre soigné, fleuri. Certains locatifs sont de grand confort.

Nature : ⌂ 🌢🌢
Loisirs : 🍷 ✗ 🍴 🌢 🏇 hammam jacuzzi ⛵🚣🚲🏊🎯 terrain multisports
Services : ⚡ 🚿 🍴 laverie ♨ 🛒
À prox. : surf

G P S W : 1.58176 N : 43.43824

⚒⚒⚒ Club Airotel Oyam ♣

𝒫 05 59 54 91 61, www.camping-oyam.com - peu d'emplacements pour tentes et caravanes

Pour s'y rendre : chemin Oyhamburua (1 km à l'est par rte d'Arbonne puis rte à dr.)

Ouverture : de mi-avr. à mi-sept.

7 ha (350 empl.) terrasse, peu incliné, plat, herbeux

Empl. camping : (Prix 2018) 44 € ★★ ⇌ 📧 🌢 (6A) - pers. suppl. 8 €

Location : (Prix 2018) (de mi-avr. à mi-sept.) - ♿ (1 mobile home) - 176 🚐 - 18 🏠 - 10 bungalows toilés - 10 tentes sur pilotis - 3 tipis - 1 cabanon - 16 appartements - 10 tentes lodges (avec sanitaires). Nuitée 36 à 219 € - Sem. 161 à 1 533 €

🚐 borne artisanale - 11 📧 38 €

Beaucoup de locatifs variés et de nombreuses animations en partie autour d'un très agréable parc aquatique végétalisé.

Nature : ⌂ 🌢🌢
Loisirs : 🍷 ✗ 🍴 🏇 🚣⛵🏊🎯 terrain multisports
Services : ⚡ 🚿 🍴 laverie 🛒

G P S W : 1.58278 N : 43.43501

⚒⚒ Pavillon Royal

𝒫 05 59 23 00 54, www.pavillon-royal.com ✗

Pour s'y rendre : av. du Prince-de-Galles (2 km au nord, au bord de la plage)

Ouverture : de mi-mai à fin sept.

5 ha (303 empl.) en terrasses, plat, herbeux

Empl. camping : 35 € ★★ ⇌ 📧 🌢 (10A) - pers. suppl. 9 € - frais de réservation 25 €

Location : (de mi-mai à fin sept.) - ✗ - 3 🏠 - 2 appartements - 4 studios. Sem. 349 à 1 179 € - frais de réservation 25 €

🚐 borne artisanale

Situation privilégiée entre golf, château et océan.

Nature : 🌊 ⛰ ⌂ 🌢 🏖
Loisirs : 🍷 ✗ 🍴 🌞 diurne 🎿 🏊🎯 surf
Services : ⚡ 🅿 🚿 🍴 ♨ 🌳 laverie ♨ 🛒
À prox. : 🌙 nocturne 🎵 discothèque

G P S W : 1.57642 N : 43.45469

⚒⚒ Harrobia ♣

(pas d'emplacement tentes et caravanes)

𝒫 05 59 26 54 71, www.harrobia.fr

Pour s'y rendre : r. Maurice-Pierre (1,2 km au sud, à 400 m de la plage)

3 ha (145 empl.) en terrasses, herbeux

Location : (Prix 2018) (de fin mars à fin sept.) - 130 🚐 - 2 🏠 - 3 appartements. Nuitée 40 à 165 € - Sem. 280 à 1 155 €

Proche de la voie ferrée, parc de mobile homes de résidents ou à la location.

Nature : ⌂ 🌢🌢
Loisirs : 🍷 ✗ 🍴 🏇⛵🚣 🎯 terrain multisports
Services : ⚡ 🚿 🍴 laverie

G P S W : 1.59903 N : 43.42773

BIGANOS

33380 - Carte Michelin **335** F7 - 9 464 h. - alt. 16
▶ Paris 629 - Andernos-les-Bains 15 - Arcachon 27 - Bordeaux 47

⚒⚒ Le Marache

𝒫 05 57 70 61 19, www.marachevacances.com

Pour s'y rendre : 25 r. Gambetta (sortie nord par D 3, rte d'Audenge et rte à dr.)

Ouverture : de déb. avr. à fin sept.

2 ha (113 empl.) plat, herbeux, sablonneux

Empl. camping : (Prix 2018) ⇌📧 32 € – 🌢 (16A) 5 € - frais de réservation 15 €

Location : (Prix 2018) (de déb. avr. à fin sept.) - ♿ (1 bungalow toilé) - 40 🚐 - 7 🏠 - 2 chalets sur pilotis - 2 bungalows toilés. Sem. 190 à 1 150 € - frais de réservation 20 €

🚐 borne artisanale 7 €

Locatif varié de bon confort autour d'une piscine "zen".

Nature : ⌂ 🌢🌢
Loisirs : 🍷 ✗ 🍴 jacuzzi 🎯 terrain multisports
Services : ⚡ 🚿 🍴 laverie 🛒

G P S W : 0.97943 N : 44.65081

⚒⚒⚒ ... ⚒

Sites which are particularly pleasant in their own right and outstanding in their class.

BIRON

24540 - Carte Michelin **329** G8 - 182 h. - alt. 200
▶ Paris 583 - Beaumont 25 - Bergerac 46 - Fumel 20

⚒⚒⚒⚒ Capfun Le Moulinal ♣

𝒫 05 53 40 84 60, www.franceloc.fr/camping-france-aquitaine-moulinal-FR.html - peu d'emplacements pour tentes et caravanes

Pour s'y rendre : lieu-dit : Étang du Moulinal (4 km au sud, rte de Lacapelle-Biron puis 2 km par rte de Villeréal à dr.)

Ouverture : de déb. avr. à déb. sept.

10 ha/5 campables (320 empl.) fort dénivelé, en terrasses, plat, herbeux

Empl. camping : (Prix 2018) 50 € ★★ ⇌ 📧 🌢 (10A) - pers. suppl. 7 € - frais de réservation 11 €

Location : (Prix 2018) Permanent - 271  - 18 🏠 - 19 tentes lodges. Nuitée 37 à 375€ - Sem. 147 à 2 625€ - frais de réservation 27€

En deux parties distinctes de chaque côté de la route, important parc de mobile homes au bord d'un joli plan d'eau avec une végétation variée et luxuriante.

Nature : 🌊 � 🔆
Loisirs : 🍴 ✕ 🏛 Ⓘsalle d'animations 🏃
🚴 🏊 ⚓ (plage) 🚣 🛶
terrain multisports
Services : ⚡ 🚿 📶 laverie 🧺 💈

G P S | E : 0.87116
N : 44.60031

🏔 Village Vacances Castelwood

(pas d'emplacement tentes et caravanes)

📞 05 53 57 96 08, www.castelwood.fr

Pour s'y rendre : lieu-dit : Bois du Château-Les Fargues (1 km au sud par D 53, rte de Lacapelle-Biron)

1 ha en terrasses, peu incliné, bois

Location : (de fin mars à fin sept.) - ♿ (1 chalet) - 15 🏠. Nuitée 76 à 135€ - Sem. 399 à 945€

Chalets grand confort nichés dans la forêt du Périgord pourpre.

Nature : 🌊 🌳
Loisirs : 🎣 🎱 (découverte en saison)
Services : ⚡ 📶 laverie

G P S | E : 0.87701
N : 44.62495

BISCARROSSE

40600 - Carte Michelin **335** E8 - 12 163 h. - alt. 22
▶ Paris 656 - Arcachon 40 - Bayonne 128 - Bordeaux 74

🏔 Club Airotel Domaine de la Rive 👥

📞 05 58 78 12 33, www.larive.fr

Pour s'y rendre : rte de Bordeaux (8 km au nord-est par D 652, rte de Sanguinet, puis 2,2 km par rte à gauche, au bord de l'étang de Cazaux)

Ouverture : de déb. avr. à déb. sept.

15 ha (764 empl.) plat, herbeux, sablonneux

Empl. camping : 71€ 👫 🚗 🔲 🔌 (16A) - pers. suppl. 13€ - frais de réservation 30€

Location : (de déb. avr. à déb. sept.) - ♿ (1 mobile home) - 🚫 - 250 - 20 🏠. Nuitée 93 à 499€ - Sem. 651 à 3 493€ - frais de réservation 30€

Nombreux loisirs et animations autour d'un impressionnant parc aquatique en partie couvert. Accès direct à la plage au bord du lac.

Nature : 🌊 🚀 windkite 🔆
Loisirs : 🍴 ✕ 🏛 Ⓘsalle d'animations 🏃
centre balnéo 🚿 hammam jacuzzi 🚴 🏊
🎱 🏊 ⚓ (plage) 🚣 🛶 ski nautique
terrain multisports skate parc
Services : ⚡ 🚿 📶 laverie 🧺 💈 cases réfrigérées

G P S | W : 1.1299
N : 44.46022

🏔 AMAC - Mayotte Vacances 👥

📞 05 35 37 14 11, www.mayottevacances.com

Pour s'y rendre : 368 chemin des Roseaux (6 km au nord par rte de Sanguinet puis, à Goubern, 2,5 km par rte à gauche)

Ouverture : de déb. avr. à mi-sept.

15 ha (714 empl.) plat, herbeux, sablonneux

Empl. camping : (Prix 2018) 66€ 🚗 🔌 (16A) - pers. suppl. 10€ - frais de réservation 15€

Location : (Prix 2018) (de déb. avr. à mi-sept.) - 395  - 21 tentes lodges. - Sem. 189 à 3 997€ - frais de réservation 15€
🚿 borne artisanale

Cadre verdoyant, ombragé, avec du locatif varié et de grand confort pour certains. Accès direct au lac et à la plage.

Nature : 🌊 🚀 windkite 🔆
Loisirs : 🍴 ✕ 🏛 Ⓘsalle d'animations 🏃 🔆
centre balnéo 🚿 hammam jacuzzi 🚴
🏃 🏊 ⚓ parcours de santé parcours
dans les arbres terrain multisports
Services : ⚡ 🚿 📶 laverie 🧺 💈 cases réfrigérées

G P S | W : 1.1538
N : 44.43488

🏔 Flower Bimbo 👥

📞 05 58 09 82 33, www.campingbimbo.fr - peu d'emplacements pour tentes et caravanes

Pour s'y rendre : 176 chemin de Bimbo (3,5 km au nord par rte de Sanguinet et rte de Navarrosse à gauche)

Ouverture : de déb. avr. à fin sept.

6 ha (177 empl.) plat, herbeux, sablonneux

Empl. camping : (Prix 2018) 54€ 👫 🚗 🔲 🔌 (10A) - pers. suppl. 10€

Location : (Prix 2018) (de déb. avr. à fin oct.) - 🚫 (juil.-août) - 40 - 12 🏠 - 2 chalets sur pilotis - 5 tentes lodges. Sem. 295 à 965€

Certains locatifs de grand confort. Accueil de groupes de jeunes enfants.

Nature : 🌊 🚀 windkite 🔆
Loisirs : 🍴 ✕ 🏛 🏃 🔆 🚿 jacuzzi 🚴 🚴
🏊 🏊 ⚓ terrain multisports
Services : ⚡ 🚿 📶 laverie 🧺 💈 cases réfrigérées
À prox. : 🎣

G P S | W : 1.16137
N : 44.42588

🏔 Les Écureuils 👥

📞 05 58 09 80 00, www.ecureuils.fr - peu d'emplacements pour tentes et caravanes

Pour s'y rendre : 646 chemin de Navarrosse (4,2 km au nord par rte de Sanguinet et rte de Navarrosse à gauche, à 400 m de l'étang de Cazaux)

Ouverture : de déb. mai à déb. sept.

6 ha (183 empl.) plat, herbeux, sablonneux

Empl. camping : (Prix 2018) 54€ 👫 🚗 🔲 🔌 (10A) - pers. suppl. 10€ - frais de réservation 32€

Location : (Prix 2018) (de déb. mai à déb. sept.) - 🚫 - 8 - 1 tente lodge. Sem. 390 à 1 250€ - frais de réservation 32€

Ambiance très familiale avec une majorité de mobile homes de propriétaires-résidents.

Nature : 🌊 🚀 🌴
Loisirs : 🍴 ✕ 🏛 🚿 jacuzzi 🚴 🚴 🎱 🎣
🏊 ⚓ (plage) 🚿
Services : ⚡ 🚿 📶 laverie 🧺 💈
À prox. : 🚣 🛶

G P S | W : 1.16765
N : 44.42947

🏔 ... 🏕
Besonders angenehme Campingplätze, ihrer Kategorie entsprechend.

⛰ Campéole de Navarrosse ♿♨

📞 05 58 09 84 32, www.campeole.com/camping/post/navarrosse-biscarrosse

Pour s'y rendre : 712 chemin de Navarrosse (5 km au nord, rte de Sanguinet et rte de Navarrosse à gauche)

Ouverture : de fin mars à fin sept.

9 ha (500 empl.) non clos, plat, herbeux, sablonneux

Empl. camping : (Prix 2018) 42 € ✶✶ 🚐 🔲 🔌 (10A) - pers. suppl. 10 €

Location : (Prix 2018) (de fin mars à fin sept.) - ♿ (1 mobile home) - 44 🛖 - 11 🏠 - 114 bungalows toilés - 17 tentes lodges. Nuitée 34 à 208 € - Sem. 238 à 1 456 €

🛉 borne AireService

Entre le canal et la belle plage de sable du lac.

Nature : 🐟 ♨ ⛺		
Loisirs : 🍴 ✗ 🛋 📺 🏃 🚣 🎿 🛶	**G**	W : 1.16765
Services : ⚬→ 👶 📶 laverie 🧺	**P**	N : 44.42822
À prox. : 🛒 🚲 ⚓ ⚓	**S**	

BISCARROSSE-PLAGE

40600 - Carte Michelin **335** E8
▶ Paris 669 - Bordeaux 91 - Mont-de-Marsan 100

⛰ Campéole le Vivier

📞 05 58 78 25 76, www.campeole.com

Pour s'y rendre : 681 r. du Tit (au nord de la station, à 700 m de la plage)

Ouverture : de fin avr. à mi-sept.

17 ha (830 empl.) vallonné, plat, herbeux, sablonneux

Empl. camping : (Prix 2018) 41 € ✶✶ 🚐 🔲 🔌 (16A) - pers. suppl. 10 € - frais de réservation 25 €

Location : (Prix 2018) Permanent♿ (1 mobile home) - 110 🛖 - 55 🏠 - 190 bungalows toilés - 30 tentes lodges - 143 tentes sur pilotis. Nuitée 34 à 207 € - Sem. 238 à 1 449 € - frais de réservation 25 €

Nature : 🏕 ♨		
Loisirs : 🍴 ✗ 🛋 📺 salle d'animations 🏃 🚣 🚲 🎿 ⛺ terrain multisports	**G**	W : 1.24056
Services : ⚬→ 📶 laverie 🧺	**P**	N : 44.45938
À prox. : 🛒	**S**	

⛰ Campéole Plage Sud ♿♨

📞 05 58 78 21 24, www.campeole.com/campeole/camping-plage-sud-landes.html

Pour s'y rendre : 230 r. des Bécasses (au sud de la station, à 500 m de la plage)

Ouverture : de fin mars à mi-oct.

28 ha (1179 empl.) vallonné, en terrasses, plat, sablonneux

Empl. camping : (Prix 2018) 35 € ✶✶ 🚐 🔲 🔌 (10A) - pers. suppl. 10 € - frais de réservation 25 €

Location : (Prix 2018) (de fin mars à mi-oct.) - ♿ (1 mobile home) - 140 🛖 - 72 🏠 - 30 tentes lodges - 10 tentes sur pilotis - 48 bungalows toilés (avec sanitaires) - 20 tentes lodges (avec sanitaires). Nuitée 57 à 161 € - Sem. 399 à 1 127 € - frais de réservation 25 €

🛉 borne AireService

Nombreux loisirs et animations.

Nature : ♨		
Loisirs : 🍴 ✗ 🛋 📺 salle d'animations 🏃 🚣 🚲 🎿 ⛺ parcours dans les arbres terrain multisports	**G**	W : 1.24575
Services : ⚬→ 👶 📶 laverie 🧺	**P**	N : 44.4412
À prox. : 🛒	**S**	

BLASIMON

33540 - Carte Michelin **335** K6 - 866 h. - alt. 80
▶ Paris 607 - Bordeaux 47 - Mérignac 63 - Pessac 60

⛺ Le Lac

📞 05 56 71 59 62, www.gironde.fr/jcms/c_5115/les-domaines-d-hostens-et-blasim

Pour s'y rendre : Domaine départemental Volny Favory (à la base de loisirs)

Ouverture : de déb. avr. à fin oct.

50 ha/1 campable (39 empl.) plat, herbeux

Empl. camping : (Prix 2018) 15,50 € ✶✶ 🚐 🔲 🔌 (16A) - pers. suppl. 3 €

Location : (Prix 2018) (de déb. avr. à fin oct.) - 9 🛖. Nuitée 35 à 50 € - Sem. 210 à 300 €

Beaux emplacements bien délimités tout proches de la base de loisirs. Accueil de nombreux groupes et colonies.

Nature : 🏕 🛶 ♨		
Loisirs : ⚬→ 🛋	**G**	W : 0.08757
Services : ⚬→ 📶	**P**	N : 44.75541
à la base de loisirs : ✗ 🧺 🚣 🎿 ⛺ (plage) 🛶 🚣 paddle	**S**	

---

*Utilisez les **cartes MICHELIN**, complément indispensable de ce guide.*

BORDEAUX

33000 - Carte Michelin **335** H5 - 236 725 h. - alt. 4
▶ Paris 572 - Mont-de-Marsan 138 - Bayonne 191 - Arcachon 72

⛰ Village du Lac

📞 05 57 87 70 60, www.camping-bordeaux.com

Pour s'y rendre : à Bordeaux Lac, commune de Bruges, bd Jacques Chaban-Delmas (rocade sortie n° 5 : Parc des expositions)

Ouverture : Permanent

13 ha/6 campables (340 empl.) plat, herbeux

Empl. camping : (Prix 2018) 34 € ✶✶ 🚐 🔲 🔌 (10A) - pers. suppl. 10 €

Location : (Prix 2018) Permanent♿ (2 mobile homes) - 165 🛖 - 9 🏠. Nuitée 30 à 159 €

🛉 borne artisanale 5 €

Locatif varié, parfois en formule hôtelière dans un cadre boisé autour de plusieurs jolis petits étangs. Bus pour le centre-ville.

Nature : ♨		
Loisirs : 🍴 ✗ 🛋 🚣 🚲 🎿 terrain multisports	**G**	W : 0.5827
Services : ⚬→ 🍳 👶 🧺 🚰 📶 laverie 🧺 🧺	**P**	N : 44.89759
À prox. : 🛶 ⚓	**S**	

BRANTÔME

24310 - Carte Michelin **329** E3 - 2 140 h. - alt. 104
▶ Paris 470 - Angoulême 58 - Limoges 83 - Nontron 23

🏕 Brantôme Peyrelevade 👥

📞 0553057524, www.camping-dordogne.net

Pour s'y rendre : av. André-Maurois (1 km à l'est par D 78, au bord de la Dronne)

Ouverture : de fin avr. à fin sept.

5 ha (150 empl.) plat, herbeux

Empl. camping : (Prix 2018) 33€ 👫 ⛺ 🚗 🔌 (10A) - pers. suppl. 6€ - frais de réservation 15€

Location : (Prix 2018) (de fin avr. à fin sept.) - 18 🚐 - 5 tentes lodges. Sem. 205 à 745€ - frais de réservation 15€

🚐 borne raclet - 10 🔲 22€

Cadre soigné, ombragé avec une jolie petite plage de sable blanc au bord de la rivière la Dronne.

Nature : 🏞 ⛺ 🌳🌳
Loisirs : 🍴✕ 🏓 🏊 🏄 ≈ (plage) 🎣
Services : ⛽ ▥ 🏖 ♿ 🚰 📶 laverie ⚒
À prox. : ✂ 🚤

	E : 0.66043
GPS	N : 45.36107

LE BUGUE

24260 - Carte Michelin **329** G6 - 2 800 h. - alt. 62
▶ Paris 522 - Bergerac 47 - Brive-la-Gaillarde 72 - Cahors 86

🏕 La Linotte 👥

📞 0553045001, www.campinglalinotte.com - peu d'emplacements pour tentes et caravanes

Pour s'y rendre : rte de Rouffignac (3,5 km au nord-est par D 710 rte de Périgueux et D 32e à dr.)

Ouverture : de fin avr. à mi-sept.

13 ha/2,5 campables (128 empl.) en terrasses, plat et peu incliné, herbeux

Empl. camping : (Prix 2018) 40€ 👫 ⛺ 🚗 🔌 (10A) - pers. suppl. 7€ - frais de réservation 19€

Location : (Prix 2018) (de fin avr. à mi-sept.) - 91 🚐 - 7 🏠 - 6 tentes lodges. Nuitée 30 à 180€ - Sem. 210 à 1 260€ - frais de réservation 19€

Cadre très vallonné, locatif de bon confort mais peu d'emplacements pour tentes et caravanes.

Nature : 🏞 ⛰ ⛺ 🌳🌳
Loisirs : 🍴✕ 🏠 🏓 jacuzzi 🛝 🏊 ⛷
terrain multisports
Services : ⛽ 🏖 📶 laverie ⚒

	E : 0.93659
GPS	N : 44.93386

🏕 Les Trois Caupain 👥

📞 0977798012, www.camping-des-trois-caupain.com

Pour s'y rendre : allée Paul-Jean-Souriau

Ouverture : de déb. avr. à fin oct.

4 ha (160 empl.) plat, herbeux

Empl. camping : (Prix 2018) 27€ 👫 ⛺ 🚗 🔌 (16A) - pers. suppl. 6€ - frais de réservation 8€

Location : (Prix 2018) (de déb. avr. à fin oct.) - 40 🚐. Nuitée 35 à 100€ - Sem. 169 à 700€ - frais de réservation 20€

🚐 borne artisanale - 16 🔲 15€ - 🚌 10€

Cadre verdoyant tout proche des bords de la Dordogne.

Nature : 🏞 ⛺ 🌳
Loisirs : ✕ 🏊 terrain multisports
Services : ⛽ 🏖 🚰 📶 laverie ⚒
À prox. : ✂ 🐟 grand aquarium

	E : 0.93178
GPS	N : 44.90916

LE BUISSON-DE-CADOUIN

24480 - Carte Michelin **329** G6 - 2 143 h. - alt. 63
▶ Paris 532 - Bergerac 38 - Périgueux 52 - Sarlat-la-Canéda 36

🏕 Domaine de Fromengal 👥

📞 0553631155, www.domaine-fromengal.com

Pour s'y rendre : lieu-dit : La Combe de Cussac (6,5 km au sud-ouest par D 29, rte de Lalinde, D 2 à gauche, rte de Cadouin et chemin à dr.)

Ouverture : de déb. avr. à fin sept.

22 ha/3 campables (93 empl.) en terrasses, herbeux, bois attenant

Empl. camping : (Prix 2018) 39€ 👫 ⛺ 🚗 🔌 (16A) - pers. suppl. 10€ - frais de réservation 23€

Location : (Prix 2018) (de déb. avr. à fin sept.) - 29 🚐 - 23 🏠 - 4 tentes lodges - 4 mobile homes (sans sanitaire). Nuitée 42 à 189€ - Sem. 210 à 1 323€ - frais de réservation 23€

Cadre vallonné, quelques locatifs grand confort et beaucoup d'espaces verts pour la détente ou les jeux collectifs.

Nature : 🏞 ⛺ 🌳🌳
Loisirs : ✕ 🏠 🏓 🏊 🚴 🎾 ⛷ 🏊
terrain multisports
Services : ⛽ ▥ 🏖 🚰 📶 laverie ⚒

	E : 0.86006
GPS	N : 44.82292

BUNUS

64120 - Carte Michelin **342** F3 - 147 h. - alt. 186
▶ Paris 820 - Bayonne 61 - Hasparren 38 - Mauléon-Licharre 22

🏕 Inxauseta

📞 0559378149, www.inxauseta.fr

Pour s'y rendre : au bourg, près de l'église et du fronton.

Ouverture : de déb. juin à fin sept.

0,8 ha (40 empl.) peu incliné

Empl. camping : 19€ 👫 🚗 🔌 (5A) - pers. suppl. 5€

Belles salles de détente dans une ancienne maison basque rénovée avec organisation d'expositions (peintures...).

Nature : 🏞 ⛰ 🌳🌳
Loisirs : 🏠
Services : ⛽ 🚰 📶

	W : 1.06794
GPS	N : 43.20974

CAMBO-LES-BAINS

64250 - Carte Michelin **342** D2 - 6 466 h. - alt. 67 - ♨
▶ Paris 783 - Bayonne 20 - Biarritz 21 - Pau 115

🏕 Bixta Eder

📞 0559299423, www.campingbixtaeder.com

Pour s'y rendre : 52 av. d'Espagne (1,3 km au sud-ouest par D 918, rte de St-Jean-de-Luz)

Ouverture : de mi-avr. à mi-oct.

1 ha (90 empl.) peu incliné, plat, herbeux, gravier

Empl. camping : (Prix 2018) 21€ 👫 🚗 🔌 (10A) - pers. suppl. 5€ - frais de réservation 15€

Location : (Prix 2018) (de mi-avr. à fin oct.) - 19 🚐 - 3 🏠. Nuitée 40 à 100€ - Sem. 260 à 650€ - frais de réservation 15€

Agréable petite structure avec quelques mobile homes de bon confort.

Nature : ⛺ 🌳🌳
Loisirs : 🏠
Services : ⛽ 🏖 📶 laverie ⚒
À prox. : ✂ 🏊

	W : 1.41448
GPS	N : 43.35567

CAMPAGNE

24260 - Carte Michelin **329** G6 - 367 h. - alt. 60
▶ Paris 542 - Bergerac 51 - Belvès 19 - Les Eyzies-de-Tayac 7

⚲ Le Val de la Marquise ♣♣

🖉 05 53 54 74 10, www.camping-dordogne-marquise.com

Pour s'y rendre : lieu-dit : Le Moulin (500 m à l'est par D 35, rte de St-Cyprien)

Ouverture : de mi-avr. à fin sept.

4 ha (104 empl.) en terrasses, plat, herbeux, étang

Empl. camping : 28€ ♣♣ ⚐ 🔲 (15A) - pers. suppl. 7€
Location : (de mi-avr. à fin sept.) - 19 🚐 - 8 🏠 - 2 tentés lodges.
Nuitée 36 à 128€ - Sem. 252 à 896€ - frais de réservation 20€
🚐 borne artisanale

Terrain tout en longueur bordant l'étang idéal pour la pêche. Préférer les emplacements les plus éloignés de la route.

Nature : ▱ ♧♧
Loisirs : ✗ 🎪 ⚒ ⚒ 🛶 🟌
Services : ⚐ 🏧 🛁 🛜 laverie ⚒

G P S   E : 0.9743
N : 44.90637

*Choisissez votre restaurant sur **restaurant.michelin.fr***

CARSAC-AILLAC

24200 - Carte Michelin **329** I6 - 1 479 h. - alt. 80
▶ Paris 536 - Brive-la-Gaillarde 59 - Gourdon 18 - Sarlat-la-Canéda 9

⚲ Le Plein Air des Bories

🖉 05 53 28 15 67, www.camping-desbories.com

Pour s'y rendre : lieu-dit : Les Bories (1,3 km au sud par D 703, rte de Vitrac et chemin à gauche, au bord de la Dordogne)

Ouverture : de déb. mai à mi-sept.

3,5 ha (120 empl.) plat, herbeux, sablonneux

Empl. camping : 24€ ♣♣ ⚐ 🔲 (16A) - pers. suppl. 7€ - frais de réservation 15€
Location : (de déb. mai à mi-sept.) - 55 🚐. Nuitée 30 à 75€ - Sem. 190 à 850€ - frais de réservation 15€

Emplacements ombragés jusqu'au bord de la Dordogne et bon confort sanitaire.

Nature : ⚲ ▱ ♧♧ ⚠
Loisirs : ⍢ ✗ 🎪 ⚒ 🛶 🔲 (découverte en saison) 🟌 ⚒
Services : ⚐ 🛁 🛜 🔲 ⚒

G P S   E : 1.2684
N : 44.83299

⚲ Le Rocher de la Cave

🖉 05 53 28 14 26, www.rocherdelacave.com

Pour s'y rendre : lieu-dit : La Pommarède (1,7 km au sud par D 703, rte de Vitrac et chemin à gauche, au bord de la Dordogne)

Ouverture : de déb. mai à mi-sept.

5 ha (190 empl.) en terrasses, plat, herbeux

Empl. camping : (Prix 2018) ♣ 7€ ⚐ 🔲 9€ - 🔋 (10A) 4€
Location : (Prix 2018) (de déb. mai à mi-sept.) - 28 🚐 - 7 🏠 - 15 bungalows toilés - 15 tentes lodges. Nuitée 30 à 150€ - Sem. 210 à 1 075€

Emplacements plein soleil ou ombragés au bord de la Dordogne et locatif varié.

Nature : ⚲ ♧♧ ⚠
Loisirs : ⍢ ✗ ⚒ 🛶 ⚏ (plage) 🟌 ⚒
Services : ⚐ 🛁 🛜 laverie ⚒

G P S   E : 1.26719
N : 44.82977

CASTELJALOUX

47700 - Carte Michelin **336** C4 - 4 773 h. - alt. 52
▶ Paris 674 - Agen 55 - Langon 55 - Marmande 23

⚲ Village Vacances Castel Chalets du Lac

(pas d'emplacement tentes et caravanes)

🖉 05 53 93 07 45, www.castel-chalets.com

Pour s'y rendre : rte de Mont-de-Marsan, au Lac de Clarens (2,5 km au sud-ouest par D 933, rte de Mont-de-Marsan)

4 ha plat, sablonneux

Location : (de déb. fév. à fin nov.) - ⚒ (1 chalet) - 25 🏠 - 2 🛏.
Nuitée 120 à 180€ - Sem. 320 à 830€
🚐 borne eurorelais 10€ - 8 🔲 10€

Petit village de chalets de confort simple, au bord du lac, face à la base de loisirs très bien aménagée.

Nature : ⚲ ⩽ ♧♧ ⚠
Loisirs : ⚒ 🛶
Services : ⚐ 🏧 🛜
À prox. : ⍢ ✗ ⚒ 🐴 parcours dans les arbres pédalos paintball, golf (18 trous) casino

G P S   E : 0.0725
N : 44.29278

CASTELMORON-SUR-LOT

47260 - Carte Michelin **336** E3 - 1 755 h. - alt. 49
▶ Paris 600 - Agen 33 - Bergerac 63 - Marmande 35

⚲ Village Vacances Port-Lalande

(pas d'emplacement tentes et caravanes)

🖉 04 68 37 65 65, www.grandbleu.fr

Pour s'y rendre : 1,5 km au sud-est

4 ha plat, herbeux

Location : (Prix 2018) (de déb. avr. à fin sept.) - ⚒ (1 chalet) - - 80 🏠. Sem. 255 à 998€ - frais de réservation 20€

Agréable village de chalets de différents confort, au bord du Lot et d'un petit port de plaisance.

Nature : ⚲ ⩽ ♧
Loisirs : 🎪 ⚒ 🛶 centre balnéo ⚏ hammam jacuzzi 🟌 🛶
Services : 🏧 🛜 🔲
À prox. : ✗ ⚓ location de bateaux

G P S   E : 0.50661
N : 44.38803

*Créez votre voyage sur **voyages.michelin.fr***

CASTELNAUD-LA-CHAPELLE

24250 - Carte Michelin **329** H7 - 477 h. - alt. 140
▶ Paris 539 - Le Bugue 29 - Les Eyzies-de-Tayac 27 - Gourdon 25

⚲ Lou Castel ♣♣

🖉 05 53 29 89 24, www.loucastel.com

Pour s'y rendre : lieu-dit : Prente Garde (sortie sud par D 57 puis 3,4 km par rte du château à dr. - pour caravanes, accès fortement conseillé par Pont-de-Cause et D 50, rte de Veyrines-de-Domme)

Ouverture : de fin mai à mi-sept.

5,5 ha/2,5 campables (117 empl.) plat, herbeux, pierreux, bois attenant

Empl. camping : (Prix 2018) 52€ ♣♣ ⚐ 🔲 🔋 (10A) - pers. suppl. 8€ - frais de réservation 20€

Location : (Prix 2018) (de fin mai à mi-sept.) - 50  - 5 ⌂
- 11 bungalows toilés - 3 tentes lodges - 2 roulottes - 4 gîtes.
Nuitée 30 à 137€ - Sem. 210 à 959€ - frais de réservation 20€

Ambiance très familiale avec des emplacements sous une agréable chênaie.

Nature : 🦢 ⌂ 〰〰
Loisirs : ▼ ✕ 🏠 🏃 🚣 🔲 🏊 ⛷ terrain multisports
Services : ⟿ 🛁 ♨ 🚰 📶 laverie 🧺

G P S | E : 1.1315 | N : 44.79755

🏔 **Maisonneuve**

🖉 05 53 29 51 29, www.campingmaisonneuve.com

Pour s'y rendre : chemin de Maisonneuve (1 km au sud-est par D 57 et chemin à gauche, au bord du Céou)

Ouverture : de déb. avr. à fin oct.

6 ha/3 campables (140 empl.) non clos, plat, herbeux

Empl. camping : 🚶 8€ 🚗 回 10€ – [⚡] (10A) 6€ - frais de réservation 15€

Location : (de déb. avr. à fin oct.) - 10 - 2 tentes lodges - 3 cabanons - 1 gîte. Nuitée 69 à 150€ - Sem. 380 à 975€ - frais de réservation 15€

🚐 borne AireService - 140 回 10€

Autour d'une ancienne ferme restaurée et fleurie.

Nature : ≤ ⌂ 〰〰
Loisirs : ▼ ✕ 🏠 🚣 🏊 ≈ 🎣
Services : ⟿ 🏛 🛁 📶 laverie 🧺

G P S | E : 1.15822 | N : 44.80482

CASTELS

24220 - Carte Michelin **329** H6 - 647 h. - alt. 50
▶ Paris 551 - Bordeaux 181 - Montauban 145 - Brive-la-Gaillarde 73

🏕 **Village Vacances La Noyeraie**

(pas d'emplacement tentes et caravanes)

🖉 05 53 31 24 43, www.chaletlanoyeraie.fr

Pour s'y rendre : lieu-dit : Le Grelat (1 km au sud-est par la D 703, rte de Sarlat)

1,5 ha plat, herbeux

Location : (Prix 2018) Permanent🅿 - 19 ⌂. Sem. 252 à 1 092€

Petit village de chalets à l'ombre des noyers et chênes verts du Périgord.

Nature : 〰〰
Loisirs : 🏠 🚣 🔲 (découverte en saison)
Services : ⟿ 🅿 🏛 laverie

G P S | E : 1.08071 | N : 44.85004

The Guide changes, so renew your guide every year.

CÉNAC-ET-ST-JULIEN

24250 - Carte Michelin **329** I7 - 1 218 h. - alt. 70
▶ Paris 537 - Le Bugue 34 - Gourdon 20 - Sarlat-la-Canéda 12

🏔 **Le Pech de Caumont**

🖉 05 53 28 21 63, www.pech-de-caumont.com

Pour s'y rendre : 2 km au sud sur D 46 rte de Cahors

Ouverture : de déb. avr. à fin sept.

2,2 ha (100 empl.) en terrasses, plat, herbeux

Empl. camping : (Prix 2018) 🚶 6€ 🚗 回 8€ – [⚡] (16A) 4€ - frais de réservation 13€

Location : (Prix 2018) (de déb. avr. à fin sept.) - 🏊 - 16
- 6 ⌂. Nuitée 35 à 100€ - Sem. 210 à 710€

Domine la vallée de la Dordogne, face au village de Domme.

Nature : 🦢 ≤ ⌂ 〰〰
Loisirs : ▼ ✕ 🏠 🚣 ⛷
Services : ⟿ 🛁 🚰 📶 laverie 🧺

G P S | E : 1.20908 | N : 44.78654

LA CHAPELLE-AUBAREIL

24290 - Carte Michelin **329** I5 - 471 h. - alt. 230
▶ Paris 515 - Brive-la-Gaillarde 40 - Les Eyzies-de-Tayac 21
- Montignac 9

🏔 **La Fage**

🖉 05 53 50 76 50, www.camping-lafage.com

Pour s'y rendre : lieu-dit : La Fage (1,2 km au nord-ouest par rte de St-Amand-de-Coly, vers D 704 et chemin à gauche)

Ouverture : de déb. avr. à déb. oct.

5 ha (92 empl.) en terrasses, peu incliné, plat, herbeux

Empl. camping : 31€ 🚶🚶 🚗 回 [⚡] (10A) - pers. suppl. 6€ - frais de réservation 10€

Location : (Prix 2018) Permanent - 20  - 4 ⌂ - 8 tentes lodges - 1 cabanon. Nuitée 30 à 125€ - Sem. 199 à 875€ - frais de réservation 10€

🚐 borne artisanale

Beaucoup d'espaces verts, idéal pour la détente ou les jeux collectifs.

Nature : 🦢 ⌂ 〰〰
Loisirs : ✕ 🏠 🚣 🔲 (découverte en saison)
Services : ⟿ 🛁 🚰 📶 laverie 🧺

G P S | E : 1.1882 | N : 45.01745

Gebruik de gids van het lopende jaar.

CONTIS-PLAGE

40170 - Carte Michelin **335** D10
▶ Paris 714 - Bayonne 87 - Castets 32 - Dax 52

🏔 **Yelloh! Village Lous Seurrots** 👥

🖉 05 58 42 85 82, www.lous-seurrots.com

Pour s'y rendre : 606 av. de l'Océan (sortie sud-est par D 41, près du Courant de Contis, à 700 m de la plage)

Ouverture : de déb. avr. à fin sept.

14 ha (571 empl.) vallonné, plat et peu incliné, herbeux, sablonneux

Empl. camping : (Prix 2018) 60€ 🚶🚶 🚗 回 [⚡] (10A) - pers. suppl. 9€
Location : (Prix 2018) (de déb. avr. à fin sept.) - ♿ (1 chalet)
- 189  - 109 ⌂ - 15 bungalows toilés - 20 tentes lodges.
Nuitée 52 à 177€ - Sem. 364 à 1 239€

🚐 borne AireService

Des plages du parc aquatique, vue imprenable sur la dune et l'océan. Quelques locatifs grand confort à l'ombre d'une jolie pinède.

Nature : 🦢 ⌂ 〰〰 △
Loisirs : ▼ ✕ 🏠 (théâtre de plein air) 🏃 🏄 🚴 ✂ 🔲 🏊 ⛷ terrain multisports
Services : ⟿ 🏛 🛁 📶 laverie 🚿 🧺 cases réfrigérées
À prox. : 🏇 ⚓ surf

G P S | W : 1.31685 | N : 44.08878

COURBIAC

47370 - Carte Michelin **336** I3 - 110 h. - alt. 145
▶ Paris 623 - Bordeaux 172 - Agen 46 - Montauban 59

⛰ Le Pouchou

☎ 06 42 83 37 62, www.camping-le-pouchou.com

Pour s'y rendre : 1,8 km à l'ouest par rte de Tournon-d'Agenais et chemin à gauche

Ouverture : de déb. juin à fin sept.

15 ha/2 campables (30 empl.) non clos, peu incliné, herbeux

Empl. camping : 23 € ✶✶ ⇔ 🅔 🄙 (10A) - pers. suppl. 6 €
Location : Permanent🚹 (1 chalet) - 1 🛏 - 8 🏠 - 2 cabanons. Nuitée 40 à 120 € - Sem. 182 à 700 €
🚻 borne eurorelais - 🚽 15 €

Cadre agréable, vallonné, autour d'un petit étang.

Nature : 🏞 ⬝ ♤♤
Loisirs : 🍴 🎱 🚴 🛶 sentiers pédestres
Services : ⚬🔫 👤 📚 🌐 laverie

G P S E : 1.02293
N : 44.37854

Benutzen Sie den Hotelführer des laufenden Jahres.

COUX-ET-BIGAROQUE

24220 - Carte Michelin **329** G7 - 993 h. - alt. 85
▶ Paris 548 - Bergerac 44 - Le Bugue 14 - Les Eyzies-de-Tayac 17

⛰ Les Valades 👥

☎ 05 53 29 14 27, www.lesvalades.com

Pour s'y rendre : lieu-dit : Les Valades (4 km au nord-ouest par D 703, rte des Eyzies puis à gauche)

Ouverture : de déb. avr. à fin sept.

14 ha (95 empl.) fort dénivelé, en terrasses, vallonné, herbeux, petit plan d'eau, sous bois

Empl. camping : 39 € ✶✶ ⇔ 🅔 🄙 (10A) - pers. suppl. 8 € - frais de réservation 15 €
Location : (de déb. avr. à fin sept.) - 🚹 (1 chalet) - 6 🛏 - 27 🏠 - 1 chalet sur pilotis - 4 tentes lodges - 4 tentes sur pilotis. Sem. 220 à 1 450 € - frais de réservation 15 €

Emplacements ombragés, locatif de bon confort sur un terrain vallonné avec de grands espaces verts pour la détente.

Nature : 🏞 ⬝ ♤♤
Loisirs : ✕ 🎱 🚴 🛶 🏊 🛶 (plage) 🎣 🐴
Services : ⚬🔫 🚾 📚 – 10 sanitaires individuels (🚿🚽 WC) 🌐 laverie

G P S E : 0.96367
N : 44.8599

COUZE-ET-ST-FRONT

24150 - Carte Michelin **329** F7 - 775 h. - alt. 45
▶ Paris 544 - Bergerac 21 - Lalinde 4 - Mussidan 46

⛰ Les Moulins

☎ 06 89 85 76 24, www.campingdesmoulins.com - peu d'emplacements pour tentes et caravanes

Pour s'y rendre : lieu-dit : Les Maury Bas (sortie sud-est par D 660, rte de Beaumont et à dr., près du terrain de sports, au bord de la Couze)

Ouverture : de déb. avr. à fin oct.

2,5 ha (50 empl.) peu incliné, plat, herbeux

Empl. camping : 28 € ✶✶ ⇔ 🅔 🄙 (10A) - pers. suppl. 7 € - frais de réservation 10 €

Location : (de déb. avr. à fin oct.) - 7 🛏. Nuitée 50 à 80 € - Sem. 200 à 500 € - frais de réservation 10 €
🚻 borne artisanale - 15 🅔 11 € - 🚽🄙11 €

Cadre verdoyant face au village perché sur un éperon rocheux. Nombreux mobile homes de propriétaires-résidents.

Nature : 🏞 ⬝ ♤
Loisirs : 🍴 🎱 🚴 🛶 ✂ 🛶
Services : ⚬🔫 🌐 laverie

G P S E : 0.70448
N : 44.82646

DAGLAN

24250 - Carte Michelin **329** I7 - 555 h. - alt. 101
▶ Paris 547 - Cahors 48 - Fumel 40 - Gourdon 18

⛰ La Peyrugue

☎ 05 53 28 40 26, www.peyrugue.com

Pour s'y rendre : lieu-dit : La Peyrugue (1,5 km au nord par D 57, rte de St-Cybranet, à 150 m du Céou)

5 ha/2,5 campables (85 empl.) en terrasses, peu incliné, plat, herbeux, pierreux, bois
Location : 🚹 (2 chalets) - 10 🏠 - 1 gîte.

Beaucoup d'espaces verts en partie boisés, dédiés à la détente ou aux activités sportives.

Nature : 🏞 ♤♤
Loisirs : 🍴 ✕ 🎱 🛶
Services : ⚬🔫 📚 🌐 laverie 🛒

G P S E : 1.18798
N : 44.75267

Avant de vous installer, consultez les tarifs en cours, affichés obligatoirement à l'entrée du terrain, et renseignez-vous sur les conditions particulières de séjour. Les indications portées dans le guide ont pu être modifiées depuis la mise à jour.

DAX

40100 - Carte Michelin **335** E12 - 21 003 h. - alt. 12 - ⛲
▶ Paris 727 - Bayonne 54 - Biarritz 61 - Bordeaux 144

⛰ Les Chênes 👥

☎ 05 58 90 05 53, www.camping-leschenes-dax.com

Pour s'y rendre : allée du Bois-de-Boulogne (1,8 km à l'ouest du centre ville, au bois de Boulogne, à 200 m de l'Adour)

Ouverture : de mi-mars à déb. nov.

5 ha (230 empl.) plat, herbeux, gravillons, sablonneux

Empl. camping : (Prix 2018) 20 € ✶✶ ⇔ 🅔 🄙 (10A) - pers. suppl. 7 € - frais de réservation 8 €
Location : (Prix 2018) (de mi-mars à déb. nov.) - 🚹 (1 appartement) - 43 🛏 - 20 appartements. Sem. 350 à 590 € - frais de réservation 8 €
🚻 borne AireService

Agréable chênaie près d'un étang. Tarifs séjours "cure thermale".

Nature : 🏞 ⬝ ♤♤
Loisirs : 🎱 🚴 🛶 🛶
Services : ⚬🔫 🚾 👤 🌐 laverie 🛒
À prox. : 🎣 practice de golf

G P S W : 1.07174
N : 43.71138

⚠ Le Bascat

M. Bonnet/Bascat

℘ 05 58 56 16 68, www.campinglebascat.com

Pour s'y rendre : r. de Jouandin (2,8 km à l'ouest du centre ville par le bois de Boulogne, accès à partir du Vieux Pont (rive gauche) et av. longeant les berges de l'Adour)

Ouverture : de déb. mars à mi-nov.

3,5 ha (160 empl.) en terrasses, plat, herbeux, gravillons

Empl. camping : 22 € ♥♥ ⇔ 回 [∉] (6A) - pers. suppl. 5 € - frais de réservation 7 €

Location : (de mi-mars à mi-nov.) - 45 ⟦▭⟧. Nuitée 45 à 65 € - Sem. 242 à 385 € - frais de réservation 7 €

⟦▭⟧ borne artisanale - 20 回 11 € - ⟦⟧ 11 €

Emplacements souvent bien ombragés et une tenue exemplaire.

Nature : ⤳ ♀♀		**G** E : W : 1.07043
Loisirs : ⌂		**P**
Services : ⚷ ⌷ ⫪ ⤳ ⟳ ≋ laverie ⤳		**S** N : 43.70617

DOMME

24250 - Carte Michelin **329** I7 - 989 h. - alt. 250
▶ Paris 538 - Cahors 51 - Fumel 50 - Gourdon 20

⚑ Village Vacances Les Ventoulines

(pas d'emplacement tentes et caravanes)

℘ 05 53 28 36 29, www.gites-dordogne-sarlat.fr

Pour s'y rendre : lieu-dit : Les Ventoulines (3,6 km au sud-est, rte de St-Martial-de-Nabirat)

3 ha non clos, en terrasses

Location : (Prix 2018) Permanent ℗ - 6 ⟦▭⟧ - 18 ⌂ - 1 yourte - 24 gîtes. Nuitée 60 à 100 € - Sem. 295 à 995 €

Possibilité de repas terroir sur commande (produits de la ferme toute proche).

Nature : ⤳ ♫		**G** E : 1.22587
Loisirs : ⌂ ⚲ ⟐ ⟐		**P**
Services : ⚷ ⌷ ⫪ ≋ laverie		**S** N : 44.78408

⚑ Perpetuum ♣♣

℘ 05 53 28 35 18, www.campingleperpetuum.com

Pour s'y rendre : 2 km au sud par la D 50 et chemin à droite, au bord de la Dordogne

Ouverture : de mi-mai à déb. oct.

4,5 ha (120 empl.) plat, herbeux

Empl. camping : (Prix 2018) 31 € ♥♥ ⇔ 回 [∉] (10A) - pers. suppl. 8 € - frais de réservation 12 €

Location : (Prix 2018) (de mi-mai à déb. oct.) - ⤳ - 44 ⟦▭⟧. Nuitée 38 à 127 € - Sem. 266 à 889 € - frais de réservation 12 €

⟦▭⟧ borne eurorelais 27 € - 10 回 27 € - ⟦[∉]⟧ 26 €

Emplacements jusqu'au bord de la Dordogne et une salle d'animations dans un ancien séchoir à tabac.

Nature : ⤳ ⟐ ♀♀		**G** E : 1.22065
Loisirs : ✗ ⌂ salle d'animations ⚲ ⚲ ⟐ ⟐ terrain multisports		**P**
Services : ⚷ ⌷ ⫪ ⟳ ≋ laverie ⤳		**S** N : 44.81542

⚠ Village Vacances de la Combe

(pas d'emplacement tentes et caravanes)

℘ 06 61 86 41 38, www.sarlat-gites-dordogne.com

Pour s'y rendre : lieu-dit : Le Pradal (1,5 km au sud-est)

2 ha en terrasses, plat, herbeux

Location : (de déb. avr. à fin déc.) - ⌷ (1 chalet) - ℗ - 12 ⌂. Nuitée 52 à 171 € - Sem. 365 à 1 200 € - frais de réservation 18 €

Petit village de chalets idéal pour ceux qui aiment le calme. Petite piscine couverte et chauffée.

Nature : ⤳ ♀♀		**G** E : 1.22243
Loisirs : ♀ ✗ ⌂ ⟐ (découverte en saison)		**P**
Services : ⚷ ⫪ ⟳ ⟳ ⤳		**S** N : 44.8161

⚠ Le Bosquet

℘ 05 53 28 37 39, www.lebosquet.com

Pour s'y rendre : lieu-dit : La Rivière (à 900 m au sud de Vitrac-Port, par la D 46)

Ouverture : de mi-avr. à fin sept.

1,5 ha (57 empl.) non clos, plat, herbeux

Empl. camping : (Prix 2018) 24 € ♥♥ ⇔ 回 [∉] (10A) - pers. suppl. 6 € - frais de réservation 8 €

Location : (Prix 2018) (de mi-avr. à fin sept.) - 21 ⟦▭⟧. Sem. 230 à 720 € - frais de réservation 8 €

⟦▭⟧ borne artisanale

Emplacements bien ombragés dans ambiance calme et familiale.

Nature : ⤳ ⟐ ♀♀		**G** E : 1.22555
Loisirs : ✗ ⌂ ⚲ ⟐		**P**
Services : ⚷ ⟳ ≋ laverie ⤳		**S** N : 44.82185
À prox. : ⤳		

⚠ Le Moulin de Caudon

℘ 05 53 31 03 69, www.moulindecaudon.fr

Pour s'y rendre : lieu-dit : Caudon (6 km au nord-est par la D 46e et la D 50, rte de Groléjac, près de la Dordogne - Pour les caravanes, accès conseillé par Vitrac-Port)

Ouverture : de fin mai à mi-sept.

2 ha (60 empl.) plat, herbeux

Empl. camping : 18 € ♥♥ ⇔ 回 [∉] (10A) - pers. suppl. 6 €

Location : (de fin mai à mi-sept.) - ⤳ - 4 ⟦▭⟧. Nuitée 40 à 75 € - Sem. 280 à 520 €

Nature : ⟐ ♀♀		**G** E : 1.24466
Loisirs : ⌂ ⚲ ⟐		**P**
Services : (saison) ⤳ ⟳ ⟳ ▦		**S** N : 44.82061
À prox. : ≋		

DOUVILLE

24140 - Carte Michelin **329** E6 - 451 h. - alt. 125
▶ Paris 571 - Bordeaux 119 - Périgueux 29 - Agen 111

🏔 Orpheo Negro

🖉 05 53 82 96 58, www.orpheonegro.com

Pour s'y rendre : lieu-dit : Les Trois Frères, RN 21 (5 km au nord par rte de Périgueux)

Ouverture : de déb. avr. à fin oct.

11 ha/2,5 campables (60 empl.) en terrasses, peu incliné, plat, herbeux, pierreux

Empl. camping : 26 € ♦♦ ⇔ 🔲 🔌 (6A) - pers. suppl. 6 € - frais de réservation 10 €

Location : (de déb. avr. à fin oct.) - 9 🛖 - 3 🏠. Sem. 220 à 750 € - frais de réservation 12 €

🛆 borne artisanale
En sous-bois, surplombant l'étang et la piscine.

Nature : 🏞 ≤ 💧		G
Loisirs : 🍷 🏕 🎣 ⚽ 🛝 🎿 barques pédalos		P
Services : ⚓ 🚿 ☕ 🔌 🖼 🛁	E : 0.61695	S
À prox. : ✕	N : 45.02765	

EYMET

24500 - Carte Michelin **329** D8 - 2 563 h. - alt. 54
▶ Paris 560 - Bergerac 24 - Castillonnès 19 - Duras 22

🏔 Le Château

🖉 05 53 23 80 28, www.eymetcamping.com

Pour s'y rendre : r. de la Sole (derrière le château, au bord du Dropt)

Ouverture : de fin avr. à fin sept.

1,5 ha (66 empl.) plat, herbeux

Empl. camping : ♦ 5 € ⇔ 🔲 5 € – 🔌 (10A) 4 €

Site agréable bordé par la rivière, le jardin public et les remparts.

Nature : 🏞 🗘 💧		G
Loisirs : 🎣 🛝 ⚽		P
Services : ⚓ 🚿 🔌 🔌 ☕ 🖼	E : 0.39584	S
	N : 44.66925	

LES EYZIES-DE-TAYAC

24620 - Carte Michelin **329** H6 - 839 h. - alt. 70
▶ Paris 536 - Brive-la-Gaillarde 62 - Fumel 62 - Lalinde 35

🏔 Tohapi Le Mas

🖉 05 53 29 68 06, www.campinglemas.com - peu d'emplacements pour tentes et caravanes

Pour s'y rendre : 7 km à l'Est par D 47 rte de Sarlat-la-Canéda puis 2,5 km par rte de Sireuil à gauche

Ouverture : de mi-avr. à mi-sept.

5 ha (137 empl.) en terrasses, plat, herbeux, pierreux

Empl. camping : (Prix 2018) 27 € ♦♦ ⇔ 🔲 🔌 (16A) - pers. suppl. 6 €
Location : (Prix 2018) (de mi-avr. à mi-sept.) - 118 🛖 - 6 🏠 - 10 tentes lodges. Sem. 140 à 1 183 € - frais de réservation 15 €

Nombreux locatifs et plus que quelques places pour tentes ou caravanes.

Nature : 🏞 🗘 💧		G
Loisirs : 🍷 ✕ 🎣 🏕 ⚽ 🎿		P
Services : ⚓ ☕ 🎣 laverie 🛁 🛁	E : 1.0849	S
	N : 44.93675	

🏔 La Rivière

🖉 05 53 06 97 14, www.larivierelesezies.com

Pour s'y rendre : 3 rte du Sorcier (1 km au nord-ouest par D 47, rte de Périgueux et rte à gauche apr. le pont, à 200 m de la Vézère)

Ouverture : de déb. avr. à mi-oct.

7 ha/3 campables (120 empl.) plat, herbeux

Empl. camping : (Prix 2018) 29 € ♦♦ ⇔ 🔲 🔌 (16A) - pers. suppl. 7 € - frais de réservation 4 €

Location : (Prix 2018) Permanent - 13 🛖 - 1 tente lodge - 3 appartements - 3 studios. Nuitée 38 à 140 € - Sem. 174 à 976 € - frais de réservation 4 €

🛆 borne artisanale
Tout près de la rivière avec la base de canoës à côté.

Nature : 🏞 🗘 💧		G
Loisirs : 🍷 ✕ 🎣 🛝 🎿 ✈		P
Services : ⚓ 🖼 ☕ 🎿 🎣 laverie 🛁 🛁	E : 1.00582	S
	N : 44.93732	

🏕 La Ferme du Pelou

🖉 05 53 06 98 17, www.lafermedupelou.com

Pour s'y rendre : lieu-dit : Le Pelou (4 km au nord-est par D 706, rte de Montignac puis rte à dr.)

Ouverture : de mi-mars à mi-nov.

1 ha (65 empl.) peu incliné, plat, herbeux

Empl. camping : 17 € ♦♦ ⇔ 🔲 🔌 (10A) - pers. suppl. 5 €

Location : (de mi-mars à mi-nov.) - 9 🛖. Nuitée 30 à 75 € - Sem. 200 à 500 €

🛆 borne artisanale
Camping à la ferme avec les animaux en liberté : poules, coqs, dindons...et aussi trois ânesses et deux juments. Point de vue panoramique sur le village de Tursac.

Nature : 🏞 🗘 💧		G
Loisirs : 🛖 🛝		P
Services : ⚓ 🔌 🎣 laverie	E : 1.04472	S
	N : 44.95527	

FUMEL

47500 - Carte Michelin **336** H3 - 5 186 h. - alt. 70
▶ Paris 594 - Agen 55 - Bergerac 64 - Cahors 48

🏔 Parc Résidentiel de Loisirs Domaine de Guillalmes

(pas d'emplacement tentes et caravanes)

🖉 05 53 71 01 99, www.domainedeguillalmes.com ✂

Pour s'y rendre : lieu-dit : La Gaillarde (3 km à l'est par D 911, rte de Cahors puis à la sortie de Condat, 1 km par rte à dr.)

Ouverture : Permanent

3 ha plat, herbeux

Location : Permanent♿ (1 chalet) - ✂ - 2 🛖 - 18 🏠 - 1 bungalow toilé. Nuitée 80 à 95 € - Sem. 450 à 720 € - frais de réservation 10 €

🛆 borne artisanale - 6 🔲 22 €

Chalets simples en confort sur un site verdoyant qui s'étend jusqu'au bord du Lot. Quelques emplacements pour camping-car.

Nature : 🏞 💧		G
Loisirs : 🍷 ✕ 🎣 🚲 ⚽ 🎿 🛝 bateaux électriques		P
Services : ⚓ 🅿 🖼 🎣 🖼 🛁	E : 1.00955	S
	N : 44.48343	

⛰ **Les Catalpas**

✆ 05 53 71 11 99, www.les-catalpas.com

Pour s'y rendre : lieu-dit : La Tour, chemin de la plaine de Condat (2 km à l'est par D 911, rte de Cahors puis, à la sortie de Condat, 1,2 km par rte à dr.)

Ouverture : de déb. avr. à fin oct.

2 ha (61 empl.) plat, herbeux, goudronné

Empl. camping : 22 € ✶✶ ⚌ 🗉 ⚡ (10A) - pers. suppl. 6 €

Location : (de déb. avr. à fin oct.) - 8 🚐 - 2 🏠 - 2 bungalows toilés - 1 gîte. Nuitée 50 à 60 € - Sem. 155 à 700 €

🚐 6 🗉 22 €

Cadre verdoyant et fleuri avec des emplacements jusqu'au bord du Lot.

Nature : 🏞 ⚏ 🎋
Loisirs : ✕ 🎿 🛶 🏊
Services : ⚲ 🚰 🗑 ⚏ 📶 🔋

GPS E : 0.99737
N : 44.48916

GABARRET

40310 - Carte Michelin **335** L11 - 1 270 h. - alt. 153
▶ Paris 715 - Agen 66 - Auch 76 - Bordeaux 140

⚠ **Parc Municipal Touristique la Chêneraie**

✆ 05 58 44 92 62, la-cheneraie@orange.fr

Pour s'y rendre : sortie est par D 35, rte de Castelnau-d'Auzan et chemin à dr.

Ouverture : de déb. mars à fin oct.

0,7 ha (50 empl.) peu incliné, plat, herbeux, sablonneux, gravillons

Empl. camping : (Prix 2018) 13 € ✶✶ ⚌ 🗉 ⚡ (10A) - pers. suppl. 3 €

Location : (Prix 2018) Permanent - 4 🚐 - 10 gîtes. Nuitée 55 à 70 € - Sem. 173 à 380 €

🚐 borne artisanale

Locatif de qualité et emplacements bien ombragés autour de la piscine municipale.

Nature : 🏞 🎋
Loisirs : 🎿 🚴
Services : ⚲ 🗑 📶 🔋
À prox. : 🏊

GPS E : 0.01622
N : 43.98361

To visit a town or region : use the **MICHELIN Green Guides**.

GRADIGNAN

33170 - Carte Michelin **335** H6 - 23 386 h. - alt. 26
▶ Paris 592 - Bordeaux 9 - Lyon 550 - Nantes 336

⚠ **Beausoleil**

✆ 05 56 89 17 66, www.camping-gradignan.com

Pour s'y rendre : 371 cours du Gén.-de-Gaulle (sur rocade : sortie 16, Gradignan)

Ouverture : Permanent

0,5 ha (31 empl.) peu incliné, plat, herbeux, gravillons

Empl. camping : (Prix 2018) 20 € ✶✶ ⚌ 🗉 ⚡ (10A) - pers. suppl. 4 €

Location : (Prix 2018) Permanent - 4 🚐. Sem. 280 à 380 €

Navettes bus pour le tram de Bordeaux.

Nature : ⚏ 🎋
Services : ⚲ 🚰 🗑 🚿 ⚗ 📶 laverie

GPS W : 0.6278
N : 44.75573

GROLÉJAC

24250 - Carte Michelin **329** I7 - 654 h. - alt. 67
▶ Paris 537 - Gourdon 14 - Périgueux 80 - Sarlat-la-Canéda 13

⛰ **Oléla Les Granges** ♟♟

✆ 02 51 20 41 94, www.lesgranges-fr.com - peu d'emplacements pour tentes et caravanes

Pour s'y rendre : au bourg

Ouverture : de déb. avr. à fin sept.

6 ha (188 empl.) en terrasses, plat et peu incliné, herbeux

Empl. camping : 34 € ✶✶ ⚌ 🗉 ⚡ (10A) - pers. suppl. 5 €

Location : (de déb. avr. à fin sept.) - ♿ (1 chalet) - 86 🚐 - 8 🏠 - 12 tentes lodges. Nuitée 23 à 383 € - Sem. 161 à 2 681 €

Cadre verdoyant avec des emplacements en terrasse bien délimités et du locatif varié.

Nature : 🏞 ⚏ 🎋
Loisirs : 🍹 ✕ 🎵 ⛹ 🎿 🚴 🏓 🏊
Services : ⚲ 🚿 ⚗ 🚾 📶 laverie 🛒
À prox. : 🏊

GPS E : 1.29117
N : 44.81579

⛰ **Le Lac de Groléjac**

✆ 05 53 59 48 70, www.camping-dulac-dordogne.com

Pour s'y rendre : lieu-dit : Le Roc Percé (2 km au sud par D 704, D 50, rte de Domme et rte de Nabirat à gauche)

Ouverture : de mi-avr. à mi-sept.

2 ha (96 empl.) non clos, plat, herbeux

Empl. camping : (Prix 2018) 16 € ✶✶ ⚌ 🗉 ⚡ (10A) - pers. suppl. 4 € - frais de réservation 15 €

Location : (de mi-avr. à mi-sept.) - 24 🚐 - 1 🏠 - 4 bungalows toilés - 5 tentes lodges - 2 tentes sur pilotis. Nuitée 15 à 20 € - Sem. 375 à 790 € - frais de réservation 15 €

🚐 borne artisanale - 🔋⚡16 €

Emplacements délimités au bord du lac et de la plage de sable blanc.

Nature : 🏞 ⚏ 🎋 ⛰
Loisirs : 🍹 ✕ 🎿 🛶 🏊
Services : ⚲ 🚿 ⚗ 📶 🗑 🛒
À prox. : 🚣 🎣 pédalos

GPS E : 1.29441
N : 44.802

HASPARREN

64240 - Carte Michelin **342** E4 - 5 742 h. - alt. 50
▶ Paris 783 - Bayonne 24 - Biarritz 34 - Cambo-les-Bains 9

⛰ **Les Terrasses Xapitalia**

✆ 05 59 55 02 15, www.camping-au-pays-basque.fr

Pour s'y rendre : au lieu-dit : Ancoenia, rte de Cambo (1 km au sud par D 22)

Ouverture : de déb. avr. à mi-nov.

2,5 ha (61 empl.) en terrasses, plat, herbeux

Empl. camping : 28 € ✶✶ ⚌ 🗉 ⚡ (10A) - pers. suppl. 5 € - frais de réservation 10 €

Location : (de déb. avr. à mi-nov.) - 18 🚐 - 2 tentes lodges - 2 cabanons. Nuitée 35 à 70 € - Sem. 280 à 750 € - frais de réservation 10 €

🚐 borne artisanale

Ombrage pour les emplacements et soleil pour les mobile homes.

Nature : 🏞 ⚘
Loisirs : ✕ 🎿 🛶 🏊
Services : ⚲ 📶 laverie
À prox. : 🛒

GPS W : 1.31404
N : 43.38077

HENDAYE

64700 - Carte Michelin **342** B4 - 14 412 h. - alt. 30
▶ Paris 799 - Biarritz 31 - Pau 143 - St-Jean-de-Luz 12

⚲⚲⚲ Eskualduna ⚶⚶

☎ 05 59 20 04 64, www.camping-eskualduna.fr

Pour s'y rendre : rte de la Corniche (2 km à l'est, au bord d'un ruisseau)

Ouverture : de déb. avr. à fin sept.

10 ha (330 empl.) vallonné, plat, herbeux

Empl. camping : ★ 6€ ⚗ 4€ ▣ 6€ – ⚡ (10A) 6€ - frais de réservation 20€

Location : (de déb. avr. à fin sept.) - ⚹ (3 mobile homes) - 84 ⚏ - 11 ⚐. Nuitée 33 à 248€ - Sem. 260 à 1 740€ - frais de réservation 20€

⚑ borne eurorelais - 30 ▣ 13€

Agréable parc aquatique. Préférer les emplacements éloignés de la route. Navette gratuite pour la plage.

Nature : ⚲⚲
Loisirs : 🍴 ✗ ⛺ ⚑ ⚶⚶ ⚓ ⚒ terrain multisports
Services : ⚬⚬ ⚗ ⚑ ⚗ 🛜 laverie ⚒ ⚑ réfrigérateurs
GPS : W : 1.73925 N : 43.37555

⚲⚲⚲ Ametza ⚶⚶

☎ 05 59 20 07 05, www.camping-ametza.com

Pour s'y rendre : bd de l'Empereur (1 km à l'est)

Ouverture : de déb. avr. à fin oct.

4,5 ha (230 empl.) en terrasses, peu incliné, plat, herbeux

Empl. camping : (Prix 2018) 45€ ★★ ⚗ ▣ ⚡ (6A) - pers. suppl. 6€ - frais de réservation 15€

Location : (de déb. avr. à fin sept.) - ⚹ (1 mobile home) - ⚗ - 35 ⚏ - 3 ⚐ - 2 bungalows toilés - 2 cabanons. Sem. 217 à 1 505€ - frais de réservation 15€

⚑ 3 ▣ 37€

Emplacements tentes et caravanes mais aussi des mobile homes de propriétaires-résidents et à la location.

Nature : ⚐ ⚲⚲
Loisirs : 🍴 ✗ ⛺ ⚑ nocturne ⚶⚶ ⚓ ⚒ terrain multisports
Services : ⚬⚬ ⚗ 🛜 laverie ⚒ ⚑
GPS : W : 1.75578 N : 43.37285

⚲⚲⚲ Dorrondeguy

☎ 05 59 20 26 16, www.camping-dorrondeguy.com ⚗

Pour s'y rendre : r. de la Glacière

Ouverture : de déb. avr. à fin oct.

4 ha (127 empl.) terrasse, peu incliné, plat, herbeux

Empl. camping : (Prix 2018) 37€ ★★ ⚗ ▣ ⚡ (10A) - pers. suppl. 7€

Location : (Prix 2018) (de déb. avr. à fin oct.) - ⚹ (1 mobile home) - ⚗ - ⓟ - 37 ⚏ - 13 ⚐ - 4 bungalows toilés. Nuitée 40 à 120€ - Sem. 300 à 1 000€ - frais de réservation 20€

Joli petit village de chalets.

Nature : ⚛ ⚐ ⚲⚲
Loisirs : 🍴 ✗ ⛺ ⚓ ⚒ fronton pelote basque
Services : ⚬⚬ ⚗ 🛜 laverie ⚑
GPS : W : 1.74727 N : 43.36867

HOURTIN

33990 - Carte Michelin **335** E3 - 3 001 h. - alt. 18
▶ Paris 638 - Andernos-les-Bains 55 - Bordeaux 65 - Lesparre-Médoc 17

⚲⚲⚲ Les Castels Le Village Western ⚶⚶

☎ 05 56 09 10 60, www.village-western.com

Pour s'y rendre : chemin de Bécassine (1,5 km à l'ouest par av. du Lac et chemin à gauche, à 500 m du lac (accès direct))

Ouverture : de mi-avr. à fin sept.

17 ha/11 campables (300 empl.) plat, herbeux, sablonneux

Empl. camping : (Prix 2018) 40€ ★★ ⚗ ▣ ⚡ (10A) - pers. suppl. 9€ - frais de réservation 20€

Location : (Prix 2018) (de mi-avr. à mi-oct.) - ⚹ (1 mobile home) - 92 ⚏ - 4 ⚐ - 5 bungalows toilés - 5 tentes lodges - 9 tipis. Nuitée 44 à 190€ - Sem. 231 à 1 330€ - frais de réservation 20€

Original décor Western autour d'un important centre équestre et d'une agréable piscine.

Nature : ⚛ ⚐
Loisirs : 🍴 ✗ ⛺ ⚑ ⚶⚶ jacuzzi ⚓ ⚒ ⚒ ⚒ ⚒ ⚒
Services : ⚬⚬ ⚗ ⚗ ⚗ 🛜 laverie ⚒ ⚑
À prox. : ✗ ⚒
GPS : W : 1.07468 N : 45.17935

⚲⚲⚲ Les Ourmes ⚶⚶

☎ 05 56 09 12 76, www.lesourmes.com

Pour s'y rendre : 90 av. du Lac (1,5 km à l'ouest)

Ouverture : de mi-avr. à mi-sept.

7 ha (300 empl.) plat, herbeux, sablonneux

Empl. camping : 40€ ★★ ⚗ ▣ ⚡ (10A) - pers. suppl. 8€ - frais de réservation 25€

Location : (de mi-avr. à mi-sept.) - ⚹ (2 mobile homes) - ⚗ - 32 ⚏ - 4 tentes lodges. Nuitée 37 à 131€ - Sem. 259 à 920€ - frais de réservation 25€

⚑ borne artisanale

Emplacements bien ombragés et du locatif varié.

Nature : ⚛ ⚐ ⚲⚲
Loisirs : 🍴 ✗ ⛺ ⚑ nocturne ⚶⚶ ⚓ ⚒ terrain multisports
Services : ⚬⚬ ⚗ 🛜 laverie ⚑ cases réfrigérées
À prox. : ✗ ⚒ ⚒
GPS : W : 1.07584 N : 45.18204

⚲ Aires Naturelles l'Acacia et le Lac

☎ 05 56 73 80 80, www.campinglacacia.com

Pour s'y rendre : rte de Carcans (7 km au sud-ouest par D 3 et chemin à dr.)

Ouverture : de mi-juin à fin sept.

5 ha/2 campables (50 empl.) plat, herbeux, sablonneux, pinède attenante

Empl. camping : 20€ ★★ ⚗ ▣ ⚡ (10A) - pers. suppl. 7€

Prairie, ombrage et calme pour tous les emplacements.

Nature : ⚛ ⚲⚲
Loisirs : ⛺ ⚓ ⚒
Services : ⚬⚬ ⚑ laverie
GPS : W : 1.06361 N : 45.13561

Utilisez le guide de l'année.

HOURTIN-PLAGE

33990 - Carte Michelin **335** D3
▶ Paris 556 - Andernos-les-Bains 66 - Bordeaux 76 - Lesparre-Médoc 26

⚲ Club Airotel La Côte d'Argent ♣♨

✆ 05 56 09 10 25, www.cca33.com

Pour s'y rendre : à 500 m de la plage

Ouverture : de mi-mai à mi-sept.

20 ha (870 empl.) vallonné, en terrasses, plat, sablonneux

Empl. camping : 65 € ♥♥ ⇔ 🔲 ⚡ (10A) - pers. suppl. 13 € - frais de réservation 35 €

Location : (de mi-mai à mi-sept.) - ⚡ - 252 🏠. Nuitée 53 à 280 € - Sem. 212 à 1 960 € - frais de réservation 35 €

🏚 100 🔲 65 €

Jolie pinède vallonnée à 500 m de l'océan avec un parc aquatique très ludique.

Nature : 🌊 🌳🌳
Loisirs : 🍽️ ✕ 🔲 🎯 🏃 🏄 🏇 🚴 🎱 🖼️ 🎰 ⛺ 🏇 terrain multisports
Services : 🔌 👐 🚿 laverie 🛒 🍴 cases réfrigérées

G P S W : 1.16446
N : 45.22259

LA HUME

33470 - Carte Michelin **335** E7
▶ Paris 645 - Bordeaux 59 - Mérignac 62 - Pessac 56

⚲ Municipal Le Verdalle

✆ 05 56 66 12 62, www.campingdeverdalle.com

Pour s'y rendre : 2 allée de l'Infante (au nord, par av. de la Plage et chemin à dr., au bord du bassin, accès direct à la plage)

1,5 ha (108 empl.) plat, pierreux, sablonneux

Location : - 4 bungalows toilés - 1 tente lodge - 2 tentes sur pilotis - 4 cabanons - 2 tentes lodges (avec sanitaires).

Quelques locatifs variés, tout près du bassin d'Arcachon.

Nature : 🌊 ⟨ 🏕️ 🌳🌳
Services : 🔌 laverie

G P S W : 1.11099
N : 44.64397

ITXASSOU

64250 - Carte Michelin **342** D3 - 2 031 h. - alt. 39
▶ Paris 787 - Bayonne 24 - Biarritz 25 - Cambo-les-Bains 5

⚲ Camping Hiriberria & Les Chalets d'Hiriberria

✆ 05 59 29 98 09, www.hiriberria.com

Pour s'y rendre : 1 km au nord-ouest par D 918, rte de Cambo-les-Bains et chemin à dr.

Ouverture : de déb. fév. à mi-déc.

4 ha (228 empl.) terrasse, peu incliné, plat, herbeux, gravillons

Empl. camping : 27 € ♥♥ ⇔ 🔲 ⚡ (10A) - pers. suppl. 7 €

Location : (de déb. fév. à mi-déc.) - 15 🏠 - 26 🏡 - 4 tentes sur pilotis - 2 cabanons. Nuitée 45 à 85 € - Sem. 230 à 590 €

🏚 borne AireService 4 € - 9 🔲 27 €

Un camping verdoyant et un bel ensemble de chalets.

Nature : ⟨ 🏕️ 🌳🌳
Loisirs : 🎱 🏄 🖼️ (découverte en saison)
Services : 🔌 🛢️ 🚿 🍴 laverie
À prox. : 🏊

G P S W : 1.40137
N : 43.33887

LABENNE-OCÉAN

40530 - Carte Michelin **335** C13
▶ Paris 763 - Bordeaux 185 - Mont-de-Marsan 98 - Pau 129

⚲ Yelloh! Village Sylvamar ♣♨

✆ 05 59 45 75 16, www.sylvamar.fr

Pour s'y rendre : av. de l'Océan (par D 126, rte de la Plage, près du Boudigau)

Ouverture : de déb. avr. à fin sept.

25 ha (750 empl.) plat, herbeux, sablonneux

Empl. camping : 66 € ♥♥ ⇔ 🔲 ⚡ (16A) - pers. suppl. 9 €

Location : Permanent♿ (2 chalets) - ⚡ - 331 🏠 - 65 🏡 - 1 cabane perchée. Nuitée 39 à 343 € - Sem. 273 à 2 401 €

🏚 borne artisanale - 15 🔲 96 €

Important parc aquatique avec pataugeoire ludique couverte. Locatif varié souvent de grand confort et même très grand confort adaptés aux groupes ou grande familles.

Nature : 🌊 🏕️ 🌳🌳
Loisirs : 🍽️ ✕ 🔲 🎯 (théâtre de plein air) salle d'animations 🏃 🏄 centre balnéo 🛁 hammam jacuzzi 🚤 🚴 🎱 🖼️ 🎰 ⛺ terrain multisports
Services : 🔌 🚿 🍴 laverie 🛢️ 🍴 cases réfrigérées
À prox. : 🏇 🐾 mini ferme

G P S W : 1.45687
N : 43.59532

⚲ Capfun Sud Land ♣♨

(pas d'emplacement tentes et caravanes)

✆ 05 59 45 42 02, www.capfun.com/camping-france-aquitaine-sud_land-FR.html

Pour s'y rendre : 60 av. de l'Océan (par D 126, rte de la plage)

4 ha (207 empl.) plat, herbeux, sablonneux

Location : (Prix 2018) (de fin mars à mi-oct.) - 165 🏠 - 12 🏡. Nuitée 39 à 187 € - Sem. 154 à 2 534 € - frais de réservation 27 €

Préférer les locations les plus éloignées de la route.

Nature : 🏕️ 🌳🌳
Loisirs : 🍽️ ✕ 🎯 diurne 🏃 🚤 🚴 🎱 🖼️ 🎰 terrain multisports
Services : 🔌 🛢️ 🚿 🍴 🚿 laverie 🍴
À prox. : 🎰 🎱 parc aquatique

G P S W : 1.45687
N : 43.59532

⚲ Municipal Les Pins Bleus

✆ 05 59 45 41 13, www.lespinsbleus.com

Pour s'y rendre : av. de l'Océan (par D 126 rte de la plage, au bord du Boudigau)

Ouverture : de déb. avr. à fin oct.

6,5 ha (120 empl.) plat, herbeux, sablonneux

Empl. camping : 16 € ♥♥ ⇔ 🔲 ⚡ (16A) - pers. suppl. 5 € - frais de réservation 19 €

Location : (de déb. avr. à fin oct.) - ♿ (2 chalets) - 16 🏠 - 20 🏡 - 11 bungalows toilés. Nuitée 46 à 80 € - Sem. 158 à 685 € - frais de réservation 19 €

🏚 borne artisanale 2 € - 14 🔲 15 €

Locatif varié en confort.

Nature : 🌊 🌳🌳
Loisirs : 🍽️ ✕ 🔲 🏃 🏄 🚴 🎱 🎰 🏇
Services : 🔌 🚿 laverie cases réfrigérées
À prox. : 🏊

G P S W : 1.45687
N : 43.60229

LACANAU

33680 - Carte Michelin **335** E5 - 4 412 h. - alt. 17
▶ Paris 625 - Bordeaux 47 - Mérignac 45 - Pessac 51

▲▲▲ Capfun Talaris Vacances ♣♣

✆ 05 56 03 04 15, www.capfun.com/camping-france-aquitaine-talaris_vacances-FR.html - peu d'emplacements pour tentes et caravanes

Pour s'y rendre : au Moutchic (5 km à l'ouest par D6, rte de Lacanau-Océan)

Ouverture : de déb. avr. à mi-sept.

10 ha (492 empl.) plat, herbeux, petit étang

Empl. camping : (Prix 2018) 23€ ♣♣ ⬅ 🅴 ⚡ (10A) - pers. suppl. 5€
Location : (Prix 2018) (de déb. avr. à mi-sept.) - ♿ (1 mobile home) - 400 🏠 - 5 🏠 - 20 tentes lodges. Nuitée 17 à 362€ - Sem. 119 à 2 534€ - frais de réservation 27€

Agréable cadre boisé avec très peu d'emplacements pour tentes et caravanes, souvent mal situés.

Nature : 🏞 💧		G
Loisirs : 🍴 ✖ 🏠 🎮 🏃 🏊 🚴 🎯 🎱 🎿	P	
⛷ terrain multisports	S	W : 1.11236
Services : ⚷ 🛁 🤝 laverie 🍴 🔧		N : 45.008

▲ Le Tedey ♣♣

✆ 05 56 03 00 15, www.le-tedey.com ✳

Pour s'y rendre : par Le Moutchic, rte de Longarisse (3 km au sud et chemin à gauche)

Ouverture : de fin avr. à mi-sept.

14 ha (680 empl.) plat, sablonneux, dunes boisées attenantes

Empl. camping : 34€ ♣♣ ⬅ 🅴 ⚡ (10A) - pers. suppl. 7€ - frais de réservation 20€
Location : (de fin avr. à mi-sept.) - ✳ - 40 🏠. Sem. 355 à 915€ - frais de réservation 20€
🚐 22 🅴 34€

Magnifique pinède au bord du lac, bordée par deux belles plages et très peu de mobile homes.

Nature : 🏞 🏕 💧⛰		G
Loisirs : 🍴 🎮 🏃 🚴 🎱 🔧	P	W : 1.13652
Services : ⚷ 🛁 🤝 laverie ⛷ 🔧	S	N : 44.9875

---

*De categorie (1 tot 5 tenten, in **zwart** of **rood**) die wij aan de geselekteerde terreinen in deze gids toekennen, is onze eigen indeling. Niet te verwarren met de door officiële instanties gebruikte classificatie (1 tot 5 sterren).*

LACANAU-OCÉAN

33680 - Carte Michelin **335** D4 - 3 142 h.
▶ Paris 636 - Andernos-les-Bains 38 - Arcachon 87 - Bordeaux 63

▲▲▲ Yelloh! Village Les Grands Pins ♣♣

✆ 05 56 03 20 77, www.lesgrandspins.com

Pour s'y rendre : Plage Nord (au nord de la station, à 500 m de la plage -accès direct-)

Ouverture : de fin avr. à mi-sept.

11 ha (534 empl.) en terrasses, vallonné, sablonneux, pierreux

Empl. camping : 67€ ♣♣ ⬅ 🅴 ⚡ (16A) - pers. suppl. 9€

Location : (de fin avr. à mi-sept.) - ♿ (1 mobile home) - 236 🏠 - 21 tentes lodges (avec sanitaires). Nuitée 35 à 359€ - Sem. 245 à 2 513€

Une partie du terrain est en zone piétonne, avec quelques locatifs grand confort et des animations autour du surf.

Nature : 🏞 🏕 💧		G
Loisirs : 🍴 ✖ 🏠 🎮 🏃 🏊 🎿 centre balnéo	P	
♨ hammam jacuzzi 🏄 🚴 🎱 🎿 🎱 ⛷		W : 1.19517
parcours de santé école de surf terrain multisports	S	N : 45.01088
Services : ⚷ 🅿 🚿 🛁 🤝 laverie 🍴 🔧 cases réfrigérées point d'informations touristiques		

▲▲▲ Club Airotel L'Océan ♣♣

✆ 05 56 03 24 45, www.airotel-ocean.com

Pour s'y rendre : 24 r. du Repos (Plage Nord)

Ouverture : de déb. avr. à déb. nov.

9 ha (525 empl.) en terrasses, vallonné, sablonneux

Empl. camping : 63€ ♣♣ ⬅ 🅴 ⚡ (16A) - pers. suppl. 10€ - frais de réservation 28€

Location : (de déb. avr. à déb. nov.) - 320 🏠. Nuitée 60 à 260€ - Sem. 357 à 1 820€ - frais de réservation 28€

🚐 borne Sanistation - 30 🅴 63€

Agréable pinède avec un espace aquatique et ludique en partie couvert complété d'un centre balnéo. Accueil de groupes (UCPA...).

Nature : 💧		G
Loisirs : 🍴 ✖ 🏠 🎮 🏃 🎿 centre balnéo	P	
♨ hammam jacuzzi 🏄 🚴 🎱 🎿 🎱 ⛷		W : 1.1928
discothèque surf terrain multisports	S	N : 45.00868
Services : ⚷ 🛁 🔧 🤝 laverie 🍴 🔧 cases réfrigérées		

LAMONTJOIE

47310 - Carte Michelin **336** F5 - 501 h. - alt. 130
▶ Paris 723 - Bordeaux 151 - Agen 21 - Toulouse 126

▲ Sites et Paysages Le Saint-Louis

✆ 05 53 99 59 38, www.campingagen.fr

Pour s'y rendre : Lac de Lamontjoie (600 m à l'est par D 131)

Ouverture : de mi-mai à fin sept.

20 ha/2 campables (80 empl.) en terrasses, plat, herbeux

Empl. camping : (Prix 2018) 26€ ♣♣ ⬅ 🅴 ⚡ (10A) - pers. suppl. 6€ - frais de réservation 10€

Location : (de mi-mai à fin sept.) - ✳ - 6 🏠 - 1 tente lodge - 3 tipis - 8 cabanes perchées - 8 cabanons - 1 cabane flottante. Nuitée 60 à 120€ - Sem. 350 à 800€ - frais de réservation 10€

🚐 borne artisanale - 5 🅴 19€ - 🔋 ⚡11€

Cadre très ombragé au bord d'un grand lac réservé à la pêche et aux canoës.

Nature : 💧		G
Loisirs : 🍴 ✖ 🏃 🚴 🎿 🎱 🛶 pédalos	P	E : 0.51733
Services : ⚷ 🛁 🤝 laverie 🔧	S	N : 44.07722

LAMONZIE-MONTASTRUC

24520 - Carte Michelin **329** E6 - 632 h. - alt. 50
▶ Paris 587 - Bordeaux 131 - Périgueux 46 - Agen 103

⚠ L'Escapade ♣♣

✆ 05 53 57 23 79, www.campinglescapade.com

Pour s'y rendre : lieu-dit : Les Roussilloux (rte de St-Alvère)

Ouverture : de mi-juin à déb. sept.

4,5 ha (107 empl.) fort dénivelé, en terrasses, vallonné, plat, herbeux

Empl. camping : 34€ ♣♣ 🚐 🅴 🔌 (10A) - pers. suppl. 9€ - frais de réservation 20€

Location : (de mi-avr. à déb. sept.) - 63 🚐 - 8 🏠. Nuitée 42 à 142€ - Sem. 217 à 994€ - frais de réservation 22€

Emplacements et locatif bien ombragés en bas et plein soleil sur le haut du terrain.

Nature : 🦌 🌳 ♨
Loisirs : 🎣 ✗ 🍴 🎱 🏊 👟 🎯 hammam jacuzzi 🏇 ⛺ 🎿 🛶 promenades à dos d'ânes terrain multisports
Services : 🚿 🏪 📶 laverie

G P S : E : 0.60793 / N : 44.88636

LANOUAILLE

24270 - Carte Michelin **329** H3 - 989 h. - alt. 209
▶ Paris 446 - Brantôme 47 - Limoges 55 - Périgueux 46

⚠ Village Vacances Le Moulin de la Jarousse

(pas d'emplacement tentes et caravanes)

✆ 05 53 52 37 91, www.location-en-dordogne.com

Pour s'y rendre : à Payzac, lieu-dit : La Jarousse (9 km au nord-est par la D 704 jusqu'à l'Hépital, puis à drte par la D 80)

8 ha en terrasses, étang, forêt

Location : (de mi-mars à fin déc.) - 8 🏠 - 4 yourtes - 8 cabanes perchées - 3 gîtes - 2 cabanes flottantes. Nuitée 45 à 290€ - Sem. 308 à 770€

Cadre sauvage et boisé dominant l'étang et nombreux locatifs insolites, de très grand confort pour certains.

Nature : 🦌 < 🌲
Loisirs : 🎣 🚴 🛝 (découverte en saison) 🛶 🐾 pédalos ferme animalière
Services : 🚿 🅿 📶 🍴

G P S : E : 1.18411 / N : 45.43694

En juin et septembre les campings sont plus calmes, moins fréquentés et pratiquent souvent des tarifs « hors saison ».

LARRAU

64560 - Carte Michelin **342** G4 - 204 h. - alt. 636
▶ Paris 840 - Bordeaux 254 - Pamplona 110 - Donostia-San Sebastián 142

⚠ Village Vacances Les Chalets d'Iraty

(pas d'emplacement tentes et caravanes)

✆ 05 59 28 51 29, www.chalets-iraty.com - alt. 1 327

Pour s'y rendre : au col de Bagargui (14 km à l'ouest par D 19, rte de St-Jean-Pied-de-Port)

2 000 ha/4 campables vallonné

Location : (Prix 2018) Permanent 🅿 - 35 🏠 - 1 gîte. Sem. 340 à 720€

Chalets disséminés dans la forêt d'Iraty, entre les cols de Bargui et Hegui Xouri.

Nature : 🦌 🌲
Loisirs : 🚴 ✗ 🎱
Services : 🚿 🏪 📶 🍴
À prox. : 🏊 🍴 ✗ 🛝 🐎 🐾 ski de fond

G P S : W : 1.03532 / N : 43.03638

LARUNS

64440 - Carte Michelin **342** J5 - 1 326 h. - alt. 523
▶ Paris 811 - Argelès-Gazost 49 - Lourdes 51 - Oloron-Ste-Marie 34

⚠ Les Gaves

✆ 05 59 05 32 37, www.campingdesgaves.com - peu d'emplacements pour tentes et caravanes

Pour s'y rendre : quartier Pon (1,5 km au sud-est par rte du col d'Aubisque et chemin à gauche, au bord du Gave d'Ossau)

Ouverture : Permanent

2,4 ha (101 empl.) plat, herbeux

Empl. camping : (Prix 2018) 🚐 🅴 25€ – 🔌 (10A) 5€ - frais de réservation 20€

Location : (Prix 2018) Permanent 🅿 - 10 🚐 - 5 🏠 - 3 chalets sur pilotis - 4 cabanons - 1 gîte - 5 appartements. Nuitée 76 à 128€ - Sem. 238 à 896€ - frais de réservation 20€

🚐 10 🅴 25€ - 🚐 20€

Agréable partie campable avec du locatif varié, mais un confort sanitaire faible, vieillissant et de nombreux mobile homes de propriétaires-résidents.

Nature : ❄ 🦌 < 🌳 ♨♨
Loisirs : 🍴 🛝 🏊 🎯
Services : 🚿 🏪 🐾 📶 laverie

G P S : W : 0.41772 / N : 42.98306

Dieser Führer stellt kein vollständiges Verzeichnis aller Campingplätze dar, sondern nur eine Auswahl der besten Plätze jeder Kategorie.

LÈGE-CAP-FERRET

33950 - Carte Michelin **335** E6 - 7 527 h. - alt. 9
▶ Paris 629 - Arcachon 65 - Belin-Beliet 56 - Bordeaux 50

⚠ La Prairie

✆ 05 56 60 09 75, www.campinglaprairie.com

Pour s'y rendre : 93 av. du Médoc (1 km au nord-est par D 3, rte du Porge)

Ouverture : de mi-mars à mi-oct.

2,5 ha (118 empl.) plat, herbeux, sablonneux

Empl. camping : (Prix 2018) 25€ ♣♣ 🚐 🅴 🔌 (10A) - pers. suppl. 5€

Location : (Prix 2018) (de déb. avr. à fin sept.) - 16 🚐 - 2 🏠 - 4 tentes lodges - 1 cabanon. Nuitée 34 à 63€ - Sem. 205 à 850€

🚐 borne artisanale - 🚐 9€

Locatif varié et de bon confort sur des emplacements ombragés ou plein soleil.

Nature : 🌳 ♨♨
Loisirs : 🍴 ✗ 🎱 🛶 🎯 🏊
Services : 🚿 🐾 📶 🍴 🛒

G P S : W : 1.13375 / N : 44.80271

LESCUN

64490 - Carte Michelin **342** I5 - 178 h. - alt. 900
▶ Paris 846 - Lourdes 89 - Oloron-Ste-Marie 37 - Pau 70

⛺ Le Lauzart

🕿 0559347880, www.camping-gite-lescun-pyrenees.com

Pour s'y rendre : 1.6 km au sud, après le pont du Gave de Lescun

1 ha (80 empl.) plat et peu incliné

🚐 borne artisanale - 10 ▣

Magnifique site de montagne avec un bon confort sanitaire.

Nature : ⛰ ≼ 🗀		**G** W : 0.64217
Loisirs : 🛋		**P** N : 42.92761
Services : ⚬⛽ ▥ ♨ 🛜 🖥		**S**

Choisissez votre restaurant sur **restaurant.michelin.fr**

LIMEUIL

24510 - Carte Michelin **329** G6 - 328 h. - alt. 65
▶ Paris 528 - Bergerac 43 - Brive-la-Gaillarde 78 - Périgueux 48

⛰ La Ferme des Poutiroux

🕿 0553633162, www.poutiroux.com

Pour s'y rendre : sortie nord-ouest par D 31, rte de Trémolat puis 1 km par chemin de Paunat à dr.

Ouverture : de mi-avr. à mi-sept.

2,5 ha (50 empl.) en terrasses, peu incliné, plat, herbeux

Empl. camping : 25€ ♦♦ ⬤ ▣ ⓗ (6A) - pers. suppl. 7€ - frais de réservation 13€

Location : (de mi-avr. à mi-sept.) - ♿ (1 mobile home) - 22 🚐 - 2 bungalows toilés - 1 tente lodge. **Nuitée** 35 à 105€ - **Sem.** 200 à 720€ - frais de réservation 13€

🚐 borne AireService 5€ - 10 ▣ 12€ - 🛥12€

Agréable terrain très bien tenu.

Nature : ⛰ ≼ 🗀		**G** E : 0.87946
Loisirs : 🍽 🛋 🚣 🛶		**P** N : 44.89332
Services : ⚬⛽ ♨ 🛜 🖥		**S**

LINXE

40260 - Carte Michelin **335** D11 - 1 236 h. - alt. 33
▶ Paris 712 - Castets 10 - Dax 31 - Mimizan 37

⛰ Capfun Domaine de Lila

(pas d'emplacement tentes et caravanes)

🕿 0558439625, www.capfun.com

Pour s'y rendre : 190, rte de Mixe (1,5 km au nord-ouest par D 42, rte de St-Girons et D 397, rte à dr.)

2 ha (241 empl.) plat, sablonneux

Location : (Prix 2018) (de déb. juin à déb. sept.) - ♿ (2 mobile homes) - 317 🚐. **Nuitée** 39 à 323€ - **Sem.** 154 à 2 261€ - frais de réservation 27€

Au milieu de la forêt landaise avec des mobile homes autour d'un petit plan d'eau écologique.

Nature : ⛰		**G** W : 1.25758
Loisirs : 🍽 🛋 🗐 🏊 🚴 🛶 🛥 (plan d'eau) ⛸ terrain multisports		**P** N : 43.93185
Services : ⚬⛽ 🛜 laverie		**S**

LIT-ET-MIXE

40170 - Carte Michelin **335** D10 - 1 497 h. - alt. 13
▶ Paris 710 - Castets 21 - Dax 42 - Mimizan 22

⛰ Tohapi Les Vignes 👥

(pas d'emplacement tentes et caravanes)

🕿 0686761922, www.tohapi.fr

Pour s'y rendre : 2,7 km au sud-ouest par D 652 et D 88, à dr., rte du Cap de l'Homy

15 ha (490 empl.) plat, sablonneux

Location : (Prix 2018) (de déb. avr. à fin sept.) - ♿ (2 mobile homes) - 457 🚐 - 41 🏠. **Nuitée** 45 à 300€ - **Sem.** 350 à 1 960€ - frais de réservation 30€

Important village vacances avec de nombreuses animations.

Loisirs : 🍽 🍴 🛋 🎪(chapiteau d'animations) 🏃 🏊 🚴 ⛳ 🎯 ⛸ 🛥 terrain multisports		**G** W : 1.28275
Services : ⚬⛽ 🛜 laverie 🛒 🛥		**P** N : 44.02401
		S

⛺ Municipal du Cap de l'Homy

🕿 0558428347, www.camping-cap.com

Pour s'y rendre : à Cap-de-l'Homy, 600 av. de l'Océan (8 km à l'ouest par D 652 et D 88 à dr.)

Ouverture : de déb. mai à fin sept.

10 ha (472 empl.) vallonné, plat, sablonneux

Empl. camping : (Prix 2018) 39€ ♦♦ ⬤ ▣ ⓗ (6A) - pers. suppl. 9€ - frais de réservation 30€

🚐 borne artisanale - 36 ▣ 24€

Sous une agréable pinède à 300 m de l'océan et de la plage.

Nature : ⛰ 🌲		**G** W : 1.33435
Loisirs : 🛋 🚴		**P** N : 44.03712
Services : ⚬⛽ 🗀 ♨ 🛜 laverie cases réfrigérées		**S**
À prox. : 🏊 🍽 🍴 🛥 surf		

Créez votre voyage sur **voyages.michelin.fr**

MARCILLAC-ST-QUENTIN

24200 - Carte Michelin **329** I6 - 791 h. - alt. 235
▶ Paris 522 - Brive-la-Gaillarde 48 - Les Eyzies-de-Tayac 18 - Montignac 21

⛰ Les Tailladis

🕿 0553591095, www.tailladis.com

Pour s'y rendre : lieu-dit : Les Tailladis (2 km au nord, à prox. de la D 48, au bord de la Beune et d'un petit étang)

Ouverture : de mi-avr. à fin oct.

25 ha/8 campables (90 empl.) en terrasses, peu incliné, plat, herbeux, pierreux

Empl. camping : 29€ ♦♦ ⬤ ▣ ⓗ (10A) - pers. suppl. 8€ - frais de réservation 13€

Location : (de mi-avr. à fin oct.) - 3 🚐 - 4 🏠 - 2 tentes lodges. **Nuitée** 38 à 65€ - **Sem.** 450 à 745€ - frais de réservation 13€

Vaste domaine en partie boisé avec du locatif varié et de très bon confort pour les chalets.

Nature : ⛰ 🗀 🗀		**G** E : 1.18789
Loisirs : 🍽 🍴 🛥 🛶		**P** N : 44.97465
Services : ⚬⛽ ▥ ♨ 🛜 laverie 🛥 🛥		**S**

MAULÉON-LICHARRE

64130 - Carte Michelin **342** G3 - 3 205 h. - alt. 140
▶ Paris 802 - Oloron-Ste-Marie 31 - Orthez 39 - Pau 60

⚠ Aire Naturelle La Ferme Landran

📞 05 59 28 19 55, www.ferme-landran-location.com

Pour s'y rendre : à Ordiarp, quartier Larréguy (4,5 km au sud-ouest par D 918, rte de St-Jean-Pied-de-Port puis 1,5 km par chemin de Lambarre à dr.)

Ouverture : de mi-avr. à fin sept.

1 ha (25 empl.) incliné, plat, herbeux

Empl. camping : 16 € ✦✦ ⇐ 回 ⒡ (6A) - pers. suppl. 3 €
Location : Permanent - 2 🏠 - 1 gîte d'étape (27 lits). Nuitée 20 à 70 € - Sem. 320 à 420 €
🚐 borne eurorelais 3 €
Camping à la ferme.

Nature : 🐾 ⪕ ♉♉	**G** W : 0.93933
Loisirs : 🕹🎣 ♠⚓	**P** N : 43.20185
Services : ⌐ 🔥	**S**

⚠ Uhaitza - Le Saison

📞 05 59 28 18 79, www.camping-uhaitza.com

Pour s'y rendre : 1,5 km au sud par D 918, rte de Tardets-Sorholus, au bord du Saison

Ouverture : Permanent

1 ha (50 empl.) en terrasses, plat, herbeux

Empl. camping : (Prix 2018) 22 € ✦✦ ⇐ 回 ⒡ (10A) - pers. suppl. 4 €
Location : (Prix 2018) Permanent - 6 🚐 - 5 🏠. Nuitée 100 à 160 € - Sem. 320 à 710 € - frais de réservation 10 €

Préférer les emplacements près de la rivière, plus éloignées de la route.

Nature : 🐾 ⊡ ♉♉	**G** W : 0.8972
Loisirs : 🍴 🏠 ⚓⚓ 🛶	**P** N : 43.20789
Services : ⌐🔥 🚿 🛒 🛁 🛉 ☎ laverie	**S**

---

*Pour choisir et suivre un itinéraire,
pour calculer un kilométrage,
pour situer exactement un terrain (en fonction des
indications fournies dans le texte) :
utilisez les **cartes MICHELIN**,
compléments indispensables de cet ouvrage.*

MESSANGES

40660 - Carte Michelin **335** C12 - 986 h. - alt. 8
▶ Paris 734 - Bayonne 45 - Castets 24 - Dax 33

⛺⛺ Club Airotel Le Vieux Port 👥

📞 05 58 48 22 00, www.levieuxport.com

Pour s'y rendre : rte de la Plage Sud (2,5 km au sud-ouest par D 652, rte de Vieux-Boucau-les-Bains puis 800 m par chemin à dr., à 500 m de la plage -accès direct)

Ouverture : de fin mars à déb. nov.

40 ha/30 campables (1546 empl.) vallonné, plat, herbeux, sablonneux

Empl. camping : 82 € ✦✦ ⇐ 回 ⒡ (10A) - pers. suppl. 10 €

Location : Permanent⟨⟩ (1 mobile home) - 463 🚐 - 75 🏠 - 69 tentes lodges - 8 tentes sur pilotis - 10 cabanons. Nuitée 45 à 599 € - Sem. 315 à 4 200 €

Immense site avec un important parc aquatique paysagé, de nombreux locatifs et à l'entrée une zone commerciale complétée d'une salle de spectacles de 2800 places.

Nature : ⊡ ♉♉	**G** W : 1.39995
Loisirs : 🍴 🗡 🏠 🛁⚓ centre balnéo 🛶 hammam jacuzzi ⚓⚓ 🚲 🎯 🎱 🎣 🛶 🏊 🐎 salle d'animation skate parc terrain multisports	**P** N : 43.79773
Services : ⌐🔥 🛁 🚿 🛉 ☎ laverie 🛒 🚗 cases réfrigérées	**S**

⛺⛺ Club Airotel Lou Pignada 👥

📞 05 58 48 22 00, www.loupignada.com

Pour s'y rendre : rte d'Azur (2 km au sud par D 652 puis 500 m par rte à gauche)

Ouverture : de fin mars à déb. nov.

8 ha (430 empl.) plat, sablonneux

Empl. camping : 75 € ✦✦ ⇐ 回 ⒡ (10A) - pers. suppl. 10 €
Location : Permanent⟨⟩ (1 mobile home) - 134 🚐 - 25 🏠 - 1 tente lodge - 9 tentes sur pilotis - 4 cabanes perchées. Nuitée 45 à 215 € - Sem. 315 à 1 505 €

Locatif très varié en confort et en modèles avec de grands espaces verts pour la détente ou les animations sportives.

Nature : 🐾 ⊡ ♉♉	**G** W : 1.38245
Loisirs : 🍴 🗡 🏠 🛁⚓ 🎢 centre balnéo 🛶 hammam jacuzzi ⚓⚓ 🚲 🎯 🎱 🏊 🐎 terrain multisports	**P** N : 43.79747
Services : ⌐🔥 🛁 ☎ laverie 🛒 🚗 cases réfrigérées	**S**
À prox. : 🛒	

⛺ La Côte

📞 05 58 48 94 94, www.campinglacote.com

Pour s'y rendre : chemin de la Côte (2,3 km au sud-ouest par D 652, rte de Vieux-Boucau-les-Bains et chemin à dr.)

Ouverture : de déb. avr. à fin sept.

3,5 ha (151 empl.) plat, herbeux, sablonneux

Empl. camping : 38 € ✦✦ ⇐ 回 ⒡ (10A) - pers. suppl. 8 € - frais de réservation 20 €
Location : (de déb. avr. à fin sept.) - 🚲 - 14 🚐 - 3 gîtes. Nuitée 60 à 130 € - Sem. 200 à 930 € - frais de réservation 20 €
🚐 borne artisanale

Emplacements bien ombragés avec de grands espaces verts idéals pour la détente ou les activités sportives.

Nature : 🐾 ♉♉	**G** W : 1.39171
Loisirs : 🏠 jacuzzi ⚓⚓ 🏊 terrain multisports	**P** N : 43.80035
Services : ⌐🔥 🛁 🚿 🛉 ☎ laverie cases réfrigérées	**S**
À prox. : 🛒	

⛺⛺⛺ ... ⛺
*Bijzonder prettige terreinen die bovendien opvallen
in hun categorie.*

⚠ Les Acacias ♠♣

⌖ 05 58 48 01 78, www.lesacacias.com

Pour s'y rendre : 101 chemin du Houdin, quartier Delest (2 km au sud par D 652, rte de Vieux-Boucau-les-Bains puis 1 km par rte à gauche)

Ouverture : de fin mars à mi-oct.

1,7 ha (125 empl.) plat, herbeux, sablonneux

Empl. camping : 29€ ♠♣ ⟵⟶ 🅔 (⚡) (10A) - pers. suppl. 7€ - frais de réservation 18€

Location : Permanent - 14 ⌷ - 1 🏠 - 2 cabanons. Nuitée 40 à 115€ - Sem. 200 à 800€ - frais de réservation 18€

🚐 borne artisanale 10€

Un bon confort sanitaire et des espaces verts dédiés à la détente ou aux sports collectifs.

Nature : 🐟 ⛺ 🌳		**G** W : 1.37567
Loisirs : 🏛 🏸 🎣 🚲		**P** N : 43.79757
Services : ⊶ 🛁 ⚗ ♨ 📶 laverie cases réfrigérées		**S**
À prox. : 🛒		

MÉZOS

40170 - Carte Michelin **335** E10 - 866 h. - alt. 23

▶ Paris 700 - Bordeaux 118 - Castets 24 - Mimizan 16

⛰ Club Airotel Le Village Tropical Sen Yan ♠♣

⌖ 05 58 42 60 05, www.sen-yan.com ✂ (de déb. juil. à fin août)

Pour s'y rendre : av. de la Gare (1 km à l'est par rte du Cout)

Ouverture : de mi-mai à mi-sept.

8 ha (574 empl.) plat, sablonneux

Empl. camping : 48€ ♠♣ ⟵⟶ 🅔 (⚡) (10A) - pers. suppl. 10€ - frais de réservation 27€

Location : (de déb. mai à mi-sept.) - ✂ - 200 ⌷ - 40 🏠. Nuitée 70 à 187€ - Sem. 250 à 1 309€ - frais de réservation 27€

Ambiance tropicale vers les piscines et une vraie équipe de professionnels pour les animations.

Nature : 🐟 ⛺ 🌳🌳		**G** W : 1.15657
Loisirs : 🍴 🍽 🎦 🎭 salle d'animations 🏃 🛝 centre balnéo ♨ hammam jacuzzi 🏋 🚲 ✂ 🎯 🎱 🏓 🏊 ⛷ tyrolienne terrain multisports		**P** N : 44.07164
Services : ⊶ 🛁 ⚗ ♨ 📶 laverie 🏪 🛒		**S**

Give use your opinion of the camping sites we recommend. Let us know of your remarks and discoveries : leguidecampingfrance@tp.michelin.com.

MIALET

24450 - Carte Michelin **329** G2 - 665 h. - alt. 320

▶ Paris 436 - Limoges 49 - Nontron 23 - Périgueux 51

⚠ Village Vacances L'Étang de Vivale

(pas d'emplacement tentes et caravanes)

⌖ 05 53 52 66 05, www.vivaledordogne.com

Pour s'y rendre : 32 av. de Nontron (700 m à l'ouest par D 79, au bord du lac)

30 ha plat, vallonné

Location : (Prix 2018) (de fin mars à déb. nov.) - 20 🏠. Sem. 550 à 840€

Tous les chalets dominent le grand étang, site idéal pour la pêche et le repos.

Nature : 🐟 ⛵ ⛺ 🌳		**G** E : 0.89788
Loisirs : 🍴 🏛 🎣 🚣		**P** N : 45.54793
Services : ⊶ 🅿 📶 🖶		**S**

MIMIZAN

40200 - Carte Michelin **335** D9 - 7 000 h. - alt. 13

▶ Paris 692 - Arcachon 67 - Bayonne 109 - Bordeaux 109

⚠ Le Lac

⌖ 05 58 09 01 21, www.camping-mimizan-lac.com

Pour s'y rendre : 108 av. de Woolsack (2 km au nord par D 87, rte de Gastes, au bord de l'étang d'Aureilhan)

Ouverture : de fin mai à déb. sept.

8 ha (459 empl.) plat, herbeux, sablonneux

Empl. camping : (Prix 2018) 29€ ♠♣ ⟵⟶ 🅔 (⚡) (10A) - pers. suppl. 9€ - frais de réservation 20€

Location : (Prix 2018) (de fin mai à déb. sept.) - 5 bungalows toilés - 10 tentes lodges - 10 tentes sur pilotis - 20 cabanons. Nuitée 32 à 95€ - Sem. 160 à 665€ - frais de réservation 20€

🚐 borne flot bleu 2€ - 80 🅔 29€

Emplacements ombragés en partie par des pins jusqu'au bord du lac.

Nature : 🌳🌳 ⛰		**G** W : 1.2299
Loisirs : 🍽 🎣 🏖 (plage)		**P** N : 44.21968
Services : ⊶ 🛁 – 2 sanitaires individuels (🚿♨ wc) 📶 laverie 🛒 cases réfrigérées		**S**
À prox. : 🚴 🎣 🚣 pédalos		

The Guide changes, so renew your guide every year.

MIMIZAN-PLAGE

40200 - Carte Michelin **335** D9

▶ Paris 706 - Bordeaux 128 - Mont-de-Marsan 84

⛰ Club Airotel Marina-Landes ♠♣

⌖ 05 58 09 12 66, www.camping-club-marina.com

Pour s'y rendre : 8, r. Marina (500 m de la plage Sud)

Ouverture : de mi-mai à mi-sept.

9 ha (502 empl.) plat, sablonneux

Empl. camping : 63€ ♠♣ ⟵⟶ 🅔 (⚡) (10A) - pers. suppl. 10€ - frais de réservation 35€

Location : (Prix 2018) (de mi-mai à mi-sept.) - ♿ (1 mobile home) - 100 ⌷ - 6 🏠 - 13 chalets sur pilotis - 17 tentes lodges - 18 appartements. Nuitée 36 à 236€ - Sem. 202 à 1 650€ - frais de réservation 35€

🚐 borne artisanale

Emplacements bien ombragés et du locatif varié.

Nature : ⛺ 🌳🌳		**G** W : 1.2909
Loisirs : 🍴 🍽 🎦 🎭 salle d'animations 🏃 🛝 ♨ hammam 🏋 🚲 ✂ 🎱 🏓 🏊 ⛷ terrain multisports		**P** N : 44.2043
Services : ⊶ 🖶 🛁 📶 laverie 🏪 🛒 cases réfrigérées		**S**
À prox. : 🐎		

🏔 La Plage 👥

🕿 05 58 09 00 32, www.camping-mimizan-plage.com

Pour s'y rendre : bd de l'Atlantique (quartier nord)

Ouverture : de déb. avr. à fin sept.

16 ha (608 empl.) vallonné, plat, herbeux, sablonneux

Empl. camping : (Prix 2018) 40 € 👫 🚗 🗐 🔌 (5A) - pers. suppl. 10 € - frais de réservation 20 €

Location : (Prix 2018) (de déb. avr. à fin sept.) - 🅿 - 99 🚐 - 15 🏠 - 4 tentes lodges - 10 tentes sur pilotis - 2 cabanons. Nuitée 40 à 180 € - Sem. 280 à 1 260 € - frais de réservation 20 € 🚗 25 🗐 40 €

Accueil de nombreux groupes de surfeurs sur un terrain en pleine mutation.

Nature : 🏕
Loisirs : 🍹 🍴 🎱 🏓 centre balnéo 🛁 hammam jacuzzi 🚣 🛶 🏊 mur d'escalade terrain multisports
Services : 🔌 🛁 🛒 laverie 🧺 ⚡ cases réfrigérées

GPS : W : 1.28384 N : 44.21719

MOLIETS ET MAA

40660 - Carte Michelin **335** C12 - 1 024 h. - alt. 15
▶ Paris 732 - Bordeaux 154 - Mont-de-Marsan 86 - Pau 129

🏔 Capfun Landisland 👥

(pas d'emplacement tentes et caravanes)

🕿 05 58 47 13 78, www.camping-landisland.fr

Pour s'y rendre : r. des Templiers, lieu-dit : Maa (3,2 km au nord par D 328)

24 ha/12 campables (209 empl.) vallonné, sablonneux

Location : (Prix 2018) (de déb. juin à mi-sept.) - 🛢 (2 mobile homes) - 286 🚐 - 6 🏠 - 4 tentes lodges. Nuitée 51 à 198 € - Sem. 203 à 1 386 € - frais de réservation 27 €

Site agréable au milieu de la forêt landaise.

Nature : 🌲 🌿
Loisirs : 🍹 🍴 🎱 🏓 🚣 🛶 🚴 🤽 🏊 🛝 🏊 🛶
Services : 🔌 🛁 🛒 🧺 ⚡

GPS : W : 1.34472 N : 43.86111

ATTENTION...
ces prestations ne fonctionnent généralement qu'en saison, quelles que soient les dates d'ouverture du terrain.

MOLIETS-PLAGE

40660 - Carte Michelin **335** C11
▶ Paris 716 - Bordeaux 156 - Mont-de-Marsan 89 - Bayonne 67

🏔 Le Saint-Martin 👥

🕿 05 58 48 52 30, www.camping-saint-martin.fr

Pour s'y rendre : av. de l'Océan (sur D 117)

Ouverture : de mi-avr. à mi-oct.

18 ha (673 empl.) vallonné, plat et peu incliné, sablonneux

Empl. camping : 52 € 👫 🚗 🗐 🔌 (10A) - pers. suppl. 9 € - frais de réservation 35 €

Location : (de mi-avr. à mi-oct.) - 13 🚐 - 166 🏠 - 16 tentes lodges - 6 cabanes perchées. Sem. 185 à 2 050 € - frais de réservation 35 €

Cadre vallonné avec un promontoir central qui offre une vue à 360° sur l'océan et la forêt landaise. Accès direct à la plage.

Nature : 🏕 🌿
Loisirs : 🍹 🍴 🎱 🏓 🚣 🛶 🏊 🛝 🏊 point d'informations touristiques terrain multisports
Services : 🔌 🛁 🛒 ⚡ 📶 laverie 🧺 cases réfrigérées
À prox. : 🐎 🚴 🍴 skate-surf , golf

MONPAZIER

24540 - Carte Michelin **329** G7 - 522 h. - alt. 180
▶ Paris 575 - Bergerac 47 - Fumel 26 - Périgueux 75

🏔 Le Moulin de David 👥

🕿 05 53 22 65 25, www.moulindedavid.com

Pour s'y rendre : 3 km au sud-ouest par D 2, rte de Villeréal et chemin à gauche, au bord d'un ruisseau

Ouverture : de déb. mai à mi-sept.

16 ha/4 campables (160 empl.) terrasse, plat, herbeux, étang, bois

Empl. camping : (Prix 2018) 30 € 👫 🚗 🗐 🔌 (10A) - pers. suppl. 8 € - frais de réservation 18 €

Location : (Prix 2018) (de déb. mai à mi-sept.) - 57 🚐 - 3 bungalows toilés - 5 tentes lodges - 3 tentes sur pilotis. Nuitée 54 à 136 € - Sem. 189 à 952 € - frais de réservation 18 € 🚗 borne artisanale

Niché en partie dans la forêt autour d'une ancienne ferme rénovée qui abrite un snack et un restaurant gastronomique.

Nature : 🌲 🏕 🌿
Loisirs : 🍹 🍴 🎱 🏓 🚣 🏊 🛶 (plan d'eau) 🛶
Services : 🔌 🛁 🛒 laverie 🧺 ⚡

GPS : E : 0.87873 N : 44.65979

MONTIGNAC

24290 - Carte Michelin **329** H5 - 2 851 h. - alt. 77
▶ Paris 513 - Brive-la-Gaillarde 39 - Périgueux 54 - Sarlat-la-Canéda 25

🏔 Le Moulin du Bleufond

🕿 05 53 51 83 95, www.bleufond.com

Pour s'y rendre : av. Aristide-Briand (500 m au sud par D 65 rte de Sergeac, près de la Vézère)

Ouverture : de déb. avr. à mi-oct.

1,3 ha (82 empl.) plat, herbeux

Empl. camping : 30 € 👫 🚗 🗐 🔌 (10A) - pers. suppl. 7 € - frais de réservation 9 €

Location : (de déb. avr. à mi-oct.) - 29 🚐. Nuitée 46 à 127 € - Sem. 250 à 890 € - frais de réservation 9 €

Emplacements disposés entre l'ancien moulin et le terrain de foot.

Nature : 🌲 🏕 🌿
Loisirs : 🍴 🎱 🛁 jacuzzi 🚣 🏊 location de voiture
Services : 🔌 🏧 🛁 🛒 ⚡ 📶 laverie 🧺
À prox. : 🤽 🚴

GPS : E : 1.15864 N : 45.05989

MONTPON-MÉNESTÉROL

24700 - Carte Michelin **329** B5 - 5 535 h. - alt. 93
▶ Paris 532 - Bergerac 40 - Bordeaux 75 - Libourne 43

🏕 La Cigaline

🔗 05 53 80 22 16, www.camping-dordogne-lacigaline.com/fr/

Pour s'y rendre : 1 r. de la Paix (sortie nord par D 708, rte de Ribérac et à gauche av. le pont)

Ouverture : de déb. avr. à fin sept.

2 ha (120 empl.) plat, herbeux

Empl. camping : 🚶 5€ 🚗 🗐 8€ 🔌 (10A) - frais de réservation 15€
Location : (Prix 2018) (de déb. avr. à fin sept.) - 20 🚐 - 2 bungalows toilés. Nuitée 45 à 75€ - Sem. 180 à 660€ - frais de réservation 15€

Belle terrasse du snack-bar au bord de l'Isle. Proche du centre-ville.

Nature : 🏞 🎋
Loisirs : 🍴 ✕ 🏠 🚴 🛶
Services : 🔑 🚗 🚿 📶 🖥 🛁
À prox. : 🎣 🛶

GPS	E : 0.15839 N : 45.01217

Deze gids is geen overzicht van alle kampeerterreinen maar een selektie van de beste terreinen in iedere categorie.

NAVARRENX

64190 - Carte Michelin **342** H3 - 1 104 h. - alt. 125
▶ Paris 787 - Oloron-Ste-Marie 23 - Orthez 22 - Pau 43

🏕 Beau Rivage

🔗 05 59 66 10 00, www.beaucamping.com

Pour s'y rendre : allée des Marronniers (à l'ouest du bourg entre le Gave d'Oloron et les remparts du village)

Ouverture : de fin mars à mi-oct.

2,5 ha (70 empl.) en terrasses, plat, herbeux, gravillons

Empl. camping : 30€ 🚶🚶 🚗 🗐 🔌 (10A) - pers. suppl. 7€
Location : (de fin mars à mi-oct.) - ♿ (1 chalet) - 16 🏡. Nuitée 42 à 140€ - Sem. 215 à 715€
🚐 borne artisanale

Entre le gave d'Oloron et les remparts du village.

Nature : 🏞 🎋
Loisirs : 🏠 🚴 🛶 🛶
Services : 🔑 📶 🚿 🚗 📶 laverie
À prox. : 🎣 🛶

GPS	W : 0.76121 N : 43.32003

LE NIZAN

33430 - Carte Michelin **335** J8 - 423 h. - alt. 107
▶ Paris 635 - Agen 106 - Bordeaux 57 - Mont-de-Marsan 78

🏕 Village Vacances Domaine Ecôtelia

(pas d'emplacement tentes et caravanes)

🔗 05 56 65 35 38, www.domaine-ecotelia.com

Pour s'y rendre : 5 Tauzin (à 500 m du bourg)

10 ha/2,5 campables

Location : Permanent ✂ - 4 🏡 - 2 tentes lodges - 3 tentes sur pilotis - 4 yourtes - 5 cabanes perchées - 2 cabanons - 1 temple

asiatique. Nuitée 54 à 239€ - Sem. 248 à 1 434€

Hébergements insolites des quatre coins du monde, autour d'une piscine écologique.

Nature : 🏞 🎋
Loisirs : 🍴 🏠 🚴 🛶
Services : 🔑 📶 📶 🖥

GPS	W : 0.25778 N : 44.47389

NONTRON

24300 - Carte Michelin **329** E2 - 3 421 h. - alt. 260
▶ Paris 464 - Bordeaux 175 - Périgueux 49 - Angoulême 47

🏕 L'Agrion Bleu

🔗 05 53 56 02 04, www.campinglagrionbleu.com

Pour s'y rendre : à St-Martial-de-Valette (1 km au sud sur D 675, rte de Périgueux)

Ouverture : Permanent

2 ha (70 empl.) plat, herbeux, bord de rivière

Empl. camping : 19€ 🚶🚶 🚗 🗐 🔌 (10A) - pers. suppl. 4€
Location : Permanent ✂ - 7 🚐 - 1 🛏 - 6 studios. Nuitée 53 à 70€ - Sem. 200 à 600€
🚐 borne artisanale 4€ - 3 🗐 19€ - 🚐 🔌 18€

À côté d'un important parc aquatique couvert.

Nature : 🏞 🎋 🎋
Loisirs : 🍴 ✕ 🏠 🛶
Services : 🔑 📶 🚿 📶 🖥 🛁
À prox. : 🎣 hammam jacuzzi 🎣 🎿

GPS	E : 0.65807 N : 45.51951

Gebruik de gids van het lopende jaar.

ONDRES

40440 - Carte Michelin **335** C13 - 4 753 h. - alt. 37
▶ Paris 761 - Bayonne 8 - Biarritz 15 - Dax 48

🏕 Du Lac

🔗 05 59 45 28 45, www.camping-du-lac.fr

Pour s'y rendre : 518 r. de Janin (2,2 km au nord par N 10 puis D 26, rte d'Ondres-Plage puis dir. le Turc, chemin à dr., près d'un étang)

Ouverture : de mi-mars à fin oct.

3 ha (115 empl.) en terrasses, plat, herbeux, sablonneux

Empl. camping : (Prix 2018) 47€ 🚶🚶 🚗 🗐 🔌 (10A) - pers. suppl. 9€ - frais de réservation 20€
Location : (Prix 2018) (de mi-mars à fin oct.) - 31 🚐 - 3 🏡 - 7 bungalows toilés. Nuitée 65 à 256€ - Sem. 455 à 1 792€ - frais de réservation 20€

Cadre agréable avec du locatif varié et de bon confort pour certains.

Nature : 🏞 🎋 🎋
Loisirs : 🍴 ✕ 🏠 🎣 hammam 🚴 🚲 🛶
Services : 🔑 📶 🚿 📶 laverie 🛁
À prox. : 🛶

GPS	W : 1.45249 N : 43.56499

🏕 Lou Pignada 🔥

🔗 05 59 45 30 65, www.camping-loupignada.com

Pour s'y rendre : 742 av. de la Plage

Ouverture : de fin avr. à fin sept.

6,5 ha/4,5 campables (214 empl.) plat, herbeux, sablonneux

Empl. camping : 42€ 🚶🚶 🚗 🗐 🔌 (10A) - pers. suppl. 7€ - frais de réservation 20€

Location : (de déb. mars à mi-oct.) - 🚫 - 30 🚐 - 50 🏠 - 4 cabanons. Sem. 280 à 1 100€ - frais de réservation 20€

Emplacements bien ombragés mais préférer les plus éloignés de la route et de la voie de chemin de fer.

Nature : 🗓 🌳🌳
Loisirs : 🍸 🍴 salle d'animations 🏃 🚣 🚴
🏊 terrain multisports
Services : 🔧 🐕 🛜 laverie 🧹
À prox. : 🛶

GPS : W : 1.46029 N : 43.5695

🏔 Campéole Ondres-Plage 🧑‍🤝‍🧑

📞 05 59 45 31 48, www.campeole.com/camping/post/ondres-ondres-plage - peu d'emplacements pour tentes et caravanes

Pour s'y rendre : 2511 rte de La Plage (3 km à l'ouest, à Ondres-Plage)

Ouverture : de fin mars à fin sept.

6 ha (211 empl.) vallonné, plat, sablonneux, herbeux

Empl. camping : (Prix 2018) 41€ ✦✦ 🚗 📱 ⚡ (16A) - pers. suppl. 10€

Location : (Prix 2018) (de fin mars à fin sept.) - 👤 (2 mobile homes) - 143 🚐 - 52 bungalows toilés. Nuitée 35 à 204€ - Sem. 245 à 1 428€

🚐 borne eurorelais - 5 📱 19€

Cadre légèrement vallonné sous les pins, sans véhicule (parking obligatoire) à 500 m de la plage.

Nature : 🏞 🌳🌳
Loisirs : 🎦 🌞 diurne salle d'animations 🏃
🚣 ✂ 🚴
Services : 🔧 🅿 🐕 🛜 laverie 🧹

GPS : W : 1.48107 N : 43.57508

PARENTIS-EN-BORN

40160 - Carte Michelin **335** E8 - 5 187 h. - alt. 32
▶ Paris 658 - Arcachon 43 - Bordeaux 76 - Mimizan 25

🏔 Yelloh! Village Au Lac de Biscarrosse 🧑‍🤝‍🧑

📞 05 58 08 06 40, www.camping-lac-de-biscarrosse.com

Pour s'y rendre : rte de Lahitte (3,2 km à l'ouest par la route du Lac)

Ouverture : de déb. avr. à fin sept.

14 ha (543 empl.) plat, sablonneux

Empl. camping : 60€ ✦✦ 🚗 📱 ⚡ (20A) - pers. suppl. 9€
Location : (de déb. avr. à fin sept.) - 👤 (1 mobile home) - 127 🚐 - 12 cabanons. Nuitée 46 à 305€ - Sem. 322 à 2 135€

🚐 borne eurorelais

Nouveau terrain avec des emplacements plein soleil, du locatif varié de bon confort autour de très jolis bâtiments d'architecture landaise.

Nature : 🏞 🗓
Loisirs : 🍸 🍴 🎦 salle d'animations 🏃
🏋 centre balnéo 🛁 hammam 🏊
🚣 pédalos parcours de santé terrain multisports
Services : 🔧 🍽 🛁 🧹 🚽 🛜 laverie 🧹 🧺
réfrigérateurs
À prox. : 🛶 (plage)

GPS : W : 1.10139 N : 44.35222

🏔 Le Pipiou 🧑‍🤝‍🧑

📞 05 58 78 57 25, www.camping-pipiou.fr

Pour s'y rendre : 382 rte des Campings (2,5 km à l'ouest par D 43 et rte à dr., à 100 m de l'étang)

Ouverture : de mi-avr. à mi-sept.

9 ha (380 empl.) plat, sablonneux

Empl. camping : (Prix 2018) 34€ ✦✦ 🚗 📱 ⚡ (10A) - pers. suppl. 7€
Location : (Prix 2018) (de fin avr. à fin sept.) - 35 🚐 - 3 bungalows toilés - 5 tentes lodges. Nuitée 60 à 130€ - Sem. 300 à 1 000€ - frais de réservation 20€

Emplacements ombragés ou plein soleil avec de nombreux mobile homes de propriétaires-résidents.

Nature : 🏞 🗓 🌳🌳
Loisirs : 🍸 🍴 🏃 🚣 ✂ 🚴 🏊
terrain multisports
Services : 🔧 🍽 🛁 🧹 🚽 🛜 laverie 🧹 🧺
À prox. : 🛶 (plage)

GPS : W : 1.10135 N : 44.3457

🏔 L'Arbre d'Or

📞 05 58 78 41 56, www.arbre-dor.com

Pour s'y rendre : 75 rte du lac (1,5 km à l'ouest par D 43, rte de l'Étang)

Ouverture : de déb. avr. à fin oct.

4 ha (200 empl.) plat, herbeux, sablonneux

Empl. camping : 33€ ✦✦ 🚗 📱 ⚡ (10A) - pers. suppl. 8€ - frais de réservation 15€

Location : (de déb. avr. à fin oct.) - 21 🚐 - 1 🏠 - 2 bungalows toilés. Nuitée 70 à 210€ - Sem. 240 à 1 250€ - frais de réservation 15€

Ambiance familiale autour des piscines couvertes et découvertes.

Nature : 🗓 🌳🌳
Loisirs : 🍸 🍴 🎦 🏃 jacuzzi 🚣 🍴 🏊
terrain multisports
Services : 🔧 🛜 laverie 🧹 réfrigérateurs

GPS : W : 1.09232 N : 44.34615

PAUILLAC

33250 - Carte Michelin **335** G3 - 5 135 h. - alt. 20
▶ Paris 625 - Arcachon 113 - Blaye 16 - Bordeaux 54

🏔 Municipal Les Gabarreys

📞 05 56 59 10 03, www.pauillac-medoc.com

Pour s'y rendre : rte de la Rivière (1 km au sud, près de la Gironde)

Ouverture : de déb. avr. à mi-oct.

1,6 ha (58 empl.) plat, herbeux, gravillons

Empl. camping : 19€ ✦✦ 🚗 📱 ⚡ (6A) - pers. suppl. 6€ - frais de réservation 14€

Location : (de déb. avr. à mi-oct.) - 👤 (1 mobile home) - 7 🚐. Nuitée 50 à 110€ - Sem. 270 à 600€ - frais de réservation 14€

🚐 borne artisanale 6€ - 🔌 ⚡19€

Jacuzzi à l'étage du bureau d'accueil, en extérieur, avec vue panoramique sur la Gironde.

Nature : 🏞 🗓 🌳🌳
Loisirs : 🎦 🍴 jacuzzi 🚣 🍴
Services : 🔧 🛜 laverie

GPS : W : 0.74226 N : 45.18517

Benutzen Sie den Hotelführer des laufenden Jahres.

PEYRIGNAC

24210 - Carte Michelin **329** I5 - 514 h. - alt. 200
◘ Paris 508 - Brive-la-Gaillarde 33 - Juillac 33 - Périgueux 44

🏔 La Garenne

🖉 05 53 50 57 73, www.lagarennedordogne.com

Pour s'y rendre : lieu-dit : Le Combal (800 m au nord du bourg, près du stade)

Ouverture : Permanent

4 ha/1,5 (70 empl.) terrasse, plat, herbeux, gravier

Empl. camping : 22 € ♣♣ ➚ 🖿 🔋 (16A) - pers. suppl. 6 € - frais de réservation 4 €

Location : Permanent - 18 🚐 - 13 🏠. Nuitée 55 à 110 € - Sem. 235 à 798 € - frais de réservation 14 €

🚐 3 🖿 22 €

En sous-bois avec jolie vue sur la campagne pour les emplacements côté piscine.

Nature : 🦌 🎋
Loisirs : 🍽 ✕ 🏠 ⛵ hammam jacuzzi ⛷ 🛶
Services : 🔑 🏛 🔥 ♨ 🚽 🛜 laverie 🧺
À prox. : ✂ 🎣

GPS E : 1.1837
N : 45.16175

Use this year's Guide.

PEYRILLAC-ET-MILLAC

24370 - Carte Michelin **329** J6 - 213 h. - alt. 88
◘ Paris 521 - Brive-la-Gaillarde 45 - Gourdon 23 - Sarlat-la-Canéda 22

🏔 Au P'tit Bonheur 👥

🖉 05 53 29 77 93, www.camping-auptitbonheur.com

Pour s'y rendre : à Millac, lieu-dit : Combe de Lafon (2,5 km au nord par rte du Bouscandier)

Ouverture : de mi-avr. à mi-sept.

2,8 ha (100 empl.) en terrasses, peu incliné, pierreux, herbeux

Empl. camping : (Prix 2018) 24 € ♣♣ ➚ 🖿 🔋 (10A) - pers. suppl. 6 € - frais de réservation 16 €

Location : (Prix 2018) (de mi-avr. à mi-sept.) - 16 🚐 - 8 🏠 - 3 bungalows toilés - 7 tentes lodges - 2 tentes sur pilotis - 2 cabanons - 1 gîte. Nuitée 38 à 143 € - Sem. 167 à 999 € - frais de réservation 16 €

Cadre verdoyant et ombragé au calme.

Nature : 🦌 🚡 🎋
Loisirs : 🍽 ✕ 🏠 🏓 ⛵ jacuzzi ⛷ 🛶
Services : 🔑 🔥 ♨ 🚽 🛜 laverie 🧺 cases réfrigérées

GPS E : 1.40423
N : 44.89934

PISSOS

40410 - Carte Michelin **335** G9 - 1 315 h. - alt. 46
◘ Paris 657 - Arcachon 72 - Biscarrosse 34 - Bordeaux 75

⛺ Municipal de l'Arriu

🖉 05 58 08 90 38, www.pissos.fr

Pour s'y rendre : 525 chemin de l'Arriu (1,2 km à l'est par D 43, rte de Sore et chemin à dr., après la piscine)

Ouverture : de déb. juil. à mi-sept. - 🚫

3 ha (74 empl.) plat, sablonneux

Empl. camping : (Prix 2018) 15 € ♣♣ ➚ 🖿 🔋 (12A) - pers. suppl. 4 €

Agréable pinède.

Nature : 🦌 🎋
Services : 🔑 🛜 ☕
À prox. : 🖿 ✕ 🏠 ✂ 🛶

GPS W : 0.76944
N : 44.305

PLAZAC

24580 - Carte Michelin **329** H5 - 725 h. - alt. 110
◘ Paris 527 - Bergerac 65 - Brive-la-Gaillarde 53 - Périgueux 40

🏔 Le Lac 👥

🖉 05 53 50 75 86, www.domainedulac-dordogne.com

Pour s'y rendre : au lac (800 m au sud-est par D 45, rte de Thonac)

Ouverture : de mi-mai à fin sept.

7 ha/2,5 campables (115 empl.) en terrasses, plat et peu incliné, herbeux

Empl. camping : (Prix 2018) ♣ 7 € ➚ 🖿 7 € – 🔋 (10A) 4 € - frais de réservation 12 €

Location : (Prix 2018) (de mi-mai à fin sept.) - 👤 (1 mobile home) - 26 🚐 - 4 🏠 - 1 gîte. Nuitée 40 à 115 € - Sem. 240 à 630 € - frais de réservation 12 €

🚐 4 🖿 18 €

Au bord du lac, sous l'ombrage des noyers et chênes verts.

Nature : 🦌 🚡 🎋 ⚓
Loisirs : 🍽 ✕ 🏠 🏓 ⛵ ✂ 🎣 🛶 🏊 (étang) 🏉 terrain multisports
Services : 🔑 🔥 ♨ 🚽 🛜 laverie 🧺 🛒

GPS E : 1.04778
N : 45.03139

*To visit a town or region : use the **MICHELIN** Green Guides.*

POMPORT

24240 - Carte Michelin **329** D7 - 812 h. - alt. 120
◘ Paris 554 - Agen 89 - Bordeaux 92 - Périgueux 62

🏔 Pomport Beach 👥

🖉 05 24 10 61 13, www.pomport-beach.com

Pour s'y rendre : rte de la Gardonnette (1,8 km au sud par D 17 rte de Sigoulès, à la base de loisirs)

13 ha/5 campables (199 empl.) terrasse, plat, herbeux, pierreux, bois

🚐 borne artisanale

Locatif de bon confort autour du petit plan d'eau et des piscines.

Nature : 🚡 🍃
Loisirs : 🍽 ✕ 🏠 🎮 🏓 ⛷ 🚴 ✂ 🛶 🏊 (plage) 🏄 🤿 pédalos terrain multisports
Services : 🔑 🔥 ♨ 🚽 🛜 laverie 🧺

GPS E : 0.41174
N : 44.77135

PONT-DU-CASSE

47480 - Carte Michelin **336** G4 - 4 305 h. - alt. 67
◘ Paris 658 - Bordeaux 147 - Toulouse 122 - Montauban 96

⛺ Village Vacances de Loisirs Darel

(pas d'emplacement tentes et caravanes)

🖉 05 53 67 96 41, accueil@ville-pontducasse.fr

Pour s'y rendre : lieu-dit : Darel (7 km au nord-est par D 656, rte de Cahors et à dr. dir. St-Ferréol)

34 ha/2 campables vallonné

Location : Permanent&. (1 chalet) - 🅿 - 15 🏠. Sem. 175 à 359€.
Situation agréable en sous-bois dominant un important centre équestre avec chevaux et poneys.

Nature : 🐟 〰️	
Services : ⊶🛒 ▥ 🛜 🖥	**G** E : 0.68536
À prox. : 🐎	**P** N : 44.21698
	S

LE PORGE

33680 - Carte Michelin **335** E5 - 2 428 h. - alt. 8
▶ Paris 624 - Andernos-les-Bains 18 - Bordeaux 47 - Lacanau-Océan 21

🏔 **Municipal la Grigne** ▲▴

📞 05 56 26 54 88, www.camping-leporge.fr

Pour s'y rendre : 35 av. de l'Océan (9,5 km à l'ouest par D 107, à 1 km du Porge-Océan)

Ouverture : de déb. avr. à fin sept.

30 ha (700 empl.) vallonné, plat, sablonneux

Empl. camping : 36€ ✝✝ ⇔ 🅴 🔌 (6A) - pers. suppl. 7€ - frais de réservation 21€

Location : (de déb. avr. à fin sept.) - &. (1 mobile home) - 25 🚐 - 10 tentes lodges - 5 tentes sur pilotis (avac sanitaires). Nuitée 50 à 142€ - Sem. 350 à 995€ - frais de réservation 21€

🅿 borne AireService 13€ - 10 🅴 36€

Jolie pinède vallonnée à 300 m de la plage et de l'océan. Accueil de groupes et colonies (UCPA...)

Nature : 🎋🎋	
Loisirs : 🍴 🍽 🏠 🎱 ✝✝ ⚓ 🚲 ✂️ 🎣	**G** W : 1.20314
Services : ⊶🛒 🛁 🚽 laverie ⚒ ⛽	**P** N : 44.89363
À prox. : parcours dans les arbres	**S**

Utilisez le guide de l'année.

PUJOLS

47300 - Carte Michelin **336** G3 - 3 607 h. - alt. 180
▶ Paris 607 - Agen 28 - Bordeaux 145 - Cahors 73

🏔 **Lot et Bastides** ▲▴

Camping Lot et Bastides

📞 05 53 36 86 79, www.camping-lot-et-bastides.fr

Pour s'y rendre : r. Malbentre (2,7 km au nord par D 118)

Ouverture : de fin mars à déb. nov.

7 ha (117 empl.) plat, herbeux, pierreux

Empl. camping : 24€ ✝✝ ⇔ 🅴 🔌 (16A) - pers. suppl. 5€

Location : (de fin mars à déb. nov.) - &. (2 chalets) - 14 🚐 - 12 🏠 - 2 bungalows toilés - 4 tentes lodges. Sem. 203 à 784€

🅿 borne eurorelais 4€ - 🚐 11€

Emplacements bien ensoleillés avec du locatif varié au pied de la ville de Pujols.

Nature : 🐟 ≤ Pujols 🏕	
Loisirs : 🍴 🍽 🎱 diurne ✝✝ jacuzzi ⚓ 🚲 🎱	**G** E : 0.68733
Services : ⊶🛒 ▥ 🛁 🚽 🛜 laverie ⛽	**P** N : 44.39564
À prox. : hammam 🔲 🏊	**S**

PYLA-SUR-MER

33115 - Carte Michelin **335** D7
▶ Paris 648 - Arcachon 8 - Biscarrosse 34 - Bordeaux 66

🏔 **Yelloh! Village Panorama du Pyla** ▲▴

📞 05 56 22 10 44, www.camping-panorama.com

Pour s'y rendre : rte de Biscarrosse (7 km au sud par D 218)

Ouverture : de déb. avr. à fin sept.

15 ha/10 campables (450 empl.) fort dénivelé, vallonné, en terrasses, plat, sablonneux

Empl. camping : 51€ ✝✝ ⇔ 🅴 🔌 (10A) - pers. suppl. 9€

Location : (de mi-avr. à fin sept.) - 80 🚐 - 5 🏠 - 15 tentes lodges. Nuitée 39 à 275€ - Sem. 273 à 1 925€

🅿 borne artisanale

Accès à la plage par un chemin piétonnier. Vue sur le Banc d'Arguin pour de nombreux emplacements.

Nature : 🐟 ≤ Banc d'Arguin 🏕 🎋🎋	
Loisirs : 🍴 🍽 🏠 🎱 ✝✝ ⚓ 🏊 ⚓ ✂️ 🎣 deltaplane skate parc	**G** W : 1.22502
Services : ⊶🛒 🛁 🛜 laverie 🛒 ⛽ cases réfrigérées	**P** N : 44.57738
	S

🏔 **Capfun Le Petit Nice** ▲▴

📞 05 56 22 74 03, www.petitnice.com

Pour s'y rendre : rte de Biscarrosse (7 km au sud par D218)

Ouverture : de fin mars à mi-sept.

5 ha (225 empl.) fort dénivelé, en terrasses, plat, sablonneux

Empl. camping : (Prix 2018) 22€ ✝✝ ⇔ 🅴 🔌 (6A) - pers. suppl. 5€ - frais de réservation 26€

Location : (Prix 2018) (de fin mars à mi-sept.) - 94 🚐 - 4 bungalows toilés - 10 tentes lodges. Nuitée 60 à 150€ - Sem. 350 à 1 450€ - frais de réservation 30€

Au pied de la dune du Pilat avec accès direct à la plage.

Nature : 🐟 ≤ Banc d'Arguin 🎋🎋	
Loisirs : 🍴 🍽 🏠 🎱 ✝✝ ⚓ 🏊 ⛱ terrain multisports	**G** W : 1.22043
Services : ⊶🛒 ▥ 🛁 🛜 laverie ⚒ ⛽ cases réfrigérées	**P** N : 44.57274
À prox. : parapente	**S**

🏔 **Tohapi La Forêt** ▲▴

📞 0825 00 53 13, www.tohapi.fr

Pour s'y rendre : 3 km au sud sur la D 218, rte Biscarrosse

Ouverture : de déb. avr. à déb. oct.

8 ha (460 empl.) vallonné, plat et peu incliné, sablonneux

Empl. camping : (Prix 2018) 47€ ✝✝ ⇔ 🅴 🔌 (10A) - pers. suppl. 9,50€

Location : (Prix 2018) (de déb. avr. à déb. oct.) - &. (2 mobile homes) - 107 🚐 - 12 🏠 - 68 tentes lodges - 2 Tentes Lodeges (avec sanitaires). Sem. 115 à 1 745€ - frais de réservation 10€

Au pied de la dune du Pilat.

Nature : 🐟 ≤ la dune du Pyla 🏕 🎋🎋 ⛰	
Loisirs : 🍴 🍽 🏠 🎱 ✝✝ ⚓ 🚲 🎱 🎣 🏊 terrain multisports	**G** W : 1.20857
Services : ⊶🛒 🛁 🛜 laverie ⚒ ⛽ cases réfrigérées	**P** N : 44.58542
	S

*Pour visiter une ville ou une région : utilisez le **Guide Vert MICHELIN**.*

RAUZAN

33420 - Carte Michelin **335** K6 - 1 148 h. - alt. 69
▶ Paris 596 - Bergerac 57 - Bordeaux 39 - Langon 35

⛺ Le Vieux Château

Camping le vieux château

☎ 05 57 84 15 38, www.vieuxchateau.fr

Pour s'y rendre : 6 Blabot-bas (sortie nord rte de St-Jean-de-Blaignac et chemin à gauche (1,2 km))

Ouverture : de déb. avr. à mi-oct.

2,5 ha (77 empl.) non clos, peu incliné, plat, herbeux

Empl. camping : 15€ ✚✚ ⟋ 回 ⟨⚡⟩ (10A) - pers. suppl. 4€ - frais de réservation 8€

Location : (de déb. avr. à mi-oct.) - ⟨♿⟩ (1 bungalow toilé) - ⟨✗⟩ - 12 ⟨🚐⟩ - 4 ⟨🏠⟩ - 3 bungalows toilés - 2 tentes sur pilotis - 1 camion militaire. Sem. 219 à 814€ - frais de réservation 8€

⟨🚰⟩ borne artisanale

Au pied des ruines d'une forteresse du 12e s. avec un chemin piétonnier reliant le village.

Nature : 🐟 ♤♤
Loisirs : 🍸 ✗ 🎦 jacuzzi ⟨⚓⟩ ⟨🛶⟩
Services : ⟨🔑⟩ 🛜 laverie

GPS
W : 0.12715
N : 44.78213

RÉAUP

47170 - Carte Michelin **336** D5 - 523 h. - alt. 168 - Base de loisirs
▶ Paris 708 - Agen 46 - Aire-sur-l'Adour 64 - Condom 24

⛺ Le Lac de Lislebonne ⚑⚑

☎ 05 53 65 65 28, www.camping-lac-lislebonne.com

Pour s'y rendre : 3,2 km au sud-est par D 149, rte de Mézin

Ouverture : de mi-avr. à fin sept.

15 ha/2 campables (74 empl.) en terrasses, peu incliné, plat, herbeux

Empl. camping : (Prix 2018) 29€ ✚✚ ⟋ 回 ⟨⚡⟩ (6A) - pers. suppl. 6€

Location : (Prix 2018) (de mi-avr. à fin sept.) - ⟨♿⟩ - 13 ⟨🚐⟩ - 18 ⟨🏠⟩ - 7 bungalows toilés - 3 tentes lodges. Nuitée 36 à 136€ - Sem. 180 à 952€

Cadre boisé autour du plan d'eau et de sa petite plage de sable.

Nature : 🐟 ⟨☐⟩ ♤♤ ⟨⛰⟩
Loisirs : 🍸 ✗ 🎦 ⟨🏃⟩ ⟨⚓⟩ ⟨🚲⟩⟨☐⟩ ⟨🏊⟩ (plage) ⟨🛶⟩ ⟨✈⟩ terrain multisports
Services : ⟨🔑⟩ 🏪 ⟨♿⟩ 🛜 laverie ⟨🧊⟩ réfrigérateurs
À prox. : parcours de santé, canoë, pédalos

GPS
E : 0.20971
N : 44.07325

RIVIÈRE-SAAS-ET-GOURBY

40180 - Carte Michelin **335** E12 - 1 168 h. - alt. 50
▶ Paris 742 - Bordeaux 156 - Mont-de-Marsan 68 - Bayonne 44

⛺ Lou Bascou

☎ 05 58 97 57 29, www.campingloubascou.fr - peu d'emplacements pour tentes et caravanes

Pour s'y rendre : 250 rte de Houssat (au nord-est du bourg)

Ouverture : de déb. mars à mi-nov.

1 ha (41 empl.) plat, herbeux

Empl. camping : 24€ ✚✚ ⟋ 回 ⟨⚡⟩ (16A) - pers. suppl. 10€

Location : (de déb. mars à mi-nov.) - 2 ⟨🚐⟩ - 8 ⟨🏠⟩. Nuitée 34 à 56€ - Sem. 238 à 714€

⟨🚰⟩ borne artisanale 15€ - 6 回 15€

Nature : 🐟 ⟨☐⟩ ♤♤
Loisirs : 🎦 salle d'animations
Services : ⟨🔑⟩ ⟨🚿⟩ 🛜 laverie
À prox. : ⟨🏊⟩ ✗

GPS
W : 1.14971
N : 43.68203

LA ROCHE-CHALAIS

24490 - Carte Michelin **329** B5 - 2 857 h. - alt. 60
▶ Paris 510 - Bergerac 62 - Blaye 67 - Bordeaux 68

⛺ Municipal du Méridien

☎ 05 53 91 40 65, www.larochechalais.com

Pour s'y rendre : lieu-dit : Les Gerbes, r. de la Dronne (1 km à l'ouest, au bord de la rivière)

Ouverture : de mi-avr. à fin sept.

3 ha (100 empl.) terrasse, plat, herbeux, petit bois attenant

Empl. camping : (Prix 2018) 12€ ✚✚ ⟋ 回 ⟨⚡⟩ (10A) - pers. suppl. 3€

Location : (Prix 2018) (de mi-avr. à fin sept.) - 7 ⟨🚐⟩ - 1 bungalow toilé - 1 gîte. Nuitée 55 à 60€ - Sem. 135 à 350€

⟨🚰⟩ borne artisanale - ⟨🚰⟩ ⟨⚡⟩9€

Cadre verdoyant avec quelques emplacements au bord de la rivière.

Nature : 🐟 ⟨☐⟩ ♤♤
Loisirs : 🎦 ⟨⚓⟩ ⟨✈⟩
Services : ⟨🔑⟩ 🛜 ⟨☐⟩

GPS
W : 0.00207
N : 45.14888

LA ROQUE-GAGEAC

24250 - Carte Michelin **329** I7 - 416 h. - alt. 85
▶ Paris 535 - Brive-la-Gaillarde 71 - Cahors 53 - Fumel 52

⛺ Oléla Le Beau Rivage ⚑⚑

☎ 02 51 20 41 94, www.beaurivagedordogne.com

Pour s'y rendre : lieu-dit : Le Gaillardou (4 km à l'est sur la D 46, au bord de la Dordogne)

Ouverture : de fin mai à déb. sept.

8 ha (199 empl.) en terrasses, plat, herbeux, sablonneux

Empl. camping : 30€ ✚✚ ⟋ 回 ⟨⚡⟩ (10A) - pers. suppl. 5€

Location : (de fin mai à déb. sept.) - 46 ⟨🚐⟩ - 8 tentes lodges. Nuitée 22 à 182€ - Sem. 154 à 1 274€

Préférer les emplacements près de la Dordogne, plus éloignés de la route.

Nature : ♤♤ ⟨⛰⟩
Loisirs : 🍸 ✗ 🎦 ⟨🌙⟩ nocturne ⟨🏃⟩ ⟨⚓⟩ ✗ ⟨🛶⟩ ⟨✈⟩
Services : ⟨🔑⟩ ⟨♿⟩ 🛜 laverie ⟨🧊⟩ ⟨🧊⟩

GPS
E : 1.21422
N : 44.81587

ROUFFIGNAC

24580 - Carte Michelin **329** G5 - 1 552 h. - alt. 300
▶ Paris 531 - Bergerac 58 - Brive-la-Gaillarde 57 - Périgueux 32

⛺ L'Offrerie

☎ 05 53 35 33 26, www.camping-ferme-offrerie.com

Pour s'y rendre : lieu-dit : Le Grand Boisset (2 km au sud par D 32, rte des Grottes de Rouffignac et à dr.)

Ouverture : Permanent

3,5 ha (48 empl.) en terrasses, peu incliné, plat, herbeux

Empl. camping : (Prix 2018) 23€ ✚✚ ⟋ 回 ⟨⚡⟩ (10A) - pers. suppl. 7€

Location : (Prix 2018) (de mi-avr. à fin sept.) - 19 ⛺ - 2 chalets sur pilotis - 10 cabanons. Nuitée 40 à 80€ - Sem. 245 à 885€

🚰 borne artisanale 4€

Cadre verdoyant avec du locatif varié en gamme et en confort.

Nature : 🏞 🏕 ♨♨		G
Loisirs : ✗ 🏠 🛝 🏊 mini ferme		P
Services : ⛽ 🚿 📶 laverie ⚡	E : 0.97109 / N : 45.02775	S

🏔 La Nouvelle Croze

📞 05 53 05 38 90, www.lanouvellecroze.com

Pour s'y rendre : 2,5 km au sud-est par D 31, rte de Fleurac et chemin à dr.

Ouverture : de déb. avr. à fin oct.

1,3 ha (43 empl.) plat, herbeux

Empl. camping : 27€ ✦✦ 🚐 📧 ⚡ (16A) - pers. suppl. 9€

Location : (de déb. avr. à fin oct.) - 19 ⛺ - 1 gîte. Nuitée 45 à 180€ - Sem. 185 à 1 090€

Beaucoup d'espaces verts idéal pour la détente. Locatif de bon confort.

Nature : 🏞 ♨♨		G
Loisirs : 🍽 ✗ 🏠 🍹 jacuzzi 🛝 🏊		P
Services : ⛽ 🚿 📶 laverie	E : 0.99783 / N : 45.02412	S

🏔 Bleu Soleil

📞 05 53 05 48 30, www.camping-bleusoleil.com

Pour s'y rendre : lieu-dit : Domaine Touvent (1,5 km au nord par D 31, rte de Thenon et rte à dr.)

Ouverture : de mi-avr. à fin sept.

41 ha/7 campables (110 empl.) en terrasses, peu incliné, plat, herbeux

Empl. camping : (Prix 2018) 26€ ✦✦ 🚐 📧 ⚡ (10A) - pers. suppl. 6€

Location : (Prix 2018) (de fin mars à fin sept.) - 7 ⛺ - 22 🏠 - 2 bungalows toilés - 2 tentes lodges - 2 cabanons. Sem. 179 à 790€

Autour d'une ancienne ferme en pierre restaurée, avec beaucoup d'espaces verts et jolie vue sur la campagne péri-gourdine.

Nature : 🏞 < ♨♨		G
Loisirs : 🍽 ✗ 🏠 🛝 🏊 terrain multisports		P
Services : ⛽ 🚿 📶 laverie ⚡ cases réfrigérées	E : 0.98586 / N : 45.05507	S

SABRES

40630 - Carte Michelin **335** G10 - 1 200 h. - alt. 78

▶ Paris 676 - Arcachon 92 - Bayonne 111 - Bordeaux 94

🏔 Le Domaine de Peyricat

📞 05 58 07 51 88, camping-sabres.com

Pour s'y rendre : sortie sud par D 327, rte de Luglon

Ouverture : de mi-juin à mi-sept.

20 ha/2 campables (69 empl.) plat, herbeux, sablonneux

Empl. camping : (Prix 2018) 24€ ✦✦ 🚐 📧 ⚡ (6A) - pers. suppl. 4€

Location : (Prix 2018) (de déb. avr. à fin oct.) - ⛺ - 4 ⛺ - 8 🏠 - 40 🛖 - 1 chalet sur pilotis - 10 bungalows toilés - 17 gîtes. Nuitée 35 à 112€ - Sem. 170 à 679€ - frais de réservation 5€

🚰 borne eurorelais

Nombreuses activités avec le village vacances mitoyen.

Nature : 🏕		G
Services : 📶		P
au Village Vacances : laverie 🍽 ✗ 🏠 🏃 🍹 ✂ 🏊	W : 0.74235 / N : 44.144	S

ST-AMAND-DE-COLY

24290 - Carte Michelin **329** I5 - 382 h. - alt. 180

▶ Paris 515 - Bordeaux 188 - Périgueux 58 - Cahors 104

🏔 Yelloh! Village Lascaux Vacances 👥

📞 05 53 50 81 57, www.campinglascauxvacances.com

Pour s'y rendre : lieu-dit : Les Malénies (1 km au sud par la D 64 rte de St-Geniès)

Ouverture : de fin mai à mi-sept.

12 ha (150 empl.) fort dénivelé, en terrasses, plat, pierreux

Empl. camping : 41€ ✦✦ 🚐 📧 ⚡ (10A) - pers. suppl. 9€

Location : (de fin mai à mi-sept.) - 80 ⛺ - 5 🏠 - 10 tentes sur pilotis. Nuitée 43 à 179€ - Sem. 301 à 1 253€

🚰 borne artisanale

Emplacements en sous-bois pour partie avec du locatif varié et de qualité.

Nature : 🏞 🏕 ♨♨		G
Loisirs : 🍽 ✗ 🏃 🛝 🚲 🏊 terrain multisports		P
Services : ⛽ 🚿 📶 laverie ⚡	E : 1.24191 / N : 45.05461	S

*Om een reisroute uit te stippelen en te volgen, om het aantal kilometers te berekenen, om precies de ligging van een terrein te bepalen (aan de hand van de inlichtingen in de tekst), gebruikt u de **Michelinkaarten**, een onmisbare aanvulling op deze gids.*

ST-ANTOINE-D'AUBEROCHE

24330 - Carte Michelin **329** G5 - 145 h. - alt. 152

▶ Paris 491 - Brive-la-Gaillarde 96 - Limoges 105 - Périgueux 24

🏔 La Pélonie

📞 05 53 07 55 78, www.lapelonie.com

Pour s'y rendre : lieu-dit : La Pélonie (1,8 km au sud-ouest en dir. de Milhac-Gare - de Fossemagne : 6 km par RN 89 et chemin à dr.)

Ouverture : de mi-avr. à déb. oct.

5 ha (96 empl.) en terrasses, non clos, plat, herbeux, bois

Empl. camping : 25€ ✦✦ 🚐 📧 ⚡ (10A) - pers. suppl. 6€ - frais de réservation 10€

Location : (de mi-avr. à déb. oct.) - 29 ⛺. Nuitée 35 à 140€ - Sem. 200 à 980€ - frais de réservation 10€

🚰 borne artisanale 13€ - 4 📧 13€

Cadre soigné, très ombragé autour des deux piscines.

Nature : 🏞 🏕 ♨♨		G
Loisirs : 🍽 ✗ 🏠 🛝 🏊		P
Services : ⛽ 🚿 📶 laverie ⚡	E : 0.92845 / N : 45.13135	S

ST-ANTOINE-DE-BREUILH

24230 - Carte Michelin **329** B6 - 2 073 h. - alt. 18
▶ Paris 555 - Bergerac 30 - Duras 28 - Libourne 34

⚑ La Rivière Fleurie

℘ 05 53 24 82 80, www.la-riviere-fleurie.com

Pour s'y rendre : à St-Aulaye-de-Breuilh, 180 r. Théophile-Cart (3 km au sud-ouest, à 100 m de la Dordogne)

Ouverture : de mi-avr. à mi-sept.

2,5 ha (65 empl.) plat, herbeux

Empl. camping : (Prix 2018) 31€ ★★ ⬌ 🅴 ⅍ (10A) - pers. suppl. 7€ - frais de réservation 9€

Location : (Prix 2018) (de mi-avr. à mi-sept.) - ✈ - 21 🚐 - 3 bungalows toilés - 4 studios. Sem. 200 à 790€

Jolie décoration arbustive, florale et locatif varié en confort.

Nature : 🦐 ⬠ 00
Loisirs : ❡ ✕ 🏛 🍴🛥
Services : ⚡ 🛏 ≈ laverie 🚿
À prox. : ✕

ST-AVIT-DE-VIALARD

24260 - Carte Michelin **329** G6 - 145 h. - alt. 210
▶ Paris 520 - Bergerac 39 - Le Bugue 7 - Les Eyzies-de-Tayac 17

⚑⚑ Les Castels St-Avit Loisirs ▲▲

℘ 05 53 02 64 00, www.saint-avit-loisirs.com - peu d'emplacements pour tentes et caravanes

Pour s'y rendre : lieu-dit : Malefon (1,8 km au nord-ouest)

Ouverture : de déb. avr. à fin sept.

55 ha/15 campables (400 empl.) en terrasses, vallonné, plat, herbeux, sous-bois

Empl. camping : 49€ ★★ ⬌ 🅴 ⅍ (6A) - pers. suppl. 12€ - frais de réservation 19€

Location : (de déb. avr. à fin sept.) - 32 🚐 - 35 🏠 - 30 ⛺ - 2 bungalows toilés - 5 tentes lodges - 1 gîte - 15 appartements. Nuitée 38 à 326€ - Sem. 266 à 2 282€ - frais de réservation 25€

Vaste domaine vallonné et boisé avec un bel et important espace aquatique. Locatifs grand confort.

Nature : 🦐 ≤ ⬠ 00
Loisirs : ❡ ✕ 🏛 🎦 salle d'animations 🏃 🎣 jacuzzi 🛥🚲🍴 ⬛ ⬛ 🔺 quad terrain multisports
Services : ⚡ 🛏 ≈ 🚿 ≈ laverie 🚿 🚿

GPS E : 0.84971
N : 44.95174

*Choisissez votre restaurant sur **restaurant.michelin.fr***

ST-CRÉPIN-ET-CARLUCET

24590 - Carte Michelin **329** I6 - 493 h. - alt. 262
▶ Paris 514 - Brive-la-Gaillarde 40 - Les Eyzies-de-Tayac 29 - Montignac 21

⚑⚑ Sandaya Les Peneyrals ▲▲

℘ 05 53 28 85 71, www.sandaya.fr/nos-campings/peneyrals

Pour s'y rendre : à St Crépin (1 km au sud par la D 56, rte de Proissans)

Ouverture : de fin mai à mi-sept.

12 ha/8 campables (250 empl.) fort dénivelé, vallonné, en terrasses, plat, herbeux, pierreux, étang

Empl. camping : 46€ ★★ ⬌ 🅴 ⅍ (10A) - pers. suppl. 9€

Location : (de fin mai à mi-sept.) - ♿ (1 chalet) - 152 🚐. Nuitée 35 à 245€ - Sem. 245 à 1 715€

Cadre vallonné, ombragé entre l'étang dédié à la pêche et le joli parc aquatique.

Nature : 🦐 ⬠ 00
Loisirs : ❡ ✕ 🏛 🎦 🏃 🛥🚲🍴 🪁 ⬛ 🔺 ⬛ 🚿
Services : ⚡ 🛏 ≈ ≈ laverie 🚿 🚿

GPS E : 1.27267
N : 44.95785

⚑⚑⚑ Village Vacances Les Gîtes de Combas

(pas d'emplacement tentes et caravanes)

℘ 05 53 28 64 00, www.perigordgites.com

Pour s'y rendre : lieu-dit : Les Combas (2 km au sud par la D 56, rte de Proissans)

4 ha vallonné, herbeux

Location : Permanent♿ (1 gîte) - 🅿 - 24 gîtes. Nuitée 50 à 122€ - Sem. 245 à 1 525€

Joli cadre vallonné avec certains gîtes aménagés dans les anciens bâtiments de la ferme, en pierre du pays.

Nature : 🦐 ⚘
Loisirs : ❡ 🏛 🛥🚲🍴 ⬛ 🔺
Services : ⚡ 🛏 ≈ 🖥 🚿

ST-CYBRANET

24250 - Carte Michelin **329** I7 - 376 h. - alt. 78
▶ Paris 542 - Cahors 51 - Les Eyzies-de-Tayac 29 - Gourdon 21

⚑ Bel Ombrage

℘ 05 53 28 34 14, www.bel-ombrage.com

Pour s'y rendre : sur la D 50 (800 m au nord-ouest, au bord du Céou)

Ouverture : de déb. juin à déb. sept.

6 ha (180 empl.) plat, herbeux

Empl. camping : (Prix 2018) 22€ ★★ ⬌ 🅴 ⅍ (10A) - pers. suppl. 8€ 🚐 borne AireService

Uniquement des emplacements tentes ou caravanes très ombragés ; pas de locatif.

Nature : 🦐 ⬠ 00 ⚑
Loisirs : 🏛 🛥🍴 ⬛ 🔺
Services : ⚡ ≈ laverie
À prox. : ✕

GPS E : 1.16244
N : 44.79082

ST-ÉMILION

33330 - Carte Michelin **335** K5 - 2 005 h. - alt. 30
▶ Paris 584 - Bergerac 58 - Bordeaux 40 - Langon 49

⚑⚑⚑ Yelloh! Saint-Émilion ▲▲

℘ 05 57 24 75 80, www.camping-saint-emilion.com

Pour s'y rendre : lieu-dit : Les Combes (3 km au nord par D 122, rte de Lussac et rte à dr. - traversée de St-Émilion interdite aux caravanes et camping-cars)

Ouverture : de fin avr. à mi-sept.

4,5 ha (183 empl.) plat, herbeux

Empl. camping : 45€ ★★ ⬌ 🅴 ⅍ (10A) - pers. suppl. 9€

Location : (de fin avr. à mi-sept.) - 78 🚐 - 1 chalet flottant - 5 mobile homes (sans sanitaire). Nuitée 33 à 217€ - Sem. 231 à 1 519€

🚐 borne eurorelais 5€

Cadre agréable avec le petit lac et le bar-caveau, idéal pour déguster les vins locaux. Navette gratuite pour St-Émilion.

Nature : 🐾 � 99
Loisirs : 🍴✕ 🏠 🏃 🤼 🚴 �% 🖥 🛶 🟦
🪁🦆 pédalos
Services : 🔌🚐⛳📶 laverie ⚰️ 🧺

GPS : W : 0.14241 N : 44.91675

ST-ÉTIENNE-DE-BAIGORRY

64430 - Carte Michelin **342** D3 - 1 618 h. - alt. 163
▶ Paris 820 - Bordeaux 241 - Pau 160 - Pamplona 69

⚠ Municipal l'Irouleguy

📞 05 59 37 43 96, camping.baigorri@orange.fr

Pour s'y rendre : quartier Borciriette (sortie nord-est par D 15, rte de St-Jean-Pied-de-Port et chemin à gauche derrière la coopérative du vin Irouléguy, au bord de la Nive)

Ouverture : de mi-mars à fin nov.

1,5 ha (67 empl.) plat, herbeux

Empl. camping : 14€ ♥♥ 🚐 🔲 🔌 (6A) - pers. suppl. 4€

🚱 borne artisanale
Cadre verdoyant en partie bordé par la rivière.

Nature : 🐾 99
Loisirs : 🏃🎯
Services : 🔌🚐⛳📶 🟦
À prox. : 🍷🍴✕🛶💥

GPS : W : 1.33551 N : 43.18386

Avant de vous installer, consultez les tarifs en cours, affichés obligatoirement à l'entrée du terrain, et renseignez-vous sur les conditions particulières de séjour. Les indications portées dans le guide ont pu être modifiées depuis la mise à jour.

ST-ÉTIENNE-DE-VILLERÉAL

47210 - Carte Michelin **336** G2 - 302 h. - alt. 130
▶ Paris 577 - Agen 59 - Bordeaux 129 - Périgueux 84

🏔 Les Ormes 🧍👶

📞 05 53 36 60 26, www.laparenthesecampinglesormes.com

Pour s'y rendre : lieu-dit : Fauquié Haut (1 km au sud)

Ouverture : de fin mai à fin sept.

4 ha (144 empl.) vallonné, peu incliné, plat, herbeux, pierreux, étang, bois

Empl. camping : 36€ ♥♥ 🚐 🔲 🔌 (10A) - pers. suppl. 9€ - frais de réservation 20€

Location : (de fin mai à fin sept.) - 4 🏠 - 2 chalets sur pilotis - 10 bungalows toilés - 45 tentes lodges - 1 studio - 1 cabane flottante. Nuitée 30 à 205€ - Sem. 200 à 1 435€ - frais de réservation 20€

Camping atypique pour le locatif qui s'oriente vers le "glamping".

Nature : 🐾
Loisirs : 🍴✕🏠 🏃🤼🚴💥🛶🟦
mini ferme
Services : 🔌🚐⛳📶 laverie 🧺

GPS : E : 0.76241 N : 44.61017

ST-GENIÈS

24590 - Carte Michelin **329** I6 - 941 h. - alt. 232
▶ Paris 515 - Brive-la-Gaillarde 41 - Les Eyzies-de-Tayac 29 - Montignac 13

🏔 La Bouquerie 🧍👶

📞 05 53 28 98 22, www.labouquerie.com - peu d'emplacements pour tentes et caravanes

Pour s'y rendre : 1,5 km au nord-ouest par D 704, rte de Montignac et chemin à dr.

Ouverture : de fin juin à déb. sept.

8 ha/4 campables (197 empl.) en terrasses, peu incliné, plat, herbeux, pierreux, étang

Empl. camping : (Prix 2018) ♥ 12€ 🚐 🔲 18€ 🔌 (10A)

Location : (Prix 2018) Permanent♿ (1 mobile home) - 90 🚐 - 50 🏠. Sem. 300 à 1 150€

🚱 borne artisanale
Emplacements bien ombragés et bon confort locatif près d'un petit étang.

Nature : 🐾 ⌐ 99
Loisirs : 🍴✕🏠 🎯🏃🛶🤼💥🖥🛶🟦
🪁🦆 paintball terrain multisports
Services : 🔌🚐🚿⛳ - 3 sanitaires individuels
(🚽 wc) ⚰️⛳📶 laverie ⚰️ 🧺

GPS : E : 1.24594 N : 44.99892

*Créez votre voyage sur **voyages.michelin.fr***

ST-GIRONS-PLAGE

40560 - Carte Michelin **335** C11
▶ Paris 728 - Bordeaux 142 - Mont-de-Marsan 79 - Bayonne 73

🏔 "C'est si bon" Eurosol 🧍👶

📞 05 58 47 90 14, www.camping-eurosol.com

Pour s'y rendre : rte de la Plage (350 m de la plage)

Ouverture : de mi-mai à mi-sept.

33 ha/18 campables (510 empl.) vallonné, peu incliné, plat, herbeux, sablonneux

Empl. camping : 43€ ♥♥ 🚐 🔲 🔌 (10A) - pers. suppl. 8€ - frais de réservation 25€

Location : (de mi-mai à mi-sept.) - 💥 - 🅿 - 77 🚐 - 29 🏠 - 29 tentes lodges - 4 tentes sur pilotis - 8 cabanons. Nuitée 55 à 250€ - Sem. 349 à 1 750€ - frais de réservation 25€

🚱 borne artisanale
Locatif varié et beaux emplacements sous une jolie pinède.

Nature : 🐾 99
Loisirs : 🍴✕🏠 🏃🤼🚴💥🖥🛶🟦
terrain multisports
Services : 🔌⛳📶 laverie 🛒🧺
À prox. : 🏇

GPS : W : 1.35162 N : 43.95158

Campéole — NOS CAMPINGS EN AQUITAINE — campeole.com

LES TOURTERELLES ★ ★ ★

Une forêt de pins et 2 accès directs à l'océan

Emplacements campeurs, chalets, mobil-homes, Lodges.
2 espaces aquatiques chauffés, spa. Destination idéale pour les familles et pour les amateurs de surf, skim ou bodyboard.

Route de la Plage - 40560 Saint-Girons Plage
+33 (0)5 58 47 93 12 - tourterelles@campeole.com

ONDRES-PLAGE ★ ★ ★

L'effet tonifiant de l'océan à 200 m seulement

Emplacements campeurs, bungalow toilés, mobil-homes.
Piscine chauffée, restaurant, animations en juillet/août. Site idéal pour la pratique du surf.

2511 Route de la Plage - 40440 Ondres
+33 (0)5 59 45 31 48 - ondres@campeole.com

ᨓᨓᨓ Campéole les Tourterelles ♔♟

✆ 05 58 47 93 12, www.campeole.com/camping/post/les-tourterelles-vielle-saint-girons

Pour s'y rendre : rte de la Plage (5,2 km à l'ouest par D 42, à 300 m de l'océan -accès direct)

Ouverture : de fin mars à fin sept.

18 ha (822 empl.) vallonné, peu incliné, plat, sablonneux

Empl. camping : (Prix 2018) 41€ ✶✶ 🚗 ▣ (½) (10A) - pers. suppl. 10€

Location : (Prix 2018) (de fin mars à fin sept.) - ♿ (2 mobile homes) - 136 ⛺ - 20 🏠 - 94 bungalows toilés - 21 tentes lodges. Nuitée 34 à 201€ - Sem. 238 à 1 407€

🚐 borne AireService 3€ - 49 ▣ 15€

Emplacements sous une jolie pinède. Accueil de groupes de jeunes surfeurs.

Nature : ♤♤
Loisirs : 🎮 🏓 🚣 🚴 🏊 terrain multisports
Services : 🔌 🛒 ♨ 🛜 laverie 🧺 🔒 cases réfrigérées
GPS W : 1.35691 N : 43.95439

ST-JEAN-DE-LUZ

64500 - Carte Michelin **342** C2 - 12 967 h. - alt. 3
▶ Paris 785 - Bayonne 24 - Biarritz 18 - Pau 129

ᨓᨓᨓ Club Airotel Itsas Mendi

✆ 05 59 26 56 50, www.itsas-mendi.com

Pour s'y rendre : quartier Acotz, chemin Duhartia (5 km au nord-est, à 500 m de la plage)

Ouverture : Permanent

8,5 ha (475 empl.) en terrasses, plat et peu incliné, herbeux

Empl. camping : (Prix 2018) 21€ ✶✶ 🚗 ▣ (½) (10A) - pers. suppl. 5€ - frais de réservation 20€

Location : (Prix 2018) Permanent ♿ (1 mobile home) - ✂️ - 163 ⛺. Nuitée 45 à 88€ - Sem. 250 à 490€ - frais de réservation 20€

Espace verdoyant en terrasse, avec la moitié des emplacements pour les mobile homes.

Nature : ♤♤
Loisirs : 🍽 ✗ 🎮 🏓 🚣 jacuzzi 🏊 🏓 🏊 🚣 école de surf terrain multisports
Services : 🔌 🛒 🛜 laverie 🧺 🔒 cases réfrigérées
GPS W : 1.61726 N : 43.41347

ᨓᨓᨓ Flower La Ferme Erromardie ♔♟

✆ 05 59 26 34 26, www.camping-erromardie.com

Pour s'y rendre : 40 chemin Erromardie (1,8 km au nord-est, près de la plage)

Ouverture : de mi-mars à déb. oct.

2 ha (176 empl.) plat, herbeux

Empl. camping : 43€ ✶✶ 🚗 ▣ (½) (16A) - pers. suppl. 8€ - frais de réservation 19€

Location : (Prix 2018) (de mi-mars à déb. oct.) - ♿ (1 mobile home) - 45 ⛺ - 2 🏠 - 2 tentes lodges. Nuitée 40 à 182€ - Sem. 196 à 1 274€ - frais de réservation 19€

🚐 borne artisanale - 🚐 (½)20€

En trois parties distinctes pratiquement le long de la plage, avec une jolie pataugeoire ludique près de la piscine.

Nature : 🌳 🚂 ♤♤
Loisirs : 🍽 ✗ 🎮 🏓 🚣 🏊 (découverte en saison)
Services : 🔌 🛒 🛜 laverie 🧺 🔒
GPS W : 1.64202 N : 43.40564

*Avant de prendre la route, consultez **www.viamichelin.fr** : votre meilleur itinéraire, le choix de votre hôtel, restaurant, des propositions de visites touristiques.*

⚲ Atlantica ♠♣

✆ 05 59 47 72 44, www.atlantica.cielavillage.fr

Pour s'y rendre : quartier Acotz, chemin Miquélénia (5 km au nord-est, à 500 m de la plage)

Ouverture : de déb. avr. à fin sept.

3,5 ha (200 empl.) en terrasses, plat, herbeux

Empl. camping : 44€ ♦♦ ⇔ 回 ⚡ (6A) - pers. suppl. 11€ - frais de réservation 18€

Location : (de déb. avr. à fin sept.) - 100 ⌷ - 10 ⌂ - 15 tentes lodges - 9 tentes sur pilotis. Nuitée 34 à 184€ - Sem. 238 à 1 288€ - frais de réservation 25€

Cadre verdoyant en terrasse, avec nombreux locatifs variés en modèles et confort.

	GPS
Nature : 🏕 ♋♋ **Loisirs :** ♈ ✕ 🏠 ⛵ ≋ jacuzzi ⛹ ⛷ terrain multisports **Services :** ⟜ ⚐ ⚒ ♒ ⑬ 🔲 ⚖ cases réfrigérées	W : 1.61688 N : 43.41525

⚲ Les Tamaris-Plage

Camping Tamaris Plage

✆ 05 59 26 55 90, www.tamaris-plage.com

Pour s'y rendre : quartier Acotz, 720 rte de Plages (5 km au nord-est, à 80 m de la plage)

Ouverture : de déb. avr. à déb. nov.

1,5 ha (79 empl.) plat et peu incliné, herbeux

Empl. camping : (Prix 2018) 25€ ♦♦ ⇔ 回 ⚡ (7A) - pers. suppl. 9€ - frais de réservation 30€

Location : (Prix 2018) (de déb. avr. à déb. nov.) - 47 ⌷ - 4 studios. Nuitée 72 à 163€ - Sem. 504 à 1 143€ - frais de réservation 30€

Belle pelouse parfois ombragée autour d'une agréable piscine. Bon confort sanitaire.

	GPS
Nature : 🌊 🏕 ♋ **Loisirs :** 🏠 ≋ hammam jacuzzi ⛷ 🔲 (découverte en saison) **Services :** ⟜ 🔲 ⚖ ⚒ ♒ laverie **À prox. :** ⚖ ♈ ✕ ⚖ ⛰ surf	W : 1.62387 N : 43.41804

⚲ Inter-Plages

✆ 05 59 26 56 94, www.campinginterplages.com

Pour s'y rendre : quartier Acotz, 305 rte des Plages (5 km au nord-est, à 150 m de la plage (accès direct))

Ouverture : de déb. avr. à fin sept.

2,5 ha (91 empl.) peu incliné, plat, herbeux

Empl. camping : (Prix 2018) 44€ ♦♦ ⇔ 回 ⚡ (10A) - pers. suppl. 9€ - frais de réservation 20€

Location : (Prix 2018) (de déb. avr. à fin sept.) - 🚫 - 21 ⌷ - 5 ⌂. Nuitée 46 à 120€ - Sem. 220 à 820€ - frais de réservation 20€

🚐 borne artisanale 5€ - 1 回 37€

Belle situation surplombant l'océan. Accès direct à la plage par un escalier.

	GPS
Nature : 🌊 ≤ Océan 🏕 ♋♋ **Loisirs :** 🏠 ⛷ 🚲 🔲 **Services :** ⟜ 🛒 ⚖ ⚒ ♒ laverie **À prox. :** ⚖ ♈ ✕ ⚖ ⛰ surf	W : 1.62667 N : 43.41527

⚲ Merko-Lacarra

✆ 05 59 26 56 76, www.merkolacarra.com

Pour s'y rendre : quartier Acotz, 820 rte des Plages (5 km au nord-est, à 150 m de la plage d'Acotz)

Ouverture : de déb. avr. à fin sept.

2 ha (123 empl.) en terrasses, peu incliné, plat, herbeux

Empl. camping : 37€ ♦♦ ⇔ 回 ⚡ (16A) - pers. suppl. 10€ - frais de réservation 16€

Location : (de déb. avr. à fin sept.) - 🚫 - 27 ⌷. Nuitée 55 à 117€ - Sem. 315 à 819€ - frais de réservation 20€

🚐 borne raclet 6€

Accueil charmant, un confort sanitaire de qualité et tout proche de la plage de Mayarco.

	GPS
Nature : ♋ **Loisirs :** ✕ ⛷ **Services :** ⟜ 🔲 ⚖ ♒ laverie ⚖ **À prox. :** ⚖ ♈ ⛰ surf	W : 1.62366 N : 43.41855

⚲ Duna Munguy

(pas d'emplacement tentes et caravanes)

✆ 05 59 47 70 70, www.camping-dunamunguy.com

Pour s'y rendre : quartier Acotz, 881 chemin Duhartia

1 ha plat, herbeux

Location : (de déb. avr. à mi-oct.) - 31 ⌷ - 3 appartements. Nuitée 54 à 137€ - Sem. 294 à 959€ - frais de réservation 19€

Petits emplacements bien entretenus, proches de l'océan.

	GPS
Nature : 🌊 🏕 ♋ **Loisirs :** 🏠 ⛷ 🔲 (découverte en saison) **Services :** ⟜ 🔲 ♒ laverie	W : 1.62096 N : 43.41848

⚲ Le Bord de Mer

✆ 05 59 26 24 61, www.camping-le-bord-de-mer.fr

Pour s'y rendre : 71 chemin d'Erromardie (1,8 km au nord-est)

Ouverture : de déb. avr. à déb. nov.

2 ha (62 empl.) en terrasses, peu incliné, plat, herbeux

Empl. camping : 37€ ♦♦ ⇔ 回 ⚡ (10A) - pers. suppl. 10€ - frais de réservation 15€

Seul le petit sentier du littoral vous sépare de la falaise et de la plage.

	GPS
Nature : 🌊 ≤ l'océan et la Rhune 🏕 ♋ **Loisirs :** ✕ **Services :** ⟜ 🛒 ⚖ ♒ laverie **À prox. :** ⚖ ♈ ⚖	W : 1.64155 N : 43.40678

ST-JEAN-PIED-DE-PORT

64220 - Carte Michelin **342** E4 - 1 477 h. - alt. 159
▸ Paris 817 - Bayonne 54 - Biarritz 55 - Dax 105

🏔 Narbaïtz Vacances

𝄞 05 59 37 10 13, www.camping-narbaitz.com

Pour s'y rendre : à Ascarat (2.5 km au nord-ouest par D 918, rte de Bayonne et à gauche, à 50 m de la Nive et au bord d'un ruisseau)

Ouverture : de déb. avr. à mi-sept.

3,2 ha (101 empl.) plat et peu incliné, herbeux

Empl. camping : (Prix 2018) 40€ ✶✶ ⬤ 🄴 🄷 (10A) - pers. suppl. 7€ - frais de réservation 20€

Location : (Prix 2018) Permanent✂ - 12 🚐 - 2 🏠 - 3 gîtes. Sem. 300 à 1 235€ - frais de réservation 20€

🚰 borne artisanale

Vue imprenable sur le vignoble d'Irouléguy avec locatif chalets de grand confort. Préférer les emplacements les plus éloignés de la route.

Nature : ≤ ♤♤	
Loisirs : 🄴 🛶 ⴵ tyrolienne	**GPS** W : 1.25911
Services : ⚷ 🏢 ⌇ ⌇ 🚿 ☎ laverie ♨	N : 43.17835
À prox. : 🎣	

🏔 Europ'Camping

𝄞 05 59 37 12 78, www.europ-camping.com

Pour s'y rendre : à Ascarat (2 km au nord-ouest par D 918, rte de Bayonne et chemin à gauche)

Ouverture : de mi-avr. à fin sept.

2 ha (111 empl.) peu incliné, plat, herbeux

Empl. camping : (Prix 2018) 39€ ✶✶ ⬤ 🄴 🄷 (10A) - pers. suppl. 7€ - frais de réservation 22€

Location : (Prix 2018) (de mi-avr. à mi-sept.) - 46 🚐. Nuitée 60 à 270€ - Sem. 270 à 930€ - frais de réservation 22€

Jolie vue sur le vignoble d'Irouléguy. Emplacements très bien entretenus.

Nature : 🐟 ≤ ♤♤	
Loisirs : 🍴 ✗ 🄴 🛒 ⴵ	**GPS** W : 1.25398
Services : ⚷ ⌇ 🚿 ☎ laverie ♨	N : 43.17279
À prox. : 🎣	

Gebruik de gids van het lopende jaar.

ST-JULIEN-EN-BORN

40170 - Carte Michelin **335** D10 - 1 450 h. - alt. 22
▸ Paris 706 - Castets 23 - Dax 43 - Mimizan 18

🏔 Siblu Villages La Lette Fleurie

𝄞 05 58 58 52 60, www.camping-municipal-plage.com

Pour s'y rendre : lieu-dit : La Lette, rte de l'Océan (4 km au nord-ouest par D 41, rte de Contis-Plage)

8,5 ha (457 empl.) vallonné, plat, sablonneux

Location : - 60 🚐.

Emplacements à l'ombre d'une jolie pinède et un confort sanitaire simple. Nombreux mobile homes de propriétaires-résidents.

Nature : 🐟 ♤♤	
Loisirs : 🍴 ✗ 🄴 🛒 ✳ ⴵ	**GPS** W : 1.26173
Services : ⚷ ⌇ ☎ laverie 🏢 ♨ cases réfrigérées	N : 44.08139

🏕 Municipal La Passerelle

𝄞 05 58 42 80 18, www.camping-municipal-bourg.com

Pour s'y rendre : 811 rte des Lacs (sortie Nord par D 652, rte de Mimizan, près d'un ruisseau)

2 ha (123 empl.) plat, sablonneux, herbeux

🚰 borne raclet - 11 🄴

Emplacements légèrement ombragés. Proche du bourg et des commerces.

Nature : 🐟 ♤♤	
Loisirs : 🄴 🛒	**GPS** W : 1.22951
Services : ⚷ 🏢	N : 44.06843
À prox. : canoë, surf	

ST-JUSTIN

40240 - Carte Michelin **335** J11 - 922 h. - alt. 90
▸ Paris 694 - Barbotan-les-Thermes 19 - Captieux 41 - Labrit 31

🏔 Le Pin

𝄞 05 58 44 88 91, www.campinglepin.com

Pour s'y rendre : rte de Roquefort (2,3 km au nord sur D 626)

Ouverture : de déb. mars à fin nov.

3 ha (80 empl.) plat, herbeux, sablonneux

Empl. camping : (Prix 2018) 23€ ✶✶ ⬤ 🄴 🄷 (16A) - pers. suppl. 5€

Location : (Prix 2018) Permanent - 10 🚐 - 11 🏠. Nuitée 45 à 90€ - Sem. 200 à 795€

🚰 borne artisanale - 🔋 🄷11€

Préférer les emplacements bien ombragés les plus éloignés de la route, près d'un petit étang dédié à la pêche.

Nature : ♤♤	
Loisirs : 🍴 ✗ 🛒 ⴵ 🎣	**GPS** W : 0.23468
Services : ⚷ ⌇ ☎ laverie ♨	N : 44.00188

Geef ons uw mening over de kampeerterreinen die wij aanbevelen. Schrijf ons over uw ervaringen en ontdekkingen.

ST-LAURENT-MEDOC

33112 - Carte Michelin **335** G4 - 4 054 h. - alt. 6
▸ Paris 603 - Bordeaux 45 - Mérignac 41 - Pessac 48

🏔 Le Paradis 🚹🚹

𝄞 05 56 59 42 15, www.leparadis-medoc.com

Pour s'y rendre : lieu-dit : Fourthon (2,5 km au nord par la D 1215, rte de Lesparre)

Ouverture : de fin avr. à mi-sept.

3 ha (70 empl.) plat, herbeux

Empl. camping : 32€ ✶✶ ⬤ 🄴 🄷 (10A) - pers. suppl. 11€ - frais de réservation 15€

Location : (de mi-avr. à mi-sept.) - ♿ (1 mobile home) - 33 🚐 - 4 🏠. Nuitée 90 à 260€ - Sem. 260 à 570€ - frais de réservation 15€

Nombreux locatifs variés en modèles et en confort.

Nature : 🌳 ♤♤	
Loisirs : 🍴 ✗ 🛒 ⴵ 🄴 (découverte en saison) ⛱ terrain multisports	**GPS** W : 0.83995
Services : ⚷ 🚿 ☎ laverie ♨	N : 45.17495

ST-LÉON-SUR-VÉZÈRE

24290 - Carte Michelin **329** H5 - 428 h. - alt. 70
▶ Paris 523 - Brive-la-Gaillarde 48 - Les Eyzies-de-Tayac 16 - Montignac 10

⚠ Le Paradis ▲▲

✆ 05 53 50 72 64, www.le-paradis.fr

Pour s'y rendre : lieu-dit : La Rebeyrolle (4 km au sud-ouest par D 706, rte des Eyzies-de-Tayac, au bord de la Vézère)

Ouverture : de déb. avr. à mi-oct.

7 ha (200 empl.) plat, herbeux

Empl. camping : (Prix 2018) 41€ ★★ ⛺ 🔌 (10A) - pers. suppl. 10€

Location : (Prix 2018) (de déb. avr. à mi-oct.) - ♿ (1 mobile home) - 44 🚐 - 5 tentes lodges - 3 maisons. Nuitée 52 à 234€ - Sem. 364 à 1 638€

🚽 borne artisanale 2€

Installations de qualité et locatif de grand confort autour d'une ancienne ferme joliment restaurée.

Nature : 🌳 🏕 ♋♋
Loisirs : 🍴✕ 🏛 🎣 🚴 centre balnéo 🛶 hammam jacuzzi 🚴🚵 location voiture élec terrain multisports
Services : 🔌🛒 🏛 👔 🚿 📶 laverie 🔋

	E : 1.0712
G P S	N : 45.00161

Benutzen Sie den Hotelführer des laufenden Jahres.

ST-MARTIN-DE-SEIGNANX

40390 - Carte Michelin **335** C13 - 4 724 h. - alt. 57
▶ Paris 766 - Bayonne 11 - Capbreton 15 - Dax 42

⚠ Sites et Paysages Lou P'tit Poun ▲▲

✆ 05 59 56 55 79, www.louptitpoun.com

Pour s'y rendre : 110 av. du Quartier Neuf (4,7 km au sud-ouest par N 117, rte de Bayonne et un chemin à gauche)

Ouverture : de mi-mai à mi-sept.

6,5 ha (168 empl.) en terrasses, plat et peu incliné, herbeux

Empl. camping : 39€ ★★ ⛺ 🔌 (10A) - pers. suppl. 9€ - frais de réservation 30€

Location : (de mi-mai à mi-sept.) - 🌿 - 10 🚐 - 16 🏠. Nuitée 75 à 132€ - Sem. 525 à 924€ - frais de réservation 30€

🚽 borne artisanale 7€ - 🚐 🔌 17€

Belle décoration arbustive et florale.

Nature : 🏕 ♋♋
Loisirs : 🏛 🚴 🛶 🏊
Services : 🔌🛒 👔 🚿 📶 laverie 🔋

	W : 1.41195
G P S	N : 43.52437

ST-PAUL-LES-DAX

40990 - Carte Michelin **335** E12 - 12 343 h. - alt. 21
▶ Paris 731 - Bordeaux 152 - Mont-de-Marsan 53 - Pau 89

⚠ Les Pins du Soleil ▲▲

✆ 05 58 91 37 91, www.pinsoleil.com

Pour s'y rendre : rte des Minières (5,8 km au nord-ouest par N 124, rte de Bayonne et à gauche par D 459)

Ouverture : de déb. avr. à fin oct.

6 ha (145 empl.) plat et peu incliné, sablonneux, herbeux

Empl. camping : (Prix 2018) 25€ ★★ ⛺ 🔌 (10A) - pers. suppl. 6€ - frais de réservation 10€

Location : (Prix 2018) (de déb. avr. à fin oct.) - ♿ (1 chalet) - 31 🚐 - 10 🏠 - 4 bungalows toilés. Sem. 350 à 795€ - frais de réservation 10€

🚽 borne artisanale

Emplacements bien ombragés avec du locatif neuf ou plus ancien.

Nature : 🏕 ♋♋
Loisirs : 🍴✕ 🏛 🚴 🎣 jacuzzi 🚴 🏊
Services : 🔌🛒 👔 🚿 🚽 📶 laverie 🔋

	W : 1.09373
G P S	N : 43.72029

⚠ L'Étang d'Ardy

✆ 05 58 97 57 74, www.camping-ardy.com

Pour s'y rendre : allée d'Ardy (5,5 km au nord-ouest par N 124, rte de Bayonne puis av. la bretelle de raccordement, 1,7 km par chemin à gauche)

Ouverture : de déb. avr. à fin oct.

5 ha/3 campables (102 empl.) plat, herbeux, sablonneux

Empl. camping : (Prix 2018) 17€ ★★ ⛺ 🔌 (10A) - pers. suppl. 5€

Location : (Prix 2018) (de déb. avr. à fin oct.) - 29 🚐 - 7 🏠 - 1 tente lodge - 2 cabanons. Nuitée 42 à 82€ - Sem. 175 à 464€

Emplacements bien ombragés avec sanitaires individuels de confort simple autour d'un grand étang.

Nature : 🏞 🏕 ♋♋
Loisirs : ✕ jacuzzi 🏊 🎣
Services : 🔌 – 53 sanitaires individuels (🚿👔 wc) 👔 🚿 📶 laverie 🔋

	W : 1.12256
G P S	N : 43.72643

⚠ Abesses

✆ 05 58 91 65 34, www.thermes-dax.com

Pour s'y rendre : allée du Château (7,5 km au nord-ouest par rte de Bayonne, D 16 à dr. et chemin d'Abesse)

Ouverture : de mi-mars à mi-oct.

4 ha (142 empl.) plat, herbeux, sablonneux, petit étang

Empl. camping : (Prix 2018) 19€ ★★ ⛺ 🔌 (16A) - pers. suppl. 5€

Location : (Prix 2018) (de mi-mars à fin oct.) - ♿ (1 mobile home) - 52 🚐 - 4 studios. Nuitée 55 à 70€ - Sem. 350 à 465€

🚽 borne artisanale

Terrain tout en longueur, au milieu de la forêt avec de beaux emplacements. Locatif correct (20 nuits minimum).

Nature : 🏞 🏕 ♋♋
Loisirs : 🏛
Services : 🔌🛒 🏛 🚿 📶 laverie
À prox. : 🎣

	W : 1.09715
G P S	N : 43.74216

ST-PÉE-SUR-NIVELLE

64310 - Carte Michelin **342** C2 - 5 550 h. - alt. 30
▶ Paris 785 - Bayonne 22 - Biarritz 17 - Cambo-les-Bains 17

⛰ Goyetchea ♨

📞 05 59 54 19 59, www.camping-goyetchea.com

Pour s'y rendre : quartier Ibarron (1,8 km au nord par D 855, rte d'Ahetze et à dr.)

Ouverture : de fin mai à mi-sept.

3 ha (147 empl.) plat et peu incliné, herbeux

Empl. camping : (Prix 2018) 31€ ♛ ♙ 🚐 ▣ ⚡ (10A) - pers. suppl. 6€ - frais de réservation 13€

Location : (Prix 2018) (de déb. mai à mi-sept.) - 🚫 - 37 🛖 - 6 tentes lodges - 2 tentes sur pilotis. Nuitée 40 à 138€ - Sem. 180 à 970€ - frais de réservation 13€

Vue sur de jolies maisons basques et la Rhune.

Nature : 🌊 ≤ ♤♤		**G**	W : 1.56683
Loisirs : ✕ 🏠 🛝 🏕 🛶 ∿		**P**	N : 43.36275
Services : ⚡ 🛠 🛆 �📶 laverie 🧺 réfrigérateurs		**S**	

⛰ Ibarron

📞 05 59 54 10 43, www.camping-ibarron.com

Pour s'y rendre : quartier Ibarron (2 km, sortie ouest, sur la D 918, rte de St-Jean-de-Luz, près de la Nivelle)

Ouverture : de fin avr. à fin sept.

2,9 ha (142 empl.) plat, herbeux

Empl. camping : (Prix 2018) 29€ ♛ ♙ 🚐 ▣ ⚡ (6A) - pers. suppl. 6€ - frais de réservation 12€

Location : (Prix 2018) (de fin avr. à fin sept.) - 🚫 - 22 🛖. Sem. 250 à 695€ - frais de réservation 12€

🛒 borne artisanale 5€ - 40 ▣ 29€

Préférer les emplacements les plus éloignés de la route.

Nature : 🔲 ♤♤		**G**	W : 1.5749
Loisirs : 🏠 🏕 🛶 ∿		**P**	N : 43.3576
Services : ⚡ �📶 laverie		**S**	
À prox. : 🛒 ♙ ✕ 🚲			

To visit a town or region : use the MICHELIN Green Guides.

ST-RÉMY

24700 - Carte Michelin **329** C6 - 432 h. - alt. 80
▶ Paris 542 - Bergerac 33 - Libourne 46 - Montpon-Ménestérol 10

⛰ Les Cottages en Périgord

(pas d'emplacement tentes et caravanes)

📞 05 53 80 59 46, www.cottagesenperigord.com

Pour s'y rendre : lieu-dit : Les Pommiers (au nord rte de Montpon-Ménestérol par la D 708)

7 ha/1 campable plat, petit étang, bois attenant

Location : (de mi-janv. à mi-déc.) - ♿ (1 chalet) - 8 🏡. Nuitée 80 à 100€ - Sem. 250 à 680€ - frais de réservation 10€

Vrais chalets et roulottes en bois autour du petit étang.

Nature : 🌊 ♤♤		**G**	E : 0.16333
Loisirs : 🏠 ♒ jacuzzi 🛶 ∿		**P**	N : 44.96024
Services : ⚡ 🚽 �📶 laverie		**S**	

ST-SAUD-LACOUSSIÈRE

24470 - Carte Michelin **329** F2 - 864 h. - alt. 370
▶ Paris 443 - Brive-la-Gaillarde 105 - Châlus 23 - Limoges 57

⛰ "C'est si bon" Château Le Verdoyer ♨

📞 05 53 56 94 64, www.verdoyer.fr

Pour s'y rendre : 2,5 km au nord-ouest par D 79, rte de Nontron et D 96, rte d'Abjat-sur-Bandiat, près d'étangs

Ouverture : de fin avr. à fin sept.

15 ha/5 campables (186 empl.) en terrasses, vallonné, peu incliné, plat, herbeux, pierreux, étang

Empl. camping : 42€ ♙ ♙ 🚐 ▣ ⚡ (10A) - pers. suppl. 7€ - frais de réservation 20€

Location : (de fin avr. à fin sept.) - ♿ (1 mobile home) - 25 🛖 - 20 🏡 - 5 🏠 - 2 tentes lodges. Nuitée 90 à 115€ - Sem. 270 à 805€ - frais de réservation 20€

🛒 borne artisanale

Cadre boisé autour du château et de ses dépendances aménagées en bar, restaurant et espaces d'animations.

Nature : 🌊 🔲 ♨♨			
Loisirs : ♙ ✕ 🏠 ⛵ 🏕 🛶 🚲 ✂ 🔲 🛶 ∿		**G**	E : 0.79595
Services : ⚡ 🛆 – 14 sanitaires individuels (🚿♿ wc) 🧺 🚽 �📶 laverie 🧺 réfrigérateurs		**P**	N : 45.55133
À prox. : 🏖 (plage)		**S**	

Utilisez le guide de l'année.

ST-VINCENT-DE-COSSE

24220 - Carte Michelin **329** H6 - 374 h. - alt. 80
▶ Paris 540 - Bergerac 61 - Brive-la-Gaillarde 65 - Fumel 58

⛰ Le Tiradou

📞 05 53 30 30 73, www.camping-le-tiradou.com

Pour s'y rendre : lieu-dit : Larrit (500 m au sud-ouest du bourg, au bord d'un ruisseau)

Ouverture : de déb. mai à mi-sept.

2 ha (66 empl.) plat, herbeux

Empl. camping : ♙ 7€ 🚐 ▣ 9€ – ⚡ (10A) 4€ - frais de réservation 10€

Location : (de déb. mai à mi-sept.) - 26 🛖 - 5 🏡 - 4 cabanons. Sem. 250 à 800€ - frais de réservation 15€

Cadre agréable avec des jeux de qualité pour enfants.

Nature : 🔲 ♤♤			
Loisirs : ✕ 🏠 🏕 🛶		**G**	E : 1.11268
Services : ⚡ 🛆 ⚡📶 laverie 🧺		**P**	N : 44.83747
		S	

STE-EULALIE-EN-BORN

40200 - Carte Michelin **335** D9 - 1 116 h. - alt. 26
▶ Paris 673 - Arcachon 58 - Biscarrosse 98 - Mimizan 11

⛰ Les Bruyères

📞 05 58 09 73 36, www.camping-les-bruyeres.com

Pour s'y rendre : 719 rte de Laffont (2,5 km au nord par D 652)

Ouverture : de fin avr. à fin sept.

3 ha (177 empl.) plat, herbeux, sablonneux

Empl. camping : 35€ ♛ ♙ 🚐 ▣ ⚡ (6A) - pers. suppl. 6€ - frais de réservation 16€

Campéole NOS CAMPINGS DANS LES LANDES campeole.com

PLAGE SUD ★★★	LE VIVIER ★★★	NAVARROSSE ★★★★	LE LAC DE SANGUINET ★★★
Au cœur de Biscarrosse-Plage, au plus près de l'océan	*Accès direct à la plage et aux pistes cyclables de la Vélodyssée*	*Plage du lac directe d'accès et petit port landais*	*Le lac de Sanguinet, un trésor à partager en famille*
+33 (0)5 58 78 21 24 plagesud@campeole.com	+33 (0)5 58 78 25 76 vivier@campeole.com	+33 (0)5 58 09 84 32 navarrosse@campeole.com	+33 (0)5 58 82 70 80 lac-sanguinet@campeole.com

Location : (de fin avr. à fin sept.) - 19 🚐 - 1 🏠 - 3 yourtes - 1 cabane sur pilotis. Nuitée 25 à 139€ - Sem. 210 à 900€ - frais de réservation 16€

Produits régionaux maison à déguster et à emporter.

Nature : 🏖 🗗 ♓♓
Loisirs : 🍷 ✗ 🏓 🎯 ✂ ⛷
Services : 🔌 🚐 🚰 📶 laverie 🚲 ♿

G P S W : 1.17949 N : 44.29387

Location : (de déb. avr. à fin sept.) - 18 🚐 - 4 bungalows toilés - 2 tentes lodges. Nuitée 36 à 125€ - Sem. 180 à 875€ - frais de réservation 20€

Beaucoup d'espaces verts pour la détente et du locatif de bon confort.

Nature : 🏖 🗗 ♓♓
Loisirs : 🍷 ✗ 🏓 🎯 ⛷
Services : 🔌 🚲 📶 laverie ♿

G P S E : 1.32817 N : 44.96355

STE-FOY-LA-GRANDE

33220 - Carte Michelin **335** M5 - 2 544 h. - alt. 10
▶ Paris 555 - Bordeaux 71 - Langon 59 - Marmande 53

⚠ La Bastide

📍 05 57 46 13 84, www.camping-bastide.com

Pour s'y rendre : à Pineuilh, allée du Camping (sortie nord-est par D 130, au bord de la Dordogne)

1,2 ha (38 empl.) plat, herbeux

Location : - 10 🚐.

🚐 borne artisanale

Emplacements ombragés pour certains, dominant la Dordogne.

Nature : 🏖 🗗 ♓♓
Loisirs : 🏓 🚣 📶 laverie
Services : 🔌 📶 laverie
À prox. : 🏖

G P S E : 0.22462 N : 44.84403

SALIGNAC-EYVIGUES

24590 - Carte Michelin **329** I6 - 1 141 h. - alt. 297
▶ Paris 509 - Brive-la-Gaillarde 34 - Cahors 84 - Périgueux 70

⛰ Flower Le Temps de Vivre

📍 05 53 28 93 21, www.temps-de-vivre.com

Pour s'y rendre : lieu-dit : Malmont (1,5 km au sud par D 61 et chemin à dr.)

Ouverture : de fin avr. à fin sept.

4,5 ha (50 empl.) en terrasses, peu incliné, plat, herbeux, bois attenant

Empl. camping : 25€ 👫 🚗 🎛 🔌 (10A) - pers. suppl. 6€ - frais de réservation 10€

*De gids wordt jaarlijks bijgewerkt.
Doe als wij, vervang hem, dan blift je bij.*

SALLES

47150 - Carte Michelin **336** H2 - 314 h. - alt. 120
▶ Paris 588 - Agen 59 - Fumel 12 - Monflanquin 11

⛰ Des Bastides

📍 05 53 40 83 09, www.campingdesbastides.com

Pour s'y rendre : lieu-dit : Terre Rouge (1 km au nord-est, rte de Fumel, au croisement des D 150 et D 162)

Ouverture : de déb. avr. à fin sept.

6 ha/3 campables (105 empl.) en terrasses, plat, herbeux, bois

Empl. camping : (Prix 2018) 35€ 👫 🚗 🎛 🔌 (10A) - pers. suppl. 7€ - frais de réservation 20€

Location : (Prix 2018) (de déb. avr. à fin sept.) - 🏄 - 7 🚐 - 5 🏠 - 2 bungalows toilés - 4 tentes lodges - 1 yourte. Nuitée 47 à 153€ - Sem. 329 à 1 071€ - frais de réservation 20€

Emplacements bien ombragés avec du locatif très varié en modèles comme en confort.

Nature : 🗗 ♓♓
Loisirs : 🍷 ✗ jacuzzi 🚣 ⛷ △ terrain multisports
Services : 🔌 🖥 🚲 – 2 sanitaires individuels (🚿🚽 wc) 📶 laverie ♿

G P S E : 0.88161 N : 44.55263

SANGUINET

40460 - Carte Michelin **335** E8 - 3 133 h. - alt. 24
▶ Paris 643 - Arcachon 27 - Belin-Béliet 26 - Biscarrosse 120

⌂⌂⌂ Campéole Le lac de Sanguinet ⚇

☏ 05 58 82 70 80, www.campeole.com/camping/post/le-lac-de-sanguinet-sanguinet

Pour s'y rendre : 526 r. de Pinton (1,6 km à l'ouest, près du lac)

Ouverture : de fin mars à fin sept.

9 ha (389 empl.) plat, herbeux, sablonneux

Empl. camping : (Prix 2018) 39€ ♛♛ ⇔ 🅴 (10A) - pers. suppl. 10€

Location : (Prix 2018) (de fin mars à fin sept.) - 🅰 (1 mobile home) - 68 🚐 - 20 🏠 - 55 bungalows toilés. Nuitée 34 à 198€ - Sem. 238 à 1 386€

🅿 borne AireService

Locatifs nombreux, variés et emplacements tout près du lac.

Nature : 🏖 ⟋⟋ ᎤᎤ		
Loisirs : 🍴✗ 🏠 🗔 🏃 🎿 🛶	**GPS**	W : 1.09278
Services : ⟜ 🛢 🔁 ☂ laverie 🛁		N : 44.48028
À prox. : 🌊 (plage) 🚿 🤿 💧 pédalos		

Utilisez le guide de l'année.

SARE

64310 - Carte Michelin **342** C3 - 2 434 h. - alt. 70
▶ Paris 794 - Biarritz 26 - Cambo-les-Bains 19 - Pau 138

⌂⌂⌂ La Petite Rhune

☏ 05 59 54 23 97, www.lapetiterhune.com - peu d'emplacements pour tentes et caravanes

Pour s'y rendre : quartier Lehenbiscaye (2 km au sud par rte reliant D 406 et D 306)

Ouverture : de mi-juin à mi-sept.

1,5 ha (39 empl.) en terrasses, peu incliné, plat, herbeux

Empl. camping : (Prix 2018) 28€ ♛♛ ⇔ 🅴 (10A) - pers. suppl. 6€ - frais de réservation 15€

Location : (Prix 2018) Permanent 🚿 - 15 🏠 - 4 gîtes. Nuitée 40 à 99€ - Sem. 250 à 690€ - frais de réservation 15€

Petit village tout aux couleurs basques !

Nature : 🏖 ⟋ ᎤᎤ		
Loisirs : 🏠 🎿 🛶 (petite piscine) terrain multisports	**GPS**	W : 1.58771
Services : ⟜ 🚿 🛢 ☂ laverie		N : 43.30198
À prox. : 🍴✗		

SARLAT-LA-CANÉDA

24200 - Carte Michelin **329** I6 - 9 541 h. - alt. 145
▶ Paris 526 - Bergerac 74 - Brive-la-Gaillarde 52 - Cahors 60

⌂⌂⌂⌂ La Palombière ⚇

☏ 05 53 59 42 34, www.lapalombiere.fr - peu d'emplacements pour tentes et caravanes

Pour s'y rendre : à Ste-Nathalène, lieu-dit : Galmier (9 km au nord-est sur D 43 et à gauche)

Ouverture : de déb. avr. à fin sept.

8,5 ha/4 campables (177 empl.) en terrasses, peu incliné, plat, herbeux, pierreux

Empl. camping : (Prix 2018) ♛ 10€ ⇔ 🅴 14€ – (10A) 3€ - frais de réservation 25€

Location : (Prix 2018) (de déb. avr. à fin sept.) - 64 🚐 - 10 - 7 tentes lodges. Nuitée 52 à 210€ - Sem. 365 à 1 615€ - frais de réservation 25€

Agréable chênaie autour d'un joli parc aquatique en partie couvert.

Nature : 🏖 ⟋⟋ ᎤᎤ		
Loisirs : 🍴✗ 🗔 🏃 🎿 hammam jacuzzi 🐎 🚴 🎯 ⛳ 🌐 🏊 🛶	**GPS**	E : 1.29157
Services : ⟜ 🛢 🔁 ☂ 📶 laverie 🛁 🛒		N : 44.90639

⌂⌂⌂⌂ Les Castels Le Moulin du Roch ⚇

☏ 05 53 59 20 27, www.moulin-du-roch.com

Pour s'y rendre : à St-André d'Allas, sur la D 47 (10 km au nord-ouest, rte des Eyzies, au bord d'un ruisseau)

Ouverture : de déb. avr. à mi-sept.

8 ha (200 empl.) non clos, en terrasses, peu incliné, plat, herbeux, petit étang

Empl. camping : 42€ ♛♛ ⇔ 🅴 (10A) - pers. suppl. 9€ - frais de réservation 25€

Location : (Prix 2018) (de déb. avr. à mi-sept.) - 54 🚐 - 17 cabanons. Nuitée 33 à 235€ - Sem. 231 à 1 645€ - frais de réservation 16€

Emplacements autour d'un ancien moulin périgourdin, sur les rochers ou près de l'étang, mais préférer les plus éloignés de la route.

Nature : ⟋ ᎤᎤ		
Loisirs : 🍴✗ 🏠 🗔 🏃 🎿 🛶 🐟 terrain multisports	**GPS**	E : 1.11481
Services : ⟜ 🗄 🛢 🔁 ☂ 📶 laverie 🛁 🛒		N : 44.90843

⌂⌂⌂ Flower La Châtaigneraie ⚇

☏ 05 53 59 03 61, www.camping-lachataigneraie24.com

Pour s'y rendre : à Prats-de-Carlux, lieu-dit : La Garrigue Basse (10 km à l'est par la D 47 et à drte)

Ouverture : de fin avr. à mi-sept.

9 ha (193 empl.) en terrasses, plat, herbeux, sablonneux

Empl. camping : (Prix 2018) 16€ ♛♛ ⇔ 🅴 (10A) - pers. suppl. 3€ - frais de réservation 20€

Location : (Prix 2018) (de fin avr. à mi-sept.) - 62 🚐 - 10 🏠 - 1 🛏 - 5 tentes lodges - 5 cabanons. Nuitée 42 à 243€ - Sem. 196 à 1 701€ - frais de réservation 20€

🅿 borne artisanale 16€

Joli parc aquatique et ludique entouré de murets en pierre du pays et grands espaces verts propices à la détente ou les sports collectifs.

Nature : 🏖 ⟋ ᎤᎤ		
Loisirs : 🍴✗ 🏠 🗔 🏃 🎿 ⛳ 🎯 🌐 🏊 🛶	**GPS**	E : 1.29871
Services : ⟜ 🛢 🔁 ☂ 📶 laverie 🛁 🛒		N : 44.90056

⌂⌂⌂ Domaine de Loisirs le Montant ⚇

☏ 05 53 59 18 50, www.camping-sarlat.com

Pour s'y rendre : lieu-dit : Négrelat (2 km au sud-ouest par D 57, rte de Bergerac puis 2,3 km par chemin à dr.)

70 ha/8 campables (135 empl.) fort dénivelé, vallonné, en terrasses, plat, herbeux

Location : - 26 🏚 - 26 🏠 - 2 gîtes.
Locatif varié et de qualité dans un cadre sauvage, vallonné et boisé.

Nature : 🌄 ⬅ ⌂ ♨
Loisirs : 🍷 ✕ 🎱 🌙 nocturne 🏃 jacuzzi 🏊 🏐 🏓 terrain multisports
Services : 🔌 🎱 👶 🚿 📶 laverie 🧺

GPS E : 1.18903 N : 44.86573

🏕 Huttopia Sarlat ♠♣

📞 0553590584, www.huttopia.com

Pour s'y rendre : r. Jean-Gabin (1 km au nord-est, à la sortie de la ville)

Ouverture : de déb. avr. à déb. nov.

11 ha/5 campables (195 empl.) fort dénivelé, en terrasses, plat, herbeux

Empl. camping : (Prix 2018) 40€ 👫 🚐 📧 🔌 (10A) - pers. suppl. 9€ - frais de réservation 15€

Location : (Prix 2018) (de déb. avr. à déb. nov.) - 20 🏚 - 4 🏠 - 40 tentes lodges - 15 gîtes. Nuitée 43 à 179€ - frais de réservation 15€

🚐 borne artisanale 7€

En terrasses souvent ombragées, beaux emplacements et locatifs variés, de bon confort.

Nature : 🌄 ⬅ ⌂ ♨
Loisirs : 🍷 ✕ 🎱 🏃 🛶 🏊 🏐 🏓 🌙
Services : 🔌 🎱 👶 🚿 📶 laverie 🧺

GPS E : 1.22767 N : 44.89357

🏕 Domaine des Chênes Verts ♠♣

📞 0553592107, www.chenes-verts.com - peu d'emplacements pour tentes et caravanes

Pour s'y rendre : rte de Sarlat et Souillac (8,5 km au sud-est)

Ouverture : de déb. avr. à fin sept.

8 ha (176 empl.) en terrasses, peu incliné, plat, herbeux

Empl. camping : 31€ 👫 🚐 📧 🔌 (10A) - pers. suppl. 7€ - frais de réservation 20€

Location : (de déb. avr. à fin sept.) - ♿ (1chalet) - 70 🏚 - 70 🏠 - 2 bungalows toilés. Nuitée 22 à 78€ - Sem. 158 à 550€ - frais de réservation 20€

Espace vie et animations au pied d'une jolie bâtisse périgourdine et bon confort des chalets en location.

Nature : 🌄 ⌂ ♨
Loisirs : 🍷 ✕ 🎱 🏃 🛶 🚴 🏐 🏓 mini ferme terrain multisports
Services : 🔌 👶 📶 laverie 🧺 🚿

GPS E : 1.2972 N : 44.86321

🏕 Les Terrasses du Périgord

📞 0553590225, www.terrasses-du-perigord.com

Pour s'y rendre : à Proissans, lieu-dit : Pech d'Orance (2,8 km au nord-est)

Ouverture : de mi-avr. à fin sept.

12 ha/5 campables (85 empl.) en terrasses, plat, herbeux

Empl. camping : 26€ 👫 🚐 📧 🔌 (16A) - pers. suppl. 6€ - frais de réservation 9€

Location : Permanent 🏚 (de déb. juil. à fin août) - 7 🏚 - 13 🏠 - 2 tentes lodges. Sem. 200 à 750€ - frais de réservation 12€

🚐 borne artisanale 11€ - 6 📧 20€

Emplacements bien ombragés avec du locatif de grand confort en chalets.

Nature : 🌄 ⬅ ⌂ ♨
Loisirs : ✕ 🎱 jacuzzi 🏊 🏐 🏓 parcours sportif tyrolienne
Services : 🔌 🎱 👶 🚿 📶 laverie 🧺 🚿

GPS E : 1.23658 N : 44.90617

🏕 La Ferme de Villeneuve ♠♣

📞 0553303090, www.fermedevilleneuve.com

Pour s'y rendre : à St-André-d'Allas, lieu-dit : Villeneuve (8 km au nord-ouest par D 47, rte des Eyzies-de-Tayac et rte à gauche)

Ouverture : de déb. avr. à fin oct.

20 ha/2,5 campables (100 empl.) en terrasses, plat, peu incliné, herbeux, sous-bois, étang

Empl. camping : (Prix 2018) 🎣 7€ 🚐 📧 8€ – 🔌 (10A) 5€ - frais de réservation 10€

Location : (Prix 2018) (de déb. avr. à fin oct.) - 🏚 - 10 🏚 - 3 tentes lodges - 2 tentes sur pilotis - 4 tipis - 1 roulotte - 6 cabanons. Nuitée 32 à 119€ - Sem. 190 à 830€ - frais de réservation 10€

🚐 borne artisanale - 3 📧 15€

Camping à la ferme.

Nature : 🌄 ⬅ ⌂ ♨
Loisirs : 🍷 ✕ 🏃 🛶 🚴 🏓
Services : 🔌 👶 📶 laverie 🧺
À prox. : salle d'animations

GPS E : 1.14051 N : 44.90438

🏕 Les Acacias

📞 0553310850, www.acacias.fr

Pour s'y rendre : au bourg de la Canéda, r. Louis de Champagne (6 km au sud-est par D 704 et à dr. à l'hypermarché Leclerc)

Ouverture : de déb. avr. à fin sept.

4 ha (122 empl.) en terrasses, peu incliné, plat, herbeux

Empl. camping : 32€ 👫 🚐 📧 🔌 (10A) - pers. suppl. 7€ - frais de réservation 10€

Location : (de déb. avr. à fin sept.) - 🏚 - 20 🏚 - 2 gîtes. Nuitée 73 à 90€ - Sem. 260 à 990€ - frais de réservation 10€

🚐 borne artisanale

En deux parties distinctes séparées par une petite route très calme. Arrêt de bus pour Sarlat.

Nature : ⬅ ⌂ ♨
Loisirs : 🍷 🛶 🚴 🏐 🏓 terrain multisports
Services : 🔌 🎱 👶 🚿 📶 laverie 🧺

GPS E : 1.23699 N : 44.85711

*En juillet et août, beaucoup de terrains affichent complets
et leurs emplacements retenus longtemps à l'avance.
N'attendez pas le dernier moment pour réserver.*

SAUBION

40230 - Carte Michelin **335** C12 - 1 323 h. - alt. 17
▶ Paris 747 - Bordeaux 169 - Mont-de-Marsan 79 - Pau 106

⚠⚠⚠ Capfun La Pomme de Pin

📞 05 58 77 00 71, www.camping-lapommedepin.com

Pour s'y rendre : 825 rte de Seignosse (2 km au sud-est par D 652 et D 337)

Ouverture : de fin mars à fin sept.

5 ha (256 empl.) plat, herbeux, sablonneux

Empl. camping : (Prix 2018) 41 € ✶✶ ⟺ 🅱 (6A) - pers. suppl. 7 €
- frais de réservation 27 €

Location : (Prix 2018) (de fin mars à fin sept.) - 207 🛏 - 24 bungalows toilés. Nuitée 33 à 98 € - Sem. 133 à 1 323 € - frais de réservation 27 €

Préférer les emplacements les plus éloignés de la route. Confort sanitaire simple et ancien.

Nature : 🗔 ♀♀
Loisirs : 🍴 ✗ 🏠 ⑤jacuzzi 🏄🚣 🚴 🏊
(découverte en saison) 🏔 terrain multisports
Services : ⊶ 🔥 📶 laverie 🧺 🔧
réfrigérateurs

G P S W : 1.35563
       N : 43.67608

Choisissez votre restaurant sur **restaurant.michelin.fr**

SAUVETERRE-LA-LÉMANCE

47500 - Carte Michelin **336** I2 - 587 h. - alt. 100
▶ Paris 572 - Agen 68 - Fumel 14 - Monflanquin 27

⚠⚠ Le Moulin du Périé

📞 05 53 40 67 26, www.camping-moulin-perie.com

Pour s'y rendre : lieu-dit : Moulin du Périé (3 km à l'est par rte de Loubejac, au bord d'un ruisseau)

Ouverture : de mi-mai à mi-sept.

4 ha (125 empl.) plat, herbeux

Empl. camping : (Prix 2018) 25 € ✶✶ ⟺ 🅱 (10A) - pers. suppl. 6 €
- frais de réservation 20 €

Location : (Prix 2018) (de mi-mai à mi-sept.) - 🖐 - 12 🛏 - 4 🏠
- 6 bungalows toilés. Nuitée 27 à 105 € - Sem. 189 à 735 € - frais de réservation 35 €

🛏 borne artisanale - 🚐 8 €

Emplacements très ombragés autour de la piscine et du bassin d'eau naturel.

Nature : 🦌 🗔 🎵
Loisirs : 🍴 ✗ 🏠 🏄🚴 🏊 🛶
Services : ⊶ 🔥 📶 laverie 🔧

G P S E : 1.04743
       N : 44.5898

SORDE-L'ABBAYE

40300 - Carte Michelin **335** E13 - 646 h. - alt. 17
▶ Paris 758 - Bayonne 47 - Dax 27 - Oloron-Ste-Marie 63

⚠ Municipal la Galupe

📞 05 58 73 18 13, mairie.sordelabbaye@wanadoo.fr

Pour s'y rendre : 242 chemin du Camping (1,3 km à l'ouest par D 29, rte de Peyrehorade, D 123 à gauche et chemin av. le pont)

Ouverture : de déb. juil. à fin août

0,6 ha (28 empl.) plat, herbeux, pierreux

Empl. camping : (Prix 2018) 12 € ✶✶ ⟺ 🅱 (9A) - pers. suppl. 3 €

Emplacements ombragés dominant le gave d'Oloron.

Nature : 🦌 🗔 ♀
Services : 🍴

G P S W : 1.06472
       N : 43.53139

SOULAC-SUR-MER

33780 - Carte Michelin **335** E1 - 2 711 h. - alt. 7
▶ Paris 515 - Bordeaux 99 - Lesparre-Médoc 31 - Royan 12

⚠⚠⚠ Les Lacs 👥

📞 05 56 09 76 63, www.camping-les-lacs.com

Pour s'y rendre : 126 rte des Lacs (3 km à l'est par D 101)

Ouverture : de déb. avr. à fin oct.

5 ha (228 empl.) plat, herbeux, sablonneux

Empl. camping : (Prix 2018) 39 € ✶✶ ⟺ 🅱 (10A) - pers. suppl. 6 €
- frais de réservation 10 €

Location : (Prix 2018) (de déb. avr. à fin oct.) - 🦽 (1 mobile home)
- 70 🛏 - 11 🏠. Nuitée 42 à 175 € - Sem. 294 à 1 255 € - frais de réservation 10 €

🛏 2 🅱 15 € - 🚐 🅱 15 €

Organisation d'excursions en car.

Nature : 🦌 🗔 ♀♀
Loisirs : 🍴 ✗ 🏠 ⑤ 🏃🏄🚣 🏔 🏊 🛶
terrain multisports
Services : ⊶ ▥ 🔥 🚿 📶 laverie 🧺 🔧
À prox. : 🏇

G P S W : 1.11932
       N : 45.48328

⚠⚠⚠ Siblu Villages Domaine de Soulac 👥

(pas d'emplacement tentes et caravanes)

📞 05 56 09 77 63, www.siblu.fr/camping/gironde/domaine-de-soulac.php

Pour s'y rendre : 8 allée Michel-de-Montaigne (2,8 km à l'est par D 101E 2 et D 101)

4 ha (180 empl.) plat, sablonneux

Location : (Prix 2018) Permanent 🖐 - 130 🛏. Nuitée 55 à 220 €
- Sem. 420 à 1 500 €

En sous-bois, parc de mobile homes de propriétaires-résidents ou à la location.

Nature : 🦌 🎵
Loisirs : 🍴 ✗ 🏠 ⑤🏃 🖐 jacuzzi 🏄🚣 🚴
🏊 🛶
Services : ⊶ 🔥 📶 laverie 🧺 🔧

G P S W : 1.11886
       N : 45.48563

⚠⚠⚠ Sandaya Soulac Plage 👥

📞 05 56 09 87 27, www.sandaya.fr/nos-campings/soulac-plage

Ouverture : de fin mai à mi-sept.

15 ha (764 empl.) vallonné, en terrasses, plat, sablonneux, pierreux

Empl. camping : 49 € ✶✶ ⟺ 🅱 (10A) - pers. suppl. 9 €

Location : (de fin mai à mi-sept.) - 424 🛏 - 15 tentes lodges.
Nuitée 25 à 243 € - Sem. 175 à 1 701 €

En partie sous les pins avec quelques emplacements privilégiés en bord de plage.

Nature : 🦌 🗔 ♀♀ ⛺
Loisirs : 🍴 ✗ 🏠 ⑤salle d'animations 🏃
🏄🚴 🏊 🛶 terrain multisports
Services : ⊶ 🔥 📶 laverie 🧺 🔧

G P S W : 1.15055
       N : 45.4825

SOUSTONS

40140 - Carte Michelin **335** D12 - 7 240 h. - alt. 9
▶ Paris 732 - Biarritz 53 - Castets 23 - Dax 29

▲▲▲ Sandaya Soustons Village

(pas d'emplacement tentes et caravanes)

℘ 05 58 77 70 00, www.sandaya.fr/nos-campings/soustons-village

Pour s'y rendre : lieu-dit : Nicot-les-Pins, 63 av. Port-d'Albret (rte des Lacs)

14 ha (250 empl.) vallonné, plat, sablonneux

Location : (de mi-avr. à mi-sept.) - ⚹ (1 mobile home) - Ⓟ - 257 🚐 - 38 tentes lodges. Nuitée 29 à 264€ - Sem. 203 à 1 848€

Organisation d'excursions. Piscine écologique. Nombreuses activités enfants et ados.

Nature : 🌿♀
Loisirs : 🍴✕ 🔲 ⓣ(théâtre de plein air) salle d'animations 🕴 🛝 centre balnéo ⟲ hammam jacuzzi 🏊 ⅋ 🎾 🔲 🛶 terrain multisports
Services : 🔑 🛜 laverie 🔲 🛒

GPS
W : 1.35999
N : 43.75593

▲▲▲ L'Airial

℘ 05 58 41 12 48, www.campinglairial.fr

Pour s'y rendre : 67 av. de Port-d'Albret (2 km à l'ouest par D 652, rte de Vieux-Boucau-les-Bains, à 200 m de l'étang de Soustons)

Ouverture : de mi-avr. à déb. oct.

13 ha (445 empl.) vallonné, plat, sablonneux

Empl. camping : 38€ ⚹⚹ 🚐 🔲 🔋 (10A) - pers. suppl. 8€ - frais de réservation 20€

Location : (de mi-avr. à déb. oct.) - ⚹ (2 mobile homes) - 🚐 - 59 🚐 - 20 🏠 - 5 tentes lodges - 3 appartements. Nuitée 70 à 175€ - Sem. 265 à 1 055€ - frais de réservation 20€

🚐 5 🔲 38€ - 🛒🔋17€

Nombreux mobile homes et chalets à la location ou de propriétaires-résidents.

Nature : ♀
Loisirs : 🍴✕ 🔲 ⓣ 🕴 ⟲ 🏊 ⅋ 🎾 🔲 🛶 terrain multisports
Services : 🔑 🛜 laverie 🔲 🛒 cases réfrigérées

GPS
W : 1.35195
N : 43.75433

▲ Village Vacances Le Dunéa

(pas d'emplacement tentes et caravanes)

℘ 05 58 48 00 59, www.club-dunea.com

Pour s'y rendre : à Souston-Plage, Port-d'Albret sud, 1 square de l'Herté (à 200 m du lac)

0,5 ha vallonné, plat, sablonneux

Location : (de fin mai à fin sept.) - 🚐 - 20 gîtes. Nuitée 90 à 200€ - Sem. 310 à 1 400€

Nature : 🌿♀
Loisirs : 🔲 🛶
Services : 🔑 Ⓟ 🛜 🔳
À prox. : ✕ 🐎

GPS
W : 1.40065
N : 43.7731

LE TEICH

33470 - Carte Michelin **335** E7 - 6 485 h. - alt. 5
▶ Paris 633 - Arcachon 20 - Belin-Béliet 34 - Bordeaux 50

▲▲▲ Ker Helen 👥👥

℘ 05 56 66 03 79, www.kerhelen.com

Pour s'y rendre : 119 av. de la Côte-d'Argent (2 km à l'ouest par D 650, rte de Gujan-Mestras)

Ouverture : de mi-avr. à mi-oct.

4 ha (170 empl.) plat, herbeux

Empl. camping : ⚹ 6€ 🚐 🔲 14,50€ – 🔋 (10A) 4€

Location : (de mi-avr. à mi-oct.) - ⚹ (1 chalet) - 45 🚐 - 5 🏠 - 16 bungalows toilés - 4 tentes lodges. Sem. 200 à 1 005€

🚐 borne artisanale

Cadre fleuri, verdoyant, emplacements ombragés et un espace snack-bar très bien aménagé.

Nature : ♀♀
Loisirs : 🍴✕ ⓣnocturne 🕴 🏊 ⅋ 🛶
Services : 🔑 🛒 🌡 ⟲ 🛜 laverie 🔲 🛒

GPS
W : 1.04284
N : 44.63975

LESEN SIE DIE ERLÄUTERUNGEN aufmerksam durch, damit Sie diesen Camping-Führer mit der Vielfalt der gegebenen Auskünfte wirklich ausnutzen können.

TERRASSON-LAVILLEDIEU

24120 - Carte Michelin **329** I5 - 6 222 h. - alt. 90
▶ Paris 497 - Brive-la-Gaillarde 22 - Juillac 28 - Périgueux 53

▲▲ La Salvinie

℘ 05 53 50 06 11, www.camping-salvinie.fr

Pour s'y rendre : lieu-dit : Bouillac Sud (sortie sud par D 63, rte de Chavagnac puis 3,4 km par rte de Condat, à dr. apr. le pont)

Ouverture : de mi-avr. à fin sept.

2,5 ha (70 empl.) plat, herbeux

Empl. camping : (Prix 2018) 27€ ⚹⚹ 🚐 🔲 🔋 (10A) - pers. suppl. 7€

Location : (Prix 2018) (de mi-avr. à fin sept.) - 11 🚐 - 6 bungalows toilés. Sem. 280 à 900€

🚐 20 🔲 22€ - 🛒11€

Des emplacements vraiment délimités par des haies de belle hauteur.

Nature : ⟲ ♀♀
Loisirs : 🍴 🔲 🏊 🛶
Services : 🔑 🛜 laverie

GPS
E : 1.26216
N : 45.12069

▲▲▲ Village Vacances le Clos du Moulin

(pas d'emplacement tentes et caravanes)

℘ 05 53 51 68 95, www.leclosdumoulin.com

Pour s'y rendre : lieu-dit : Le Moulin de Bouch (6 km à l'ouest de Terrasson-Lavilledieu par N 89, rte de St-Lazare et D 62, rte de Coly, au bord de rivière)

1 ha plat, herbeux

Location : Ⓟ - 14 🚐 - 14 🏠.

Nature : ♀
Loisirs : 🍴✕ ⅋ 🛶
Services : 🔑 🛗 🛜 🔳

GPS
E : 1.26337
N : 45.10288

*Jährlich eine neue Ausgabe.
Aktuellste Informationen, jährlich für Sie.*

LA TESTE-DE-BUCH

33260 - Carte Michelin **335** E7 - 24 597 h. - alt. 5
▶ Paris 642 - Andernos-les-Bains 35 - Arcachon 5 - Belin-Béliet 44

⛰⛰ Capfun Village Vacances La Pinèda 👥

(pas d'emplacement tentes et caravanes)

🖉 05 56 22 23 24, www.capfun.com

Pour s'y rendre : rte de Cazaux (11 km au sud par D 112, au bord du canal des Landes - à 2,5 km de Cazaux)

5 ha plat, herbeux, sablonneux

Location : (Prix 2018) (de déb. avr. à mi-sept.) - ♿ (1 mobile home) - 214 🚐. Nuitée 39 à 147€ - Sem. 154 à 2 632€ - frais de réservation 27€

Village de mobile homes avec de nombreuses activités et installations pour les enfants.

Nature : 🏞 ☐ 00
Loisirs : 🍽 🗙 🏠 👶 🏊 🚴 🏐 🎣 terrain multisports
Services : ☕ ♿ 🛜 laverie 🛒
À prox. : ski nautique

GPS W : 1.15055 N : 44.55516

THENON

24210 - Carte Michelin **329** H5 - 1 283 h. - alt. 194
▶ Paris 515 - Brive-la-Gaillarde 41 - Excideuil 36 - Les Eyzies-de-Tayac 33

⛰⛰ Le Verdoyant

🖉 05 53 05 20 78, www.campingleverdoyant.fr

Pour s'y rendre : rte de Montignac-Lascaux (4 km au sud-est par D 67, près de deux étangs)

Ouverture : de déb. avr. à fin sept.

9 ha/3 campables (67 empl.) non clos, en terrasses, plat, herbeux, étang

Empl. camping : 24€ 👫 🚐 🔲 [2] (10A) - pers. suppl. 6€ - frais de réservation 10€

Location : (de déb. avr. à fin sept.) - 18 🚐 - 3 🏠 - 1 bungalow toilé - 1 tente lodge - 1 gîte. Nuitée 49 à 117€ - Sem. 249 à 820€ - frais de réservation 10€

🚐 borne artisanale

Emplacements en terrasses ombragées qui dominent le petit étang.

Nature : ≤ 00
Loisirs : 🍽 🗙 🏊 🎣
Services : ☕ 🚰 ♿ 🛜 🔲 🛒

GPS E : 1.09102 N : 45.11901

THIVIERS

24800 - Carte Michelin **329** G3 - 3 121 h. - alt. 273
▶ Paris 449 - Brive-la-Gaillarde 81 - Limoges 62 - Nontron 33

⛰⛰ Le Repaire

🖉 05 53 52 69 75, www.camping-le-repaire.fr

Pour s'y rendre : 2 km au sud-est par D 707, rte de Lanouaille et chemin à dr.

Ouverture : de déb. avr. à fin oct.

10 ha/4,5 campables (100 empl.) terrasse, peu incliné, plat, herbeux, bois attenants

Empl. camping : 20€ 👫 🚐 🔲 [2] (10A) - pers. suppl. 4€

Location : (de déb. avr. à fin oct.) - **P** - 4 🚐 - 10 🏠. Nuitée 65 à 120€ - Sem. 190 à 680€

Beaux emplacements autour d'un petit étang.

Nature : ☐ 00
Loisirs : 🍽 🏠 🏊 🏊 (découverte en saison) 🎣
Services : ☕ 🛜 laverie 🛒
À prox. : 🗙 🎯

GPS E : 0.9321 N : 45.41305

TOCANE-ST-APRE

24350 - Carte Michelin **329** D4 - 1 679 h. - alt. 95
▶ Paris 498 - Brantôme 24 - Mussidan 33 - Périgueux 25

⛰ Municipal le Pré Sec

🖉 05 53 90 40 60, www.campingdupresec.com

Pour s'y rendre : au nord du bourg par D 103, rte de Montagrier, près du stade, au bord de la Dronne

1,8 ha (80 empl.) non clos, plat, herbeux

Location : ♿ (1 chalet) - 14 🚐 - 1 yourte.

🚐 borne eurorelais

Au bord de la rivière et au centre des nombreuses installations sportives municipales.

Nature : 🏞 ☐ 00
Loisirs : 🏠 🏊 (plage) 🎣
Services : ☕ 🚰 ♿ 🛜 🛒
À prox. : 🏊 🎯 🗙 🎣 🛶 skate parc

GPS E : 0.49685 N : 45.25649

TOURNON-D'AGENAIS

47370 - Carte Michelin **336** H3 - 751 h. - alt. 156
▶ Paris 620 - Agen 42 - Cahors 44 - Montauban 63

⛰⛰ Capfun Ullule

(pas d'emplacement tentes et caravanes)

🖉 05 53 40 90 12, www.camping-france-aquitaine-ullule.fr

Pour s'y rendre : Pont Ramio, rte de Fumel (1 km au nord par D 102)

12 ha vallonné, en terrasses, peu incliné, plat, herbeux, pierreux, étang

Location : (Prix 2018) (de mi-juin à déb. sept.) - ♿ (1 mobile home) - 194 🚐. Nuitée 39 à 153€ - Sem. 283 à 1 070€ - frais de réservation 27€

Décoration sur le thème western avec piscine, étang.

Nature : 🏞
Loisirs : 🏠 👶 🏊 🏊 🎣 ⛷ 🎣
Services : ☕ 🛜 laverie
À prox. : 🍽 🗙 🐎

GPS E : 0.99955 N : 44.40606

TURSAC

24620 - Carte Michelin **329** H6 - 319 h. - alt. 75
▶ Paris 536 - Bordeaux 172 - Périgueux 48 - Brive-la-Gaillarde 57

⛰⛰ Le Vézère Périgord

🖉 05 53 06 96 31, www.levezereperigord.com

Pour s'y rendre : 800 m au nord-est par D 706, rte de Montignac et chemin à dr.

Ouverture : de fin avr. à fin sept.

3,5 ha (99 empl.) en terrasses, peu incliné, plat, herbeux, pierreux

Empl. camping : 🏕 8€ 🚐 🔲 12€ – [2] (10A) 4€

Location : (de fin avr. à fin sept.) - 28 🚐 - 2 tentes lodges.
Nuitée 40 à 65€ - Sem. 200 à 890€

🚐 borne artisanale

Emplacements en sous-bois avec du locatif de bon confort.

Nature : 🦋 � 🌳		G
Loisirs : 🍸 🍴 🛖 🏇 🚲 ✂️ 🎣 ⛵ 🛶	E : 1.04637	P
Services : 🔌 🚿 🛒 📶 laverie 🧺	N : 44.97599	S
À prox. : 🚴		

URDOS

64490 - Carte Michelin **342** I5 - 69 h. - alt. 780
▶ Paris 850 - Jaca 38 - Oloron-Ste-Marie 41 - Pau 75

🏕 La Via Natura Le Gave d'Aspe

🖉 0559348826, www.campingaspe.com

Pour s'y rendre : r. du Moulin-de-la-Tourette (1,5 km au nord-ouest par N 134 et chemin devant l'ancienne gare)

Ouverture : de déb. mai à fin sept.

1,5 ha (80 empl.) non clos, peu incliné, plat, herbeux

Empl. camping : (Prix 2018) 🚶 4€ 🚐 🔲 5€ – 🔌 (10A) 3€
Location : Permanent🚐 - 2 🏠 - 2 cabanons. Nuitée 20 à 30€ - Sem. 320 à 420€

🚐 borne eurorelais 2€

Emplacements et locatifs bien ombragés le long du gave d'Aspe.

Nature : 🦋 ≤ 🌳		G
Loisirs : 🛖 jacuzzi 🏇 🎣	W : 0.55642	P
Services : 🔌 🚐 📶 🔋	N : 42.87719	S

Campeurs... N'oubliez pas que le feu est le plus terrible ennemi de la forêt. Soyez prudents !

URRUGNE

64122 - Carte Michelin **342** B4 - 8 427 h. - alt. 34
▶ Paris 791 - Bayonne 29 - Biarritz 23 - Hendaye 8

🏔 Sunêlia Col d'Ibardin 👥

🖉 0559543121, www.col-ibardin.com

Pour s'y rendre : rte d'Olhette (4 km au sud par D 4, rte d'Ascain et du col d'Ibardin, au bord d'un ruisseau)

Ouverture : de déb. avr. à déb. nov.

8 ha (203 empl.) vallonné, en terrasses, peu incliné, plat, herbeux

Empl. camping : (Prix 2018) 19€ 🚶🚶 🚐 🔲 🔌 (10A) - pers. suppl. 4€ - frais de réservation 15€
Location : (de déb. avr. à déb. nov.) - 🔌 (1 mobile home) - 60 🚐 - 31 🏠 - 5 tentes lodges. Nuitée 45 à 142€ - Sem. 315 à 994€ - frais de réservation 15€

🚐 borne AireService

Au milieu d'une forêt de chênes, emplacements bordés par un ruisseau. Préférer les plus éloignés de la route.

Nature : � 🌳		G
Loisirs : 🍸 🍴 🛖 🏇 🏇 ✂️ 🎣 terrain multisports	W : 1.68461	P
Services : 🔌 🚿 🚐 📶 laverie 🧺 🛒 cases réfrigérées	N : 43.33405	S

🏔 Larrouleta

🖉 0559473784, www.larrouleta.com

Pour s'y rendre : quartier Socoa, 210 rte de Socoa (3 km au sud)

Ouverture : Permanent

5 ha (327 empl.) plat, herbeux

Empl. camping : (Prix 2018) 41€ 🚶🚶 🚐 🔲 🔌 (10A) - pers. suppl. 10€

🚐 borne artisanale - 60 🔲 22€

Joli plan d'eau aménagé pour la baignade et équipé d'un important parc aquatique gonflable. Préférer les emplacements les plus éloignés de la route.

Nature : 🌳🌳		G
Loisirs : 🍸 🍴 🛖 🏇 ✂️ 🔲 (découverte en saison) 🏖 (plage) 🛥 pédalos	W : 1.6859	P
Services : 🔌 🏛 🚿 🚐 🛒 📶 laverie 🧺 🛒	N : 43.37036	S

URT

64240 - Carte Michelin **342** E2 - 2 183 h. - alt. 41
▶ Paris 757 - Bayonne 17 - Biarritz 24 - Cambo-les-Bains 28

🏔 Etche Zahar

🖉 0559562736, www.etche-zahar.fr 🚴 (de déb. août à mi-août)

Pour s'y rendre : 175 allée de Mesplès (1 km à l'ouest par D 257, dir. Urcuit et à gauche)

Ouverture : de mi-mars à déb. nov.

1,5 ha (47 empl.) non clos, plat et peu incliné, herbeux

Empl. camping : (Prix 2018) 🚶 5€ 🚐 3€ 🔲 12€ – 🔌 (10A) 4€ - frais de réservation 13€
Location : (Prix 2018) (de mi-mars à déb. nov.) - 🚴 (1 chalet) - 10 🚐 - 9 🏠 - 3 bungalows toilés - 4 tentes lodges. Nuitée 36 à 98€ - Sem. 252 à 686€ - frais de réservation 13€

🚐 2 🔲 12€

Cadre verdoyant et locatif varié.

Nature : 🦋 🚐 🌳🌳		G
Loisirs : 🛖 🏇 🚲 ✂️	W : 1.2973	P
Services : 🔌 📶 laverie	N : 43.4919	S

VENDAYS-MONTALIVET

33930 - Carte Michelin **335** E2 - 2 288 h. - alt. 9
▶ Paris 535 - Bordeaux 82 - Lesparre-Médoc 14 - Soulac-sur-Mer 21

🏔 Les Peupliers

🖉 0556417044, www.camping-montalivet-lespeupliers.com

Pour s'y rendre : 17 rte de Sarnac

Ouverture : de déb. avr. à fin oct.

2,5 ha (116 empl.) plat, herbeux

Empl. camping : (Prix 2018) 25€ 🚶🚶 🚐 🔲 🔌 (6A) - pers. suppl. 6€ - frais de réservation 15€
Location : (Prix 2018) (de déb. avr. à fin sept.) - 🚴 (1 tente lodge) - 27 🚐 - 5 bungalows toilés - 1 tente lodge. Nuitée 65 à 120€ - Sem. 190 à 798€ - frais de réservation 15€

Emplacements ombragés avec du locatif varié en modèles et en confort.

Nature : 🦋 🌳🌳		G
Loisirs : 🍴 🏇 🚲 🛖 🎣	W : 1.05694	P
Services : 🔌 🚿 📶 laverie	N : 45.35027	S

⛰ La Chesnays

📞 05 56 41 72 74, www.camping-montalivet.fr

Pour s'y rendre : 8 rte de Soulac, à Mayan

Ouverture : de déb. avr. à fin sept.

1,5 ha (65 empl.) plat, herbeux

Empl. camping : 32€ ✝✝ 🚐 🅿 (6A) - pers. suppl. 7€ - frais de réservation 10€

Location : (de déb. avr. à mi-oct.) - 11 🚐 - 3 🏠 - 3 bungalows toilés - 4 tentes lodges - 1 tente lodge (avec sanitaires). Nuitée 42 à 190€ - Sem. 180 à 995€ - frais de réservation 20€

Ambiance calme et familiale avec des emplacements bien ombragés. Locatif varié dans un cadre verdoyant.

Nature : 🐟 🗒 🌳	G
Loisirs : 🍹 🗙 🏠 🔬 🚴 🛶	P W : 1.08262
Services : 🔑 🛗 🛒 laverie 🛒 réfrigérateurs	S N : 45.37602

⛰ Le Mérin

📞 06 72 62 70 02, www.campinglemerin.com

Pour s'y rendre : 7 rte du Mérin (3,7 km au nord-ouest par D 102, rte de Montalivet et chemin à gauche)

Ouverture : de déb. avr. à fin oct.

3,5 ha (165 empl.) plat, herbeux, sablonneux

Empl. camping : ✝ 4€ 🚐 🅿 7€ - 🅿 (10A) 3€

Location : (de déb. avr. à fin oct.) - 🚲 - 11 🚐 - 3 🏠 - 2 gîtes. Nuitée 45 à 73€ - Sem. 210 à 510€

Cadre boisé au calme.

Nature : 🐟 🗒 🌳	G
Loisirs : 🔬	P W : 1.09932
Services : 🔑 🛒 🛗 laverie	S N : 45.36703

LE-VERDON-SUR-MER

33123 - Carte Michelin **335** E2 - 1 334 h. - alt. 3
▶ Paris 514 - Bordeaux 100 - La Rochelle 80

⛰ Sunêlia La Pointe du Médoc 👪

📞 05 56 73 39 99, www.camping-lapointedumedoc.com

Pour s'y rendre : 18 r. Ausone (rte de la Pointe de Grave, D 1215)

Ouverture : de déb. avr. à déb. sept.

6,5 ha (260 empl.) en terrasses, plat, sablonneux

Empl. camping : 28€ ✝✝ 🚐 🅿 🅿 (10A) - pers. suppl. 6€ - frais de réservation 10€

Location : (de déb. avr. à déb. sept.) - 🚲 (1 mobile home) - 134 🚐 - 31 🏠 - 2 tentes lodges. Nuitée 46 à 195€ - Sem. 322 à 1 365€ - frais de réservation 30€

🅿 borne AireService

Préférer les emplacements sur le haut du terrain, plus éloignés de la route.

Nature : 🐟 🗒 🌳	G
Loisirs : 🍹 🗙 🏠 🎨 salle d'animations 🏃 hammam jacuzzi 🔬 🚴 🏓 🛶 🏔 terrain multisports	P W : 1.07965
Services : 🔑 🛗 🛒 🛗 laverie 🏠 🛒	S N : 45.54557

Guide Michelin (hôtels et restaurants),
Guide Vert (sites et circuits touristiques) et
cartes routières Michelin sont complémentaires.
Utilisez-les ensemble.

VÉZAC

24220 - Carte Michelin **329** I6 - 617 h. - alt. 90
▶ Paris 535 - Bergerac 65 - Brive-la-Gaillarde 60 - Fumel 53

⛰ Les Deux Vallées

📞 05 53 29 53 55, www.campingles2vallees.com

Pour s'y rendre : lieu-dit : La Gare (à l'ouest, derrière l'ancienne gare, au bord d'un petit étang)

Ouverture : de fin mars à déb. oct.

2,5 ha (110 empl.) plat, herbeux

Empl. camping : (Prix 2018) ✝ 8€ 🚐 🅿 14€ – 🅿 (10A) 5€ - frais de réservation 17€

Location : (Prix 2018) (de fin mars à déb. oct.) - 19 🚐 - 5 tentes lodges - 2 gîtes. Nuitée 43 à 150€ - Sem. 301 à 1 050€ - frais de réservation 17€

Vue imprenable sur le château de Beynac pour de nombreux emplacements.

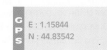

Nature : 🐟 ≪ château de Beynac 🗒 🌳	G
Loisirs : 🍹 🗙 🏠 🔬 🚴 🛶 🏔	P E : 1.15844
Services : 🔑 🛗 🛒 🛗 laverie 🛒 réfrigérateurs	S N : 44.83542

VIELLE-ST-GIRONS

40560 - Carte Michelin **335** D11 - 1 160 h. - alt. 27
▶ Paris 719 - Castets 16 - Dax 37 - Mimizan 32

⛰ Sandaya Le Col Vert 👪

📞 05 58 42 94 06, www.sandaya.fr/nos-campings/le-col-vert

Pour s'y rendre : 1548 rte de l'Étang (5,5 km au sud par D 652, au bord de l'Étang de Léon)

Ouverture : de fin mai à déb. sept.

24 ha (800 empl.) plat, herbeux, sablonneux

Empl. camping : 53€ ✝✝ 🚐 🅿 🅿 (10A) - pers. suppl. 9€

Location : (de fin mai à déb. sept.) - 🚲 (1 mobile home) - 540 🚐 - 18 tentes lodges. Nuitée 23 à 237€ - Sem. 161 à 1 659€

Préférer les emplacements au bord du lac. En saison, navette gratuite pour St-Girons-Plage.

Nature : 🗒 🌳 🏔	G
Loisirs : 🍹 🗙 🏠 🎨 🏃 🎰 centre balnéo 🌊 hammam jacuzzi 🔬 🚴 🏓 🛶 🏊 🏔 discothèque chapiteau d'animations terrain multisports	P W : 1.30946
Services : 🔑 – 10 sanitaires individuels (🚿 wc) 🛗 🛒 🛗 laverie 🛒 🏠 cases réfrigérées	S N : 43.90416
À prox. : 🏇 🚴 🛶 ⚓ barques	

VIEUX-BOUCAU-LES-BAINS

40480 - Carte Michelin **335** C12 - 1 577 h. - alt. 5
▶ Paris 740 - Bayonne 41 - Biarritz 48 - Castets 28

⛰ Municipal les Sablères

📞 05 58 48 12 29, www.camping-les-sableres.com

Pour s'y rendre : bd du Marensin (au nord-ouest, à 250 m de la plage (accès direct))

Ouverture : de fin mars à mi-oct.

11 ha (517 empl.) vallonné, herbeux, sablonneux

Empl. camping : (Prix 2018) 26€ ✝✝ 🚐 🅿 🅿 (10A) - pers. suppl. 5€ - frais de réservation 20€

Location : (Prix 2018) (de fin mars à mi-oct.) - ♿ (1 mobile home) - 12 🛏 - 11 🛖 - 2 tentes lodges. Nuitée 38 à 134€ - Sem. 190 à 938€ - frais de réservation 20€

Petit ombrage des emplacements bordés par la dune de sable.

Nature : 🌳		
Loisirs : 🏃 terrain multisports	**G**	W : 1.40596
Services : ⚡🚿♿🚽📶 laverie cases	**P**	N : 43.79326
réfrigérées	**S**	
À prox. : 🏊🍷✕🎾		

VILLERÉAL

47210 - Carte Michelin **336** G2 - 1 286 h. - alt. 103
▶ Paris 566 - Agen 61 - Bergerac 35 - Cahors 76

🏔 Yelloh! Village Le Château de Fonrives 👥

📞 05 53 36 63 38, www.campingchateaufonrives.com

Pour s'y rendre : rte d'Issigeac, lieu-dit : Rives (2,2 km au nord-ouest par D 207 et à gauche, au château)

Ouverture : de déb. juin à déb. sept.

20 ha/10 campables (370 empl.) en terrasses, peu incliné, plat, herbeux, pierreux, étang, bois

Empl. camping : (Prix 2018) 44€ ✚✚ 🚗 📺 ⚡ (10A) - pers. suppl. 9€
Location : (Prix 2018) (de déb. juin à déb. sept.) - 110 🛏 - 21 🛖. Nuitée 39 à 279€ - Sem. 273 à 1 953€
🚉 borne artisanale - 5 📺 49€

De grands espaces verts bordés de noisetiers, idéals pour la détente. Loisirs installés dans les dépendances du château.

Nature : 🌿🏕🌳		
Loisirs : 🍷✕🎮🎣🏹🛶 jacuzzi 🎿	**G**	E : 0.7314
🚴🎾🎯🎱🎿🏊 parcours sportif	**P**	N : 44.65739
Services : ⚡🚿♿🚽📶 laverie 🏊🧺	**S**	
point d'informations touristiques		

🏔 Sites et Paysages Fontaine du Roc

📞 05 53 36 08 16, camping-fontaine-roc.com

Pour s'y rendre : lieu-dit : Dévillac (7,5 km au sud-est par D 255 et à gauche)

Ouverture : de déb. avr. à mi-oct.

2 ha (60 empl.) plat, herbeux

Empl. camping : ✚ 6€ 🚗 📺 8€ – ⚡ (10A) 4€
Location : (de déb. avr. à mi-oct.) - ♿ (2 chalets) - 5 🛏 - 3 🛖 - 1 bungalow toilé - 2 tentes lodges. Nuitée 40 à 130€ - Sem. 315 à 840€
🚉 borne artisanale

Emplacements délimités et ombragés avec vue panoramique sur le château de Biron depuis l'entrée.

Nature : 🌿🏕🌳		
Loisirs : 🎮🎣🛶 jacuzzi 🏃🎿	**G**	E : 0.8187
Services : ⚡🚿♿📶 laverie	**P**	N : 44.61414
	S	

VITRAC

24200 - Carte Michelin **329** I7 - 870 h. - alt. 150
▶ Paris 541 - Brive-la-Gaillarde 64 - Cahors 54 - Gourdon 23

🏔 AMAC - Domaine Soleil Plage 👥

📞 05 53 28 33 33, www.soleilplage.fr

Pour s'y rendre : lieu-dit : Caudon (au bord de la Dordogne)

Ouverture : de déb. avr. à fin sept.

8 ha/5 campables (199 empl.) plat, herbeux

Empl. camping : (Prix 2018) 49€ ✚✚ 🚗 📺 ⚡ (16A) - pers. suppl. 10€ - frais de réservation 40€
Location : (Prix 2018) (de déb. avr. à fin sept.) - Ⓟ - 121 🛏 - 19 🛖 - 4 chalets sur pilotis. Nuitée 61 à 320€ - Sem. 330 à 2 040€ - frais de réservation 40€
🚉 borne AireService 3€ - 11 📺 49€

Emplacements en bord de rivière ou en locatif grand confort autour de l'ancienne ferme joliment restaurée.

Nature : 🌿🌊🌳🌳		
Loisirs : 🍷✕🎮🎣🏃🎣🎿🎾🏹🎱🎿🏊	**G**	E : 1.25374
(plage) 🛶🎣🚤 location voiture terrain	**P**	N : 44.82387
multisports	**S**	
Services : ⚡🏛♿🚽📶 laverie 🏊🧺		

🏔 La Bouysse de Caudon

📞 05 53 28 33 05, www.labouysse.com

Pour s'y rendre : lieu-dit : Caudon (2,5 km à l'est, près de la Dordogne)

Ouverture : de mi-avr. à mi-sept.

6 ha/3 campables (160 empl.) plat, herbeux, noyeraie

Empl. camping : (Prix 2018) 31€ ✚✚ 🚗 📺 ⚡ (10A) - pers. suppl. 8€ - frais de réservation 20€
Location : (Prix 2018) (de mi-avr. à mi-sept.) - Ⓟ - 6 🛏 - 9 🛖 - 2 gîtes - 4 appartements. Nuitée 60€ - Sem. 270 à 920€
🚉 borne artisanale 3€

Bel ombrage des emplacements tout proches de la Dordogne.

Nature : 🌿🏕🌳🌳		
Loisirs : 🍷🏃🎾🎿🌊 (plage) 🚤	**G**	E : 1.25063
Services : ⚡♿📶 laverie 🏊🧺	**P**	N : 44.82357
réfrigérateurs	**S**	

AUVERGNE

F. Cormon/hemis.fr

Chut... ! Chefs d'orchestre d'une symphonie muette depuis des millénaires, imperturbables sanctuaires de la nature à l'état brut, les volcans d'Auvergne dorment paisiblement. Seuls remous perceptibles : les grondements de Vulcania où de spectaculaires animations célèbrent ces titans assoupis... Dômes et puys sculptés par le feu forment un immense château d'eau se déversant en une multitude de lacs, de rivières et de sources pures, élixirs chargés de vertus légendaires. Pour mieux s'abandonner à ces « thermes de Jouvence », les curistes en quête de bien-être s'immergent dans l'ambiance élégante des villes d'eau où la tentation reste grande, malgré les conseils diététiques, de céder à la chaleur revigorante d'une potée, aux effluves d'un cantal affiné ou à l'inimitable saveur sucrée-salée d'un pounti.

Shhh! Auvergne's volcanoes are dormant and have been for many millennia, forming a natural rampart against the inroads of man and ensuring that this beautiful wilderness will never be entirely tamed. If you listen very carefully, you may just make out a distant rumble from Vulcania, where spectacular theme park attractions celebrate these sleeping giants. The region's domes and peaks are the source of countless mountain springs that cascade down the steep slopes into brooks, rivers and crystal-clear lakes. Renowned for the therapeutic qualities of its waters, the region has long played host to well-heeled curistes in its elegant spa resorts, but many visitors find it impossible to follow doctor's orders when faced enticing aroma of a country stew or a full-bodied Cantal cheese!

ABREST

03200 - Carte Michelin **326** H6 - 2 696 h. - alt. 290
▶ Paris 361 - Clermont-Ferrand 70 - Moulins 63 - Montluçon 94

⛰ La Croix St-Martin 🏕

🖉 04 70 32 67 74, www.camping-vichy.com

Pour s'y rendre : 99 av. des Graviers (au nord, près de l'Allier)

Ouverture : de déb. avr. à fin sept.

3 ha (89 empl.) plat, herbeux

Empl. camping : 22€ 🏕🏕 🚐 ▣ ⚡ (10A) - pers. suppl. 6€ - frais de réservation 6€

Location : (Prix 2018) (de déb. avr. à fin sept.) - 20 🚐 - 2 tentes lodges. Nuitée 41 à 98€ - Sem. 287 à 689€ - frais de réservation 6€

Emplacements ombragés le long du chemin pédestre et VTT qui longe l'Allier.

Nature : 🦕 🏕 ♨♨
Loisirs : 🍴 🏕 🎯 🚴 🖼 ⛳ parcours de santé bike-parc
Services : ⚡ 🚿 ⚡ laverie 🚱
À prox. : 🏊

G P S E : 3.44012
N : 46.10819

Teneinde deze gids beter te kunnen gebruiken, DIENT U DE VERKLARENDE TEKST AANDACHTIG TE LEZEN.

ALLEYRAS

43580 - Carte Michelin **331** E4 - 173 h. - alt. 779
▶ Paris 549 - Brioude 71 - Langogne 43 - Le Puy-en-Velay 32

⛺ NaturCamp Au Fil de l'Eau

🖉 04 71 57 56 86, www.camping-municipal.alleyras.fr - alt. 660

Pour s'y rendre : Le Pont-d'Alleyras (2,5 km au nord-ouest, accès direct à l'Allier)

Ouverture : de fin avr. à fin sept.

0,9 ha (60 empl.) plat et peu incliné

Empl. camping : 10€ 🏕🏕 🚐 ▣ ⚡ (10A) - pers. suppl. 4€

🚐 borne flot bleu 3€ - 🚐⚡10€

Cadre verdoyant tout près de l'Allier.

Nature : 🦕 🏕
Loisirs : 🚴
Services : (juil.-août) 🛜 laverie
À prox. : 🏊 ⛳ 🏊

G P S E : 3.67005
N : 44.91786

AMBERT

63600 - Carte Michelin **326** J9 - 6 962 h. - alt. 535
▶ Paris 438 - Brioude 63 - Clermont-Ferrand 77 - Montbrison 47

⛰ Municipal Les Trois Chênes

🖉 04 73 82 34 68, www.camping-ambert.com

Pour s'y rendre : rte du Puy (1,5 km au sud par D 906, rte de la Chaise-Dieu, près de la Dore)

Ouverture : Permanent

3 ha (120 empl.) plat, herbeux

Empl. camping : 🏕 5€ 🚐 3€ ▣ 4€ – ⚡ (10A) 4€

Location : Permanent - 18 🏠 . Nuitée 82 à 177€ - Sem. 282 à 731€

🚐 borne eurorelais 2€ - 15 ▣

Agréable cadre verdoyant mais préférer les emplacements les plus éloignés de la route.

Nature : 🏕 🚐 ♨♨
Loisirs : 🏕 🚴
Services : ⚡ 🚿 🚱 🚽 🛜 laverie
À prox. : 🏊🏊🍴🚴 🚴 🖼 🏊 🏊 🏊 parcours de santé parc aquatique terrain multisports

G P S E : 3.7291
N : 45.53953

ARNAC

15150 - Carte Michelin **330** B4 - 148 h. - alt. 620
▶ Paris 541 - Argentat 38 - Aurillac 35 - Mauriac 36

⛰ Village Vacances La Gineste

(pas d'emplacement tentes et caravanes)

🖉 04 71 62 91 90, www.village-vacances-cantal.com

Pour s'y rendre : lieu-dit : La Gineste (3 km au nord-ouest par D 61, rte de Pleaux puis 1,2 km par chemin à dr.)

3 ha en terrasses

Location : (Prix 2018) Permanent 🅿 - 80 🚐 - 40 🏠 . Nuitée 60 à 75€ - Sem. 210 à 640€ - frais de réservation 15€

🚐 borne eurorelais 2€ - 2 ▣

Situation agréable sur une presqu'île du lac d'Enchanet.

Nature : 🦕 🏕 ♨
Loisirs : 🍴 🍽 🏕 🎮 🍵 jacuzzi 🚴 🎿 🛷 🏊 (plage) 🏊 🐎
Services : ⚡ 🛜 🖼 🚿 🏊
À prox. : base nautique

G P S E : 2.2121
N : 45.08285

Avant de vous installer, consultez les tarifs en cours, affichés obligatoirement à l'entrée du terrain, et renseignez-vous sur les conditions particulières de séjour. Les indications portées dans le guide ont pu être modifiées depuis la mise à jour.

ARPAJON-SUR-CÈRE

15130 - Carte Michelin **330** C5 - 6 009 h. - alt. 613
▶ Paris 559 - Argentat 56 - Aurillac 5 - Maurs 44

⛺ La Cère

🖉 04 71 64 55 07, camping.caba.fr

Pour s'y rendre : au sud de la ville, accès par D 920, face à la station Esso, au bord de la rivière

Ouverture : de déb. juin à fin sept.

2 ha (78 empl.) plat, herbeux

Empl. camping : (Prix 2018) 19€ 🏕🏕 🚐 ▣ ⚡ (10A) - pers. suppl. 7€

Location : (Prix 2018) (de mi-avr. à fin oct.) - 10 🚐 . Sem. 264 à 500€

🚐 borne artisanale

Cadre boisé et soigné.

Nature : 🚐 ♨
Loisirs : 🏕 🚴 🚲 🏊
Services : ⚡ 🛜 🚲
À prox. : 🛒 🍴

G P S E : 2.46246
N : 44.89858

AURILLAC

15000 - Carte Michelin **330** C5 - 28 207 h. - alt. 610
▶ Paris 557 - Brive-la-Gaillarde 98 - Clermont-Ferrand 158
- Montauban 174

⚠ Municipal l'Ombrade

🔗 04 71 48 28 87, www.camping.caba.fr

Pour s'y rendre : 1 km au nord par D 17 et chemin du Gué-Bouliaga
à dr., de part et d'autre de la Jordanne

Ouverture : de mi-juin à mi-sept.

7,5 ha (200 empl.) plat, herbeux

Empl. camping : (Prix 2018) 11€ ✦✦ ⇔ 🅴 (10A) - pers. suppl. 5€
🚐 borne artisanale - 25 🅴 13€

Nature : 🌳🌳		**G** E : 2.4559
Loisirs : 🎱 🚲		**P** N : 44.93562
Services : 🔑 🚿 ⚡ 📶 📱		**S**
À prox. : 🛒		

AYDAT

63970 - Carte Michelin **326** E9 - 2 122 h. - alt. 850
▶ Paris 438 - La Bourboule 33 - Clermont-Ferrand 21 - Issoire 38

🏔 Lac d'Aydat

🔗 04 73 79 38 09, www.camping-lac-aydat.com

Pour s'y rendre : au bord du lac Forêt du lot (2 km au nord-est par
D 90 et chemin à dr., près du lac)

Ouverture : de déb. avr. à déb. nov.

7 ha (150 empl.) en terrasses, plat, herbeux, pierreux

Empl. camping : (Prix 2018) 29€ ✦✦ ⇔ 🅴 (16A) - pers. suppl. 6€
- frais de réservation 20€
Location : (Prix 2018) (de déb. avr. à déb. nov.) - 🛏 (1 chalet)
- 53 🚐 - 17 🏠. Nuitée 39 à 125€ - Sem. 273 à 875€ - frais de
réservation 20€

Au bord du lac dans un cadre vallonné et très boisé.

Nature : 🌊 🌳🌳		**G** E : 2.98907
Loisirs : 🎱 ⊕ 🏊 ♨ 🎿		**P** N : 45.66903
Services : 🔑 🚿 📶 laverie		**S**
À prox. : 🐴 🎿 🚲 🏊 (plage) 🚣 🛶		
parcours dans les arbres		

BAGNOLS

63810 - Carte Michelin **326** C9 - 496 h. - alt. 862
▶ Paris 483 - Bort-les-Orgues 19 - La Bourboule 23 - Bourg-Lastic 38

🏔 Municipal la Thialle

🔗 04 73 22 28 00, www.bagnols63.fr

Pour s'y rendre : rte de St-Donat (sortie sud-est par D 25, au bord
de la Thialle)

Ouverture : Permanent

2,8 ha (70 empl.) plat, gravillons, herbeux

Empl. camping : ✦ 4€ ⇔ 2€ 🅴 2€ - 🚻 (10A) 3€
Location : Permanent - 17 🏠. Nuitée 18 à 92€ - Sem. 193 à 902€
🚐 borne artisanale

Nature : 🌊 🌳 🌿		**G** E : 2.63466
Loisirs : 🎱 🏊 ♨ 🎿 (découverte		**P** N : 45.49758
en saison) 🚣		**S**
Services : 🔑 (saison) 🚿 📶 laverie		
À prox. : 🚴 🍸 🍽		

BELLERIVE-SUR-ALLIER

03700 - Carte Michelin **326** H6 - 8 530 h. - alt. 340
▶ Paris 357 - Clermont-Ferrand 53 - Moulins 58 - Saint-Étienne 147

🏔 Club Airotel Beau Rivage et les Isles 👥

🔗 04 70 32 26 85, www.camping-beaurivage.com

Pour s'y rendre : r. Claude-Decloître (2,6 km à l'est)

Ouverture : de déb. avr. à mi-oct.

8 ha (143 empl.) plat, herbeux, gravillons

Empl. camping : 27€ ✦✦ ⇔ 🅴 🚻 (10A) - pers. suppl. 7€ - frais de
réservation 15€
Location : (de déb. avr. à mi-oct.) - 🛏 (1 mobile home) - 39 🚐
- 3 tentes lodges - 3 tentes sur pilotis - 2 appartements. Nuitée
47 à 100€ - Sem. 294 à 1 065€ - frais de réservation 15€
🚐 borne artisanale 10€

*Dans un méandre de l'Allier face au parc de Vichy, emplace-
ments délimités ou plus nature autour un bel espace restauration.*

Nature : 🌊 🌳🌳		**G** E : 3.43192
Loisirs : 🍸 🍽 🎱 ⊕ salle d'animations 🏃		**P** N : 46.11482
🏊 🚲 🎿 (découverte en saison) 🚣 🛶		**S**
tir à l'arc terrain multisports		
Services : 🔑 🍴 🚿 ⚡ 📶 laverie 🚙		
À prox. : 🚣		

BILLOM

63160 - Carte Michelin **326** H8 - 4 637 h. - alt. 340
▶ Paris 437 - Clermont-Ferrand 28 - Cunlhat 30 - Issoire 31

⚠ Municipal le Colombier

🔗 04 73 68 91 50, www.billom.fr

Pour s'y rendre : r. Carnot (au nord-est de la localité par rte de
Lezoux)

1 ha (38 empl.) plat et peu incliné, herbeux

Location : - 12 🏠 - 2 🛏.
🚐 borne flot bleu

*Emplacements ombragés bien délimités et village de chalets
avec jolie vue.*

Nature : 🌊 🌳🌳		**G** E : 3.3459
Loisirs : 🎱 🏃		**P** N : 45.72839
Services : 📶 laverie		**S**
À prox. : 🍴 🎿 🏊		

LA BOURBOULE

63150 - Carte Michelin **326** D9 - 1 961 h. - alt. 880 - ⚕
▶ Paris 469 - Aubusson 82 - Clermont-Ferrand 50 - Mauriac 71

🏔 Flower Les Vernières

🔗 04 73 81 10 20, www.camping-la-bourboule.fr

Pour s'y rendre : av. du Mar.-de-Lattre-de-Tassigny (sortie est par
D 130, rte du Mont-Dore, près de la Dordogne)

Ouverture : de déb. avr. à fin sept.

1,5 ha (174 empl.) terrasse, plat, herbeux

Empl. camping : 27€ ✦✦ ⇔ 🅴 🚻 (10A) - pers. suppl. 5€
Location : (de déb. avr. à fin sept.) - 🎿 - 10 🚐 - 13 🏠
- 2 chalets sur pilotis - 2 tentes lodges - 1 yourte - 4 cabanons.
Nuitée 40 à 130€ - Sem. 230 à 860€
🚐 borne artisanale - 🚙 🚻15€

Locatif très varié et beaucoup d'espaces verts. Préférer les emplacements les plus éloignés de la route.

Nature : 🏕 ♤♤
Loisirs : 🍴 ✕ 🛶 ⛹ ⛵ hammam jacuzzi 🏊 ▣ 🎿
Services : ⚡ 🏧 🛜 laverie
À prox. : ✕ 🛶

GPS E : 2.75285 N : 45.58943

⛰ Les Clarines

✆ 04 73 81 02 30, www.camping-les-clarines.com

Pour s'y rendre : 1424 av. du Mar.-Leclerc

Ouverture : de fin déc. à mi-oct.

3,75 ha (187 empl.) en terrasses, peu incliné, plat, herbeux, gravillons

Empl. camping : (Prix 2018) 24€ ♦♦ 🚗 ▣ ⚡ (10A) - pers. suppl. 5€
Location : (Prix 2018) (de fin déc. à mi-oct.) - 30 🛖. Nuitée 99 à 300€ - Sem. 196 à 686€
🚐 borne artisanale 5€ - 10 ▣ 10€

Navette gratuite pour les thermes et bus pour les stations de ski.

Nature : ❄ ♤♤
Loisirs : 🛶 🏊 🎿 parcours VTT
Services : ⚡ 🏧 👶 🛜 laverie

GPS E : 2.76222 N : 45.59463

BRIOUDE

43100 - Carte Michelin **331** C2 - 6 688 h. - alt. 427
▶ Paris 487 - Clermont-Ferrand 71 - Le Puy-en-Velay 59 - Aurillac 105

⛰ Aquadis Loisirs La Bageasse

✆ 04 71 50 07 70, www.aquadis-loisirs.com/camping-la-bageasse

Pour s'y rendre : sortie sud-est par N 102, rte du Puy-en-Velay puis 1,5 km par r. à gauche et av. de la Bageasse, à droite, près de l'Allier (plan d'eau)

Ouverture : de déb. mars à déb. nov.

2,5 ha (49 empl.) en terrasses, plat, herbeux

Empl. camping : 18€ ♦♦ 🚗 ▣ ⚡ (10A) - pers. suppl. 5€ - frais de réservation 10€
Location : (de déb. mars à déb. nov.) - ♿ (1 chalet) - 4 🛖 - 15 🛖. Nuitée 65 à 80€ - Sem. 239 à 599€ - frais de réservation 10€
🚐 borne artisanale

Agréable terrain au bord de la rivière.

Nature : 🏕 ♤♤
Loisirs : 🍴 ✕ 🛶 🏊
Services : ⚡ 🏧 👶 🛜 laverie
À prox. : 🛶 ⛹ ⛵ 🎣

GPS E : 3.40479 N : 45.28123

LA CHAISE-DIEU

43160 - Carte Michelin **331** E2 - 730 h. - alt. 1 080
▶ Paris 503 - Ambert 29 - Brioude 35 - Issoire 59

⛰ Municipal les Prades

✆ 04 71 00 07 88, campinglesprades@orange.fr

Pour s'y rendre : 2 km au nord-est par D 906, rte d'Ambert, près du plan d'eau de la Tour (accès direct)

Ouverture : de fin avr. à fin sept.

3 ha (100 empl.) peu incliné, herbeux

Empl. camping : (Prix 2018) ♦ 4€ 🚗 ▣ 2€ – ⚡ (10A) 4€
Location : (Prix 2018) (de fin avr. à fin sept.) - 11 🛖. Nuitée 20 à 45€ - Sem. 120 à 270€ - frais de réservation 8€
🚐 borne artisanale

Nature : ♤♤
Loisirs : 🏊 🛜 ▣
Services : ⚡ 🏧 🛜 ▣
À prox. : ✕ 🛶 🐎

GPS E : 3.70496 N : 45.33321

Benutzen Sie den Hotelführer des laufenden Jahres.

CHAMBON-SUR-LAC

63790 - Carte Michelin **326** E9 - 352 h. - alt. 885 - Sports d'hiver : 1 150/1 760 m
▶ Paris 456 - Clermont-Ferrand 37 - Condat 39 - Issoire 32

⛰ Yelloh! Village Le Pré Bas ♙

✆ 04 73 88 63 04, www.leprebas.com

Pour s'y rendre : près du lac (accès direct)

Ouverture : de mi-avr. à mi-sept.

3,8 ha (180 empl.) plat et peu incliné, herbeux

Empl. camping : 44€ ♦♦ 🚗 ▣ ⚡ (10A) - pers. suppl. 9€
Location : (de mi-avr. à mi-sept.) - ♿ (1 mobile home) - 117 🛖 - 3 gîtes. Nuitée 39 à 209€ - Sem. 273 à 1 463€

Loisirs adaptés aux jeunes enfants, de qualité et en partie couverts.

Nature : 🏞 🏕 ♀
Loisirs : 🍴 ✕ 🛶 🎭 salle d'animations ⛹ centre balnéo ⛵ hammam jacuzzi 🏊 ▣ 🎿 ⛏
Services : ⚡ 🏧 👶 🛜 laverie 🛒
À prox. : 🏊 🛶 (plage) 🚣 🚤 🛶 pédalos

GPS E : 2.91427 N : 45.57516

⛰ Les Bombes

✆ 04 73 88 64 03, www.camping-les-bombes.com

Pour s'y rendre : chemin de Pétary (à l'est de Chambon-sur-Lac vers rte de Murol et à dr., au bord de la Couze de Chambon)

Ouverture : de fin avr. à mi-sept.

5 ha (150 empl.) plat, herbeux

Empl. camping : 21€ ♦♦ 🚗 ▣ ⚡ (10A) - pers. suppl. 6€ - frais de réservation 13€
Location : (de fin avr. à mi-sept.) - 5 🛖 - 16 🛖 - 2 bungalows toilés - 1 tente lodge. Nuitée 40 à 115€ - Sem. 255 à 780€ - frais de réservation 13€
🚐 borne artisanale 3€ - 30 ▣ 7€

Locatif varié et beaucoup d'espaces verts propices à la détente.

Nature : 🏞 ♀
Loisirs : 🍴 ✕ 🛶 ⛹ 🚲 🏊 🎿
Services : ⚡ 👶 🛜 laverie 🛒

GPS E : 2.90188 N : 45.56994

⛰ Serrette

✆ 0473 88 67 67, www.campingdeserrette.com - alt. 1 000

Pour s'y rendre : 2,5 km à l'ouest par D 996, rte du Mont-Dore et D 636 (à gauche) rte de Chambon-des-Neiges

Ouverture : de déb. mai à mi-sept.

2 ha (75 empl.) en terrasses, plat et peu incliné, pierreux, herbeux

Empl. camping : (Prix 2018) 26 € ✖ ✖ ⇔ 回 🔌 (10A) - pers. suppl. 6 € - frais de réservation 12 €

Location : (Prix 2018) (de déb. mai à mi-sept.) - 🚶 (1 chalet) - 11 🛖 - 3 🏠 - 4 bungalows toilés. Nuitée 35 à 60 € - Sem. 230 à 755 € - frais de réservation 12 €

Magnifique vue dominant le lac et ses environs.

| Nature : 🏞 ≼ lac et château de Murol ♀ |
| Loisirs : ♀ ✖ 🛖 ⇌ 🔲 (découverte en saison) |
| Services : ⚬🔑 ♨ 🛜 laverie 🐾 |

G P S E : 2.89105
N : 45.57099

LE CHAMBON-SUR-LIGNON

43400 - Carte Michelin **331** H3 - 2 690 h. - alt. 967
▶ Paris 573 - Annonay 48 - Lamastre 32 - Le Puy-en-Velay 45

⛰ Les Hirondelles

✆ 0466 14 02 70, www.campingleshirondelles.fr - alt. 1 000

Pour s'y rendre : rte de la Suchère (1 km au sud par D 151 et D 7 à gauche)

Ouverture : de fin juin à fin août

1 ha (45 empl.) plat, herbeux

Empl. camping : (Prix 2018) 16 € ✖ ✖ ⇔ 回 🔌 (6A) - pers. suppl. 3 €
Location : (Prix 2018) (de mi-avr. à déb. nov.) - 🦅 - 3 🏠. Nuitée 45 à 70 € - Sem. 240 à 485 €
🛖 borne artisanale 10 €

Cadre agréable dominant le village.

| Nature : 🏞 ≼ ⌂ ♀♀ |
| Loisirs : ♀ 🛖 ⇌ 🏇 |
| Services : ⚬🔑 ♨ 🛜 🔲 🐾 |
| Au plan d'eau : 🛒 ✖ 🎿 🛥 🐎 parcours sportif |

G P S E : 4.2986
N : 45.05436

⛰ Le Lignon

✆ 0471 65 08 82, www.camping-le-lignon.com - alt. 1 000

Pour s'y rendre : 7 rte du Stade (sortie sud-ouest par D 15, rte de Mazet-sur-Voy et à dr. av. le pont, près de la rivière)

Ouverture : de mi-avr. à fin oct.

2 ha (82 empl.) plat, herbeux

Empl. camping : 21 € ✖ ✖ ⇔ 回 🔌 (10A) - pers. suppl. 7 €
Location : (de mi-avr. à fin oct.) - 7 🛖 - 5 cabanons. Nuitée 25 à 75 € - Sem. 250 à 700 €

| Nature : ♀ ⌂ |
| Loisirs : 🛖 ⇌ 🚲 |
| Services : ⚬🔑 🔲 🛜 🔲 |
| au plan d'eau : 🛒 ✖ 🎿 🛥 🐎 parcours sportif |

G P S E : 4.29686
N : 45.05944

CHAMPAGNAC-LE-VIEUX

43440 - Carte Michelin **331** D1 - 234 h. - alt. 880
▶ Paris 486 - Brioude 16 - La Chaise-Dieu 25 - Clermont-Ferrand 76

⛰ Le Chanterelle

✆ 0471 76 34 00, www.champagnac.com

Pour s'y rendre : Le Prat Barrat (1,4 km au nord par D 5, rte d'Auzon, et chemin à dr.)

Ouverture : de mi-avr. à mi-oct.

4 ha (90 empl.) en terrasses, plat, herbeux

Empl. camping : 18 € ✖ ✖ ⇔ 回 🔌 (4A) - pers. suppl. 4 €
Location : (de mi-avr. à mi-oct.) - 6 🛖 - 20 🏠 - 12 bungalows toilés. Nuitée 29 à 108 € - Sem. 145 à 756 € - frais de réservation 16 €

Dans un site verdoyant, près d'un plan d'eau.

| Nature : 🏞 ♀♀ |
| Loisirs : 🏇 ⇌ 🚲 |
| Services : ⚬🔑 🔲 🎿 🗑 🛜 laverie |
| À prox. : 🛖 ✖ 🛥 (plage) 🐎 parcours de santé |

G P S E : 3.50575
N : 45.3657

Use this year's Guide.

CHAMPS-SUR-TARENTAINE

15270 - Carte Michelin **330** D2 - 1 035 h. - alt. 450
▶ Paris 500 - Aurillac 90 - Clermont-Ferrand 82 - Condat 24

⛰ Les Chalets de l'Eau Verte

(pas d'emplacement tentes et caravanes)

✆ 0471 78 78 78, www.auvergne-chalets.fr

Pour s'y rendre : Le Jagounet

8 ha peu incliné

Location : Permanent🚶 (1 chalet) - 🅿 - 10 🏠 - 3 chambres d'hôtes. Nuitée 49 à 120 € - Sem. 294 à 840 € - frais de réservation 10 €

Location deux nuits minimum hors saison pour les chalets ; trois chambres d'hôtes de charme.

| Nature : 🏞 |
| Loisirs : 🛖 🏇 ⇌ jacuzzi |
| Services : ⚬🔑 🛜 🔲 |
| À prox. : ✖ 🛥 ⚓ 🐎 |

G P S E : 2.63853
N : 45.40595

CHÂTELGUYON

63140 - Carte Michelin **326** F7 - 6 223 h. - alt. 430 - ♨
▶ Paris 411 - Aubusson 93 - Clermont-Ferrand 21 - Gannat 31

⛰ Le Ranch des Volcans 👫

✆ 0473 86 02 47, www.ranchdesvolcans.com

Pour s'y rendre : rte de la Piscine (sortie sud-est par D 985, rte de Riom)

Ouverture : de déb. avr. à fin oct.

4 ha (285 empl.) plat et peu incliné, herbeux

Empl. camping : 28 € ✖ ✖ ⇔ 回 🔌 (10A) - pers. suppl. 5 €
Location : Permanent - 46 🛖 - 3 🏠 - 1 tente lodge - 3 tipis. Nuitée 65 à 239 € - Sem. 150 à 945 € - frais de réservation 15 €
🛖 borne artisanale - 21 回 10 € - 🔌 🔌11 €

En partie ombragé sous les bouleaux avec une décoration sur le thème du ranch américain. Navettes pour le centre thermal.

Nature : 🌳🌳
Loisirs : 🍽✕🏠🏕🏊🚣🚴🛶
Services : ⚡🛒♨🚿🛁📶 laverie 🧺

G P S E : 3.07732
N : 45.91491

⛰ La Croze

🔗 04 73 86 08 27, www.campingdelacroze.com

Pour s'y rendre : à St-Hippolyte, rte de Mozac (1 km au sud-est par D 227, rte de Riom)

Ouverture : de déb. avr. à mi-oct.

3,7 ha (98 empl.) en terrasses, peu incliné, plat, herbeux

Empl. camping : 21€ ✶✶ 🚗 🔲 🔌 (10A) - pers. suppl. 4€ - frais de réservation 12€
Location : (de mi-mars à fin nov.) 🚻 (1 chalet) - 18 🚐 - 9 🏠. Nuitée 28 à 115€ - Sem. 215 à 640€ - frais de réservation 12€
Navette pour le centre thermal.

Nature : 🌿🌳🌳
Loisirs : ✕🚣🛶
Services : ⚡🛒♨🚿📶 laverie

G P S E : 3.06083
N : 45.90589

CHAUDES-AIGUES

15110 - Carte Michelin **330** G5 - 940 h. - alt. 750 - ✚
▶ Paris 538 - Aurillac 94 - Entraygues-sur-Truyère 62 - Espalion 54

⚠ Le Château du Couffour

🔗 06 75 27 69 27, www.camping-chaudesaigues.fr - alt. 900

Pour s'y rendre : au stade (2 km au sud par D 921, rte de Laguiole puis chemin à dr.)

Ouverture : de mi-avr. à mi-oct.

2,5 ha (90 empl.) plat, herbeux

Empl. camping : 16€ ✶✶ 🚗 🔲 🔌 (16A) - pers. suppl. 3€
🚐 borne artisanale 2€
En pleine nature, en altitude.

Nature : 🌿 ≤ 🌿
Loisirs : 🎱🚣
Services : ⚡🛒🔲📶📶
À prox. : 🚴🏊🛶 casino

G P S E : 3.00071
N : 44.8449

*To visit a town or region : use the **MICHELIN Green Guides**.*

COURNON-D'AUVERGNE

63800 - Carte Michelin **326** G8 - 19 494 h. - alt. 380
▶ Paris 422 - Clermont-Ferrand 12 - Issoire 31 - Le Mont-Dore 54

⛰ Municipal le Pré des Laveuses

🔗 04 73 84 81 30, www.campinglepredeslaveuses.com

Pour s'y rendre : r. des Laveuses (1,5 km à l'est par rte de Billom et rte de la plage à gauche)

Ouverture : de déb. avr. à déb. oct.

5 ha (145 empl.) plat, herbeux, gravier, pierreux

Empl. camping : (Prix 2018) 26€ ✶✶ 🚗 🔲 🔌 (6A) - pers. suppl. 6€
Location : (Prix 2018) Permanent🚻 (2 chalets) - 15 🚐 - 18 🏠 - 12 bungalows toilés. Sem. 209 à 729€
🚐 borne flot bleu

Entre un plan d'eau avec sa plage et l'Allier.

Nature : 🌿🌳🌳⛰
Loisirs : 🍽✕🏠🚣🍴🛶
Services : ⚡🔲♨🚿 laverie
À prox. : ⛱🏊🚴🛶

G P S E : 3.22271
N : 45.74029

DOMPIERRE-SUR-BESBRE

03290 - Carte Michelin **326** J3 - 3 184 h. - alt. 234
▶ Paris 324 - Bourbon-Lancy 19 - Decize 46 - Digoin 27

⛰ Municipal Les Bords de Bresbre

🔗 04 70 34 55 57, www.mairie-dsb.fr

Pour s'y rendre : La Madeleine (sortie sud-est par N 79, rte de Digoin, près de la Besbre et à prox. d'un étang)

Ouverture : de mi-mai à mi-sept.

2 ha (70 empl.) plat, herbeux

Empl. camping : (Prix 2018) ✶ 3€🚗 🔲 3€ – 🔌 (10A) 3€
🚐 borne artisanale 2€
Autour du grand stade municipal et à 7 km du parc animalier Le Pal.

Nature : 🌿🔲🌳🌳
Loisirs : 🍴
Services : ⚡🚗🔲🚿🛁📶📶📶
À prox. : 🛶🛶

G P S E : 3.68289
N : 46.51373

Raadpleeg, voordat U zich op een kampeerterrein installeert, de tarieven die de beheerder verplicht is bij de ingang van het terrein aan te geven. Informeer ook naar de speciale verblijfsvoorwaarden. De in deze gids vermelde gegevens kunnen sinds het verschijnen van deze hereditie gewijzigd zijn.

GANNAT

03800 - Carte Michelin **326** G6 - 5 853 h. - alt. 345
▶ Paris 383 - Clermont-Ferrand 49 - Montluçon 78 - Moulins 58

⛰ Municipal Le Mont Libre

🔗 04 70 90 12 16, www.camping-gannat.fr

Pour s'y rendre : 10 rte de la Batisse (1 km au sud par N 9 et rte à dr.)

Ouverture : Permanent

1,5 ha (73 empl.) en terrasses, plat, herbeux

Empl. camping : (Prix 2018) 15€ ✶✶ 🚗 🔲 🔌 (10A) - pers. suppl. 3€
Location : (Prix 2018) Permanent🚻 (1 chalet) - 13 🏠. Sem. 302 à 538€ - frais de réservation 90€
🚐 borne artisanale 4€ - 6 🔲 15€
De beaux emplacements et des chalets en terrasses pour une vue panoramique sur la vallée.

Nature : 🌿 ≤ 🌿 🌿
Loisirs : 🎱🚣🛶 (petite piscine)
Services : ⚡📶 laverie
À prox. : ✂

G P S E : 3.19403
N : 46.0916

107

ISLE-ET-BARDAIS

03360 - Carte Michelin **326** D2 - 275 h. - alt. 285
▶ Paris 280 - Bourges 60 - Cérilly 9 - Montluçon 52

⛰ Les Écossais

✆ 0470 66 62 57, www.campingstroncais.com

Pour s'y rendre : 1 km au sud par rte des Chamignoux

Ouverture : de déb. avr. à mi-oct.

2 ha (70 empl.) peu incliné, plat, herbeux, non clos

Empl. camping : (Prix 2018) 15 € ✚✚ ⟵ 🅴 🅗 (10A) - pers. suppl. 3 €
- frais de réservation 15 €

Location : (Prix 2018) (de déb. avr. à fin oct.) - 2 ⟨⟩ - 8 cabanons
- 7 gîtes. Nuitée 40 à 140 € - Sem. 150 à 460 € - frais de réservation
15 €

Au bord du lac de Pirot et à l'orée de la forêt de Tronçais.

Nature : 🦆 ⟷ ⚲⚲		
Loisirs : 🍸 🎱 ⟵ ✂ m	**G**	E : 2.78814
Services : 🛜 laverie	**P**	N : 46.68278
À prox. : 🏖 (plage) 🚣	**S**	

Utilisez le guide de l'année.

ISSOIRE

63500 - Carte Michelin **326** G9 - 13 949 h. - alt. 400
▶ Paris 446 - Aurillac 121 - Clermont-Ferrand 36 - Le Puy-en-Velay 94

⛰ Château La Grange Fort

✆ 0473 71 02 43, www.lagrangefort.eu

Pour s'y rendre : 4 km au sud-est par D 996, rte de la Chaise-Dieu
puis à dr, 3 km par D 34, rte d'Auzat-sur-Allier - Par A 75 sortie 13 dir.
Parentignat

Ouverture : de déb. mars à déb. nov.

23 ha/4 campables (120 empl.) peu incliné, plat, herbeux, gravier

Empl. camping : 35 € ✚✚ ⟵ 🅴 🅗 (6A) - pers. suppl. 6 € - frais de
réservation 20 €

Location : (de déb. avr. à mi-oct.) - 18 ⟨⟩ - 9 🏠 - 7 bungalows
toilés - 2 tentes lodges - 2 appartements. Nuitée 89 à 135 € - Sem.
235 à 945 € - frais de réservation 20 €

🚐 borne artisanale 5 € - 🚐 🅗 17 €

*Autour d'un pittoresque château médiéval avec des emplace-
ments qui dominent la vallée de l'Allier.*

Nature : 🦆 ⟷ ⚲		
Loisirs : 🍸 ✕ 🎱 ≋ jacuzzi ⟵ 🚲 ✂ 🎯 ⟷	**G**	E : 3.28501
Services : 🔑 🅿 🧺 👤 🛜 laverie 🐾	**P**	N : 45.50859
À prox. : 🚣	**S**	

⛰ Municipal du Mas

✆ 0473 89 03 59, www.camping-issoire.fr

Pour s'y rendre : r. du Dr-Bienfait (2,5 km à l'est par D 9, rte d'Orbeil
et à dr., à 50 m d'un plan d'eau et à 300 m de l'Allier, par A 75 sortie
12)

Ouverture : de déb. avr. à déb. nov.

3 ha (148 empl.) plat, herbeux

Empl. camping : (Prix 2018) 20 € ✚✚ ⟵ 🅴 🅗 (10A) - pers. suppl. 5 €
Location : (Prix 2018) (de déb. avr. à déb. nov.) - ♿ (1 chalet)
- 4 ⟨⟩ - 6 🏠 - 3 tentes lodges. Nuitée 40 à 105 € - Sem. 241 à 600 €

🚐 borne flot bleu 4 €

Proche de l'Allier et d'un étang de pêche.

Nature : 🦆 ⚲		
Loisirs : ✕ 🎱 ⟵ m	**G**	E : 3.27397
Services : 🛒 🧺 👤 🚿 🛜 laverie	**P**	N : 45.55108
À prox. : 🚲 ✂ 🚣 🎣 bowling	**S**	

LANGEAC

43300 - Carte Michelin **331** C3 - 4 004 h. - alt. 505
▶ Paris 513 - Clermont-Ferrand 97 - Le Puy-en-Velay 44 - Aurillac 134

⛰ Les Gorges de l'Allier

✆ 0471 77 05 01, www.campinglangeac.com

Pour s'y rendre : Domaine Le Pradeau (r. de Lille, au Nord par D 585
rte de Brioude, bord de l'Allier)

Ouverture : de déb. avr. à fin oct.

14 ha (214 empl.) plat, herbeux

Empl. camping : (Prix 2018) 16 € ✚✚ ⟵ 🅴 🅗 (12A) - pers. suppl. 5 €
Location : (Prix 2018) (de déb. avr. à fin oct.) - ♿ (2 chalets)
- 10 ⟨⟩ - 27 🏠. Sem. 306 à 750 € - frais de réservation 15 €

🚐 borne flot bleu 3 €

Nature : 🦆 ≶ ⚲		
Loisirs : 🍸 ✕ 🎱 ⊙ salle d'animations ⟵ 🏊 🎣 terrain multisports	**G**	E : 3.50069
Services : 🛒 👤 🚿 🛜 laverie	**P**	N : 45.10389
À prox. : 🚣 🚲 ✂ m 🚣	**S**	

LANOBRE

15270 - Carte Michelin **330** D2 - 1 400 h. - alt. 650
▶ Paris 493 - Bort-les-Orgues 7 - La Bourboule 33 - Condat 30

⛰ Le Lac de la Siauve

✆ 0471 40 31 85, www.camping-lac-siauve.fr - alt. 660

Pour s'y rendre : r. du Camping (3 km au sud-ouest par D 922, rte de
Bort-les-Orgues et rte à dr., à 200 m du lac (accès direct))

Ouverture : de mi-avr. à mi-sept.

8 ha (220 empl.) en terrasses, plat, herbeux

Empl. camping : (Prix 2018) 24 € ✚✚ ⟵ 🅴 🅗 (10A) - pers. suppl. 6 €
- frais de réservation 12 €

Location : (Prix 2018) Permanent - 20 ⟨⟩ - 19 🏠 - 15 tentes
lodges. Nuitée 60 à 80 € - Sem. 230 à 520 € - frais de réservation
12 €

🚐 borne artisanale

Nature : 🦆 ≶ ⚲		
Loisirs : 🍸 ⊙ diurne ⟵ 🚲 🖼	**G**	E : 2.50407
Services : 🛒 👤 🚿 🛜 laverie	**P**	N : 45.4306
À prox. : 🏖 (plage) base nautique	**S**	

LAPALISSE

03120 - Carte Michelin **326** I5 - 3 162 h. - alt. 280
▶ Paris 346 - Digoin 45 - Mâcon 122 - Moulins 50

⛰ Municipal La Route Bleue

✆ 0470 99 26 31, www.lapalisse-tourisme.com

Pour s'y rendre : r. des Vignes (sortie sud-est par N 7)

Ouverture : de fin avr. à fin sept.

0,8 ha (68 empl.) plat, herbeux

Empl. camping : ✚ 3 € ⟵ 5 € 🅴 5 € - 🅗 (6A) 3 €

Location : (de fin avr. à fin sept.) - 🏊 - 2 🚐 - 6 🏠 . Nuitée 30 à 60€ - Sem. 120 à 380€

Beaux emplacements ombragés et délimités au bord de la Besbre, avec un chemin piétonnier reliant le centre-ville.

Nature : 🗔 ♀♀
Loisirs : 🏕🎣🛶
Services : 🛒🚿🛜📷
À prox. : 🎿 parcours de santé

G
P
S
E : 3.6395
N : 46.2433

LAPEYROUSE

63700 - Carte Michelin **326** E5 - 561 h. - alt. 510
▶ Paris 350 - Clermont-Ferrand 74 - Commentry 15 - Montmarault 14

⚠ Municipal les Marins

🖉 04 73 52 37 06, www.63lapeyrouse.free.fr

Pour s'y rendre : Étang de La Loge (2 km au sud-est par D 998, rte d'Echassières et D 100 à dr., rte de Durmignat)

Ouverture : de mi-avr. à mi-sept.

2 ha (68 empl.) plat, herbeux

Empl. camping : (Prix 2018) 21€ ★★ 🚐 📧 🔌 (10A) - pers. suppl. 4€
Location : (Prix 2018) (de mi-avr. à mi-sept.) - 6 🏠 . Nuitée 100 à 140€ - Sem. 220 à 570€

Décoration arbustive des emplacements, près d'un plan d'eau.

Nature : 🦢🗔
Loisirs : 🎱🎣🛶
Services : 🛒🚿🛜📷
À prox. : 🍷🎿🛶 (plage)

G
P
S
E : 2.8837
N : 46.22125

We recommend that you consult the up to date price list posted at the entrance of the site. Inquire about possible restrictions. The information in this Guide may have been modified since going to press.

LEMPDES-SUR-ALLAGNON

43410 - Carte Michelin **331** B1 - 1 324 h. - alt. 430
▶ Paris 472 - Clermont-Ferrand 56 - Le Puy-en-Velay 73 - Aurillac 102

⛰ Pont d'Allagnon

🖉 04 71 76 53 69, www.campingenauvergne.com

Pour s'y rendre : r. René Filiol

Ouverture : de déb. mars à déb. nov.

2 ha (60 empl.) plat, herbeux

Empl. camping : 🚐📧 18€ – 🔌 (10A) 4€
Location : Permanent🦽 (1 chalet) - 6 🚐 - 6 🏠 - 3 bungalows toilés - 1 tente lodge. Nuitée 36 à 80€ - Sem. 200 à 550€
🚐 borne eurorelais 2€

Accès direct au village par une petite passerelle au-dessus de l'Allagnon.

Nature : 🦢🗔♀
Loisirs : 🍷🍴🎱🎣🎿🔭🛶 location de voitures terrain multisports
Services : 🛒🚿🚽🛜 laverie
À prox. : 🛶 mini ferme

G
P
S
E : 3.26624
N : 45.38697

MAURIAC

15200 - Carte Michelin **330** B3 - 3 854 h. - alt. 722
▶ Paris 490 - Aurillac 53 - Le Mont-Dore 77 - Riom-és-Montagnes 37

⛰ Val St-Jean

🖉 04 71 67 31 13, www.tourismevalsaintjean.fr

Pour s'y rendre : base de Loisirs (2,2 km à l'ouest par D 681, rte de Pleaux et D 682 à dr., accès direct à un plan d'eau)

Ouverture : de déb. mai à mi-sept.

3,5 ha (100 empl.) en terrasses, plat, herbeux

Empl. camping : (Prix 2018) 26€ ★★ 🚐 📧 🔌 (16A) - pers. suppl. 6€
Location : (Prix 2018) Permanent🦽 (1 chalet) - 30 🏠 - 5 bungalows toilés - 10 cabanons. Nuitée 75 à 100€ - Sem. 120 à 695€
🚐 borne eurorelais - 🔌🔌12€

Au bord d'un lac, tout proche de la cité historique.

Nature : 🦢⛰🗔♀
Loisirs : 🎱diurne 🚶
Services : 🛒🚿🚽🛜 laverie
À prox. : 🎿🍴🎣🚴🔭🛶🛶 (plage)🏄🛶 pédalos

G
P
S
E : 2.31657
N : 45.21835

To make the best possible use of this Guide, READ CAREFULLY THE EXPLANATORY NOTES.

MAURS

15600 - Carte Michelin **330** B6 - 2 213 h. - alt. 290
▶ Paris 568 - Aurillac 43 - Entraygues-sur-Truyère 50 - Figeac 22

⛰ Municipal Le Vert

🖉 04 71 49 04 15, www.campinglevert-maurs.fr

Pour s'y rendre : 21 av. du stade (800 m au sud-est par D 663, rte de Décazeville, au bord de la Rance)

Ouverture : de déb. mai à fin sept.

1,2 ha (44 empl.) plat, herbeux

Empl. camping : (Prix 2018) ★ 4€ 🚐 2€ 📧 7€ – 🔌 (6A) 7€
Location : (Prix 2018) Permanent - 4 🏠. Sem. 135 à 460€

Nature : 🗔 ♀♀
Loisirs : 🎱🎣🛶
Services : 🛒🚦🚿🚽🛜📷
À prox. : 🚴🐴

G
P
S
E : 2.2064
N : 44.70507

MONISTROL-D'ALLIER

43580 - Carte Michelin **331** D4 - 219 h. - alt. 590
▶ Paris 535 - Brioude 58 - Langogne 56 - Le Puy-en-Velay 28

⚠ Municipal le Vivier

🖉 04 71 57 24 14, www.camping-gitelevivier.fr

Pour s'y rendre : au sud, près de l'Allier (accès direct)

Ouverture : de mi-avr. à mi-oct.

1 ha (48 empl.) plat, herbeux, pierreux

Empl. camping : (Prix 2018) 15€ ★★ 🚐 📧 🔌 (10A) - pers. suppl. 4€
Location : (Prix 2018) (de mi-avr. à mi-oct.) - 3 🛏 - 13 gîtes. Nuitée 18 à 25€ - Sem. 120 à 150€
🚐 borne artisanale 3€ - 🔌🔌14€

Nature : ⛰♀
Loisirs : 🍴🎱
Services : 🛒🛜
À prox. : 🎣🎿🔭🛶 sports en eaux vives

G
P
S
E : 3.65348
N : 44.96923

MONTAIGUT-LE-BLANC

63320 - Carte Michelin **326** F9 - 717 h. - alt. 500
▶ Paris 443 - Clermont-Ferrand 33 - Issoire 17 - Pontgibaud 46

⚠ Le Pré

𝄞 0473967507, www.campinglepre.com

Pour s'y rendre : pl. Amouroux (au bourg)

Ouverture : de mi-avr. à fin sept.

1,5 ha (100 empl.) plat, herbeux

Empl. camping : (Prix 2018) 23 € 👫 🚗 🗉 🔌 (10A) - pers. suppl. 5 €
- frais de réservation 8 €

Location : (Prix 2018) (de déb. fév. à mi-déc.) - ♿ (1 chalet) - 7 🏠.
Nuitée 45 à 50 € - Sem. 230 à 620 € - frais de réservation 8 €

Au bord de la Couze Chambon avec vue sur le village haut perché.

Nature : 🏞 ⩽ 🗀 🌳
Loisirs : 🏠 🎣
Services : ⚟ 🚿 🛁 🛜 laverie réfrigérateurs
À prox. : 🚴 🎿 ⛷

G	E : 3.09162
P	
S	N : 45.58482

LE MONT-DORE

63240 - Carte Michelin **326** D9 - 1 391 h. - alt. 1 050 - ♨ - Sports
d'hiver : 1 050/1 850 m
▶ Paris 462 - Aubusson 87 - Clermont-Ferrand 43 - Issoire 49

⛰ Municipal l'Esquiladou

𝄞 0473652374, www.mairie-mont-dore.fr

Pour s'y rendre : à Queureuilh, rte des Cascades (par D 996, rte de
Murat-le-Quaire et rte à dr.)

Ouverture : de mi-avr. à mi-nov.

1,8 ha (100 empl.) en terrasses, plat, gravillons

Empl. camping : ♀ 5 € 🚗 🗉 6 € – 🔌 (10A) 5 €

Location : (de mi-avr. à mi-nov.) - 🛷 - 17 🛖 . Nuitée 60 à 100 €
- Sem. 285 à 550 €

🚰 borne artisanale

*Dans un site montagneux, verdoyant et boisé, proche du
centre-ville.*

Nature : 🏞 ⩽ 🗀
Loisirs : 🏠 jacuzzi 🚴 🏊 (petite piscine)
(découverte en saison)
Services : ⚟ 🛜 laverie

G	E : 2.80162
P	
S	N : 45.58706

MURAT-LE-QUAIRE

63150 - Carte Michelin **326** D9 - 476 h. - alt. 1 050
▶ Paris 478 - Clermont-Ferrand 45 - Aurillac 120 - Cournon
d'Auvergne 60

⛰ Le Panoramique

𝄞 0473811879, www.campingpanoramique.fr - peu
d'emplacements pour tentes et caravanes

Pour s'y rendre : 1,4 km à l'est par D 219, rte du Mont-Dore et
chemin à gauche

Ouverture : de déb. avr. à fin sept.

3 ha (85 empl.) fort dénivelé, en terrasses, plat, herbeux

Empl. camping : (Prix 2018) 24 € 👫 🚗 🗉 🔌 (10A) - pers. suppl. 7 €

Location : (Prix 2018) (de déb. avr. à fin sept.) - 23 🛖 - 20 🏠
- 2 tentes lodges . Nuitée 45 à 103 € - Sem. 250 à 725 €

🚰 borne artisanale 5 €

Belle situation dominante.

Nature : 🏞 ⩽ Les Monts Dore et la vallée
Loisirs : 🍽 🏠 🚴 🏊 mini ferme
Services : ⚟ 🛁 🛜 laverie

G	E : 2.74779
P	
S	N : 45.596

▲ Municipal les Couderts

✆ 04 73 65 54 81, www.camping-couderts.e-monsite.com

Pour s'y rendre : Les Couderts (sortie nord, au bord d'un ruisseau)

Ouverture : de mi-mai à mi-oct.

1,7 ha (62 empl.) en terrasses, peu incliné, plat, herbeux

Empl. camping : (Prix 2018) 10€ ♟♟ 🚗 🔲 🔌 (10A) - pers. suppl. 4€

Location : (Prix 2018) Permanent - 1 🛖 - 6 🏠 - 1 kota. Nuitée 60 à 90€ - Sem. 290 à 550€

Belle aire bien aménagée pour campings-cars à 500 m, ouverte à l'année.

Nature : 🌳 ≤ 🏕 💧 Loisirs : 🎣🏊 Services : 🍴 🍽 🛁 🛜 laverie À prox. : 🍹 🍴	**G P S** E : 2.73511 N : 45.59937

MUROL

63790 - Carte Michelin **326** E9 - 546 h. - alt. 830

▶ Paris 456 - Besse-en-Chandesse 10 - Clermont-Ferrand 37 - Condat 37

🏔 Sunêlia La Ribeyre ♟♟

✆ 04 73 88 64 29, www.laribeyre.com

Pour s'y rendre : lieu-dit : Jassat (1,2 km au sud, au bord d'un ruisseau)

Ouverture : de déb. mai à mi-sept.

13 ha (460 empl.) plat, herbeux, étang

Empl. camping : 46€ ♟♟ 🚗 🔲 🔌 (10A) - pers. suppl. 9€ - frais de réservation 30€

Location : (de déb. mars à mi sept.) - ♿ (1 mobile home) - 🏕 - 110 🛖 - 10 cabanons. Nuitée 44 à 246€ - Sem. 308 à 1 722€ - frais de réservation 30€

🚐 borne AireService

Joli parc aquatique et petit plan d'eau pour la baignade et le canoë.

Nature : 🌳 ≤ 💧💧 Loisirs : 🍹 🍴 🎬 🎮 🏓 jacuzzi 🎣🏊 🍽 🏞 🌊 🌊 (plan d'eau) 🛶 🚴 Services : 🍴 🛁 🛻 🛜 laverie 🛒 🛒 À prox. : 🎣	**G P S** E : 2.93719 N : 45.56232

▲ Le Repos du Baladin

✆ 04 73 88 61 93, www.camping-auvergne-france.com

Pour s'y rendre : à Groire (1,5 km à l'est par D 146, rte de St-Diéry)

Ouverture : de déb. mai à mi-sept.

1,6 ha (88 empl.) en terrasses, peu incliné, plat, herbeux, rochers

Empl. camping : (Prix 2018) 27€ ♟♟ 🚗 🔲 🔌 (6A) - pers. suppl. 6€ - frais de réservation 14€

Location : (Prix 2018) (de déb. mai à mi-sept.) - 26 🛖 - 5 🏠. Nuitée 45 à 70€ - Sem. 233 à 780€ - frais de réservation 14€

Cadre verdoyant avec vue sur le château de Murol pour quelques emplacements.

Nature : ≤ 🏕 💧💧 Loisirs : 🍹 🍴 🎬 🎣🏊 🏞 🌊 Services : 🍴 🍽 🛁 🛜 laverie 🛒	**G P S** E : 2.95728 N : 45.57379

🏔 Les Fougères - Domaine du Marais

✆ 04 73 88 67 08, www.camping-auvergne-sancy.com

Pour s'y rendre : au pont du Marais (0,6 km à l'ouest par D 996, rte de Chambon-Lac)

Ouverture : de fin avr. à mi-sept.

4 ha (135 empl.) fort dénivelé, en terrasses, plat, herbeux

Empl. camping : 28€ ♟♟ 🚗 🔲 🔌 (15A) - pers. suppl. 6€ - frais de réservation 12€

Location : (de déb. avr. à fin oct.) - 30 🛖 - 40 🏠 - 2 tentes lodges. Nuitée 41 à 180€ - Sem. 226 à 1 158€ - frais de réservation 12€

En deux parties distinctes de chaque côté de la route.

Nature : 🏕 💧💧 Loisirs : 🎬 🍵 jacuzzi 🎣🏊 🏞 🌊 Services : 🛒 🛁 🛜 laverie À prox. : 🏊 🍴 🛶 🌊 (plage)	**G P S** E : 2.93056 N : 45.57583

NÉBOUZAT

63210 - Carte Michelin **326** E8 - 774 h. - alt. 860

▶ Paris 434 - La Bourboule 34 - Clermont-Ferrand 20 - Pontgibaud 19

🏔 Les Dômes

✆ 04 73 87 14 06, www.les-domes.com - alt. 815

Pour s'y rendre : Les Quatre Routes de Nébouzat (par D 216, rte de Rochefort-Montagne)

1 ha (62 empl.) plat, herbeux

Location : ♿ (1 chalet) - 10 🛖 - 5 🏠 - 5 bungalows toilés.

🚐 borne artisanale - 10 🔲

Cadre soigné et verdoyant.

Nature : ≤ 💧💧 Loisirs : 🎬 🌊 (découverte en saison) Services : 🍴 🛁 🛻 🛜 laverie À prox. : 🍹 🍴	**G P S** E : 2.89028 N : 45.72538

The Guide changes, so renew your guide every year.

NÉRIS-LES-BAINS

03310 - Carte Michelin **326** C5 - 2 705 h. - alt. 364 - ⚕

▶ Paris 336 - Clermont-Ferrand 86 - Montluçon 9 - Moulins 73

▲ Municipal du Lac

✆ 04 70 03 24 70, www.ville-neris-les-bains.fr

Pour s'y rendre : r. Marx-Dormoy (au sud par D 155, rte de Villebret)

Ouverture : de mi-mars à mi-nov.

2 ha (81 empl.) en terrasses, plat, herbeux, gravillons

Empl. camping : (Prix 2018) 18€ ♟♟ 🚗 🔲 🔌 (10A) - pers. suppl. 5€ - frais de réservation 20€

Location : (Prix 2018) Permanent♿ (1 chalet) - 14 🏠 - 7 appartements. Nuitée 36 à 43€ - Sem. 248 à 300€

🚐 borne flot bleu 8€ - 5 🔲

Près de l'ancienne gare, avec de beaux emplacements et des chalets en terrasses. Tarifs pour les curistes.

Nature : 🌳 🏕 💧💧 Loisirs : 🎬 🎣🏊 🎣 Services : 🍴 🛁 🛜 laverie À prox. : 🚴 🍽 🏞 🎣 🏃 parcours de santé	**G P S** E : 2.65174 N : 46.28702

NEUSSARGUES-MOISSAC

15170 - Carte Michelin **330** F4 - 959 h. - alt. 834
▶ Paris 509 - Aurillac 58 - Brioude 49 - Issoire 64

⚠ Municipal de la Prade

𝒫 04 71 20 50 21, Campingneussargues.jimado. com

Pour s'y rendre : rte de Murat (sortie ouest par D 304, rte de Murat, au bord de l'Alagnon)

Ouverture : de déb. juin à déb. sept.

2 ha (22 empl.) en terrasses, plat, herbeux, petit bois

Empl. camping : (Prix 2018) 13 € ⁑ ⚘ 回 🔌 (10A) - pers. suppl. 2 €
Location : (Prix 2018) Permanent Ⓟ - 8 🚐 - 6 🏠. Nuitée 129 à 149 € - Sem. 229 à 459 €
En bordure de rivière.

Nature : 🐟 ⋖ 🔭 👭	**GPS** E : 2.96695
Loisirs : 🛋 ⛹ 🎣	N : 45.12923
Services : ⚡🍴🚿🛁🚮🚽 📶 🔥	

NEUVÉGLISE

15260 - Carte Michelin **330** F5 - 1 130 h. - alt. 938
▶ Paris 528 - Aurillac 78 - Entraygues-sur-Truyère 70 - Espalion 66

⚠ Flower Le Belvédère

𝒫 04 71 23 50 50, www.campinglebelvedere.com - accès aux emplacements à forte pente, mise en place et sortie des caravanes à la demande - alt. 670

Pour s'y rendre : Lanau (6,5 km au sud par D 48, D 921, rte de Chaudes-Aigues et chemin de Gros à dr.)

Ouverture : de mi-avr. à fin sept.

5 ha (116 empl.) en terrasses, plat, herbeux

Empl. camping : (Prix 2018) 34 € ⁑ ⁑ ⚘ 回 🔌 (15A) - pers. suppl. 4 € - frais de réservation 10 €
Location : (Prix 2018) (de mi-avr. à fin sept.) - 40 🚐 - 12 🏠 - 4 bungalows toilés - 4 tentes lodges . Nuitée 33 à 141 € - Sem. 231 à 987 € - frais de réservation 13 €
🚐 borne artisanale
Agréable situation dominante.

Nature : ⋖ gorges de la Truyère 🔭 👭	**GPS** E : 3.00045
Loisirs : 🍹 ✕ 🛋 👾 🏓 🦺 🎿	N : 44.89534
Services : ⚡🍴🚿🛁🚮 📶 laverie 🔌	

NONETTE

63340 - Carte Michelin **326** G10 - 322 h. - alt. 480
▶ Paris 467 - Clermont-Ferrand 51 - Cournon-d'Auvergne 47 - Riom 66

⚠ Les Loges

𝒫 04 73 71 65 82, www.lesloges.com

Pour s'y rendre : 2 km au sud par D 722, rte du Breuil-sur-Couze puis 1 km par chemin près du pont

4 ha (126 empl.) plat, herbeux
Location : - 24 🚐.

Beaucoup d'espaces verts pour la détente et des emplacements au bord de l'Allier.

Nature : 🐟 🔭 👭	**GPS** E : 3.27158
Loisirs : 🍹 ✕ 🎣 🦺 🎿 🎢 🚣	N : 45.47367
Services : ⚡🍴🚿 📶 laverie 🔌	

ORCET

63670 - Carte Michelin **326** G8 - 2 729 h. - alt. 400
▶ Paris 424 - Billom 16 - Clermont-Ferrand 14 - Issoire 25

⚠ Clos Auroy

𝒫 04 73 84 26 97, www.camping-le-clos-auroy.com

Pour s'y rendre : 15 r. de la Narse (200 m au sud du bourg, près de l'Auzon)

Ouverture : Permanent

3 ha (82 empl.) terrasse, plat, herbeux, gravillons

Empl. camping : ⁑ 8 € ⚘ 回 17 € – 🔌 (10A) 5 € - frais de réservation 20 €
Location : (de déb. avr. à mi-oct.) - 🛖 - 13 🚐 - 2 tentes lodges. Nuitée 75 à 250 € - Sem. 250 à 850 € - frais de réservation 20 €
🚐 borne eurorelais 20 €
Belle délimitation arbustive des emplacements.

Nature : 🔭 👭	**GPS** E : 3.16912
Loisirs : ✕ 🛋 jacuzzi 🦺 🎿 🎣	N : 45.70029
Services : ⚡🍴🚿 📶 laverie	
À prox. : ✂	

Gebruik de gids van het lopende jaar.

ORLÉAT

63190 - Carte Michelin **326** H7 - 2 010 h. - alt. 380
▶ Paris 440 - Clermont-Ferrand 34 - Roanne 76 - Vichy 38

⚠ Le Pont-Astier

𝒫 04 73 53 64 40, www.camping-lepont-astier.com

Pour s'y rendre : base de loisirs (5 km à l'est par D 85, D 224 et chemin à gauche, au bord de la Dore)

Ouverture : de déb. mars à fin nov.

2 ha (90 empl.) plat, herbeux

Empl. camping : (Prix 2018) 19 € ⁑ ⁑ ⚘ 回 🔌 (16A) - pers. suppl. 5 € - frais de réservation 10 €
Location : (Prix 2018) (de déb. mars à fin nov.) - 6 🚐. Nuitée 60 à 65 € - Sem. 260 à 420 € - frais de réservation 10 €

Quelques emplacements bien délimités surplombent la Dore.

Nature : 🐟 🔭 👭	**GPS** E : 3.47664
Services : ⚡🍴 📶 laverie	N : 45.86813
À prox. : 🍹 ✕ 🦺 🎣 🚣	

PAULHAGUET

43230 - Carte Michelin **331** D2 - 959 h. - alt. 562
▶ Paris 495 - Brioude 18 - La Chaise-Dieu 24 - Langeac 15

⚠ La Fridière

𝒫 04 71 76 65 54, www.campingfr.nl

Pour s'y rendre : 6 rte d'Esfacy (au sud-est par D 4, au bord de la Senouire)

Ouverture : Permanent

3 ha (45 empl.) plat, herbeux

Empl. camping : 21 € ⁑ ⁑ ⚘ 回 🔌 (16A) - pers. suppl. 4 €
🚐 borne eurorelais

Nature : 🐟	**GPS** E : 3.52
Loisirs : 🍹 🛋 🦺 🎿	N : 45.199
Services : ⚡🚮🍴🚿🛁 📶 🔥	

PERS

15290 - Carte Michelin **330** B5 - 303 h. - alt. 570
▶ Paris 547 - Argentat 45 - Aurillac 25 - Maurs 24

⛰ Le Viaduc

✆ 0471647008, www.camping-cantal.com

Pour s'y rendre : Le Ribeyrès (5 km au nord-est par D 32 et D 61, au bord du lac de St-Etienne-Cantalès)

Ouverture : de mi-avr. à mi-oct.

1 ha (54 empl.) en terrasses, plat, herbeux

Empl. camping : (Prix 2018) 26€ ✚✚ ⇔ 🔲 🅷 (10A) - pers. suppl. 5€ - frais de réservation 14€

Location : (Prix 2018) (de mi-avr. à mi-oct.) - 8 🚐 - 1 🏠. Nuitée 62 à 95€ - Sem. 299 à 670€ - frais de réservation 14€

🚐 borne artisanale 6€
Situation agréable.

Nature : 🐟 ⇐ 🌳 ♀ 🌊		GPS
Loisirs : 🍽 🛶 🏊 🎣 🌊 ➤		E : 2.2556
Services : ⊶ 🛜 laverie 🐕		N : 44.90602
À prox. : base nautique		

Benutzen Sie den Hotelführer des laufenden Jahres.

PIERREFITTE-SUR-LOIRE

03470 - Carte Michelin **326** J3 - 518 h. - alt. 228
▶ Paris 324 - Bourbon-Lancy 20 - Lapalisse 50 - Moulins 42

⛰ Municipal le Vernay

✆ 0470470249, www.pierrefitte03.fr

Pour s'y rendre : Le Vernay (sortie nord-ouest par N 79, rte de Dompierre, D 295 à gauche, rte de Saligny-sur-Roudon puis 900 m par chemin à dr. apr. le pont, à 200 m du canal)

Ouverture : de déb. avr. à mi-oct.

2 ha (52 empl.) plat, herbeux, gravillons

Empl. camping : ✚ 4€ ⇔ 🔲 4€ – 🅷 (5A) 3€

🚐 borne artisanale
Près du canal et de la VoieVerte avec des emplacements qui dominent le plan d'eau.

Nature : 🐟 ⇐		GPS
Services : ⊶ (juil.août) 🛒 🚿 🛜 🖨		E : 3.80342
À prox. : 🍽 🍴 🛶 ⛵ (plage) 🚣 ➤ parcours de santé pédalos		N : 46.50857

PONTGIBAUD

63230 - Carte Michelin **326** E8 - 745 h. - alt. 735
▶ Paris 432 - Aubusson 68 - Clermont-Ferrand 23 - Le Mont-Dore 37

⛰ Municipal de la Palle

✆ 0473889699, ville-pontgibaud.fr

Pour s'y rendre : rte de la Miouze (500 m au sud-ouest par D 986, rte de Rochefort-Montagne, au bord de la Sioule)

Ouverture : Permanent

4,5 ha (86 empl.) plat, herbeux

Empl. camping : (Prix 2018) 21€ ✚✚ ⇔ 🔲 🅷 (16A) - pers. suppl. 5€

Location : (Prix 2018) Permanent 🦽 (1 chalet) - 6 🏠. Nuitée 53 à 63€ - Sem. 420 à 520€

🚐 borne Sanistation 5€

Préférer les emplacements les plus éloignés de la route.

Nature : ⇐ ♀♀		GPS
Loisirs : 🛶 🛝 🎣 🌊		E : 2.84516
Services : ⊶ 🛜 laverie		N : 45.82982
À prox. : 🍽 🍴		

PUY-GUILLAUME

63290 - Carte Michelin **326** H7 - 2 631 h. - alt. 285
▶ Paris 374 - Clermont-Ferrand 53 - Lezoux 27 - Riom 35

⛰ Municipal de la Dore

✆ 0473947851, www.puy-guillaume.fr

Pour s'y rendre : 86 r. Joseph-Claussat (sortie ouest par D 63, rte de Randan et à dr. av. le pont, près de la rivière)

Ouverture : de déb. juin à déb. sept.

3 ha (100 empl.) plat, herbeux

Empl. camping : (Prix 2018) ✚ 4€ ⇔ 4€ 🔲 5€ – 🅷 (6A) 4€

🚐 borne flot bleu
Préférer les emplacements les plus éloignés de la route.

Nature : ♀		GPS
Loisirs : 🛶 🛝 🎣 🌊		E : 3.46623
Services : ⊶ 🛜		N : 45.96223

Si vous recherchez :
🌊 *un terrain très tranquille,*
P *un terrain ouvert toute l'année,*
👥 *des équipements et des loisirs adaptés aux enfants,*
🏊 *un parc aquatique,*
B *un centre balnéo,*
🎭 *des animations sportives, culturelles ou de détente,*
consultez la liste thématique des campings.

ROYAT

63130 - Carte Michelin **326** F8 - 4 431 h. - alt. 450 - ⚓
▶ Paris 423 - Aubusson 89 - La Bourboule 47 - Clermont-Ferrand 5

⛰ Huttopia Royat 👥

✆ 0473359705, www.huttopia.com

Pour s'y rendre : rte de Gravenoire (2 km au sud-est par D 941c, rte du Mont-Dore et à dr. D 5, rte de Charade)

Ouverture : de fin mars à déb. nov.

7 ha (200 empl.) en terrasses, peu incliné, plat, herbeux, gravillons

Empl. camping : 36€ ✚✚ ⇔ 🔲 🅷 (10A) - pers. suppl. 7€ - frais de réservation 15€

Location : (de fin mars à déb. nov.) - 23 🚐 - 6 🏠 - 24 tentes lodges. Nuitée 93 à 159€ - Sem. 651 à 1 113€ - frais de réservation 15€

🚐 borne AireService 7€ - 🚐 🅷 34€
Agréable cadre verdoyant, ombragé, avec du locatif varié et une partie très tranquille sur le haut du terrain.

Nature : 🐟 ⇐ ♀		GPS
Loisirs : 🍽 🍴 🛶 🎭 🏃 🎣 🎱 🚲 ⛳ 🌊		E : 3.05452
Services : ⊶ 🚿 🐕 🛜 laverie		N : 45.75868

RUYNES-EN-MARGERIDE

15320 - Carte Michelin **330** H4 - 640 h. - alt. 920
▶ Paris 527 - Clermont-Ferrand 111 - Aurillac 86 - Le Puy-en-Velay 88

⚠ Révéa Le Petit Bois

☏ 04 71 23 42 26, www.revea-camping.fr/fr/camping-le-petit-bois.html

Pour s'y rendre : lieu-dit : Lesparot (0,5 km au sud-ouest par D 13, rte de Garabit)

Ouverture : de déb. avr. à mi-nov.

4 ha (90 empl.) peu incliné, plat, herbeux

Empl. camping : 25€ ✹✹ ⇔ 🅴 🖉 (6A) - pers. suppl. 6€ - frais de réservation 10€

Location : (de déb. avr. à mi-nov.) - 32 🏠 - 16 cabanons. Nuitée 22 à 90€ - Sem. 135 à 675€ - frais de réservation 25€

Dans une agréable pinède.

Nature : 🐟 ≤ 🗘🗘	G
Services : ⚡ 🛜 laverie	P
À prox. : 🛶 🎿 🏊 🐎 parcours dans les arbres	S

E : 3.21898
N : 44.99899

Ne prenez pas la route au hasard !
MICHELIN *vous apporte à domicile*
ses conseils routiers,
touristiques, hôteliers : **viamichelin.fr !**

SAIGNES

15240 - Carte Michelin **330** C2 - 892 h. - alt. 480
▶ Paris 483 - Aurillac 78 - Clermont-Ferrand 91 - Mauriac 26

⚠ Municipal Bellevue

☏ 04 71 40 68 40, saignes.mairie@wanadoo.fr

Pour s'y rendre : sortie nord-ouest, au stade

Ouverture : de déb. juil. à fin août

1 ha (42 empl.) plat, herbeux

Empl. camping : (Prix 2018) ✹ 2€ ⇔ 1€ 🅴 2€ – 🖉 (16A) 3€
Location : (Prix 2018) (de déb. juil. à fin août) - 3 🛖. Nuitée 41 à 51€ - Sem. 265 à 330€ - frais de réservation 50€

Nature : ≤ 🗀 🗘	G
Loisirs : 🛖 🛶 🏖	P
Services : ⚡ 🛜 🖥	S
À prox. : 🎿 🏊	

E : 2.47416
N : 45.33678

ST-BONNET-TRONÇAIS

03360 - Carte Michelin **326** D3 - 751 h. - alt. 224
▶ Paris 301 - Bourges 57 - Cérilly 12 - Montluçon 44

⚠ Le Champ Fossé

☏ 04 70 06 11 30, www.campingstroncais.com

Pour s'y rendre : r. du Champ Fossé (700 m au sud-ouest)

Ouverture : de déb. avr. à mi-oct.

3 ha (110 empl.) peu incliné, herbeux

Empl. camping : (Prix 2018) 22€ ✹✹ ⇔ 🅴 🖉 (16A) - pers. suppl. 6€ - frais de réservation 15€

Location : (Prix 2018) (de déb. avr. à fin oct.) - 12 🛖 - 10 gîtes. Sem. 210 à 575€ - frais de réservation 15€

Belle situation bien ombragée au bord du lac de St-Bonnet et de la petite base de loisirs. Locatifs variés, gîtes mitoyens.

Nature : 🐟 ≤ 🗘🗘	G
Loisirs : 🍴 🏖 🏊	P
Services : ⚡ 🛜 laverie	S
À prox. : 🛶 🚵 🎿 🏊 🚣 (plage) 🏄 🛶 🏊 pédalos , paddle	

E : 2.68841
N : 46.65687

ST-DIDIER-EN-VELAY

43140 - Carte Michelin **331** H2 - 3 313 h. - alt. 830
▶ Paris 538 - Annonay 49 - Monistrol-sur-Loire 11 - Le Puy-en-Velay 58

⚠ La Fressange

☏ 04 71 66 25 28, www.camping-lafressange.com

Pour s'y rendre : 800 m au sud-est par D 45, rte de St-Romain-Lachalm et à gauche, au bord d'un ruisseau

1,5 ha (72 empl.) peu incliné, herbeux

Location : - 11 🏠 - 3 tentes lodges .

Posé à flanc de colline.

Nature : 🗘	G
Loisirs : 🛶	P
Services : ⚡ 🛜 🖥	S
À prox. : 🎿 🏊 🚣 parcours sportif	

E : 4.28302
N : 45.30119

ST-ÉLOY-LES-MINES

63700 - Carte Michelin **326** E6 - 3 703 h. - alt. 490
▶ Paris 358 - Clermont-Ferrand 64 - Guéret 86 - Montluçon 31

⚠ Municipal la Poule d'Eau

☏ 04 73 85 45 47, www.sainteloylesmines.com

Pour s'y rendre : r. de la Poule-d'Eau (près des plans d'eau)

Ouverture : de déb. juin à fin sept.

1,8 ha (50 empl.) peu incliné, herbeux

Empl. camping : (Prix 2018) ✹ 4€ ⇔ 8€ – 🖉 (10A) 3€
🚐 borne artisanale 2€

Cadre verdoyant au bord de deux plans d'eau.

Nature : ≤ 🗀 🗘🗘 ⛰	G
Loisirs : 🛶 🏖	P
Services : ⚡ 🛜 🖥	S
À prox. : 🍴 🎿 🏊 🚣 (plage) parcours de santé pédalos	

E : 2.83057
N : 46.15064

ST-GERMAIN-L'HERM

63630 - Carte Michelin **326** I10 - 508 h. - alt. 1 050
▶ Paris 476 - Ambert 27 - Brioude 33 - Clermont-Ferrand 66

⚠ St-Éloy

☏ 04 73 72 05 13, www.camping-le-saint-eloy.com

Pour s'y rendre : rte de la Chaise-Dieu (sortie sud-est, sur D 999)

Ouverture : Permanent

3 ha (63 empl.) en terrasses, plat, herbeux

Empl. camping : (Prix 2018) 20€ ✹✹ ⇔ 🅴 🖉 (8A) - pers. suppl. 5€

Location : (Prix 2018) Permanent♿ (1 chalet) - 4 🚐 - 13 🏠 - 9 cabanons. Nuitée 40 à 125€ - Sem. 110 à 770€
Locatif chalets de bon confort et jolie vue sur le village.

Nature : ⛰ ≤	**G** E : 3.54781
Loisirs : ♟ ✕ 🛖 jacuzzi 🏊 🚴 🛶	**P**
Services : ⚬ 🚿 🛜 laverie	**S** N : 45.45653
À prox. : 🏊 ✕ 🛥	

ST-GÉRONS

15150 - Carte Michelin **330** B5 - 209 h. - alt. 526
▶ Paris 538 - Argentat 35 - Aurillac 24 - Maurs 33

⛰ Les Rives du Lac

📞 06 25 34 62 89, www.lesrivesdulac.fr

Pour s'y rendre : 8,5 km au sud-est par rte d'Espinet, à 300 m du lac de St-Étienne-Cantalès

Ouverture : de déb. avr. à mi-nov.

3 ha (100 empl.) peu incliné, plat, herbeux

Empl. camping : (Prix 2018) 22€ 👫 🚗 🔲 (10A) - pers. suppl. 5€ - frais de réservation 10€

Location : (Prix 2018) (de déb. avr. à mi-nov.) - 10 🚐 - 2 cabanons. Nuitée 50 à 65€ - Sem. 205 à 540€ - frais de réservation 10€

🚐 borne artisanale - 5 🔲 10€
Dans un site agréable.

Nature : ⛰ 🏞	**G** E : 2.23057
Loisirs : ♟ 🏊 🛶	**P**
Services : ⚬ 🚿 🛜 laverie 🏊	**S** N : 44.93523
À prox. : ✕ ✕ 🛥 (plage)	

Ne pas confondre :
⛰ ... à ... ⛰⛰ : *appréciation* **MICHELIN**
et
★ ... à ... ★★★★★ : *classement officiel*

ST-GERVAIS-D'AUVERGNE

63390 - Carte Michelin **326** D6 - 1 304 h. - alt. 725
▶ Paris 377 - Aubusson 72 - Clermont-Ferrand 55 - Gannat 41

⛰ Municipal de l'Étang Philippe

📞 04 73 85 74 84, www.camping-loisir.com

Pour s'y rendre : à Mazières (sortie nord par D 987, rte de St-Éloy-les-Mines, près d'un plan d'eau)

Ouverture : de fin mars à fin sept.

3 ha (130 empl.) plat et peu incliné, herbeux

Empl. camping : 10€ 👫 🚗 🔲 (10A) - pers. suppl. 2€

Location : Permanent♿ (1 chalet) - 11 🏠 - 4 cabanons. Nuitée 38 à 40€ - Sem. 180 à 450€

🚐 borne eurorelais 2€
Locatif chalets de bon confort avec une jolie vue sur le lac.

Nature : ⛰ ≤ 🏞	**G** E : 2.81804
Loisirs : 🛖	**P**
Services : ⚬ 🚿 🛜 🔲	**S** N : 46.03688
À prox. : 🏊 ✕ 🛥 (plage) 🛶 parcours de santé , skate parc	

ST-JACQUES-DES-BLATS

15800 - Carte Michelin **330** E4 - 325 h. - alt. 990
▶ Paris 536 - Aurillac 32 - Brioude 76 - Issoire 91

⛰ des Blats

📞 04 71 47 06 00, www.camping-des-blats.fr

Pour s'y rendre : à l'est du bourg par rte de Nierevèze, bord de la Cère

Ouverture : Permanent

1,5 ha (50 empl.) plat, herbeux

Empl. camping : (Prix 2018) 🚹 5€ 🚗 2€ 🔲 2€ – (10A) 4€

Location : (Prix 2018) Permanent♿ (1 chalet) - 4 🏠 - 1 tente lodge - 1 cabane perchée - 1 kota - 1 tonneau. Nuitée 42 à 100€ - Sem. 320 à 580€

Emplacements bien ombragés et quelques locatifs insolites.

Nature : ≤ 🏞 🌳	**G** E : 2.71345
Loisirs : ♟ ✕ 🛖 🍴 🏊 🚴 🛶	**P**
Services : ⚬ 🚿 🚿 🛜 laverie	**S** N : 45.05182
À prox. : ✕ 🛥 🏔	

ST-JUST

15320 - Carte Michelin **330** H5 - 206 h. - alt. 950
▶ Paris 531 - Chaudes-Aigues 29 - Ruynes-en-Margeride 22 - St-Chély-d'Apcher 16

⛰ Municipal

📞 04 71 73 70 11, www.valdarcomie.fr

Pour s'y rendre : au Bourg (au sud-est, au bord d'un ruisseau - par A 75 : sortie 31 ou 32)

Ouverture : de déb. mai à fin oct.

2 ha (60 empl.) plat et peu incliné

Empl. camping : (Prix 2018) 🚹 9€ 🚗 – (10A) 2€

Location : (Prix 2018) Permanent♿ (1 mobile home) - 6 🚐 - 5 🏠 - 7 gîtes. Sem. 249 à 430€

🚐 borne AireService 2€ - 9 🔲 10€ - 🔌 (10A) 10€
En pleine montagne, terrain traversé par un ruisseau.

Nature : ⛰ 🌿	**G** E : 3.20938
Loisirs : 🛖	**P**
Services : ⚬ 🚿 🛜 laverie	**S** N : 44.88993
À prox. : 🏊 🛥 ♟ ✕ 🚴 ✕ 🛶	

ST-MARTIN-CANTALES

15140 - Carte Michelin **330** B4 - 177 h. - alt. 630
▶ Paris 546 - Clermont-Ferrand 135 - Le Puy-en-Velay 180
- Aurillac 34

⚠ Pont du Rouffet

☎ 0471694276, www.campingpontdurouffet.com

Pour s'y rendre : Pont du Rouffet (6,5 km au sud-ouest par D 6 et
D 42 à dr., bord du lac d'Enchanet)

Ouverture : de déb. mai à mi-sept.

1 ha (30 empl.) en terrasses, plat, herbeux

Empl. camping : 21€ ♥♥ ⇌ 🔲 ⚡ (6A) - pers. suppl. 5€
Location : (de déb. mai à mi-sept.) - 🚫 - 4 🛖. Sem. 295 à 465€
🚐 borne artisanale 21€

Nature : 🐦 ≤ 🗂 00	
Loisirs : 🎱 ≌ 🎣 🏄	
Services : 🔌 🏕 🚰 📶 📵 réfrigérateurs	**GPS** E : 2.2585 / N : 45.072

Use this year's Guide.

ST-MARTIN-VALMEROUX

15140 - Carte Michelin **330** C4 - 856 h. - alt. 646
▶ Paris 510 - Aurillac 33 - Mauriac 21 - Murat 53

⛰ Municipal Le Moulin du Teinturier

☎ 0471694312, campinglemoulinduteinturier@gmail.com

Pour s'y rendre : 9 r. de Montjoly (sortie ouest, sur D 37, rte de Ste-
Eulalie-Nozières, au bord de la Maronne)

Ouverture : Permanent

3 ha (100 empl.) plat, herbeux

Empl. camping : 17€ ♥♥ ⇌ 🔲 ⚡ (16A) - pers. suppl. 4€
Location : Permanent - 20 🛖. Nuitée 50 à 115€ - Sem. 230 à 480€
🚐 5 🔲 17€ - 🚱 12€

Nature : ≤ 🗂	
Loisirs : 🎱 ≌ 🎣	
Services : 🔌 🏕 🚰 🛒 📶 📵	**GPS** E : 2.42336 / N : 45.11619
À prox. : 🍴 ⚓ 🛝	

ST-NECTAIRE

63710 - Carte Michelin **326** E9 - 732 h. - alt. 700 - ♨
▶ Paris 453 - Clermont-Ferrand 43 - Issoire 27 - Le Mont-Dore 24

⛰ Flower La Vallée Verte

☎ 0473885268, www.valleeverte.com

Pour s'y rendre : rte des Granges (1,5 km au sud-est par D 996 et rte
à droite)

Ouverture : de mi-avr. à mi-sept.

2,5 ha (91 empl.) en terrasses, plat, herbeux

Empl. camping : 25€ ♥♥ ⇌ 🔲 ⚡ (10A) - pers. suppl. 7€ - frais de
réservation 10€
Location : (de mi-avr. à mi-sept.) - 12 🛖 - 5 🛖. Sem. 288 à 889€
- frais de réservation 10€
🚐 borne artisanale 5€ - 🚱 11€
Près d'un ruisseau avec vue sur les alentours.

Nature : 🐦 🗂 00	
Loisirs : 🍴 🗙 ⚓ 🛝	
Services : 🔌 🏕 📶 laverie 🛒	**GPS** E : 3.0008 / N : 45.575
À prox. : 🎣	

⛰ Le Viginet

☎ 0473885380, www.camping-viginet.com

Pour s'y rendre : sortie sud-est par D 996 puis 600 m par chemin à
gauche (face au garage Ford)

Ouverture : de déb. avr. à fin sept.

2 ha (90 empl.) en terrasses, peu incliné, plat, herbeux, pierreux

Empl. camping : (Prix 2018) 24€ ♥♥ ⇌ 🔲 ⚡ (10A) - pers. suppl. 6€
- frais de réservation 7€
Location : (Prix 2018) (de déb. avr. à fin sept.) - 🦽 (1 chalet)
- 12 🛖 - 14 cabanons. Sem. 150 à 895€ - frais de réservation 7€
🚐 borne artisanale 4€
*Situation dominante avec vue sur la vallée pour certains cha-
lets ou emplacements en sous-bois.*

Nature : 🐦 ≤ 🗂 00	
Loisirs : ⚓ 🛝 (petite piscine)	
Services : 🔌 🏕 📶 📵 🛒 réfrigérateurs	**GPS** E : 3.00269 / N : 45.57945
À prox. : 🎿 parcours de santé	

⛰ La Clé des Champs

☎ 0473885233, www.campingcledeschamps.com

Pour s'y rendre : sortie sud-est par D 996 et D 642, rte des Granges,
au bord d'un ruisseau et à 200 m de la Couze de Chambon

Ouverture : de déb. avr. à fin sept.

1 ha (64 empl.) en terrasses, plat, herbeux

Empl. camping : (Prix 2018) 13€ ♥♥ ⇌ 🔲 ⚡ (6A) - pers. suppl. 5€
- frais de réservation 10€
Location : (Prix 2018) (de déb. avr. à fin sept.) - 22 🛖 - 9 🛖
- 3 cabanons. Nuitée 28 à 172€ - Sem. 160 à 1 200€ - frais de
réservation 10€
🚐 borne eurorelais 5€ - 5 🔲 13€ - 🚱 13€
Locatif chalets de bon confort.

Nature : 🗂 00	
Loisirs : 🍴 🗙 🎱 🏃 ⚓ 🛝 (découverte en saison)	**GPS** E : 2.99934 / N : 45.57602
Services : 🔌 🏕 📶 laverie 🛒	

ST-PAULIEN

43350 - Carte Michelin **331** E3 - 2 398 h. - alt. 795
▶ Paris 529 - La Chaise-Dieu 28 - Craponne-sur-Arzon 25 - Le Puy-
en-Velay 14

⛰ Flower La Rochelambert

☎ 0471005402, www.camping-rochelambert.com

Pour s'y rendre : rte de Lanthenas (2,7 km au sud-ouest par D 13,
rte d'Allègre et D 25 à gauche, rte de Loudes, près de la Borne (accès
direct))

Ouverture : de déb. avr. à fin sept.

3 ha (100 empl.) plat, herbeux

Empl. camping : (Prix 2018) 25€ ♥♥ ⇌ 🔲 ⚡ (16A) - pers. suppl. 5€
- frais de réservation 15€
Location : (Prix 2018) (de déb. avr. à fin sept.) - 14 🛖 - 3 chalets
sur pilotis - 2 bungalows toilés - 8 cabanons. Nuitée 31 à 109€
- Sem. 177 à 792€ - frais de réservation 15€
🚐 borne Sanistation 3€ - 🚱 ⚡17€

Nature : 🗂	
Loisirs : 🍴 🗙 🎱 ⚓ 🎿 🛝	
Services : 🔌 🏕 📶 laverie	**GPS** E : 3.81192 / N : 45.13547

ST-RÉMY-SUR-DUROLLE

63550 - Carte Michelin **326** I7 - 1 847 h. - alt. 620
▶ Paris 395 - Chabreloche 13 - Clermont-Ferrand 55 - Thiers 7

⚠ Révéa Les Chanterelles

📞 0473943171, www.camping-lac.fr

Pour s'y rendre : 3 km au nord-est par D 201 et chemin à dr. - par A 72 : sortie 3

Ouverture : de déb. avr. à déb. oct.

5 ha (150 empl.) en terrasses, fort dénivelé, peu incliné, plat, herbeux

Empl. camping : (Prix 2018) 21€ 🏕🏕 ⛟ 🔲 🔌 (10A) - pers. suppl. 4€

Location : (Prix 2018) Permanent - 8 🏠 - 7 bungalows toilés - 5 tentes lodges - 2 tentes sur pilotis. Sem. 157 à 620€

🚰 borne artisanale - 4 🔲 17€

Situation agréable de moyenne montagne à proximité d'un plan d'eau.

Nature : 🌳 ≤ ♀
Loisirs : 🎪 🎣 ⛳
Services : ⚡ 🚿 🛁
Au plan d'eau : 🛶 🍸 ✕ ✂ 🖼 🛝 🛶 ⛵ (plage) 🏊 🎾 squash

G P S E : 3.59918
N : 45.90308

Utilisez le guide de l'année.

STE-SIGOLÈNE

43600 - Carte Michelin **331** H2 - 5 900 h. - alt. 808
▶ Paris 551 - Annonay 50 - Monistrol-sur-Loire 8 - Montfaucon-en-Velay 14

⛰ Sites et Paysages Vaubarlet 🎣🛝

📞 0471666495, www.vaubarlet.com - alt. 600

Pour s'y rendre : 6 km au sud-ouest par D 43, rte de Grazac

Ouverture : de déb. mai à fin sept.

15 ha/3 campables (131 empl.) plat, herbeux

Empl. camping : 33€ 🏕🏕 ⛟ 🔲 🔌 (16A) - pers. suppl. 4€ - frais de réservation 15€

Location : (de déb. mai à fin sept.) - ♿ (2 chalets) - 18 🚐 - 5 🏠 - 10 tentes lodges - 3 tentes sur pilotis. Nuitée 50 à 128€ - Sem. 250 à 896€ - frais de réservation 30€

🚰 borne artisanale

Dans une vallée verdoyante traversée par la Dunière.

Nature : 🌳 ≤ ♀
Loisirs : 🍸 ✕ 🎣 🎠 diurne 🤸 ⛳ 🛶
Services : ⚡ 🛁 - 2 sanitaires individuels (🖼🚿 wc) 🛜 laverie 🛁

G P S E : 4.21254
N : 45.21634

SAUGUES

43170 - Carte Michelin **331** D4 - 1 873 h. - alt. 960
▶ Paris 529 - Brioude 51 - Mende 72 - Le Puy-en-Velay 43

⛰ Municipal Sporting de la Seuge

📞 0471778062, www.saugues.fr/camping-et-chalets_fr.html

Pour s'y rendre : av. du Gévaudan (sortie ouest par D 589, rte du Malzieu-Ville et à dr., au bord de la Seuge et près de deux plans d'eau et d'une pinède)

Ouverture : de mi-avr. à mi-oct.

3 ha (92 empl.) plat, herbeux

Empl. camping : (Prix 2018) 🏕 3€ ⛟ 2€ 🔲 5€ – 🔌 (16A) 3€

Location : (Prix 2018) (de mi-avr. à mi-oct.) - 15 🚐 - 5 🛏 - 2 cabanons - 1 gîte d'étape (15 lits). Sem. 197 à 400€

🚰 borne artisanale

Plan d'eau biologique.

Nature : ≤ ♀
Loisirs : 🎪 salle d'animations 🤸 ⛳ ⛵ (plan d'eau) 🛶 terrain multisports
Services : 🛁 🛜 laverie
À prox. : 🛶 🍸 🚴 🖼 🐴 parcours sportif pédalos

G P S E : 3.54073
N : 44.95818

SINGLES

63690 - Carte Michelin **326** C9 - 170 h. - alt. 737
▶ Paris 484 - Bort-les-Orgues 27 - La Bourboule 23 - Bourg-Lastic 20

⛰ Le Moulin de Serre 🎣🛝

📞 0473211606, www.moulindeserre.com

Pour s'y rendre : 1,7 km au sud de la Guinguette, par D 73, rte de Bort-les-Orgues, au bord de la Burande

Ouverture : de mi-avr. à mi-sept.

7 ha/2,6 campables (99 empl.) plat, herbeux

Empl. camping : 27€ 🏕🏕 ⛟ 🔲 🔌 (10A) - pers. suppl. 5€ - frais de réservation 15€

Location : (de mi-avr. à mi-sept.) - ♿ (1 mobile home) - 25 🚐 - 3 chalets sur pilotis - 12 bungalows toilés. Nuitée 39 à 130€ - Sem. 189 à 910€

🚰 borne artisanale 4€ - 5 🔲 5€ - 🔌 11€

Cadre verdoyant au fond de la vallée, au bord d'une petite rivière.

Nature : 🌳 ≤ ♀ 🌿🌿
Loisirs : 🍸 ✕ 🎣 🎠 🤸 jacuzzi 🛶 🚴 ⛳ 🛶 🛝 🛶
Services : ⚡ 🖼 🛁 🛜 laverie 🛁

G P S E : 2.54235
N : 45.54357

The Guide changes, so renew your guide every year.

TAUVES

63690 - Carte Michelin **326** C9 - 768 h. - alt. 820
▶ Paris 474 - Bort-les-Orgues 27 - La Bourboule 13 - Bourg-Lastic 29

⛰ Aquadis Loisirs Les Aurandeix

📞 0473211406, www.aquadis-loisirs.com/camping-puy-de-dome-les-aurandeix

Pour s'y rendre : au stade (à l'est du bourg)

Ouverture : de déb. avr. à fin sept.

2 ha (50 empl.) en terrasses, peu incliné, plat, herbeux

Empl. camping : 19€ 🏕🏕 ⛟ 🔲 🔌 (10A) - pers. suppl. 5€ - frais de réservation 10€

Location : (de déb. avr. à fin sept.) - 7 🚐 - 12 cabanons. Nuitée 28 à 109€ - Sem. 66 à 569€ - frais de réservation 10€

🚰 borne artisanale

Emplacements et locatif en terrasses dominant la piscine.

Nature : 🏕 ♀
Loisirs : 🎪 🤸 🛶 terrain multisports
Services : ⚡ 🖼 🛁 🛜 laverie
À prox. : 🛶 parcours de santé

G P S E : 2.62473
N : 45.56101

TREIGNAT

03380 - Carte Michelin **326** B4 - 443 h. - alt. 450
▶ Paris 342 - Boussac 11 - Culan 27 - Gouzon 25

⛺ Municipal d'Herculat

✆ 04 70 07 03 89, treignat-allier.weebly.com

Pour s'y rendre : 2,3 km au nord-est, accès par chemin à gauche, apr. l'église

1,6 ha (35 empl.) non clos, peu incliné à incliné, plat, herbeux
Location : - 2 🛖 - 6 cabanons.

Situation agréable au bord d'un grand étang et proche de la voie ferrée très peu fréquentée.

Nature : 🐟 ⌂ ♀
Loisirs : 🏸 🚣 🎣
Services : 🔥 📶 📺
À prox. : pédalos

GPS : E : 2.3673 / N : 46.35611

This Guide is not intended as a list of all the camping sites in France ; its aim is to provide a selection of the best sites in each category.

VIC-SUR-CÈRE

15800 - Carte Michelin **330** D5 - 1 988 h. - alt. 678
▶ Paris 549 - Aurillac 19 - Murat 29

🏔 Sites et Paysages La Pommeraie

✆ 04 71 47 54 18, www.camping-auvergne-cantal.com - alt. 750

Pour s'y rendre : lieu-dit : Daïsses (2,5 km au sud-est par D 54, D 154 et chemin à dr.)

Ouverture : de déb. mai à mi-sept.

2,8 ha (100 empl.) en terrasses, plat, herbeux

Empl. camping : 32€ 👫 🚗 📺 🔌 (10A) - pers. suppl. 7€ - frais de réservation 19€
Location : (de déb. mai à mi-sept.) - 43 🚐 - 3 tentes lodges - 4 cabanons - 57 appartements. Nuitée 30 à 150€ - Sem. 250 à 950€ - frais de réservation 19€

Belle situation dominante.

Nature : 🐟 ≤ les monts, la vallée et la ville ⌂ ♀
Loisirs : 🍴 ✕ 🏸 🌙 nocturne 🎣 🎿 🏊 🛶 sentiers pédestres
Services : 🔌 🚰 🛒 📶 laverie 🧺 ⛽

GPS : E : 2.63307 / N : 44.9711

⛺ Municipal Vic'Nature

✆ 04 71 63 70 78, www.vicsurcere.fr

Pour s'y rendre : rte de Salvanhac (au bord de la Cère)

Ouverture : de déb. mai à fin sept.

3 ha (200 empl.) plat, herbeux

Empl. camping : (Prix 2018) 10€ 👫 🚗 📺 🔌 (5A) - pers. suppl. 5€
Location : (Prix 2018) (de déb. mai à fin sept.) - 4 tentes lodges. Nuitée 55€ - Sem. 300 à 370€
🚉 borne eurorelais 3€ - 10 📺

Nature : ≤ ♀♀
Loisirs : 🏸 🚣
Services : 🔌 🚰 🚰 📶 laverie
À prox. : 🏊 🎿 🏊 🛶

GPS : E : 2.62492 / N : 44.97986

VOLVIC

63530 - Carte Michelin **326** F7 - 4 409 h. - alt. 510
▶ Paris 419 - Clermont-Ferrand 14 - Moulins 99 - Saint-Étienne 160

⛺ Municipal Volvic Pierre et Sources

✆ 04 73 33 50 16, www.camping-volvic.com

Pour s'y rendre : r. de Chancelas (à la sortie du bourg, rte de Châtel-Guyon)

Ouverture : de déb. mai à fin sept.

2 ha (68 empl.) peu incliné, plat, herbeux

Empl. camping : (Prix 2018) 20€ 👫 🚗 📺 🔌 (16A) - pers. suppl. 5€
Location : (Prix 2018) Permanent🔌 (1 chalet) - 10 🛖. Nuitée 65 à 95€ - Sem. 260 à 570€
🚉 borne AireService 2€ - 4 📺

Emplacements bien délimités avec vue sur le château de Tournoël.

Nature : ⌂
Loisirs : 🏸
Services : 🔌 🚰 🚰 📶 laverie
À prox. : 🚴 🎿 terrain multisports

GPS : E : 3.04685 / N : 45.87234

*De gids wordt jaarlijks bijgewerkt.
Doe als wij, vervang hem, dan blift je bij.*

VOREY

43800 - Carte Michelin **331** F2 - 1 428 h. - alt. 540
▶ Paris 544 - Ambert 53 - Craponne-sur-Arzon 18 - Le Puy en Velay 23

🏔 Pra de Mars

✆ 04 71 03 40 86, www.leprademars.com

Pour s'y rendre : le Chambon-de-Vorey

Ouverture : de mi-avr. à mi-oct.

3,6 ha (100 empl.) plat, herbeux

Empl. camping : 18€ 👫 🚗 📺 🔌 (5A) - pers. suppl. 4€
Location : (Prix 2018) (de mi-avr. à mi-oct.) - 6 🚐. Nuitée 43 à 68€ - Sem. 250 à 520€
🚉 borne artisanale 3€

Nature : 🐟 ≤ ⌂ ♀
Loisirs : 🍴 ✕ 🏸 🛶 🎣 🚴 🎿 🏊 🛶
Services : 🔌 🚰 🚰 📶 laverie ⛽
À prox. : 🚣

GPS : E : 3.9429 / N : 45.20352

🏔 Les Moulettes

✆ 04 71 03 70 48, www.camping-les-moulettes.fr

Pour s'y rendre : chemin de Félines (à l'ouest du centre bourg, au bord de l'Arzon)

Ouverture : de déb. mai à mi-sept.

1,3 ha (45 empl.) plat, herbeux

Empl. camping : (Prix 2018) 🚶 7€ 🚗 📺 11€ – 🔌 (10A) 4€ - frais de réservation 15€
Location : (Prix 2018) (de déb. mai à fin sept.) - 🏕 - 6 🚐 - 6 🛖. Sem. 250 à 630€ - frais de réservation 15€
🚉 borne artisanale 3€ - 2 📺 2€

Nature : 🐟 ⌂ ♀♀
Loisirs : 🍴 ✕ 🏸 🚣 🏊 🎿
Services : 🔌 🚰 🚰 📶 📺
À prox. : 🎿 🚣

GPS : E : 3.90363 / N : 45.18637

BOURGOGNE

phbcz/iStock

Découvrir la Bourgogne c'est un peu se transporter, avec une machine à remonter le temps, à l'époque des grands-ducs d'Occident. Nés de leur goût d'absolu, nobles châteaux et riches abbayes témoignent d'un passé où grandiloquence rimait avec prestige. Qui oserait leur reprocher cette folie des grandeurs après avoir visité Dijon, cité d'art par excellence ? Et comment leur contester le titre de « princes des meilleurs vins de la chrétienté » lorsque des légions de gourmets sillonnent la Côte d'Or pour explorer ses caves, antres capiteux où mûrissent des crus d'exception ? Les ripailles se poursuivent autour de moelleuses gougères, d'un odorant époisses ou d'un délicieux pain d'épice. Après ces péchés gourmands, un retour à des plaisirs plus sages s'impose, telle une promenade en péniche au fil des canaux.

A visit to Burgundy takes travellers back through time to an era when its mighty Dukes rivalled even the kings of France; stately castles and rich abbeys still bear witness to a golden age of ostentation and prestige. As we look back now, it is difficult to reproach them for the flamboyance which has made Dijon a world-renowned city of art. And who would dispute Burgundy's claim to the "best wines in Christendom« when wine-lovers still flock to the region in search of the finest vintages? A dedication to time-honoured traditions also rules the region's cuisine, from strongsmelling époisses cheese to gingerbread dripping with honey. After such extravagant pleasures, what could be better than a barge trip down the region's canals and rivers to digest in peace amid unspoilt countryside?

ANDRYES

89480 - Carte Michelin **319** D6 - 471 h. - alt. 162
▶ Paris 204 - Auxerre 39 - Avallon 44 - Clamecy 10

Sites et Paysages Au Bois Joli

✆ 03 86 81 70 48, www.campingauboisjoli.fr

Pour s'y rendre : 2 rte de Villeprenoy (800 m au sud-ouest)

Ouverture : de déb. avr. à fin sept.

5 ha (100 empl.) incliné, plat, herbeux

Empl. camping : 33€ ♦♦ ⟲ ▣ [≠] (10A) - pers. suppl. 6€ - frais de réservation 13€

Location : (de déb. avr. à fin sept.) - 🐾 - 5 🚐 - 2 tentes lodges - 1 cabanon. Nuitée 59 à 150€ - Sem. 250 à 890€ - frais de réservation 13€

🚐 borne artisanale 8€

Cadre boisé avec des emplacements en terrasse, offrant une jolie vue sur la vallée.

Nature : 🐾 ⟷ 0 0
Loisirs : ▼ ✕ 🏠 ♦ ♦ 🚴 ⟲ tyrolienne
Services : ⟲ 🔆 laverie
À prox. : ✕

GPS E : 3.47969 N : 47.51655

ARNAY-LE-DUC

21230 - Carte Michelin **320** G7 - 1 674 h. - alt. 375
▶ Paris 285 - Autun 28 - Beaune 36 - Chagny 38

Huttopia L'Étang de Fouché

✆ 03 80 90 02 23, www.campingfouche.com

Pour s'y rendre : r. du 8-Mai-1945 (700 m à l'est par D 17c, rte de Longecourt)

Ouverture : de mi-avr. à mi-oct.

8 ha (209 empl.) plat, herbeux

Empl. camping : (Prix 2018) 31€ ♦♦ ⟲ ▣ [≠] (10A) - pers. suppl. 8€ - frais de réservation 15€

Location : (Prix 2018) (de mi-avr. à mi-oct.) - 20 🚐 - 19 🏠 - 15 tentes lodges. Nuitée 39 à 109€ - Sem. 219 à 763€ - frais de réservation 15€

🚐 borne artisanale - 🐾 [≠] 18€

Situation plaisante au bord d'un étang.

Nature : 🐾 ⟷ ♀ ▲
Loisirs : ▼ ✕ 🏠 🖩 diurne ♦ ♦ 🚴 ⟲ pédalos
Services : ⟲ 🔆 🔆 laverie
À prox. : ✕ (plage) 🏊

GPS E : 4.49802 N : 47.13414

AUTUN

71400 - Carte Michelin **320** F8 - 14 496 h. - alt. 326
▶ Paris 287 - Auxerre 128 - Avallon 78 - Chalon-sur-Saône 51

Aquadis Loisirs La Porte d'Arroux

✆ 03 85 52 10 82, www.aquadis-loisirs.com/camping-de-la-porte-d-arroux

Pour s'y rendre : r. du Traité-d'Anvers, lieu-dit : Les Chaumottes (sortie nord par D 980, rte de Saulieu, faubourg d'Arroux, au bord du Ternin)

Ouverture : de déb. mars à déb. nov.

2,8 ha (81 empl.) plat, herbeux

Empl. camping : 21€ ♦♦ ⟲ ▣ [≠] (10A) - pers. suppl. 4€ - frais de réservation 10€

Location : (de déb. mars à déb. nov.) - 11 🚐. Nuitée 68 à 70€ - Sem. 259 à 499€ - frais de réservation 10€

🚐 borne artisanale

Beaux emplacements ombragés au bord du Ternin.

Nature : ⟷ 0 0
Loisirs : ▼ ✕ 🏠 ♦ ♦ 🚴 ⟲
Services : ⟲ 🔆 ▣

GPS E : 4.29358 N : 46.96447

AVALLON

89200 - Carte Michelin **319** G7 - 7 252 h. - alt. 250
▶ Paris 220 - Dijon 106 - Auxerre 55 - Autun 80

Municipal Sous Roches

✆ 03 86 34 10 39, www.campingsousroche.com

Pour s'y rendre : rte de Méluzien (2.5 km au sud)

Ouverture : de déb. avr. à mi-oct.

2,7 ha (96 empl.) en terrasses, plat, herbeux, rochers

Empl. camping : (Prix 2018) 19€ ♦♦ ⟲ ▣ [≠] (10A) - pers. suppl. 4€

Location : (Prix 2018) Permanent (1 chalet) - 🐾 - 4 🏠 - 2 tentes lodges - 3 cabanons. Nuitée 20 à 90€ - Sem. 120 à 520€

🚐 borne AireService 5€ - 14 ▣ 18€

À l'entrée du Parc naturel régional du Morvan, terrain en terrasse avec de beaux sapins pour l'ombrage.

Nature : 🐾 ⟷ 0 0
Loisirs : 🏠 ♦ ♦ 🚴 (petite piscine) 🐾
Services : ⟲ 🔆 🔆 laverie

GPS E : 3.91293 N : 47.47993

Si vous recherchez :

🐾 *un terrain très tranquille,*
P *un terrain ouvert toute l'année,*
♦♦ *des équipements et des loisirs adaptés aux enfants,*
🏊 *un parc aquatique,*
B *un centre balnéo,*
🖩 *des animations sportives, culturelles ou de détente,*
consultez la liste thématique des campings.

BEAUNE

21200 - Carte Michelin **320** I7 - 22 516 h. - alt. 220
▶ Paris 308 - Autun 49 - Auxerre 149 - Chalon-sur-Saône 29

Municipal les Cent Vignes

✆ 03 80 22 03 91, campinglescentvignes@mairie-beaune.fr

Pour s'y rendre : 10 r. Auguste-Dubois (sortie nord par r. du Faubourg-St-Nicolas et D 18 à gauche)

Ouverture : de mi-mars à fin oct.

2 ha (116 empl.) plat, herbeux

Empl. camping : (Prix 2018) ♦ 5€ ⟲ ▣ 7€ – [≠] (16A) 5€

🚐 42 ▣ 11€

Belle délimitation des emplacements et entrée fleurie.

Nature : ⟷ ♀
Loisirs : ▼ ✕ 🏠 ♦ ♦ terrain multisports
Services : ⟲ 🔆 🔆 laverie

GPS E : 4.8386 N : 47.03285

BOURBON-LANCY

71140 - Carte Michelin **320** C10 - 5 275 h. - alt. 240 - ⚜
▶ Paris 308 - Autun 62 - Mâcon 110 - Montceau-les-Mines 55

⚐ Aquadis Loisirs Les Chalets du Breuil

✆ 03 85 89 20 98, www.aquadis-loisirs.com/camping-et-village-chalets-du-breuil

Pour s'y rendre : 11 r. des Eurimants (vers sortie sud-ouest, rte de Digoin, à la piscine)

Ouverture : de déb. mars à déb. nov.

2 ha (63 empl.) plat, herbeux

Empl. camping : 19 € ✶✶ 🚐 🅴 (10A) - pers. suppl. 5 € - frais de réservation 10 €

Location : (de déb. mars à déb. nov.) - ♿ (1 chalet) - 8 🛖 - 22 🏠 - 2 bungalows toilés. Nuitée 32 à 90 € - Sem. 176 à 599 € - frais de réservation 10 €

🚐 borne artisanale

À 200 m d'un plan d'eau.

Nature : 🔲 Ω	
Loisirs : 🎪 🐎	**G** E : 3.76646
Services : ⚡ 🏛 🔻 🚿 🛜 🚽	**P** N : 46.62086
À prox. : 🏕 ✗ 🏊 💈 🛶 🏊 (plage) 🎣	**S**
casino terrain multisports	

Pour visiter une ville ou une région :
utilisez le Guide Vert MICHELIN.

CHABLIS

89800 - Carte Michelin **319** F5 - 2 383 h. - alt. 135
▶ Paris 181 - Dijon 138 - Orléans 172 - Troyes 76

⚐ Municipal du Serein

✆ 03 86 42 44 39, www.ville-chablis.fr

Pour s'y rendre : quai Paul-Louis-Courier (600 m à l'ouest par D 956, rte de Tonnerre et chemin à dr. apr. le pont, au bord du Serein)

Ouverture : de déb. mai à fin sept.

2 ha (43 empl.) plat, herbeux

Empl. camping : (Prix 2018) 15 € ✶✶ 🚐 🅴 (10A) - pers. suppl. 3 €
🚐 borne artisanale 4 € - 4 🅴 14 €

Cadre verdoyant, confort simple, terrain bien tenu situé dans une boucle du Serein.

Nature : 🌿 🔲 ΩΩ ·	
Services : ⚡ 🔻 🛜	**G** E : 3.80596
À prox. : 🛶	**P** N : 47.81368
	S

CHAGNY

71150 - Carte Michelin **320** I8 - 5 525 h. - alt. 215
▶ Paris 327 - Autun 44 - Beaune 15 - Chalon-sur-Saône 20

⚐ Le Pâquier Fané

✆ 03 85 87 21 42, www.campingchagny.com

Pour s'y rendre : r. du Pâquier-Fané (à l'ouest, au bord de la Dheune)

Ouverture : de déb. avr. à fin oct.

1,8 ha (85 empl.) plat, herbeux

Empl. camping : 24 € ✶✶ 🚐 🅴 (16A) - pers. suppl. 4 €

Location : (Prix 2018) (de déb. avr. à fin oct.) - 6 🛖 - 4 🏠.
Nuitée 55 à 73 € - Sem. 350 à 677 € - frais de réservation 15 €

Cadre agréable au bord de la Dheune.

Nature : 🔲 Ω	
Loisirs : 🏊	**G** E : 4.74574
Services : ⚡ 🛜 laverie 🚿	**P** N : 46.91193
À prox. : 🚴 💈 🛶	**S**

CHAMBILLY

71110 - Carte Michelin **320** E12 - 523 h. - alt. 249
▶ Paris 363 - Chauffailles 28 - Digoin 27 - Dompierre-sur-Besbre 55

⚐ La Motte aux Merles

✆ 03 85 25 37 67, campingpicard@yahoo.fr

Pour s'y rendre : rte de la Palisse (5 km au sud-ouest par D 990 et chemin à gauche)

Ouverture : de déb. avr. à fin oct.

1 ha (25 empl.) plat, herbeux

Empl. camping : ✶ 4 € 🚐 🅴 5 € – (8A) 3 €
🚐 borne artisanale - 5 🅴 12 €

Nature : 🌿 <	
Loisirs : 🏊 🛶 (petite piscine)	**G** E : 3.95755
Services : ⚡ 🏕 🛜 🖥	**P** N : 46.26443
	S

LA CHARITÉ-SUR-LOIRE

58400 - Carte Michelin **319** B8 - 5 203 h. - alt. 170
▶ Paris 212 - Bourges 51 - Clamecy 54 - Cosne-sur-Loire 30

⚐ Municipal la Saulaie

✆ 03 86 70 00 83, www.campinglacharitesurloire.fr

Pour s'y rendre : quai de La Saulaie (sortie sud-ouest)

Ouverture : de déb. avr. à fin sept.

1,7 ha (90 empl.) plat, herbeux

Empl. camping : (Prix 2018) 18 € ✶✶ 🚐 🅴 (16A) - pers. suppl. 4 €
Location : (Prix 2018) (de déb. avr. à fin sept.) - 1 tente lodge - 3 cabanons. Nuitée 20 à 89 € - Sem. 120 à 540 €

Dans l'Île de la Saulaie, près de la plage.

Nature : Ω	
Loisirs : 🎪 🎣	**G** E : 3.00927
Services : ⚡ 🛒 🚿 🛜	**P** N : 47.17879
À prox. : 💈 🖥 🚣	**S**

CHAROLLES

71120 - Carte Michelin **320** F11 - 2 807 h. - alt. 279
▶ Paris 374 - Autun 80 - Chalon-sur-Saône 67 - Mâcon 55

⚐ Municipal ♿

✆ 03 85 24 04 90, www.ville-charolles.fr

Pour s'y rendre : rte de Viry (sortie nord-est, rte de Mâcon et D 33 à gauche)

Ouverture : de déb. avr. à fin sept.

1 ha (50 empl.) plat, herbeux

Empl. camping : (Prix 2018) ✶ 3 € 🚐 2 € 🅴 5 € – (16A) 3 €
Location : (Prix 2018) (de déb. avr. à fin sept.) - ♿ (1 mobile home) - 🏊 - 7 🛖. Nuitée 31 à 53 € - Sem. 200 à 360 €

Cadre agréable au bord de l'Arconce.

Nature : 🔲 Ω	
Loisirs : 🍽 🏃 🏊 🚴	**G** E : 4.28209
Services : ⚡ 🚿 🛜 🖥	**P** N : 46.43959
À prox. : 🏕 🛶 🎣	**S**

CHÂTILLON-SUR-SEINE

21400 - Carte Michelin **320** H2 - 5 613 h. - alt. 219
▶ Paris 233 - Auxerre 85 - Avallon 75 - Chaumont 60

⚠ Municipal Louis-Rigoly

✆ 03 80 91 03 05, www.mairie-chatillon-sur-seine.fr

Pour s'y rendre : esplanade St-Vorles (par rte de Langres)

0,8 ha (46 empl.) plat et peu incliné, herbeux, goudronné

Location : - 2 🏚.

🚐 borne artisanale

Sur les hauteurs ombragées de la ville.

Nature : 🌲 ⌂ 🌳	**G** E : 4.56969
Loisirs : 🏠	**P**
Services : ◉🛒 🛜 🖳	**S** N : 47.87051
À prox. : 🍴 ✕ 🏊 🛶	

*Benutzen Sie die **Grünen MICHELIN-Reiseführer**,
wenn Sie eine Stadt oder Region kennenlernen wollen.*

CHAUFFAILLES

71170 - Carte Michelin **320** G12 - 3 939 h. - alt. 405
▶ Paris 404 - Charolles 32 - Lyon 77 - Mâcon 64

🏔 Municipal les Feuilles

✆ 03 85 26 48 12, www.campinglesfeuilles.fr

Pour s'y rendre : 18 r. de Châtillon (au sud-ouest par r. du Chatillon)

Ouverture : de déb. mai à fin sept.

4 ha (67 empl.) plat et peu incliné, herbeux

Empl. camping : (Prix 2018) 18€ 🏕🏕 🚐 🖲 (10A) - pers. suppl. 3€
Location : (Prix 2018) (de déb. mai à fin sept.) - 4 🏚 - 13 cabanons.
Nuitée 38 à 65€ - Sem. 162 à 650€

Cadre verdoyant au bord du Botoret.

Nature : ⌂ ⌂	**G** E : 4.33817
Loisirs : 🏠 🛥 ✕ 🎣	**P**
Services : ◉🛒 🚐 🛜 🖳	**S** N : 46.20004
À prox. : 🛶	

CLAMECY

58500 - Carte Michelin **319** E7 - 4 238 h. - alt. 144
▶ Paris 208 - Auxerre 42 - Avallon 38 - Bourges 105

⚠ Le Pont Picot

✆ 03 86 27 05 97, clamecycamping@orange.fr

Pour s'y rendre : r. de Chevroches (au sud, au bord de l'Yonne et du
canal du Nivernais, accès conseillé par Beaugy)

Ouverture : de déb. avr. à fin sept.

1 ha (90 empl.) plat, herbeux

Empl. camping : (Prix 2018) 16€ 🏕🏕 🚐 🖲 (6A) - pers. suppl. 4€
Location : (Prix 2018) Permanent🚳 (de déb. avr. à fin sept.)
- 4 🏚 - 2 cabanons. Nuitée 25 à 35€ - Sem. 300 à 400€
🚐 borne artisanale 4€

Situation agréable dans une petite île.

Nature : 🌲 🏔 ⌂	**G** E : 3.52784
Loisirs : 🎣	**P**
Services : ◉🛒 🛜 laverie	**S** N : 47.45203
À prox. : 🛶	

CLUNY

71250 - Carte Michelin **320** H11 - 4 624 h. - alt. 248
▶ Paris 384 - Chalon-sur-Saône 49 - Charolles 43 - Mâcon 25

⚠ Municipal St-Vital

✆ 03 85 59 08 34, www.cluny-camping.blogspot.com

Pour s'y rendre : 30 r. des Griottons (sortie est par D 15, rte d'Azé)

Ouverture : de déb. avr. à fin oct.

3 ha (174 empl.) plat, herbeux

Empl. camping : (Prix 2018) 21€ 🏕🏕 🚐 🖲 (6A) - pers. suppl. 5€
Location : (Prix 2018) (de déb. avr. à fin oct.) - 2 🏚. Sem.
369 à 569€
🚐 borne AireService 5€

Vue sur la vieille ville de Cluny.

Nature : 🏔 ⌂	**G** E : 4.66778
Loisirs : 🚲	**P**
Services : ◉🛒 🏢 🛜 🖳	**S** N : 46.43088
À prox. : ✕ 🏊 🛶 🐎	

CORMATIN

71460 - Carte Michelin **320** I10 - 544 h. - alt. 212
▶ Paris 371 - Chalon-sur-Saône 37 - Mâcon 36 - Montceau-les-
Mines 41

🏔 Le Hameau des Champs

✆ 03 85 50 76 71, www.le-hameau-des-champs.com

Pour s'y rendre : sortie nord par D 981, rte de Chalon-sur-Saône

Ouverture : de déb. avr. à fin sept.

5,2 ha (50 empl.) plat, herbeux

Empl. camping : (Prix 2018) 🏕 4€ 🚐 🖲 6€ – (13A) 4€
Location : (Prix 2018) Permanent🚳 (1 chalet) - 10 🏚. Nuitée
65 à 88€ - Sem. 420 à 510€
🚐 borne artisanale 3€

À 150 m d'un plan d'eau et de la Voie Verte Givry-Cluny.

Nature : 🌲	**G** E : 4.68391
Loisirs : 🍴 🛥 🚲	**P**
Services : ◉🛒 🚐 🛒 🛜 🖳	**S** N : 46.54868
À prox. : 🏊 ✕ 🛶 🎣	

The Guide changes, so renew your guide every year.

CRAVANT

89460 - Carte Michelin **319** F5 - 801 h. - alt. 120
▶ Paris 190 - Dijon 139 - Auxerre 20 - Nevers 120

⚠ Village Vacances Le Rû du Pré

(pas d'emplacement tentes et caravanes)

✆ 03 86 42 56 13, www.village-chalets.com

Pour s'y rendre : 7 rte de l'Émoulerie (0.4 km à l'est par la D 139)

1 ha plat

Location : Permanent🚳 (1 chalet) - 9 🏚. Sem. 308 à 588€

Petit village de chalets colorés, régulièrement rénovés.

Nature : 🌳	**G** E : 3.69477
Loisirs : ✕ 🛶	**P**
Services : ◉🛒 🛜 laverie	**S** N : 47.6833
À prox. : 🛶 parcours de santé	

CRÊCHES-SUR-SAÔNE

71680 - Carte Michelin **320** I12 - 2 838 h. - alt. 180
▶ Paris 398 - Bourg-en-Bresse 45 - Mâcon 9 - Villefranche-sur-Saône 30

⛺ Port d'Arciat

✆ 03 85 37 11 83, www.camping-macon.com

Pour s'y rendre : rte du Port-d'Arciat (1,5 km à l'est par D 31, rte de Pont de Veyle)

Ouverture : de mi-mai à mi-sept.

5 ha (160 empl.) plat, herbeux

Empl. camping : (Prix 2018) 20 € ✹ ✹ ⇔ ▣ 🄷 (6A) - pers. suppl. 5 € - frais de réservation 5 €

En bordure de Saône et près d'un plan d'eau, en accès direct.

Nature : ♀	
Loisirs : ⛵🛶 🗣	**G** E : 4.80581
Services : ⛊━ 🤝 🛎	**P** N : 46.24037
À prox. : ⛾ 🥾 🚤 🛥	**S**

Gebruik de gids van het lopende jaar.

CRUX-LA-VILLE

58330 - Carte Michelin **319** E9 - 410 h. - alt. 319
▶ Paris 248 - Autun 85 - Avallon 138 - La Charité-sur-Loire 45

⛰ Le Merle

✆ 03 86 58 38 42, www.camping-etang-du-merle.fr

Pour s'y rendre : lieu-dit : Le Merle (4,5 km au sud-ouest par D 34, rte de St-Saulge et D 181 à dr., rte de Ste-Marie, au bord de l'étang)

Ouverture : de déb. avr. à fin oct.

2,6 ha (43 empl.) plat, herbeux

Empl. camping : 18 € ✹ ✹ ⇔ ▣ 🄷 (10A) - pers. suppl. 4 €
Location : (de déb. avr. à fin oct.) - 11 🛖 - 5 ⌂ - 2 cabanons.
Nuitée 71 € - Sem. 254 à 609 € - frais de réservation 10 €

Nature : 🏞 🌲🌲 🛆	
Loisirs : ⛾ 🏛 ⛵🛶 🏊 🗣	**G** E : 3.52478
Services : ⛊━ 🤝 🛎	**P** N : 47.1624
À prox. : 🚣 pédalos	**S**

DIGOIN

71160 - Carte Michelin **320** D11 - 8 460 h. - alt. 232
▶ Paris 337 - Autun 69 - Charolles 26 - Moulins 57

⛺ La Chevrette

✆ 03 85 53 11 49, www.lachevrette.com

Pour s'y rendre : r. de la Chevrette (sortie ouest en dir. de Moulins, vers la piscine municipale, près de la Loire)

Ouverture : de déb. avr. à fin sept.

1,6 ha (81 empl.) plat, herbeux

Empl. camping : ✹ 5 € ⇔ ▣ 8 € – 🄷 (10A) 4 €
Location : (de déb. avr. à fin sept.) - 🛖 - 2 🛖 - 2 ⌂. Nuitée 60 à 80 € - Sem. 210 à 560 €
🚐 borne artisanale

Nature : 🗣 ♀	
Loisirs : ✗ 🏛 🏊 (petite piscine)	**G** E : 3.96768
Services : ⛊━ 🏛 🤝 🤝 🛎 laverie	**P** N : 46.47983
À prox. : 🛒 🏊 🚣	**S**

DIJON

21000 - Carte Michelin **320** K6 - 151 543 h. - alt. 245
▶ Paris 316 - Besançon 93 - Chalon-sur-Saône 72 - Le Creusot 91

⛺ Lac Kir

✆ 03 80 30 54 01, www.camping-dijon.com

Pour s'y rendre : 3 bd du Chanoine Kir (3.1 km à l'ouest par la D 905)

Ouverture : de déb. avr. à fin oct.

2,5 ha (137 empl.) plat, herbeux

Empl. camping : (Prix 2018) 21 € ✹ ✹ ⇔ ▣ 🄷 (10A) - pers. suppl. 5 € - frais de réservation 7 €

🚐 borne artisanale - 16 ▣ 12 €

Emplacements bien ombragés et verdoyants.

Nature : 🗣 ♀	
Services : ⛊━ 🤝 🤝 🤝 🛎	**G** E : 5.01166
À prox. : 🛝 🏊 🚤 🚣 🚣	**P** N : 47.32163
	S

---

*Choisissez votre restaurant sur **restaurant.michelin.fr***

DOMPIERRE-LES-ORMES

71520 - Carte Michelin **320** G11 - 922 h. - alt. 480
▶ Paris 405 - Chauffailles 28 - Cluny 23 - Mâcon 35

⛰ Sites et Paysages Le Village des Meuniers

Le Village des Meuniers

✆ 03 85 50 36 60, www.villagedesmeuniers.com

Pour s'y rendre : 344 r. du Stade (sortie nord-ouest par D 41, rte de la Clayette et chemin à dr., près du stade)

Ouverture : de mi-avr. à mi-oct.

3 ha (113 empl.) en terrasses, plat, herbeux

Empl. camping : 32 € ✹ ✹ ⇔ ▣ 🄷 (10A) - pers. suppl. 7 € - frais de réservation 15 €

Location : (de mi-avr. à mi-oct.) - 🦽 (1 mobile home) - 18 🛖 - 10 ⌂ - 2 bungalows toilés - 3 tentes lodges. Nuitée 49 à 111 € - Sem. 245 à 777 € - frais de réservation 15 €

🚐 borne artisanale 5 € - 🚐 14 €

Situation dominante et panoramique.

Nature : 🏞 ← 🗣	
Loisirs : ⛾ ✗ 🏛 🗣nocturne 🚲 ⛵🛶 🛝 🏊 🏊 🗣	**G** E : 4.47468
Services : ⛊━ 🤝 🤝 🤝 🛎	**P** N : 46.36393
À prox. : 🚲 🥢 terrain multisports	**S**

ÉPINAC

71360 - Carte Michelin **320** H8 - 2 357 h. - alt. 340
▶ Paris 304 - Arnay-le-Duc 20 - Autun 19 - Chagny 29

⛰ Le Pont Vert

✆ 03 85 54 29 83, www.camping-epinac-bourgogne.com

Pour s'y rendre : r. de la Piscine (sortie sud par D 43 et chemin à dr., au bord de la Drée)

Ouverture : Permanent

2,9 ha (71 empl.) plat, herbeux

Empl. camping : 17 € ✹ ✹ ⇔ ▣ 🄷 (18A) - pers. suppl. 2 € - frais de réservation 12 €

Location : Permanent - 11 🛖 - 12 cabanons. Nuitée 27 à 83 €
- Sem. 106 à 575 € - frais de réservation 12 €

🚐 borne AireService 3 €

Nature : 🦢 🗔 ♀
Loisirs : 🛋
Services : 🔧 🛜 📶
À prox. : 🍷 ✕ 🚣 🎣 🛶

G P S E : 4.50617
N : 46.98577

GIGNY-SUR-SAÔNE

71240 - Carte Michelin **320** J10 - 522 h. - alt. 178
▶ Paris 355 - Chalon-sur-Saône 29 - Le Creusot 51 - Louhans 30

🔺 Les Castels Château de l'Épervière 👥

🖋 03 85 94 16 90, www.domaine-eperviere.com - peu
d'emplacements pour tentes et caravanes

Pour s'y rendre : 6 r. du Château (1 km au sud, à l'Épervière)

Ouverture : de déb. avr. à fin sept.

7 ha (100 empl.) plat, herbeux

Empl. camping : 43 € 👫 🚙 📼 🔌 (10A) - pers. suppl. 10 € - frais de
réservation 10 €

Location : (de déb. avr. à fin sept.) - 🛖 - 5 🛖 - 8 tentes lodges
- 3 gîtes. Sem. 469 à 939 € - frais de réservation 20 €

🚐 borne artisanale

*Agréable parc boisé au bord d'un étang et dégustation de vin
de Bourgogne dans la cave voûtée du château.*

Nature : 🦢 🗔 ♀♀
Loisirs : 🍷 ✕ 🛋 🏇 🚤 jacuzzi 🚣 🚲 🛶
🏊 (bassin) 🌊 pataugeoire
Services : 🔧 🛜 📶 📶 🚿 🛒
À prox. : ✕ 🎣

G P S E : 4.94386
N : 46.65446

🏊 ✕ 🚣 🏊 🏇
*LET OP :
deze gegevens gelden in het algemeen alleen in het seizoen,
wat de openingstijden van het terrein ook zijn.*

GUEUGNON

71130 - Carte Michelin **320** E10 - 7 638 h. - alt. 243
▶ Paris 335 - Autun 53 - Bourbon-Lancy 27 - Digoin 16

⚠ Municipal de Chazey

🖋 03 85 85 50 50, www.gueugnon.fr

Pour s'y rendre : zone de Chazey (4 km au sud par D 994, rte de
Digoin et chemin à dr.)

Ouverture : de déb. juin à fin août

1 ha (20 empl.) plat, herbeux

Empl. camping : (Prix 2018) 👤 10 € 🚙 📼 🔌 (6A)

Location : (Prix 2018) (de fin janv. à fin déc.) - 2 🛖 - 3 🏠
- 3 bungalows toilés. Nuitée 40 à 45 € - Sem. 190 à 290 €

🚐 borne AireService - 15 📼 10 €

Près d'un petit canal et de deux plans d'eau.

Nature : 🦢 🗔
Loisirs : 🛋 🚣
Services : 🚿 🚿 📶
À prox. : 🎣

G P S E : 4.05386
N : 46.57077

L'ISLE-SUR-SEREIN

89440 - Carte Michelin **319** H6 - 747 h. - alt. 190
▶ Paris 209 - Auxerre 50 - Avallon 17 - Montbard 36

⚠ Municipal le Parc du Château

🖋 03 86 33 93 50, www.isle-sur-serein.fr

Pour s'y rendre : rte d'Avallon (800 m au sud par D 86, au stade, à
150 m du Serein)

Ouverture : de déb. avr. à fin sept.

1 ha (30 empl.) plat, herbeux

Empl. camping : 22 € 👫 🚙 📼 🔌 (18A)

Location : (de déb. avr. à fin sept.) - 🦽 (1 mobile home) - 6 🛖.
Nuitée 55 € - Sem. 200 à 250 €

🚐 borne artisanale 4 € - 3 📼 4 €

*Préférer les emplacements éloignés de la route du village, côté
terrain de football.*

Nature : 🗔 ♀♀
Services : 🔧 📶 🚿 🛜
À prox. : 🚣 parcours sportif terrain
multisports

G P S E : 4.00542
N : 47.58119

ISSY-L'EVÊQUE

71760 - Carte Michelin **320** D9 - 842 h. - alt. 310
▶ Paris 325 - Bourbon-Lancy 25 - Gueugnon 17 - Luzy 12

🔺 Les Portes du Morvan

🖋 03 85 24 96 05, www.camping-portesdumorvan.com

Pour s'y rendre : r. de l'Étang (1 km à l'ouest par D 42, rte de Grury
et chemin à dr.)

Ouverture : de déb. avr. à fin nov.

6 ha/3 campables (71 empl.) plat

Empl. camping : 21 € 👫 🚙 📼 🔌 (10A) - pers. suppl. 4 €

Location : Permanent - 2 🛖 - 7 🏠. Nuitée 35 à 100 € - Sem.
250 à 670 €

🚐 borne artisanale 5 € - 🚐 14 €

Situation agréable en bordure d'un étang et d'un bois.

Nature : 🦢 ≤ 🗔
Loisirs : 🍷 ✕ 🛋 🏓 🚣 🚲 🏊
Services : 🔧 🛜 📶
À prox. : 🎣 🚤 🛶 🏇

G P S E : 3.9602
N : 46.7078

LAIVES

71240 - Carte Michelin **320** J10 - 997 h. - alt. 198
▶ Paris 355 - Chalon-sur-Saône 20 - Mâcon 48 - Montceau-les-Mines 49

⛰ Les Lacs de Laives - La Héronnière

✆ 03 85 44 98 85, www.camping-laheronniere.com

Pour s'y rendre : rte de la Ferté (4,2 km au nord par D 18, rte de Buxy et rte à dr.)

Ouverture : Permanent

1,5 ha (80 empl.) plat, herbeux

Empl. camping : (Prix 2018) 27 € ★★ ⇔ 🅴 ⌷ (15A) - pers. suppl. 6 € - frais de réservation 5 €

Location : (Prix 2018) Permanent - 2 🛏 - 2 🏠 - 1 cabanon. Nuitée 38 à 78 € - Sem. 266 à 539 € - frais de réservation 10 €

🚐 borne artisanale 5 €

Près des lacs de Laives.

Nature : 🏞 ⌂ ♀		**G** E : 4.83426
Loisirs : 🚲 🛶		**P**
Services : ⚬⊶ 🌐 📶 📵		**S** N : 46.67448
À prox. : ♟ ✗ 🛥		

Wilt u een stad of streek bezichtigen ?
*Raadpleed de **groene Michelingidsen**.*

LÉZINNES

89160 - Carte Michelin **319** H5 - 723 h. - alt. 168
▶ Paris 213 - Dijon 130 - Auxerre 46 - Troyes 70

⛺ Municipal La Gravière du Moulin

✆ 03 86 75 68 67, gravieredumoulin.lezinnes.fr/camping.php

Pour s'y rendre : 7 rte de Frangey (0.5 km au sud-ouest)

Ouverture : de déb. avr. à déb. oct.

1 ha (32 empl.) plat, herbeux

Empl. camping : ★ 2 € ⇔ 1 € 🅴 3 € – ⌷ (12A) 3 €

🚐 borne artisanale 3 €

Au milieu des installations sportives municipales, avec le bureau d'accueil installé dans l'ancien moulin joliment rénové.

Nature : ♀♀		**G** E : 4.08796
Loisirs : ✗		**P**
Services : ⚬⊶ 🚿 ♨ ♨ 📶 laverie		**S** N : 47.79903
À prox. : pédalos		

LIGNY-LE-CHÂTEL

89144 - Carte Michelin **319** F4 - 1 334 h. - alt. 130
▶ Paris 178 - Auxerre 22 - Sens 60 - Tonnerre 28

⛺ Municipal Parc de la Noue Marrou

✆ 03 86 47 56 99, www.tourisme-camping-municipal-de-la-noue-marrou.fr

Pour s'y rendre : av. de la Noue-Marrou (sortie sud-ouest par D 8, rte d'Auxerre et chemin à gauche, au bord du Serein)

Ouverture : de mi-avr. à fin sept.

2 ha (50 empl.) plat, herbeux

Empl. camping : 12 € ★★ ⇔ 🅴 ⌷ (12A) - pers. suppl. 3 €

🚐 borne artisanale 5 €

En bordure de la forêt d'Othe et du Serein, terrain tout simple, bien tenu.

Nature : 🏞 ♀		**G** E : 3.75274
Loisirs : ♟ 🛶		**P**
Services : ⚬⊶ 🗹 📶 📵		**S** N : 47.89597
À prox. : 🛒 🏇 🛥		

LORMES

58140 - Carte Michelin **319** F8 - 1 389 h. - alt. 420
▶ Paris 255 - Dijon 135 - Nevers 73 - Auxerre 76

⛺ L'Étang du Goulot

✆ 06 79 15 19 33, www.campingetangdugoulot.com

Pour s'y rendre : 2 r. des Campeurs

Ouverture : de déb. mai à fin sept.

2,5 ha (64 empl.) plat, herbeux

Empl. camping : 19 € ★★ ⇔ 🅴 ⌷ (16A) - pers. suppl. 7 €

Location : (de déb. mai à mi-sept.) - 2 🛏 - 1 bungalow toilé - 3 tentes lodges - 1 tipi - 2 cabanons - 2 gîtes. Nuitée 55 à 95 € - Sem. 230 à 550 €

Nature : 🏞 ⌂ ♀		**G** E : 3.82297
Loisirs : ♟ ✗ 🛶 🏇 🎣 🛥 🛶		**P**
Services : ⚬⊶ 🗹 📶		**S** N : 47.28268
À prox. : 🛶 🚲 ✂ 🛴		

LOUHANS

71500 - Carte Michelin **320** L10 - 6 451 h. - alt. 179
▶ Paris 373 - Bourg-en-Bresse 61 - Chalon-sur-Saône 38 - Dijon 85

⛺ Municipal

✆ 03 85 75 19 02, www.louhans-chateaurenaud.fr

Pour s'y rendre : 10 chemin de La Chapellerie (1 km au sud-ouest par D 971, rte de Tournus et D 12, rte de Romenay, à gauche apr. le stade)

Ouverture : de déb. avr. à fin sept.

1 ha (60 empl.) plat, herbeux

Empl. camping : (Prix 2018) 15 € ★★ ⇔ 🅴 ⌷ (16A) - pers. suppl. 3 €

Location : (Prix 2018) (de déb. avr. à mi-sept.) - 2 🛏 - 3 tentes lodges. Sem. 280 à 380 €

🚐 borne flot bleu 4 €

Cadre verdoyant en bordure de rivière.

Nature : ⌂ ♀♀		**G** E : 5.21714
Services : 📶		**P**
À prox. : ✗ 🛶 🛶		**S** N : 46.62436

LUZY

58170 - Carte Michelin **319** G11 - 2 018 h. - alt. 275
▶ Paris 314 - Autun 34 - Château-Chinon 39 - Moulins 62

⛰ Le Château de Chigy

✆ 03 86 30 10 80, www.chateaudechigy.com.fr

Pour s'y rendre : à Tazilly (4 km au sud-ouest par D 973, rte de Bourbon-Lancy puis chemin à gauche)

Ouverture : de déb. mai à fin sept.

70 ha/15 campables (135 empl.) plat, herbeux

Empl. camping : 31 € ★★ ⇔ 🅴 ⌷ (6A) - pers. suppl. 6 € - frais de réservation 15 €

Location : (Prix 2018) (de fin avr. à fin sept.) - 6 🚐 - 29 🏠 - 6 gîtes - 3 appartements. Nuitée 49 à 168€ - Sem. 245 à 1 176€ - frais de réservation 15€

Vaste domaine autour d'un château : prairies, bois, étangs.

Nature : 🐟 ⪕
Loisirs : ☂ ✗ 🎳 🛝 🏃 ⛹ 🏕 ▣ 🏊 ⪙ ✍
terrain multisports
Services : ⚷ 🛒 🗼 📶 🎥 ♨

G P S E : 3.94445
N : 46.75716

MACON

71000 - Carte Michelin **320** I12 - 34 000 h. - alt. 175
▶ Paris 398 - Dijon 128 - Lyon 72 - Bourg-en-Bresse 37

⛰ Municipal

🖋 03 85 38 16 22, www.macon.fr/tourisme/camping
Pour s'y rendre : à Sancé, 1 r. des Grandes-Varennes
5 ha (266 empl.) plat, herbeux
🚐 borne eurorelais

Nature : 🛏 ♀♀
Loisirs : ☂ ✗ 🎳 🏃 ⪙
Services : ⚷ 🛒 📶 laverie ♨ ♨

G P S E : 4.84372
N : 46.3301

À prox. : ⚓ port de plaisance parc aquatique

Use this year's Guide.

MATOUR

71520 - Carte Michelin **320** G12 - 1 095 h. - alt. 500
▶ Paris 405 - Chauffailles 22 - Cluny 24 - Mâcon 36

⛰ Flower Le Paluet

🖋 03 85 59 70 92, www.matour.fr
Pour s'y rendre : 2 r. de la Piscine (à l'ouest, rte de la Clayette et à gauche)
Ouverture : de déb. avr. à fin oct.
3 ha (73 empl.) plat et peu incliné
Empl. camping : (Prix 2018) 20€ 🏕🏕 🚐 ▣ 🔌 (10A) - pers. suppl. 5€ - frais de réservation 12€
Location : (Prix 2018) (de mi-mars à mi-nov.) - 10 🏠 - 24 🛏 - 2 bungalows toilés - 10 tentes lodges - 2 gîtes. Nuitée 60 à 78€ - Sem. 300 à 672€ - frais de réservation 12€
🚐 borne artisanale - 🚐 🔌11€

Au bord d'un étang et proche d'un complexe de loisirs.

Nature : 🐟 🛏 ♀
Loisirs : 🎳 🕐diurne ⪕ ✗ 🏃 ⪙ ✍
terrain multisports
Services : ⚷ (saison) 🛒 📶 laverie

G P S E : 4.48232
N : 46.30677

MERRY-SUR-YONNE

89660 - Carte Michelin **319** E6 - 210 h. - alt. 150
▶ Paris 203 - Auxerre 33 - Dijon 133 - Nevers 100

⛺ Le Saussois

🖋 03 86 34 59 55, www.campingmerrysuryonne.com
Pour s'y rendre : au bourg
Ouverture : Permanent
1 ha plat, herbeux, ciment
Empl. camping : 21€ 🏕🏕 🚐 ▣ 🔌 (16A) - pers. suppl. 5€

Location : Permanent ✂ - 2 cabanons - 4 gîtes d'étapes. Nuitée 49 à 59€ - Sem. 250 à 350€
🚐 borne AireService - 10 ▣ 23€ - 🚐 🔌16€

Emplacements ombragés autour d'un restaurant à la décoration baroque.

Nature : 🐟 ♀♀
Loisirs : ☂ ✗ ✂
Services : ⚷ 🛒 🗼 📶 laverie ♨

G P S E : 3.64595
N : 47.56298

MEURSAULT

21190 - Carte Michelin **320** I8 - 1 542 h. - alt. 243
▶ Paris 326 - Dijon 56 - Chalon-sur-Saône 28 - Le Creusot 40

⛰ Huttopia La Grappe d'Or

🖋 03 80 21 22 48, www.camping-meursault.com
Pour s'y rendre : 2 rte de Volnay
Ouverture : de déb. avr. à mi-oct.
4,5 ha (130 empl.) en terrasses, plat, herbeux
Empl. camping : 21€ 🏕🏕 🚐 ▣ 🔌 (16A) - pers. suppl. 3€ - frais de réservation 15€
Location : (de déb. avr. à mi-oct.) - 5 🚐. Nuitée 65 à 110€ - Sem. 455 à 770€ - frais de réservation 15€
🚐 borne artisanale 7€

En surplomb du vieux village de Meursault et des vignobles.

Nature : ⪕ ♀
Loisirs : ✗ ⪕ 🚴 ✂ ⪙ ✍
Services : ⚷ 🗼 ♨ ♨

G P S E : 4.76987
N : 46.98655

Avant de vous installer, consultez les tarifs en cours, affichés obligatoirement à l'entrée du terrain, et renseignez-vous sur les conditions particulières de séjour. Les indications portées dans le guide ont pu être modifiées depuis la mise à jour.

MIGENNES

89400 - Carte Michelin **319** E4 - 7 360 h. - alt. 87
▶ Paris 162 - Dijon 169 - Auxerre 22 - Sens 46

⛰ Les Confluents

🖋 03 86 80 94 55, www.les-confluents.com
Pour s'y rendre : allée Léo-Lagrange (près du stade)
Ouverture : de déb. avr. à fin oct.
1,5 ha (61 empl.) plat, herbeux
Empl. camping : (Prix 2018) 18€ 🏕🏕 🚐 ▣ 🔌 (20A) - pers. suppl. 5€ - frais de réservation 5€
Location : (Prix 2018) (de déb. avr. à fin oct.) - ♿ (2 chalets) - 14 🚐 - 2 🏠. Nuitée 61 à 72€ - Sem. 382 à 520€
🚐 borne AireService 3€ - 10 ▣ 16€

Sur les bords de l'Yonne, avec du locatif bien entretenu.

Nature : 🛏 ♀♀
Loisirs : 🎳 ⪕ 🚴 ⪙
Services : ⚷ 🗼 ♨ 📶 🎥 ♨
À prox. : ✂ ✍

G P S E : 3.5095
N : 47.95613

MONTBARD

21500 - Carte Michelin **320** G4 - 5 527 h. - alt. 221
▶ Paris 240 - Autun 87 - Auxerre 81 - Dijon 81

⛰ Municipal les Treilles

🕿 03 80 92 69 50, www.montbard.fr

Pour s'y rendre : r. Michel Servet (par D 980 déviation nord-ouest de la ville, près du centre aquatique)

Ouverture : de fin mars à fin oct.

2,5 ha (80 empl.) plat, herbeux

Empl. camping : 🚶 5 € 🚗 🔲 5 € – 🔌 (16A) 4 € - frais de réservation 4 €

Location : (de fin mars à fin oct.) - 2 🛏 - 19 cabanons. Sem. 157 à 505 € - frais de réservation 6 €

🚐 borne artisanale 3 € - 5 🔲 21 € - 🚐 11 €
Agréable décoration arbustive des emplacements.

Nature : 🏕 🎋
Loisirs : 🎦 🌞diurne 🏖 terrain multisports
Services : 🏛 🎣 🚿 📶 🔲
À prox. : ✗ 🍴 hammam 🎿 🏊 🛶 🚤 parc aquatique

G P S E : 4.33129
N : 47.63111

*To visit a town or region : use the **MICHELIN Green Guides**.*

MONTIGNY-EN-MORVAN

58120 - Carte Michelin **319** G9 - 319 h. - alt. 350
▶ Paris 269 - Château-Chinon 13 - Corbigny 26 - Nevers 64

⛺ Municipal du Lac

🕿 03 86 84 71 77, www.montigny-en-morvan.fr

Pour s'y rendre : 2,3 km au nord-est par D 944, D 303 rte du barrage de Pannecière-Chaumard et chemin à dr.

Ouverture : de mi-avr. à mi-oct. - 🏚

2 ha (59 empl.) vallonné, plat, herbeux

Empl. camping : (Prix 2018) 🚶 3 € 🚗 2 € 🔲 3 € – 🔌 (6A) 2 €
Site agréable près d'un lac.

Nature : 🏞 🎋
Loisirs : 🏖 🎣
Services : 🏛 🚿 📶
À prox. : 🛶

G P S E : 3.8735
N : 47.15573

NEVERS

58000 - Carte Michelin **319** B10 - 36 762 h. - alt. 194
▶ Paris 247 - Dijon 187 - Bourges 68 - Moulins 57

⛺ Aquadis Loisirs Nevers

🕿 03 86 36 40 75, www.aquadis-loisirs.com/camping-de-nevers

Pour s'y rendre : r. de la Jonction

Ouverture : de déb. mars à déb. nov.

1,6 ha (73 empl.) en terrasses, plat, herbeux

Empl. camping : 22 € 🚶🚶 🚗 🔲 🔌 (10A) - pers. suppl. 4 € - frais de réservation 10 €

Location : (de déb. mars à déb. nov.) - 8 🛏 - 1 bungalow toilé - 1 cabanon. Nuitée 31 à 74 € - Sem. 169 à 534 € - frais de réservation 10 €

🚐 borne artisanale

Sur les bords de la Loire avec vue sur la cathédrale, le Palais Ducal et le pont en pierre.

Nature : 🌊 🎋
Loisirs : 🍴 ✗ 🎦 🏖 🛶
Services : 🔌 🏛 🏊 🛶 🚿 📶 laverie 🧺
À prox. : 🎿 🚴 🚤

G P S E : 3.16095
N : 46.98222

NOLAY

21340 - Carte Michelin **320** H8 - 1 510 h. - alt. 299
▶ Paris 316 - Autun 30 - Beaune 20 - Chalon-sur-Saône 34

⛺ La Bruyère

🕿 03 80 21 87 59, www.nolay.com/fr/?/Logement/Les-campings

Pour s'y rendre : r. de Moulin-Larché (1,2 km à l'ouest par D 973, rte d'Autun et chemin à gauche)

Ouverture : Permanent

1,2 ha (22 empl.) plat, herbeux

Empl. camping : (Prix 2018) 18 € 🚶🚶 🚗 🔲 🔌 (10A) - pers. suppl. 2 €

Location : (Prix 2018) Permanent - 3 🛏. Sem. 227 à 345 €

🚐 borne eurorelais
Cadre champêtre au bord de la Bruyère.

Nature : 🌳 🌊 🎋
Loisirs : 🎦
Services : 🔌 🏛 📶 laverie

G P S E : 4.62202
N : 46.95055

Utilisez le guide de l'année.

PALINGES

71430 - Carte Michelin **320** F10 - 1 512 h. - alt. 274
▶ Paris 352 - Charolles 16 - Lapalisse 70 - Lyon 136

⛺ Le Lac

🕿 03 85 88 14 49, www.campingdulac.eu

Pour s'y rendre : lieu-dit : Lac du Fourneau (1 km au nord-est par D 128, rte de Génelard)

1,5 ha (44 empl.) en terrasses, plat, herbeux

Location : 🚿 (1 chalet) - 1 🛏 - 6 🛏 - 1 cabanon.

🚐 borne artisanale
Près d'un plan d'eau.

Nature : 🏕
Loisirs : 🎦 🏖 pédalos
Services : 🔌 🏊 📶 🔲 réfrigérateurs
À prox. : 🎿 🍴 🛶 (plage) 🎣

G P S E : 4.22521
N : 46.56106

PARAY LE MONIAL

71600 - Carte Michelin **320** E11 - 9 115 h. - alt. 245
▶ Paris 377 - Dijon 149 - Mâcon 66 - Moulins 69

⛰ Mambre

🕿 03 85 88 89 20, www.campingdemambre.com

Pour s'y rendre : 19 r. du Gué-Léger

Ouverture : de déb. mai à fin sept.

6 ha (161 empl.) plat, herbeux

Empl. camping : (Prix 2018) 🚶 5 € 🚗 🔲 8 € – 🔌 (10A) 4 €

Location : (Prix 2018) (de mi-mai à mi-sept.) - 🚲 - 20 🚐. Nuitée 62 à 86€ - Sem. 240 à 460€

🚐 borne artisanale

Nature : ♀♀	
Loisirs : ♈ 🚣 🚴 🛶	G
Services : ⚬━ 🏛 🛁 📶 laverie 🛒	P S
À prox. : ✕	E : 4.10479
	N : 46.45743

POUILLY-EN-AUXOIS

21320 - Carte Michelin **320** H6 - 1 474 h. - alt. 390
▶ Paris 270 - Avallon 66 - Beaune 42 - Dijon 44

⛺ Le Vert Auxois

📞 03 80 90 71 89, www.camping-vert-auxois.fr

Pour s'y rendre : 15 r. du Vert Auxois (0.8 km au nord-ouest, r. du 8-Mai à gauche après l'église)

Ouverture : de fin mars à fin sept.

1 ha (70 empl.) plat, herbeux

Empl. camping : (Prix 2018) 24€ ♛♛ 🚐 🅿 ⚡ (16A) - pers. suppl. 6,50€

Location : (Prix 2018) (de fin mars à fin sept.) - 5 🚐 - 2 tentes lodges. Sem. 222 à 570€

Terrain champêtre à 50m du canal de Bourgogne.

Nature : 🌿 🏕 ♀	
Loisirs : ♈ ✕ 🛶 🚣 🛶	G
Services : ⚬━ 🛁 ♨ 📶 laverie	P S
À prox. : 🛶	E : 4.55038
	N : 47.26434

PRÉMERY

58700 - Carte Michelin **319** C8 - 2 031 h. - alt. 237
▶ Paris 231 - La Charité-sur-Loire 28 - Château-Chinon 57 - Clamecy 41

⛺ Municipal

📞 06 42 81 01 64, www.mairie-premery.fr rubrique camping

Pour s'y rendre : chemin des Prés-de-la-Ville (sortie nord-est par D 977, rte de Clamecy et chemin à dr.)

Ouverture : de déb. avr. à fin sept.

1,6 ha (50 empl.) plat et peu incliné

Empl. camping : (Prix 2018) 8€ ♛♛ 🚐 🅿 ⚡ (16A) - pers. suppl. 3€

Location : (Prix 2018) (de déb. avr. à fin oct.) - 10 🏠. Nuitée 36 à 43€ - Sem. 159 à 345€

Près de la Nièvre et d'un plan d'eau.

Loisirs : 🚴 🛶 terrain multisports	
Services : ⚬━ (juil.-août) 🛁 📶 📺	G
À prox. : 🏊 🚣 ✕ 🛶	P S
	E : 3.33683
	N : 47.1781

ST-GERMAIN-DU-BOIS

71330 - Carte Michelin **320** L9 - 1 935 h. - alt. 210
▶ Paris 367 - Chalon-sur-Saône 33 - Dole 58 - Lons-le-Saunier 29

⛺ Municipal de l'Étang Titard

📞 03 85 72 06 15, www.saintgermaindubois.fr

Pour s'y rendre : rte de Louhans (sortie sud par D 13)

Ouverture : de déb. mai à mi-sept.

1 ha (40 empl.) plat, herbeux

Empl. camping : (Prix 2018) ♛ 2€ 🚐 2€ 🅿 2€ – ⚡ (10A) 3€

Location : (Prix 2018) Permanent♿ (1 chalet) - 🚲 - 5 🏠. Nuitée 42 à 60€ - Sem. 294 à 420€

Près d'un étang.

Nature : ♀	
Loisirs : 🛶	G
Services : 🚮 🛁 📶 📺	P S
À prox. : ✕ 🛷 🚣 🛶 parcours sportif	E : 5.24617
	N : 46.74635

ST-HONORÉ-LES-BAINS

58360 - Carte Michelin **319** G10 - 841 h. - alt. 300 - ⚕
▶ Paris 303 - Château-Chinon 28 - Luzy 22 - Moulins 69

⛰ Camping et Gites des Bains

📞 03 86 30 73 44, www.campinglesbains.com

Pour s'y rendre : 15 av. Jean-Mermoz (sortie ouest, rte de Vandenesse)

Ouverture : de fin mars à mi-oct.

4,5 ha (130 empl.) plat, herbeux

Empl. camping : (Prix 2018) 17€ ♛♛ 🚐 🅿 ⚡ (10A) - pers. suppl. 5€ - frais de réservation 9€

Location : (Prix 2018) (de fin mars à mi-oct.) - 4 🚐 - 20 🏠 - 2 tentes lodges - 3 appartements. Nuitée 45 à 86€ - Sem. 176 à 580€ - frais de réservation 9€

🚐 borne artisanale - 12 🅿 13€

Nature : 🏕 ♀	
Loisirs : ♈ ✕ 🛶 🚣 ♒ 🛶 🛷	G
Services : ⚬━ 🛁 📶 laverie	P S
À prox. : 🛷 🛶	E : 3.82832
	N : 46.90684

⛺ Municipal Plateau du Gué

📞 03 86 30 76 00, www.st-honore-les-bains.com

Pour s'y rendre : 13 r. Eugène-Collin (au bourg, à 150 m de la poste)

Ouverture : de déb. mars à fin oct.

1,2 ha (73 empl.) plat et peu incliné, herbeux

Empl. camping : (Prix 2018) ♛ 3€ 🚐 🅿 3€ – ⚡ (15A) 4€

Location : (Prix 2018) (de mi-mars à fin oct.) - 2 🚐. Sem. 250 à 330€

Nature : ♀	
Loisirs : 🛶 🚣 🛶	G
Services : 🚮 🏛 📶 📺	P S
	E : 3.83918
	N : 46.90376

ST-LÉGER-DE-FOUGERET

58120 - Carte Michelin **319** G9 - 289 h. - alt. 500
▶ Paris 308 - Dijon 122 - Nevers 65 - Le Creusot 69

⚠ Sites et Paysages Étang de la Fougeraie

✆ 03 86 85 11 85, www.campingfougeraie.com

Pour s'y rendre : lieu-dit : Hameau de champs (2,4 km au sud-est par D 157, rte d'Onlay)

Ouverture : de fin mars à fin sept.

7 ha (60 empl.) plat, herbeux

Empl. camping : 29€ ✶✶ ⇔ ▣ ⒣ (10A) - pers. suppl. 7€ - frais de réservation 9€

Location : Permanent - 3 ⌨ - 5 ⌂ - 3 tentes lodges - 1 tente sur pilotis. Nuitée 45 à 100€ - Sem. 199 à 690€ - frais de réservation 17€

⛽ borne artisanale - ⛺ ⒣16€
Cadre champêtre autour d'un étang.

Nature : ⛱ ≤		
Loisirs : ♈ ✗ ⚲ ⌥ ⛏		
Services : ⌾ ♨ 🛜 laverie ⛟ réfrigérateurs	**G P S**	E : 3.90492 N : 47.00616

Utilisez le guide de l'année.

ST-PÉREUSE

58110 - Carte Michelin **319** F9 - 280 h. - alt. 355
▶ Paris 289 - Autun 54 - Château-Chinon 15 - Clamecy 57

⚠ Le Manoir de Bezolle

✆ 03 86 76 01 89, www.campingmanoirdebezolle.com

Pour s'y rendre : au sud-est par D 11, à 300 m de la D 978, rte de Château-Chinon

Ouverture : de mi-avr. à déb. oct.

8 ha/5 campables (140 empl.) en terrasses, plat, herbeux, petits étangs

Empl. camping : 25€ ✶✶ ⇔ ▣ ⒣ (16A) - pers. suppl. 5€ - frais de réservation 3€

Location : Permanent⛽ (1 mobile home) - 5 ⌨ - 4 ⌂ - 2 tentes lodges - 1 gîte. Nuitée 50 à 90€ - Sem. 250 à 1 500€ - frais de réservation 3€

⛽ borne artisanale
Dans le parc du manoir.

Nature : ⛱ ≤ ⚲⚲		
Loisirs : ♈ ✗ ⌂ ⛏ ⛏ ⛏		
Services : ⌾ ▥ ♨ ⛟ 🛜 laverie ⛟ ⛟	**G P S**	E : 3.8158 N : 47.05732

SALORNAY-SUR-GUYE

71250 - Carte Michelin **320** H10 - 826 h. - alt. 210
▶ Paris 377 - Chalon-sur-Saône 51 - Cluny 12 - Paray-le-Monial 44

⚠ Municipal de la Clochette

✆ 03 85 59 90 11, www.salornay-sur-guye.fr

Pour s'y rendre : pl. de la Clochette (au bourg, accès par chemin devant la poste)

Ouverture : de fin mai à déb. sept.

1 ha (60 empl.) plat, herbeux

Empl. camping : ✶ 4€ ⇔ ▣ 3€ – ⒣ (10A) 3€ - frais de réservation 5€

⛽ borne artisanale 5€

Au bord de la Gande.

Nature : ▭ ⚲		
Loisirs : ⛏		
Services : ▥ 🛜 ▣	**G P S**	E : 4.59907 N : 46.51659
À prox. : ⛷ ✗		

SANTENAY

21590 - Carte Michelin **320** I8 - 827 h. - alt. 225 - ⚱
▶ Paris 330 - Autun 39 - Beaune 18 - Chalon-sur-Saône 25

⚠ Aquadis Loisirs Les Sources

✆ 03 80 20 66 55, www.aquadis-loisirs.com/camping-des-sources

Pour s'y rendre : av. des Sources (1 km au sud-ouest par rte de Cheilly-les-Maranges, près du centre thermal)

Ouverture : de déb. avr. à fin oct.

3,1 ha (151 empl.) plat et peu incliné, herbeux

Empl. camping : 20€ ✶✶ ⇔ ▣ ⒣ (10A) - pers. suppl. 4€ - frais de réservation 10€

Location : (de déb. avr. à fin oct.) - 8 ⌨. Nuitée 68 à 70€ - Sem. 259 à 499€ - frais de réservation 10€

⛽ borne artisanale
Charmant terrain avec vue sur le mont des Trois-Croix.

Nature : ≤ ⚲		
Loisirs : ⛷⛷		
Services : ⌾ 🛜 ▣ ⛟	**G P S**	E : 4.6857 N : 46.90716
À prox. : ✗ ⛷		

SAULIEU

21210 - Carte Michelin **320** F6 - 2 574 h. - alt. 535
▶ Paris 248 - Autun 40 - Avallon 39 - Beaune 65

⚠ Aquadis Loisirs Saulieu

✆ 03 80 64 16 19, www.aquadis-loisirs.com/camping-de-saulieu

Pour s'y rendre : 1 km au nord-ouest par N 6, rte de Paris, près d'un étang

Ouverture : de déb. avr. à fin oct.

6 ha (100 empl.) plat et peu incliné, herbeux

Empl. camping : 21€ ✶✶ ⇔ ▣ ⒣ (10A) - pers. suppl. 4€ - frais de réservation 10€

Location : (de déb. avr. à fin oct.) - 12 ⌨ - 6 ⌂ - 20 cabanons. Nuitée 28 à 87€ - Sem. 109 à 649€ - frais de réservation 10€

⛽ borne artisanale

Loisirs : ♈ ✗ ⌂ ⛷⛷ ⚲ ✗ ⛏		
Services : ⌾ ▥ ⛟ ⛟ 🛜 ▣	**G P S**	E : 4.22373 N : 47.28934

SAVIGNY-LÈS-BEAUNE

21420 - Carte Michelin **320** I7 - 1 371 h. - alt. 237
▶ Paris 314 - Dijon 39 - Mâcon 93 - Lons-le-Saunier 109

⚠ Les Premiers Prés

✆ 03 80 24 51 02, www.camping-savigny-les-beaune.fr

Pour s'y rendre : rte de Bouilland (1 km au nord-ouest par D 2)

Ouverture : de mi-mars à mi-oct.

1,5 ha (88 empl.) plat et peu incliné

Empl. camping : 17€ ✶✶ ⇔ ▣ ⒣ (6A) - pers. suppl. 4€ - frais de réservation 2€

borne AireService
Cadre verdoyant au bord d'un ruisseau.

Nature : ♀
Loisirs : ♟ ✗ ♐ ♘
Services : ☎ 🛜 ♨

G P S E : 4.82192
N : 47.06246

LES SETTONS

58230 - Carte Michelin **319** H8
▶ Paris 259 - Autun 41 - Avallon 44 - Château-Chinon 25

⛰ Plage du Midi

📞 03 86 84 51 97, www.settons-camping.com

Pour s'y rendre : rive droite Lac des Settons, Les Branlasses (2,5 km au sud-est par D 193 et rte à dr.)

Ouverture : de mi-avr. à mi-oct.

4 ha (110 empl.) peu incliné, herbeux

Empl. camping : (Prix 2018) ♦ 5€ ⬌ 3€ 🔲 3€ – ⚡ (10A) 4€ - frais de réservation 25€
Location : (Prix 2018) (de mi-avr. à mi-oct.) - ♿ (1 chalet) - 28 🏠 - 1 cabane perchée. Sem. 370 à 650€
borne artisanale - 🚐 ⚡15€
Au bord d'un lac.

Nature : ≤ ♀ ⛰
Loisirs : ♟ ♐ 🏓 (découverte en saison)
Services : ☎ 🚿 🛜 laverie ♨
À prox. : ✗ ⚒ ◐ pédalos

G P S E : 4.07056
N : 47.18578

⚠ Les Mésanges

📞 03 86 84 55 77, www.campinglesmesanges.fr

Pour s'y rendre : rive gauche, L'Huis-Gaumont (4 km au sud par D193, D 520, rte de Planchez et rte de Chevigny à gauche, à 200 m du lac)

Ouverture : de déb. mai à fin sept.

5 ha (100 empl.) peu incliné, plat, herbeux

Empl. camping : 19€ ♦♦ ⬌ 🔲 ⚡ (10A) - pers. suppl. 5€
borne artisanale
Situation agréable au bord d'un étang.

Nature : ♨ 🏕 ♀ ⛰
Loisirs : ♐ 🏓 ♘
Services : ☎ 🚿 ♨ 🚰 🛜 laverie
À prox. : ≋

G P S E : 4.05385
N : 47.18077

⚠ La Plage des Settons

📞 03 86 84 51 99, www.camping-chalets-settons.com

Pour s'y rendre : rive gauche Lac des Settons (300 m au sud du barrage)

Ouverture : de déb. mai à fin sept.

2,6 ha (60 empl.) en terrasses, plat, herbeux

Empl. camping : (Prix 2018) 20€ ♦♦ ⬌ 🔲 ⚡ (10A) - pers. suppl. 7€
Location : (Prix 2018) (de déb. avr. à mi-nov.) - ♿ (2 chalets) - 14 🏠. Nuitée 60 à 95€ - Sem. 399 à 644€
borne artisanale - 🚐 ⚡11€
Agréables emplacements en terrasses, face au lac.

Nature : ♨ ≤ 🏕
Loisirs : 🏖 🏓 pédalos
Services : 🚿 🛜 🖥
À prox. : ♟ ✗ ♨

G P S E : 4.06132
N : 47.18958

TONNERRE

89700 - Carte Michelin **319** G4 - 5 246 h. - alt. 156
▶ Paris 199 - Auxerre 38 - Montbard 45 - Troyes 60

⛰ Révéa La Cascade

📞 03 86 55 15 44, www.revea-camping.fr

Pour s'y rendre : av. Aristide-Briand (sortie nord par D 905, rte de Troyes et D 944, dir. centre-ville, au bord du canal de l'Yonne)

Ouverture : de déb. avr. à mi-oct.

3 ha (79 empl.) plat, herbeux

Empl. camping : 22€ ♦♦ ⬌ 🔲 ⚡ (6A) - pers. suppl. 4€ - frais de réservation 10€
Location : (de déb. avr. à mi-oct.) - ♿ (1 chalet) - 5 🏠. Nuitée 60 à 90€ - Sem. 190 à 460€ - frais de réservation 25€
Confort simple, cadre verdoyant sur une presqu'île entre l'Armançon et le canal de Bourgogne.

Nature : ♀♀
Loisirs : 🏖 🏓 🚲 ♘ (petite piscine)
Services : ☎ 🏢 🛜 laverie
À prox. : ≋ ♨

G P S E : 3.98415
N : 47.8603

TOURNUS

71700 - Carte Michelin **320** J10 - 5 884 h. - alt. 193
▶ Paris 360 - Bourg-en-Bresse 70 - Chalon-sur-Saône 28 - Lons-le-Saunier 58

⛰ Camping de Tournus

📞 03 85 51 16 58, www.camping-tournus.com

Pour s'y rendre : 14 r. des Canes (1 km au nord de la localité par r. St-Laurent, en face de la gare, attenant à la piscine et à 150 m de la Saône (accès direct))

Ouverture : de mi-mars à fin oct.

2 ha (90 empl.) plat, herbeux

Empl. camping : 18€ ♦♦ ⬌ 🔲 ⚡ (10A) - pers. suppl. 6€ - frais de réservation 5€
borne AireService - 36 🔲 18€

Loisirs : 🏖
Services : ☎ 🚿 🛜 🖥
À prox. : ✗ ⚒ 🎣 ♨

G P S E : 4.90932
N : 46.57375

VANDENESSE-EN-AUXOIS

21320 - Carte Michelin **320** H6 - 279 h. - alt. 360
▶ Paris 275 - Arnay-le-Duc 16 - Autun 42 - Châteauneuf 3

⛰ Le Lac de Panthier

📞 03 80 49 21 94, www.lac-de-panthier.com

Pour s'y rendre : 2,5 km au nord-est par D 977bis, rte de Commarin et rte à gauche, près du lac

Ouverture : de déb. avr. à fin sept.

5,2 ha (210 empl.) en terrasses, plat, herbeux

Empl. camping : 29€ ♦♦ ⬌ 🔲 ⚡ (6A) - pers. suppl. 7€ - frais de réservation 15€
Location : (de déb. avr. à fin sept.) - 63 🚐 - 11 bungalows toilés. Nuitée 38 à 125€ - Sem. 259 à 875€ - frais de réservation 30€
borne artisanale 5€ - 🚐 ⚡14€

Nature : ♨ ≤ 🏕 ♀ ⛰
Loisirs : ♟ ✗ 🏖 🏓 🎮 ♐ ≋ 🏓 🚲 ♘ ♘ ♨
Services : ☎ 🚿 🛜 🖥 ♨ 🚰
À prox. : ≋ ◐

G P S E : 4.62507
N : 47.24935

VARZY

58210 - Carte Michelin **319** D7 - 1 329 h. - alt. 249
▸ Paris 224 - La Charité-sur-Loire 37 - Clamecy 17 - Cosne-sur-Loire 43

⚠ Municipal du Moulin Naudin

✆ 03 86 29 43 12, mairievarzy@wanadoo.fr

Pour s'y rendre : rte de Corvol (1,5 km au nord par D 977)

Ouverture : de mi-mai à fin sept.

3 ha (50 empl.) plat, herbeux

Empl. camping : (Prix 2018) ♣ 3€ ⇱ 2€ 🅴 12€ – 🔌 (5A) 2€

Près d'un plan d'eau.

Nature : 🔲 ⓠ		E : 3.38312
Loisirs : 🎣	**GPS**	N : 47.3722
Services : 🚽 ☑ ⚒ ☇ 🔳		
À prox. : ✂ 🏊		

*To make the best possible use of this Guide,
READ CAREFULLY THE EXPLANATORY NOTES.*

VENAREY-LES-LAUMES

21150 - Carte Michelin **320** G4 - 2 981 h. - alt. 235
▸ Paris 259 - Avallon 54 - Dijon 66 - Montbard 15

⚠ Municipal Alésia

✆ 03 80 96 07 76, www.venareyleslaumes.fr

Pour s'y rendre : r. du Dr-Roux (sortie ouest par D 954, rte de Semur-en-Auxois et r. à dr., av. le pont, au bord de la Brenne et près d'un plan d'eau)

Ouverture : Permanent

1,5 ha (67 empl.) plat, herbeux

Empl. camping : 11€ ♣♣ ⇱ 🅴 🔌 (16A) - pers. suppl. 4€ - frais de réservation 5€

Location : Permanent ♿ (1 chalet) - 5 🏠. Nuitée 53 à 63€ - Sem. 315 à 420€ - frais de réservation 5€

🚐 10 🅴 15€ - 🔌🔌11€

Nature : 🔲 ⓠ		E : 4.45151
Loisirs : 🎱 ♣ 🎣	**GPS**	N : 47.54425
Services : 🔳 ⚒ ☇ 🔳		
À prox. : ✂ 🏊 (plage)		

VERMENTON

89270 - Carte Michelin **319** F6 - 1 183 h. - alt. 125
▸ Paris 190 - Auxerre 24 - Avallon 28 - Vézelay 28

⚠ Municipal les Coullemières

✆ 03 86 81 53 02, www.camping-vermenton.com

Pour s'y rendre : lieu-dit : Les Coullemières (au sud-ouest de la localité, derrière la gare)

Ouverture : de déb. avr. à fin sept.

1 ha (53 empl.) plat, herbeux

Empl. camping : (Prix 2018) 16€ ♣♣ ⇱ 🅴 🔌 (6A) - pers. suppl. 4€

Location : (Prix 2018) (de déb. avr. à fin sept.) - ♿ (1 mobile home) - 🚐 - 6 🚐. Nuitée 64 à 88€ - Sem. 370 à 485€

🚐 borne artisanale - 3 🅴 16€

Cadre agréable, ombragé et verdoyant près de la Cure (rivière et plan d'eau).

Nature : ⓠⓠ ⚠		E : 3.73123
Loisirs : 🎱 ♣ 🚲	**GPS**	N : 47.65843
Services : 🔳 ☇ 🎣 laverie		
À prox. : 🏓 🏊 (plage) 🚣 parcours sportif		

VIGNOLES

21200 - Carte Michelin **320** J7 - 810 h. - alt. 202
▸ Paris 317 - Dijon 40 - Chalon-sur-Saône 34 - Le Creusot 51

⚠ Les Bouleaux

✆ 03 80 22 26 88, www.campinglesbouleaux.wixsite.com/lesbouleaux

Pour s'y rendre : 11 r. Jaune (à Chevignerot, au bord d'un ruisseau)

Ouverture : fermé fêtes de fin d'année

1,6 ha (46 empl.) plat, herbeux

Empl. camping : (Prix 2018) 16€ ♣♣ ⇱ 🅴 🔌 (6A) - pers. suppl. 4€

Cadre champêtre au bord du Rhoin

Nature : 🔲 ⓠⓠ		E : 4.88298
Loisirs : 🎱 ♣	**GPS**	N : 47.02668
Services : 🔳 🚽 ☑ ⚒ ☇ 🔳		
À prox. : 🎯 🐎		

VINCELLES

89290 - Carte Michelin **319** E5 - 841 h. - alt. 110
▸ Paris 180 - Auxerre 14 - Avallon 38 - Clamecy 39

⛰ Les Ceriselles ♣♣

✆ 03 86 42 50 47, www.campingceriselles.com

Pour s'y rendre : rte de Vincelottes (au nord du bourg, par D 38)

Ouverture : de déb. avr. à fin sept.

1,5 ha (96 empl.) plat, herbeux

Empl. camping : (Prix 2018) 22€ ♣♣ ⇱ 🅴 🔌 (10A) - pers. suppl. 6€

Location : (Prix 2018) (de déb. avr. à fin sept.) - ♿ (1 mobile home) - 18 🚐 - 2 cabanons. Nuitée 80 à 100€ - Sem. 411 à 580€

🚐 14 🅴 22€ - 🔌14€

Au bord du canal du Nivernais et à 150 m de l'Yonne.

Nature : 🌿 ⯇ 🔲 ⓠⓠ		E : 3.63536
Loisirs : 🍽 ✕ 🎱 🏃 ♣ 🚲 🖼	**GPS**	N : 47.70705
(découverte en saison) 🎣		
Services : 🔳 🚽 ⚒ ☇ laverie 🐕		
À prox. : 🏊 ✂ 🏊 ⚓ parcours VTT		

BRETAGNE

E. Berthier/hemis.fr

Brute comme ses côtes de granit, riante comme ses petits ports de pêche avec leurs flottes colorées, émouvante comme ses calvaires et ses enclos paroissiaux, mystérieuse comme ses dolmens, ses menhirs et ses forêts enchantées, la Bretagne doit son charme à son essence maritime, à la variété de ses paysages et à l'originalité de sa culture. Attachés à leurs légendes, leur langue et leurs coutumes héritées d'un lointain passé celte, les Bretons cultivent leur identité à travers force manifestations folkloriques, festoù-noz et autres rassemblements où se défient bardes, sonneurs et bagadoùs. Des pauses friandes ponctuent généreusement cette riche palette festive de bolées de cidre, de crêpes, de galettes-saucisses et de tous les trésors gourmands qui font la réputation de la gastronomie locale.

Brittany — Breizh to its inhabitants — is a region of harsh granite coastlines, mysterious forests, pretty ports and brightly painted fishing boats. Its charm lies in its brisk sea breeze, its incredibly varied landscapes and the people themselves, born, so they say, with a drop of salt water in their blood. Proud of the language handed down from their Celtic ancestors, today's Bretons nurture their identity with intense and vibrant celebrations of folklore and custom. Of course, such devotion to culture requires plenty of good, wholesome nourishment: sweet and savoury pancakes, thick slices of butter cake and mugs of cold cider. However, Brittany's gastronomic reputation extends much further and gourmets can feast on the oysters, lobster and crab for which it is famous.

Légende

- Localité citée avec camping
- Localité citée avec camping et locatif
- Vannes — Localité disposant d'un camping avec aire de services camping-car
- Moyaux — Localité disposant d'au moins un terrain agréable
- Aire de service pour camping-car sur autoroute

MANCHE

OCÉAN ATLANTIQUE

FINISTÈRE

CÔTES

Perros-Guirec
Plougrescant
Pleubian
Trégastel
Primel-Trégastel
Pleumeur-Bodou
Trélévern
Paimpol
Trébeurden
Roscoff
Plougasnou
Louannec
D 786
St-Pol-de-Léon
Trédrez
Pontrieux
Plouézec
Brignogan-Plages
Lannion
Plouguerneau
St-Jean-du-Doigt
Plounévez-Lochrist
Carantec
Plestin-les-Grèves
Bégard
Lant
Lampaul-Ploudalmézeau
Landéda
Île d'Ouessant
Plouigneau
N 12
Guingamp
Morlaix
N 12
Milizac
Châtelaudre
St-Renan
Sizun
Callac
Locmaria-Plouzané
BREST
Elorn
le Conquet
Plougastel-Daoulas
le Fret
Camaret-s-Mer
Crozon
Châteaulin
Morgat
Dinéault
N 165
D 887
N 164
Telgruc-s-Mer
Pentrez-Plage
Plomodiern
Ploéven
Aulne
Douarnenez
Kervel
Odet
Île de Sein
Poullan-s-M.
Locronan
Primelin
Plouhinec
Quimper
St-Yvi
Scaër
Priziac
Pontivy
Plozévet
D 765
Fouesnant
Tréguennec
La Forêt-Fouesnant
Mousterlin
Plomeur
Bénodet
Concarneau
Quimperlé
Arzano
Blavet
Penmarch
Loctudy
Névez
N 165
Pont-Scorff
N 24
Treffiagat
Beg-Meil
Camors
Lesconil
Plobannalec-Lesconil
Le Pouldu
Guidel
N 165
LORIENT
Raguenès-Plage
Ste-Anne-d'Auray
Port-Manech
Île de Groix
Plouhinec
Ploemel
Belz
Plougoumeler
Erdeven
Crach
Baden
Plouharnel
Carnac-Plage
La Trinité
Arzo
Quiberon
St-Philibert
Locmariaquer
Le Palais
Bangor
Belle-Île-en-Mer

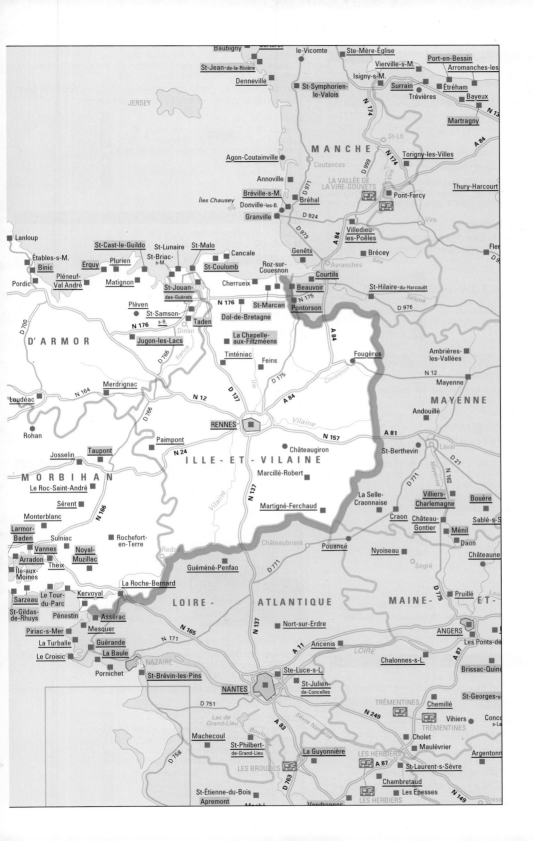

ARRADON

56610 - Carte Michelin **308** O9 - 5 301 h. - alt. 40
▶ Paris 467 - Auray 18 - Lorient 62 - Quiberon 49

⛰ Sites et Paysages de Penboch

✆ 02 97 44 71 29, www.camping-penboch.fr

Pour s'y rendre : 9 chemin de Penboch (2 km au sud-est par rte de Roguedas)

Ouverture : de déb. avr. à fin sept.

4 ha (192 empl.) plat et peu incliné, herbeux

Empl. camping : (Prix 2018) 41€ ✲✲ ⬚ 🅴 🅵 (10A) - pers. suppl. 7€
Location : (Prix 2018) (de déb. avr. à fin sept.) - ⅙ (1 mobile home) - 58 ⬚ - 6 gîtes. Nuitée 56 à 138€ - Sem. 392 à 840€ - frais de réservation 20€
🅿 borne artisanale 7€ - 🚰🅵18€

Cadre verdoyant et fleuri autour de l'espace aquatique en partie couvert avec quelques emplacements en sous-bois à 200 m de la plage.

Nature : 🐾 ⟷ ♀
Loisirs : 🍸 🛖 jacuzzi ✍️ 🅼 🖼 🛝 🏖 terrain multisports
Services : ⟜🚐 ▥ 🍴 – 4 sanitaires individuels (🛁🚿 wc) 🅰 🛒 laverie 🔌 réfrigérateurs
À prox. : 🎣
GPS : W : 2.80085 N : 47.62217

⛰ L'Allée

✆ 02 97 44 01 98, www.camping-allee.com

Pour s'y rendre : L'Allée (1,5 km à l'ouest par rte du Moustoir et à gauche)

Ouverture : de mi-avr. à fin sept.

3 ha (148 empl.) plat et peu incliné, herbeux

Empl. camping : (Prix 2018) ✲ 6€ ⬚ 3€ 🅴 10€ – 🅵 (10A) 5€ - frais de réservation 20€
Location : (Prix 2018) (de mi-avr. à fin sept.) - ⅙ (1 mobile home) - 44 ⬚ - 2 bungalows toilés - 2 gîtes. Nuitée 90 à 120€ - Sem. 270 à 710€ - frais de réservation 20€
🅿 borne AireService

Emplacements ensoleillés ou plus ombragés.

Nature : 🐾 ⟷ ♀
Loisirs : 🛖 ✍️ 🖼 🛝
Services : ⟜🚐 (juil.-août) ▥ 🍴 🛒 laverie
GPS : W : 2.8403 N : 47.62189

Dans notre guide, les indications d'accès à un terrain sont généralement indiquées à partir du centre de la localité.

ARZANO

29300 - Carte Michelin **308** K7 - 1 403 h. - alt. 91
▶ Paris 508 - Carhaix-Plouguer 54 - Châteaulin 82 - Concarneau 40

⛰ Iris Parc Ty Nadan ♣

✆ 02 98 71 75 47, www.irisparc.fr/camping-le-ty-nadan/

Pour s'y rendre : à Locunolé, rte d'Arzano (3 km à l'ouest, au bord de l'Ellé)

Ouverture : de fin avr. à déb. sept.

20,5 ha/5 campables (325 empl.) plat et peu incliné, herbeux

Empl. camping : (Prix 2018) 50€ ✲✲ ⬚ 🅴 🅵 (10A) - pers. suppl. 9€ - frais de réservation 20€

Location : (Prix 2018) (de fin avr. à déb. sept.) - 90 ⬚ - 7 ⬚ - 2 bungalows toilés - 10 tentes lodges - 1 gîte - 2 appartements. Sem. 420 à 700€ - frais de réservation 20€

Parc aquatique en partie couvert et nombreuses activités sportives et de loisirs, baignade et canoë sur rivière.

Nature : 🐾 ⟷ ♀♀ ≤
Loisirs : 🍸 ✗ 🛖 🖥 salle d'animations ✍️ jacuzzi 🅰 🅼 🖼 🛝 🏖 (plage) 🏹 🐎 🐾 mini ferme mur d'escalade parcours dans les arbres
Services : ⟜🚐 🛁 – 4 sanitaires individuels (🛁🚿 wc) 🅰 🛒 🛒 laverie 🔌 🛒
GPS : W : 3.47389 N : 47.905

ARZON

56640 - Carte Michelin **308** N9 - 2 132 h. - alt. 9
▶ Paris 487 - Auray 52 - Lorient 94 - Quiberon 81

⛺ Municipal le Tindio

✆ 02 97 53 75 59, www.camping-golfedumorbihan.com

Pour s'y rendre : 2 r. du Bilouris, à Kerners (800 m au nord-est)

Ouverture : de fin mars à déb. nov.

5 ha (220 empl.) plat et peu incliné, herbeux

Empl. camping : (Prix 2018) ✲ 4€ ⬚ 🅴 9€ – 🅵 (10A) 4€
Location : (Prix 2018) (de fin mars à déb. nov.) - ⅙ (3 chalets) - 18 ⬚ - 4 cabanons. Sem. 145 à 659€
🅿 borne Urbaflux - 19 🅵 10€ - 🚰🅵14€

Au bord de l'océan avec un bon confort sanitaire et des chalets de qualité.

Nature : 🐾 ♀
Loisirs : 🛖 ✍️ 🐾 terrain multisports
Services : ⟜🚐 🛒 🛒 laverie
GPS : W : 2.8828 N : 47.55562

BADEN

56870 - Carte Michelin **308** N9 - 4 077 h. - alt. 28
▶ Paris 473 - Auray 9 - Lorient 52 - Quiberon 40

⛰ Yelloh! Village Mané Guernehué ♣

Camping Mané Guernehué

✆ 02 97 57 02 06, www.camping-baden.com

Pour s'y rendre : 52 r. Mané Er Groëz (1 km au sud-ouest par rte de Mériadec et à dr.)

Ouverture : de déb. avr. à fin sept.

18 ha/8 campables (377 empl.) vallonné, en terrasses, plat et peu incliné, herbeux, étang, sous-bois

Empl. camping : 55€ ✲✲ ⬚ 🅴 🅵 (10A) - pers. suppl. 9€
Location : (de déb. avr. à fin sept.) - ⅙ (1 mobile home) - 162 ⬚ - 19 ⬚ - 2 tentes lodges - 6 gîtes - 3 appartements - 1 studio. Nuitée 37 à 258€ - Sem. 259 à 1 806€

Bel espace balnéo couvert et centre équestre avec poneys et chevaux.

Nature : 🐾 ⟷ ♀
Loisirs : 🍸 ✗ 🛖 🖥 salle d'animations 🅰 🅵 centre balnéo 🚿 hammam jacuzzi ✍️ 🅼 🖼 🛝 🏖 🐎 tyrolienne parcours dans les arbres terrain multisports parc aquatique
Services : ⟜🚐 🛁 ▥ 🛒 – 8 sanitaires individuels (🛁🚿 wc) 🅰 🛒 🛒 laverie 🔌 🛒
À prox. : ✗
GPS : W : 2.92531 N : 47.61418

△△△ **Campéole Penn Marr** 👫👤

📞 02 97 57 49 90, www.campeole.com/camping/post/penn-mar-baden

Pour s'y rendre : 21 rte de Port-Blanc (4,5 km au sud-est par D 316A)

Ouverture : de fin mars à fin sept.

6 ha (199 empl.) vallonné, plat, herbeux

Empl. camping : (Prix 2018) 33 € ★★ 🚐 🅴 💧 (10A) - pers. suppl. 8 €
Location : (Prix 2018) (de fin mars à fin sept.) - ♿ (1 moble home) - 71 🛖 - 38 bungalows toilés - 10 tentes lodges. Nuitée 37 à 176 € - Sem. 259 à 1 232 €

🚐 borne raclet

Préférer les emplacements au fond du terrain éloigné des bruits de la route.

Nature : 🏞 🌿🌿		
Loisirs : 🍷 🌙nocturne 🏃 🛝 🎣 🏓 🖼 terrain multisports	G P S	W : 2.87556 N : 47.60694
Services : 🚿 🏪 🛁 📶 laverie 🧊 cases réfrigérées		

BÉGARD

22140 - Carte Michelin **309** C3 - 4 652 h. - alt. 142
▶ Paris 499 - Rennes 147 - St-Brieuc 51 - Quimper 132

△△△ **Donant**

📞 02 96 45 46 46, www.camping-donant-bretagne.com

Pour s'y rendre : à Gwénézhan

Ouverture : de déb. avr. à fin sept.

3 ha (91 empl.) en terrasses, plat, herbeux

Empl. camping : (Prix 2018) 23 € ★★ 🚐 🅴 💧 (10A) - pers. suppl. 4 €
Location : (Prix 2018) (de déb. mars à fin oct.) - ♿ (1 chalet) - 15 🛖 - 12 🛏 - 2 bungalows toilés - 1 gîte. Sem. 250 à 650 €

🚐 borne AireService 6 €

Nature : 🖼		
Loisirs : 🖼 🌙salle d'animations 🏃	G P S	W : 3.2837 N : 48.61807
Services : 🚿 📶 laverie		
À prox. : 🍷 🍴 🖼 🛝 🏊 pédalos parc de loisirs		

BEG-MEIL

29170 - Carte Michelin **308** H7
▶ Paris 562 - Rennes 211 - Quimper 23 - Brest 95

△△△ **La Piscine** 👫👤

📞 02 98 56 56 06, www.camping-bretagne-delapiscine.com

Pour s'y rendre : 51 Hent Kerleya (4 km au nord-ouest)

Ouverture : de mi-avr. à déb. sept.

3,8 ha (199 empl.) plat, herbeux, petit étang

Empl. camping : 37 € ★★ 🚐 🅴 💧 (10A) - pers. suppl. 8 € - frais de réservation 25 €
Location : (de mi-avr. à déb. sept.) - 🚫 - 40 🛖. Sem. 200 à 1 330 € - frais de réservation 25 €

🚐 borne artisanale

Cadre agréable en bord de mer autour d'un étang clos.

Nature : 🏞 🌳 🌿		
Loisirs : 🖼 🏃 🏊 hammam jacuzzi 🏃 🚴 🖼 🛝 🏊 bi-cross	G P S	W : 4.01579 N : 47.86671
Services : 🚿 🛁 🚐 📶 laverie 🏊 🛁		

△△ **Le Kervastard**

📞 02 98 94 91 52, www.campinglekervastard.com

Pour s'y rendre : 56 chemin de Kervastard (à 150 m du bourg)

Ouverture : de déb. avr. à mi-oct.

2 ha (122 empl.) plat, herbeux

Empl. camping : 33 € ★★ 🚐 🅴 💧 (10A) - pers. suppl. 6 € - frais de réservation 15 €
Location : (de déb. avr. à mi-oct.) - 23 🛖 - 2 bungalows toilés - 2 tentes lodges. Nuitée 35 à 106 € - Sem. 190 à 740 € - frais de réservation 15 €

🚐 borne artisanale 5 € - 🚐 11 €

Cadre agréable légèrement ombragé tout proche des commerces.

Nature : 🖼 🌿		
Loisirs : 🖼 🏃 🚴 🛝	G P S	W : 3.98825 N : 47.86015
Services : 🚿 🛁 📶 laverie		
À prox. : 🏊 🍷 🍴 💧		

BELLE-ÎLE

56360 - Carte Michelin **308** - 2 457 h. - alt. 7

◪ En été réservation indispensable pour le passage des véhicules et des caravanes. Départ Quiberon (Port-Maria), arrivée au Palais - Traversée 45 mn- renseignements et tarifs : Société Morbihannaise de Navigation, 56360 Le Palais (Belle-Île), ☎ 08 20 05 60 00 et Compagnie Océane, 56170 Quiberon, et 56360 Le Palais (Belle-Île), ☎ 0 820 056 156 (0,12 €/mn + prix appel)

Bangor 56360 - Carte Michelin **308** L11 - 926 h. - alt. 45
▣ Paris 513 - Rennes 162 - Vannes 53

⩕⩕⩕ Le Kernest

☎ 02 97 31 51 26, www.camping-kernest.com

Pour s'y rendre : lieu-dit Kernest (1,2 km à l'ouest)

Ouverture : de fin mars à fin sept.

2 ha (74 empl.) plat, herbeux

Empl. camping : (Prix 2018) ♟ 6€ ⟺ 3€ ▣ 11€ – ⁅ (10A) 4€ - frais de réservation 10€

Location : (Prix 2018) (de fin mars à fin sept.) - 25 ⟦⟧ - 15 ⟨⟩ - 8 bungalows toilés - 14 tentes lodges. Nuitée 44 à 140€ - Sem. 220 à 980€ - frais de réservation 10€

Des emplacements bien ensoleillés, du locatif nombreux et varié autour de la piscine couverte.

Nature : ⬳ ⬜
Loisirs : ▾ ✗ ⬱ ✂ ▦ (découverte en saison) terrain multisports
Services : ⊶ ▥ ⬳ ⬮ laverie ⬲ ⬲

GPS W : 3.20076 N : 47.31182

⩕ Municipal de Bangor

☎ 02 97 31 89 75, www.bangor.fr/hebergements_camping.html

Pour s'y rendre : 18 r. Pierre-Cadre (à l'ouest du bourg)

Ouverture : de déb. avr. à fin sept.

0,8 ha (75 empl.) peu incliné à incliné, herbeux

Empl. camping : (Prix 2018) ♟ 4€ ⟺ 2€ ▣ 3€ – ⁅ (3A) 3€

Location : (Prix 2018) (de déb. avr. à fin sept.) - ✂ - 6 ⟦⟧ - 16 ⊨ - 4 cabanons. Nuitée 80 à 100€ - Sem. 280 à 600€

Terrain simple et agréable à 200 m du bourg et des commerces.

Nature : ⬳ ⬜
Loisirs : ⬱
Services : ⬮ laverie

GPS W : 3.19103 N : 47.31453

Le Palais 56360 - Carte Michelin **308** M10 - 2 545 h. - alt. 7
▣ Paris 508 - Rennes 157 - Vannes 48

⩕⩕⩕ Bordénéo

☎ 02 97 31 88 96, www.bordeneo.com

Pour s'y rendre : lieu-dit : Bordénéo (1,7 km au nord-ouest par rte de Port Fouquet, à 500 m de la mer)

Ouverture : de mi-avr. à fin sept.

5,5 ha (202 empl.) plat, herbeux

Empl. camping : (Prix 2018) ♟ 8€ ⟺ 3€ ▣ 12€ – ⁅ (5A) 4€ - frais de réservation 16€

Location : (Prix 2018) (de déb. avr. à fin sept.) - 48 ⟦⟧ - 12 ⟨⟩ - 10 bungalows toilés - 4 studios. Nuitée 65 à 150€ - Sem. 295 à 940€ - frais de réservation 16€

Décoration florale et arbustive avec un espace aquatique en partie couvert.

Nature : ⬳ ⬜ ⬳⬳
Loisirs : ▾ ✗ ⬱ ⬯ nocturne ⬱⬱ ⬰ ✂ ▦ ⬰
Services : ⊶ ⬳ ⬮ ⬮ laverie ⬲ ⬲

GPS W : 3.16711 N : 47.35532

⩕⩕⩕ L'Océan

☎ 02 97 31 83 86, www.camping-ocean-belle-ile.com

Pour s'y rendre : à Rosboscer (au sud-ouest du bourg, à 500 m du port)

Ouverture : de déb. mai à fin sept.

2,8 ha (108 empl.) plat et peu incliné, herbeux

Empl. camping : 25€ ♟♟ ⟺ ▣ ⁅ (6A) - pers. suppl. 6€ - frais de réservation 5€

Location : (de mi-mars à déb. nov.) - ⬱ (1 mobile home) - 17 ⟦⟧ - 35 ⟨⟩ - 5 tentes lodges - 2 tentes sur pilotis. Nuitée 44 à 105€ - Sem. 309 à 759€ - frais de réservation 13€

Cadre agréable et locatifs variés sous une jolie pinède.

Nature : ⬳ ⬜ ⬳⬳
Loisirs : ▾ ✗ ▦
Services : ⊶ ⬳ ⬲ ⬮ ⬮ laverie ⬲
À prox. : ⬱ ⬲

GPS W : 3.13996 N : 47.53473

BELZ

56550 - Carte Michelin **308** L8 - 3 476 h. - alt. 12
▣ Paris 494 - Rennes 143 - Vannes 34 - Lorient 25

⩕⩕⩕ Le Moulin des Oies

☎ 02 97 55 53 26, www.lemoulindesoies.bzh

Pour s'y rendre : 21 r. de la Côte

Ouverture : de déb. avr. à fin sept.

1,9 ha (90 empl.) plat, herbeux

Empl. camping : 22€ ♟♟ ⟺ ▣ ⁅ (6A) - pers. suppl. 5€ - frais de réservation 12€

Location : (de déb. avr. à fin sept.) - 16 ⟦⟧. Nuitée 42 à 94€ - Sem. 217 à 294€ - frais de réservation 12€

⟦⟧ borne Sanistation 22€ - ⬲ 21€

En bordure de la Ria d'Étel avec un grand bassin d'eau de mer, idéal pour la baignade.

Nature : ⬳ ⬜ ⬳⬳
Loisirs : ▾ ✗ ⬱ ⬱⬱ ⬳ (bassin d'eau de mer) terrain multisports
Services : ⊶ ▥ ⬳ ⬮ laverie ⬲

GPS W : 3.17603 N : 47.68045

Avant de vous installer, consultez les tarifs en cours, affichés obligatoirement à l'entrée du terrain, et renseignez-vous sur les conditions particulières de séjour. Les indications portées dans le guide ont pu être modifiées depuis la mise à jour.

BÉNODET

29950 - Carte Michelin **308** G7 - 3 453 h.
▶ Paris 563 - Concarneau 19 - Fouesnant 8 - Pont-l'Abbé 13

⚠⚠⚠ Sunêlia L'Escale St-Gilles ♣♣

📞 02 98 57 05 37, www.escale-stgilles.fr - peu d'emplacements pour tentes et caravanes ⚡ (de déb. juil. à fin août)

Pour s'y rendre : corniche de la Mer (à la Pointe St-Gilles)

Ouverture : de déb. mai à mi-sept.

11 ha/7 campables (467 empl.) plat, herbeux

Empl. camping : 46€ ♣♣ ⚗ 🅴 🔌 (10A) - pers. suppl. 10€ - frais de réservation 35€

Location : (de déb. mai à mi-sept.) - ♿ (1 mobile home) - ⚡ - 160 🚐 - 2 tentes lodges. Nuitée 43 à 194€ - Sem. 241 à 1 358€ - frais de réservation 35€

Agréable situation face à l'océan, près de la plage. Un espace aquatique très complet et moderne. Possibilité de séjours en pension et 1/2 pension.

Nature : 🐟 ⚏ 🌳🌳
Loisirs : 🍽 ✗ 🏛 🎲 salle d'animations 🏃 🚴 centre balnéo 🧖 hammam jacuzzi 🛶 🚴 ✂ 🏊 🌊 🏖 parc aquatique
Services : ⚐ 🏛 🛒 🚿 📶 laverie 🔧 ♨
À prox. : ♨

GPS
W : 4.09669
N : 47.86325

⚠⚠⚠ Le Letty ♣♣

📞 02 98 57 04 69, www.campingduletty.com

Pour s'y rendre : impasse de Creisanguer

Ouverture : de fin juin à déb. sept.

10 ha (542 empl.) plat, herbeux

Empl. camping : (Prix 2018) 49€ ♣♣ ⚗ 🅴 🔌 (10A) - pers. suppl. 11€ - frais de réservation 15€

Location : (Prix 2018) (de fin juin à déb. sept.) - 12 tentes lodges. Sem. 535 à 895€ - frais de réservation 15€

🚐 borne artisanale

Agréable situation en bordure de plage avec vue exception-nelle sur les dunes de Mousterlin. Beaucoup de places pour tentes et caravanes. Espace aquatique complet et exotique.

Nature : 🐟 🌳🌳 🏖
Loisirs : 🍽 🏛 🎲 salle d'animations 🏃 🚴 🧖 hammam jacuzzi 🛶 ✂ 🏊 🌊 🏖 ♨ soins esthétiques
Services : ⚐ 🛒 🚿 🚾 📶 laverie 🔧 ♨
À prox. : 🎣 🎿 ♨ squash

GPS
W : 4.08995
N : 47.86537

⚠⚠ Le Poulquer

📞 02 98 57 04 19, www.campingdupoulquer.com

Pour s'y rendre : 23 r. du Poulquer (150 m de la mer)

Ouverture : de déb. mai à fin sept.

3 ha (215 empl.) plat et peu incliné, herbeux

Empl. camping : ♣ 7€ ⚗ 3€ 🅴 8€ – 🔌 (10A) 6€ - frais de réservation 20€

Location : (de déb. mai à fin sept.) - 37 🚐. Nuitée 55 à 130€ - Sem. 360 à 960€ - frais de réservation 20€

🚐 borne AireService

Emplacements spacieux, verdoyants et ombragés.

Nature : ⚏ 🌳🌳
Loisirs : 🍽 ✗ 🏛 salle d'animations 🏃 🚴 🎿 🏊 🌊 🏖
Services : ⚐ 📶 laverie
À prox. : ✂ 🎣 🎿 ♨

GPS
W : 4.09844
N : 47.86794

BINIC

22520 - Carte Michelin **309** F3 - 3 602 h. - alt. 35
▶ Paris 463 - Guingamp 37 - Lannion 69 - Paimpol 31

⚠⚠ Le Panoramic

📞 02 96 73 60 43, www.lepanoramic.net

Pour s'y rendre : r. Gasselin

Ouverture : de déb. avr. à fin sept.

4 ha (150 empl.) terrasse, peu incliné, plat, herbeux

Empl. camping : 30€ ♣♣ ⚗ 🅴 🔌 (10A) - pers. suppl. 7€ - frais de réservation 10€

Location : (de déb. avr. à mi-sept.) - ♿ (1 mobile home) - 76 🚐 - 8 🏠 - 2 tentes lodges. Nuitée 46 à 135€ - Sem. 230 à 945€ - frais de réservation 10€

🚐 borne artisanale

Préférer les emplacements les plus éloignés du bruit de la route. Bel espace aquatique.

Nature : ⚏ 🌳🌳
Loisirs : 🍽 ✗ 🏛 🛶 🏊 🌊 🏖 terrain multisports
Services : ⚐ 🛒 🚿 📶 laverie

GPS
W : 2.82304
N : 48.59098

⚠ Municipal des Fauvettes

Camping Municipal les Fauvettes

📞 02 96 73 60 83, www.binic-etables-sur-mer.fr

Pour s'y rendre : r. des Fauvettes

Ouverture : de fin mars à déb. oct.

1 ha (88 empl.) en terrasses, plat et peu incliné, herbeux

Empl. camping : (Prix 2018) 23€ ♣♣ ⚗ 🅴 🔌 (6A) - pers. suppl. 5€ - frais de réservation 77€

Location : (Prix 2018) (de fin mars à déb. oct.) - ♿ (1 mobile home) - ⚡ - 4 🚐 - 2 studios. Nuitée 70 à 102€ - Sem. 249 à 432€

🚐 borne artisanale - 🔌 🔌 9€

Vue panoramique sur la mer, le Cap Fréhel et la baie de St-Brieuc. Terrain bordé par le GR 34 et accès à la plage par un sentier.

Nature : 🐟 ⚘ sur la baie de St-Brieuc ⚏
Loisirs : 🛶
Services : ⚐ 🛒 🚿 📶 🍽

GPS
W : 2.82122
N : 48.60635

BRIGNOGAN-PLAGES

29890 - Carte Michelin **308** F3 - 848 h. - alt. 17
▶ Paris 585 - Brest 41 - Carhaix-Plouguer 83 - Landerneau 27

⛰ La Côte des Légendes

🔗 02 98 83 41 65, www.campingcotedeslegendes.com

Pour s'y rendre : r. Douar ar Pont (2 km au nord-ouest)

Ouverture : de déb. avr. à mi-nov.

3,5 ha (147 empl.) plat, herbeux, sablonneux

Empl. camping : (Prix 2018) 22€ ★★ ⮀ 🅔 🔌 (10A) - pers. suppl. 6€
Location : (Prix 2018) (de déb. avr. à mi-nov.) - 14 🛏 - 4 tentes lodges. Nuitée 80 à 133€ - Sem. 299 à 702€
🛉 borne artisanale 3€ - 3 🅔 12€
Au bord de la plage des Crapauds, site sensibilisé à l'écologie.

Nature : 🦆 🏊 💧 ⚓		
Loisirs : 🏛 🎣 🏹	**G**	W : 4.32928
Services : 🛒 (juil.- août) 🚿 📶 🖥	**P** **S**	N : 48.67284
À prox. : 🏄 🎣		

CALLAC

22160 - Carte Michelin **309** B4 - 2 359 h. - alt. 172
▶ Paris 510 - Carhaix-Plouguer 22 - Guingamp 28 - Morlaix 41

⛰ Municipal Verte Vallée

🔗 02 96 45 58 50, campingcallac@gmail.com

Pour s'y rendre : av. Ernest-Renan (sortie ouest par D 28, rte de Morlaix et av. Ernest-Renan à gauche, à 50 m d'un plan d'eau)

Ouverture : de mi-juin à mi-sept.

1 ha (60 empl.) peu incliné, plat, herbeux, étang

Empl. camping : (Prix 2018) 11€ ★★ ⮀ 🅔 🔌 (16A) - pers. suppl. 3€
🛉 borne eurorelais 2€
Cadre verdoyant au-dessus d'un bel étang, idéal pour la pêche.

Nature : 🦆 🌳 💧		
Loisirs : 🍴 🏹 🎣	**G**	W : 3.43765
Services : 🛒 (juil.-août) 🚻 📶	**P** **S**	N : 48.40174

CAMARET-SUR-MER

29570 - Carte Michelin **308** D5 - 2 576 h. - alt. 4
▶ Paris 597 - Brest 4 - Châteaulin 45 - Crozon 11

⛰ Le Grand Large

🔗 02 98 27 91 41, www.campinglegrandlarge.com

Pour s'y rendre : à Lambézen (3 km au nord-est par D 355 et rte à dr., à 400 m de la plage)

Ouverture : de déb. avr. à fin sept.

2,8 ha (123 empl.) plat et peu incliné, herbeux

Empl. camping : (Prix 2018) 29€ ★★ ⮀ 🅔 🔌 (10A) - pers. suppl. 5€
- frais de réservation 16€
Location : (Prix 2018) (de déb. avr. à fin sept.) - 27 🛏 - 3 🏡. Nuitée 52 à 79€ - Sem. 220 à 787€ - frais de réservation 16€
🛉 borne artisanale 4€
Une vraie vigie d'observation sur l'entrée de la rade de Brest, vue spectaculaire depuis la moitié des emplacements.

Nature : 🦆 ≤ la mer 🌳		
Loisirs : 🍴 🏛 🏊 🎣 🏹 🎱	**G**	W : 4.56472
Services : 🛒 🚿 🚻 📶 laverie 🧺 🚗	**P** **S**	N : 48.28083

CAMORS

56330 - Carte Michelin **308** M7 - 2 788 h. - alt. 113
▶ Paris 472 - Auray 24 - Lorient 39 - Pontivy 31

⛰ Le Village Insolite

🔗 06 33 76 66 77, www.camping-levillageinsolite.com

Pour s'y rendre : r. des Mésanges (1 km à l'ouest par D 189, rte de Lambel-Camors)

Ouverture : de déb. avr. à fin sept.

1 ha (34 empl.) en terrasses, plat, herbeux

Empl. camping : (Prix 2018) 23€ ★★ ⮀ 🅔 🔌 (16A) - pers. suppl. 5€
- frais de réservation 3€
Location : (Prix 2018) (de déb. avr. à fin sept.) - 2 🛏 - 4 🏡
- 1 tipi - 1 yourte - 1 roulotte - 1 bateau - 1 kota. Nuitée 45 à 110€
- Sem. 239 à 620€ - frais de réservation 7€
🛉 borne AireService 6€
Plusieurs locatifs insolites autour de la piscine couverte.

Nature : 🦆 💧		
Loisirs : 🔲 (découverte en saison)	**G**	W : 3.01304
Services : 🛒 🚿 🚻 📶 🖥	**P** **S**	N : 47.84613
À prox. : 🐾 parcours dans les arbres		

*Choisissez votre restaurant sur **restaurant.michelin.fr***

CANCALE

35260 - Carte Michelin **309** K2 - 5 374 h. - alt. 50
▶ Paris 398 - Avranches 61 - Dinan 35 - Fougères 73

⛰ Le Bois Pastel

🔗 02 99 89 66 10, www.campingboispastel.fr

Pour s'y rendre : 13 r. de la Corgnais (7 km au nord-ouest par D 201, rte côtière et à gauche)

Ouverture : de déb. avr. à fin sept.

5,2 ha (247 empl.) plat, herbeux

Empl. camping : (Prix 2018) ★ 5€ ⮀ 2€ 🅔 11€ − 🔌 (10A) 4€ - frais de réservation 15€
Location : (Prix 2018) (de déb. avr. à fin sept.) - 21 🛏
- 6 bungalows toilés. Nuitée 43 à 146€ - Sem. 230 à 730€ - frais de réservation 15€

Emplacements verdoyants pour tentes et caravanes souvent bien ombragés.

Nature : 🦆 💧		
Loisirs : 🍴 🏊 🔲 (découverte en saison) terrain multisports	**G**	W : 1.86861
Services : 🛒 📶 laverie 🧺 🚗	**P** **S**	N : 48.68875

CARANTEC

29660 - Carte Michelin **308** H2 - 3 249 h. - alt. 37
▶ Paris 552 - Brest 71 - Lannion 53 - Morlaix 14

⛰ Yelloh! Village Les Mouettes ⛺

🔗 02 98 67 02 46, www.les-mouettes.com - peu d'emplacements pour tentes et caravanes

Pour s'y rendre : 50 rte de la Grande-Grève (1,5 km au sud-ouest par rte de St-Pol-de-Léon et rte à dr.)

Ouverture : de déb. avr. à déb. sept.

4 ha (474 empl.) plat, herbeux

Empl. camping : 84€ ★★ ⮀ 🅔 🔌 (16A) - pers. suppl. 9€

Location : (de déb. avr. à déb. sept.) - 🚿 - 🅿 - 320 🚐 - 34 🏠
- 3 tentes lodges. Nuitée 39 à 315€ - Sem. 273 à 2 205€

Un magnifique parc aquatique en bord de mer, des toboggans géants. Locatif de qualité.

Nature : 🏞 🏕 🌳
Loisirs : 🍴 ✕ 🏠 🎣 salle d'animations 🏃 centre balnéo 🏊 jacuzzi 🚣 🚲 ✕ 🎣 🏊 🌊 bibliothèque
Services : 🚰 🏪 🛁 🚿 🚻 🛜 laverie 🧺 🧹
W : 3.92802
N : 48.65922

CARNAC

56340 - Carte Michelin **308** M9 - 4 362 h. - alt. 16
▶ Paris 490 - Auray 13 - Lorient 49 - Quiberon 19

Les Castels La Grande Métairie 🏕

✆ 02 97 52 71 20, www.lagrandemetairie.com - peu d'emplacements pour tentes et caravanes

Pour s'y rendre : rte de Kerlescan (2,5 km au nord-est, près des Alignements de Kerlescan)

Ouverture : de déb. avr. à fin sept.

15 ha/11 campables (581 empl.) plat et peu incliné, herbeux

Empl. camping : (Prix 2018) 99€ 🚹🚹 🚐 🔲 🔌 (16A) - pers. suppl. 15€ - frais de réservation 35€
Location : (Prix 2018) (de déb. avr. à fin sept.) - 🚿 (1 mobile home) - 240 🚐 - 2 cabanes perchées. Nuitée 45 à 314€ - Sem. 700 à 2 200€ - frais de réservation 35€
🚐 borne AireService

Domaine au bord de l'étang de Kerloquet. Locatif varié, de bon confort mais parfois un peu serré et nombreux mobile homes de tour-opérateurs.

Nature : 🏕 🌳🌳
Loisirs : 🍴 ✕ 🏠 (théâtre de plein air) 🏃 jacuzzi 🚣 🚲 ✕ 🎣 🏊 🌊 tyrolienne parcours dans les arbres ferme animalière skate parc
Services : 🚰 🏪 🛁 🚿 🚻 🛜 laverie 🧺 🧹
À prox. : 🐎
W : 3.05975
N : 47.59647

Le Moustoir 🏕

✆ 02 97 52 16 18, www.lemoustoir.com

Pour s'y rendre : 71 rte du Moustoir (3 km au nord-est)

Ouverture : de mi-avr. à mi-sept.

5 ha (165 empl.) plat et peu incliné, herbeux

Empl. camping : (Prix 2018) 17€ 🚹🚹 🚐 🔲 🔌 (10A) - pers. suppl. 8€ - frais de réservation 12€
Location : (Prix 2018) (de mi-avr. à mi-sept.) - 110 🚐 - 8 🏠 - 4 🛏. Sem. 215 à 1 197€ - frais de réservation 12€
🚐 borne artisanale - 4 🔲 17€ - 🚿 🔌17€

Locatifs variés avec pour certains de grandes terrasses et bon confort.

Nature : 🏕 🌳🌳
Loisirs : 🍴 ✕ 🏠 🎣 🏃 🚣 🌊 🌊 mini ferme terrain multisports
Services : 🚰 🛁 🚿 🚻 🛜 laverie 🧺 🧹
W : 3.06689
N : 47.60829

Moulin de Kermaux 🏕

✆ 02 97 52 15 90, www.camping-moulinkermaux.com

Pour s'y rendre : rte de Kerlescan (2,5 km au nord-est, près des Alignements de Kerlescan)

Ouverture : de mi-avr. à mi-sept.

3 ha (150 empl.) plat et peu incliné, herbeux

Empl. camping : (Prix 2018) 18€ 🚹🚹 🚐 🔲 🔌 (14A) - pers. suppl. 7€ - frais de réservation 18€
Location : (de mi-avr. à mi-sept.) - 🚿 (1 mobile home) - 67 🚐 - 3 bungalows toilés - 3 gîtes. Sem. 230 à 954€ - frais de réservation 20€
🚐 borne AireService

Préférer les locations, mieux situées que les emplacements tentes ou caravanes.

Nature : 🏞 🏕 🌳
Loisirs : 🍴 ✕ 🏠 🎣 🏃 🏊 jacuzzi 🚣 🎣 🌊 (découverte en saison) 🌊 terrain multisports
Services : 🚰 🏪 🛁 🚿 laverie 🧹
À prox. : 🐎
W : 3.06523
N : 47.59512

Le Lac 🏕

✆ 02 97 55 78 78, www.lelac-carnac.com

Pour s'y rendre : passage du Lac (6,3 km au nord-est, au bord du lac)

Ouverture : de mi-avr. à fin sept.

2,5 ha (132 empl.) en terrasses, plat, herbeux

Empl. camping : (Prix 2018) 17€ 🚹🚹 🚐 🔲 🔌 (6A) - pers. suppl. 5€
Location : (Prix 2018) (de mi-avr. à fin sept.) - 24 🚐 - 2 bungalows toilés - 4 tentes lodges - 1 tipi. Sem. 199 à 799€ - frais de réservation 12€
🚐 borne artisanale - 🚿 🔌17€

Situation privilégiée au bord du lac.

Nature : 🏞 🌊 🏕 🌳
Loisirs : 🏠 🏃 🚣 🚲 🌊 🎣 terrain multisports
Services : 🚰 🛁 🚿 laverie 🧺
W : 3.02912
N : 47.61117

Les Bruyères 🏕

✆ 02 97 52 30 57, www.camping-lesbruyeres.com

Pour s'y rendre : à Kérogile (4 km au nord)

Ouverture : de déb. avr. à fin sept.

2 ha (115 empl.) plat, herbeux

Empl. camping : 29€ 🚹🚹 🚐 🔲 🔌 (10A) - pers. suppl. 7€ - frais de réservation 10€
Location : (de déb. avr. à fin sept.) - 42 🚐 - 6 bungalows toilés - 2 tentes sur pilotis. Nuitée 27 à 135€ - Sem. 189 à 945€ - frais de réservation 20€

Ambiance très familiale avec beaucoup d'espaces verts en sous-bois et jeux pour enfants. Locatif varié, de grand confort pour certains.

Nature : 🏞 🌳🌳
Loisirs : 🏠 🏃 🚣 🚲 🌊 (découverte en saison) tyrolienne ferme animalière labyrinthe
Services : 🚰 🛁 🚿 laverie
À prox. : bowling
W : 3.08884
N : 47.60437

Ce guide n'est pas un répertoire de tous les terrains de camping mais une sélection des meilleurs campings dans chaque catégorie.

⛰ Kérabus

✆ 02 97 52 24 90, www.camping-kerabus.com

Pour s'y rendre : 13 allée des Alouettes (2 km au nord-est)

Ouverture : de déb. avr. à fin sept.

1,4 ha (86 empl.) plat, herbeux

Empl. camping : 25 € ✯✯ ⬅ 🔲 ⚡ (6A) - pers. suppl. 7 € - frais de réservation 10 €

Location : (de déb. avr. à mi-sept.) - 17 🛏 - 1 tente lodge - 1 tente sur pilotis. Nuitée 70 à 100 € - Sem. 190 à 695 € - frais de réservation 12 €

🚐 borne eurorelais 5 € - 🚿 11 €

Cadre fleuri et ambiance calme et familiale.

Nature : 🦆 ⌑ 🍃🍃		
Loisirs : 🛶 ⛴ terrain multisports	**G**	W : 3.07648
Services : ⚷ 🏂 📶 laverie	**P** **S**	N : 47.59641

⛰ Tohapi Le Domaine de Kermario

✆ 04 48 20 20 20, www.tohapi.fr

Pour s'y rendre : 1 chemin de Kerluir (2 km au nord-est, près des Alignements de Kermario)

Ouverture : de mi-avr. à fin sept.

4 ha plat, étang

Empl. camping : (Prix 2018) 20 € ✯✯ ⬅ 🔲 ⚡ (10A) - pers. suppl. 5 € - frais de réservation 25 €

Location : (Prix 2018) (de mi-avr. à fin sept.) - 🅿 - 56 🛏 - 9 gîtes. Nuitée 37 à 221 € - Sem. 259 à 1 547 € - frais de réservation 25 €

Gîtes aménagés dans un ancien corps de ferme joliment restauré.

Nature : 🦆 🍃🍃		
Loisirs : 🍴 🛖 ⛴ salle d'animations 🏃 🛶 🚲 🖥 ⛴ terrain multisports	**G**	W : 3.06636
Services : ⚷ 📶 laverie 🔧	**P** **S**	N : 47.59521

CARNAC-PLAGE

56340 - Carte Michelin **308** M9

▶ Paris 494 - Rennes 143 - Vannes 34

⛰ Les Menhirs 👥

(pas d'emplacement tentes et caravanes)

✆ 02 97 52 94 67, www.lesmenhirs.com - peu d'emplacements pour tentes et caravanes

Pour s'y rendre : allée St-Michel

6 ha (342 empl.) plat, herbeux

Location : (Prix 2018) (de déb. avr. à fin sept.) - ♿ (1 mobile home) - 🔆 - 333 🛏. Nuitée 33 à 192 € - Sem. 297 à 1 344 € - frais de réservation 10 €

À 400 m de la plage et du centre-ville.

Nature : 🦆 ⌑ 🍃		
Loisirs : 🍴 🛖 ⛴ salle d'animations 🏃 🛝 ⛲🌀 jacuzzi 🛶 🍴 🖥 ⛴ terrain multisports	**G**	W : 3.06979
Services : ⚷ 🏂 🚿 🚽 📶 laverie 🔧 🔧	**P** **S**	N : 47.57683
À prox. : 🛒 🚲		

⛰ Les Druides

✆ 02 97 52 08 18, www.camping-les-druides.com

Pour s'y rendre : 55 chemin de Beaumer (à l'est, quartier Beaumer)

Ouverture : de mi-avr. à déb. sept.

2,5 ha (110 empl.) plat et peu incliné, herbeuxEmpl. camping : 40 € ✯✯ ⬅ 🔲 ⚡ (10A) - pers. suppl. 7 € - frais de réservation 20 €

Location : Permanent 🔆 - 19 🛏. Sem. 225 à 830 € - frais de réservation 20 €

🚐 borne artisanale

Cadre verdoyant avec de nombreux espaces pour la détente, à 500 m de la plage.

Nature : 🦆 🍃🍃		
Loisirs : 🛖 🛶 ⛴ terrain multisports	**G**	W : 3.05689
Services : ⚷ 🏂 🚿 📶 laverie	**P** **S**	N : 47.58012
À prox. : 🛒		

⛺ Le Men-Du

✆ 02 97 52 04 23, www.camping-mendu.fr

Pour s'y rendre : 22bis chemin de Beaumer (quartier le Men-Du, à 300 m de la plage)

Ouverture : de déb. avr. à fin sept.

1,5 ha (91 empl.) plat et peu incliné, herbeux

Empl. camping : 29 € ✯✯ ⬅ 🔲 ⚡ (10A) - pers. suppl. 5 € - frais de réservation 15 €

Location : (de déb. avr. à fin sept.) - ♿ (1 mobile home) - 20 🛏. Sem. 260 à 700 € - frais de réservation 15 €

Espace verdoyant avec des arbres et des haies parfaitement taillées, sculptées.

Nature : 🦆 ⌑ 🍃		
Loisirs : 🍴	**G**	W : 3.05522
Services : ⚷ 🚽 📶 laverie	**P** **S**	N : 47.57941
À prox. : 🍴		

LA CHAPELLE-AUX-FILTZMEENS

35190 - Carte Michelin **309** L4 - 726 h. - alt. 40

▶ Paris 388 - Rennes 39 - Saint-Malo 42 - Fougères 83

⛰ Le Domaine du Logis

✆ 02 99 45 25 45, www.domainedulogis.com

Pour s'y rendre : lieu-dit : Le Logis (1,5 km à l'ouest sur D 13, rte de St-Domineuc)

Ouverture : de déb. avr. à déb. oct.

20 ha/6 campables (188 empl.) plat, herbeux

Empl. camping : (Prix 2018) 35 € ✯✯ ⬅ 🔲 ⚡ (16A) - pers. suppl. 6 €

Location : (Prix 2018) (de déb. avr. à déb. oct.) - ♿ - 19 🛏. Sem. 375 à 1 000 €

Cadre champêtre magnifique autour d'un ancien corps de ferme traditionnel breton.

Nature : 🦆 ⌑ 🍃		
Loisirs : 🍴 🍴 🛖 🏃 🛝 🛶 🚲 🛶 🎣 bi-cross	**G**	W : 1.83566
Services : ⚷ 📶 laverie 🔧	**P** **S**	N : 48.38306
À prox. : 🎣		

CHÂTEAUGIRON

35410 - Carte Michelin **309** M6 - 6 450 h. - alt. 45
▶ Paris 336 - Angers 114 - Châteaubriant 45 - Fougères 56

⛰ Les Grands Bosquets

✆ 02 99 37 89 02, www.tourisme-payschateaugiron.fr

Pour s'y rendre : rte d'Ossé (sortie est par D 34)

0,6 ha (33 empl.) plat, herbeux

Au bord d'un plan d'eau ouvert à la baignade, cadre champêtre.

Nature : 🗘🗘		**G** W : 1.49734
Loisirs : 🏖 (plage) 🎣		**P** N : 48.04983
À prox. : 🏇 🎾 terrain multisports		**S**

⛰⛰⛰ ... ⛰
Besonders angenehme Campingplätze,
ihrer Kategorie entsprechend.

CHÂTEAULIN

29150 - Carte Michelin **308** G5 - 5 337 h. - alt. 10
▶ Paris 548 - Brest 49 - Douarnenez 27 - Châteauneuf-du-Faou 24

⛰ Le Rodaven

✆ 06 83 01 52 67, www.campingderodaven.fr

Pour s'y rendre : au Sud de la ville, bord de l'Aulne (rive droite)

Ouverture : de fin avr. à mi-sept.

2,3 ha (94 empl.) plat, herbeux

Empl. camping : (Prix 2018) 17 € 🚶🚶 🚗 🔲 🔌 (10A) - pers. suppl. 4 €

Location : (Prix 2018) (de fin avr. à mi-sept.) - 7 🛏 - 2 tentes lodges - 3 cabanons. Nuitée 25 à 90 € - Sem. 180 à 590 €

🚐 borne artisanale

Le long d'une rivière, beaux emplacements pour tentes et caravanes. Commerces et restaurants à proximité.

Nature : 🗘		**G** W : 4.08995
Loisirs : 🍹 🏖 🎣		**P** N : 48.19012
Services : ⚡ 🛜 laverie 🧺		**S**
À prox. : 🛒 🍴 🚲 🎾 🏸 🚣 canoë		

CHÂTELAUDREN

22170 - Carte Michelin **309** E3 - 1 047 h. - alt. 105
▶ Paris 469 - Guingamp 17 - Lannion 49 - St-Brieuc 18

⛰ Municipal de l'Étang

✆ 02 96 74 10 38, www.chatelaudren.fr

Pour s'y rendre : r. de la Gare (au bourg, au bord d'un grand et bel étang)

Ouverture : de déb. mai à fin sept. - 🚿

0,2 ha (17 empl.) non clos, plat, herbeux

Empl. camping : (Prix 2018) 🚶 3 € 🚗 1 € 🔲 3 € – 🔌 (10A) 3 €

🚐 borne Urbaflux 2 € - 4 🔲

Proche du bourg et face à un bel étang dédié à la pêche.

Nature : 🗘 🗘		**G** W : 2.9709
Services : 🚿		**P** N : 48.53883
À prox. : 🏇		**S**

CHERRUEIX

35120 - Carte Michelin **309** L3 - 1 141 h. - alt. 3
▶ Paris 377 - Cancale 20 - Dinard 32 - Dol-de-Bretagne 9

⛰ L'Aumône

✆ 02 99 48 84 82, www.camping-de-laumone.com

Pour s'y rendre : 0.5 km au sud par D 797

1,6 ha (70 empl.) plat, herbeux

Location : - 11 🛏 - 1 tipi - 2 gîtes.

Derrière une belle bâtisse en pierre, cadre verdoyant et sanitaires un peu anciens.

Nature : 🗘		**G** W : 1.71248
Loisirs : 🍹 🍴 🏖 🚲 🚣		**P** N : 48.60172
Services : ⚡ 🛜 laverie		**S**

Avant de vous installer, consultez les tarifs en cours,
affichés obligatoirement à l'entrée du terrain,
et renseignez-vous sur les conditions particulières de séjour.
Les indications portées dans le guide ont pu être modifiées
depuis la mise à jour.

CONCARNEAU

29900 - Carte Michelin **308** H7 - 19 352 h. - alt. 4
▶ Paris 546 - Brest 96 - Lorient 49 - Quimper 22

⛰ Les Sables Blancs ♟

✆ 02 98 97 16 44, www.camping-lessablesblancs.com

Pour s'y rendre : r. des Fleurs (à 100 m de la plage)

Ouverture : de déb. avr. à fin oct.

3 ha (149 empl.) en terrasses, peu incliné, plat, herbeux

Empl. camping : (Prix 2018) 36 € 🚶🚶 🚗 🔲 🔌 (10A) - pers. suppl. 7 €

Location : (Prix 2018) (de déb. avr. à fin oct.) - 35 🛏. Nuitée 54 à 123 € - Sem. 299 à 861 €

🚐 borne artisanale

Un terrain proche du centre-ville et des plages offrant une jolie vue sur mer pour certains emplacements.

Nature : 🏞 ⩽ baie de Concarneau 🗘🗘		**G** W : 3.92836
Loisirs : 🍹 🍴 🎳 🤸 jacuzzi 🏖 🚣		**P** N : 47.88203
Services : ⚡ 🛁 🛜 laverie 🧺		**S**
À prox. : 🤿		

⛰ Les Prés Verts

✆ 02 98 97 09 74, www.presverts-campingconcarneau.com

Pour s'y rendre : Kernous-Plage (3 km au nord-ouest par rte du bord de mer et à gauche, à 250 m de la plage (accès direct))

3 ha (142 empl.) peu incliné à incliné, plat, herbeux

Location : 🦽 (1 mobile home) - 10 🛏.

🚐 borne artisanale

Cadre tranquille et agréable, peu ombragé avec une vue sur la baie de Concarneau pour certains emplacements.

Nature : 🏞		**G** W : 3.93333
Loisirs : 🎳 🏖 ♨ 🚣		**P** N : 47.88333
Services : ⚡ 🛜 laverie		**S**

LE CONQUET

29217 - Carte Michelin **308** C4 - 2 635 h. - alt. 30

▶ Paris 619 - Brest 24 - Brignogan-Plages 59 - St-Pol-de-Léon 85

⚠ Les Blancs Sablons

✆ 02 98 36 07 91, www.les-blancs-sablons.com

Pour s'y rendre : lieu-dit : Le Théven (5 km au nord-est par D 67 et D 28, rte de la plage des Blancs Sablons, à 400 m de la plage - passerelle pour piétons reliant la ville)

Ouverture : de mi-avr. à mi-sept.

12 ha (360 empl.) plat, herbeux, sablonneux

Empl. camping : 20€ ★★ ⇔ 🔲 🕃 (16A) - pers. suppl. 5€ - frais de réservation 9€

Location : (Prix 2018) (de mi-avr. à mi-oct.) - 10 🚍 - 3 🏠. Sem. 260 à 675€ - frais de réservation 9€

🚐 borne artisanale

Cadre un peu sauvage, naturel.

Nature : 🐟		**G**	W : 4.76071
Loisirs : 🍽 ⛵ 🛶		**P**	N : 48.36687
Services : ☎ 🛒 📶 laverie		**S**	

En juin et septembre les campings sont plus calmes, moins fréquentés et pratiquent souvent des tarifs « hors saison ».

CRACH

56950 - Carte Michelin **308** M9 - 3 276 h. - alt. 35

▶ Paris 482 - Auray 6 - Lorient 46 - Quiberon 29

⚠ Flower Le Fort Espagnol

✆ 02 97 55 14 88, www.fort-espagnol.com

Pour s'y rendre : rte du Fort-Espagnol (800 m à l'est, rte de la Rivière d'Auray)

Ouverture : de déb. avr. à fin sept.

5 ha (209 empl.) peu incliné, plat, herbeux

Empl. camping : 37€ ★★ ⇔ 🔲 🕃 (10A) - pers. suppl. 8€ - frais de réservation 26€

Location : (de déb. avr. à fin sept.) - 90 🚍 - 4 tentes lodges. Nuitée 38 à 147€ - Sem. 200 à 1 029€ - frais de réservation 26€

Locatifs variés souvent de bon confort et encore quelques emplacements pour tentes et caravanes.

Nature : 🐟 🗔 ♨♨		**G**	W : 2.98988
Loisirs : 🍽 ✖ 🖼 ⛵ 🚲 🖻 🛶 ⛳		**P**	N : 47.61539
Services : ☎ 🛒 📶 laverie 🍴 🛒		**S**	
À prox. : 🛒 ✖ 🖉			

CROZON

29160 - Carte Michelin **308** E5 - 7 697 h. - alt. 85

▶ Paris 587 - Brest 60 - Châteaulin 35 - Douarnenez 40

⚠ Les Pins

✆ 06 60 54 40 09, www.camping-crozon-lespins.com

Pour s'y rendre : rte de Dinan (2 km au sud-ouest par D 308 rte de la Pointe de Dinan)

Ouverture : de déb. avr. à déb. nov.

4 ha (155 empl.) non clos, plat et peu incliné, herbeux, sablonneux

Empl. camping : ★ 5,40€ ⇔ 9,65€ 🔲 – 🕃 (10A) 4,20€

Location : (de déb. avr. à déb. nov.) - ♿ (1 mobile home) - 12 🚍 - 13 🏠 - 4 tentes lodges. Sem. 250 à 735€

Tranquille sous les pins, idéal pour le repos.

Nature : 🐟 ♨♨		**G**	W : 4.51462
Loisirs : ⛵ 🖻 (petite piscine)		**P**	N : 48.24153
Services : ☎ 🛒 🛒 📶 🖼		**S**	
À prox. : parcours dans les arbres			

⚠ Plage de Goulien

✆ 06 08 43 49 32, www.camping-crozon-laplagedegoulien.com

Pour s'y rendre : plage de Goulien (5 km à l'ouest par D 308 rte de la Pointe de Dinan et rte à dr., à 200 m de la plage)

Ouverture : de mi-avr. à fin sept.

3,5 ha (135 empl.) en terrasses, peu incliné, plat, herbeux

Empl. camping : (Prix 2018) ★ 6€ ⇔ 🔲 10€ – 🕃 (6A) 4€

Location : (de mi-avr. à mi-sept.) - 24 🚍 - 4 🏠. Nuitée 70 à 105€ - Sem. 350 à 725€

À proximité d'une plage de sable.

Nature : 🐟 🗔 ♨♨		**G**	W : 4.54437
Loisirs : 🍽 🖼 ⛵ 🛶 🖥		**P**	N : 48.23908
Services : ☎ 🛒 📶 laverie 🍴 🛒		**S**	

DINÉAULT

29150 - Carte Michelin **308** G5 - 1 739 h. - alt. 160

▶ Paris 560 - Rennes 208 - Quimper 36 - Brest 54

⚠ Panoramique Ty Provost

✆ 02 98 86 29 23, www.typrovost.com

Pour s'y rendre : 4 km au sud-est par C 1, rte de Châteaulin et chemin à gauche

Ouverture : de déb. juil. à fin août

1,2 ha (44 empl.) en terrasses, plat et peu incliné, herbeux

Empl. camping : 24€ ★★ ⇔ 🔲 🕃 (10A) - pers. suppl. 5€

Location : Permanent♿ (2 chalets) - 5 🚍 - 7 🏠 - 2 gîtes. Nuitée 59 à 89€ - Sem. 296 à 597€

🚐 borne artisanale - 🍴 🕃 16€

Belle situation autour d'un magnifique corps de ferme traditionnel offrant une vue panoramique sur les méandres de l'Aulne.

Nature : 🐟 ⩽ vallée de l'Aulne ♀		**G**	W : 4.12421
Loisirs : 🍽 🖼 ⛵		**P**	N : 48.20706
Services : ☎ 🏭 🛒 📶 laverie		**S**	

DOL-DE-BRETAGNE

35120 - Carte Michelin **309** L3 - 5 163 h. - alt. 20
▶ Paris 378 - Alençon 154 - Dinan 26 - Fougères 54

⚠ Les Castels Domaine des Ormes

Domaine les Ormes

✆ 02 99 73 53 00, www.lesormes.com - peu d'emplacements pour tentes et caravanes

Pour s'y rendre : lieu-dit : Épiniac (7,5 km au sud par D 795, rte de Combourg puis chemin à gauche)

Ouverture : de mi-avr. à déb. nov.

200 ha/40 campables (630 empl.) peu incliné, plat, herbeux, forêt

Empl. camping : 63€ ♟♟ ⬢ 🔲
[🔌] (10A) - pers. suppl. 10€ - frais de réservation 20€

Location : (de mi-avr. à déb. nov.) - 87 🚐 - 40 🏠 - 26 cabanes perchées - 7 gîtes - 20 appartements - 6 studios - 55 chambres (hôtel) - 4 cabanes flottantes - 3 bulles - 3 tonneaux. Sem. 419 à 1 948€ - frais de réservation 20€

Autour d'un château du 16e s., grands espaces et nombreuses activités dont un parc aquatique en partie couvert.

Nature : 🌳 ⬡ 🔲🔲
Loisirs : 🍽 ✕ 🏠 🎮 salle d'animations 🏃 🧗 🛶 🚴 🎣 🏊 ⛸ 🏐 🐴 discothèque mur d'escalade parcours dans les arbres paintball tyrolienne golf, practice de golf terrain multisports
GPS : W : 1.72722
N : 48.49139
Services : 🔑 🛜 laverie 🛒

⚠ Huttopia La Baie du Mont-St-Michel

✆ 02 99 48 09 55, www.camping-doldebretagne.com

Pour s'y rendre : rte de Pontorson (5 km à l'est, par N 176, rte de Pontorson, à l'est de Baguer-Pican sur D 57 - Accès conseillé par la déviation, sortie Dol-de-Bretagne-Est et D 80, D 576)

Ouverture : de mi-avr. à fin sept.

4 ha/2 campables (213 empl.) peu incliné, plat, herbeux

Empl. camping : (Prix 2018) 30€ ♟♟ ⬢ 🔲 [🔌] (10A) - pers. suppl. 7€
Location : (Prix 2018) (de mi-avr. à fin sept.) - 16 🚐 - 18 🏠. Nuitée 58 à 129€ - Sem. 325 à 903€ - frais de réservation 15€

Situation plaisante autour de deux étangs sauvages, lieu de prédilection pour la pêche et le repos.

Nature : 🌳 🔲 🔲🔲
Loisirs : 🍽 ✕ 🏠 🏃 🛶 🎣 🏊 ⛸
GPS : W : 1.68361
N : 48.54945
Services : 🔑 ⬚ 🛒 🛜 laverie 🛒 🛒

DOUARNENEZ

29100 - Carte Michelin **308** E6 - 14 815 h. - alt. 25
▶ Paris 589 - Quimper 24 - Rennes 238

⚠ Huttopia Douarnenez 👥

✆ 02 98 74 05 67, www.huttopia.com

Pour s'y rendre : av. du Bois-d'Isis, à Tréboul (3.7 km au nord-ouest)

Ouverture : de fin avr. à fin sept.

3,2 ha (124 empl.) en terrasses, plat, herbeux

Empl. camping : 32€ ♟♟ ⬢ 🔲 [🔌] (13A) - pers. suppl. 6€ - frais de réservation 15€
Location : Permanent - 47 tentes lodges. Nuitée 45 à 106€ - Sem. 252 à 742€ - frais de réservation 15€

🚐 borne artisanale 7€

Emplacements en sous-bois, nature, qui dominent la baie de Douarnenez.

Nature : 🌳 ⬡ baie de Douarnenez 🔲🔲
Loisirs : 🍽 🏠 🏃 🛶 🏊
Services : 🔑 ⬚ 🛜 laverie
À prox. : 🏊 ✕ 🛶 🎣
GPS : W : 4.3589
N : 48.10299

⚠ Flower Kerleyou

✆ 02 98 74 13 03, www.camping-kerleyou.com

Pour s'y rendre : 15 chemin de Kerleyou, à Tréboul (3.2 km à l'ouest)

Ouverture : de déb. avr. à fin sept.

3,5 ha (100 empl.) peu incliné, plat, herbeux

Empl. camping : 25€ ♟♟ ⬢ 🔲 [🔌] (16A) - pers. suppl. 6€ - frais de réservation 12€
Location : (de déb. avr. à fin sept.) - ♿ (1 chalet) - 42 🚐 - 4 🏠 - 3 tentes lodges. Nuitée 42 à 126€ - Sem. 196 à 917€ - frais de réservation 15€

Séduisants emplacements pour tentes ou caravanes au beau milieu des dolmens et menhirs.

Nature : 🌳 🔲 🔲🔲
Loisirs : 🍽 🏠 🛶 🏊
Services : 🔑 🛜 laverie 🛒
GPS : W : 4.36198
N : 48.09842

⚠ Trézulien

✆ 02 98 74 12 30, www.camping-trezulien.com

Pour s'y rendre : 14 rte de Trézulien, à Tréboul (2.5 km au nord-ouest par r. Frédéric-Le-Guyader)

Ouverture : de déb. avr. à mi-oct.

5 ha (199 empl.) fort dénivelé, en terrasses, peu incliné, plat, herbeux

Empl. camping : (Prix 2018) ♟ 6€ ⬢ 3€ 🔲 6€ – [🔌] (10A) 4€
Location : (Prix 2018) (de déb. avr. à mi-oct.) - ♿ (1 chalet) - 13 🚐 - 7 🏠 - 1 tente lodge - 2 cabanons - 1 gîte - 2 kota. Nuitée 42 à 115€ - Sem. 180 à 720€ - frais de réservation 15€

Cadre agréable partiellement arboré, vastes emplacements sous les peupliers et locatif varié, parfois insolite.

Nature : 🌳 ⬡ 🌱
Loisirs : 🍽 🏠 🛶 🏊 🎣
Services : 🔑 (saison) 🛜 laverie
À prox. : 🐴
GPS : W : 4.34931
N : 48.09311

ERDEVEN

56410 - Carte Michelin **308** M9 - 3 402 h. - alt. 18
▶ Paris 492 - Auray 15 - Carnac 10 - Lorient 28

⚠ La Croëz-Villieu

✆ 02 97 55 90 43, www.la-croez-villieu.com - peu d'emplacements pour tentes et caravanes

Pour s'y rendre : lieu-dit : Kernogan, rte de Kerhillio (1 km au sud-ouest par rte de la plage de Kerhillio)

Ouverture : de déb. mai à fin sept.

3 ha (158 empl.) plat, herbeux

Empl. camping : (Prix 2018) ♟ 7€ ⬢ 🔲 13€ – [🔌] (10A) 5€
Location : (Prix 2018) (de déb. avr. à fin sept.) - 35 🚐 - 2 tentes lodges. Nuitée 130 à 200€ - Sem. 208 à 850€

Préférer les emplacements les plus éloignés de la route.

Nature : 🔲 🌱
Loisirs : 🍽 🏠 salle d'animations 🎮 hammam jacuzzi 🛶 🏊 🎣
Services : 🔑 ⬚ 🛜 laverie
À prox. : 🛒
GPS : W : 3.15838
N : 47.63199

ERQUY

22430 - Carte Michelin **309** H3 - 3 802 h. - alt. 12
▶ Paris 451 - Dinan 46 - Dinard 39 - Lamballe 21

⛰ Sites et Paysages Bellevue ♣♣

📞 02 96 72 33 04, campingbellevue.fr

Pour s'y rendre : rte de la Libération (5,5 km au sud-ouest)

Ouverture : de déb. avr. à mi-sept.

3,5 ha (160 empl.) plat, herbeux

Empl. camping : 31€ ♣♣ ⬛ 🔌 (10A) - pers. suppl. 6€
Location : (de déb. avr. à mi-sept.) - ♿ (1 chalet) - ⛺ (de déb. juil. à fin août) - 23 🚐 - 5 🏠 - 2 tentes lodges - 2 tentes sur pilotis. Nuitée 42 à 128€ - Sem. 294 à 896€
Entrée fleurie et décoration arbustive des emplacements.

Nature : 🏕 💧💧
Loisirs : 🍹 🏛 🏊 ⛹ 🎣 🖼 (découverte en saison) terrain multisports
Services : 🔌 🛁 📶 laverie 🏪
À prox. : 🍴

⛰ Le Vieux Moulin ♣♣

📞 02 96 72 34 23, www.camping-vieux-moulin.com

Pour s'y rendre : 14 r. des Moulins (2 km à l'est)

Ouverture : de mi-avr. à mi-sept.

2,5 ha (199 empl.) plat, herbeux

Empl. camping : (Prix 2018) 43€ ♣♣ ⬛ 🔌 (10A) - pers. suppl. 7€
Location : (Prix 2018) (de mi-avr. à mi-sept.) - 70 🚐. Nuitée 47 à 169€ - Sem. 289 à 1 183€
🚐 borne AireService
Cadre verdoyant et soigné.

Nature : 🏕 💧💧
Loisirs : 🍹 🍴 🏛 ⛹ 🎣 🏊 🖼 🎱 terrain multisports
Services : 🔌 🛁 📶 laverie 🏪
À prox. : 🍴 🎯

⛰ Des Hautes Grées

📞 02 96 72 34 78, www.camping-hautes-grees.com

Pour s'y rendre : 123 r. St-Michel, lieu-dit : Les Hôpitaux (3,5 km au nord-est, à 400 m de la plage St-Michel)

Ouverture : de déb. avr. à fin sept.

3 ha (177 empl.) plat, herbeux

Empl. camping : (Prix 2018) 33€ ♣♣ ⬛ 🔌 (10A) - pers. suppl. 6€
Location : (Prix 2018) (de déb. avr. à fin sept.) - 35 🚐. Nuitée 45 à 121€ - Sem. 290 à 850€
🚐 borne artisanale 4€ - 🚐 🔌 19€
Cadre agréable et verdoyant à 400 m de la plage St-Michel.

Nature : 🏕 🏕 💧
Loisirs : 🍴 🎣 ⛵ hammam 🏊 🖼 terrain multisports
Services : 🔌 🛁 📶 laverie 🏪

⛰ La Plage de St-Pabu et La Ville de Berneuf

📞 02 96 72 24 65, www.saintpabu.com

Pour s'y rendre : lieu-dit : St-Pabu (à la plage de Saint-Pabu, 4 km au sud-ouest)

5,5 ha (435 empl.) en terrasses, plat, herbeux
Location : - 45 🚐.
🚐 borne artisanale

Dominant la baie d'Erquy et la grande plage de St-Pabu.

Nature : 🏕 ⛲ 🏕 🌴
Loisirs : 🍹 🏛 🎣
Services : 🔌 🛁 📶 laverie 🏪
À prox. : 🤿 plongée kite-surf char à voile

GPS
W : 2.49459
N : 48.60878

⛰ Les Roches

📞 02 96 72 32 90, www.camping-les-roches.com

Pour s'y rendre : r. Pierre-Vergos, à Caroual-Village (3 km au sud-ouest)

Ouverture : de déb. avr. à fin sept.

3 ha (175 empl.) terrasse, plat, herbeux

Empl. camping : 24€ ♣♣ ⬛ 🔌 (10A) - pers. suppl. 4€
Location : (Prix 2018) (de déb. avr. à déb. nov.) - 18 🚐 - 1 tente lodge. Nuitée 33 à 99€ - Sem. 180 à 690€
🚐 borne artisanale
Sur les hauteurs de Caroual Village avec par endroit vue panoramique au loin sur la baie d'Erquy.

Nature : 🏕 💧
Loisirs : 🏛 🎣 🏊
Services : 🔌 🛁 📶 laverie 🏪

GPS
W : 2.4769
N : 48.6094

ÉTABLES-SUR-MER

22680 - Carte Michelin **309** E3 - 3 091 h. - alt. 65
▶ Paris 467 - Guingamp 31 - Lannion 56 - St-Brieuc 19

⛰ Village Vacances Glamping Terre & Mer

(pas d'emplacement tentes et caravanes)

📞 02 96 70 61 57, www.glamping-terre-mer.fr

Pour s'y rendre : r. de la Ville Rouxel (1 km au nord par rte de St-Quay-Portrieux et à gauche)

3 ha (185 empl.) plat et peu incliné, herbeux

Location : (de fin mars à déb. nov.) - ⛺ - 19 🚐 - 4 🏠 - 4 chalets sur pilotis - 1 gîte. Nuitée 57 à 123€ - Sem. 319 à 861€ - frais de réservation 10€

À 600 m de la plage et en deux parties distinctes avec de grands espaces verts pour la détente.

Nature : 🏕 💧💧
Loisirs : 🍹 jacuzzi 🖼
Services : 🔌 🛁 🛁 📶 laverie 🏪
À prox. : 🍴 🚴 🐎

GPS
W : 2.83529
N : 48.6354

Gebruik de gids van het lopende jaar.

FEINS

35440 - Carte Michelin **309** M5 - 798 h. - alt. 104
▶ Paris 369 - Avranches 55 - Fougères 44 - Rennes 30

⛰ Domaine de Boulet

📞 02 99 69 63 23, www.domaine-de-boulet.fr

Pour s'y rendre : lieu-dit : La Bijouterie (2 km au nord-est par D 91, rte de Marcillé-Raoul et chemin à gauche)

Ouverture : de déb. avr. à fin oct.

1,5 ha (62 empl.) plat, herbeux

Empl. camping : (Prix 2018) 14€ ♣♣ ⬛ 🔌 (10A) - pers. suppl. 4€

Location : (Prix 2018) (de déb. avr. à fin oct.) - 1  - 6 🏠 - 3 cabanons. Nuitée 38 à 95€ - Sem. 226 à 565€

Situation agréable au bord du lac, hébergements insolites.

Nature : 🐟 ⟨ 🔆 Ω ⛰
Loisirs : 🏚 🚴 🎣
Services : ⊙ (juil.-août) ⚲ 🚿 ☂ laverie cases réfrigérées
À prox. : 🏊 🛶 🐎 base nautique

G P S W : 1.63863 N : 48.33845

LA FORÊT-FOUESNANT

29940 - Carte Michelin **308** H7 - 3 299 h. - alt. 19
▶ Paris 553 - Rennes 202 - Quimper 18 - Brest 94

🏕 Club Airotel Kérantérec 🧍

📞 02 98 56 98 11, www.camping-keranterec.com

Pour s'y rendre : lieu-dit : Kerleven (2,8 km au sud-est)

Ouverture : de déb. avr. à mi-sept.

6,5 ha (265 empl.) fort dénivelé, en terrasses, peu incliné, plat, herbeux

Empl. camping : 35€ 🧍🧍 🚗 📧 🔌 (16A) - pers. suppl. 8€

Location : Permanent - 60  - 2 gîtes. Nuitée 80 à 150€ - Sem. 250 à 1 050€ - frais de réservation 30€

🚐 borne AireService 5€ - 🚐 🔌10€

Accès à une petite plage privilégiée et rare, en bas d'un terrain coquet et jouissant d'une tranquillité absolue.

Nature : 🐟 ⌣ Ω ⛰
Loisirs : 🍽 ✕ 🏚 🎠 salle d'animations 🏃 🚴 🎣 ✕ 🏓 ⚲ ⛰
Services : ⊙ ⚲ ☂ 🚿 laverie

G P S W : 3.95538 N : 47.89903

🏕 Kerleven 🧍

📞 02 98 56 98 83, www.campingdekerleven.com - peu d'emplacements pour tentes et caravanes

Pour s'y rendre : lieu-dit : Kerleven, 4 rte de Port La Forêt, (2 km au sud-est, à 200 m de la plage)

Ouverture : de mi-avr. à fin sept.

4 ha (235 empl.) en terrasses, plat, herbeux

Empl. camping : 34€ 🧍🧍 🚗 📧 🔌 (10A) - pers. suppl. 8€ - frais de réservation 12€

Location : (de mi-avr. à fin sept.) - 🐟 (de mi-avr. à fin juin) - 39  - 3 bungalows toilés. Nuitée 50 à 150€ - Sem. 190 à 980€ - frais de réservation 12€

🚐 borne eurorelais 2€ - 🚐 🔌18€

Site agréable autour d'une ancienne longère bretonne.

Nature : ⌣ Ω
Loisirs : 🍽 ✕ 🏚 🎠 🏃 🎣 ⚲ ⛰
Services : ⊙ ⚲ ☂ laverie ⚲ 🚿
À prox. : ◊

G P S W : 3.96788 N : 47.89807

🏕 Les Saules 🧍

📞 02 98 56 98 57, www.camping-les-saules.com

Pour s'y rendre : lieu-dit : Kerléven, 54 rte de la Plage (2,5 km au sud-est, au bord de la plage de Kerléven (accès direct))

Ouverture : de mi-mai à mi-sept.

4 ha (235 empl.) peu incliné, plat, herbeux

Empl. camping : 34€ 🧍🧍 🚗 📧 🔌 (6A) - pers. suppl. 9€ - frais de réservation 19€

Location : (de fin mars à fin sept.) - ♿ (1 mobile home) - 41  - 1 appartement. Sem. 199 à 995€ - frais de réservation 19€

En deux parties distinctes, emplacements privilégiés peu nombreux dans la partie basse en bord de mer.

Nature : ⌣ Ω ⛰
Loisirs : 🍽 ✕ 🏚 🏃 🎣 ✕ ⚲ ⛰
Services : ⊙ ☂ 🚿 laverie ⚲
À prox. : ◊

G P S W : 3.9611 N : 47.899

🏕 Manoir de Penn ar Ster

📞 02 98 56 97 75, www.camping-pennarster.com

Pour s'y rendre : 2 chemin de Penn-Ar-Ster (sortie nord-est, rte de Quimper et à gauche)

Ouverture : de déb. mars à déb. nov.

3 ha (97 empl.) en terrasses, plat, herbeux

Empl. camping : 31€ 🧍🧍 🚗 📧 🔌 (10A) - pers. suppl. 7€ - frais de réservation 10€

Location : (de déb. mars à mi-nov.) - ♿ (2 chalets) - 9 🚗 - 2 🏠 - 1 tente lodge. Nuitée 50 à 150€ - Sem. 300 à 1 000€ - frais de réservation 15€

🚐 borne artisanale 5€ - 🚐 🔌17€

Terrain tout en longueur à l'arrière d'un joli manoir en pierre agrémenté d'un jardin.

Nature : ⌣ Ω Ω
Loisirs : 🏚 ✕ ⚲ ⛰
Services : ⊙ 🏧 ⚲ 🚿 laverie
À prox. : 🍽 ✕

G P S W : 3.97977 N : 47.91215

🏕 Capfun Le St-Laurent

📞 02 98 56 97 65, www.capfun.com/camping-france-bretagne-saint_laurent-FR.html

Pour s'y rendre : lieu-dit : Kerleven (3 km au sud-est, à 500 m de la grande plage de Kerleven)

Ouverture : de fin mars à fin sept.

5,4 ha (260 empl.) en terrasses, plat, herbeux

Empl. camping : (Prix 2018) 39€ 🧍🧍 🚗 📧 🔌 (10A) - pers. suppl. 7€ - frais de réservation 11€

Location : (Prix 2018) (de fin mars à fin sept.) - ♿ (1 mobile home) - 211 . - frais de réservation 27€

Vue sur mer et les îles de Glénan pour quelques emplacements. Grand toboggan aquatique.

Nature : 🐟 ⌣ Ω Ω ⛰
Loisirs : 🍽 ✕ 🎠 🏃 🎣 ✕ ⚲ 🏓 ⛰ 🎣
terrain multisports
Services : ⊙ ⚲ 🚿 laverie ⚲
À prox. : 🏊 🛶 ◊

G P S W : 3.9547 N : 47.89623

FOUESNANT

29170 - Carte Michelin **308** G7 - 9 356 h. - alt. 30
▶ Paris 555 - Carhaix-Plouguer 69 - Concarneau 11 - Quimper 16

⛰ Sunêlia L'Atlantique ♁

📞 02 98 56 14 44, www.latlantique.fr - peu d'emplacements pour tentes et caravanes

Pour s'y rendre : 4,5 km au sud, vers la Chapelle de Kerbader, à 400 m de la plage (accès direct)

Ouverture : de fin avr. à mi-sept.

10 ha (432 empl.) plat, herbeux

Empl. camping : (Prix 2018) 47 € ♦♦ ⇌ 🔲 🔃 (6A) - pers. suppl. 10 €
Location : (Prix 2018) (de fin avr. à mi-sept.) - ♿ (1 mobile home) - 170 🚐 - 14 bungalows toilés - 4 yourtes. Sem. 410 à 1 460 €
🚱 borne artisanale - 12 🔲
Bel ensemble aquatique avec balnéo et accès à la plage par un sentier cheminant à travers le marais de Fouesnant.

Nature : 🌲 ➴ ⥿	
Loisirs : 🍴 ✖ 🏖 🎣 salle d'animations 🏃 🎿 centre balnéo 🏊 hammam jacuzzi 🚴 ✂ 🔥 🎱 🛷	**G P S** W : 4.01854 N : 47.85487
Services : 🔌 🚿 🚮 🚾 ☂ laverie 🚿 🚿	

FOUGÈRES

35300 - Carte Michelin **309** O4 - 19 820 h. - alt. 115
▶ Paris 326 - Caen 148 - Le Mans 132 - Nantes 158

⛰ Municipal de Paron

📞 02 99 99 40 81, camping@fougeres.fr

Pour s'y rendre : rte de la Chapelle-Janson (1,5 km à l'est par D 17, accès recommandé par rocade est)

Ouverture : de fin avr. à mi-sept.

2,5 ha (90 empl.) peu incliné, plat, herbeux

Empl. camping : (Prix 2018) ♦ 4 € ⇌ 3 € 🔲 4 € – 🔃 (10A) 4 €
🚱 borne Urbaflux
Cadre arbustif idyllique à deux pas de la cité médiévale de Fougères.

Nature : 🌲 ➴ ⥿	
Loisirs :	**G P S** W : 1.18193
Services : 🔌 🚿 🚮 ☂ laverie	N : 48.35371
À prox. : ✂ 🔥 🐎 parc aquatique	

LE FRET

29160 - Carte Michelin **308** D5
▶ Paris 591 - Rennes 239 - Quimper 56 - Brest 10

⛰ Gwel Kaër

📞 02 98 27 61 06, www.camping-bretagne-crozon.com

Pour s'y rendre : 40 r. de Pen-An-Ero (sortie sud-est par D 55, rte de Crozon, au bord de mer)

Ouverture : de mi-avr. à fin sept.

2,2 ha (98 empl.) en terrasses, plat et peu incliné, herbeux

Empl. camping : (Prix 2018) ♦ 5 € ⇌ 🔲 8 € – 🔃 (10A) 4 €

Location : (Prix 2018) (de déb. avr. à fin sept.) - 🚫 - 9 🚐. Nuitée 45 à 65 € - Sem. 335 à 595 €
Site calme au bord de l'eau, jolie vue sur le port du Fret et la rade de Brest.

Nature : 🌲 ➻ 🅿 ⛰	
Loisirs : 🏖	**G P S** W : 4.50237
Services : 🔌 (de mi-juin à mi-sept.) 🚿 ☂ 🔲	N : 48.28132

GUIDEL

56520 - Carte Michelin **308** K8 - 10 174 h. - alt. 38
▶ Paris 511 - Nantes 178 - Quimper 60 - Rennes 162

⛰ Flower Les Jardins de Kergal ♁

📞 02 97 05 98 18, www.lesjardinsdekergal.com

Pour s'y rendre : rte des Plages (3 km au sud-ouest par D 306, rte de Guidel-Plages et chemin à gauche)

Ouverture : de mi-avr. à déb. nov.

5 ha (200 empl.) plat, herbeux

Empl. camping : 31 € ♦♦ ⇌ 🔲 🔃 (16A) - pers. suppl. 7 € - frais de réservation 15 €
Location : (de déb. avr. à déb. nov.) - ♿ (1 chalet) - 40 🚐 - 20 🏠 . Nuitée 44 à 171 € - Sem. 196 à 197 € - frais de réservation 15 €
Agréable cadre boisé.

Nature : 🌲 ⥿	
Loisirs : 🍴 ✖ 🏖 🏃 🎣 🚴 ✂ 🔥 🎱 🛷 terrain multisports	**G P S** W : 3.50734
Services : 🔌 🚿 ☂ laverie 🚿 réfrigérateurs	N : 47.77464
À prox. : 🐎 paintball	

HILLION

22120 - Carte Michelin **309** F3 - 3 786 h. - alt. 28
▶ Paris 445 - Rennes 94 - Saint-Brieuc 13 - Vannes 116

⛰ Bellevue Mer

📞 02 96 32 20 39, www.bellevuemer.com

Pour s'y rendre : lieu-dit : Lerno (2,5 km au nord rte de la pointe des Guettes, à 500 m de la plage)

Ouverture : de déb. avr. à fin sept.

0,9 ha (55 empl.) en terrasses, plat, herbeux

Empl. camping : (Prix 2018) 21 € ♦♦ ⇌ 🔲 🔃 (6A) - pers. suppl. 5 €
Location : (Prix 2018) (de déb. avr. à fin sept.) - ♿ (1 mobile home) - 11 🚐. Sem. 313 à 749 €
🚱 borne AireService - 2 🔲 15 €
Emplacements sur la falaise avec vue imprenable sur la mer et la baie de St-Brieuc. Bordé par la Voie Verte et le GR 34.

Nature : 🌲 ≤ Baie de St-Brieuc	
Loisirs : 🍴 ✖ 🏖 🔲	**G P S** W : 2.67212
Services : 🔌 ☂ laverie 🚿 cases réfrigérées	N : 48.53301

ÎLE-AUX-MOINES

56780 - Carte Michelin **308** N9 - 601 h. - alt. 16
▶ Paris 483 - Rennes 132 - Vannes 15 - Lorient 59

⚠ Municipal du Vieux Moulin

✆ 02 97 26 30 68, www.mairie-ileauxmoines.fr

Pour s'y rendre : lieu-dit : Le Vieux Moulin (sortie sud-est du bourg, rte de la Pointe de Brouel)

1 ha (44 empl.) plat et peu incliné, herbeux

Location : - 4 tentes lodges.

Terrain réservé aux tentes, sans branchement électrique sauf pour les locatifs. Sanitaires de bon confort.

Nature : 🐚 🌳🌳		G P S	W : 2.84514
Loisirs : 🏕			N : 47.59292
Services : ⚏			
À prox. : 🍴			

Use this year's Guide.

JOSSELIN

56120 - Carte Michelin **308** P7 - 2 533 h. - alt. 58
▶ Paris 428 - Dinan 86 - Lorient 76 - Pontivy 35

⚠⚠ Domaine de Kerelly

✆ 02 97 22 22 20, www.camping-josselin.com

Pour s'y rendre : lieu-dit : Le Bas de la Lande (2 km à l'ouest par D 778 et D 724, rte de Guégon à gauche, à 50 m de l'Oust, sortie ouest Guégon par voie rapide)

Ouverture : de déb. avr. à fin sept.

2 ha (55 empl.) en terrasses, peu incliné, plat, herbeux, bois

Empl. camping : (Prix 2018) 18€ ✶✶ ⛺ 🔲 🔌 (6A) - pers. suppl. 5€
Location : (Prix 2018) (de déb. avr. à fin sept.) - 11 🛖. Nuitée 40 à 100€ - Sem. 240 à 660€

🚐 borne artisanale - 10 🔲 18€ - 🚐 14€

Accueil cyclo-tourisme. Près du canal de Nantes à Brest.

Nature : 🏞 🌳🌳		G P S	W : 2.57352
Loisirs : 🍴🍴 🏠 🏕 🚴 🏊			N : 47.95239
Services : ⚏ 🛁 🛜 laverie 🛴			
À prox. : 🎣 🛶			

JUGON-LES-LACS

22270 - Carte Michelin **309** I4 - 1 683 h. - alt. 29
▶ Paris 417 - Lamballe 22 - Plancoët 16 - St-Brieuc 59

⚠⚠⚠ "C'est si bon" Au Bocage du Lac 👥

✆ 02 96 31 60 16, www.camping-location-bretagne.com

Pour s'y rendre : r. du Bocage (1 km au sud-est par D 52, rte de Mégrit)

Ouverture : de déb. avr. à fin sept.

4 ha (183 empl.) plat et peu incliné, herbeux

Empl. camping : 44€ ✶✶ ⛺ 🔲 🔌 (10A) -pers. suppl. 6,90€ - frais de réservation 20€

Location : (de déb. avr. à fin sept.) - 🦐 - 14 🛖 - 36 🏡 - 1 cabane perchée - 1 cabanon - 3 gîtes. Nuitée 99 à 228€ - Sem. 343 à 1 399€ - frais de réservation 20€

🚐 borne artisanale 3€ - 2 🔲 6€

Au bord du lac de Jugon avec un bel espace aquatique en partie couvert et certains locatifs de grand confort.

Nature : 🐚 🏞 ⛲		G P S	W : 2.31663
Loisirs : 🍴 🏠 🎮 🚴 🏃 🎣 🏊 🛝 ⛵ mini ferme			N : 48.40165
Services : ⚏ 🛜 laverie			
À prox. : 🚴 🦐 🛶 ⛴ terrain multisports			

KERVEL

29550 - Carte Michelin **308** F6
▶ Paris 586 - Rennes 234 - Quimper 24 - Brest 67

⚠⚠⚠ Capfun Domaine de Kervel 👥

✆ 02 98 92 51 54, www.capfun.com/camping-france-bretagne-kervel-FR.html

Pour s'y rendre : lieu-dit : Kervel

Ouverture : de déb. avr. à déb. sept.

7 ha (316 empl.) plat, herbeux

Empl. camping : (Prix 2018) 24€ ✶✶ ⛺ 🔲 🔌 (10A) - pers. suppl. 7€ - frais de réservation 27€

Location : (Prix 2018) (de déb. avr. à déb. sept.) - 🦽 (1 mobile home) - 226 🛖 - 3 🏡. Nuitée 37 à 75€ - Sem. 147 à 1 036€ - frais de réservation 27€

Nombreux mobile homes autour d'un important parc aquatique en partie couvert.

Nature : 🌳🌳		G P S	W : 4.26737
Loisirs : 🍴🍴 🏠 🎮 🚴 🏃 🚵 🦐 🏊 🛝 🛝 🏞 terrain multisports			N : 48.11617
Services : ⚏ 🛁 🦽 🛜 laverie 🧺 🛴			

Si vous recherchez :

🐚 un terrain très tranquille,
P un terrain ouvert toute l'année,
👥 des équipements et des loisirs adaptés aux enfants,
🛝 un toboggan aquatique,
B un centre balnéo,
😊 des animations sportives, culturelles ou de détente, consultez la liste thématique des campings.

KERVOYAL

56750 - Carte Michelin **308** P9
▶ Paris 471 - Rennes 124 - Vannes 30 - Lorient 87

⚠ Oasis

✆ 02 97 41 10 52, www.campingloasis.com

Pour s'y rendre : r. Port-Lestre (100 m de la plage)

3 ha (153 empl.) plat, herbeux

Location : - 5 🛖.

🚐 borne artisanale

Nombreux mobile-homes de propriétaires-résidents et vue sur la mer pour quelques emplacements.

Nature : 🐚 🏞 🌳🌳		G P S	W : 2.55013
Loisirs : 🏕			N : 47.51897
Services : ⚏ 🛜 laverie			

LAMPAUL-PLOUDALMEZEAU

29830 - Carte Michelin **308** D3 - 753 h. - alt. 24
▶ Paris 613 - Brest 27 - Brignogan-Plages 36 - Ploudalmézeau 4

⚠ Municipal des Dunes

✆ 02 98 48 14 29, lampaul-ploudalmezeau.mairie@wanadoo.fr

Pour s'y rendre : lieu-dit : Le Vourc'h (700 m au nord du bourg, à côté du terrain de sports et à 100 m de la plage (accès direct))

Ouverture : de mi-juin à mi-sept. - 🌧

1,5 ha (150 empl.) non clos, plat, herbeux, sablonneux, dunes

Empl. camping : (Prix 2018) 16 € 🛉🛉 🚗 🗉 🕃 (10A) - pers. suppl. 5 €
🚐 borne artisanale 4 €
Site sauvage dans les dunes.

Nature : 🐾	**G P S** W : 4.65639
Loisirs : 🏠	N : 48.56785
Services : 🔑 (juil.-août) 🛜 laverie	

---

*The classification (1 to 5 tents, **black** or red) that we award to selected sites in this Guide is a system that is our own. It should not be confused with the classification (1 to 5 stars) of official organisations.*

LANDÉDA

29870 - Carte Michelin **308** D3 - 3 620 h. - alt. 52
▶ Paris 604 - Brest 28 - Brignogan-Plages 25 - Ploudalmézeau 17

⚠ Les Abers 🛉🛉

✆ 02 98 04 93 35, www.camping-des-abers.com

Pour s'y rendre : 51 Toull-Tréaz (2,5 km au nord-ouest, aux dunes de Ste-Marguerite)

Ouverture : de fin avr. à fin sept.

4,5 ha (180 empl.) en terrasses, plat, sablonneux, herbeux, dunes

Empl. camping : 🛉 5 € 🚗 2 € 🗉 8 € – 🕃 (10A) 3 €
Location : (de fin avr. à fin sept.) - ♿ (1 mobile home) - 23 🚐 - 4 bungalows toilés - 1 appartement - 1 studio. Sem. 220 à 900 €
🚐 borne artisanale - 🚐 18 €
Situation agréable au bord d'une jolie plage, table d'orientation explicative au milieu du site bien intégré dans les dunes. Village locatif mobile homes sans véhicule.

Nature : 🐾 ≤ 🏊	**G P S** W : 4.60306
Loisirs : 🏠 🛜 🏃 🚴	N : 48.59306
Services : 🔑 🛜 laverie 🏠	
À prox. : 🍴 🍽 ⛵	

LANLOUP

22580 - Carte Michelin **309** E2 - 272 h. - alt. 58
▶ Paris 484 - Guingamp 29 - Lannion 44 - St-Brieuc 36

⚠ Le Neptune

✆ 02 96 22 33 35, www.leneptune.com

Ouverture : de fin mars à fin sept.

2 ha (97 empl.) peu incliné, plat, herbeux

Empl. camping : 29 € 🛉🛉 🚗 🗉 🕃 (10A) - pers. suppl. 7 € - frais de réservation 12 €

Location : (de fin mars à fin sept.) - 18 🚐 - 4 🏠. Nuitée 30 à 154 € - Sem. 239 à 772 € - frais de réservation 12 €
Agréable décoration arbustive et florale autour des emplacements. Préférer les plus éloignés de la route.

Nature : 🚐 🌳🌳	**G P S** W : 2.96704
Loisirs : 🍴 🏠 🏃🚴 (découverte en saison) petite ferme animalière terrain multisports	N : 48.71372
Services : 🔑 🛜 laverie	
À prox. : 🍴	

LANNION

22300 - Carte Michelin **309** B2 - 19 847 h. - alt. 12
▶ Paris 516 - Brest 96 - Morlaix 42 - St-Brieuc 65

⚠⚠⚠ Les Plages de Beg-Léguer

✆ 02 96 47 25 00, www.campingdesplages.com

Pour s'y rendre : rte de la Côte (6 km à l'ouest par rte de Trébeurden et rte à gauche, à 500 m de la plage)

Ouverture : de déb. mai à fin sept.

5 ha (196 empl.) peu incliné, plat, herbeux

Empl. camping : (Prix 2018) 🛉 9 € 🚗 🗉 9 € – 🕃 (6A) 4 €
Location : (Prix 2018) (de déb. mai à fin sept.) - ♿ (1 chalet) - 🅿 - 30 🚐 - 7 🏠 - 4 tentes sur pilotis. Nuitée 45 à 128 € - Sem. 270 à 896 €
🚐 borne artisanale
Site agréable avec vue sur la mer pour certains emplacements.

Nature : 🐾 🚐 🌳🌳	**G P S** W : 3.545
Loisirs : 🍴 🍽 🏠 🏃 🚴 🏹 🍽 🎮 🏊 🛝 terrain multisports	N : 48.73834
Services : 🔑 🛜 laverie 🏠	

⚠⚠⚠ Les Alizés

✆ 02 96 47 28 58, www.camping-lesalizes.fr

Pour s'y rendre : r. Champollion (5,4 km au nord-ouest)

Ouverture : de déb. avr. à fin sept.

4,4 ha (184 empl.) plat, herbeux

Empl. camping : 38 € 🛉🛉 🚗 🗉 🕃 (10A) - pers. suppl. 9 € - frais de réservation 19 €

Location : (de déb. avr. à fin sept.) - 113 🚐. Nuitée 62 à 196 € - Sem. 739 à 1 309 € - frais de réservation 19 €

Préférer les emplacements les plus éloignés de la route. Parc aquatique avec plusieurs toboggans.

Nature : 🚐 🌳	**G P S** W : 3.50611
Loisirs : 🍴 🍽 🏠 🏃 🏹 🎮 🏊 🛝 terrain multisports	N : 48.75167
Services : 🔑 🛜 laverie 🏠	

⚠ Municipal des 2 Rives

✆ 02 96 46 31 40, www.ville-lannion.fr

Pour s'y rendre : r. du Moulin-du-Duc (2 km au sud-est par D 767, rte de Guingamp et rte à dr. apr. le centre commercial Leclerc)

2,3 ha (110 empl.) plat, herbeux

Location : ♿ (1 chalet) - 14 🏠.
🚐 8 🗉

Plaisante décoration arbustive sur les deux rives du Léguer ; terrain traversé par le GR 34.

Nature : 🐟 ♀
Loisirs : 🎣 🚣 🛶
Services : ⚡ 🚿 🛒 💧 🛜 laverie
À prox. : 🥾 🚴 parcours dans les arbres, GR 34, BMX

GPS W : 3.44584
N : 48.72293

LANTIC

22410 - Carte Michelin **309** E3 - 1 483 h. - alt. 50
▶ Paris 466 - Brest 139 - Lorient 133 - Rennes 116

🏔 Les Étangs

📞 02 96 71 95 47, www.campinglesetangs.com

Pour s'y rendre : r. des Terres-Neuvas, lieu-dit : Le Pont de la Motte (2 km à l'est par D 4, rte de Binic, près de deux étangs)

1,5 ha (108 empl.) terrasse, peu incliné, plat, herbeux
Location : - 18 🚐 - 1 🏕 - 2 bungalows toilés - 1 tipi - 5 cabanons.
🚐 borne AireService
Cadre verdoyant avec divers niveaux de confort pour le locatif.

Nature : ♀♀
Loisirs : 🚣 🚴 🛶
Services : ⚡ 🚿 🛜 laverie
À prox. : 🚣

GPS W : 2.86254
N : 48.6068

Utilisez le guide de l'année.

LARMOR-BADEN

56870 - Carte Michelin **308** N9 - 810 h. - alt. 10
▶ Paris 477 - Rennes 127 - Vannes 15 - Nantes 129

🏔 Le Diben

📞 02 97 57 29 12, www.campinglediben.com

Pour s'y rendre : lieu-dit : Le Diben (1,3 km au nord-ouest par D 316, rte d'Auray)

Ouverture : de déb. mai à mi-sept.

2,5 ha (118 empl.) peu incliné, plat, herbeux
Empl. camping : (Prix 2018) 23€ 👫 🚗 📺 ⚡ (10A) - pers. suppl. 6€ - frais de réservation 8€
Location : (Prix 2018) (de déb. mai à mi-sept.) - 15 🚐 - 2 bungalows toilés. Nuitée 80 à 100€ - Sem. 240 à 690€ - frais de réservation 8€
🚐 borne artisanale - 8 📺 12€
Ambiance familiale avec des emplacements plus ou moins ombragés.

Nature : 🐟 ⌂ ♀♀
Loisirs : 🎣 🏕 🚴 🛶
Services : ⚡ 🚿 🛜 laverie

GPS W : 2.90556
N : 47.59389

🛖 Ker Eden

📞 02 97 57 05 23, www.camping-larmorbaden.com
Pour s'y rendre : rte d'Auray
Ouverture : de mi-mai à mi-sept.
2 ha (100 empl.) plat, herbeux
Empl. camping : (Prix 2018) 29€ 👫 🚗 📺 ⚡ (10A) - pers. suppl. 6€

Location : (Prix 2018) (de mi-mai à mi-sept.) - 10 🚐 - 3 tentes lodges - 3 cabanons. Nuitée 34 à 120€ - Sem. 214 à 750€
Les pieds dans l'eau, avec vue sur le Golfe du Morbihan.

Nature : 🐟 ⩽ golf du Morbihan ♀ ⛰
Loisirs : 🚴
Services : ⚡ 🚿 🛜 laverie

GPS W : 2.90608
N : 47.59389

LESCONIL

29740 - Carte Michelin **308** F8
▶ Paris 581 - Douarnenez 41 - Guilvinec 6 - Loctudy 7

🏔 Flower La Grande Plage

📞 02 98 87 88 27, www.campinggrandeplage.com

Pour s'y rendre : 71 r. Paul-Langevin (1 km à l'ouest, rte de Guilvinec, à 300 m de la plage (accès direct))

Ouverture : de déb. avr. à mi-sept.

2,5 ha (120 empl.) plat, peu incliné, herbeux

Empl. camping : 29€ 👫 🚗 📺 ⚡ (10A) - pers. suppl. 6€
Location : (de déb. avr. à mi-sept.) - 20 🚐 - 5 bungalows toilés - 3 tentes lodges. Nuitée 41 à 160€ - Sem. 205 à 1 120€
Un site fort agréable récemment rénové avec une jolie piscine. Accès à la plage à 200 m.

Nature : ⌂ ♀♀
Loisirs : 🎣 🍽 🏕 🚴 🚲 🛶
Services : ⚡ 🚿 🛜 laverie 🚴

GPS W : 4.22897
N : 47.79804

🛖 Les Dunes

📞 02 98 87 81 78, www.camping-desdunes.com

Pour s'y rendre : 67 r. Paul-Langevin (1 km à l'ouest, rte de Guilvinec, à 150 m de la plage (accès direct))

Ouverture : de déb. avr. à fin sept.

2,8 ha (120 empl.) plat, herbeux

Empl. camping : 26€ 👫 🚗 📺 ⚡ (16A) - pers. suppl. 5€
Location : (de déb. avr. à fin sept.) - 8 🚐 - 1 🏕. Nuitée 40 à 100€ - Sem. 250 à 850€
🚐 borne artisanale - 🚐 ⚡10€
Cadre agréable un peu en retrait du bord de mer.

Nature : ⌂ ♀
Loisirs : 🏕 🚴
Services : ⚡ 🚿 🛜 laverie

GPS W : 4.22856
N : 47.79716

🛖 Keralouet

📞 02 98 82 23 05, www.campingkeralouet.com

Pour s'y rendre : 11 r. Eric-Tabarly (1 km à l'est sur rte de Loctudy)

Ouverture : de déb. avr. à mi-sept.

1 ha (64 empl.) plat, herbeux

Empl. camping : 27€ 👫 🚗 📺 ⚡ (13A) - pers. suppl. 5€ - frais de réservation 6€
Location : (de déb. avr. à mi-sept.) - ♿ (1 chalet) - 9 🚐 - 10 🏕 - 4 bungalows toilés - 2 tentes lodges. Nuitée 43 à 118€ - Sem. 155 à 719€ - frais de réservation 6€
Ensemble soigné et agréable. Accueil cyclo-tourisme.

Nature : ♀♀
Loisirs : 🚴 🚲 🛶
Services : ⚡ 🚿 🛜 📶
À prox. : ⚓

GPS W : 4.20595
N : 47.80424

LOCMARIA-PLOUZANÉ

29280 - Carte Michelin **308** D4 - 4 837 h. - alt. 65
▶ Paris 610 - Brest 15 - Brignogan-Plages 50 - Ploudalmézeau 23

▲ Municipal de Portez

✆ 02 98 48 49 85, www.locmaria-plouzane.fr

Pour s'y rendre : lieu-dit : Portez (3,5 km au sud-ouest par D 789 et rte de la plage de Trégana, à 200 m de la plage)

Ouverture : de déb. avr. à mi-oct.

2 ha (110 empl.) non clos, en terrasses, plat, herbeux

Empl. camping : (Prix 2018) 18€ ★★ ⛟ 🅴 (8A) - pers. suppl. 4€
Location : (Prix 2018) (de mi-mars à mi-déc.) - 6 🛏. Nuitée 45 à 87€ - Sem. 285 à 611€
🚐 borne artisanale 5€ - 🔌 16€

Site agréable avec de beaux emplacements offrant une jolie vue sur l'anse de Bertheaume.

Nature : 🏞 ≤ 🏕 ♀	G	W : 4.66344
Loisirs : 🎱 ⛵	P	N : 48.3582
Services : ⛽ (15 juin-15 sept.) 🛁 🛜 laverie	S	
À prox. : 🍸 🍴		

*De gids wordt jaarlijks bijgewerkt.
Doe als wij, vervang hem, dan blijf je bij.*

LOCMARIAQUER

56740 - Carte Michelin **308** N9 - 1 692 h. - alt. 5
▶ Paris 488 - Auray 13 - Quiberon 31 - La Trinité-sur-Mer 10

▲ Lann-Brick

✆ 02 97 57 32 79, www.camping-lannbrick.com

Pour s'y rendre : lieu-dit : Lann Brick, rte de Kérinis (2,5 km au nord-ouest par rte de Kérinis, à 200 m de la plage)

Ouverture : de mi-mars à fin oct.

1,2 ha (97 empl.) plat, herbeux

Empl. camping : (Prix 2018) 28€ ★★ ⛟ 🅴 (10A) - pers. suppl. 6€ - frais de réservation 85€
Location : (Prix 2018) (de mi-mars à fin oct.) - 🦽 (1 mobile home) - 27 🛏 - 2 bungalows toilés - 5 cabanons. Nuitée 45 à 85€ - Sem. 240 à 805€
🚐 borne artisanale 5€

Locatifs divers et variés et un bon confort sanitaire.

Nature : 🏕 ♀	G	W : 2.97436
Loisirs : 🍸 🎱 ⛵ 🚲 ⛵	P	N : 47.57838
Services : ⛽ 🛁 🛜 laverie	S	

LOCRONAN

29180 - Carte Michelin **308** F6 - 798 h. - alt. 105
▶ Paris 580 - Rennes 229 - Quimper 17

▲ Le Locronan

✆ 02 98 91 87 76, www.camping-locronan.fr

Pour s'y rendre : r. de la Troménie

Ouverture : de déb. avr. à fin sept.

2,6 ha (100 empl.) fort dénivelé, en terrasses, plat, herbeux

Empl. camping : (Prix 2018) 20€ ★★ ⛟ 🅴 (10A) - pers. suppl. 4€ - frais de réservation 5€
Location : (Prix 2018) (de déb. avr. à fin sept.) - 22 🛏 - 2 bungalows toilés. Nuitée 39 à 120€ - Sem. 195 à 840€ - frais de réservation 15€
🚐 borne artisanale

Terrain pleine nature bien intégré dans le site classé de la montagne de Locronan.

Nature : 🏞 ≤ 🏕 ♀♀	G	W : 4.19918
Loisirs : ⛵ ⛵	P	N : 48.09582
Services : ⛽ 🛁 🛜 laverie	S	

LOCTUDY

29750 - Carte Michelin **308** F8 - 4 207 h. - alt. 8
▶ Paris 578 - Bénodet 18 - Concarneau 35 - Pont-l'Abbé 6

▲ Les Hortensias

✆ 02 98 87 46 64, www.camping-loctudy.com

Pour s'y rendre : 38 r. des Tulipes (3 km au sud-ouest par rte de Larvor, à 500 m de la plage de Lodonnec)

Ouverture : de déb. avr. à fin sept.

1,5 ha (100 empl.) plat, herbeux

Empl. camping : 31€ ★★ ⛟ 🅴 (10A) - pers. suppl. 5€ - frais de réservation 15€
Location : (de déb. avr. à mi-sept.) - 27 🛏 - 3 tentes lodges. Nuitée 37 à 125€ - Sem. 185 à 876€ - frais de réservation 15€
🚐 borne artisanale 5€

Terrain propice aux tentes et caravanes un peu à l'écart de l'effervescence du bord de mer.

Nature : 🏞 ♀♀	G	W : 4.1823
Loisirs : 🍸 ⛵ 🚲 ⛵	P	N : 47.81259
Services : ⛽ 🛜 laverie 🚿 🛒	S	
À prox. : 🍴		

LOUANNEC

22700 - Carte Michelin **309** B2 - 2 946 h. - alt. 53
▶ Paris 527 - Rennes 175 - St-Brieuc 77 - Lannion 10

▲ Municipal Ernest Renan

✆ 02 96 23 11 78, www.camping-louannec.fr

Pour s'y rendre : 1 km à l'ouest, au bord de mer

Ouverture : de déb. avr. à fin sept.

4 ha (265 empl.) non clos, plat, herbeux

Empl. camping : (Prix 2018) 20€ ★★ ⛟ 🅴 (16A) - pers. suppl. 4€ - frais de réservation 10€
Location : (Prix 2018) (de déb. avr. à fin sept.) - 15 🛏 - 2 bungalows toilés. Nuitée 65 à 75€ - Sem. 189 à 750€ - frais de réservation 10€
🚐 borne AireService 5€ - 13 🅴 12€

Préférer les emplacements près de la mer plus au calme et pour certains avec vue sur l'île de Tomé et la baie de Perros-Guirec.

Nature : ≤ 🏔	G	W : 3.42723
Loisirs : 🍸 🍴 🎱 🕐 diurne ⛵ ⛵ 🛶	P	N : 48.79666
Services : ⛽ 🛁 🚿 🛜 laverie 🚿 🛒	S	

LOUDEAC

22600 - Carte Michelin **309** - 9 759 h. - alt. 155
▶ Paris 441 - Rennes 90 - Saint-Brieuc 44 - Vannes 66

▲ Seasonova Aquarev

✆ 02 96 26 21 92, www.camping-aquarev.com

Pour s'y rendre : rte de Rennes (près de la Base de Loisirs)

Ouverture : de déb. avr. à mi-oct.

3,1 ha (89 empl.) peu incliné, plat, herbeux

Empl. camping : 22€ ★★ ⛟ 🅴 (10A) - pers. suppl. 7€ - frais de réservation 15€

Location : (de déb. avr. à mi-oct.) - ♿ (1 mobile home) - 🚭 - 10 🛏 - 2 cabanons. Nuitée 45 à 65€ - Sem. 180 à 659€ - frais de réservation 15€

🚰 borne AireService 5€ - 5 🔲 10€

Tout proche d'une petite base de loisirs et d'un plan d'eau.

Nature : ⟨ 🏕
Loisirs : 🍸 🏕 🚲
Services : 🔌 📶 laverie
À prox. : 🐴 🎾 ⛵ parcours de santé terrain multisports

GPS W : 2.72889 N : 48.17778

MARCILLÉ-ROBERT

35240 - Carte Michelin **309** N7 - 929 h. - alt. 65
▶ Paris 333 - Bain-de-Bretagne 33 - Châteaubriant 30 - La Guerche-de-Bretagne 11

⚠ Municipal de l'Étang

📞 06 02 08 60 22, camping.marcillerobert@yahoo.fr

Pour s'y rendre : r. des Bas Gasts (sortie sud par D 32, rte d'Arbrissel)

0,5 ha (22 empl.) en terrasses, plat, herbeux

Location : - 1 🛏 - 1 🏠.

Cadre agréable surplombant un étang à l'extrémité duquel se trouve une réserve naturelle.

Nature : 🌳 ⟨ 🏕 ♨
À prox. : 🐴 🎾 🏊

GPS W : 1.36471 N : 47.94768

MARTIGNÉ-FERCHAUD

35640 - Carte Michelin **309** O8 - 2 650 h. - alt. 90
▶ Paris 340 - Bain-de-Bretagne 31 - Châteaubriant 15 - La Guerche-de-Bretagne 16

⚠ Municipal du Bois Feuillet

📞 06 24 86 65 57, www.ville-martigneferchaud.fr

Pour s'y rendre : lieu-dit : Étang de la Forge (nord-est du bourg)

Ouverture : Permanent

1,7 ha (50 empl.) en terrasses, plat, herbeux

Empl. camping : (Prix 2018) ♣ 3€ 🚗 🔲 2€ – 🔌 (12A) 2€
Location : Permanent - 1 🛏 - 2 🏠.

🚰 borne artisanale

Emplacements confortables dans un beau cadre ombragé au bord d'un étang.

Nature : 🌳 ⟨ 🏕 ♨
Loisirs : 🏕
Services : 🔌 (juil.-août) 🍽 🏊 📶 🔲
À prox. : 🐴 🎾 ⛵ (plage) 🚣 pédalos

GPS W : 1.31599 N : 47.83385

MATIGNON

22550 - Carte Michelin **309** I3 - 1 647 h. - alt. 70
▶ Paris 425 - Dinan 30 - Dinard 23 - Lamballe 23

🏕 Le Vallon aux Merlettes

📞 02 96 80 37 99, www.vallonauxmerlettes.com

Pour s'y rendre : 43 r. du Dr-Jobert (au sud-ouest par D 13, rte de Lamballe, au stade)

Ouverture : de déb. avr. à fin sept.

3 ha (120 empl.) peu incliné, plat, herbeux

Empl. camping : 20€ ♣♣ 🚗 🔲 🔌 (10A) - pers. suppl. 4€

Location : (de déb. avr. à fin sept.) - 10 🛏 - 3 tentes lodges. Nuitée 35 à 90€ - Sem. 220 à 640€

🚰 borne artisanale 3€ - 3 🔲 11€

Agréable cadre verdoyant autour de la piscine couverte.

Nature : 🌳 ♨
Loisirs : 🍴 🏕 🔲
Services : 🔌 🏊 📶 laverie 🚿
À prox. : 🛒 🎾 🏊

GPS W : 2.29607 N : 48.59168

MERDRIGNAC

22230 - Carte Michelin **309** H5 - 2 916 h. - alt. 140
▶ Paris 411 - Dinan 47 - Josselin 33 - Lamballe 40

🏕 Val de Landrouet

📞 02 96 28 47 98, www.valdelandrouet.com

Pour s'y rendre : 14 r. du Gouède (0,8 km au nord, près de la piscine et de deux plans d'eau, à la base de loisirs)

Ouverture : Permanent

15 ha/2 campables (59 empl.) terrasse, peu incliné, plat, herbeuxEmpl. camping : ♣ 5€ 🚗 3€ 🔲 5€ – 🔌 (5A) 3€

Location : Permanent♿ (9 chalets) - 4 🛏 - 18 🏠 - 30 gîtes. Nuitée 44 à 70€ - Sem. 204 à 490€

🚰 borne eurorelais 2€ - 🚐 🔌 12€

Petit camping verdoyant sur les terres d'une importante base de loisirs.

Nature : 🌳 🏕 ♨
Loisirs : 🍸
Services : 🔌 🏊 📶 🔲
À prox. : 🎣 🐴 🎾 🏊 🛶 ⛵ 🚣 🏊 escrime, tir à l'arc

GPS W : 2.41525 N : 48.19843

MILIZAC

29290 - Carte Michelin **308** D4 - 3 009 h. - alt. 89
▶ Paris 598 - Rennes 247 - Quimper 83

🏕 La Récré des 3 Curés

📞 02 98 07 92 17, www.campingdelarecre.com

Pour s'y rendre : au Parc d'Attractions

Ouverture : Permanent

3 ha (100 empl.) plat, herbeux

Empl. camping : (Prix 2018) 17€ ♣♣ 🚗 🔲 🔌 (16A) - pers. suppl. 9€
Location : Permanent - 31 🛏 - 6 🏠 - 4 bungalows toilés. Nuitée 110 à 475€ - Sem. 231 à 875€

🚰 borne artisanale - 50 🔲 17€

Ambiance familiale avec une agréable situation au bord d'un lac et voisin d'un important parc d'attractions.

Nature : ⟨ lac ♨
Loisirs : 🍸 🏕 🐴 🔲 🏊
Services : 🔌 🏊 📶 laverie
À prox. : 🎾 🔲 🏊 🐴 parc d'attractions

GPS W : 4.5294 N : 48.47377

*To visit a town or region : use the **MICHELIN** Green Guides.*

MONTERBLANC

56250 - Carte Michelin **308** 08 - 3 139 h. - alt. 89
▶ Paris 453 - Nantes 122 - Rennes 102 - Vannes 14

🏔 Le Haras

Camping du Haras

📞 02 97 44 66 06, www.campingvannes.com

Pour s'y rendre : à Kersimon (de Vannes : au nord par D 767 puis D 778 E, derrière aéroclub de Vannes- Golf du Morbihan)

Ouverture : de déb. avr. à mi-sept.

14 ha/2,5 campables (140 empl.) plat et peu incliné, bois, herbeux

Empl. camping : 🛉 5€ 🚗 2€ 🔲 8€
– 🔌 (16A) 8€ - frais de réservation 20€

Location : (de déb. avr. à mi-sept.) - 🚲 (mobile homes et chalet) - 92 🛏 - 7 🛏 - 1 bungalow toilé. Nuitée 40 à 230€ - Sem. 160 à 1 150€ - frais de réservation 20€

🚐 borne AireService - 9 🔲 11€ - 🚐 🔌16€

Nombreuses installations aquatiques de qualité et locatifs de bon confort.

Nature : 🏞 🗖 🞡🞡
Loisirs : 🍴 🗙 🍽 🎦diurne 🛁 centre balnéo 🈳 hammam jacuzzi 🏸🚲🞨🏕 🏊 mini ferme terrain multisports
Services : ⚡ 🝙 🚰 – 54 sanitaires individuels (🗖🞏 wc) 🚿 📶 laverie cases réfrigérées
À prox. : 🕴 ULM , mongolfière

	G P S	W : 2.72795 N : 47.73035

Pour choisir et suivre un itinéraire,
pour calculer un kilométrage,
pour situer exactement un terrain
(en fonction des indications fournies dans le texte) :
*utilisez les **cartes MICHELIN**,*
compléments indispensables de cet ouvrage.

MORGAT

29160 - Carte Michelin **308** E5 - 7 535 h.
▶ Paris 590 - Rennes 238 - Quimper 55 - Brest 15

🏔 Les Bruyères

📞 02 98 26 14 87, www.camping-bruyeres-crozon.com

Pour s'y rendre : lieu-dit : Le Bouis (1,5 km par D 255, rte du Cap de la Chèvre et chemin à droite)

Ouverture : de mi-avr. à fin sept.

4 ha (130 empl.) plat et peu incliné, herbeux

Empl. camping : (Prix 2018) 🛉 6€ 🚗 🔲 9€ – 🔌 (10A) 10€

Location : (Prix 2018) (de déb. avr. à fin sept.) - 🞦 - 23 🛏 - 4 tentes lodges. Nuitée 60 à 80€ - Sem. 350 à 730€

Bel espace aquatique bien intégré au site. Chemin pédestre pour Morgat.

Nature : 🏞 🞡
Loisirs : 🏄🏊 🎿 🏊 🛝
Services : ⚡ 🚰 📶 laverie
À prox. : 🛒 🍴 🗙

	G P S	W : 4.53183 N : 48.22293

MOUSTERLIN

29170 - Carte Michelin **308** G7
▶ Paris 563 - Rennes 212 - Quimper 22 - Brest 94

🏔 Capfun Le Grand Large 👥

📞 02 98 56 04 06, www.capfun.com - peu d'emplacements pour tentes et caravanes

Pour s'y rendre : 48 rte du Grand-Large (près de la plage)

Ouverture : de mi-avr. à mi-sept.

5,8 ha (287 empl.) plat, herbeux

Empl. camping : (Prix 2018) 38€ 🛉🛉 🚗 🔲 🔌 (16A) - pers. suppl. 7€ - frais de réservation 27€

Location : (Prix 2018) (de mi-avr. à mi-sept.) - 🚲 (1mobile home) - 260 🛏. Nuitée 37 à 321€ - Sem. 147 à 2 247€ - frais de réservation 27€

En bord de mer, nombreux locatifs autour du restaurant et d'un bel espace aquatique en partie couvert.

Nature : 🏞 🞡
Loisirs : 🍴 🗙 🍽 🎦🏕 🈳 🏄🚲🞨 🏊 🛝 🎿 terrain multisports
Services : ⚡ 🚰 🚿 📶 laverie 🫕 🚰

	G P S	W : 4.0367 N : 47.84809

🏔 Kost-Ar-Moor

📞 02 98 56 04 16, www.camping-fouesnant.com

Pour s'y rendre : 17 rte du Grand-Large (500 m de la plage)

Ouverture : de fin avr. à mi-sept.

3,5 ha (177 empl.) plat, herbeux

Empl. camping : 30€ 🛉🛉 🚗 🔲 🔌 (10A) - pers. suppl. 6€ - frais de réservation 15€

Location : (de fin avr. à mi-sept.) - 35 🛏 - 2 tentes sur pilotis - 3 appartements. Sem. 231 à 812€ - frais de réservation 15€

Charmant cadre au calme sous les pins, idéal pour tentes ou caravanes.

Nature : 🏞 🞡🞡
Loisirs : 🍴 🗙 🍽 🏄 🚲 🛝
Services : ⚡ 🚰 📶 laverie
À prox. : ⚓

	G P S	W : 4.03421 N : 47.85106

NÉVEZ

29920 - Carte Michelin **308** I8 - 2 718 h. - alt. 40
▶ Paris 541 - Concarneau 14 - Pont-Aven 8 - Quimper 40

🏔 Les Chaumières

📞 02 98 06 73 06, www.camping-des-chaumieres.com

Pour s'y rendre : 24 hameau de Kerascoët (3 km au sud par D 77 direction Port Manec'h puis rte à dr.)

Ouverture : de mi-mai à mi-sept.

3 ha (110 empl.) plat, herbeux

Empl. camping : 20€ 🛉🛉 🚗 🔲 🔌 (10A) - pers. suppl. 5€

Location : (de mi-avr. à mi-sept.) - 🞦 (de mi-juil. à fin août) - 10 🛏. Nuitée 50 à 70€ - Sem. 210 à 650€ - frais de réservation 10€

🚐 borne artisanale

Au calme avec un magnifique chemin piétonnier ombragé pour la plage.

Nature : 🏞 🗖 🞡
Loisirs : 🏄🏊
Services : ⚡ (juil.-août) 📶 laverie
À prox. : 🍴 🗙

	G P S	W : 3.77433 N : 47.79598

NOYAL-MUZILLAC

56190 - Carte Michelin **308** Q9 - 2 410 h. - alt. 52
▶ Paris 468 - Rennes 108 - Vannes 31 - Lorient 88

⚠ Moulin de Cadillac

☎ 02 97 67 03 47, www.camping-moulin-cadillac.com

Pour s'y rendre : 4,5 km au nord-ouest par rte de Berric

Ouverture : de déb. avr. à mi-sept.

7 ha (197 empl.) plat, herbeux, étang, bois attenant

Empl. camping : (Prix 2018) ☩ 7€ ⇔ 🅿 16€ – 🔌 (10A) 4€ - frais de réservation 10€

Location : (Prix 2018) (de déb. avr. à mi-sept.) - 85 🚐 - 4 cabanons. Sem. 240 à 1 075€ - frais de réservation 10€

🚐 borne artisanale

Cadre verdoyant et fleuri, traversé par le petit ruisseau Kervily. Important parc aquatique et ludique couvert.

Nature : 🏞 🗪 ♨	G	W : 2.50199
Loisirs : 🍷 🏠 🎮 salle d'animations 🏄 🎿 ⏱ 🏊 🛶 ⚽ mini ferme terrain multisports	P	N : 47.61412
Services : 🔑 🛉 🛜 laverie 🚿	S	

Renouvelez votre guide chaque année.

PAIMPOL

22500 - Carte Michelin **309** D2 - 7 828 h. - alt. 15
▶ Paris 494 - Guingamp 29 - Lannion 33 - St-Brieuc 46

⚠ Municipal de Cruckin-Kérity

☎ 02 96 20 78 47, www.camping-paimpol.com

Pour s'y rendre : lieu-dit : Kérity (2 km au sud-est par D 786, rte de St-Quay-Portrieux, attenant au stade, à 100 m de la plage de Cruckin)

2 ha (130 empl.) plat, herbeux

🚐 borne artisanale - 10 🅿

Cadre verdoyant tout près de la mer et à 100 m de la plage de Cruckin. À 200 m de l'abbaye de Beauport.

Nature : 🏞 🗪 ♨	G	W : 3.02224
Loisirs : 🏠	P	N : 48.76972
Services : 🛉 🛜 laverie	S	
À prox. : ✗ terrain multisports		

PAIMPONT

35380 - Carte Michelin **309** I6 - 1 641 h. - alt. 159
▶ Paris 390 - Dinan 60 - Ploërmel 26 - Redon 47

⚠ Municipal Paimpont Brocéliande

☎ 02 99 07 89 16, www.camping-paimpont-broceliande.com

Pour s'y rendre : 2 r. du Chevalier-Lancelot-du-Lac (sortie nord par D 773, à prox. de l'étang)

Ouverture : de déb. avr. à fin sept. - 🚩

1,5 ha (90 empl.) plat, herbeux

Empl. camping : (Prix 2018) ☩ 4€ ⇔ 2€ 🅿 4€ – 🔌 (10A) 3€

Location : (Prix 2018) Permanent🛉 (1 chalet) - 6 🏠. Sem. 280 à 520€

🚐 borne AireService - 8 🅿 9€

Un terrain peu ombragé à la lisière de la forêt de Brocéliande.

Loisirs : 🏠 🏄	G	W : 2.17248
Services : (juil.-août) 🛜 laverie	P	N : 48.02404
À prox. : 🚿 ✗	S	

PÉNESTIN

56760 - Carte Michelin **308** Q10 - 1 867 h. - alt. 20
▶ Paris 458 - La Baule 29 - Nantes 84 - La Roche-Bernard 18

⚠ Sea Green Les Îles 👥

☎ 02 99 90 30 24, www.camping-des-iles.fr

Pour s'y rendre : à La Pointe du Bile, 119 rte des Trois-Îles (4,5 km au sud par D 201 à dr.)

Ouverture : Permanent

3,5 ha (184 empl.) plat, herbeux, étang

Empl. camping : (Prix 2018) 54€ ☩☩ ⇔ 🅿 🔌 (6A) - pers. suppl. 7€

Location : (Prix 2018) Permanent🛉 (1 chalet) - 97 🚐 - 7 🏠 - 2 tentes lodges. Sem. 389 à 1 649€

En deux parties distinctes, les emplacements tentes et caravanes au bord de l'océan, le locatif souvent de grand confort côté terre.

Nature : 🏞 🗪 ♨ 🌳	G	W : 2.48426
Loisirs : 🍷 ✗ 🏠 🎮 nocturne 🏄 🛶 jacuzzi 🚴 🎿 ⏱ 🏊 🛶 ⚽ terrain multisports	P	N : 47.44561
Services : 🔑 🛉 🛜 laverie 🚿 🚗	S	
À prox. : 🐎		

⚠ Capfun Le Cénic 👥

☎ 02 99 90 45 65, www.lecenic.com

Pour s'y rendre : rte de La Roche-Bernard (1,5 km à l'est par D 34, au bord d'un étang)

Ouverture : de mi-avr. à mi-sept.

5,5 ha (310 empl.) plat et peu incliné, herbeux

Empl. camping : (Prix 2018) 36€ ☩☩ ⇔ 🅿 🔌 (10A) - pers. suppl. 7€

Location : (Prix 2018) (de fin mars à mi-sept.) - 411 🚐 - 6 🏠. Nuitée 33 à 165€ - Sem. 133 à 1 155€ - frais de réservation 27€

Nombreux loisirs et activités en salles et parc aquatique et ludique couvert très complet.

Nature : 🗪 ♨	G	W : 2.45547
Loisirs : 🍷 🏠 🎮 salle d'animations 🏄 🛶 hammam 🚴 🎿 ⏱ 🏊 🛶 ⚽ terrain multisports couvert	P	N : 47.47889
Services : 🔑 🛉 🛜 laverie	S	

PENMARCH

29760 - Carte Michelin **308** E8 - 5 749 h. - alt. 7
▶ Paris 585 - Audierne 40 - Douarnenez 45 - Pont-l'Abbé 12

⚠ Yelloh! Village La Plage 👥

☎ 02 98 58 61 90, www.villagelaplage.com

Pour s'y rendre : 241 hent Maner ar Ster (à 100 m de la plage (accès direct))

Ouverture : de déb. avr. à mi-sept.

14 ha (410 empl.) plat, herbeux, sablonneux

Empl. camping : 50€ ☩☩ ⇔ 🅿 🔌 (10A) - pers. suppl. 9€

Location : (de déb. avr. à mi-sept.) - 250 🚐 - 4 bungalows toilés - 2 cabanes perchées. Nuitée 39 à 279€ - Sem. 273 à 1 953€

🚐 borne artisanale

Terrain avec de multiples activités en bord de mer. Cabanes dans les arbres avec vue sur l'océan.

Nature : ♨ 🌳	G	W : 4.31194
Loisirs : 🍷 ✗ 🏠 🎮 🏄 🎿 🛶 🚴 🎿 ⏱ 🏊 🛶 ⚽ kart à pédales terrain multisports	P	N : 47.8035
Services : 🔑 🛉 🛜 laverie 🚿 🚗	S	
À prox. : 🎣		

⛺ Municipal de Toul ar Ster

✆ 02 98 58 86 88, www.penmarch.fr

Pour s'y rendre : 110 r. Edmond-Michelet (1,4 km au sud-est par rte de Guilvinec par la côte et rte à dr., à 100 m de la plage (accès direct))

3 ha (202 empl.) plat, herbeux, sablonneux

🚐 borne artisanale - 20 🔲

Cadre agréable à proximité du centre nautique.

Nature : 🌲		
Loisirs : 🏠 🏄		**G** W : 4.33726
Services : ⛽ 🚿 🛜 laverie		**P** N : 47.81246
À prox. : 🎣		**S**

PENTREZ-PLAGE

29550 - Carte Michelin **308** F5
▶ Paris 566 - Brest 55 - Châteaulin 18 - Crozon 18

🏕️ Homair Vacances Le Ker'Ys 👥

✆ 0820 20 12 07, www.homair.com/camping/le-domaine-de-ker-ys
- peu d'emplacements pour tentes et caravanes

Pour s'y rendre : chemin des Dunes (face à la plage)

Ouverture : de déb. avr. à mi-sept.

3,5 ha (190 empl.) plat et peu incliné, herbeux

Empl. camping : (Prix 2018) 34€ ✶✶ 🚐 🔲 🚰 (16A) - pers. suppl. 9€
Location : (Prix 2018) (de déb. avr. à mi-sept.) - 145 🛖. Sem. 88 à 1 060€

Bel espace aquatique, nombreuses activités nautiques et plage à proximité.

Nature : 🌳 🌿		
Loisirs : 🏠 diurne 🏄 🎿 🏊 jacuzzi 🏄		**G** W : 4.30137
🚴 🏊 ⛽ 🚿 🛜 laverie		**P** N : 48.19249
À prox. : 🍷 🍴		**S**

*Choisissez votre restaurant sur **restaurant.michelin.fr***

PERROS-GUIREC

22700 - Carte Michelin **309** B2 - 7 375 h. - alt. 60
▶ Paris 527 - Lannion 12 - St-Brieuc 76 - Tréguier 19

🏕️ Yelloh! Village Le Ranolien 👥

✆ 02 96 91 65 65, www.leranolien.fr

Pour s'y rendre : à Ploumanac'h, bd du Sémaphore (1 km au sud-est par D 788, à 100 m de la mer)

Ouverture : de déb. avr. à mi-sept.

15 ha (525 empl.) vallonné, plat et peu incliné, herbeux, rochers

Empl. camping : 49€ ✶✶ 🚐 🔲 🚰 (10A) - pers. suppl. 9€
Location : (de déb. avr. à mi-août) - 379 🛖. Nuitée 39 à 255€ - Sem. 273 à 1 785€

Sur un site exceptionnel au bord de la mer, avec des installations haut de gamme : balnéo, locatif, piscines.

Nature : 🌿 🌳 🌱		
Loisirs : 🍷 🍴 🏠 salle d'animations 🏄 🎿		**G** W : 3.4747
centre balnéo 🧖 hammam jacuzzi 🏄		**P** N : 48.82677
🏊 discothèque terrain multisports		**S**
Services : ⛽ 🚿 🛜 laverie 🛒		

PLÉNEUF-VAL-ANDRÉ

22370 - Carte Michelin **309** G3 - 3 942 h. - alt. 52
▶ Paris 446 - Dinan 43 - Erquy 9 - Lamballe 16

🏕️ Campéole Les Monts Colleux 👥

✆ 02 96 72 95 10, www.campeole.com/camping/post/les-monts-colleux-pleneuf-val-andre

Pour s'y rendre : 26 r. Jean-Lebrun (0.8 km au nord-est du bourg)

Ouverture : de fin mars à fin sept.

5 ha (180 empl.) terrasse, plat, herbeux

Empl. camping : (Prix 2018) 26€ ✶✶ 🚐 🔲 🚰 (10A) - pers. suppl. 7€
Location : (Prix 2018) (de fin mars à fin sept.) - ♿ (1 mobile home) - 43 🛖 - 23 🏕️. Nuitée 47 à 128€ - Sem. 329 à 896€

🚐 borne eurorelais

Vue sur la mer et la baie de St-Brieuc pour quelques emplacements. Accès gratuit à la piscine municipale contiguë.

Nature : 🌿 🌱		
Loisirs : 🏄 🎿		**G** W : 2.5508
Services : ⛽ 🚿 🛜 laverie 🛒		**P** N : 48.5898
À prox. : 🖼️		**S**

*Créez votre voyage sur **voyages.michelin.fr***

PLESTIN-LES-GRÈVES

22310 - Carte Michelin **309** A3 - 3 644 h. - alt. 45
▶ Paris 528 - Brest 79 - Guingamp 46 - Lannion 18

🏕️ Municipal St-Efflam

✆ 02 96 35 62 15, www.camping-municipal-bretagne.com

Pour s'y rendre : à St-Efflam, pl. de Lan-Carré (3,5 km au nord-est, rte de St-Michel-en-Grève)

Ouverture : de déb. avr. à fin sept.

4 ha (190 empl.) en terrasses, peu incliné, plat, herbeux

Empl. camping : 20€ ✶✶ 🚐 🔲 🚰 (10A) - pers. suppl. 4€
Location : (Prix 2018) (de déb. avr. à fin sept.) - ♿ (1 mobile home) - 16 🛖 - 5 🏕️ - 1 appartement. Nuitée 45 à 85€ - Sem. 230 à 580€

🚐 borne flot bleu 3€ - 10 🔲 18€

Emplacements légèrement ombragés autour de la piscine couverte, à 200 m de la plage.

Nature : 🌿 🌱 🌳		
Loisirs : 🍷 🏠 🏄 🎣		**G** W : 3.60108
Services : 🚿 🛜 laverie		**P** N : 48.66834
À prox. : 🍴 🎣		**S**

⛺ Aire Naturelle Ker-Rolland

✆ 02 96 35 08 37, www.camping-ker-rolland.com

Pour s'y rendre : lieu-dit : Ker Rolland (2,2 km au sud-ouest par D 786, rte de Morlaix et à gauche, rte de Plouégat-Guérand)

Ouverture : de déb. juin à mi-sept.

1,6 ha (22 empl.) plat, herbeux

Empl. camping : 12€ ✶✶ 🚐 🔲 🚰 (13A) - pers. suppl. 3€
Location : Permanent - 3 🛖. Nuitée 35 à 54€ - Sem. 200 à 375€ - frais de réservation 99€

🚐 borne artisanale 2€

Camping à la ferme (maraîchers).

Nature : 🌿		
Loisirs : 🏠		**G** W : 3.64337
Services : ⛽ 🚗 🛜 🔲		**P** N : 48.64338
		S

PLEUBIAN

22610 - Carte Michelin **309** D1 - 2 577 h. - alt. 48
▶ Paris 506 - Lannion 31 - Paimpol 13 - St-Brieuc 58

🏕 Odalys Port la Chaîne 👥

(pas d'emplacement tentes et caravanes)

📞 02 96 22 92 38, www.odalys-vacances.com

Pour s'y rendre : 2 km au nord par D 20, rte de Larmor-Pleubian et rte à gauche

Ouverture : de déb. avr. à fin sept.

4,9 ha en terrasses, peu incliné, plat, herbeux

Location : (de déb. avr. à fin sept.) - 🚲 (2 mobile homes) - 92 🚐. Sem. 245 à 945 € - frais de réservation 22 €

En bord de mer, un parc de mobile homes ombragés sous les pins ou plein soleil.

Nature : 🐚 🎏 ⛰
Loisirs : 🍴 🍽 ▱ 🎣 🏃 🚵 🚲 ▣ 🛶
Services : ⚡ 🚿 ♨ 🚽 🛜 laverie 🚿
À prox. : ⚓

GPS	W : 3.13284 / N : 48.85545

The Guide changes, so renew your guide every year.

PLEUMEUR-BODOU

22560 - Carte Michelin **309** A2 - 4 039 h. - alt. 94
▶ Paris 523 - Lannion 8 - Perros-Guirec 10 - St-Brieuc 72

🏕 Le Port

📞 02 96 23 87 79, www.camping-du-port-22.com

Pour s'y rendre : 3 chemin des Douaniers (6 km au nord, au sud de Trégastel-Plage)

Ouverture : de fin mars à mi-oct.

2 ha (88 empl.) non clos, plat et peu incliné, herbeux, rochers

Empl. camping : (Prix 2018) 31 € 🚶🚶 🚐 ▣ 🔌 (15A) - pers. suppl. 6,30 €

Location : (Prix 2018) (de fin mars à mi-oct.) - 40 🚐 - 6 🏠. Sem. 200 à 1 100 €

Au bord de la plage, les pieds dans l'eau pour certains emplacements.

Nature : 🐚 ≤ ⛰
Loisirs : 🍴 🍽 🏃 ▣ 🛶 ♨ 🚣
Services : ⚡ ♨ 🚽 🛜 laverie

GPS	W : 3.54278 / N : 48.81029

PLÉVEN

22130 - Carte Michelin **309** I4 - 587 h. - alt. 80
▶ Paris 431 - Dinan 24 - Dinard 28 - St-Brieuc 38

⛺ Municipal

📞 02 96 84 46 71, www.pleven.fr

Pour s'y rendre : au bourg

Ouverture : de déb. avr. à mi-nov.

1 ha (40 empl.) plat et peu incliné, herbeux

Empl. camping : 11 € 🚶🚶 🚐 ▣ 🔌 (10A) - pers. suppl. 3 €
🚐 borne artisanale 11 €

Dans le parc de la mairie, avec un bon confort sanitaire.

Nature : 🐚 🌳
Services : ⚡ 🚽 🛜
À prox. : 🚿 🍴 🍽 🎱

GPS	W : 2.31911 / N : 48.48914

PLOBANNALEC-LESCONIL

29740 - Carte Michelin **308** F8 - 3 326 h. - alt. 16
▶ Paris 578 - Audierne 38 - Douarnenez 38 - Pont-l'Abbé 6

🏕 Yelloh! Village L'Océan Breton 👥

📞 02 98 82 23 89, www.camping-bretagne-oceanbreton.com - peu d'emplacements pour tentes et caravanes

Pour s'y rendre : rte de Plobannalec, lieu-dit : Le Manoir de Kerlut (1,6 km au sud par D 102, rte de Lesconil et chemin à gauche)

Ouverture : de déb. avr. à mi-sept.

12 ha/8 campables (240 empl.) plat, herbeux

Empl. camping : 50 € 🚶🚶 🚐 ▣ 🔌 (10A) - pers. suppl. 9 €

Location : (de déb. avr. à mi-sept.) - 240 🚐 - 1 🏠 - 2 yourtes. Nuitée 47 à 259 € - Sem. 329 à 1 813 €

🚐 borne AireService

Cadre très agréable autour d'un séduisant parc aquatique. Accès à la plage par navettes gratuites.

Nature : 🐚 🎏 ♀
Loisirs : 🍴 🍽 ▱ 🎱 🏃 🏊 ⛵ 🚣 🚵 🚲 ✂ ▣ 🛶 🏖 🪂 solarium parcours dans les arbres terrain multisports
Services : ⚡ ♨ ♨ 🛜 laverie 🚿 🚿

GPS	W : 4.22574 / N : 47.81167

Gebruik de gids van het lopende jaar.

PLOEMEL

56400 - Carte Michelin **308** M9 - 2 508 h. - alt. 46
▶ Paris 485 - Auray 8 - Lorient 34 - Quiberon 23

🏕 St-Laurent 👥

📞 02 97 56 85 90, www.camping-saint-laurent.fr

Pour s'y rendre : lieu-dit : Kergonvo (2,5 km au nord-ouest, rte de Belz, à prox. du carr. D 22 et D 186)

Ouverture : de mi-avr. à mi-oct.

3 ha (90 empl.) plat et peu incliné, herbeux

Empl. camping : (Prix 2018) 23 € 🚶🚶 🚐 ▣ 🔌 (10A) - pers. suppl. 4 €

Location : (Prix 2018) (de mi-avr. à mi-oct.) - 28 🚐 - 2 bungalows toilés - 2 tentes lodges. Sem. 157 à 810 € - frais de réservation 15 €

🚐 borne AireService

Quelques emplacements sous une jolie pinède.

Nature : 🎏 🌳
Loisirs : 🏃 🏊 ▣
Services : ⚡ ♨ 🛜 laverie

GPS	W : 3.10013 / N : 47.66369

🏕 Village Vacances Dihan Évasion

(pas d'emplacement tentes et caravanes)

📞 02 97 56 88 27, www.dihan-evasion.org

Pour s'y rendre : lieu-dit : Kerganiet (1 km au sud-ouest par D 105, rte d'Erdeven)

25 ha (23 empl.) vallonné, bois

Location : (de déb. mars à mi-nov.) - ✂ - 🅿 - 2 🏠 - 4 yourtes - 1 roulotte - 7 cabanes perchées - 1 cabanon - 6 bulles - 1 chambre d'hôte. Nuitée 65 à 172 € - Sem. 455 à 1 204 €

Les hébergements sont en formule hôtelière avec possibilité de panier repas.

Nature : 🐚 🌳
Loisirs : 🎱 ⛵ hammam 🏃 🚲
Services : ⚡ 🛜

GPS	W : 3.07692 / N : 47.64647

⛺ Kergo

📞 02 97 56 80 66, www.campingkergo.com

Pour s'y rendre : 2 km au sud-est par D 186, rte de la Trinité-sur-Mer et à gauche

Ouverture : de déb. avr. à déb. nov.

2,5 ha (135 empl.) peu incliné, plat, herbeux

Empl. camping : 22€ ♣♣ ⚗ 🔲 🔋 (16A) - pers. suppl. 5€
Location : (de déb. avr. à déb. nov.) - 10 - 3 tentes lodges - 3 cabanons. Nuitée 40 à 100€ - Sem. 200 à 690€ - frais de réservation 15€
🚐 borne AireService 5€ - ⛟8€

Ambiance familiale et calme.

Nature : 🏞 ♤♤
Loisirs : 🎮 ⛖ jacuzzi ⛷ 🚲
Services : ⚬⛏⛐ 🛜 laverie

G P S W : 3.05362
N : 47.64403

PLOÉVEN

29550 - Carte Michelin **308** F6 - 505 h. - alt. 60
▶ Paris 585 - Brest 64 - Châteaulin 15 - Crozon 25

⛺ La Mer

📞 02 98 81 29 19, www.campingdelamer29.fr

Pour s'y rendre : lieu-dit : Ty Anquer Plage (3 km au sud-ouest, à 300 m de la plage)

1 ha (54 empl.) plat, herbeux

Location : - 1 - 6 bungalows toilés.

Charmant petit terrain à la tranquillité garantie, à 100 m d'une plage sauvage.

Nature : 🏞 ♀
Services : ⚬⛏ 🛜 🖳

G P S W : 4.26796
N : 48.14806

⛰⛰⛰ ... ⛺

Bijzonder prettige terreinen die bovendien opvallen in hun categorie.

PLOMEUR

29120 - Carte Michelin **308** F7 - 3 634 h. - alt. 33
▶ Paris 579 - Douarnenez 39 - Pont-l'Abbé 6 - Quimper 26

⛺ Aire Naturelle Kéraluic

📞 02 98 82 10 22, www.keraluic.fr

Pour s'y rendre : lieu-dit : Keraluic (4,3 km au nord-est par D 57, rte de Plonéour-Lanvern)

Ouverture : de mi-avr. à mi-oct.

1 ha (25 empl.) plat, herbeux

Empl. camping : 21€ ♣♣ ⚗ 🔲 🔋 (6A) - pers. suppl. 6€
Location : (de déb. fév. à fin nov.) - ⚗ - 2 🛏 - 1 tipi - 1 cabanon - 1 appartement - 3 studios. Sem. 250 à 795€

Vastes emplacements autour d'un ancien corps de ferme joliment rénové.

Nature : 🏞 ♀
Loisirs : 🎮 ⛷
Services : ⚬⛏⛐ 🛜 🖳

G P S W : 4.26624
N : 47.86148

⛺ Lanven

📞 02 98 82 00 75, www.campinglanven.com

Pour s'y rendre : lieu-dit : La Chapelle de Beuzec (3,5 km au nord-ouest par D 57, rte de Plonéour-Lanvern puis chemin à gauche)

Ouverture : de déb. juin à fin sept.

3,7 ha (132 empl.) plat, herbeux

Empl. camping : (Prix 2018) 20€ ♣♣ ⚗ 🔲 🔋 (10A) - pers. suppl. 4€
Location : (Prix 2018) (de mi-mars à fin oct.) - 13 . Nuitée 38 à 80€ - Sem. 343 à 560€

Agréable cadre en pleine campagne. Présence de colonies de vacances en juillet-août sur une moitié de terrain.

Nature : 🏞 ⛺ ♀
Loisirs : 🍴✗ ⛷
Services : ⚬⛏ 🛜 laverie

G P S W : 4.30663
N : 47.8505

PLOMODIERN

29550 - Carte Michelin **308** F5 - 2 182 h. - alt. 60
▶ Paris 559 - Brest 60 - Châteaulin 12 - Crozon 25

⛰ La Mer d'Iroise

📞 02 98 81 52 72, www.camping-iroise.fr

Pour s'y rendre : plage de Pors-Ar-Vag (5 km au sud-ouest, à 100 m de la plage)

Ouverture : de déb. avr. à fin sept.

2,5 ha (132 empl.) en terrasses, plat et peu incliné, herbeux

Empl. camping : (Prix 2018) ♣ 7€ ⚗ 🔲 13€ – 🔋 (10A) 5€ - frais de réservation 16€
Location : (Prix 2018) (de déb. avr. à fin sept.) - 43 - 16 🏠. Nuitée 39 à 100€ - Sem. 275 à 880€ - frais de réservation 16€

Ensemble fleuri avec une jolie vue sur la mer pour quelques emplacements.

Nature : 🏞 ⛰ Baie de Douarnenez ♀
Loisirs : 🍴 🎮 ⛷ 🎳 ⛰
Services : ⚬⛏⛐ ⚒ 🚽 🛜 laverie ⛓
À prox. : ✗ base nautique

G P S W : 4.29397
N : 48.17006

PLOUÉZEC

22470 - Carte Michelin **309** E2 - 3 368 h. - alt. 100
▶ Paris 489 - Guingamp 28 - Lannion 39 - Paimpol 6

⛰ Le Cap de Bréhat

📞 02 96 20 64 28, www.cap-de-brehat.com

Pour s'y rendre : r. de Port-Lazo (2,3 km au nord-est par D 77)

Ouverture : de déb. avr. à fin sept.

4 ha (149 empl.) fort dénivelé, en terrasses, peu incliné, pierreux, herbeux

Empl. camping : (Prix 2018) 20€ ♣♣ ⚗ 🔲 🔋 (10A) - pers. suppl. 4€ - frais de réservation 5€
Location : (Prix 2018) (de déb. avr. à fin sept.) - 40 🏠 - 2 tentes lodges - 2 tentes sur pilotis - 1 cabane perchée. Nuitée 30 à 155€ - Sem. 210 à 1 085€ - frais de réservation 15€
🚐 borne artisanale

Pour plusieurs emplacements, vue panoramique sur l'anse de Paimpol et l'île de Bréhat, avec accès direct à la mer.

Nature : 🏞 ⛰ Anse de Paimpol 🎮
Loisirs : 🍴✗ 🎮 ⛷🚲⛳
Services : ⚬⛏⛐ ⚒ 🚽 🛜 laverie ⛓⛓

G P S W : 2.96311
N : 48.76

PLOUGASNOU

29630 - Carte Michelin **308** I2 - 3 268 h. - alt. 55
▶ Paris 545 - Brest 76 - Guingamp 62 - Lannion 34

▲ Flower Domaine de Mesqueau

✆ 02 98 67 37 45, www.camping-mesqueau.com

Pour s'y rendre : 870 rte de Mesqueau (3,5 km au sud par D 46, rte de Morlaix puis 800 m par rte à gauche, à 100 m d'un plan d'eau (accès direct))

Ouverture : de déb. juin à fin sept.

7,5 ha (100 empl.) plat, herbeux

Empl. camping : 14€ ★★ ⇔ ▣ ⑰ (16A) - pers. suppl. 3€ - frais de réservation 10€
Location : (de déb. avr. à fin sept.) - ⓟ - 39 ⸦⸧ - 4 tentes lodges. Nuitée 44 à 133€ - Sem. 196 à 931€ - frais de réservation 10€
Emplacements calmes et spacieux en pleine campagne.

Nature : ⧆ ♀
Loisirs : ⛱ ⚡ ⚲ ✖ ▣ ⚘ terrain multisports
Services : ⌾ ⚒ ⚘ ☏
À prox. : ✖ ⚘ ◁

| | G P S | W : 3.78101 N : 48.66462 |

Benutzen Sie den Hotelführer des laufenden Jahres.

PLOUGASTEL-DAOULAS

29470 - Carte Michelin **308** E4 - 13 304 h. - alt. 113
▶ Paris 596 - Brest 12 - Morlaix 60 - Quimper 64

▲ St-Jean ♣♣

✆ 02 98 40 32 90, www.campingsaintjean.com

Pour s'y rendre : lieu-dit : St-Jean (4,6 km au nord-est par D 29 et N 165, sortie centre commercial Leclerc)

Ouverture : de déb. avr. à fin sept.

203 ha (125 empl.) gravier, herbeux, plat et peu incliné, en terrasses
Empl. camping : (Prix 2018) 16€ ★★ ⇔ ▣ ⑰ (6A) - pers. suppl. 4€ - frais de réservation 20€
Location : (Prix 2018) (de déb. avr. à fin sept.) - 40 ⸦⸧ - 2 cabanons. Nuitée 70 à 85€ - Sem. 260 à 815€ - frais de réservation 20€
⸦⸧ borne artisanale
Situation et site agréables au bord de l'estuaire de l'Elorn, propice à l'observation de l'avifaune.

Nature : ⧆ ⛺ ♀ ⛰
Loisirs : ⛱ ✖ ⛱ ⓝnocturne ⚡ ⚲ ⚘ ▣ ⚘ ⚡ terrain multisports
Services : ⌾ ▥ ⚘ ☏ laverie ⚘

| | G P S | W : 4.35334 N : 48.40122 |

PLOUGOUMELEN

56400 - Carte Michelin **308** N9 - 2 378 h. - alt. 27
▶ Paris 471 - Auray 10 - Lorient 51 - Quiberon 39

▲ La Via Natura Fontaine du Hallate

✆ 06 16 30 08 33, www.camping-morbihan.bzh

Pour s'y rendre : 8 chemin de Poul-Fetan (3,2 km au sud-est vers Ploeren et rte de Baden à dr., au lieu-dit Hallate)

Ouverture : de déb. avr. à fin oct.

3 ha (94 empl.) peu incliné, plat, herbeux, étang
Empl. camping : 18€ ★★ ⇔ ▣ ⑰ (10A) - pers. suppl. 4€

Location : (de déb. avr. à fin oct.) - ⚲ - 8 ⸦⸧ - 2 ⛺ - 1 yourte - 1 gîte. Nuitée 70 à 100€ - Sem. 220 à 650€

Nature : ⧆ ⬑ ⛺ ♀
Loisirs : ⚡
Services : ⌾ ▥ ⚘ ☏ laverie

| | G P S | W : 2.8989 N : 47.6432 |

PLOUGRESCANT

22820 - Carte Michelin **309** C1 - 1 347 h. - alt. 53
▶ Paris 516 - Lannion 26 - Perros-Guirec 23 - St-Brieuc 68

▲ Le Varlen

✆ 02 96 92 52 15, www.levarlen.com

Pour s'y rendre : 4 rte de Pors-Hir (2 km au nord-est, rte de Pors Hir, à 200 m de la mer)

Ouverture : de déb. avr. à fin oct.

1 ha (60 empl.) plat, herbeux
Empl. camping : (Prix 2018) ★ 5€ ⇔ ▣ 7€ – ⑰ (10A) 4€ - frais de réservation 8€
Location : (Prix 2018) (de déb. avr. à fin oct.) - 13 ⸦⸧ - 1 bungalow toilé - 2 studios. Nuitée 60 à 80€ - Sem. 255 à 625€ - frais de réservation 8€
Ambiance calme et familiale et vue sur mer pour quelques emplacements.

Nature : ⧆ ⬑
Loisirs : ⛱ ✖ ⛱ ⚡
Services : ⌾ ☏ laverie ⚘

| | G P S | W : 3.21873 N : 48.86078 |

▲ Le Gouffre

✆ 02 96 92 02 95, www.camping-gouffre.com - peu d'emplacements pour tentes et caravanes

Pour s'y rendre : lieu-dit : Hent Crec'h Kermorvant (2,7 km au nord par rte de la pointe du Château)

Ouverture : de déb. avr. à fin sept.

3 ha (118 empl.) peu incliné, plat, herbeux
Empl. camping : ★ 5€ ⇔ ▣ 5€ – ⑰ (16A) 3€
Location : (de déb. avr. à fin sept.) - ⚲ (1 mobile home) - 14 ⸦⸧. Nuitée 78€ - Sem. 168 à 585€
⸦⸧ borne artisanale
Nombreux mobile homes de propriétaires-résidents.

Nature : ⧆ ⬑
Services : ⌾ (juil.-août) ☏ laverie

| | G P S | W : 3.22749 N : 48.86081 |

PLOUGUERNEAU

29880 - Carte Michelin **308** D3 - 6 411 h. - alt. 60
▶ Paris 604 - Brest 27 - Landerneau 33 - Morlaix 68

⛰ La Grève Blanche

𝒫 02 98 04 70 35, www.campinggreveblanche.com

Pour s'y rendre : lieu-dit : St-Michel (4 km au nord par D 32, rte St-Michel et à gauche, au bord de plage)

Ouverture : de fin mars à mi-oct.

2,5 ha (100 empl.) plat et peu incliné, rochers, sablonneux, herbeux

Empl. camping : (Prix 2018) 🚶 4€ ⟵ 2€ 🅴 5€ – 🔌 (10A) 3€

Location : (Prix 2018) Permanent - 4 🛏 - 2 bungalows toilés - 2 tipis - 2 cabanons. Nuitée 27 à 35€ - Sem. 245 à 530€

🚰 borne artisanale 5€

Cadre naturel autour de rochers dominant la plage.

Nature : ≤ la baie ⛰		G
Loisirs : 🍸 🏊		P W : 4.523
Services : 🔦 🛒 📶		S N : 48.6305

⛰ Du Vougot

𝒫 02 98 25 61 51, www.campingduvougot.com

Pour s'y rendre : rte de Prat-Ledan (7,4 km au nord-est par D 13 et D 10, rte de Guisseny, puis D 52 grève du Vougot, à 250 m de la mer)

Ouverture : de déb. avr. à fin sept.

2,5 ha (55 empl.) plat, herbeux, sablonneux

Empl. camping : 🚶 6€ ⟵ 2€ 🅴 11€ – 🔌 (10A) 4€

Location : (de déb. mai à fin sept.) - 15 🛏 - 1 tente sur pilotis - 2 cabanons. Nuitée 30 à 105€ - Sem. 149 à 735€

🚰 borne artisanale 4€ - 🚐 11€

Un havre de paix dans un cadre naturel bien préservé.

Nature : 🌿 🗓		G
Loisirs : 🍸 🏊 🖼		P W : 4.45
Services : 🔦 📶 laverie		S N : 48.63132
À prox. : base nautique		

Use this year's Guide.

PLOUHARNEL

56340 - Carte Michelin **308** M9 - 2 000 h. - alt. 21
▶ Paris 490 - Auray 13 - Lorient 33 - Quiberon 15

⛰ Kersily

𝒫 02 97 52 39 65, www.camping-kersily.com

Pour s'y rendre : lieu-dit : Ste-Barbe (2,5 km au nord-ouest par D 781, rte de Lorient)

Ouverture : de déb. avr. à fin oct.

2,5 ha (120 empl.) peu incliné, plat, herbeux

Empl. camping : (Prix 2018) 🚶 7€ ⟵ 🅴 12€ – 🔌 (10A) 5€ - frais de réservation 10€

Location : (Prix 2018) (de déb. avr. à fin oct.) - 33 🛏 - 1 cabanon. Nuitée 85 à 116€ - Sem. 160 à 810€ - frais de réservation 10€

Nombreux mobile homes de propriétaires-résidents.

Nature : 🌿 ☷		G
Loisirs : 🍸 🍴 🖼 🌙nocturne salle d'animations 🏊 ⚽ 🖼 📶		P W : 3.1316
Services : 🔦 ⛽ 📶 laverie		S N : 47.61107

PLOUHINEC

29780 - Carte Michelin **308** E6 - 4 217 h. - alt. 101
▶ Paris 594 - Audierne 5 - Douarnenez 18 - Pont-l'Abbé 27

⛰ Kersiny-Plage

𝒫 02 98 70 82 44, www.kersinyplage.com

Pour s'y rendre : 1 r. Nominoé (sortie ouest par D 784, rte d'Audierne puis 1 km au sud par rte de Kersiny, à 100 m de la plage (accès direct))

Ouverture : de mi-mai à mi-sept.

2 ha (70 empl.) en terrasses, peu incliné, herbeux

Empl. camping : (Prix 2018) 20€ 🚶🚶 ⟵ 🅴 🔌 (8A) - pers. suppl. 6€ - frais de réservation 10€

Location : (Prix 2018) (de mi-mai à mi-sept.) - 🏕 - 6 🛏. Sem. 210 à 530€ - frais de réservation 10€

🚰 borne artisanale

Agréable terrain en bord de mer et beau panorama sur l'océan pour tous les emplacements.

Nature : 🌿 ≤ océan ☷		G
Services : 🔦 📶 🖼		P W : 4.50819
À prox. : 🍴		S N : 48.00719

*To visit a town or region : use the **MICHELIN Green Guides**.*

PLOUHINEC

56680 - Carte Michelin **308** L8 - 4 922 h. - alt. 10
▶ Paris 503 - Auray 22 - Lorient 18 - Quiberon 30

⛰ Moténo 👥

𝒫 02 97 36 76 63, www.camping-le-moteno.com

Pour s'y rendre : r. du Passage-d'Étel (4,5 km au sud-est par D 781 et à dr., rte du Magouër)

Ouverture : de déb. avr. à fin sept.

4 ha (254 empl.) plat, herbeux

Empl. camping : 42€ 🚶🚶 ⟵ 🅴 🔌 (10A) - pers. suppl. 8€ - frais de réservation 26€

Location : (de déb. avr. à fin sept.) - 137 🛏 - 21 🏠. Nuitée 45 à 160€ - Sem. 225 à 1 120€ - frais de réservation 26€

Nombreux mobile homes et chalets en partie pour la location.

Nature : ☷ 🌳		G
Loisirs : 🍸 🍴 🖼 🖼salle d'animations 🏊 🛝 jacuzzi 🏊 🚲 🖼 🏊 terrain multisports		P W : 3.22127
Services : 🔦 ⛽ 📶 laverie 🖼 🖼		S N : 47.66492

PLOUIGNEAU

29610 - Carte Michelin **308** I3 - 4 685 h. - alt. 156
▶ Paris 526 - Brest 72 - Carhaix-Plouguer 43 - Guingamp 44

⛰ Aire Naturelle la Ferme de Croas Men

𝒫 02 98 79 11 50, ferme-de-croasmen.com

Pour s'y rendre : lieu-dit : Croas Men (2,5 km au nord-ouest par D 712 et D 64, rte de Lanmeur puis 4,7 km par rte de Lanleya à gauche et rte de Garlan)

Ouverture : de mi-avr. à mi-oct.

1 ha (25 empl.) plat, herbeux, verger

Empl. camping : (Prix 2018) 19€ 🚶🚶 ⟵ 🅴 🔌 (6A) - pers. suppl. 4€

Location : (Prix 2018) Permanent - 4 🛏 - 2 tentes lodges. Nuitée 50 à 80€ - Sem. 300 à 550€

🚰 borne artisanale

Ferme pédagogique en activité, musée d'outils paysans.

Nature : ⚲ ♀
Loisirs : 🛶 🏄
Services : ⚬━ 🏕 laverie
À prox. : 🚣 🐎

G P S
W : 3.73792
N : 48.60465

PLOUNÉVEZ-LOCHRIST

29430 - Carte Michelin **308** F3 - 2 398 h. - alt. 70
▶ Paris 576 - Brest 41 - Landerneau 24 - Landivisiau 22

⚠ Municipal Odé-Vras

☏ 02 98 61 65 17, www.plounevez-lochrist.fr
Pour s'y rendre : lieu-dit : Ode Vras (4,5 km au nord, par D 10, à 300 m de la baie de Kernic (accès direct))
Ouverture : de fin juin à fin août
3 ha (135 empl.) plat, herbeux, sablonneux
Empl. camping : 12€ 🚻 🚗 🔲 (16A) - pers. suppl. 3€
Location : (de fin juin à fin août) - 1 🚐 - 6 bungalows toilés.
Nuitée 40 à 55€ - Sem. 250 à 380€
🚐 borne artisanale 2€ - 🌊 9€
Site charmant intégré dans le parc des dunes très sauvage.

Nature : 🏕 ♀
Loisirs : 🛶 🏄
Services : ⚬━ 🏕 laverie

G P S
W : 4.23942
N : 48.64564

Si vous recherchez :

🌿 un terrain très tranquille,
P un terrain ouvert toute l'année,
👫 des équipements et des loisirs adaptés aux enfants,
🏊 un parc aquatique,
B un centre balnéo,
🎭 des animations sportives, culturelles ou de détente,
consultez la liste thématique des campings.

PLOZÉVET

29710 - Carte Michelin **308** E7 - 2 988 h. - alt. 70
▶ Paris 588 - Audierne 11 - Douarnenez 19 - Pont-l'Abbé 22

⚠ Flower La Corniche 👫

☏ 02 98 91 33 94, www.campinglacorniche.com
Pour s'y rendre : chemin de la Corniche (sortie sud par rte de la mer)
Ouverture : de mi-fév. à mi-déc.
2 ha (120 empl.) plat, herbeux
Empl. camping : (Prix 2018) 24€ 🚻 🚗 🔲 (10A) - pers. suppl. 5€
- frais de réservation 12€
Location : (Prix 2018) Permanent - 24 🚐 - 7 🏠 - 1 bungalow toilé - 9 tentes lodges. Nuitée 44 à 105€ - Sem. 220 à 525€ - frais de réservation 12€
🚐 borne AireService 4€ - 🌊 17€
Un havre de paix au cœur de la baie d'Audierne, à 500 m du centre du village.

Nature : 🌿 ♀
Loisirs : 🍴 🛶 🏄 🏊
Services : ⚬━ 🏕 🚿 laverie

G P S
W : 4.4287
N : 47.98237

PLURIEN

22240 - Carte Michelin **309** H3 - 1 396 h. - alt. 48
▶ Paris 436 - Dinard 34 - Lamballe 25 - Plancoët 23

⚠ Les Salines

☏ 02 96 72 17 40, campinglessalines.fr
Pour s'y rendre : r. du Lac, lieu-dit : Sables d'Or-Les Pins (1,2 km au nord-ouest par D 34, rte de Sables-d'Or-les-Pins, à 500 m de la mer)
Ouverture : de déb. avr. à déb. nov.
3 ha (150 empl.) en terrasses, plat, herbeux
Empl. camping : 13€ 🚻 🚗 🔲 (6A) - pers. suppl. 3€
Location : (de déb. avr. à déb. nov.) - 13 🚐 - 2 tentes lodges
- 8 yourtes. Nuitée 40 à 70€ - Sem. 215 à 600€
🚐 borne artisanale 2€ - 🌊 9€
Cadre verdoyant longé par la Voie Verte.

Nature : ⚲ ♀
Loisirs : 🏄 🚲
Services : ⚬━ (juil-août) 🏕 laverie
À prox. : 🐎

G P S
W : 2.41396
N : 48.63281

PONTRIEUX

22260 - Carte Michelin **309** D2 - 1 053 h. - alt. 13
▶ Paris 491 - Guingamp 18 - Lannion 27 - Morlaix 67

⚠ Traou-Mélédern

☏ 02 96 95 69 27, www.camping-pontrieux.com
Pour s'y rendre : 400 m au sud du bourg, au bord du Trieux
Ouverture : Permanent
1 ha (50 empl.) peu incliné, plat, herbeux
Empl. camping : (Prix 2018) 🚻 4€ 🚗 🔲 6€ – (10A) 4€
Location : Permanent - 1 🚐 - 2 gîtes. Nuitée 60€ - Sem. 300 à 400€
Cadre verdoyant, petit ombrage et emplacements jusqu'au bord de la rivière.

Nature : 🌿 🏕 ♀♀
Loisirs : 🏄 🚣
Services : ⚬━ 🏕 🚿 🔲
À prox. : port de plaisance

G P S
W : 3.16355
N : 48.6951

PONT-SCORFF

56620 - Carte Michelin **308** K8 - 3 167 h. - alt. 42
▶ Paris 509 - Auray 47 - Lorient 11 - Quiberon 56

⚠ Ty Nénez

☏ 02 97 32 51 16, www.lorient-camping.com
Pour s'y rendre : rte de Lorient (1,8 km au sud-ouest par D 6)
Ouverture : Permanent
2,5 ha (93 empl.) peu incliné, plat, herbeux
Empl. camping : (Prix 2018) 13€ 🚻 🚗 🔲 (8A) - pers. suppl. 4€
Location : (Prix 2018) Permanent🚲 (1 mobile home) - 🚲
- 18 🚐 - 2 cabanons. Nuitée 77 à 140€ - Sem. 319 à 798€
🚐 borne AireService 3€ - 10 🔲 17€
Grands emplacements autour de la piscine couverte.

Nature : 🌿 🏕 ♀♀
Loisirs : 🍴 🍽 🛶 🏄 🎠🎯 tir à l'arc
Services : ⚬━ 🏛 🏕 🚿 laverie 🚲
À prox. : 🐎

G P S
W : 3.40361
N : 47.82

PORDIC

22590 - Carte Michelin **309** F3 - 5 923 h. - alt. 97

▶ Paris 459 - Guingamp 33 - Lannion 65 - St-Brieuc 11

⛰ Les Madières

℘ 02 96 79 02 48, www.campinglesmadieres.com

Pour s'y rendre : lieu-dit : Le Vau Madec (2 km au nord-est par rte de Binic et à dr.)

Ouverture : de déb. avr. à fin oct.

1,6 ha (93 empl.) peu incliné, plat, herbeux

Empl. camping : (Prix 2018) ♣ 6€ ⮞ ▣ (10A) 5€

Location : (Prix 2018) (de déb. avr. à fin oct.) - 9 🛏. Sem. 320 à 590€ - frais de réservation 10€

Grands espaces verts pour la détente et quelques emplacements avec vue sur la mer et le port de St-Quay-Portrieux.

Nature : 🐟 ⌷ 🌳🌳
Loisirs : ☕ ✕ 🛝
Services : ⛽ 🏧 📶 laverie

G P S W : 2.80475
N : 48.58266

PORT-MANECH

29920 - Carte Michelin **308** I8

▶ Paris 545 - Carhaix-Plouguer 73 - Concarneau 18 - Pont-Aven 12

⛰ St-Nicolas

℘ 02 98 06 89 75, www.campinglesaintnicolas.com

Pour s'y rendre : 8 Kergouliou (au nord du bourg, à 200 m de la plage)

Ouverture : de déb. mai à mi-sept.

3 ha (180 empl.) en terrasses, peu incliné, plat, herbeux

Empl. camping : (Prix 2018) 29€ ♣♣ ⮞ ▣ (10A) - pers. suppl. 7€ - frais de réservation 8€

Location : (Prix 2018) (de mi-avr. à mi-sept.) - 27 🛏. Sem. 225 à 870€ - frais de réservation 8€

En deux parties distinctes avec une belle décoration arbustive et florale.

Nature : 🐟 ⌷ 🌳🌳
Loisirs : 🎦 🏊 🛝 🛝 ⛷
Services : ⛽ 📶 laverie
À prox. : 🏖 ☕ ✕ 🎣

G P S W : 3.74541
N : 47.80512

Utilisez le guide de l'année.

LE POULDU

29360 - Carte Michelin **308** J8

▶ Paris 521 - Concarneau 37 - Lorient 25 - Moëlan-sur-Mer 10

⛰ Les Embruns

℘ 02 98 39 91 07, www.camping-les-embruns.com

Pour s'y rendre : r. du Philosophe-Alain (au bourg, à 350 m de la plage)

Ouverture : de déb. avr. à mi-sept.

5,5 ha (176 empl.) plat et peu incliné, sablonneux, herbeux, verger

Empl. camping : 46€ ♣♣ ⮞ ▣ (16A) - pers. suppl. 9€ - frais de réservation 22€

Location : (de déb. avr. à mi-sept.) - 🔥 (1 mobile home) - 33 🛏. Nuitée 60 à 130€ - Sem. 295 à 1 170€ - frais de réservation 22€

🔥 borne AireService 6€ - 14 ▣ 20€

Ambiance familiale et décoration florale soignée à l'ombre d'un verger.

Nature : ⌷ 🌳🌳
Loisirs : ☕ 🎦 🏊 🎣 centre balnéo 🏊 hammam 🏊 ⛷ 🛝 (découverte en saison) ⛷ mini ferme
Services : ⛽ 🏧 🛁 ⛷ 🚿 📶 laverie
À prox. : 🏖 ✕ 🛝 🎣 🍴

G P S W : 3.54696
N : 47.76947

⛺ Keranquernat

℘ 02 98 39 92 32, www.camping-du-pouldu.com

Pour s'y rendre : Keranquernat (au rond-point, sortie nord-est)

Ouverture : de déb. avr. à mi-sept.

1,5 ha (100 empl.) plat et peu incliné, herbeux

Empl. camping : 26€ ♣♣ ⮞ ▣ (6A) - pers. suppl. 6€

Location : (de déb. avr. à mi-sept.) - 15 🛏 - 2 tentes lodges. Nuitée 79 à 139€ - Sem. 245 à 791€

Cadre agréable sous les pommiers, au milieu des fleurs présentes sur l'ensemble du terrain.

Nature : 🐟 ⌷ 🌳🌳
Loisirs : 🎦 🏊 ⛷ 🛝
Services : ⛽ (juil.-août) 🛁 📶 laverie
À prox. : 🏖 ✕ 🎣 🍴

G P S W : 3.54332
N : 47.7727

⛺ Locouarn

℘ 02 98 39 91 79, www.camping-locouarn.com

Pour s'y rendre : 2 km au nord par D 49, rte de Quimperlé

Ouverture : de déb. avr. à déb. nov.

2,5 ha (100 empl.) non clos, peu incliné, plat, herbeux

Empl. camping : 16€ ♣♣ ⮞ ▣ (6A) - pers. suppl. 4€

Location : (de déb. avr. à déb. nov.) - 13 🛏. Nuitée 50 à 70€ - Sem. 230 à 600€ - frais de réservation 5€

Terrain agréable au milieu des champs.

Nature : 🐟 🌳
Loisirs : 🛝
Services : ⛽ ⛷ 🚿 📶 laverie
À prox. : 🏖 ☕ ✕ 🐎

G P S W : 3.54793
N : 47.7855

⛺ Les Grands Sables

℘ 02 98 39 94 43, www.camping-lesgrandssables.com

Pour s'y rendre : 22 r. du Philosophe-Alain (au bourg, à 200 m de la plage)

Ouverture : de déb. avr. à mi-sept.

2,4 ha (128 empl.) en terrasses, plat et peu incliné, sablonneux, herbeux

Empl. camping : (Prix 2018) 23€ ♣♣ ⮞ ▣ (10A) - pers. suppl. 6€ - frais de réservation 9€

Location : (Prix 2018) (de déb. avr. à mi-sept.) - 18 🛏 - 2 cabanons. Nuitée 28 à 90€ - Sem. 195 à 630€ - frais de réservation 9€

🔥 borne artisanale - 🔋 10€

Dans un cadre verdoyant et ombragé avec vue sur la jolie chapelle Notre-Dame-de-la-Paix.

Nature : 🐟 🌳
Loisirs : 🏊
Services : ⛽ 🛁 📶 laverie
À prox. : 🏖 ✕ 🎣 🍴

G P S W : 3.54716
N : 47.7683

⚠ Croas An Ter

☎ 02 98 39 94 19, www.campingcroasanter.com

Pour s'y rendre : lieu-dit : Quelvez (1,5 km au nord par D49, rte de Quimperlé)

Ouverture : de déb. mai à mi-sept.

3,5 ha (90 empl.) plat, herbeux, incliné

Empl. camping : (Prix 2018) ♣ 4€ ⇌ 目 6€ – (12) (6A) 3€

Location : (Prix 2018) (de déb. mai à mi-sept.) - 5 ⛺ - 1 chalet sur pilotis - 2 tentes lodges. Nuitée 30 à 90€ - Sem. 160 à 520€

Terrain bien ombragé respecteux de la nature, une halte idéale pour les cyclistes campeurs.

Nature : 🏞 🏕 🌳🌳		
Loisirs : ✗ 🏖 🚲	**GPS**	W : 3.54104
Services : ⚬━ 🚿 🛁 🛜 laverie		N : 47.78515
À prox. : 🍽 🚣		

POULLAN-SUR-MER

29100 - Carte Michelin **308** E6 - 1 499 h. - alt. 79
▶ Paris 596 - Rennes 244 - Quimper 30 - Brest 80

⚠ Yelloh! Village La Baie de Douarnenez 👪

☎ 02 98 74 26 39, www.camping-bretagne-douarnenez.com

Pour s'y rendre : 30 r. Luc-Robet (600 m à l'est du bourg par D7)

Ouverture : de mi-mai à mi-sept.

5,7 ha (190 empl.) plat, herbeux

Empl. camping : 37€ ♣♣ ⇌ 目 (10A) - pers. suppl. 8€

Location : (de déb. avr. à mi-sept.) - 75 ⛺ - 20 🏠 - 6 tentes lodges - 4 tentes sur pilotis - 7 cabanons. Nuitée 33 à 172€ - Sem. 231 à 1 204€

🚐 borne artisanale 2€

Emplacements autour du parc aquatique en partie couvert.

Nature : 🏞 🏕 🌳🌳		
Loisirs : 🍽 ✗ 🏖 🌙nocturne 🏃 🏖 🚲 🎯	**GPS**	W : 4.40634
🏛 🎳 🏊 ⛏ terrain multisports		N : 48.08162
Services : ⚬━ 🚿 🛁 🛜 laverie 🧺 🚗		

Renouvelez votre guide chaque année.

PRIMEL-TRÉGASTEL

29630 - Carte Michelin **308** I2
▶ Paris 554 - Rennes 198 - Quimper 105 - Brest 79

⚠ Municipal de la Mer

☎ 02 98 72 37 06, www.camping-plougasnou.fr

Pour s'y rendre : 15 rte de Karreg An Ty (4 km au nord par D 46)

Ouverture : de déb. avr. à déb. oct.

1 ha (63 empl.) terrasse, plat et peu incliné, herbeux

Empl. camping : ♣ 4€ ⇌ 3€ 目 10€ (12A)

🚐 borne AireService

Situation exceptionnelle en bord de mer avec vue imprenable. Site exposé au vent marin !

Nature : 🏞 ⛰ Île de Batz et Roscoff ⛰		
Loisirs : 🎳 🏖 🎯 🏊	**GPS**	W : 3.81527
Services : ⚬━ (juil.-août) 🛜 laverie		N : 48.71477
À prox. : 🍽 ✗		

PRIMELIN

29770 - Carte Michelin **308** D6 - 742 h. - alt. 78
▶ Paris 605 - Audierne 7 - Douarnenez 28 - Quimper 44

⚠ Municipal de Kermalero

☎ 02 98 74 84 75, www.primelin.fr

Pour s'y rendre : rte de l'Océan (sortie ouest vers le port)

Ouverture : de fin mars à fin oct.

1 ha (75 empl.) plat et peu incliné, herbeux

Empl. camping : (Prix 2018) 15€ ♣♣ ⇌ 目 (10A) - pers. suppl. 4€ - frais de réservation 10€

🚐 borne AireService 2€ - 6 目 3€

Un terrain de bord de mer simple et agréable.

Nature : 🏞 ⛰ 🏕		
Loisirs : 🎳 🏖	**GPS**	W : 4.61067
Services : ⚬━ (juil.-août) 🛁 🧺 🛜 laverie		N : 48.02544
À prox. : 🍴		

PRIZIAC

56320 - Carte Michelin **308** K6 - 1 046 h. - alt. 163
▶ Paris 498 - Concarneau 55 - Lorient 42 - Pontivy 39

⚠ Municipal Bel Air

☎ 06 78 33 24 96, www.campinglelacofees.fr

Pour s'y rendre : à l'Etang du Bel Air (500 m au nord par D 109 et à gauche)

Ouverture : Permanent

1,5 ha (60 empl.) peu incliné, plat, herbeux

Empl. camping : 23€ ♣♣ ⇌ 目 (16A) - pers. suppl. 6€

Location : Permanent🅰 (1 mobile home) - 7 ⛺ - 1 cabane (avec sanitaires). Nuitée 70 à 130€ - Sem. 280 à 791€

🚐 borne artisanale 3€ - 5 目 14€ - 🔌 8€

Cadre verdoyant et ombragé près d'un plan d'eau.

Nature : 🏞 🌳🌳 🌳		
Loisirs : 🎳 🏊 barques pédalos	**GPS**	W : 3.41418
Services : ⚬━ 🛜 laverie		N : 48.06155
À prox. : 🍽 🏖 🏊 🎯 🚤 (plage) 🚣 🚣 🛶 base nautique		

QUIBERON

56170 - Carte Michelin **308** M10 - 5 027 h. - alt. 10
▶ Paris 505 - Auray 28 - Concarneau 98 - Lorient 47

⚠ Do.Mi.Si.La.Mi. 👪

☎ 02 97 50 22 52, www.domisilami.com

Pour s'y rendre : lieu-dit : St-Julien-Plage, 31 r. de la Vierge (4,3 km au sud-est)

Ouverture : de déb. avr. à fin sept.

4,4 ha (350 empl.) peu incliné, plat, herbeux

Empl. camping : 32€ ♣♣ ⇌ 目 (10A) - pers. suppl. 6€

Location : (de déb. avr. à fin sept.) - 🎯 - 60 ⛺ - 1 tente sur pilotis. Nuitée 28 à 155€ - Sem. 196 à 930€

🚐 borne artisanale 8€ - 5 目 19€ - 🔋 (12)18€

Cadre verdoyant, belle aire de jeux pour les enfants et à 50 m de la grande plage. Navette gratuite pour Quiberon.

Nature : 🏞 🏕 🌿		
Loisirs : 🍽 ✗ 🎳 🏃 🏖 🚲 terrain multisports	**GPS**	W : 3.12045
Services : ⚬━ 🛁 🧺 🛜 laverie 🧺 🚗		N : 47.49937

△△△ Flower Le Bois d'Amour △▲

𝒫 02 97 50 13 52, www.quiberon-camping.com

Ouverture : de fin mars à fin sept.

4,6 ha (256 empl.) plat, herbeux, sablonneux

Empl. camping : (Prix 2018) 19 € ★★ ⛺ 🅴 (10A) - pers. suppl. 4 €
- frais de réservation 20 €

Location : (Prix 2018) (de mi-mars à mi-sept.) - 127 🚐 - 14 chalets
sur pilotis - 10 tentes lodges. Nuitée 19 à 180 € - Sem. 133 à 1 260 €
- frais de réservation 20 €

🛒 borne artisanale

*Terrain tout en longueur avec une grande piscine couverte et
du locatif varié, de bon confort. À 200 m de la plage.*

Nature : 🏕 🌳	**G** W : 3.10427
Loisirs : 🍴✕ 🏠 🎱 🏃 ⛵ 🚲 🏊	**P** N : 47.47632
(découverte en saison)	**S**
Services : 🔌 🚿 laverie 🧺	
À prox. : ✂ 🐴 🎣	

△△ Les Joncs du Roch

𝒫 02 97 50 24 37, www.lesjoncsduroch.com

Pour s'y rendre : r. de l'Aérodrome (2 km au sud-est, à 500 m de la
mer)

Ouverture : de déb. avr. à fin sept.

2,3 ha (163 empl.) plat, herbeux

Empl. camping : (Prix 2018) 19 € ★★ ⛺ 🅴 (10A) - pers. suppl. 5 €
Location : Permanent 🚫 - 30 🚐 - 30 🏠. Nuitée 39 à 150 €
- Sem. 229 à 849 € - frais de réservation 15 €

*Cadre verdoyant avec mobile homes anciens de propriétaires-
résidents.*

Nature : 🏞 🏕 🌳	**G** W : 3.10098
Loisirs : 🏠 salle d'animations 🏃 🏊	**P** N : 47.47946
(découverte en saison) terrain multisports	**S**
Services : 🔌 🚿 🚽 laverie	
À prox. : ✂ 🎣 🐴	

△ Beauséjour

𝒫 02 97 30 44 93, www.campingbeausejour.com

Pour s'y rendre : à St-Julien-Plage, bd du Parco (4,4 km au sud-est)

Ouverture : de déb. avr. à fin sept.

2,4 ha (192 empl.) plat et peu incliné, herbeux, sablonneux

Empl. camping : (Prix 2018) ★ 4 € ⛺ 🅴 15 € – (10A) 5 €
Location : (de déb. avr. à fin sept.) - 15 🚐. Nuitée 60 à 100 €
- Sem. 310 à 690 € - frais de réservation 18 €

🛒 borne artisanale 4 €

*Une belle pelouse légèrement ombragée face à l'océan, à 50 m
de la plage.*

Nature : 🏞 🌳	**G** W : 3.12027
Loisirs : 🏠 🏃 terrain multisports	**P** N : 47.5003
Services : 🔌 (juil.-août) 🚿 🚽 laverie	**S**
À prox. : 🛒 🍴 ✕ 🎣	

---

*En juillet et août, beaucoup de terrains affichent complets
et leurs emplacements retenus longtemps à l'avance.
N'attendez pas le dernier moment pour réserver.*

QUIMPER

29000 - Carte Michelin **308** G7 - 63 387 h. - alt. 41
▶ Paris 564 - Brest 73 - Lorient 67 - Rennes 215

△△△ Les Castels L'Orangerie de Lanniron △▲

𝒫 02 98 90 62 02, www.camping-lanniron.com

Pour s'y rendre : allée de Lanniron (3 km au sud par bd périphérique
puis sortie vers Bénodet et rte à dr., près de la zone de loisirs de
Creac'h Gwen)

Ouverture : de déb. avr. à déb. nov.

38 ha/6,5 campables (235 empl.) plat, herbeux

Empl. camping : (Prix 2018) 48 € ★★ ⛺ 🅴 (10A) - pers. suppl. 9 €
- frais de réservation 25 €

Location : (Prix 2018) (de déb. avr. à déb. nov.) - 40 🚐 - 5 gîtes
- 12 studios. Nuitée 80 à 330 € - Sem. 330 à 1 980 € - frais de
réservation 25 €

🛒 borne raclet

*Au bord de l'Odet, dans le magnifique parc d'un château du 17e
s., avec golf et espace aquatique.*

Nature : 🏠 🌳	**G** W : 4.10338
Loisirs : 🍴✕ 🏠 🎱 🏃 jacuzzi 🏃 🚲 ✂ 🎣	**P** N : 47.97923
🏊 🏓 🏹 🐴 balades en poneys	**S**
Services : 🔌 🚿 🚿 🚽 📶 laverie 🧺	

QUIMPERLÉ

29300 - Carte Michelin **308** J7 - 11 384 h. - alt. 30
▶ Paris 517 - Carhaix-Plouguer 57 - Concarneau 32 - Pontivy 76

△ Municipal de Kerbertrand

𝒫 02 98 39 31 30, www.quimperle-tourisme.com

Pour s'y rendre : 2 r. de Kermaria (1,5 km à l'ouest par D 783, rte de
Concarneau et chemin à dr., après le stade, face au centre Leclerc)

Ouverture : de mi-juin à mi-sept.

1 ha (40 empl.) plat, herbeux

Empl. camping : (Prix 2018) ★ 3 € ⛺ 1 € 🅴 2 € – (10A) 2 €

Simple, agréable, entretenu.

Nature : 🏞 🌳	**G** W : 3.57044
Loisirs : 🏠 🏃	**P** N : 47.872
Services : 🔌 🚽 📶	**S**
À prox. : 🛒 ✂ 🎣 🏊	

RAGUENÈS-PLAGE

29920 - Carte Michelin **308** I8
▶ Paris 545 - Carhaix-Plouguer 73 - Concarneau 17 - Pont-Aven 12

△△△ Sandaya Les Deux Fontaines △▲

𝒫 02 98 06 81 91, www.sandaya.fr/nos-campings/deux-fontaines

Pour s'y rendre : lieu-dit : Feunten Vihan (1,3 km au nord par rte de
Névez et rte de Trémorvezen)

Ouverture : de déb. avr. à déb. sept.

9 ha (270 empl.) plat, herbeux

Empl. camping : 42 € ★★ ⛺ 🅴 (10A) - pers. suppl. 9 €

Location : (de déb. avr. à déb. sept.) - 206 🚐. Nuitée 28 à 209 €
- Sem. 196 à 1 463 €

*Parc aquatique et jeux de qualité pour enfants, en partie cou-
verts ; initiation à la plongée sous-marine.*

Nature : 🏞 🏠 🌳	**G** W : 3.79129
Loisirs : 🍴✕ 🏠 🎱 🏃 🎯 🏃 ✂ 🏊 🏓	**P** N : 47.7992
mini ferme plongée en piscine	**S**
Services : 🔌 🚿 🚿 🚽 📶 laverie 🧺	

⛰ Club Airotel Le Raguenès-Plage ⛺👥

📞 02 98 06 80 69, www.camping-le-raguenes-plage.com

Pour s'y rendre : 19 r. des Îles (à 400 m de la plage, accès direct)

Ouverture : de mi-avr. à fin sept.

6 ha (287 empl.) plat, herbeux

Empl. camping : (Prix 2018) 41€ ⛺⛺ 🚐 🔲 ⚡ (15A) - pers. suppl. 6€

Location : (Prix 2018) (de mi-avr. à fin sept.) - 72 🚐. Nuitée 98 à 195€ - Sem. 259 à 1 099€

🚰 borne artisanale

Cadre agréable autour d'un bel espace aquatique.

Nature : ♀♀		G
Loisirs : 🍸 🗙 🛶 🔲 🏊 🎯 ⚽ 🏇 🚲 🏄 🖼 🏊 terrain multisports		P
Services : ⚡ 🚿 🔥 laverie 🗑 🛒	W : 3.80085 N : 47.79373	S

⛰ Le Vieux Verger - Ty Noul

📞 02 98 06 86 08, www.campingduvieuxverger.com

Pour s'y rendre : 20 Kéroren (sortie nord, rte de Névez)

Ouverture : de mi-avr. à mi-sept.

1,2 ha (42 empl.) plat, herbeux

Empl. camping : (Prix 2018) 24€ ⛺⛺ 🚐 🔲 ⚡ (10A) - pers. suppl. 5€ - frais de réservation 10€

Location : (Prix 2018) (de mi-avr. à mi-sept.) - 🏄 - 10 🚐 - 1 appartement. Sem. 195 à 695€ - frais de réservation 10€

Joli petit parc aquatique, beaux emplacements pour tentes et caravanes.

Nature : ♀		G
Loisirs : 🚣 🚲 🏊 🏄		P
Services : ⚡ 🚿 🔥	W : 3.79777 N : 47.79663	S

⛰ L'Océan

📞 02 98 06 87 13, www.camping-ocean.fr

Pour s'y rendre : à Kéroren, 15 imp. des Mouettes (sortie nord, rte de Névez et à dr., à 350 m de la plage (accès direct))

Ouverture : de mi-mai à mi-sept.

2,2 ha (150 empl.) plat, herbeux, sablonneux

Empl. camping : 31€ ⛺⛺ 🚐 🔲 ⚡ (10A) - pers. suppl. 7€

Location : (de déb. mai à mi-sept.) - 🏄 - 10 🚐. Sem. 330 à 640€

🚰 borne eurorelais

Emplacements calmes, spacieux et fleuris avec vue panoramique sur l'océan.

Nature : ☀ < ♀		G
Loisirs : 🖼 🚣 🏊 (découverte en saison)		P
Services : ⚡ 🚿 🔥 laverie	W : 3.79789 N : 47.79471	S
À prox. : 🗙 ⚓		

RENNES

35000 - Carte Michelin **309** L6 - 206 604 h. - alt. 40

▶ Paris 349 - Angers 129 - Brest 246 - Caen 185

⛰ Municipal des Gayeulles

📞 02 99 36 91 22, www.camping-rennes.com

Pour s'y rendre : r. Professeur-Maurice-Audin (sortie nord-est vers N 12, rte de Fougères puis av. des Gayeulles, près d'un étang)

Ouverture : Permanent

3 ha (117 empl.) plat, herbeux

Empl. camping : (Prix 2018) 32€ ⛺⛺ 🚐 🔲 ⚡ (16A) - pers. suppl. 5€

Location : (Prix 2018) Permanent - 15 🏕 - 3 chalets sur pilotis. Nuitée 60 à 230€ - Sem. 360 à 1 610€

🚰 borne eurorelais 2€ - 9 🔲 11€ - 🚐 11€

Au milieu de l'immense parc boisé Les Gayeulles, cadre champêtre et sauvage en compagnie des lapins.

Nature : ☀ ♀♀		G
Loisirs : 🚣		P
Services : ⚡ (juil.-août) 🔲 🏊 ♨ 🔥 laverie 🗑	W : 1.64772 N : 48.13455	S
À prox. : 🏓 🗙 🖼 🏊 🖼 (découverte en saison) patinoire, mini ferme		

LA ROCHE-BERNARD

56130 - Carte Michelin **308** R9 - 757 h. - alt. 38

▶ Paris 444 - Nantes 70 - Ploërmel 55 - Redon 28

⛰ Municipal le Pâtis

📞 02 99 90 60 13, www.camping-larochebernard.com

Pour s'y rendre : 3 chemin du Pâtis (à l'ouest du bourg vers le port de plaisance)

Ouverture : de mi-mars à mi-oct.

1 ha (63 empl.) plat, herbeux

Empl. camping : (Prix 2018) 22€ ⛺⛺ 🚐 🔲 ⚡ (10A) - pers. suppl. 4€

Location : (Prix 2018) Permanent - 2 🚐. Nuitée 49 à 101€ - Sem. 235 à 595€

🚰 borne AireService 2€ - 18 🔲 10€

Au bord de la Vilaine, face à l'important port de plaisance.

Nature : ☀ ♀♀		G
Loisirs : 🚣		P
Services : ⚡ (juil.-août) 🔲 🏊 🔥 laverie	W : 2.30523 N : 47.51923	S
À prox. : 🍸 🗙 🚣 ⚓ 🎣		

ROCHEFORT-EN-TERRE

56220 - Carte Michelin **308** Q8 - 662 h. - alt. 40

▶ Paris 431 - Ploërmel 34 - Redon 26 - Rennes 82

⛰ Sites et Paysages Au Gré des Vents

📞 02 97 43 37 52, www.campingaugredesvents.com

Pour s'y rendre : 2 chemin de Bogeais (1 km au sud-ouest par D 774, rte de Péaule et chemin à dr., à 500 m d'un plan d'eau)

Ouverture : de déb. avr. à fin sept.

2,5 ha (85 empl.) en terrasses, peu incliné, plat, herbeux

Empl. camping : (Prix 2018) 26€ ⛺⛺ 🚐 🔲 ⚡ (10A) - pers. suppl. 6€

Location : (Prix 2018) Permanent - 6 🚐 - 1 🏕 - 2 tentes lodges. Nuitée 49 à 94€ - Sem. 201 à 672€

Cadre verdoyant et locatif varié.

Nature : ☀ ♀		G
Loisirs : 🍸 🚣 🖋 🏊 (découverte en saison)		P
Services : ⚡ 🚿 🔥 laverie 🛒	W : 2.34736 N : 47.69587	S
À prox. : 🗙 ⚓ (plage) 🎣		

🗑 🗙 🔥 🏊 🏇
LET OP :
deze gegevens gelden in het algemeen alleen in het seizoen,
wat de openingstijden van het terrein ook zijn.

LE ROC-ST-ANDRE

56460 - Carte Michelin **308** Q7 - 941 h. - alt. 45
▶ Paris 426 - Nantes 121 - Rennes 75 - Vannes 41

⛰ Domaine du Roc

🔗 02 97 74 91 07, www.domaine-du-roc.com

Pour s'y rendre : r. Beau-Rivage

Ouverture : de déb. avr. à déb. nov.

2 ha (55 empl.) terrasse, plat, herbeux

Empl. camping : (Prix 2018) 21 € ⚥⚥ ⇌ 🅴 ⚡ (10A) - pers. suppl. 4 €
Location : (Prix 2018) (de déb. avr. à déb. nov.) - 10 ▭ - 6 ▭
- 2 tentes sur pilotis - 2 cabanes perchées. Sem. 120 à 640 €
🚐 borne Sanistation 2 € - ⚓ ⚡18 €

Locatif varié et emplacements au bord du canal de Nantes à Brest.

Nature : ⛲ ≤ ♀
Loisirs : ♟ ⇌ 🚴 ▣ (découverte en saison)
⬂ ♨ pédalos parcours dans les arbres
Services : o━ 📶
À prox. : ✕

G P S | W : 2.44606
N : 47.86369

*Choisissez votre restaurant sur **restaurant.michelin.fr***

ROHAN

56580 - Carte Michelin **308** O6 - 1 637 h. - alt. 55
▶ Paris 451 - Lorient 72 - Pontivy 17 - Quimperlé 86

⚠ Municipal le Val d'Oust

🔗 02 97 51 57 58, www.rohan.fr

Pour s'y rendre : r. de St-Gouvry (sortie nord-ouest)

Ouverture : de déb. mai à mi-sept.

1 ha (45 empl.) plat, herbeux

Empl. camping : (Prix 2018) ⚥ 4 € ⇌ 2 € 🅴 2 € – ⚡ (10A) 4 €
🚐 borne artisanale - 10 🅴

Au bord du canal de Nantes à Brest et près d'un plan d'eau.

Nature : ⛲ ♀♀
Loisirs : ▭ ⇌ ⬂
Services : 📶 laverie
À prox. : ♟ ✕ ✂ ⚓ (plage) ⚓ parcours
sportif

G P S | W : 2.7548
N : 48.07077

ROZ-SUR-COUESNON

35610 - Carte Michelin **309** M3 - 1 034 h. - alt. 65
▶ Paris 365 - Rennes 82 - Caen 134 - St-Lô 99

⛰ Les Couesnons

🔗 02 99 80 26 86, www.lescouesnons.com

Pour s'y rendre : l'Hôpital (2 km au sud-est sur la D 797)

Ouverture : de déb. avr. à fin oct.

1 ha (50 empl.) plat, herbeux

Empl. camping : 24 € ⚥⚥ ⇌ 🅴 ⚡ (10A) - pers. suppl. 6 €
Location : (de déb. avr. à fin oct.) - 8 ▭. Nuitée 55 à 110 € - Sem.
290 à 740 €

Préférer les emplacements les plus éloignés de la route.

Nature : ▭ ♀♀
Loisirs : ♟ ✕ ▭
Services : o━ 🏛 ⬂ 📶 ▣

G P S | W : 1.60904
N : 48.59597

ST-BRIAC-SUR-MER

35800 - Carte Michelin **309** J3 - 1 955 h. - alt. 30
▶ Paris 411 - Dinan 24 - Dol-de-Bretagne 34 - Lamballe 41

⛰ Sea Green Émeraude

(pas d'emplacement tentes et caravanes)

🔗 02 99 90 44 55, www.campingemeraude.com

Pour s'y rendre : 7 chemin de la Souris

3,2 ha (196 empl.) peu incliné, plat, herbeux

Location : Permanent ⚠ (1 mobile home) - 156 ▭ - 14 ▭
- 4 bungalows toilés - 2 tentes lodges. Nuitée 44 à 134 € - Sem.
280 à 1 419 € - frais de réservation 25 €

Bel espace aquatique et restaurant entourés de palmiers.

Nature : ⛲ ▭ ♀
Loisirs : ♟ ✕ ▭ salle d'animations ⬂ 🚴
♨ ▣ ⬂ ⬂
Services : o━ ⬂ ⬂ 📶 laverie ⬂

G P S | W : 2.13012
N : 48.62735

*Créez votre voyage sur **voyages.michelin.fr***

ST-CAST-LE-GUILDO

22380 - Carte Michelin **309** I3 - 3 500 h. - alt. 52
▶ Paris 427 - Avranches 91 - Dinan 32 - St-Brieuc 50

⛰ Les Castels Le Château de Galinée ⚥⚥

🔗 02 96 41 10 56, www.chateaudegalinee.fr

Pour s'y rendre : r. de Galinée (7 km au sud, accès par D 786, près du
carrefour avec la rte de St-Cast-le-Guildo)

Ouverture : de mi-mai à déb. sept.

14 ha (273 empl.) plat, herbeux

Empl. camping : ⚥ 7 € ⇌ 🅴 23 € – ⚡ (10A) 6 € - frais de
réservation 20 €

Location : (de fin avr. à déb. sept.) - ⚠ (1 mobile home) - ⚥
- 56 ▭ - 4 ▭ - 6 bungalows toilés. Nuitée 41 à 180 € - Sem.
287 à 1 260 € - frais de réservation 20 €

🚐 borne artisanale

*Animations et piscine autour du château et quelques locatifs
mobile homes de grand confort. Quelques sanitaires individuels.*

Nature : ⛲ ▭ ♀♀
Loisirs : ♟ ✕ ▭ ⬂ salle d'animations ⬂
⬂ ⇌ ✂ 🏛 ▣ ⬂ ♨ tyrolienne terrain
multisports
Services : o━ 🏛 ⬂ - 4 sanitaires individuels
(▭⬂⬂ wc) ⬂ 📶 laverie ▣ ⬂

G P S | W : 2.25725
N : 48.58403

⛰ Le Châtelet ⚥⚥

🔗 02 96 41 96 33, www.lechatelet.com - peu d'emplacements pour
tentes et caravanes

Pour s'y rendre : r. des Nouettes (1 km à l'ouest)

Ouverture : de déb. avr. à mi-sept.

9 ha/3,9 campables (216 empl.) fort dénivelé, en terrasses, plat,
herbeux, petit étang

Empl. camping : 48 € ⚥⚥ ⇌ 🅴 ⚡ (10A) - pers. suppl. 7 € - frais de
réservation 23 €

Location : (de mi-avr. à mi-sept.) - 61 ▭ - 6 tentes lodges - 1 tipi.
Nuitée 50 à 228 € - Sem. 340 à 1 590 € - frais de réservation 23 €

🚐 borne artisanale

À 300 m de la plage, emplacements en terrasses avec vue sur la mer, la baie et le château de Fort La Latte.

Nature : ⚓ ≤ baie de la Frênaye ⌂ ♨
Loisirs : ♟ ✕ ⛺ ⑤ ⚹ 🚴 🛶 ☒ (découverte en saison) 🎣
Services : ⚡ 🚮 ♨ ⚐ 🚽 🛜 laverie 🐾 ⚓
À prox. : 🚲

G P S
W : 2.26959
N : 48.63773

🏔 Les Blés d'Or

📞 02 96 41 99 93, www.campinglesblesdor.fr

Pour s'y rendre : r. Roger-Roullier, lieu-dit : La Chapelle

Ouverture : de déb. avr. à fin oct.

3,5 ha (161 empl.) non clos, plat, herbeux

Empl. camping : (Prix 2018) 23 € ✶✶ 🚗 ▣ 🔌 (10A) - pers. suppl. 4 €
Location : (Prix 2018) (de déb. avr. à fin oct.) - ♿ (1 chalet) - 13 🚐 - 6 🏠. Nuitée 50 à 96 € - Sem. 250 à 670 €
🚽 borne flot bleu - 4 ▣ 11 €

De grands espaces verts idéals pour la détente et les jeux collectifs.

Nature : ⚓ ⌂ ♨♨
Loisirs : ♟ ⛺ centre balnéo 🛶 🎣
Services : ⚡ – 46 sanitaires individuels (🚿♨🚽 wc) 🛜 laverie
À prox. : 🛒 ≋

G P S
W : 2.26181
N : 48.62746

ST-COULOMB

35350 - Carte Michelin **309** K2 - 2 454 h. - alt. 35
🔲 Paris 398 - Cancale 6 - Dinard 18 - Dol-de-Bretagne 21

🏔 Le Tannée

📞 02 99 89 41 20, www.campingdetannee.com - peu d'emplacements pour tentes et caravanes

Pour s'y rendre : lieu-dit : Tannée

Ouverture : de déb. avr. à fin sept.

0,6 ha (30 empl.) plat et peu incliné

Empl. camping : (Prix 2018) 24 € ✶✶ 🚗 ▣ 🔌 (10A) - pers. suppl. 4 €
Location : (Prix 2018) (de déb. avr. à fin sept.) - 14 🚐. Sem. 240 à 685 € - frais de réservation 15 €

Locatif mobile homes de bon confort avec de belles terrasses.

Nature : ⚓ ⌂
Loisirs : hammam 🎠 ☒ (découverte en saison)
Services : ⚡ ♨ 🛜 laverie

G P S
W : 1.889
N : 48.68655

⛺ Duguesclin

📞 02 99 89 03 24, www.camping-duguesclin.com - peu d'emplacements pour tentes et caravanes

Pour s'y rendre : r. de Tannée (2,5 km au nord-est par D 355, rte de Cancale et rte à gauche)

Ouverture : de fin mars à fin sept.

0,9 ha (41 empl.) peu incliné, plat, herbeux

Empl. camping : 22 € ✶✶ 🚗 ▣ 🔌 (16A) - pers. suppl. 5 €
Location : (de fin mars à fin sept.) - 20 🚐 - 2 gîtes. Sem. 199 à 819 € - frais de réservation 15 €
🚽 borne artisanale

Joli jardin potager partagé pour les campeurs.

Nature : ⚓ ≤ ⌂ ♨
Loisirs : ⛺ ♨ hammam jacuzzi 🛶 🚴
Services : ⚡ ♨ 🚽 🛜 🖥

G P S
W : 1.89027
N : 48.68628

ST-GILDAS-DE-RHUYS

56730 - Carte Michelin **308** N9 - 1 647 h. - alt. 10
🔲 Paris 483 - Arzon 9 - Auray 48 - Sarzeau 7

🏔 Le Menhir 👥

📞 02 97 45 22 88, www.camping-bretagnesud.com

Pour s'y rendre : rte de Clos-er-Bé (3,5 km au nord - accès conseillé par D 780, rte de Port-Navalo)

Ouverture : de fin avr. à mi-sept.

5 ha/3 campables (176 empl.) peu incliné, plat, herbeux

Empl. camping : (Prix 2018) 30 € ✶✶ 🚗 ▣ 🔌 (6A) - pers. suppl. 7 €
Location : (de fin avr. à mi-sept.) - 49 🚐. Sem. 220 à 970 €

Nature : ⚓ ⌂ ♨♨
Loisirs : ♟ ✕ ⛺ 🚴 🛶 🎿 🏓 ☒ 🎣
Services : ⚡ ♨ 🚽 🛜 laverie 🐾 🎣

G P S
W : 2.84781
N : 47.52874

🏔 Goh'Velin

📞 02 97 45 21 67, www.camping-gohvelin.com

Pour s'y rendre : 89 r. Guernevé (1,5 km au nord)

Ouverture : de déb. avr. à fin sept.

1 ha (88 empl.) plat, herbeux

Empl. camping : (Prix 2018) 30 € ✶✶ 🚗 ▣ 🔌 (10A) - pers. suppl. 5 € - frais de réservation 12 €
Location : (Prix 2018) (de déb. avr. à fin sept.) - 🚫 - 38 🚐. Nuitée 91 à 131 € - Sem. 219 à 830 € - frais de réservation 12 €

Cadre agréable avec du locatif de bon confort, à 300 m de la plage.

Nature : ⚓ ⌂ ♨♨
Loisirs : ✕ ⛺ 🛶 🎣
Services : ⚡ ♨ 🛜 laverie
À prox. : 🎣

G P S
W : 2.84225
N : 47.51144

Gebruik de gids van het lopende jaar.

ST-JEAN-DU-DOIGT

29630 - Carte Michelin **308** I2 - 623 h. - alt. 15
🔲 Paris 544 - Brest 77 - Guingamp 61 - Lannion 33

⛺ Municipal du Pont Ar Gler

📞 02 98 67 32 15, campingstj.jimdo.com

Pour s'y rendre : lieu-dit : Pont ar Gler (au bourg)

Ouverture : de mi-juin à fin août

1 ha (33 empl.) en terrasses, plat, herbeux

Empl. camping : (Prix 2018) ✶ 4 € 🚗 2 € ▣ 3 € – 🔌 (6A) 3 €

Terrain bien intégré dans la nature aux portes d'un village traditionnel plein de charme.

Nature : ⚓ ⌂ ♨
Loisirs : ⛺ 🛶
Services : ⚡ 🚮 ♨ 🖥
À prox. : ≋ ♟ ✕

G P S
W : 3.77487
N : 48.69405

ST-JOUAN-DES-GUÉRETS

35430 - Carte Michelin **309** K3 - 2 699 h. - alt. 31
◗ Paris 396 - Rennes 63 - St-Helier 10 - St-Brieuc 85

⚞ Yelloh! Village Le P'tit Bois ⚐

✆ 02 99 21 14 30, www.ptitbois.com

Pour s'y rendre : lieu-dit : La Chalandouze (accès par N 137)

Ouverture : de mi-avr. à mi-sept.

6 ha (275 empl.) plat, herbeux

Empl. camping : 52€ ✶✶ ▣ 回 [4] (10A) - pers. suppl. 9€
Location : Permanent - 183 ⬛. Nuitée 39 à 303€ - Sem.
273 à 2 121€

⬛ borne artisanale 7€ - ⬗

Bel ensemble paysager complété d'un espace aquatique très complet.

Nature : ⌑ ♀
Loisirs : ♈ ✕ 🎦 ⍟salle d'animations ⚡ hammam jacuzzi ⚡⚡🚲⚡🎿 ▣ ⤢ ⚠ terrain multisports
Services : ⚬ ⛽ ⚐ ⚐ ⚡ ☂ laverie ⚐ ⚐
GPS W : 1.9869 N : 48.60966

Benutzen Sie den Hotelführer des laufenden Jahres.

ST-LUNAIRE

35800 - Carte Michelin **309** J3 - 2 309 h. - alt. 20
◗ Paris 410 - Rennes 76 - St-Helier 16 - St-Brieuc 83

⚞ La Touesse

✆ 02 99 46 61 13, www.saint-malo-camping.com

Pour s'y rendre : 171 r. Ville-Géhan (2 km à l'est par D 786, rte de
Dinard, à 400 m de la plage)

Ouverture : Permanent

2,5 ha (141 empl.) plat, herbeux

Empl. camping : 35€ ✶✶ ▤ 回 [4] (10A) - pers. suppl. 7€ - frais de
réservation 16€
Location : Permanent - 70 ⬛ - 2 gîtes - 4 appartements
- 2 studios. Sem. 210 à 1 064€ - frais de réservation 16€

*Beaux espaces paysagers avec un petit chemin pour accéder à
la plage de la Fourberie à 700 m.*

Nature : ♀♀
Loisirs : ♈ ✕ 🎦 ⚏ jacuzzi ⚡⚡ ▣ ⤢ ⚠
Services : ⚬ ⛽ ⚐ ⚐ ⚡ ☂ laverie ⚐ ⚐
À prox. : ⚐
GPS W : 2.08425 N : 48.63086

ST-MALO

35400 - Carte Michelin **309** J3 - 47 045 h. - alt. 5
◗ Paris 404 - Alençon 180 - Avranches 68 - Dinan 32

⚞ Domaine de la Ville Huchet ⚐

✆ 02 99 81 11 83, www.lavillehuchet.com

Pour s'y rendre : rte de la Passagère, lieu-dit : Quelmer (5 km au
sud par D 301, rte de Dinard et rte de la Grassinais à gauche devant le
concessionnaire Mercedes)

Ouverture : de déb. avr. à fin sept.

6 ha (198 empl.) plat, herbeux

Empl. camping : ✶ 8€ ⤢ 回 18€ – [4] (10A) 7€ - frais de
réservation 20€

Location : (de déb. avr. à fin sept.) - ⚐ (1 mobile-home) - 82 ⬛
- 6 ⬛ - 5 chalets sur pilotis - 3 studios. Nuitée 39 à 155€ - Sem.
273 à 1 085€ - frais de réservation 20€
⬛ borne artisanale 5€ - ⬗ [4]18€

*Agréables emplacements autour d'un petit château, jolie pis-
cine ludique.*

Nature : ⌑ ♀♀
Loisirs : ♈ ✕ 🎦 ⚡ ⚡⚡ 🚲⚡ ▣ ⤢ ⚠ terrain multisports
Services : ⚬ ⛽ ⚐ ☂ laverie ⚐ ⚐
GPS W : 1.98704 N : 48.61545

ST-MARCAN

35120 - Carte Michelin **309** M3 - 455 h. - alt. 60
◗ Paris 370 - Dinan 42 - Dol-de-Bretagne 14 - Le Mont-St-Michel 17

⚞ Le Balcon de la Baie

✆ 02 99 80 22 95, www.lebalcondelabaie.com

Pour s'y rendre : lieu-dit : Le Verger (500 m au sud-est par D 89, rte
de Pleine-Fougères et après le cimetière, à gauche)

Ouverture : de déb. avr. à fin oct.

4 ha (80 empl.) plat, herbeux

Empl. camping : 20€ ✶✶ ⤢ 回 [4] (10A) - pers. suppl. 6€
Location : (de déb. avr. à fin nov.) - 12 ⬛. Nuitée 55 à 100€
- Sem. 264 à 800€

Très agréable terrain avec vue sur la baie du Mont-St-Michel.

Nature : ⚏ ⚎ Baie du Mont-St-Michel ⌑ ♀♀
Loisirs : 🎦 ⚡⚡ ⤢
Services : ⚬ ⚐ ☂ laverie
GPS W : 1.62929 N : 48.58942

*Om een reisroute uit te stippelen en te volgen,
om het aantal kilometers te berekenen,
om precies de ligging van een terrein te bepalen
(aan de hand van de inlichtingen in de tekst),
gebruikt u de **Michelinkaarten**,
een onmisbare aanvulling op deze gids.*

ST-PHILIBERT

56470 - Carte Michelin **308** N9 - 1 520 h. - alt. 15
◗ Paris 486 - Auray 11 - Locmariaquer 7 - Quiberon 27

⚞ L'Évasion

✆ 02 97 55 04 90, www.campinglevasion.com

Pour s'y rendre : lieu-dit : le Congre (1 km au nord)

Ouverture : de déb. avr. à fin oct.

1,7 ha (87 empl.) plat et peu incliné, herbeux

Empl. camping : ✶ 6€ ⤢ 回 9€ – [4] (10A) 4€ - frais de
réservation 10€
Location : Permanent - 33 ⬛ - 2 bungalows toilés - 2 tentes
lodges. Sem. 160 à 760€

Agréable cadre verdoyant avec du locatif varié.

Nature : ⌑ ♀♀
Loisirs : 🎦 ⚡⚡ 🚲⤢ ⚠ terrain multisports
Services : ⚬ ⚐ ☂ laverie
GPS W : 2.99778 N : 47.59591

ST-POL-DE-LÉON

29250 - Carte Michelin **308** H2 - 7 043 h. - alt. 60
▶ Paris 557 - Brest 62 - Brignogan-Plages 31 - Morlaix 21

⛰ Ar Kleguer 👥♨

📞 02 98 69 18 81, www.camping-ar-kleguer.com

Pour s'y rendre : plage Ste-Anne (à l'est de la ville)

Ouverture : de déb. avr. à mi-sept.

5 ha (182 empl.) vallonné, plat et peu incliné, herbeux, rochers

Empl. camping : (Prix 2018) 33 € 👭 🚗 🔲 🔌 (10A) - pers. suppl. 7 €
- frais de réservation 20 €

Location : (Prix 2018) (de déb. avr. à mi-sept.) - 50 🛖 - 2 gîtes.
Nuitée 116 à 196 € - Sem. 310 à 975 € - frais de réservation 20 €

🚐 borne artisanale - 💧 🔌 17 €

Agréable parc paysager de bord de mer, au milieu des rochers et des pins. Ferme pédagogique pour les enfants.

Nature : 🦆 ⋖ 🗐 🏛		G P S	W : 3.9677
Loisirs : ♟ 🎣 🏊 🕴 hammam 🏄 🍴 🔲 🏊			N : 48.6907
🏊 mini ferme terrain multisports			
Services : ⛽ 🏧 🛁 📶 laverie			

⛰ Le Trologot

📞 02 98 69 06 26, www.camping-trologot.com

Pour s'y rendre : lieu-dit : Grève du Man (à l'est, rte de l'îlot St-Anne, près de la plage)

Ouverture : de déb. avr. à fin oct.

2 ha (100 empl.) plat, herbeux

Empl. camping : (Prix 2018) 👭 6 € 🚗 2 € 🔲 7 € – 🔌 (10A) 5 € - frais de réservation 15 €

Location : (Prix 2018) (de déb. avr. à fin oct.) - 15 🛖. Nuitée 51 à 81 € - Sem. 330 à 750 € - frais de réservation 15 €

Site de bord de mer à deux pas de la grande plage.

Nature : 🗐 🏛		G P S	W : 3.9698
Loisirs : ♟ 🏊 🏊			N : 48.6935
Services : ⛽ 🛁 📶 laverie			

Give use your opinion of the camping sites we recommend. Let us know of your remarks and discoveries : leguidecampingfrance@tp.michelin.com.

ST-RENAN

29290 - Carte Michelin **308** D4 - 7 468 h. - alt. 50
▶ Paris 605 - Brest 14 - Brignogan-Plages 43 - Ploudalmézeau 14

⛰ Municipal de Lokournan

📞 02 98 84 37 67, www.saint-renan.fr

Pour s'y rendre : rte de l'Aber (sortie nord-ouest par D 27 et chemin à dr., près du stade)

Ouverture : de mi-juin à mi-sept.

0,8 ha (70 empl.) plat, herbeux, sablonneux

Empl. camping : (Prix 2018) 👭 3 € 🚗 🔲 3 € – 🔌 (12A) 4 €

🚐 borne AireService 4 € - 20 🔲 4 €

Terrain sauvage bien ombragé près d'un petit lac.

Nature : 🦆 🗐 🌳		G P S	W : 4.62929
Loisirs : 🏊			N : 48.43991
Services : 📶 🔲			
À prox. : 🔲			

ST-SAMSON-SUR-RANCE

22100 - Carte Michelin **309** J4 - 1 514 h. - alt. 64
▶ Paris 401 - Rennes 57 - St-Brieuc 64 - St-Helier 34

⛰ Municipal Beauséjour

📞 02 96 39 53 27, www.beausejour-camping.com

Pour s'y rendre : lieu-dit : La Hisse (3 km à l'est, par D 57 et D 12 à dr., à 200 m du port)

3 ha (112 empl.) plat, herbeux

Location : - 6 🛖 - 12 🏠 - 2 gîtes.

Emplacements de belle ampleur tout proches d'une ancienne ferme en pierre, rénovée en gîtes.

Nature : 🦆 🏊		G P S	W : 2.00889
Loisirs : 🎣 🏊			N : 48.48889
Services : ⛽ 📶 laverie			
À prox. : ♟ 🕴 🦆			

Avant de vous installer, consultez les tarifs en cours, affichés obligatoirement à l'entrée du terrain, et renseignez-vous sur les conditions particulières de séjour. Les indications portées dans le guide ont pu être modifiées depuis la mise à jour.

ST-YVI

29140 - Carte Michelin **308** H7 - 2 755 h. - alt. 105
▶ Paris 563 - Rennes 212 - Quimper 17 - Vannes 119

⛰ Tohapi Le Bois de Pleuven

📞 0825 00 20 30, www.tohapi.fr

Pour s'y rendre : lieu-dit : Kerancolven

17 ha/10 campables (260 empl.) plat, herbeux

Location : - 91 🛖 - 15 tentes lodges.

Cadre naturel, sauvage en sous-bois.

Nature : 🦆 🗐 🌳		G P S	W : 3.97056
Loisirs : ♟ 🍴 🎣 🕴 🦆 🚲 🍴 🕴 🔲 🏊 🏊			N : 47.95028
Services : ⛽ 🛁 📶 laverie 🔲			

STE-ANNE-D'AURAY

56400 - Carte Michelin **308** N8 - 2 347 h. - alt. 42
▶ Paris 475 - Auray 7 - Hennebont 33 - Locminé 27

⛰ Municipal du Motten

📞 02 97 57 60 27, campingdumotten.wix.com/campingsteannedauray

Pour s'y rendre : allée des Pins (1 km au sud-ouest par D 17, rte d'Auray et r. du Parc à dr.)

Ouverture : de mi-juin à mi-sept.

1,5 ha (115 empl.) plat, herbeux

Empl. camping : (Prix 2018) 👭 4 € 🚗 3 € 🔲 3 € – 🔌 (10A) 4 €

Prairie ombragée à très ombragée.

Nature : 🌳		G P S	W : 2.96251
Loisirs : 🏊 🏊			N : 47.69831
Services : ⛽ 🚽 📶 🔲			

SARZEAU

56370 - Carte Michelin **308** O9 - 7 659 h. - alt. 30
▶ Paris 478 - Nantes 111 - Redon 62 - Vannes 23

🏔 Les Castels Manoir de Ker An Poul 👥

🖉 02 97 67 33 30, www.manoirdekeranpoul.com - peu d'emplacements pour tentes et caravanes

Pour s'y rendre : à Penvins, rte de La Grée

Ouverture : de déb. avr. à fin sept.

5 ha (320 empl.) plat, herbeux

Empl. camping : (Prix 2018) 19€ 🏕🏕 🚗 📧 🔌 (10A) - pers. suppl. 6€ - frais de réservation 5€

Location : (Prix 2018) (de déb. avr. à fin sept.) - 93 🏠 - 5 bungalows toilés. Nuitée 29 à 167€ - Sem. 203 à 1 169€ - frais de réservation 15€

🏠 borne artisanale

Autour d'une ancienne ferme en pierre joliment restaurée.

Nature : 🏞 🟢🟢
Loisirs : 🍸🍴 🏠 🏕 🏃 🛶 🚴 📺 🏊 🏛 terrain multisports
Services : 🔌 🚿 🛁 🛒 laverie 🧺 🧊 réfrigérateurs

GPS W : 2.68278
N : 47.505

🏔 Capfun An Trest 👥

(pas d'emplacement tentes et caravanes)

🖉 02 97 41 79 60, www.capfun.com

Pour s'y rendre : 1 chemin du Treste (2,5 km au sud, rte du Roaligen)

5 ha (269 empl.) en terrasses, peu incliné, plat, herbeux

Location : (Prix 2018) (de déb. avr. à déb. sept.) - ♿ (1 mobile home) - 251 🏠. Nuitée 37 à 82€ - Sem. 147 à 1 141€ - frais de réservation 27€

Nombreuses animations et installations ludiques pour les enfants autour du parc aquatique en partie couvert.

Nature : 🏞 🟢🟢
Loisirs : 🍸🍴 🏠 🏕 🏃 🛶 🚴 📺 🏊 🏛
Services : 🔌 🛁 🛒 laverie

GPS W : 2.77208
N : 47.50612

🏔 Capfun Lodge Club 👥

🖉 02 97 41 29 93, www.lodgeclub.fr

Pour s'y rendre : lieu-dit : Le Bas Bohat (2,8 km à l'ouest)

Ouverture : de mi-avr. à fin sept.

15 ha/10 campables (316 empl.) plat, herbeux, forêt attenante

Empl. camping : (Prix 2018) 35€ 🏕🏕 🚗 📧 🔌 (10A) - pers. suppl. 7€ - frais de réservation 27€

Location : (Prix 2018) (de mi-avr. à fin sept.) - 🍴 - 228 🏠 - 26 tentes lodges. Nuitée 42 à 82€ - Sem. 168 à 1 141€ - frais de réservation 27€

🏠 borne artisanale

Cadre naturel, familial avec du locatif varié, de bon confort et une pataugeoire ludique couverte.

Nature : 🏞 🏕 🟢
Loisirs : 🍸🍴 🏠 🏃 🛶 🚴 📺 🏊 🏛 terrain multisports
Services : 🔌 🛁 🛒 🚿 laverie 🧺
À prox. : 🏇

GPS W : 2.79722
N : 47.5225

🏔 Ferme de Lann Hoedic

🖉 02 97 48 01 73, www.camping-lannhoedic.fr

Pour s'y rendre : r. Jean-de-La-Fontaine

Ouverture : de déb. avr. à fin oct.

3,6 ha (128 empl.) peu incliné, plat, herbeux

Empl. camping : 24€ 🏕🏕 🚗 📧 🔌 (10A) - pers. suppl. 5€ - frais de réservation 10€

Location : (de déb. avr. à fin oct.) - 🍴 - 14 🏠 - 2 tentes lodges. Sem. 230 à 710€ - frais de réservation 14€

🏠 borne artisanale - 🔋 11€

Emplacements au calme avec beaucoup d'espaces verts qui gardent un côté nature.

Nature : 🏞 🟢🟢
Loisirs : 🍸🏕 🛶 🚴 mini ferme
Services : 🔌 🛁 🛒 🚿 laverie

GPS W : 2.76139
N : 47.50722

🏔 La Grée Penvins

🖉 02 97 67 33 96, www.campinglagreepenvins.com

Pour s'y rendre : 8 rte de la Chapelle, à Penvins (9 km au sud-est par D 198)

2,5 ha (111 empl.) terrasse, plat, herbeux, sablonneux

Location : - 12 🏠.

Accès direct à la plage de la Pointe de Penvins.

Nature : 🏞 🟢 ⛰
Services : 🔌 🛁 🚿 laverie
À prox. : 🍸🍴 ⚓

GPS W : 2.68242
N : 47.49665

SCAËR

29390 - Carte Michelin **308** I6 - 5 244 h. - alt. 190
▶ Paris 544 - Carhaix-Plouguer 38 - Concarneau 29 - Quimper 35

🏔 Municipal de Kérisole

🖉 06 46 71 76 40, www.camping-kerisole.fr

Pour s'y rendre : r. Louis-Pasteur (sortie est par rte du Faouët)

Ouverture : de déb. avr. à fin oct.

4 ha/2,3 campables (83 empl.) peu incliné, plat, herbeux

Empl. camping : 🏕 5€ 🚗 5€ 📧 5€ – 🔌 (16A) 5€

Location : (de déb. avr. à fin oct.) - 3 🏠 - 3 tentes lodges - 6 cabanons - 1 gîte. Nuitée 80€ - Sem. 450€

Cadre arboré tranquille et agréable à proximité de la nouvelle bibliothèque municipale.

Nature : 🏞 🟢
Loisirs : 🛶
Services : 🔌 🚿 laverie
À prox. : 🏊 🛶 parcours de santé

GPS W : 3.69756
N : 48.0278

SÉRENT

56460 - Carte Michelin **308** P8 - 2 985 h. - alt. 80
▶ Paris 432 - Josselin 17 - Locminé 31 - Ploërmel 19

🏔 Municipal du Pont Salmon

🖉 02 97 75 91 98, www.serent.fr/accueil-camping.html

Pour s'y rendre : 15 r. du Gén.-de-Gaulle (au bourg, vers rte de Ploërmel)

1 ha (30 empl.) plat, herbeux

Location : ♿ (1 chalet) - 4 🏠.

🏠 borne artisanale

Accès gratuit à la piscine municipale située à l'entrée du camping.

Nature : 🏕 🌳🌳
Services : ⚏ 📶 laverie
À prox. : ✗ 🚣 ⚓

GPS W : 2.50191
N : 47.82506

SIZUN

29450 - Carte Michelin **308** G4 - 2 221 h. - alt. 112
▶ Paris 572 - Brest 37 - Carhaix-Plouguer 44 - Châteaulin 36

⛰ Municipal du Gollen

📞 02 98 24 11 43, www.mairie-sizun.fr

Pour s'y rendre : lieu-dit : Le Gollen (1 km au sud par D 30, rte de St-Cadou et à gauche, au bord de l'Elorn)

Ouverture : de mi-avr. à fin sept. - 🛗

0,6 ha (29 empl.) non clos, plat, herbeux

Empl. camping : (Prix 2018) 🚶 4€ ⇌ 3€ 🔲 3€ – 🔌 (10A) 3€
🚰 borne eurorelais 2€
Grande prairie au bord de l'Elorn.

Nature : 🐟 🌳
Loisirs : 🚣
Services : 🍴 🔥 📶
À prox. : ✗ 🚣

GPS W : 4.07659
N : 48.4

SULNIAC

56250 - Carte Michelin **308** P8 - 3 133 h. - alt. 125
▶ Paris 457 - Rennes 106 - Vannes 21 - Nantes 112

🏘 Village Vacances La Lande du Moulin

(pas d'emplacement tentes et caravanes)

📞 02 97 53 29 39, www.la-lande-du-moulin.com

Pour s'y rendre : lieu-dit : le Nounène (1,5 km à l'est par la D 104 et à drte rte de Theix)

12 ha vallonné, en terrasses

Location : (Prix 2018) (de déb. avr. à fin oct.) - 🔥 (2 chalets) - 11 🚐 - 29 🏠 - 11 gîtes - 4 studios. Nuitée 41 à 141€ - Sem. 287 à 987€

Cadre agréable, verdoyant avec petit étang. Possibilité de séjours en pension ou 1/2 pension.

Nature : 🐟 🌳🌳
Loisirs : 🍴 ✗ 🏠 🎯 🏸 🛶 🚴 ✗ 🎱 ⛱
🚣 🛶 pédalos parcours dans les arbres
Services : 🔥 ⚏ 📶 laverie 🛗

GPS W : 2.57028
N : 47.66694

TADEN

22100 - Carte Michelin **309** J4 - 2 340 h. - alt. 46
▶ Paris 404 - Rennes 71 - St-Brieuc 64 - St-Helier 34

🏘 Municipal de la Hallerais

📞 02 96 39 15 93, www.camping-lahallerais.com

Pour s'y rendre : 4 r. de la Robardais (au sud-ouest du bourg)

Ouverture : de mi-mars à mi-nov.

7 ha (225 empl.) en terrasses, peu incliné, plat, herbeux, gravillons

Empl. camping : 🚶 4€ ⇌ 🔲 13€ 🔌 (10A)

Location : (de mi-mars à mi-nov.) - 🔥 (1 chalet-1 mobile-home) - 9 🚐 - 11 🏠. Nuitée 33 à 73€ - Sem. 186 à 500€
🚰 borne artisanale - 7 🔲
Autour d'une ancienne ferme en pierre joliment restaurée. Nombreux mobile homes de propriétaires-résidents.

Nature : 🐟 ≤ 🏕 🌳🌳
Loisirs : 🍴 ✗ 🏠 🎯 🛶 ✗ 🎱 🛶 terrain multisports
Services : 🍴 ⚏ 🔥 🚿 📶 laverie 🛗 🛗
À prox. : 🎣 🚣 ⚓

GPS W : 2.0232
N : 48.47181

TAUPONT

56800 - Carte Michelin **308** Q7 - 2 140 h. - alt. 81
▶ Paris 422 - Josselin 16 - Ploërmel 5 - Rohan 37

🏘 La Vallée du Ninian

📞 02 97 93 53 01, www.camping-ninian.fr

Pour s'y rendre : lieu-dit : Ville Bonne, le Rocher (sortie nord par D 8, rte de la Trinité-Phoët, puis 2,5 km par rte à gauche, accès direct à la rivière)

Ouverture : de déb. avr. à fin sept.

2,7 ha (100 empl.) plat, herbeux, verger

Empl. camping : 🚶 5€ ⇌ 🔲 8€ – 🔌 (10A) 5€ - frais de réservation 12€
Location : (de déb. avr. à fin sept.) - 🔥 (1 mobile home) - 12 🚐 - 2 bungalows toilés - 3 tentes lodges. Nuitée 41€ - Sem. 190 à 695€ - frais de réservation 12€
🚰 borne eurorelais - 🛶 🔌 18€
Des soirées sont organisées autour du four à pain ou du pressoir à pommes.

Nature : 🐟 🏕 🌳🌳
Loisirs : 🍴 🏠 🛶 🎱 🚣
Services : 🔥 🚿 🚿 📶 laverie 🛗

GPS W : 2.47
N : 47.96928

TELGRUC-SUR-MER

29560 - Carte Michelin **308** E5 - 2 088 h. - alt. 90
▶ Paris 572 - Châteaulin 25 - Douarnenez 29 - Quimper 39

🏘 Armorique

📞 02 98 27 77 33, www.campingarmorique.com

Pour s'y rendre : 112 r. de la Plage (1,2 km au sud-ouest par rte de Trez-Bellec-Plage)

Ouverture : de déb. avr. à fin sept.

2,5 ha (98 empl.) en terrasses, peu incliné, plat, herbeux

Empl. camping : (Prix 2018) 27€ 🚶🚶 ⇌ 🔲 🔌 (10A) - pers. suppl. 6€
Location : (Prix 2018) (de déb. avr. à fin sept.) - 28 🚐 - 4 🏠. Nuitée 72 à 102€ - Sem. 240 à 798€ - frais de réservation 16€
🚰 borne Sanistation
Un terrain tout en dénivelé, avec de belles terrasses.

Nature : 🐟 ≤ 🏕 🌳
Loisirs : 🍴 ✗ 🏠 🛶 🎱 🏸
Services : 🔥 🚿 📶 laverie 🛗

GPS W : 4.37085
N : 48.22531

THEIX

56450 - Carte Michelin **308** P9 - 6 765 h. - alt. 5
▶ Paris 464 - Ploërmel 51 - Redon 58 - La Roche-Bernard 33

▲▲ Flower Rhuys

℘ 02 97 54 14 77, www.campingderhuys.com

Pour s'y rendre : r. Dugay-Trouin, lieu-dit : Le Poteau Rouge (3,5 km au nord-ouest, par N 165, venant de Vannes : sortie Sarzeau)

2,7 ha (90 empl.) peu incliné, plat, herbeux

Location : - 21 🛏 - 2 tipis.

📷 15 🔲

Au fond du terrain, quelques animaux de la ferme.

Nature : 💧
Loisirs : 🍷 🛶 ⛵ 🎣 ⛷ mini ferme
Services : 🔌 🛁 🚿 ♻ 🛜 📷
À prox. : 🛒 🍴

	G	W : 2.69413
	P	N : 47.64108
	S	

To visit a town or region : use the **MICHELIN Green Guides.**

TINTÉNIAC

35190 - Carte Michelin **309** K5 - 3 304 h. - alt. 40
▶ Paris 377 - Avranches 70 - Dinan 28 - Dol-de-Bretagne 30

▲▲ Domaine Les Peupliers

℘ 02 99 45 49 75, www.domainelespeupliers.fr

Pour s'y rendre : au Domaine de la Besnelais (2 km au sud-est par l'ancienne rte de Rennes, au bord d'étangs, par N 137, sortie Tinténiac Sud)

Ouverture : de déb. avr. à fin sept.

4 ha (93 empl.) plat, herbeux

Empl. camping : 27 € ✶✶ 🚗 🔲 🔌 (10A) - pers. suppl. 7 €

Location : (de mi-mars à fin oct.) - 4 🛏 - 2 🏠 - 2 tentes lodges - 2 gîtes. Nuitée 30 à 110 € - Sem. 180 à 840 €

📷 borne eurorelais - 5 🔲 22 € - 🚐 🔌 18 €

Belle situation et cadre agréable au bord d'un étang sauvage.

Nature : 🖼 💧
Loisirs : 🍷 🍽 🛶 🚴 ❀ ⛷ 🎣 🛶
Services : 🔌 🚿 ♻ 🛜 laverie 🧺

	G	W : 1.82167
	P	N : 48.30917
	S	

LE TOUR-DU-PARC

56370 - Carte Michelin **308** P9 - 1 105 h.
▶ Paris 476 - La Baule 62 - Redon 57 - St-Nazaire 81

▲ Le Cadran Solaire

℘ 02 97 67 30 40, www.campingcadransolaire.fr

Pour s'y rendre : r. de Banastère (2 km au sud par D 324, rte de Sarzeau)

Ouverture : de déb. avr. à fin sept.

2 ha (115 empl.) plat, herbeux

Empl. camping : (Prix 2018) ✶ 5 € 🚗 🔲 9 € – 🔌 (10A) 4 € - frais de réservation 10 €

Location : (Prix 2018) (de déb. avr. à fin oct.) - 🔀 - 15 🛏. Nuitée 50 à 80 € - Sem. 200 à 650 €

Cadre soigné et bon confort sanitaire.

Nature : 🖼 🖼 💧💧
Loisirs : 🖼 🛶 📡
Services : 🔌 🛁 🛜 laverie

	G	W : 2.65748
	P	N : 47.5208
	S	

TRÉBEURDEN

22560 - Carte Michelin **309** A2 - 3 714 h. - alt. 81
▶ Paris 525 - Lannion 10 - Perros-Guirec 14 - St-Brieuc 74

▲ L'Espérance

℘ 07 86 17 48 08, www.camping-esperance.com

Pour s'y rendre : r. de Kéralégan (5 km au nord-ouest par D 788, rte de Trégastel, près de la mer)

Ouverture : de déb. avr. à fin sept.

1 ha (56 empl.) non clos, plat, herbeux

Empl. camping : (Prix 2018) ✶ 5 € 🚗 3 € 🔲 5 € – 🔌 (10A) 4 € - frais de réservation 15 €

Location : (Prix 2018) (de déb. avr. à fin sept.) - 8 🛏. Nuitée 40 à 60 € - Sem. 270 à 610 € - frais de réservation 20 €

 borne artisanale

Préférer les emplacements les plus éloignés de la route. Confort sanitaire ancien.

Nature : ⬜ 🖼 💧
Loisirs : 🍷
Services : 🔌 🛜 laverie

	G	W : 3.55743
	P	N : 48.79096
	S	

TREFFIAGAT

29730 - Carte Michelin **308** F8 - 2 343 h. - alt. 20
▶ Paris 582 - Audierne 39 - Douarnenez 41 - Pont-l'Abbé 8

▲ Les Ormes

℘ 02 98 58 21 27, www.campingdesormesleguilvinec.fr

Pour s'y rendre : lieu-dit : Kerloc'h (2 km au sud, rte de Lesconil et rte à droite à 400 m de la plage (accès direct))

Ouverture : de déb. mai à fin sept.

2 ha (76 empl.) plat, herbeux

Empl. camping : (Prix 2018) ✶ 4 € 🚗 3 € 🔲 4 € – 🔌 (6A) 4 € - frais de réservation 6 €

Location : (Prix 2018) (de déb. avr. à fin sept.) - 🔀 - 2 🏠. Sem. 315 à 465 €

📷 borne artisanale 16 €

Petit terrain très agréable entre mer et campagne.

Nature : 🌿 🖼 💧
Loisirs : 🛶
Services : 🔌 🚽 laverie
À prox. : 🚣

	G	W : 4.25518
	P	N : 47.79666
	S	

TRÉDREZ

22300 - Carte Michelin **309** A2 - 1 451 h. - alt. 78
▶ Paris 526 - Quimper 111 - Rennes 175 - Saint-Brieuc 79

▲▲▲ Flower Les Capucines

℘ 02 96 35 72 28, www.lescapucines.fr

Pour s'y rendre : ancienne Voie Romaine, à Kervourdon (1,5 km au nord par rte de Lannion et chemin à gauche)

Ouverture : de déb. avr. à fin sept.

4 ha (106 empl.) peu incliné, plat, herbeux

Empl. camping : (Prix 2018) 20 € ✶✶ 🚗 🔲 🔌 (10A) - pers. suppl. 5 € - frais de réservation 18 €

Location : (Prix 2018) (de déb. avr. à fin sept.) - 🦽 (1 chalet) - 13 🛏 - 5 🏠 - 1 tente lodge. Sem. 250 à 750 € - frais de réservation 18 €

 borne flot bleu

Emplacements ombragés ou plein soleil avec quelques locatifs grand confort.

Nature :
Loisirs : 🍴 ✕ 🏠 📺 nocturne 🏊 🔭 🏸 (découverte en saison) ⛵ mini ferme skate park terrain multisports
Services : 🚿 👥 🚐 ♿ 🛜 laverie 🐟

G P S | W : 3.55694
N : 48.69278

TRÉGASTEL

22730 - Carte Michelin **309** B2 - 2 435 h. - alt. 58
▶ Paris 526 - Lannion 11 - Perros-Guirec 9 - St-Brieuc 75

🏔 Tourony-Camping

📞 02 96 23 86 61, www.camping-tourony.com

Pour s'y rendre : 105 r. de Poul-Palud (1,8 km à l'est par D 788, rte de Perros-Guirec, à 500 m de la plage)

Ouverture : de déb. avr. à fin sept.

2 ha (100 empl.) plat, herbeux

Empl. camping : (Prix 2018) 25€ ⚄ 🚐 📺 (10A) - pers. suppl. 5€ - frais de réservation 15€

Location : (Prix 2018) (de déb. avr. à fin sept.) - 19 🚐 - 2 🏠. Sem. 240 à 695€ - frais de réservation 15€

🚐 borne AireService - 10 📧 12€

Face à la baie et au joli port de plaisance.

Nature : 🌿
Loisirs : 🍴 ✕ 🏊 🔭
Services : 🚿 👥 🚐 ♿ 🛜 laverie
À prox. : 🛒 terrain multisports

G P S | W : 3.49131
N : 48.82565

Avant de vous installer, consultez les tarifs en cours, affichés obligatoirement à l'entrée du terrain, et renseignez-vous sur les conditions particulières de séjour. Les indications portées dans le guide ont pu être modifiées depuis la mise à jour.

TRÉGUENNEC

29720 - Carte Michelin **308** F7 - 348 h. - alt. 31
▶ Paris 582 - Audierne 27 - Douarnenez 27 - Pont-l'Abbé 11

🏔 Kerlaz

📞 02 98 87 76 79, www.kerlaz.com

Pour s'y rendre : rte de la Mer (au bourg, par D 156)

Ouverture : de déb. avr. à fin oct.

1,25 ha (65 empl.) plat, herbeux

Empl. camping : (Prix 2018) 24€ ⚄ 🚐 📺 (10A) - pers. suppl. 5€ - frais de réservation 10€

Location : (Prix 2018) (de déb. avr. à fin oct.) - 15 🚐 - 5 🏠 - 2 bungalows toilés - 2 tentes lodges. Nuitée 35 à 98€ - Sem. 210 à 685€ - frais de réservation 10€

Cadre agréable peu ombragé.

Nature : 🌿
Loisirs : 🍴 🏊 🚲 🔭 (découverte en saison)
Services : 🚿 (juil.-août) 🛜 laverie
À prox. : 🚐 🐎

G P S | W : 4.32848
N : 47.89457

TRÉLÉVERN

22660 - Carte Michelin **309** B2 - 1 390 h. - alt. 76
▶ Paris 524 - Lannion 13 - Perros-Guirec 9 - St-Brieuc 73

🏔 RCN Port-l'Épine

📞 02 96 23 71 94, www.rcn.nl/fr

Pour s'y rendre : à Port-l'Épine, 10 Venelle de Pors Garo (1,5 km au nord-ouest puis un chemin à gauche)

Ouverture : de fin avr. à mi-sept.

3 ha (160 empl.) peu incliné, plat, herbeux

Empl. camping : (Prix 2018) 40€ ⚄ 🚐 📺 (16A) - pers. suppl. 7€

Location : (Prix 2018) (de fin avr. à mi-sept.) - 45 🚐. Nuitée 48 à 180€

Cadre verdoyant sur la presqu'île de Port l'Épine, pratiquement entouré par la mer.

Nature : 🌿 ≤ baie de Perros-Guirec 🌳 🌿 ⛰
Loisirs : 🍴 ✕ 🏊 🔭
Services : 🚿 👥 ♿ 🛜 laverie 🚐

G P S | W : 3.38594
N : 48.8128

Campeurs... N'oubliez pas que le feu est le plus terrible ennemi de la forêt. Soyez prudents !

LA TRINITÉ-SUR-MER

56470 - Carte Michelin **308** M9 - 1 622 h. - alt. 20
▶ Paris 488 - Auray 13 - Carnac 4 - Lorient 52

🏔 Kervilor

📞 02 97 55 76 75, www.camping-kervilor.com

Pour s'y rendre : rte du Latz (1,6 km au nord)

5 ha (250 empl.) peu incliné, plat, herbeux

Location : - 76 🚐.

🚐 borne artisanale

Cadre verdoyant au calme autour de la piscine couverte.

Nature : 🌿 🌳 🌿
Loisirs : 🍴 🏠 ♨ jacuzzi 🏊 🚲 🎯 🔭 🏸 ⛵ terrain multisports
Services : 🚿 👥 🛜 laverie 🚐 🐟 réfrigérateurs

G P S | W : 3.03588
N : 47.60168

🏔 APV Plijadur 👥

📞 02 51 56 08 78, www.camping-apv.com

Pour s'y rendre : 94 rte de Carnac (1,3 km au nord-ouest sur D 781)

Ouverture : de déb. avr. à fin sept.

5 ha (218 empl.) plat, herbeux, sablonneux, étang

Empl. camping : (Prix 2018) 15€ ⚄ 🚐 📺 (6A) - pers. suppl. 8€ - frais de réservation 29€

Location : (Prix 2018) (de déb. avr. à fin sept.) - 129 🚐. Nuitée 49 à 153€ - Sem. 343 à 1 071€ - frais de réservation 29€

🚐 borne AireService 10€ - 10 📧 10€

Préférer les emplacements les plus éloignés de la route, près de l'étang. Sanitaires anciens.

Nature : 🌳 🌿 🌿
Loisirs : 🍴 ✕ 🏠 📺 🏸 ♨ 🏖 hammam jacuzzi 🏊 🚲 ⛵ 🔭 terrain multisports
Services : 🚿 👥 🛜 laverie 🚐 🐟

G P S | W : 3.03667
N : 47.58584

⛰ La Plage ▲▲

🖉 02 97 55 73 28, www.camping-plage.com

Pour s'y rendre : plage de Kervillen (1 km au sud)

Ouverture : de déb. mai à mi-sept.

3 ha (195 empl.) peu incliné, plat, herbeux, sablonneux

Empl. camping : 49€ ★★ ⬅ 🔲 📶 (10A) - pers. suppl. 6€ - frais de réservation 15€

Location : (de déb. mai à mi-sept.) - 41 🛖 - 6 bungalows toilés. Nuitée 32 à 70€ - Sem. 179 à 985€ - frais de réservation 15€

🚐 borne artisanale 15€

Cadre verdoyant avec un accès direct à la plage.

Nature : 🐚 🗔 🎋 ⛲	**G** W : 3.02869
Loisirs : 🛋 ☺diurne 🎋 jacuzzi 🏊 🚴 ⛷ 🛷 🚣	**P** N : 47.57562
Services : 🔑 🛁 ♨ 🚽 📶 laverie	**S**
À prox. : 🏖 🍷 ✕ 🛶 🍴 ⛏	

⛰ La Baie ▲▲

🖉 02 97 55 73 42, www.campingdelabaie.com - peu d'emplacements pour tentes et caravanes

Pour s'y rendre : plage de Kervillen (1,5 km au sud)

Ouverture : de mi-avr. à mi-sept.

2,2 ha (170 empl.) plat, herbeux, sablonneux

Empl. camping : 54€ ★★ ⬅ 🔲 📶 (10A) - pers. suppl. 4€ - frais de réservation 22€

Location : (Prix 2018) (de mi-avr. à mi-sept.) - 42 🛖 - 2 tentes lodges. Nuitée 30 à 144€ - Sem. 168 à 1 008€ - frais de réservation 22€

Cadre verdoyant tout proche de la plage.

Nature : 🐚 🗔 🎋	**G** W : 3.02789
Loisirs : 🛋 ☺diurne 🎋 🏊 🚴 ⛷ 🛷	**P** N : 47.57375
Services : 🔑 🛁 ♨ 🚽 📶 laverie	**S**
À prox. : 🏖 🍷 ✕ 🛶 🍴 ⛏	

VANNES

56000 - Carte Michelin **308** 09 - 52 683 h. - alt. 20

▶ Paris 459 - Quimper 122 - Rennes 110 - St-Brieuc 107

⛰ Flower Le Conleau ▲▲

🖉 02 97 63 13 88, www.vannes-camping.com

Pour s'y rendre : à la Pointe de Conleau (au sud, dir. parc du Golfe par l'av. du Mar. Juin)

Ouverture : de déb. avr. à fin sept.

5 ha (250 empl.) en terrasses, peu incliné, plat, herbeux, gravillons

Empl. camping : 19€ ★★ ⬅ 🔲 📶 (6A) - pers. suppl. 4€

Location : (de déb. avr. à fin sept.) - ♿ (1 mobile home) - 70 🛖 - 8 🏠 - 2 bungalows toilés - 6 tentes lodges. Nuitée 44 à 149€ - Sem. 220 à 1 043€ - frais de réservation 20€

🚐 borne eurorelais 5€

Site agréable face au golfe du Morbihan avec du locatif varié et de bon confort.

Nature : ⪡ 🗔 🎋	**G** W : 2.77994
Loisirs : 🍷 ✕ 🛋 ☺ 🎋 🏊 🚴 🛷 (découverte en saison)	**P** N : 47.63326
Services : 🔑 ⬛ 🛁 📶 laverie 🛒	**S**

CENTRE VAL-DE-LOIRE

Antoine2K/iStock

La Belle au bois dormant sommeillerait encore, dit-on, dans l'un des splendides châteaux qui bordent la Loire et ses affluents : Chambord, Azay-le-Rideau, Chenonceau... Autant de logis royaux au décor de conte de fées, agrémentés de jardins étourdissants de beauté. Une foule de spectacles son et lumière y font revivre aujourd'hui les fastes de la Cour, prenant le relais des écrivains qui, de Ronsard à Genevoix en passant par Balzac et George Sand, ont immortalisé la Vallée des rois, trempé leur plume aux étangs de la giboyeuse Sologne ou dépeint l'envoûtante atmosphère du bocage berrichon. Après avoir savouré un délicieux poulet en barbouille, prêtez donc l'oreille aux histoires de loups-garous contées par vos hôtes... Vous constaterez que les gens du pays manient aussi bien les mots que les casseroles !

Sleeping Beauty is said to slumber still within the thick walls of one of the Loire's fairy-tale castles, like Chambord, Azay-le-Rideau or Chenonceau. A list of the region's architectural wonders and glorious gardens would be endless; but its treasures are shown to full effect in a season of «son et lumière» shows. The landscape has inspired any number of writers, from Pierre de Ronsard, "the Prince of Poets", to Balzac and Georges Sand; all succumbed to the charm of this valley of kings, without forgetting to give the game-rich woodlands their due. To savour the region's two-fold talent for storytelling and culinary arts, first tuck into a delicious chicken stew, then curl up by the fireside to hear your hosts' age-old local legends.

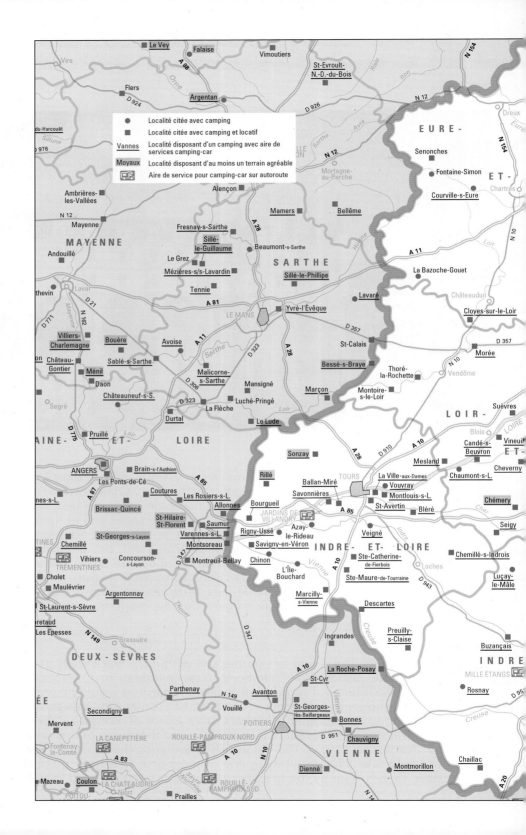

Localité citée avec camping
Localité citée avec camping et locatif
Vannes   Localité disposant d'un camping avec aire de services camping-car
Moyaux   Localité disposant d'au moins un terrain agréable
Aire de service pour camping-car sur autoroute

AUBIGNY-SUR-NÈRE

18700 - Carte Michelin **323** K2 - 5 879 h. - alt. 180
▶ Paris 180 - Bourges 48 - Cosne-sur-Loire 41 - Gien 30

⛰ Les Étangs

𝒫 02 48 58 02 37, www.camping-aubigny.com

Pour s'y rendre : av. du Parc-des-Sports (1,4 km à l'est par D 923, près d'un étang (accès direct)

Ouverture : de déb. avr. à mi-sept.

3 ha (100 empl.) plat, herbeux

Empl. camping : 26€ ★★ ⇔ ▣ ⸨⸩ (16A) - pers. suppl. 5€ - frais de réservation 10€

Location : (de déb. avr. à fin oct.) - ⅋ (1 mobile home) - 18 🚐 - 6 🏠 - 1 yourte. Nuitée 49 à 115€ - Sem. 245 à 805€ - frais de réservation 15€

Fort ombrage de chênes centenaires sur des emplacements dont certains sont au bord des étangs.

Nature : 🐟 🖵 ♀♀
Loisirs : 🍸 ✕ 🍴 🛶 🚴 🏊
Services : ⚓ ⊞ ♨ ☇ 🛜 laverie 🧹
À prox. : 🍽 🏞 🤿 skate-parc

G P S E : 2.46101
N : 47.48574

Utilisez le guide de l'année.

AZAY-LE-RIDEAU

37190 - Carte Michelin **317** L5 - 3 418 h. - alt. 51
▶ Paris 265 - Châtellerault 61 - Chinon 21 - Loches 58

⚠ Municipal le Sabot

𝒫 02 47 45 42 72, www.azaylerideau.fr

Pour s'y rendre : r. du Stade (sortie est par D 84, rte d'Artannes et r. à dr.)

6 ha (150 empl.) plat, herbeux

Situation agréable à proximité du château et au bord de l'Indre.

Nature : 🐟 ♀
Loisirs : 🍴 🛶 🏊
Services : ⚓ ♨ ☇ laverie
À prox. : 🎣 🚴 🍽 🏊 🤿

G P S E : 0.46963
N : 47.25863

BALLAN-MIRÉ

37510 - Carte Michelin **317** M4 - 8 152 h. - alt. 88
▶ Paris 251 - Azay-le-Rideau 17 - Langeais 20 - Montbazon 13

⛰ Club Airotel la Mignardière

𝒫 02 47 73 31 00, www.mignardiere.com

Pour s'y rendre : 22 av. des Aubépines (2,5 km au nord-est du bourg, à prox. du plan d'eau de Joué-Ballan)

Ouverture : de déb. avr. à mi-sept.

2,5 ha (177 empl.) plat, herbeux, petit bois attenant

Empl. camping : 31€ ★★ ⇔ ▣ ⸨⸩ (10A) - pers. suppl. 6€

Location : (de déb. avr. à mi-sept.) - 19 🚐 - 20 🏠. Sem. 273 à 875€ - frais de réservation 15€

🚐 borne artisanale

Nature : 🖵 ♀
Loisirs : ✕ 🍴 🛶 🚴 🍽 🏊 🤿
Services : ⚓ ⊞ ♨ ☇ 🛜 🔲 🎣
À prox. : 🍸 🧹 🏃 parc-aventure

G P S E : 0.63402
N : 47.35524

BANNAY

18300 - Carte Michelin **323** N2 - 896 h. - alt. 148
▶ Paris 195 - Auxerre 83 - Bourges 55 - Nevers 62

⚠ Aquadis Loisirs L'Île

𝒫 03 86 24 48 43, www.aquadis-loisirs.com/camping-de-l-ile

Pour s'y rendre : site de l'île de Cosne (5.5 km au nord-est par la D 955, rte de Cosne-Cours-sur-Loire)

Ouverture : de déb. avr. à fin oct.

5 ha (131 empl.) plat, herbeux

Empl. camping : 18€ ★★ ⇔ ▣ ⸨⸩ (10A) - pers. suppl. 4€ - frais de réservation 10€

Location : (de déb. avr. à fin oct.) - 6 🚐 - 2 bungalows toilés. Nuitée 32 à 79€ - Sem. 176 à 539€ - frais de réservation 10€

🚐 borne artisanale

Au bord de la Loire, face à la ville de Côsne-sur-Loire sur l'autre rive.

Nature : 🐟 ♀♀
Loisirs : 🍴 🏃
Services : ⚓ ♨ 🛜 laverie
À prox. : 🍸 ✕ 🧹 🛶 🚴 🤿 🏊

G P S E : 2.91812
N : 47.4088

This Guide is not intended as a list of all the camping sites in France ; its aim is to provide a selection of the best sites in each category.

BARAIZE

36270 - Carte Michelin **323** F8 - 313 h. - alt. 240
▶ Paris 318 - Orléans 192 - Châteauroux 47 - Guéret 86

⚠ Municipal Montcocu

𝒫 02 54 25 34 28, syndicat.laceguzon@wanadoo.fr - pour caravanes : à partir du lieu-dit "Montcocu", pente à 12% sur 1 km

Pour s'y rendre : lieu-dit : Montcocu (4,8 km au sud-est par D 913, rte d'Éguzon et D 72, à gauche rte de Pont-de-Piles)

Ouverture : de déb. avr. à fin oct.

1 ha (26 empl.) en terrasses, plat, herbeux

Empl. camping : (Prix 2018) ★ 2€ ⇔ 3€ ▣ 3€ – ⸨⸩ (8A) 3€

Location : (Prix 2018) (de déb. avr. à fin oct.) - 4 🏠. Nuitée 55 à 85€ - Sem. 246 à 450€

Situation et site agréables dominant la plage dans la vallée de la Creuse.

Nature : 🐟 🖵 ♀ ⚠
Loisirs : 🍸 ✕ 🍴 🛶 🏊 🤿 🏊
Services : ⚓ 🛜

G P S E : 1.60023
N : 46.47159

LA BAZOCHE-GOUET

28330 - Carte Michelin **311** B7 - 1 314 h. - alt. 185
▶ Paris 146 - Brou 18 - Chartres 61 - Châteaudun 33

⚠ Municipal la Rivière

𝒫 02 37 49 36 49, commune-bazoche-gouet-28330@wanadoo.fr

Pour s'y rendre : 1,5 km au sud-ouest par D 927, rte de la Chapelle-Guillaume et chemin à gauche

1,8 ha (30 empl.) plat, herbeux

Location : - 1 - 1 cabanon.

Cadre fleuri tout près de l'Yerre et de deux étangs, idéal pour la pêche ; confort sanitaire simple, ancien, entretenu.

Nature : ⚘ ♀		**G** E : 0.9689
Loisirs : 🤾 🚴		**P** N : 48.129
Services : 📶 🚲		**S**
À prox. : ✂ 🐟		

BEAULIEU-SUR-LOIRE

45630 - Carte Michelin **318** N6 - 1 794 h. - alt. 156
▶ Paris 170 - Aubigny-sur-Nère 36 - Briare 15 - Gien 27

⚠ Municipal Touristique du Canal

📞 02 38 35 80 48, www.beaulieu-sur-loire.fr

Pour s'y rendre : rte de Bonny-sur-Loire (sortie est par D 926)

Ouverture : de mi-avr. à fin oct.

0,6 ha (37 empl.) plat, herbeux

Empl. camping : (Prix 2018) 13 € 🚶🚶 ⛺ 🔲 (10A) - pers. suppl. 3 €
🚐 borne artisanale

Tout près du canal Latéral à la Loire avec un confort sanitaire simple et ancien.

Nature : 🏕 ♀		**G** E : 2.8176
Services : 🚾 🏢 🚿		**P** N : 47.5435
À prox. : ✗ 🐟 ⚓ ⛵		**S**

BESSAIS-LE-FROMENTAL

18210 - Carte Michelin **323** M6 - 313 h. - alt. 210
▶ Paris 300 - Orléans 172 - Bourges 51 - Moulins 66

⛰ Le Village de Goule

📞 02 48 60 82 66, www.village-de-goule.com

Pour s'y rendre : 1 rte de Goule (4.7 km au sud-est par la D 110 et D 110E)

120 ha/2 campables (78 empl.) plat, herbeux

Location : ♿ (1 chalet) - 15 🏠 - 10 ⛺ - 5 bungalows toilés.
🚐 borne eurorelais - 20 🔲

Sur les terres d'une base de loisirs avec un joli village de chalets et du locatif varié.

Nature : 🏊 🏕 ♀♀ ⛰		**G** E : 2.79853
Loisirs : ✗ 🏛 🚴 ✂ 🔥 🏊 ⛵ 🐟 🚣 🛶 🚗 base		**P** N : 46.73515
nautique pédalos		**S**
Services : 🚾 🚿 laverie		

BLÉRÉ

37150 - Carte Michelin **317** O5 - 4 576 h. - alt. 59
▶ Paris 234 - Blois 48 - Château-Renault 36 - Loches 25

⚠ Municipal la Gâtine

📞 02 47 57 92 60, www.onlycamp.fr

Pour s'y rendre : r. du Commandant-Lemaître (à l'Est de la ville, au centre d'un complexe sports-loisirs, en bordure du Cher)

Ouverture : de déb. avr. à mi-oct.

4 ha (270 empl.) plat, herbeux

Empl. camping : (Prix 2018) 21 € 🚶🚶 ⛺ 🔲 (10A) - pers. suppl. 4 €
🚐 borne artisanale 5 €

Sur les bords du Cher.

Nature : 🏊 ← Le Cher ♀♀		**G** E : 0.9959
Loisirs : 🍴 🛶 🚴		**P** N : 47.328
Services : 🚾 🏢 🚿 🚽 laverie		**S**
À prox. : 🚾 🤾 ✂ 🍴 🏊 🛶 canoë, pédalos,		
aviron		

BOURGES

18000 - Carte Michelin **323** K4 - 66 786 h. - alt. 153
▶ Paris 244 - Châteauroux 65 - Dijon 254 - Nevers 69

⚠ Aquadis Loisirs Robinson

📞 02 48 20 16 85, www.aquadis-loisirs.com/camping-bourges-robinson/

Pour s'y rendre : 26 bd de l'Industrie (vers sortie sud par N 144, rte de Montluçon et à gauche, près du Lac d'Auron, sortie A 71 : suivre Bourges Centre)

Ouverture : de déb. mars à déb. nov.

2,2 ha (107 empl.) terrasse, plat et peu incliné, gravier, herbeux

Empl. camping : 22 € 🚶🚶 ⛺ 🔲 (10A) - pers. suppl. 5 € - frais de réservation 10 €

Location : (de déb. mars à déb. nov.) - 8 . Nuitée 66 à 79 € - Sem. 266 à 539 € - frais de réservation 10 €
🚐 borne artisanale

Cadre verdoyant proche du centre-ville (1,2 km). Préférer les emplacements éloignés de la route. En avril, festival Printemps de Bourges !

Nature : 🏕 ♀		**G** E : 2.39488
Loisirs : 🤾		**P** N : 47.07232
Services : 🚾 🏢 🚿 🚽 📶 laverie		**S**
À prox. : ✂ 🎣		

Donnez-nous votre avis sur les terrains que nous recommandons. Faites-nous connaître vos observations et vos découvertes par mail à l'adresse : leguidecampingfrance@tp.michelin.com.

BOURGUEIL

37140 - Carte Michelin **317** J5 - 3 924 h. - alt. 42
▶ Paris 281 - Angers 81 - Chinon 16 - Saumur 23

⚠ Municipal de Bourgueil

📞 02 47 97 85 62, www.bourgueil.fr

Pour s'y rendre : 31 av. du Gén.-de-Gaulle (1,5 km au sud par D 749, rte de Chinon)

Ouverture : de mi-mai à mi-sept.

2 ha (87 empl.) plat, herbeux

Empl. camping : (Prix 2018) 🚶 2 € ⛺ 🔲 7 € – (7A) 3 €
Location : (Prix 2018) (de mi-mai à mi-sept.) - 2 - 3 cabanons. Nuitée 20 € - Sem. 250 €
🚐 borne artisanale

Cadre verdoyant et ombragé près d'un plan d'eau.

Nature : 🏕 ♀		**G** E : 0.16684
Loisirs : 🔥		**P** N : 47.27381
Services : 🚾 📶 🔲		**S**
À prox. : 🛒 🍴 🤾 ✂ 🎣 🛶 🚗 pédalos		

BRACIEUX

41250 - Carte Michelin **318** G6 - 1 256 h. - alt. 70
▶ Paris 185 - Blois 19 - Montrichard 39 - Orléans 64

⚠ Huttopia Les Châteaux

✆ 02 54 46 41 84, www.huttopia.com

Pour s'y rendre : 11 r. Roger-Brun (sortie nord, rte de Blois, au bord du Beuvron)

Ouverture : de fin mars à déb. nov.

8 ha (350 empl.) plat, herbeux

Empl. camping : (Prix 2018) 33€ ✶✶ ⇌ 🗉 🗲 (16A) - pers. suppl. 7€ - frais de réservation 15€

Location : (Prix 2018) (de fin mars à déb. nov.) - ⅙ (1 chalet) - 20 🛏 - 26 🏠 - 27 tentes lodges. Nuitée 35 à 126€ - frais de réservation 15€

🚐 borne Sanistation 7€ - 🔋 🗲 23€

Cadre boisé composé d'essences variées.

Nature : 🌿 ♀♀
Loisirs : 🍸 ✗ 🏓 ⚡ 🚴 ✗ 🔲 🏊
Services : 🔑 📶 laverie

GPS : E : 1.53821 N : 47.55117

Utilisez le guide de l'année.

BRIARE

45250 - Carte Michelin **318** N6 - 5 688 h. - alt. 135
▶ Paris 160 - Orléans 85 - Gien 11 - Montargis 50

⚠ Onlycamp Le Martinet

✆ 02 38 31 24 50, www.onlycamp.fr

Pour s'y rendre : lieu-dit : Val Martinet (1 km au nord par le centre-ville entre la Loire et le canal)

Ouverture : de fin mars à déb. nov.

4,5 ha (160 empl.) plat, herbeux

Empl. camping : (Prix 2018) ✶ 5€ ⇌ 2€ 🗉 5€ – 🗲 (10A) 5€

Location : (Prix 2018) (de fin mars à déb. nov.) - 3 🏠. Nuitée 49 à 69€ - Sem. 343 à 483€ - frais de réservation 8€

🚐 borne flot bleu 10€

Grande pelouse ombragée avec quelques haies entre La Loire et le Canal du Martinet. Indépendant et contigüe une aire de service camping-car avec parking.

Nature : 🌿 ♀
Loisirs : 🛝
Services : 🔑 🧺 🛒 📶 🗉
À prox. : 🏊 🚣 ⚓

GPS : E : 2.72441 N : 47.64226

BUZANÇAIS

36500 - Carte Michelin **323** E5 - 4 501 h. - alt. 111
▶ Paris 286 - Le Blanc 47 - Châteauroux 25 - Châtellerault 78

⚠ La Tête Noire

✆ 02 54 84 17 27, www.campinglatetenoire.fr

Pour s'y rendre : au nord-ouest par la r. des Ponts, au bord de l'Indre, près du stade

Ouverture : de mi-avr. à mi-oct.

2,5 ha (100 empl.) plat, herbeux

Empl. camping : (Prix 2018) 16€ ✶✶ ⇌ 🗉 🗲 (16A) - pers. suppl. 3€

Location : (Prix 2018) (de mi-avr. à mi-oct.) - 4 🛏 - 2 🏠 - 3 tentes lodges - 1 yourte. Nuitée 50 à 75€ - Sem. 250 à 450€

🚐 borne AireService - 🔋 🗲 11€

Nature : 🌿 ♀♀
Loisirs : 🍸 🏓 ⚡ hammam 🏊
Services : 🔑 🛒 📶 🗉
À prox. : 🚴 🚣 🛶 🔲 skate parc terrain multisports

GPS : E : 1.41805 N : 46.89285

CANDÉ-SUR-BEUVRON

41120 - Carte Michelin **318** E7 - 1 462 h. - alt. 70
▶ Paris 199 - Blois 15 - Chaumont-sur-Loire 7 - Montrichard 21

⚠⚠ La Grande Tortue

✆ 02 54 44 15 20, www.la-grande-tortue.com

Pour s'y rendre : 3 rte de Pontlevoy (500 m au sud par D 751, rte de Chaumont-sur-Loire et à gauche, rte de la Pieuse, à prox. du Beuvron)

Ouverture : de déb. avr. à mi-sept.

5 ha (169 empl.) plat et peu incliné, herbeux, sablonneux

Empl. camping : (Prix 2018) 45€ ✶✶ ⇌ 🗉 🗲 (10A) - pers. suppl. 11€ - frais de réservation 15€

Location : (Prix 2018) (de déb. avr. à mi-sept.) - ⅙ (mobile home) - 29 🛏 - 3 🏠. Nuitée 35 à 163€ - Sem. 245 à 1 015€ - frais de réservation 15€

🚐 borne artisanale

Joli espace aquatique et locatif de bon confort.

Nature : 🌿 ⛺ ♀♀
Loisirs : 🍸 ✗ 🏓 ⚡ 🚴 🔲 (découverte en saison) 🏊 parc aquatique
Services : 🔑 🛒 🧺 📶 🗉 🛒 🛒

GPS : E : 1.2583 N : 47.48992

*Die Klassifizierung (1 bis 5 Zelte, **schwarz** oder **rot**), mit der wir die Campingplätze auszeichnen, ist eine Michelin-eigene Klassifizierung. Sie darf nicht mit der staatlich-offiziellen Klassifizierung (1 bis 5 Sterne) verwechselt werden.*

CHAILLAC

36310 - Carte Michelin **323** D8 - 1 136 h. - alt. 180
▶ Paris 333 - Argenton-sur-Creuse 35 - Le Blanc 34 - Magnac-Laval 34

⚠ Municipal les Vieux Chênes

✆ 02 54 25 61 39, www.chaillac36.fr

Pour s'y rendre : allée des Vieux-Chênes (au sud-ouest du bourg, à 500 m d'un plan d'eau)

Ouverture : Permanent

2 ha (40 empl.) peu incliné à incliné, herbeux

Empl. camping : (Prix 2018) ✶ 3€ ⇌ 4€ 🗉 3€ – 🗲 (16A) 3€

Location : Permanent 🛖 - 3 🏠.

🚐 15 🗉 5€

Cadre verdoyant, fleuri et soigné, près du stade et au bord d'un étang.

Nature : 🌿 ⛺ ♀♀
Loisirs : 🚣 🔲 parcours de santé
Services : 🔑 🗑 🛒 🗉
À prox. : ✗ 🛶 🏊 pédalos

GPS : E : 1.29539 N : 46.43224

CHÂTEAUMEILLANT

18370 - Carte Michelin **323** J7 - 2 082 h. - alt. 247
▶ Paris 313 - Aubusson 79 - Bourges 66 - La Châtre 19

⚠ Municipal l'Étang Merlin

✆ 02 48 61 31 38, www.camping-etangmerlin.e-monsite.com

Pour s'y rendre : rte de Vicq (1 km au nord-ouest par D 70, rte de Beddes et D 80 à gauche)

Ouverture : de déb. mai à fin sept.

1,5 ha (46 empl.) plat, herbeux

Empl. camping : (Prix 2018) 13 € ♦♦ ⇔ 🔲 🚰 (10A) - pers. suppl. 3 €
Location : (Prix 2018) Permanent 🚫 (1 chalet) - 4 🛖 - 6 🏠 - 10 🏚. Nuitée 31 à 53 € - Sem. 169 à 317 €

Chalets sur la rive en face du camping, agréablement situés au bord de l'étang.

Nature : 🌿 ☁ ♀
Loisirs : 🛶 🏕 🚲 🎣
Services : 🔌 🚿 🛁 ♨ 📶 laverie
À prox. : ✂ 🏊

GPS : E : 2.19034
N : 46.56818

CHÂTEAUROUX

36000 - Carte Michelin **323** G6 - 46 386 h. - alt. 155
▶ Paris 265 - Blois 101 - Bourges 65 - Châtellerault 98

⚠ Le Rochat Belle-Isle

✆ 02 54 08 96 29, www.camping-lerochat.fr

Pour s'y rendre : 17 av. du Parc-de-Loisirs (au nord par av. de Paris et r. à gauche, au bord de l'Indre et à 100 m d'un plan d'eau)

Ouverture : Permanent

4 ha (205 empl.) plat, herbeux

Empl. camping : (Prix 2018) ♦ 5 € ⇔ 3 € 🔲 6 € – 🚰 (10A) 4 € - frais de réservation 12 €
Location : (Prix 2018) Permanent - 16 🛖. Nuitée 80 à 95 € - Sem. 295 à 625 € - frais de réservation 12 €
🚰 borne AireService - 🚐 🚰 20 €

À proximité, bus gratuit pour le centre-ville.

Nature : ☁ ♀♀
Loisirs : 🛶 🏕 🚲
Services : 🔌 🏛 🚿 🛁 ♨ 📶 laverie
À prox. : 🛒 🍴 ✕ 🎿 🏊 🏌 ⛵ bowling, parcours de santé

GPS : E : 1.69472
N : 46.8236

CHAUMONT-SUR-LOIRE

41150 - Carte Michelin **318** E7 - 1 037 h. - alt. 69
▶ Paris 201 - Amboise 21 - Blois 18 - Contres 24

⚠ Municipal Grosse Grève

✆ 02 54 20 95 22, www.chaumont-sur-loire.fr

Pour s'y rendre : 81 r. de Mar.-de-Lattre-de-Tassigny (sortie est par D 751, rte de Blois et r. à gauche, av. le pont, au bord de la Loire)

Ouverture : de fin avr. à fin sept. - 🏘

4 ha (150 empl.) vallonné, sablonneux, plat, herbeux

Empl. camping : (Prix 2018) ♦ 3 € ⇔ 1 € 🔲 2 € – 🚰 (10A) 2 €
🚰 borne eurorelais 2 €

Loisirs : 🏕
Services : 🔌 📶 laverie
À prox. : 🏊 🚲

GPS : E : 1.1999
N : 47.48579

CHÉCY

45430 - Carte Michelin **318** J4 - 7 221 h. - alt. 112
▶ Paris 143 - Orléans 11 - Fleury-les-Aubrais 14 - Olivet 15

⚠ Municipal Les Pâtures

✆ 02 38 91 13 27, www.checy.fr

Pour s'y rendre : chemin du port

Ouverture : de déb. mai à fin sept. - 🏘

1,5 ha (41 empl.) plat, herbeux

Empl. camping : (Prix 2018) 19 € ♦♦ ⇔ 🔲 🚰 (10A) - pers. suppl. 4 €
🚰 borne flot bleu 3 €

Tout près de la Loire, au calme emplacements ombragés ou plein soleil avec un confort sanitaire simple.

Nature : 🌿 ☁ ♀
Loisirs : 🚲 ✂
Services : 🔌 🛁 ♨ 📶 laverie
À prox. : 🚴 🎣

GPS : E : 2.02777
N : 47.88624

CHÉMERY

41700 - Carte Michelin **318** F7 - 940 h. - alt. 90
▶ Paris 213 - Blois 32 - Montrichard 29 - Romorantin-Lanthenay 29

⚠ Le Gué

✆ 02 54 32 97 40, www.camping-le-gue.com

Pour s'y rendre : rte de Couddes (à l'ouest du bourg, au bord d'un ruisseau)

Ouverture : de déb. avr. à fin sept.

1,2 ha (50 empl.) plat, herbeux

Empl. camping : 17 € ♦♦ ⇔ 🔲 🚰 (10A) - pers. suppl. 3 €
Location : (de déb. avr. à fin sept.) - 🚫 - 5 🛖. Sem. 365 à 630 €
🚰 borne artisanale 5 €

Cadre verdoyant au bord de l'eau.

Nature : 🌿 ♀
Loisirs : 🏕
Services : 🔌 ♨ 📶 🖥
À prox. : 🎣

GPS : E : 1.47388
N : 47.34562

CHEMILLÉ-SUR-INDROIS

37460 - Carte Michelin **317** P6 - 221 h. - alt. 97
▶ Paris 244 - Châtillon-sur-Indre 25 - Loches 16 - Montrichard 27

⚠ Les Coteaux du Lac

✆ 02 47 92 77 83, www.lescoteauxdulac.com

Pour s'y rendre : à la base de loisirs (au sud-ouest du bourg)

Ouverture : de fin mars à déb. oct.

2 ha (72 empl.) peu incliné, plat, herbeux

Empl. camping : 31 € ♦♦ ⇔ 🔲 🚰 (16A) - pers. suppl. 7 € - frais de réservation 14 €
Location : (de fin mars à déb. oct.) - 🚫 (1 chalet) - 3 🛖 - 29 🏠 - 6 bungalows toilés - 3 tentes sur pilotis - 1 cabanon. Nuitée 25 à 165 € - Sem. 175 à 1 155 € - frais de réservation 14 €
🚰 borne AireService - 3 🚐 26 € - 🚐 16 €

Agréable situation près d'un plan d'eau.

Nature : ◁
Loisirs : 🚲 🏊 🏌 terrain multisports
Services : 🔌 📶 🛁
À prox. : 🍷 🍴 🏕 ✂ ⛵ 🏊 pédalos

GPS : E : 1.15889
N : 47.15772

CHEVERNY

41700 - Carte Michelin **318** F7 - 939 h. - alt. 110
▶ Paris 194 - Blois 14 - Châteauroux 88 - Orléans 73

🏕 Sites et Paysages Les Saules 🔹🔹

Camping Les Saules

📞 02 54 79 90 01, www.camping-cheverny.com

Pour s'y rendre : rte de Contres (3 km au sud-est par D 102)

Ouverture : de déb. avr. à mi-sept.

8 ha (164 empl.) plat, herbeuxEmpl. camping : 38€ 🚶🚶 🚐 🔲 (10A) - pers. suppl. 5€

Location : (de déb. avr. à mi-sept.) - 🦽 (1 chalet) - 🚫 - 11 🏠 - 4 tentes lodges - 3 cabanons. Nuitée 15 à 114€ - Sem. 294 à 798€

🚐 borne artisanale

Cadre champêtre sous les saules.

Nature : 🌳
Loisirs : 🍴 ✕ 🏠 🏃 🚵 🚴 🔲 🏊 🛶 parcours sportif
Services : 🔌🛒 🛁 📶 laverie 🔄 🚿

E : 1.45184
N : 47.47871
GPS

CHINON

37500 - Carte Michelin **317** K6 - 7 986 h. - alt. 40
▶ Paris 285 - Châtellerault 51 - Poitiers 80 - Saumur 29

⚠ Intercommunal de l'Île Auger

📞 02 47 93 08 35, www.camping-chinon.com

Pour s'y rendre : quai Danton

Ouverture : de déb. avr. à fin oct.

4 ha (200 empl.) plat, herbeux

Empl. camping : (Prix 2018) 18€ 🚶🚶 🚐 🔲 (13A) - pers. suppl. 4€
Location : (Prix 2018) (de déb. mai à fin sept.) - 13 tentes lodges. Nuitée 30 à 69€ - Sem. 180 à 483€

🚐 borne artisanale 5€

Situation agréable face au château et en bordure de la Vienne.

Nature : < ville et château 🌿
Loisirs : 🏇 🛶
Services : 🔌 (été) 🛁 📶 📱
À prox. : 🛒 🍴 ✕ 🥘 🔲 🛶 🚿

E : 0.23654
N : 47.16379
GPS

CLOYES-SUR-LE-LOIR

28220 - Carte Michelin **311** D8 - 2 692 h. - alt. 97
▶ Paris 143 - Blois 54 - Chartres 57 - Châteaudun 13

🏕 Parc de Loisirs - Le Val Fleuri

📞 02 37 98 50 53, www.val-fleuri.fr - peu d'emplacements pour tentes et caravanes

Pour s'y rendre : rte de Montigny (sortie nord par N 10, rte de Chartres puis D 23 à gauche)

Ouverture : de mi-mars à mi-nov.

5 ha (196 empl.) plat, herbeux

Empl. camping : (Prix 2018) 32€ 🚶🚶 🚐 🔲 (6A) - pers. suppl. 8€
- frais de réservation 16€

Location : (Prix 2018) (de mi-mars à mi-nov.) - 🦽 (1 mobile home)
- 14 🚐 - 3 tentes lodges. Nuitée 33 à 155€ - Sem. 171 à 1 080€
- frais de réservation 22€

🚐 borne eurorelais

Situation agréable au bord du Loir pour quelques emplacements et parc aquatique ouvert aussi pour les "non" campeurs.

Nature : 🌳
Loisirs : 🍴 ✕ 🏠 🏃 🚵 🚴 🔲 🏊 🛶 pédalos
Services : 🔌🛒 🛁 🚐 📶 laverie 🔄 🚿
À prox. : 🥘 🎣

E : 1.2333
N : 48.0024
GPS

COURVILLE-SUR-EURE

28190 - Carte Michelin **311** D5 - 2 776 h. - alt. 170
▶ Paris 111 - Bonneval 47 - Chartres 20 - Dreux 37

⚠ Municipal les Bords de l'Eure

📞 02 37 23 76 38, www.courville-sur-eure.fr

Pour s'y rendre : r. Thiers (sortie sud par D 114)

Ouverture : de fin avr. à mi-sept.

1,5 ha (67 empl.) plat, herbeux

Empl. camping : (Prix 2018) 8€ 🚶🚶 🚐 🔲 (10A) - pers. suppl. 3€
🚐 borne eurorelais 3€ - 16 🔲

Sur les bords de l'Eure avec des emplacements ombragés ou plein soleil. Les services pour camping-cars sont à l'entrée du camping.

Nature : 🌊 🌳
Loisirs : 🛶
Services : 🔌 🚐 📶 📱
À prox. : 🏇 🔲 (découverte en saison)

E : 1.2414
N : 48.4462
GPS

Avant de vous installer, consultez les tarifs en cours, affichés obligatoirement à l'entrée du terrain, et renseignez-vous sur les conditions particulières de séjour. Les indications portées dans le guide ont pu être modifiées depuis la mise à jour.

DESCARTES

37160 - Carte Michelin **317** N7 - 3 817 h. - alt. 50
▶ Paris 292 - Châteauroux 94 - Châtellerault 24 - Chinon 51

⚠ Municipal la Grosse Motte

📞 02 47 59 85 90, www.ville-descartes.fr

Pour s'y rendre : allée Léo-Lagrange (sortie sud par D 750, rte du Blanc et allée à dr., au bord de la Creuse)

Ouverture : de déb. mai à fin sept.

1 ha (50 empl.) vallonné, plat, herbeux

Empl. camping : (Prix 2018) 13€ 🚶🚶 🚐 🔲 (10A) - pers. suppl. 4€
Location : (Prix 2018) Permanent - 8 🏠 - 1 gîte. Nuitée 17€
- Sem. 270 à 410€

🚐 2 🔲 15€

Parc ombragé attenant à un complexe de loisirs et à un jardin public.

Nature : 🌊 🌳
Loisirs : 🚴 🛶
Services : 🔌 🛁 📶
À prox. : ✕ 🏇 🔲 🛶 🚿

E : 0.69715
N : 46.96961
GPS

ÉGUZON

36270 - Carte Michelin **323** F8 - 1 362 h. - alt. 243
▶ Paris 319 - Argenton-sur-Creuse 20 - La Châtre 47 - Guéret 50

⛰ Municipal du Lac Les Nugiras

✆ 02 54 47 45 22, www.camping-municipal-eguzon.com

Pour s'y rendre : rte de Messant (3 km au sud-est par D 36, rte du lac de Chambon puis 500 m par rte à dr., à 450 m du lac)

Ouverture : Permanent

4 ha (180 empl.) en terrasses, peu incliné, plat, herbeux, pierreux

Empl. camping : (Prix 2018) 15€ ♛♛ ⇌ 🔲 ⚡ (16A) - pers. suppl. 4€
Location : (Prix 2018) (de déb. mars à fin nov.) - ✍ - 5 🛏 - 6 🏠 - 5 cabanons. Nuitée 39 à 152€ - Sem. 175 à 549€
🚐 borne artisanale 6€ - 10 🔲 9€

En terrasses, au calme et proche d'une base nautique bien aménagée.

Nature : ≶ ♀	**G** E : 1.604
Loisirs : ♈ 🏠 🛶 🛥 🏊 terrain multisports	**P** N : 46.433
Services : ⌀─ 🏛 🔥 🛒 ☕ 🛗 ⚡ ⛽	**S**
À prox. : 🚲 ⛵ (plage) 🛶 🤿 🛥 🏄 ski nautique	

Renouvelez votre guide chaque année.

FONTAINE-SIMON

28240 - Carte Michelin **311** C4 - 870 h. - alt. 200
▶ Paris 117 - Chartres 40 - Dreux 40 - Évreux 66

⛰ Du Perche

✆ 02 37 81 88 11, www.campingduperche.com

Pour s'y rendre : r. de la Ferrière (1,2 km au nord par rte de Senonches et rte à gauche)

Ouverture : de déb. janv. à fin nov.

5 ha (115 empl.) plat, herbeux

Empl. camping : (Prix 2018) ♛ 5€ ⇌ 🔲 6€ – ⚡ (6A) 4€
Location : (Prix 2018) Permanent - 6 🛏 - 2 🏠 - 2 cabanons. Nuitée 35 à 72€ - Sem. 245 à 500€
🚐 borne artisanale - 6 🔲 16€

Au bord de l'Eure et d'un plan d'eau et à proximité d'un petit parc aquatique couvert.

Nature : ♀♀	**G** E : 1.0194
Loisirs : 🛶 🛥	**P** N : 48.5132
Services : ⌀─ 🔥 ☕ laverie	**S**
À prox. : 🗡 ⛵ 🛥 télé-ski nautique	

GARGILESSE-DAMPIERRE

36190 - Carte Michelin **323** F7 - 326 h. - alt. 220
▶ Paris 310 - Châteauroux 45 - Guéret 59 - Poitiers 113

⛰ La Chaumerette

✆ 02 54 47 84 22, www.gargilesse.fr

Pour s'y rendre : lieu-dit : Le Moulin (1,4 km au sud-ouest par D 39, rte d'Argenton-sur-Creuse et chemin à gauche menant au barrage de la Roche au Moine)

Ouverture : de déb. mai à fin sept.

2,6 ha (72 empl.) plat, herbeux

Empl. camping : 16€ ♛♛ ⇌ 🔲 ⚡ (10A) - pers. suppl. 3€

Location : (de déb. mars à fin nov.) - 8 🏠. Nuitée 30 à 56€ - Sem. 175 à 335€

Cadre pittoresque, en partie sur une île de la Creuse.

Nature : ≶ ♀♀	**G** E : 1.58346
Loisirs : ♈ 🗡 🛥	**P** N : 46.5077
Services : ☕	**S**

GIEN

45500 - Carte Michelin **318** M5 - 15 161 h. - alt. 162
▶ Paris 149 - Auxerre 85 - Bourges 77 - Cosne-sur-Loire 46

⛰ Les Castels Les Bois du Bardelet 🧑‍🤝‍🧑

✆ 02 38 67 47 39, www.bardelet.com

Pour s'y rendre : lieu-dit : Le Petit Bardelet, rte de Bourges (5 km au sud-ouest par D 940 et 2 km par rte à gauche - pour les usagers venant de Gien, accès conseillé par D 53, rte de Poilly-lez-Gien et 1ère rte à dr.)

Ouverture : de mi-avr. à mi-sept.

15 ha/8 campables (260 empl.) plat, herbeux, étang

Empl. camping : 42€ ♛♛ ⇌ 🔲 ⚡ (10A) - pers. suppl. 10€ - frais de réservation 9€
Location : (Prix 2018) (de mi-avr. à mi-sept.) - ♿ (1 chalet) - ✍ - 32 🛏 - 22 🏠. Nuitée 53 à 165€ - Sem. 371 à 1 155€ - frais de réservation 9€
🚐 borne artisanale - 🦽 ⚡ 13€

Beaucoup d'espaces verts, des emplacements en sous-bois ou plein soleil et une jolie pataugeoire couverte et ludique.

Nature : ≶ ⊏ ♀♀	**G** E : 2.61619
Loisirs : ♈ 🗡 🎣 🏊 🌳 🎵 jacuzzi 🛥 🚲 🐎 🎯 ⛳ 🎳 🏊 🛶 🛥 terrain multisports	**P** N : 47.64116
Services : ⌀─ 🏛 🛗 – 12 sanitaires individuels (🛁🚿 wc) 🔥 ☕ laverie 🛒 🔧	**S**

Deze gids is geen overzicht van alle kampeerterreinen maar een selektie van de beste terreinen in iedere categorie.

LA GUERCHE-SUR-L'AUBOIS

18150 - Carte Michelin **323** N5 - 3 395 h. - alt. 184
▶ Paris 242 - Bourges 48 - La Charité-sur-Loire 31 - Nevers 22

⛰ Municipal le Robinson

✆ 02 48 74 99 86, www.laguerche-aubois.fr/hebergements-loisirs/page.asp?num=353

Pour s'y rendre : 2 r. de Couvache (1,4 km au sud-est par D 200, rte d'Apremont puis à dr., 600 m par D 218 et chemin à gauche)

Ouverture : de mi-avr. à fin sept.

1,5 ha (35 empl.) peu incliné, plat, herbeux, non clos

Empl. camping : (Prix 2018) 14€ ♛♛ ⇌ 🔲 ⚡ (16A) - pers. suppl. 2€
Location : (Prix 2018) (de mi-avr. à fin sept.) - 4 🛏 - 2 🏠. Nuitée 50 à 60€ - Sem. 250 à 350€
🚐 borne artisanale - 39 🔲 12€

Situation agréable au bord d'un plan d'eau avec des chalets très anciens et parfois mitoyens.

Nature : ≶ ⊏ ♀♀	**G** E : 2.95872
Loisirs : 🏠 🛥 🚲 🛥	**P** N : 46.94029
Services : 🔥 ☕ 🖼	**S**
À prox. : ♈ ⛵ 🚤 pédalos	

L'ÎLE-BOUCHARD

37220 - Carte Michelin **317** L6 - 1 754 h. - alt. 41
▶ Paris 284 - Châteauroux 118 - Châtellerault 49 - Chinon 16

⚠ Les Bords de Vienne

✆ 02 47 97 34 54, info@campingbordsdevienne.com

Pour s'y rendre : 4 allée du Camping (près du quartier St-Gilles, en amont du pont sur la Vienne, près de la rivière)

2 ha (90 empl.) plat, herbeux

Cadre champêtre au bord de l'eau.

Nature : ⚲⚲	
Loisirs : 🏕️ 🎣	**G** E : 0.42833
Services : 🚻	**P** N : 47.12139
À prox. : 🛒 🍴 🍽️ ⚙️	**S**

*De categorie (1 tot 5 tenten, in **zwart** of **rood**) die wij aan de geselecteerde terreinen in deze gids toekennen, is onze eigen indeling. Niet te verwarren met de door officiële instanties gebruikte classificatie (1 tot 5 sterren).*

ISDES

45620 - Carte Michelin **318** K5 - 612 h. - alt. 152
▶ Paris 174 - Bourges 75 - Gien 35 - Orléans 40

⚠ Municipal Les Prés Bas

✆ 06 78 43 46 28, www.isdes.fr

Pour s'y rendre : 12, 14 rte de Sully (sortie nord-est par D 59, près d'un étang)

0,5 ha (20 empl.) plat, herbeux

🚰 borne artisanale

À la sortie du bourg entre jardins potagers et l'étang, petite pelouse verdoyante légèrement ombragée.

Nature : ⌑ ⚲	
Loisirs : 🎣	**G** E : 2.2565
Services : 🔌 ⚙️ 🚰	**P** N : 47.6744
À prox. : 🏕️	**S**

LORRIS

45260 - Carte Michelin **318** M4 - 2 941 h. - alt. 126
▶ Paris 132 - Gien 27 - Montargis 23 - Orléans 55

⚠ L'Étang des Bois

✆ 02 38 92 32 00, www.canal-orleans.fr

Pour s'y rendre : 6 km à l'ouest par D 88, rte de Châteauneuf-sur-Loire, près de l'Étang des Bois

3 ha (150 empl.) plat, gravier

Location : - 4 🚐.

Agréable cadre boisé à l'orée de la forêt domaniale d'Orléans, tout près de l'étang et de la plage de sable avec baignade possible.

Nature : ⚲ ⌑ ⚲⚲	
Loisirs : 🏕️ ⚙️	**G** E : 2.44454
Services : 🔌 ⚙️ 🚰 📶 📷	**P** N : 47.87393
À prox. : 🍽️ 🏊 (plage) 🐎	**S**

LUÇAY-LE-MÂLE

36360 - Carte Michelin **323** E4 - 1 496 h. - alt. 160
▶ Paris 240 - Le Blanc 73 - Blois 60 - Châteauroux 43

⚠ Municipal la Foulquetière

✆ 02 54 40 43 31, www.lucaylemale.fr

Pour s'y rendre : lieu-dit : La Foulquetière (3,8 km au sud-ouest par D 960, rte de Loches, D 13, rte d'Ecueillé à gauche et chemin à dr.)

Ouverture : de déb. avr. à mi-oct.

1,5 ha (30 empl.) plat et peu incliné, herbeux

Empl. camping : 🚶 2 € 🚐 📷 3 € – 🔌 (6A) 2 €

🚰 borne artisanale 3 €

À 80 m d'un plan d'eau très prisé des pêcheurs.

Nature : ⚲ ⌑ ⚲	
Loisirs : 🏕️	**G** E : 1.40417
Services : 🚻 🏛️ ⚙️ 📷	**P** N : 47.1109
À prox. : 🍷 🍴 🚣 🍽️ ⚙️ 🏊 (plage) 🐎 🎣 pédalos	**S**

De gids wordt jaarlijks bijgewerkt.
Doe als wij, vervang hem, dan blijf je bij.

LUNERY

18400 - Carte Michelin **323** J5 - 1 449 h. - alt. 150
▶ Paris 256 - Bourges 23 - Châteauroux 51 - Issoudun 28

⚠ Intercommunal de Lunery

✆ 02 48 68 07 38, www.cc-fercher.fr

Pour s'y rendre : 6 r. de l'Abreuvoir

Ouverture : de déb. avr. à mi-sept.

0,5 ha (37 empl.) plat, herbeux

Empl. camping : (Prix 2018) 🚶 4 € 🚐 📷 6 € – 🔌 (10A) 5 €

Autour des vestiges d'un ancien moulin, près du Cher.

Nature : ⚲ ⌑ ⚲⚲	
Loisirs : 🎮 🏕️	**G** E : 2.27038
Services : 🔌 ⚙️ 📷	**P** N : 46.93658
À prox. : 🍷 🍴 🍽️	**S**

MARCILLY-SUR-VIENNE

37800 - Carte Michelin **317** M6 - 559 h. - alt. 60
▶ Paris 280 - Azay-le-Rideau 32 - Chinon 30 - Châtellerault 29

⚠ Intercommunal la Croix de la Motte

✆ 02 47 65 20 38, www.cc-tvv.fr

Pour s'y rendre : 1,2 km au nord par D 18, rte de l'Ile-Bouchard et r. à dr.

1,5 ha (61 empl.) plat, herbeux

Location : ♿ (1 mobile home) - 3 🚐 - 1 bungalow toilé - 2 cabanons.

🚰 borne artisanale

Plaisant cadre ombragé, près de la Vienne.

Nature : ⚲ ⌑ ⚲	
Loisirs : 🏕️ 🎣	**G** E : 0.54337
Services : 🔌 🚿 📶 📷	**P** N : 47.05075
À prox. : 🎣	**S**

MENNETOU-SUR-CHER

41320 - Carte Michelin **318** I8 - 878 h. - alt. 100

▶ Paris 209 - Bourges 56 - Romorantin-Lanthenay 18 - Selles-sur-Cher 27

⚠ Municipal Val Rose

✆ 02 54 98 11 02, mennetou.fr

Pour s'y rendre : r. de Val-Rose (au sud du bourg, à dr. après le pont sur le canal, à 100 m du Cher)

Ouverture : de fin mai à fin août

0,8 ha (50 empl.) plat, herbeux

Empl. camping : (Prix 2018) ✝ 3€ 🚗 🅔 4€ – 🔌 (16A) 3€

🔄 borne eurorelais 2€ - 🔋🔌8€

Nature : 🔲 ⚲	
Services : 🔌🚽	**G** E : 1.86173
À prox. : 🍴 🏊 🎣 🛶	**P** N : 47.26937 **S**

---

*Choisissez votre restaurant sur **restaurant.michelin.fr***

MESLAND

41150 - Carte Michelin **318** D6 - 547 h. - alt. 79

▶ Paris 205 - Amboise 19 - Blois 23 - Château-Renault 20

🔺 Yelloh! Village Parc du Val de Loire ♟👥

✆ 02 54 70 27 18, www.parcduvaldeloire.com

Pour s'y rendre : 155 rte de Fleuray (1,5 km à l'ouest)

Ouverture : de déb. avr. à déb. sept.

15 ha (300 empl.) peu incliné, plat, herbeux

Empl. camping : 27€ ✝✝ 🚗 🅔 🔌 (10A) - pers. suppl. 9€

Location : (de déb. avr. à déb. sept.) - 180 🚐 - 18 🏠 - 5 bungalows toilés - 2 tentes lodges. Nuitée 39 à 116€ - Sem. 273 à 812€

🔄 borne AireService 7€ - 14 🅔 27€

Cadre boisé face au vignoble.

Nature : 🌿 🔲 ⚲⚲	
Loisirs : 🍴🍴 🏓 🏃 🏊 🚲 🎯 🎣 🏊 ⛱	**G** E : 1.10477
Services : 🔌🚿 🚽 🛒 🛜 🏧 🏊	**P** N : 47.51001 **S**

MONTARGIS

45200 - Carte Michelin **318** N4 - 15 020 h. - alt. 95

▶ Paris 109 - Auxerre 252 - Nemours 36 - Nevers 126

⚠ Municipal de la Forêt

✆ 02 38 98 00 20, www.agglo-montargoise.fr

Pour s'y rendre : 38 av. Louis-Maurice-Chautemps (sortie nord par D 943 et 1 km par D 815, rte de Paucourt)

Ouverture : de déb. fév. à fin nov.

5,5 ha (90 empl.) plat, herbeux, pierreux

Empl. camping : (Prix 2018) ✝ 3€ 🚗 2€ 🅔 3€ – 🔌 (10A) 8€

🔄 borne eurorelais 4€ - 🔋🔌10€

Implanté au cœur de la forêt domaniale de Montargis les emplacements bénéficient d'un vrai bon ombrage. Accès gratuit à la piscine municipale.

Nature : 🌿 ⚱⚱	
Loisirs : 🍴 🏊	**G** E : 2.75102
Services : 🔌 🛒 🚿 🚽 🛜	**P** N : 48.00827 **S**
À prox. : 🍴 🍴 🏊	

MONTLOUIS-SUR-LOIRE

37270 - Carte Michelin **317** N4 - 10 448 h. - alt. 60

▶ Paris 235 - Amboise 14 - Blois 49 - Château-Renault 32

⚠ Aquadis Loisirs Les Peupliers

✆ 02 47 50 81 90, www.aquadis-loisirs.com/camping-les-peupliers

Pour s'y rendre : 1,5 km à l'ouest par D 751, rte de Tours, à 100 m de la Loire

Ouverture : de déb. avr. à fin oct.

6 ha (252 empl.) plat, herbeux

Empl. camping : 19€ ✝✝ 🚗 🅔 🔌 (10A) - pers. suppl. 4€ - frais de réservation 10€

Location : (de déb. avr. à fin oct.) - 9 🚐. Nuitée 62 à 87€ - Sem. 299 à 566€ - frais de réservation 10€

🔄 borne artisanale

Plaisant cadre boisé.

Nature : 🔲 ⚲⚲	
Loisirs : 🍴 🍴 🛖 🚣 🚵	**G** E : 0.81144
Services : 🔌🚿🛖🛜🏧🚲	**P** N : 47.39437 **S**
À prox. : 🍴 🏊 🎣	

MONTOIRE-SUR-LE-LOIR

41800 - Carte Michelin **318** C5 - 4 081 h. - alt. 65

▶ Paris 186 - Blois 52 - Château-Renault 21 - La Flèche 81

⚠ Municipal les Reclusages

✆ 02 54 85 02 53, www.mairie-montoire.fr

Pour s'y rendre : lieu-dit : Les Reclusages (sortie sud-ouest, rte de Tours et rte de Lavardin à gauche apr. le pont)

Ouverture : Permanent

2 ha (120 empl.) plat, herbeux

Empl. camping : (Prix 2018) ✝ 4€ 🚗 🅔 2€ – 🔌 (10A) 4€

Location : (Prix 2018) Permanent♿ (1 mobile home) - 6 🚐 - 2 tentes lodges. Nuitée 15 à 130€ - Sem. 90 à 680€

Sous les tilleuls au bord du Loir.

Nature : ⚲⚲	
Loisirs : 🛖 🎣	**G** E : 0.86289
Services : 🔌 🛜 🏧	**P** N : 47.74788 **S**
À prox. : 🚣 🏊	

MORÉE

41160 - Carte Michelin **318** E4 - 1 117 h. - alt. 96
▶ Paris 154 - Blois 42 - Châteaudun 24 - Orléans 58

⚠ Municipal de la Varenne

✆ 02 54 82 06 16, www.facebook.com/camping.moree/

Pour s'y rendre : chemin de la Varenne (à l'ouest du bourg, au bord d'un plan d'eau, accès conseillé par D 19, rte de St-Hilaire-la-Gravelle et chemin à gauche)

Ouverture : de mi-mars à mi-nov.

0,8 ha (42 empl.) plat, herbeux

Empl. camping : 15€ ⚤ ⚤ ⬛ ▣ ⚡ (10A) - pers. suppl. 4€
Location : (de mi-mars à mi-nov.) - 4 🚐 - 2 🏠 - 2 bungalows toilés - 2 cabanons. Nuitée 25 à 50€ - Sem. 110 à 400€ - frais de réservation 25€
🚐 borne flot bleu 3€ - 4 ▣ 9€ - 🔋 8€
Beau cadre verdoyant au bord de l'étang de la Varenne.

Nature : 🐟	**G** E : 1.23424
Loisirs : ♟ ✗ 🏖 (plage) 🐟 🚁	**P** N : 47.9031
Services : 🔌 🛒 🛁 ⛽ 📶	**S**
À prox. : 🚴 🚶	

---

*Créez votre voyage sur **voyages.michelin.fr***

MUIDES-SUR-LOIRE

41500 - Carte Michelin **318** G5 - 1 350 h. - alt. 82
▶ Paris 169 - Beaugency 17 - Blois 20 - Chambord 9

🏔 Sandaya Château des Marais 👤👥

✆ 02 54 87 05 42, www.sandaya.fr/nos-campings/chateau-des-marais

Pour s'y rendre : 27 r. de Chambord (au sud-est par D 103, rte de Crouy-sur-Cosson - pour caravanes : accès par D 112 et D 103 à dr.)

Ouverture : de déb. avr. à déb. sept.

8 ha (299 empl.) plat, herbeux

Empl. camping : 50€ ⚤ ⚤ ⬛ ▣ ⚡ (10A) - pers. suppl. 9€
Location : (de déb. avr. à déb. sept.) - 204 🚐 - 3 cabanes perchées. Nuitée 35 à 205€ - Sem. 245 à 1 435€
Dans l'agréable parc boisé d'un château du 17e s.

Nature : 🐟 📷 🌳🌳	**G** E : 1.52897
Loisirs : ♟ ✗ 🎰 ⓒnocturne 🏇 🐎	**P** N : 47.66585
hammam 🏄 🚴 🎣 🏊 🎱 🎪	**S**
Services : 🔌 🛁 🚿 ⛽ 📶 laverie 🧺 🛒 point	
d'informations touristiques	
À prox. : 🚣	

⚠ Municipal Bellevue

✆ 02 54 87 01 56, mairiemuidesurba@orange.fr

Pour s'y rendre : av. de la Loire (au nord du bourg par D 112, rte de Mer et à gauche av. le pont, près de la Loire)

Ouverture : de mi-avr. à mi-sept. - ℝ

2,5 ha (100 empl.) plat, herbeux, sablonneux

Empl. camping : ⚤ 5€ ⬛ 4€ ▣ 3€ - ⚡ (12A) 5€
🚐 borne artisanale 10€

Services : 🔌 (juin-août) 📶 📱	**G** E : 1.52607
À prox. : 🚴 🚵	**P** N : 47.67178
	S

NEUNG-SUR-BEUVRON

41210 - Carte Michelin **318** H6 - 1 223 h. - alt. 102
▶ Paris 183 - Beaugency 33 - Blois 39 - Lamotte-Beuvron 20

⚠ Municipal de la Varenne

✆ 02 54 83 68 52, www.neung-sur-beuvron.fr

Pour s'y rendre : 34 r. de Veillas (1 km au nord-est, accès par r. à gauche de l'église, près du Beuvron)

Ouverture : de mi-mars à mi-nov.

4 ha (73 empl.) peu incliné, plat, herbeux, sablonneux

Empl. camping : (Prix 2018) 14€ ⚤ ⚤ ⬛ ▣ ⚡ (10A) - pers. suppl. 3€
Location : (Prix 2018) (de mi-mars à mi-nov.) - 4 🚐. Nuitée 60 à 75€ - Sem. 315 à 400€
🚐 borne artisanale
Agréable cadre boisé.

Nature : 🐟 🌳🌳	**G** E : 1.81507
Loisirs : 🎰 ✗ 🚁	**P** N : 47.53849
Services : 🔌 📶 📱	**S**

NEUVY-ST-SÉPULCHRE

36230 - Carte Michelin **323** G7 - 1 690 h. - alt. 186
▶ Paris 295 - Argenton-sur-Creuse 24 - Châteauroux 29 - La Châtre 16

⚠ Municipal les Frênes

✆ 02 54 30 82 51, www.campingdeneuvy.fr.nf

Pour s'y rendre : rte de l'Augère (sortie ouest par D 927, rte d'Argenton-sur-Creuse puis 600 m par r. à gauche et chemin à dr., à 100 m d'un étang et de la Bouzanne)

Ouverture : de mi-juin à mi-sept. - ℝ

1 ha (35 empl.) plat, herbeux

Empl. camping : (Prix 2018) ⚤ 3€ ⬛ ▣ 3€ – ⚡ (9A) 4€
Location : (Prix 2018) Permanent 🚁 - 2 🚐. Nuitée 100€ - Sem. 250 à 280€

Cadre champêtre au bord de l'eau.

Nature : 🐟 🌳	**G** E : 1.7828
Loisirs : 🏄 🛶 🏊	**P** N : 46.5903
Services : 🔌 🛁 🚿 📶 laverie	**S**
À prox. : ♟ ✗ 🎱 🚁	

NOUAN-LE-FUZELIER

41600 - Carte Michelin **318** J6 - 2 439 h. - alt. 113
▶ Paris 177 - Blois 59 - Cosne-sur-Loire 74 - Gien 56

🏔 La Grande Sologne 👤👥

✆ 02 54 88 70 22, www.campinggrandesologne.com

Pour s'y rendre : r. des Peupliers (sortie sud par D 2020 puis chemin à gauche en face de la gare)

Ouverture : de déb. avr. à mi-oct.

10 ha/4 campables (180 empl.) plat, herbeux

Empl. camping : (Prix 2018) ⚤ 6€ ⬛ ▣ 9€ – ⚡ (10A) 3€
Location : (Prix 2018) (de déb. avr. à mi-oct.) - 9 🚐 - 4 bungalows toilés - 1 tente sur pilotis - 1 cabane flottante. Nuitée 57 à 87€ - Sem. 350 à 609€
🚐 borne artisanale

Cadre boisé au bord d'un étang.

Nature : 9 9 Loisirs : ✕ ☷ ⚡ ⚡ ⚡ 🚴 ♪ ⚲ Services : ⚲ ⚲ 👤 📶 ▣ 🚿 ⚲ À prox. : 🍸 ✂ 🛷	**G** E : 2.03631 **P** N : 47.53337 **S**

OLIVET

45160 - Carte Michelin **318** I4 - 19 806 h. - alt. 100
▶ Paris 137 - Orléans 4 - Blois 70 - Chartres 78

⚠ Municipal

🔗 02 38 63 53 94, www.camping-olivet.org

Pour s'y rendre : r. du Pont-Bouchet (2 km au sud-est par D 14, rte de St-Cyr-en-Val)

Ouverture : de déb. avr. à fin sept.

1 ha (46 empl.) plat, herbeux, gravillons

Empl. camping : 28€ ♥♥ ⚡ ▣ ⚡ (16A) - pers. suppl. 6€

☷ borne artisanale 28€ - 8 ▣ 28€

Situation agréable au confluent du Loiret et du Dhuy avec beaucoup d'espaces verts idéal pour la détente. Station du Tram à proximité pour Orléans.

Nature : 🐟 ☷ 9 9 Loisirs : ☷ ⚡ ⚡ ⚲ ⚲ Services : ⚲ ▥ 👤 ⚲ 🚿 📶 laverie À prox. : ⚡ 🛷	**G** E : 1.92543 **P** N : 47.85601 **S**

⚡ ✕ ⚲ 🛷 🐴
ATTENTION...
*ces prestations ne fonctionnent généralement qu'en saison,
quelles que soient les dates d'ouverture du terrain.*

PIERREFITTE-SUR-SAULDRE

41300 - Carte Michelin **318** J6 - 848 h. - alt. 125
▶ Paris 185 - Aubigny-sur-Nère 23 - Blois 73 - Bourges 55

⚠⚠ Les Alicourts 👥

🔗 02 54 88 63 34, www.lesalicourts.com ⚲

Pour s'y rendre : au Domaine des Alicourts (6 km au nord-est par D 126 et D 126b, au bord d'un plan d'eau)

Ouverture : de déb. mai à déb. sept.

21 ha/10 campables (420 empl.) en terrasses, plat, sablonneux, herbeux

Empl. camping : 56€ ♥♥ ⚡ ▣ ⚡ (6A) - pers. suppl. 10€

Location : (de déb. mai à déb. sept.) - 👤 (3 chalets) - ⚲ - 277 🚐
- 37 🏠 - 5 chalets sur pilotis - 5 tentes lodges - 8 cabanes perchées. Nuitée 106 à 268€ - Sem. 742 à 1 876€

☷ borne AireService

Bel espace aquatique en partie couvert et centre balnéo de qualité.

Nature : 🐟 ☷ 9 9 Loisirs : 🍸 ✕ ☷ ⚲ salle d'animations ⚡ 🛷 centre balnéo ⚲ hammam jacuzzi ⚡ 🚴 ✂ ♪ ▣ 🛷 ⚲ (plage) ⚡ ⚲ pédalos skate parc Services : ⚲ 👤 ⚲ 🚿 📶 laverie ⚲ ⚲	**G** E : 2.191 **P** N : 47.54482 **S**

POILLY-LEZ-GIEN

45500 - Carte Michelin **318** M5 - 2 393 h. - alt. 126
▶ Paris 160 - Auxerre 90 - Bourges 74 - Orléans 70

⚠⚠⚠ Sites et Paysages Touristiques de Gien

🔗 02 38 67 12 50, www.camping-gien.com

Pour s'y rendre : 1 r. Iris

Ouverture : de déb. mars à déb. nov.

5 ha (200 empl.) plat, herbeux

Empl. camping : 27€ ♥♥ ⚡ ▣ ⚡ (10A) - pers. suppl. 6€ - frais de réservation 10€

Location : (de déb. mars à fin oct.) - 👤 (1 mobile home) - 23 🚐
- 1 tente lodge - 3 tentes sur pilotis - 1 cabane perchée - 5 cabanons.
Nuitée 40 à 120€ - Sem. 240 à 720€ - frais de réservation 10€

☷ borne artisanale - ⚡ 10€

Au bord de la Loire avec en face sur l'autre rive, vue panoramique de Gien. Possibilité de formule hôtelière.

Nature : 🐟 9 9 Loisirs : 🍸 ✕ ☷ ⚡ 🚴 ♪ ⚲ ⚲ Services : ⚲ ▥ 👤 📶 laverie ⚲ À prox. : 🛷 ⚡	**G** E : 2.62338 **P** N : 47.68216 **S**

PREUILLY-SUR-CLAISE

37290 - Carte Michelin **317** O7 - 1 075 h. - alt. 80
▶ Paris 299 - Le Blanc 31 - Châteauroux 64 - Châtellerault 35

⚠ Municipal

🔗 02 47 94 50 04, www.preuillysurclaise.fr

Pour s'y rendre : au sud-ouest du bourg, près de la piscine, de la Claise et d'un étang

Ouverture : de déb. juin à fin sept.

0,7 ha (36 empl.) plat, herbeux

Empl. camping : 12€ ♥♥ ⚡ ▣ ⚡ (15A) - pers. suppl. 3€

Location : (de déb. juin à fin sept.) - 2 🚐 - 3 gîtes. Nuitée 50 à 75€ - Sem. 200 à 250€

☷ borne AireService - 20 ▣ 10€

Cadre verdoyant au milieu d'un complexe de loisirs.

Nature : ☷ 9 Loisirs : ⚲ Services : ⚲ ⚲ 📶 ▣ À prox. : ⚡ ✂ ♪ 🛷 parcours sportif	**G** E : 0.92618 **P** N : 46.85305 **S**

RIGNY-USSÉ

37420 - Carte Michelin **317** K5 - 521 h. - alt. 36
▶ Paris 285 - Orléans 161 - Tours 40 - Nantes 178

⚠ Municipal La Blardière

🔗 02 47 95 55 85, www.rigny-usse.fr

Pour s'y rendre : 51 r. Principale

Ouverture : de mi-mai à fin sept.

1 ha (36 empl.) plat, herbeux

Empl. camping : (Prix 2018) 19€ ♥♥ ⚡ ▣ ⚡ (16A) - pers. suppl. 3€

☷ borne AireService 2€

Cadre verdoyant entre l'étang de la Blardière et l'Indre

Nature : 🐟 ☷ 9 Loisirs : ⚡ Services : ⚲ ⚲ 🚿 À prox. : ⚡ 🍸 ✕ ⚲	**G** E : 0.3021 **P** N : 47.2547 **S**

RILLÉ

37340 - Carte Michelin **317** K4 - 300 h. - alt. 82
▶ Paris 282 - Orléans 158 - Tours 47 - Nantes 160

⛰ Huttopia Rillé

✆ 02 47 24 62 97, www.huttopia.com

Pour s'y rendre : au Lac de Rillé (2 km Est par D49)

Ouverture : de mi-avr. à fin sept.

5 ha (120 empl.) plat, herbeux

Empl. camping : 38€ ★ ★ ⚓ 🅔 🅗 (16A) - pers. suppl. 9€ - frais de réservation 15€

Location : (de mi-avr. à fin sept.) - 32 🏠 - 38 tentes lodges. Nuitée 39 à 208€ - frais de réservation 15€

🚐 borne artisanale - 24 🅔 30€

Havre de tranquillité sous les bois au bord de l'eau.

Nature : 🌳🌳
Loisirs : 🍴 🍽 🎱 diurne 🚣 🚴 ⚽ 🏊
🛶🛶
Services : ⚡ 🅿 🧺 laverie 🚿 ♨
À prox. : 🏇 pédalos

G P S   E : 0.33278
N : 47.44584

ROMORANTIN-LANTHENAY

41200 - Carte Michelin **318** H7 - 17 092 h. - alt. 93
▶ Paris 202 - Blois 42 - Bourges 74 - Châteauroux 72

⛰ Tournefeuille

✆ 02 54 76 16 60, www.campingromorantin.com

Pour s'y rendre : 32 r. des Lices (sortie est, rte de Salbris, r. de Long-Eaton, au bord de la Sauldre)

1,5 ha (103 empl.) plat, herbeux

Location : ♿ (1 châlet) - 6 .

🚐 borne artisanale

Terrain verdoyant au bord d'une rivière.

Nature : 🌿🌿
Loisirs : 🍽 🎱 🚣 🚴 🏊
Services : ⚡ 🧺 🚿 🚻 📶 📼
À prox. : 🛒 ⚽ 🎣 🚣

G P S   E : 1.75586
N : 47.35503

ROSNAY

36300 - Carte Michelin **323** D6 - 615 h. - alt. 112
▶ Paris 307 - Argenton-sur-Creuse 31 - Le Blanc 16 - Châteauroux 44

⛰ Municipal Les Millots

✆ 02 54 38 80 17, rosnay-mairie@wanadoo.fr

Pour s'y rendre : rte de St-Michel-en-Brenne (500 m au nord par D 44)

Ouverture : de mi-fév. à mi-nov.

2 ha (36 empl.) plat, herbeux

Empl. camping : (Prix 2018) ★ 2€ ⚓ 2€ 🅔 3€ – 🅗 (10A) 4€

🚐 borne AireService

Petite et agréable structure soignée, au bord d'un étang.

Nature : 🌿🌳🌳
Loisirs : 🚣 ⚽ 🎣
Services : 🚮 🧺 🚿 📶 📼

G P S   E : 1.21172
N : 46.70645

ST-AVERTIN

37550 - Carte Michelin **317** N4 - 13 946 h. - alt. 49
▶ Paris 245 - Orléans 121 - Tours 7 - Blois 70

⛰ Onlycamp Tour Val de Loire

✆ 02 47 27 87 47, www.onlycamp.fr

Pour s'y rendre : 61 r. de Rochepinard (au nord par rive gauche du Cher)

Ouverture : de déb. fév. à mi-déc.

2 ha (90 empl.) plat, herbeux

Empl. camping : (Prix 2018) 26€ ★ ★ ⚓ 🅔 🅗 (10A) - pers. suppl. 6€

Location : (Prix 2018) (de déb. fév. à mi-déc.) - 20 🏠 - 2 tentes lodges - 2 cabanes perchées. Nuitée 20 à 115€ - Sem. 126 à 725€ - frais de réservation 8€

🚐 borne artisanale 5€ - 10 🅔 26€

Près d'un plan d'eau.

Nature : 🏕 🌿
Loisirs : 🍴
Services : ⚡ 🧺 🚿 📶 laverie
À prox. : 🚣 ⚽ 🎣 🚣 ♨

G P S   E : 0.72296
N : 47.37064

Avant de vous installer, consultez les tarifs en cours, affichés obligatoirement à l'entrée du terrain, et renseignez-vous sur les conditions particulières de séjour. Les indications portées dans le guide ont pu être modifiées depuis la mise à jour.

ST-PÈRE-SUR-LOIRE

45600 - Carte Michelin **318** L5 - 1 056 h. - alt. 115
▶ Paris 147 - Aubigny-sur-Nère 38 - Châteauneuf-sur-Loire 40 - Gien 25

⛰ Le Jardin de Sully

✆ 02 38 67 10 84, www.camping-bord-de-loire.com

Pour s'y rendre : 1 rte de St-Benoit (à l'ouest par D 60, rte de Châteauneuf-sur-Loire, près du fleuve)

Ouverture : Permanent

2,7 ha (80 empl.) plat, herbeux, gravier, pierreux

Empl. camping : (Prix 2018) 26€ ★ ★ ⚓ 🅔 🅗 (10A) - pers. suppl. 5€ - frais de réservation 5€

Location : (Prix 2018) Permanent - 19 - 8 bungalows toilés - 8 tentes sur pilotis - 4 cabanons. Nuitée 19 à 111€ - Sem. 133 à 602€ - frais de réservation 10€

🚐 borne AireService 2€

Longé par le GR 3 et le long de la Loire, emplacements avec beaucoup d'espaces verts et locatif varié.

Nature : 🌿 🏕 🌳🌳
Loisirs : 🍴 🎱 🚣 🚴 ⚽ 🏇 🏊 🛶
Services : ⚡ 🧺 🚿 🚻 📶 laverie ♨

G P S   E : 2.36229
N : 47.7718

ST-PLANTAIRE

36190 - Carte Michelin **323** G8 - 549 h. - alt. 300
▶ Paris 339 - Orléans 214 - Châteauroux 68 - Limoges 95

⚠ Municipal de Fougères

Municipal de Fougères

℘ 02 54 47 20 01, www.www.saint-plantaire.fr

Pour s'y rendre : 19 plage de Fougères

Ouverture : de déb. avr. à fin oct.

4,5 ha (150 empl.) plat, herbeux

Empl. camping : (Prix 2018) ⚐ 5 €
⇆ 3 € 🅿 13 € – 🔌 (10A) 4 €

Location : (Prix 2018) (de déb. avr. à fin déc.) - ♿ (2 châlets) - 5 🛖 - 13 🏠 - 4 bungalows toilés. Nuitée 42 à 130 € - Sem. 307 à 656 €

Site agréable au bord du lac de Chambon.

Nature : ≼ 요	
Loisirs : 🔥 🏊 🎯 🍴 🏓 🎱 🎣	**G** E : 1.61952
Services : ⛽ ▥ 🛜 laverie 🧺	**P** N : 46.42756
À prox. : 🍴 🎪 🛝 🦆 pédalos	**S**

Benutzen Sie den Hotelführer des laufenden Jahres.

ST-SATUR

18300 - Carte Michelin **323** N2 - 1 627 h. - alt. 155
▶ Paris 194 - Aubigny-sur-Nère 42 - Bourges 50 - Cosne-sur-Loire 12

⚠ Flower Les Portes de Sancerre

℘ 02 48 72 10 88, www.camping-cher-sancerre.com

Pour s'y rendre : quai de Loire (1 km à l'est par D 2)

Ouverture : de fin mars à fin sept.

1 ha (87 empl.) plat, herbeux

Empl. camping : (Prix 2018) 23 € ⚐⚐ ⇆ 🅿 🔌 (6A) - pers. suppl. 5 € - frais de réservation 10 €

Location : (Prix 2018) (de fin mars à fin sept.) - ♿ (1 mobile home) - 20 🛖 - 5 tentes lodges - 3 cabanons. Nuitée 41 à 113 € - Sem. 205 à 791 € - frais de réservation 20 €

🚰 borne AireService 4 € - 🚐 🔌14 €

Emplacements et locatifs bien ombragés au bord de la Loire avec à proximité une petite base de loisirs.

Nature : 🐟 📺 요	
Loisirs : 🔥 🎯 🍴	**G** E : 2.86671
Services : ⛽ ▥ 🛜 laverie	**P** N : 47.34251
À prox. : 🍷 🛝 🎣 🦆 golf, poneys, ânes	**S**

STE-CATHERINE-DE-FIERBOIS

37800 - Carte Michelin **317** M6 - 657 h. - alt. 114
▶ Paris 263 - Azay-le-Rideau 25 - Chinon 37 - Ligueil 19

⚠⚠ Les Castels Parc de Fierbois 👥

℘ 02 47 65 43 35, www.fierbois.com

Pour s'y rendre : 1,2 km au sud

Ouverture : de fin avr. à déb. sept.

30 ha/12 campables (420 empl.) en terrasses, plat, herbeux

Empl. camping : (Prix 2018) 27 € ⚐⚐ ⇆ 🅿 🔌 (10A) - pers. suppl. 7 €

Location : (Prix 2018) (de fin avr. à déb. sept.) - 132 🛖 - 42 🏠 - 8 cabanes perchées - 8 gîtes. Nuitée 27 à 245 € - Sem. 350 à 1 715 €

🚰 borne AireService - 🚐 🔌19 €

Agréable et vaste domaine avec bois, lac et parc aquatique.

Nature : 📺 🌊 ⛰	
Loisirs : 🍴 🍽 🏊 🎯 🏃 🛶 🎿 🚴 🎱 🛝 🎳 🏓 🎣 (plage) 🎿 🎣	**G** E : 0.6549
Services : ⛽ 🚿 🛜 laverie 🧺 🛒 cases réfrigérées	**P** N : 47.1486
À prox. : 🐎 parc-aventure	**S**

STE-MAURE-DE-TOURAINE

37800 - Carte Michelin **317** M6 - 4 072 h. - alt. 85
▶ Paris 273 - Le Blanc 71 - Châtellerault 39 - Chinon 32

⚠ Municipal de Marans

℘ 02 47 65 44 93, www.sainte-maure-de-touraine.fr

Pour s'y rendre : r. de Toizelet (1,5 km au sud-est par D 760, rte de Loches, et à gauche, à 150 m d'un plan d'eau)

Ouverture : Permanent

1 ha (66 empl.) peu incliné, plat, herbeux

Empl. camping : (Prix 2018) 12 € ⚐⚐ ⇆ 🅿 🔌 (6A) - pers. suppl. 3 €

Location : (Prix 2018) Permanent - 2 🛖 - 2 tentes sur pilotis. Nuitée 45 à 55 € - Sem. 250 à 350 €

🚰 borne artisanale

Cadre verdoyant près d'un étang.

Loisirs : 🏊 🎯 parcours sportif	
Services : ⛽ 🚿 🛜	**G** E : 0.6252
À prox. : 🏊 🎣	**P** N : 47.10509
	S

Raadpleeg, voordat U zich op een kampeerterrein installeert, de tarieven die de beheerder verplicht is bij de ingang van het terrein aan te geven. Informeer ook naar de speciale verblijfsvoorwaarden. De in deze gids vermelde gegevens kunnen sinds het verschijnen van deze heredtie gewijzigd zijn.

SALBRIS

41300 - Carte Michelin **318** J7 - 5 682 h. - alt. 104
▶ Paris 187 - Aubigny-sur-Nère 32 - Blois 65 - Lamotte-Beuvron 21

⚠ Le Sologne

℘ 02 54 97 06 38, www.campingdesologne.fr

Pour s'y rendre : 8 allée de la Sauldre (sortie nord-est par D 55, rte de Pierrefitte-sur-Sauldre, au bord d'un plan d'eau et près de la Sauldre)

Ouverture : de déb. avr. à fin sept.

2 ha (81 empl.) plat, herbeux

Empl. camping : 22 € ⚐⚐ ⇆ 🅿 🔌 (10A) - pers. suppl. 5 €

Location : (de déb. avr. à fin sept.) - 🎿 - 9 🛖 - 1 🏠. Nuitée 58 à 76 € - Sem. 240 à 635 €

🚰 borne AireService

Emplacements spacieux au bord d'un plan d'eau.

Nature : 📺 요	
Loisirs : 🍷 🍴 🏊 🎣 🎣	**G** E : 2.05522
Services : ⛽ 🧺 🛜 🛜 📶	**P** N : 47.43026
À prox. : 🛒 🎯 🎮 🏊	**S**

SAVIGNY-EN-VÉRON

37420 - Carte Michelin **317** J5 - 1 447 h. - alt. 40
▶ Paris 292 - Chinon 9 - Langeais 27 - Saumur 20

⚲ La Fritillaire

✆ 02 47 58 03 79, www.camping-la-fritillaire.fr

Pour s'y rendre : r. Basse (à l'ouest du centre bourg, à 100 m d'un étang)

Ouverture : de déb. avr. à fin oct.

2,5 ha (100 empl.) plat, herbeux, bois attenant

Empl. camping : (Prix 2018) 19€ ♟♟ ⇔ 🔲 (2) (10A) - pers. suppl. 4€ - frais de réservation 3€

Location : (de déb. avr. à fin oct.) - 6 tentes lodges - 1 tente sur pilotis. - frais de réservation 3€

⛽ borne artisanale 5€

Nature : ⟋ ⌂		
Loisirs : ♨ 🚲		**G** E : 0.13937
Services : ⚷ �🎱 ♨ ⚲ ⚲ 🛜 🔲 ⚲		**P** N : 47.20039
À prox. : ⚲ ⚲ ⚲		**S**

Use this year's Guide.

SAVONNIÈRES

37510 - Carte Michelin **317** M4 - 3 041 h. - alt. 47
▶ Paris 263 - Orléans 139 - Tours 17 - Blois 88

⚠ Onlycamp Confluence

✆ 02 47 50 00 25, www.onlycamp.fr

Pour s'y rendre : rte du Bray (sortie nord du bourg, au bord de Cher)

Ouverture : de fin avr. à fin sept.

1,2 ha (80 empl.) plat, herbeux

Empl. camping : (Prix 2018) 23€ ♟♟ ⇔ 🔲 (2) (10A) - pers. suppl. 5€
Location : (Prix 2018) (de fin avr. à fin sept.) - 2 bungalows toilés - 4 tentes lodges - 4 cabanes perchées. Nuitée 20 à 55€ - Sem. 126 à 347€ - frais de réservation 8€

⛽ borne eurorelais 2€ - 20 🔲 9€

Au bord du Cher et d'une piste cyclable.

Nature : ⌂ �‍		
Loisirs : ♨ ⚲ ⚲		**G** E : 0.55006
Services : ⚷ ⚲ ⚲ 🛜 🔲		**P** N : 47.34887
À prox. : 🛒 ⚲ ⚲		**S**

SEIGY

41110 - Carte Michelin **318** F8 - 1 110 h. - alt. 160
▶ Paris 226 - Blois 43 - Châteauroux 63 - Tours 73

⚠ Les Cochards

✆ 02 54 75 15 59, www.lescochards.com

Pour s'y rendre : 1 r. du Camping (1.8 km au nord-ouest par D 4 et D 17)

Ouverture : de déb. avr. à fin sept.

4 ha (140 empl.) plat, herbeux

Empl. camping : 30€ ♟♟ ⇔ 🔲 (2) (10A) - pers. suppl. 5€ - frais de réservation 5€

Location : (de déb. avr. à fin sept.) - 17 🛏 - 5 bungalows toilés - 2 tentes lodges - 1 cabanon. Nuitée 60 à 120€ - Sem. 420 à 800€ - frais de réservation 10€

⛽ borne artisanale 8€ - 10 🔲 25€

Cadre verdoyant au bord du Cher.

Nature : ⟋ ⚲⚲		
Loisirs : ♟ ⚲ ♨ ⚲ 🚲		**G** E : 1.3889
Services : ⚷ ♨ 🛜 laverie ⚲		**P** N : 47.2662
À prox. : ⚲		**S**

SENONCHES

28250 - Carte Michelin **311** C4 - 3 186 h. - alt. 223
▶ Paris 115 - Chartres 38 - Dreux 38 - Mortagne-au-Perche 42

⚲ Huttopia Senonches ♟♟

✆ 02 37 37 81 40, www.huttopia.com

Pour s'y rendre : av. de Badouleau (1.2 km au sud, près du stade)

Ouverture : de mi-avr. à mi-oct.

10,5 ha (126 empl.) vallonné, plat, herbeux

Empl. camping : 55€ ♟♟ ⇔ 🔲 (2) (10A) - pers. suppl. 12€
Location : (de mi-avr. à mi-oct.) - 🅿 - 20 🛏 - 42 tentes lodges. Nuitée 50 à 219€ - Sem. 350 à 1 533€

Au bord de l'étang et en lisière de la forêt domaniale de Senonches avec du locatif varié mais un confort sanitaire très faible. Plus d'emplacements pour caravanes, tentes uniquement.

Nature : ⟋ ⚲⚲ ⚲		
Loisirs : ✗ ⚲ ⚲diurne ♟♟ ⚲ jacuzzi ⚲		
🚲 ⚲ ⚲ ⚲ barques		**G** E : 1.0435
Services : ⚷ 🅿 ⚲ ⚲ ♨ laverie ⚲		**P** N : 48.553
À prox. : ⚲ ⚲		**S**

⚲ ✗ ⚲ ⚲ ⚲
LET OP :
deze gegevens gelden in het algemeen alleen in het seizoen,
wat de openingstijden van het terrein ook zijn.

SONZAY

37360 - Carte Michelin **317** L3 - 1 298 h. - alt. 94
▶ Paris 257 - Château-la-Vallière 39 - Langeais 26 - Tours 25

⚲ L'Arada Parc ♟♟

✆ 02 47 24 72 69, www.laradaparc.com

Pour s'y rendre : r. de la Baratière (sortie ouest par D 68, rte de Souvigné et à dr.)

Ouverture : de déb. avr. à fin sept.

1,7 ha (92 empl.) peu incliné, plat, herbeux

Empl. camping : 34€ ♟♟ ⇔ 🔲 (2) (10A) - pers. suppl. 7€ - frais de réservation 12€

Location : (de déb. avr. à fin sept.) - 22 🛏 - 3 🏠 - 2 bungalows toilés - 5 tentes lodges. Nuitée 44 à 155€ - Sem. 221 à 861€ - frais de réservation 12€

⛽ borne artisanale

Beaux emplacements autour d'un joli parc aquatique paysagé.

Nature : ⟋ ⌂		
Loisirs : ♟ ✗ ⚲ ♟♟ jacuzzi ♨ 🚲 ⚲		**G** E : 0.45069
Services : ⚷ ♨ ⚲ ⚲ 🛜 laverie		**P** N : 47.52615
À prox. : ⚲ ⚲		**S**

SUÈVRES

41500 - Carte Michelin **318** F5 - 1 481 h. - alt. 83
▶ Paris 170 - Beaugency 18 - Blois 15 - Chambord 16

⛰ Capfun La Grenouillère ▲▲

🕿 02 54 87 80 37, www.capfun.com/camping-france-centre-grenouillere-FR.html

Pour s'y rendre : 3 km au nord-est sur D 2152

Ouverture : de mi-avr. à déb. sept.

11 ha (250 empl.) plat, herbeux

Empl. camping : (Prix 2018) 38 € ♛♛ ⛽ 🔲 🔌 (10A) - pers. suppl. 8 € - frais de réservation 11 €

Location : (Prix 2018) (de mi-avr. à déb. sept.) - 260 🚐. Nuitée 54 à 109 € - Sem. 147 à 994 € - frais de réservation 27 €

Parc boisé et verger agréable.

Nature : 🗔 ♨♨
Loisirs : 🍽 ✕ 🏠 🖲 ⛹ jacuzzi 🛶 🚲 ⚒ 🔲 🚤 🛶
Services : ⚲ ♨ 🛁 🚰 🛜 laverie 🚿 🐾

GPS E : 1.48512
N : 47.68688

THORÉ-LA-ROCHETTE

41100 - Carte Michelin **318** C5 - 899 h. - alt. 75
▶ Paris 176 - Blois 42 - Château-Renault 25 - La Ferté-Bernard 58

⛺ Municipal la Bonne Aventure

🕿 02 54 72 00 59, www.camping-la-bonne-aventure.fr

Pour s'y rendre : rte de la Cunaille (1,7 km au nord par D 82, rte de Lunay et rte à dr., près du stade, au bord du Loir)

Ouverture : Permanent

2 ha (68 empl.) plat, herbeux

Empl. camping : 11 € ♛♛ ⛽ 🔲 🔌 (8A) - pers. suppl. 4 €

Location : (Prix 2018) Permanent - 2 🚐. Nuitée 74 à 82 € - Sem. 266 à 360 € - frais de réservation 60 €

Cadre reposant au bord du Loir.

Nature : 🚣 ♀ ⛰
Loisirs : 🏠 🛶 🚲 ⚒ 🛶
Services : ⚲ 🚐 🛜 🖭
À prox. : ✕ 🚤

GPS E : 0.95855
N : 47.80504

VALENÇAY

36600 - Carte Michelin **323** F4 - 2 617 h. - alt. 140
▶ Paris 233 - Blois 59 - Bourges 73 - Châteauroux 42

⛰ Municipal les Chênes

🕿 06 73 28 38 99, camping-3-de-valencay.business.site

Pour s'y rendre : 1 km à l'ouest sur D 960, rte de Luçay-le-Mâle

Ouverture : de déb. avr. à fin oct.

5 ha (50 empl.) peu incliné, non clos

Empl. camping : 19 € ♛♛ ⛽ 🔲 🔌 (10A) - pers. suppl. 4 €

Location : (de déb. avr. à fin oct.) - 2 🚐. Nuitée 46 à 75 € - Sem. 290 à 490 €

Agréable cadre de verdure en bordure d'étang.

Nature : 🗔 ♨♨
Loisirs : 🛶 🚤 🛶
Services : ⚲ 🛜 🖭
À prox. : 🍴 ✕ ⚒

GPS E : 1.55542
N : 47.15808

VATAN

36150 - Carte Michelin **323** G4 - 2 059 h. - alt. 140
▶ Paris 235 - Blois 78 - Bourges 50 - Châteauroux 31

⛺ Municipal

🕿 02 54 49 91 37, www.vatan-en-berry.com

Pour s'y rendre : r. du Collège (sortie ouest par D 2, rte de Guilly et à gauche)

2,4 ha (55 empl.) plat, herbeux

Location : - 3 🏠.

🚐 borne artisanale

Au bord d'un étang d'agrément.

Nature : 🗔 ♨♨
Loisirs : 🛶 🚤
Services : 🛁 🚰 🛜 🖭
À prox. : 🚲 ⚒ 🛶

GPS E : 1.80601
N : 47.07146

*To visit a town or region : use the **MICHELIN Green Guides**.*

VEIGNÉ

37250 - Carte Michelin **317** N5 - 6 055 h. - alt. 58
▶ Paris 252 - Orléans 128 - Tours 16 - Joué-lès-Tours 11

⛰ La Plage

🕿 02 47 34 36 36, www.veigne.fr

Pour s'y rendre : rte de Tours (sortie nord par D 50)

Ouverture : de mi-juin à mi-sept.

2 ha (110 empl.) plat, herbeux

Empl. camping : (Prix 2018) 19 € ♛♛ ⛽ 🔲 🔌 (16A) - pers. suppl. 4 €

🚐 borne AireService 5 € - 3 🔲

Cadre verdoyant au bord de l'Indre.

Nature : ♀
Loisirs : 🍽 ✕ 🏠 🖲 🚤 🛶
Services : ⚲ (saison) 🛁 🛜 laverie
À prox. : 🛶 🚤

GPS E : 0.73464
N : 47.28929

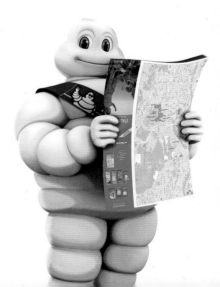

LA VILLE-AUX-DAMES

37700 - Carte Michelin **317** N4 - 4 889 h. - alt. 50
▶ Paris 244 - Orléans 120 - Tours 7 - Blois 53

⛺ Les Acacias

Camping les Acacias

☏ 02 47 44 08 16, www.camplvad.com

Pour s'y rendre : r. Berthe-Morisot (au nord-est du bourg, près du D 751)

Ouverture : Permanent

2,6 ha (90 empl.) plat, herbeux

Empl. camping : 22 € ✦✦ ⮝ 🅿 (⚡) (10A) - pers. suppl. 4 € - frais de réservation 10 €

Location : Permanent - 20 🚐. Nuitée 60 à 140 € - Sem. 299 à 649 € - frais de réservation 10 €

🚱 borne artisanale 6 €

Nature : ♀♀
Loisirs : ✗ ⛵ 🚲
Services : ⚡ ▥ 🗢 laverie
À prox. : 🍸 ✗ 🔫 🎣 parcours de santé

GPS E : 0.7772
N : 47.40224

VILLIERS-LE-MORHIER

28130 - Carte Michelin **311** F4 - 1 338 h. - alt. 99
▶ Paris 83 - Orléans 108 - Chartres 24 - Versailles 61

⛰ Les Îlots de St-Val

☏ 02 37 82 71 30, www.campinglesilotsdestval.com - peu d'emplacements pour tentes et caravanes

Pour s'y rendre : Lieu-dit : Le Haut Bourray (4,5 km au nord-ouest par D 983, rte de Nogent-le-Roi puis 1 km par D 1013, rte de Neron à gauche)

Ouverture : de mi-mars à mi-nov.

10 ha/6 campables (157 empl.) plat et peu incliné, herbeux, pierreux

Empl. camping : 28 € ✦✦ ⮝ 🅿 (⚡) (10A) - pers. suppl. 7 € - frais de réservation 5 €

Location : Permanent🚷 (1 mobile home) - 🚫 - 18 🚐 - 4 🏠. Sem. 259 à 560 € - frais de réservation 10 €

🚱 borne eurorelais 6 €

Cadre verdoyant légèrement ombragé avec des installations sanitaires vieillissantes.

Nature : 🌳 ♀
Loisirs : 🏛 ⛵ 🔫
Services : ⚡ ▥ 🗢 laverie
À prox. : 🐎

GPS E : 1.5476
N : 48.6089

VINEUIL

41350 - Carte Michelin **318** F6 - 7 443 h. - alt. 73
▶ Paris 187 - Blois 6 - Orléans 63 - Tours 67

⛺ Onlycamp Le Val de Blois

☏ 02 54 79 93 57, www.camping-loisir-blois.com

Pour s'y rendre : RD 951 (à la base de loisirs)

Ouverture : de déb. avr. à mi-oct.

3 ha (120 empl.) plat, herbeux

Empl. camping : (Prix 2018) 24 € ✦✦ ⮝ 🅿 (⚡) (16A) - pers. suppl. 6 €

Location : (Prix 2018) (de déb. avr. à mi-oct.) - 5 🏠 - 5 tentes lodges. Nuitée 40 à 59 €

🚱 borne artisanale 5 €

Cadre verdoyant à côté d'une base nautique en bord de Loire.

Nature : ♀
Loisirs : ⛵ 🎣
Services : ⚡ ▥ 🗢 🗇 🗢 laverie 🗢
À prox. : ✗ 🚲 🔫 🚣 ⛵

GPS E : 1.3744
N : 47.6055

VOUVRAY

37210 - Carte Michelin **317** N4 - 3 076 h. - alt. 55
▶ Paris 240 - Amboise 18 - Château-Renault 25 - Chenonceaux 30

⛺ Onlycamp Le Bec de Cisse

☏ 02 47 76 07 22, www.camping-vouvray.com

Pour s'y rendre : au sud du bourg, au bord de la Cisse

Ouverture : de fin mars à déb. oct.

1,5 ha (41 empl.) plat, herbeux

Empl. camping : (Prix 2018) 22 € ✦✦ ⮝ 🅿 (⚡) (16A) - pers. suppl. 5 €

🚱 borne eurorelais 3 €

Emplacements ombragés au bord de la Cisse.

Nature : ♀♀
Loisirs : 🎣
Services : ⚡ 🗢 🗇 🗢 📺
À prox. : 🍸 ✗ 🔫 🚣 ⛵⛰ parc de loisirs de Rochecorbon

GPS E : 0.79623
N : 47.40871

CHAMPAGNE-ARDENNE

Kloeg008/iStock

Le visiteur de la région Champagne-Ardenne a les yeux qui pétillent, et une soudaine effervescence s'empare de ses papilles lorsque surgit devant lui un océan de ceps. Il s'imagine déjà sablant le champagne, ce subtil breuvage baptisé « vin du diable » avant qu'un moine ne perce le secret de ses bulles. Faisant étape à Reims, il succombe à la beauté de sa cathédrale, puis à la douceur de ses biscuits roses. À Troyes, il s'éprend autant de la poésie des ruelles bordées de maisons à colombages que du fumet s'échappant de friandes andouillettes. Pour expier ses péchés, il se retire dans les profondeurs boisées des Ardennes, mais loin d'être un chemin de croix, l'escapade réserve d'agréables surprises : observation de grues cendrées, dégustation d'un ragoût de marcassin… Une autre façon de coincer la bulle !

It's easy to spot visitors bound for Champagne by the sparkle in their eyes and their delight as they look out over mile upon mile of vineyards: in their minds' eye, they are already raising a glass of the famous delicacy which was known as «devil's wine» before a monk discovered the secret of its divine bubbles. As they continue their voyage, the beautiful cathedral of Reims rises up before them. At Troyes, they drink in the sight of its half-timbered houses and feast on andouillettes, the local chitterling sausages. After these treats, our visitors can explore the Ardennes forest, by bike or along its hiking trails, but this woodland retreat, bordered by the gentle Meuse, has other delights in store: watching the graceful flight of the crane over an unruffled lake, or trying a plate of local wild boar.

BANNES

52360 - Carte Michelin **313** M6 - 401 h. - alt. 388
▶ Paris 291 - Chaumont 35 - Dijon 86 - Langres 9

⚠ Hautoreille

🔗 03 25 84 83 40, www.campinghautoreille.com

Pour s'y rendre : 6 r. du Boutonnier (sortie sud-ouest par D 74, rte de Langres puis 700 m par chemin à gauche)

Ouverture : de mi-janv. à fin nov.

3,5 ha (100 empl.) peu incliné, plat, herbeux

Empl. camping : 21€ ♣♣ ⇔ 🖿 🔌 (10A) - pers. suppl. 5€
🚐 5 🖿 21€
Havre de paix, champêtre et confortable.

Nature : 🐟 🌳🌳		
Loisirs : 🍷 ✕ 🏠 🚲	**G**	E : 5.39519
Services : 🔧 🏧 🛁 🚿 🔲	**P** **S**	N : 47.89508

BOURBONNE-LES-BAINS

52400 - Carte Michelin **313** O6 - 2 255 h. - alt. 290 - ♨
▶ Paris 313 - Chaumont 55 - Dijon 124 - Langres 39

⚠ Le Montmorency

🔗 03 25 90 08 64, www.camping-montmorency.com

Pour s'y rendre : r. du Stade (sortie ouest par rte de Chaumont et r. à dr., à 100 m du stade)

Ouverture : de fin mars à déb. nov.

2 ha (74 empl.) peu incliné, gravillons, herbeux

Empl. camping : (Prix 2018) 20€ ♣♣ ⇔ 🖿 🔌 (10A) - pers. suppl. 5€
Location : (Prix 2018) (de fin mars à déb. nov.) - 13 🚐
- 4 bungalows toilés. Nuitée 23 à 61€ - Sem. 161 à 427€
🚐 borne flot bleu 5€ - 🚐 14€
Terrain au calme sous les tilleuls.

Nature : 🐟 < 🌳🌳		
Loisirs : 🍷 ✕	**G**	E : 5.74027
Services : 🔧 🏧 🚿 🛜 laverie	**P** **S**	N : 47.95742
À prox. : 🎿 🔲 (découverte en saison)		

BRAUCOURT

52290 - Carte Michelin **313** I2
▶ Paris 220 - Bar-sur-Aube 39 - Brienne-le-Château 29 - Châlons-en-Champagne 69

⛰ La Presqu'île de Champaubert 🧍🧍

🔗 03 25 04 13 20, www.lescampingsduder.com

Pour s'y rendre : 3 km au nord-ouest par D 153

Ouverture : de déb. avr. à mi-nov.

3,6 ha (169 empl.) plat, herbeux, gravillons

Empl. camping : 30€ ♣♣ ⇔ 🖿 🔌 (30A) - pers. suppl. 6€
Location : (de déb. avr. à mi-nov.) - 43 🚐. Nuitée 60 à 110€
- Sem. 420 à 770€
🚐 borne artisanale
Situation agréable au bord du lac du Der-Chantecoq.

Nature : 🐟 < 🌳🌳 ⛰		
Loisirs : 🍷 ✕ 🏠 🎯 🏕 🚣 🚲 🎿 🔲 🎣	**G**	E : 4.79206
Services : 🔧 🛁 🛜 laverie	**P** **S**	N : 48.5556
À prox. : 🚤 🛶 🚣 pédalos		

BUZANCY

08240 - Carte Michelin **306** L6 - 372 h. - alt. 176
▶ Paris 228 - Châlons-en-Champagne 86 - Charleville-Mézières 58 - Metz 130

⚠ La Samaritaine

🔗 03 24 30 08 88, www.camping-lasamaritaine.fr

Pour s'y rendre : 3 r. des Étangs (1,4 km au sud-ouest par chemin à dr. près de la base de loisirs)

Ouverture : de mi-avr. à mi-sept.

2 ha (110 empl.) plat, herbeux, pierreux

Empl. camping : (Prix 2018) 21€ ♣♣ ⇔ 🖿 🔌 (10A) - pers. suppl. 4€
Location : (Prix 2018) (de mi-avr. à mi-sept.) - 👤 (1 chalet) - 6 🚐
- 9 🏡. Sem. 240 à 620€
🚐 borne artisanale - 🚐 13€
Immersion idyllique en pleine nature, baignade et pêche.

Nature : 🐟 🏠 🌳		
Loisirs : ✕ 🏠	**G**	E : 4.9402
Services : 🔧 🛁 🚣 🚿 🛜 🔲	**P** **S**	N : 49.42365
À prox. : 🛒 🚤 (plan d'eau) 🎣 🐎		

Use this year's Guide.

CHÂLONS-EN-CHAMPAGNE

51000 - Carte Michelin **306** I9 - 46 236 h. - alt. 83
▶ Paris 188 - Charleville-Mézières 101 - Metz 157 - Nancy 162

⛰ Aquadis Loisirs Châlons en Champagne

🔗 03 26 68 38 00, www.aquadis-loisirs.com/camping-de-chalons-en-champagne

Pour s'y rendre : r. de Plaisance (sortie sud-est par N 44, rte de Vitry-le François et D 60, rte de Sarry)

Ouverture : de déb. mars à déb. nov.

3,5 ha (148 empl.) plat, herbeux, gravier

Empl. camping : 20€ ♣♣ ⇔ 🖿 🔌 (10A) - pers. suppl. 6€ - frais de réservation 10€
Location : (de déb. mars à déb. nov.) - 10 🚐. Nuitée 74 à 80€
- Sem. 279 à 529€ - frais de réservation 10€
🚐 borne artisanale
Cadre agréable au bord d'un étang.

Nature : 🌳🌳		
Loisirs : ✕ 🏠 🚣 🎿 🎣 🎣	**G**	E : 4.38309
Services : 🔧 🏧 🛁 🚿 🛜 laverie	**P** **S**	N : 48.98582

CHARLEVILLE-MÉZIÈRES

08000 - Carte Michelin **306** K4 - 49 975 h. - alt. 145
▶ Paris 233 - Châlons-en-Champagne 130 - Namur 149 - Arlon 120

⚠ Municipal du Mont Olympe

℘ 03 24 33 23 60, camping-charlevillemezieres@wanadoo.fr
Pour s'y rendre : 174 r. des Paquis (au centre-ville)
Ouverture : de fin avr. à mi-oct.
2,7 ha (120 empl.) plat, herbeux
Empl. camping : (Prix 2018) ♠ 5€ ⇔ 2€ 🔲 7€ (10A)
🚰 borne eurorelais 2€ - 10 🔲 15€
Dans un méandre de la Meuse avec un accès piétonnier au centre-ville et au musée Rimbaud par une passerelle.

Nature : 🌿 ⬅ 🏞 ♀♀
Loisirs : 🔀 💪🏻
Services : ⛽ 🚐 🛁 🛒 🚿 📶 laverie
À prox. : 🍷 🍴 ⛵ centre balnéo 🏊 hammam
jacuzzi 🏊 ⚓ ⚓ port de plaisance

E : 4.72091
N : 49.77914

En juin et septembre les campings sont plus calmes, moins fréquentés et pratiquent souvent des tarifs « hors saison ».

DIENVILLE

10500 - Carte Michelin **313** H3 - 828 h. - alt. 128
▶ Paris 209 - Bar-sur-Aube 20 - Bar-sur-Seine 33 - Brienne-le-Château 8

⚠ Le Tertre

℘ 03 25 92 26 50, www.campingdutertre.fr
Pour s'y rendre : 1 rte de Radonvilliers (sortie ouest sur D 11)
Ouverture : de fin mars à déb. oct.
3,5 ha (155 empl.) plat, herbeux, gravier
Empl. camping : 25€ ♠♠ ⇔ 🔲 (6A) - pers. suppl. 5€ - frais de réservation 12€
Location : (de fin mars à déb. oct.) - 13 🏠. Sem. 200 à 550€ - frais de réservation 12€
🚰 borne artisanale 3€ - 4 🔲 25€
Face à la station nautique de la base de loisirs, terrain fonctionnel au confort sanitaire faible.

Nature : 🌿
Loisirs : 🍷 🍴 💪🏻 🏊
Services : ⛽ 🛁 🛒 🚿 📶 🛒
À prox. : 🏊 🚴 🎿 🏊 ski nautique

E : 4.52737
N : 48.34888

EAUX-PUISEAUX

10130 - Carte Michelin **313** D5 - 234 h. - alt. 220
▶ Paris 172 - Auxerre 51 - Châlons-en-Champagne 119 - Troyes 31

⚠ Ferme des Hauts Frênes

℘ 03 25 42 15 04, www.les-hauts-frenes.com
Pour s'y rendre : 6 voie de Puiseaux
Ouverture : Permanent
1,6 ha (30 empl.) plat, herbeux
Empl. camping : 17€ ♠♠ ⇔ 🔲 (6A) - pers. suppl. 5€
🚰 borne artisanale 3€ - 3 🔲 14€ - 💧 11€

Emplacements délimités et spacieux aux abords d'un corps de ferme magnifique ; chambres d'hôtes de grand confort décorées avec goût.

Nature : 🌿 ⬅ 🏞 ♀
Loisirs : 💪🏻
Services : ⛽ 🚐 🛁 🏛 🛒 🚿 📶 🛒 🛒
À prox. : 🍷 🍴 🐎

E : 3.88348
N : 48.11682

ÉCLARON

52290 - Carte Michelin **313** J2 - 1 991 h. - alt. 132
▶ Paris 255 - Châlons-en-Champagne 71 - Chaumont 83 - Bar-le-Duc 37

🏕 Yelloh! en Champagne 👥

℘ 03 25 06 34 24, www.yellohvillage-en-champagne.com - peu d'emplacements pour tentes et caravanes
Pour s'y rendre : RD 384 (2 km au sud, rte de Montier-en-Der, au bord du Lac de Der)
Ouverture : de déb. avr. à mi-sept.
3 ha (120 empl.) plat, herbeux, gravillons
Empl. camping : 40€ ♠♠ ⇔ 🔲 (16A) - pers. suppl. 8€
Location : (de déb. avr. à mi-sept.) - 50 🛖 - 2 bungalows toilés.
Nuitée 31 à 174€ - Sem. 217 à 1 218€
🚰 borne AireService
Préférer les emplacements les plus éloignés de la route. Accès à la plage à pied à 500m ou par la piste cyclable.

Nature : 🏞 ♀♀
Loisirs : 🍷 🍴 🎯 🤸 💪🏻 🚲 🏊 🎣 terrain multisports
Services : ⛽ 🛁 🛒 🚿 📶 laverie 🛒 🛒

E : 4.84798
N : 48.57179

*The classification (1 to 5 tents, **black** or red) that we award to selected sites in this Guide is a system that is our own. It should not be confused with the classification (1 to 5 stars) of official organisations.*

ÉPERNAY

51200 - Carte Michelin **306** F8 - 24 317 h. - alt. 75
▶ Paris 143 - Amiens 199 - Charleville-Mézières 113 - Meaux 96

⚠ Municipal

℘ 03 26 55 32 14, www.epernay.fr
Pour s'y rendre : allée de Cumières (1,5 km au nord par D 301)
Ouverture : de déb. mai à fin sept.
2 ha (109 empl.) plat, herbeux
Empl. camping : (Prix 2018) ♠ 5€ ⇔ 3€ 🔲 5€ – (10A) 5€
🚰 borne flot bleu 2€
Cadre verdoyant sous les platanes, aménagé sur la rive gauche de la Marne.

Nature : 🏞 🚴
Loisirs : 💪🏻 🚴
Services : ⛽ 🏛 📶 laverie
À prox. : 🍴 🚤 ⚓ ⚓

E : 3.95026
N : 49.05784

ERVY-LE-CHÂTEL

10130 - Carte Michelin **313** D5 - 1 224 h. - alt. 160
▶ Paris 169 - Auxerre 48 - St-Florentin 18 - Sens 62

△ Municipal les Mottes

✆ 03 25 70 07 96, www.ervy-le-chatel.reseaudescommunes.fr/communes

Pour s'y rendre : chemin des Mottes (1,8 km à l'est par D 374, rte d'Auxon, D 92 et chemin à dr. apr. le passage à niveau)

Ouverture : de fin avr. à fin sept.

0,7 ha (53 empl.) plat, herbeux

Empl. camping : (Prix 2018) ♦ 4€ ⬅ 3€ ▣ 3€ – ⚡ (6A) 4€

🚐 borne artisanale

En bordure d'une petite rivière et d'un bois, emplacements non délimités sur une vaste prairie.

Nature : 🐟
Loisirs : 🐟
Services : ⚊ 🚿 ✉ 🛜 ▦

GPS E : 3.91827
N : 48.04069

GIFFAUMONT-CHAMPAUBERT

51290 - Carte Michelin **306** K11 - 261 h. - alt. 130
▶ Paris 213 - Châlons-en-Champagne 67 - St-Dizier 25 - Bar-le-Duc 52

⚠ Village Vacances Marina-Holyder

(pas d'emplacement tentes et caravanes)

✆ 03 26 72 84 04, www.marina-holyder.com

Pour s'y rendre : r. de Champaubert (presqu'île de Rougemer)

2 ha plat

Location : Permanent - ⚹ (5 gîtes) - Ⓟ - 43 gîtes. Nuitée 55 à 220€ - Sem. 435 à 1 315€

Joli petit village de gîtes à 50m d'une plage surveillée sur le lac de Der.

Nature : 🐟
Loisirs : 🍽 ✕ 🏠 🏃 🄵 🍴 hammam jacuzzi ⚶ 🄷 🔲 🐕 🌳 parcours dans les arbres
Services : ⚊ ▦ 🛜 laverie 🛒
À prox. : 🚲 🐎 🐟

GPS E : 4.77328
N : 48.54987

LANGRES

52200 - Carte Michelin **313** L6 - 8 066 h. - alt. 466
▶ Paris 295 - Châlons-en-Champagne 197 - Chaumont 36 - Dijon 79

⚠ Le Lac de la Liez ⚶

Camping de la Liez

✆ 03 25 90 27 79, www.campingliez.com

Pour s'y rendre : à Peigney, à la base nautique (5 km à l'Est par D 284)

Ouverture : de déb. mai à fin sept.

6,5 ha (188 empl.) en terrasses, plat, herbeux

Empl. camping : 38€ ♦ ♦ ⬅ ▣ ⚡ (10A) - pers. suppl. 9€ - frais de réservation 6€

Location : (de déb. avr. à fin sept.) - ⚹ (2 chalets) - 🏕 - 24 🏠 - 2 bungalows toilés - 3 tentes lodges - 2 roulottes. Nuitée 35 à 185€ - Sem. 245 à 1 295€ - frais de réservation 5€

🚐 borne AireService 10€

Cadre d'exception en surplomb du lac, aménagements aquatiques de qualité.

Nature : 🐟 ≤ lac, campagne ou Langres 🛏 🍴
Loisirs : 🍽 ✕ 🏠 🏃 🄴 ⚶ 🚲 🎯 🔲 🎿
Services : ⚊ ▦ 🛒 – 16 sanitaires individuels (🚿🛁 wc) 🛜 laverie 🛒
À prox. : 🏖 (plage) 🛶 🐟 canoë ski nautique

GPS E : 5.3807
N : 47.87146

LONGEAU

52250 - Carte Michelin **313** L7 - 739 h. - alt. 319
▶ Paris 294 - Châlons-en-Champagne 205 - Chaumont 56 - Dijon 62

⚠ Les Chalets du Lac de la Vingeanne

(pas d'emplacement tentes et caravanes)

✆ 06 70 89 45 96, www.chaletsvingeanne.com

Pour s'y rendre : à Percey, 15 r. de Villegusien-le-Lac (1,1 km au sud-est par D 67)

4 ha plat

Location : (de mi-avr. à fin sept.) - ⚹ (4 chalets) - 50 🏠. Nuitée 60 à 120€ - Sem. 420 à 840€ - frais de réservation 30€

Joli village de chalets bois au bord du lac.

Nature : 🐟 🍴
Loisirs : 🍽 ✕ 🏠 🍴 jacuzzi ⚶ 🚲 🔲 (découverte en saison)
Services : ⚊ 🛒
À prox. : 🏖 (plan d'eau) 🐟 canoë

GPS E : 5.32135
N : 47.74617

---

*Die Klassifizierung (1 bis 5 Zelte, **schwarz** oder **rot**), mit der wir die Campingplätze auszeichnen, ist eine Michelin-eigene Klassifizierung. Sie darf nicht mit der staatlich-offiziellen Klassifizierung (1 bis 5 Sterne) verwechselt werden.*

MESNIL-ST-PERE

10140 - Carte Michelin **313** G4 - 415 h. - alt. 131
▶ Paris 209 - Châlons-en-Champagne 98 - Troyes 25 - Chaumont 79

⚠ Kawan Resort Le Lac d'Orient ⚶

✆ 03 25 40 61 85, www.camping-lacdorient.com

Pour s'y rendre : rte du Lac

Ouverture : de mi-avr. à fin sept.

4 ha (206 empl.) plat, herbeux

Empl. camping : 35€ ♦ ♦ ⬅ ▣ ⚡ (10A) - pers. suppl. 9€ - frais de réservation 20€

Location : (de mi-avr. à fin sept.) - ⚹ (1 chalet) - 🏕 - 26 🏠 - 2 🏠. Sem. 360 à 952€ - frais de réservation 20€

🚐 14 ▣ 26€

Terrain très confortable avec une situation exceptionnelle en bordure du lac d'Orient.

Nature : 🐟 🍴
Loisirs : 🍽 ✕ 🏠 🏃 🄴 ⚶ 🔲 🎯 🄷 terrain multisports
Services : ⚊ ▦ 🛁 🚿 🛜 laverie 🛒
À prox. : 🐕 🐟 🐎

GPS E : 4.34624
N : 48.26297

MONTIGNY-LE-ROI

52140 - Carte Michelin **313** M6 - 2 168 h. - alt. 404
▶ Paris 296 - Bourbonne-les-Bains 21 - Chaumont 35 - Langres 23

⛺ Municipal du Château

✆ 03 25 87 38 93, www.campingduchateau.com

Pour s'y rendre : r. Hubert-Collot (accès par centre bourg et chemin piétonnier pour accéder au village)

Ouverture : de mi-avr. à fin sept.

6 ha/2 campables (75 empl.) en terrasses, plat, herbeux

Empl. camping : (Prix 2018) ♟ 6 € ⇔ 回 6 € – [½] (10A) 5 €

🚐 borne raclet 2 €

Dans un parc boisé dominant la vallée de la Meuse.

Nature : ≤ 00	
Loisirs : 🏖🎿 ⚔	**G** E : 5.4965
Services : ⊶ ▥ 🛢 ⚡	**P** N : 48.00068
À prox. : laverie 🏊 ✗	**S**

RADONVILLIERS

10500 - Carte Michelin **313** H3 - 384 h. - alt. 130
▶ Paris 206 - Bar-sur-Aube 22 - Bar-sur-Seine 35 - Brienne-le-Château 6

⛺ Le Garillon

✆ 03 25 92 21 46, www.campinglegarillon.fr

Pour s'y rendre : 10 r. des Anciens Combattants (sortie sud-ouest par D 11, rte de Piney et à dr., au bord d'un ruisseau et à 250 m du lac, (haut de la digue par escalier))

Ouverture : de déb. avr. à fin oct.

1 ha (60 empl.) plat, herbeux

Empl. camping : (Prix 2018) 18 € ♟♟ ⇔ 回 [½] (16A) - pers. suppl. 3 €

Location : (de déb. avr. à fin oct.) - 12 🏠 - 1 🏡. Nuitée 48 à 58 € - Sem. 290 à 650 €

🚐 borne artisanale 7 €

Terrain familial situé au cœur d'un charmant village champe-nois et à proximité du lac et de la forêt d'Orient.

Loisirs : 🎿	**G** E : 4.50206
Services : ⊶ ⚡	**P** N : 48.3586
À prox. : ⚔	**S**

SÉZANNE

51120 - Carte Michelin **306** E10 - 5 268 h. - alt. 137
▶ Paris 116 - Châlons-en-Champagne 59 - Meaux 78 - Melun 89

⛺ Municipal

✆ 03 26 80 57 00, www.ville-sezanne.fr

Pour s'y rendre : rte de Launat (sortie ouest par D 373, rte de Paris (près N 4) puis 700 m par chemin à gauche et rte à dr.)

Ouverture : de déb. avr. à fin sept.

1 ha (79 empl.) terrasse, peu incliné, plat, herbeux

Empl. camping : (Prix 2018) 11 € ♟♟ ⇔ 回 [½] (10A) - pers. suppl. 3 €

🚐 borne artisanale

Grande étendue herbeuse sous les peupliers.

Nature : 0	
Loisirs : 🏖🎿 🎿	**G** E : 3.70212
Services : ⊶ ⚡ 🖼 🛢	**P** N : 48.72154
À prox. : ⚔ 🖼	**S**

SOULAINES-DHUYS

10200 - Carte Michelin **313** I3 - 311 h. - alt. 153
▶ Paris 228 - Bar-sur-Aube 18 - Brienne-le-Château 17 - Chaumont 48

⛰ La Croix Badeau

✆ 03 25 27 05 43, www.croix-badeau.com

Pour s'y rendre : 6 r. de La-Croix-Badeau (au nord-est du bourg, près de l'église)

Ouverture : de mi-avr. à fin sept.

1 ha (39 empl.) peu incliné, gravier, herbeux

Empl. camping : 24 € ♟♟ ⇔ 回 [½] (10A) - pers. suppl. 5 € - frais de réservation 5 €

Location : (de déb. avr. à fin oct.) - 2 🏠 - 1 tente lodge. Nuitée 40 à 85 € - Sem. 240 à 595 € - frais de réservation 15 €

🚐 borne AireService 5 €

Au calme en retrait de l'église du village, cadre champêtre et agréable.

Nature : 🐾 🗂	
Loisirs : 🍴✗ 🖼 🎿	**G** E : 4.73846
Services : ⊶ ▥ 🚿 🛢 ⚡	**P** N : 48.37672
À prox. : 🏖🎿 ⚔	**S**

Informieren Sie sich über die gültigen Gebühren, bevor Sie Ihren Platz beziehen. Die Gebührensätze müssen am Eingang des Campingplatzes angeschlagen sein. Erkundigen Sie sich auch nach den Sonderleistungen. Die im vorliegenden Band gemachten Angaben können sich seit der Überarbeitung geändert haben.

THONNANCE-LES-MOULINS

52230 - Carte Michelin **313** L3 - 120 h. - alt. 282
▶ Paris 254 - Bar-le-Duc 64 - Chaumont 48 - Commercy 55

⛰ Les Castels La Forge de Sainte Marie 🏖💧

✆ 03 25 94 42 00, www.laforgedesaintemarie.com

Pour s'y rendre : rte de Joinville (1,7 km à l'ouest par D 427, au bord du Rongeant)

Ouverture : de mi-avr. à déb. sept.

32 ha/3 campables (199 empl.) en terrasses, peu incliné, plat, herbeux, étang

Empl. camping : (Prix 2018) 45 € ♟♟ ⇔ 回 [½] (10A) - pers. suppl. 10 €

Location : (Prix 2018) Permanent - 45 🏠 - 15 gîtes. Nuitée 50 à 200 € - Sem. 310 à 999 € - frais de réservation 15 €

Cadre agréable et verdoyant autour d'une ancienne forge restaurée.

Nature : 🐾 🗂 0	
Loisirs : 🍴✗ 🖼 🎯🛝 🏖🎿 🚲 🎿	**G** E : 5.27097
Services : ⊶ 🛢 🚿 🚿 ⚡ laverie 🏊 🛢	**P** N : 48.40629
	S

TROYES

10000 - Carte Michelin **313** E4 - 61 188 h. - alt. 113
▶ Paris 170 - Dijon 185 - Nancy 186

⚠ Municipal

✆ 03 25 81 02 64, www.troyescamping.net

Pour s'y rendre : à Pont-Ste-Marie, 7 r. Roger-Salengro (2 km au nord-est, rte de Nancy)

Ouverture : de déb. avr. à mi-oct.

3,8 ha (150 empl.) plat, herbeux

Empl. camping : (Prix 2018) ♣ 8€ ⇌ 11€ – ⚡ (10A) 4€
🚐 borne artisanale 4€ - 15 ▣ 23€

Terrain urbain avec des espaces naturels agréables, proche de l'arrêt de bus pour le centre-ville de Troyes et les magasins d'usines de Pont-Ste-Marie.

Nature : ♀
Loisirs :
Services : ⚷ ▥ 🛜 laverie 🛁
À prox. : 🏊 🎣

G P S   E : 4.09682   N : 48.31112

VILLEGUSIEN-LE-LAC

52190 - Carte Michelin **313** L7 - 720 h. - alt. 292
▶ Paris 299 - Besançon 97 - Châlons-en-Champagne 209 - Dijon 60

⚠ Le Lac de la Vingeanne

✆ 03 25 88 45 24, www.camping-haute-marne.com

Pour s'y rendre : 14 r. Côtotte

Ouverture : de mi-mars à mi-oct.

2 ha (100 empl.)

Empl. camping : 21€ ♣♣ ⇌ ▣ ⚡ (16A) - pers. suppl. 3€
Location : Permanent - 14 🚐 - 2 🛏 - 1 appartement. Nuitée 20 à 60€ - Sem. 200 à 400€

Terrain peu ombragé avec un bon confort sanitaire, à 200m des rives du lac.

Nature : ♀
Loisirs :
Services : ⚷ 🛁 🚿 ♨ 🛜 laverie 🛁
À prox. : 🎣

G P S   E : 5.30797   N : 47.73977

joningall/iStock

Joyau émergeant de la Méditerranée, la Corse éblouit quiconque la visite. Les citadelles campées sur ses côtes rappellent combien accéder à ses trésors se mérite. Il faut un brin de témérité pour affronter ses routes sinueuses ou s'aventurer dans le maquis, inextricable enchevêtrement végétal. Mais heureux le promeneur qui croise une chapelle isolée, traverse un village hors du temps, tombe nez à nez avec un troupeau de mouflons ou découvre un merveilleux panorama. Les Corses défendent fièrement ce patrimoine, et savent réconforter le randonneur fourbu avec une simple assiette de cochonnailles, un morceau de fromage ou une pâtisserie maison. Quant aux adeptes du farniente, les anses sableuses de l'île de Beauté, aux eaux d'une limpidité tropicale, leur promettent de merveilleux moments de détente...

Corsica catches the eye like a jewel in the Mediterranean sun. Its citadels, high on the island's rocky flanks, will reward your efforts as you follow the twisting roads. Enjoy spectacular views and breathe in the fragrance of wild rosemary as you make your way up the rugged, maquis-covered hills: the sudden sight of a secluded chapel, a vision of a timeless village or an encounter with a herd of mountain sheep are among the memories that walkers, cyclists, riders and drivers take home with them. After exploring the island's wild interior, you will be ready to plunge into the clear, turquoise sea or just recharge your solar batteries as you bask on the warm sand. And after a long day, weary travellers can always be revived with platters of cooked meats, cheese and home-made pastries.

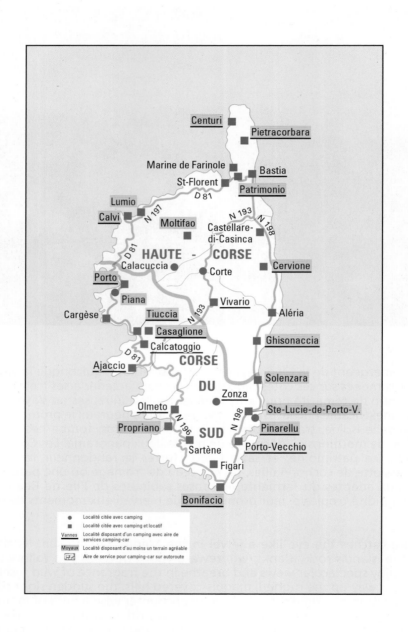

Centuri

Pietracorbara

Marine de Farinole

Bastia

St-Florent

Patrimonio

D 81

Lumio

N 197

Calvi

Moltifao

Castellare-
di-Casinca

N 193

N 198

HAUTE -

CORSE

D 81

Calacuccia

Corte

Cervione

Porto

Piana

Vivario

Aléria

Cargèse

Tiuccia

N 193

Casaglione

Ghisonaccia

Calcatoggio

D 81

CORSE

Ajaccio

DU

Solenzara

Zonza

Olmeto

SUD

Ste-Lucie-de-Porto-V.

N 198

Propriano

N 196

Pinarellu

Sartène

Porto-Vecchio

Figari

Bonifacio

Localité citée avec camping
Localité citée avec camping et locatif
Vannes   Localité disposant d'un camping avec aire de
          services camping-car
Moyaux   Localité disposant d'au moins un terrain agréable
          Aire de service pour camping-car sur autoroute

AJACCIO

20000 - Carte Michelin **345** B8 - 64 306 h.
✉ Corsica Linea ☎ 0 825 88 80 88 ; CMN bd Sampiero ☎09 70 83 20 20
▶ Bastia 147 - Bonifacio 131 - Calvi 166 - Corte 80

⚠ Les Mimosas

☎ 04 95 20 99 85, www.camping-lesmimosas.com ⚑

Pour s'y rendre : chemin de La Carosaccia (5 km, sortie nord par D 61 rte d'Alata, et à gauche)

Ouverture : de déb. avr. à mi-oct. - ⚑

2,5 ha (70 empl.) en terrasses, plat, pierreux

Empl. camping : (Prix 2018) ♣ 7€ ⇦ 3€ ▣ 3€ – ⚡ (6A) 3€
Location : (Prix 2018) (de déb. avr. à mi-oct.) - ⚑ - 12 ⛺ - 6 ⛺
- 1 studio. Sem. 280 à 590€
⚒ borne artisanale 8€
Bel ombrage d'eucalyptus sur les hauteurs de la ville avec du locatif mobile homes et chalets de bon confort, tout comme les sanitaires.

Nature : ⛱ ♨♨	
Services : ⟳ ⛺ ♨ ⚡ laverie réfrigérateurs	**GPS** E : 8.72899 N : 41.93758

ALÉRIA

20270 - Carte Michelin **345** G7 - 1 996 h. - alt. 20
▶ Bastia 71 - Corte 50 - Vescovato 52

⚠⚠ Marina d'Aléria ♣♣

☎ 04 95 57 01 42, www.marina-aleria.com

Pour s'y rendre : plage de Padulone (3 km à l'est de Cateraggio par T 10, au bord du Tavignano)

Ouverture : de déb. avr. à déb. oct.

17 ha/7 campables (335 empl.) plat, herbeux, sablonneux

Empl. camping : (Prix 2018) 44€ ♣♣ ⇦ ▣ ⚡ (9A) - pers. suppl. 8€
- frais de réservation 25€
Location : (Prix 2018) (de fin avr. à déb. oct.) - ⚑ (1 mobile home)
- ⚑ - ⓟ (mobile homes) - 152 ⛺ - 31 ⛺. Nuitée 45 à 210€
- Sem. 270 à 1 390€ - frais de réservation 25€
Emplacements le long de la plage, ombragés ou ensoleillés.

Nature : ⛱ ⪡ mer ou montagne ♨♨⛰	
Loisirs : ♈ ✗ ⛱ ⛱ ⚶ jacuzzi ⚶ ⚓ ⚬ ⚗	**GPS** E : 9.55 N : 42.11139
Services : ⟳ ⛺ ♨ laverie ⚖ ⚬ cases réfrigérées	

BASTIA

20200 - Carte Michelin **345** F3 - 43 545 h.
✉ Corsica Linea ☎ 0 825 88 80 88 ; CMN Port de Commerce ☎ 09 70 83 20 20
▶ Ajaccio 148 - Bonifacio 171 - Calvi 92 - Corte 69

⚠⚠ San Damiano ♣♣

☎ 04 95 33 68 02, www.campingsandamiano.com ✉ 20620 Biguglia
Pour s'y rendre : à Biguglia, Lido de la Marana (9 km au sud-est par T 11 et D 107 à gauche)

Ouverture : de fin mars à déb. nov.

12 ha (320 empl.) plat, sablonneux

Empl. camping : ♣ 10€⇦ ▣ 13€ – ⚡ (6A) 6€ - frais de réservation 16€

Location : (de fin mars à déb. nov.) - ⚑ (1 mobile home) - ⓟ (chalets et certains mobiles-homes) - 79 ⛺ - 48 ⛺. Nuitée 49 à 247€ - Sem. 343 à 1 729€ - frais de réservation 16€
⚒ 50 ▣ 16€

Quelques locatifs grand confort, avec vue sur la mer et la baie de Bastia pour certains. Agréable bar-restaurant les pieds dans l'eau.

Nature : ⛱ ⛱ ♨♨ ⛰	
Loisirs : ♈ ✗ ⛱ ⚶ ⚓ ⚶ ⚓ ⚬ ⚗	**GPS** E : 9.46718 N : 42.63114
Services : ⟳ ⛺ ♨ laverie ⚬ cases réfrigérées	
À prox. : ♘ ⚑	

BONIFACIO

20169 - Carte Michelin **345** D11 - 2 919 h. - alt. 55
▶ Ajaccio 132 - Corte 150 - Sartène 50

⚠⚠ Pertamina Village - U-Farniente ♣♣

☎ 04 95 73 05 47, www.camping-pertamina.com

Pour s'y rendre : lieu-dit : Canelli (5 km au nord-est par T 10, rte de Porto-Vecchio - Bastia)

Ouverture : de déb. avr. à déb. nov.

20 ha/10 campables (263 empl.) en terrasses, peu incliné, plat, pierreux

Empl. camping : (Prix 2018) 54€ ♣♣ ⇦ ▣ ⚡ (6A) - pers. suppl. 16€
- frais de réservation 26€
Location : (Prix 2018) (de déb. avr. à déb. nov.) - ⚑ (1 mobile home) - 45 ⛺ - 50 ⛺ - 11 bungalows toilés - 11 tentes lodges - 14 gîtes - 6 appartements. Sem. 423 à 1 966€ - frais de réservation 26€

Agréable domaine vallonné et bien ombragé avec du locatif varié et pour certains de bon confort.

Nature : ⛱ ⛱ ♨♨	
Loisirs : ♈ ✗ ⛱ ⚶ ⚶ ⚶ jacuzzi ⚶ ⚗ ⚗⚬	**GPS** E : 9.17905 N : 41.41825
Services : ⟳ ⛺ ♨ laverie ⚖ ⚬ cases réfrigérées	

⚠⚠ Les Îles

☎ 04 95 73 11 89, www.camping-desiles.com ⚑

Pour s'y rendre : rte de Piantarella (4,5 km à l'est, rte de Piantarella, vers l'embarcadère de Cavallo)

Ouverture : de fin avr. à déb. oct.

8 ha (150 empl.) vallonné, peu incliné, plat, herbeux, pierreux

Empl. camping : 36€ ♣♣ ⇦ ▣ ⚡ (10A) - pers. suppl. 10€
Location : (Prix 2018) (de fin avr. à déb. oct.) - ⚑ (1 mobile home)
- ⚑ - 17 ⛺ - 35 ⛺. Nuitée 60 à 166€ - Sem. 420 à 1 162€

Vue panoramique de certains emplacements sur la Sardaigne et les îles.

Nature : ⛱ ⪡ ⛱ ♨♨	
Loisirs : ✗ ⟳ ⚗ ⚬ ⚓ ⚗	**GPS** E : 9.21034 N : 41.37817
Services : ⟳ ⛺ ♨ ⚶ ♨ ▣ ⚖ ⚬ cases réfrigérées	

En juin et septembre les campings sont plus calmes, moins fréquentés et pratiquent souvent des tarifs « hors saison ».

▲▲▲ Rondinara

📞 04 95 70 43 15, www.rondinara.fr

Pour s'y rendre : lieu-dit : Suartone (18 km au nord-est par T 10, rte de Porto-Vecchio et D 158 à dr., rte de la pointe de la Rondinara, à 400 m de la plage)

Ouverture : de mi-mai à mi-oct.

5 ha (120 empl.) en terrasses, peu incliné, plat, herbeux, pierreux
Empl. camping : (Prix 2018) 🚶 9,90€ 🚗 5,70€ 🅿 9,50€ –
🔌 (20A) 4€
Location : (Prix 2018) (de mi-mai à mi-oct.) - 🏕 - 36 🚐. Sem. 525 à 1 435€ - frais de réservation 20€
🚮 borne eurorelais

Au milieu du maquis avec, de la piscine et du restaurant, une vue panoramique sur la mer et la Sardaigne.

Nature : 🏞 ≤ 🌿	
Loisirs : 🍴 ✕ 🏠 🛶 🏊	
Services : 🔌 🛁 🤝 🛜 laverie 🧺 🗄 cases réfrigérées	**GPS** E : 9.26289 N : 41.47322
À prox. : 🚣 pédalos , bar-restaurant sur la plage	

▲▲▲ Campo-di-Liccia 👥

Camping Campo Di Liccia

📞 04 95 73 03 09, www.campingdiliccia.com

Pour s'y rendre : lieu-dit : Parmentil (5,2 km au nord-est par T 10, rte Porto-Vecchio)

Ouverture : de déb. avr. à fin sept.

5 ha (161 empl.) terrasse, plat, pierreux
Empl. camping : (Prix 2018) 🚶 6€ 🚗 3€ – 🔌 (10A) 3€ - frais de réservation 18€

Location : (Prix 2018) (de déb. avr. à fin sept.) - ♿ (1 mobile home) - 🏕 - 52 🚐 - 10 🏠 - 4 tentes lodges. Nuitée 41 à 156€ - Sem. 247 à 1 090€ - frais de réservation 18€
🚮 borne eurorelais 7€

Bel ombrage de chênes verts, eucalyptus et oliviers plusieurs fois centenaires et parc de mobile homes de bon confort.

Nature : 🏞 🌳	
Loisirs : 🍴 ✕ 🏠 🏃 🛶 🏊	
Services : 🔌 (juil.-août) 🛁 🛜 laverie 🧺 🗄 cases réfrigérées	**GPS** E : 9.17893 N : 41.41943

▲ Pian del Fosse

📞 04 95 73 16 34, www.camping-piandelfosse.com

Pour s'y rendre : 3,8 km au nord-est par D 58 - ou 5 km par T 10 rte de Porto-Vecchio et D 60 rte de Santa-Manza

Ouverture : de fin avr. à mi-oct.

5,5 ha (100 empl.) en terrasses, plat et peu incliné, pierreux

Empl. camping : (Prix 2018) 34€ 🚶🚶 🚗 🅿 🔌 (10A) - pers. suppl. 9€ - frais de réservation 15€
Location : (Prix 2018) (de déb. mai à fin sept.) - 1 🚐 - 5 🏠 - 5 bungalows toilés - 7 tentes lodges - 6 gîtes. Sem. 290 à 1 030€ - frais de réservation 15€
🚮 borne artisanale

Emplacements à l'ombre de mûriers platanes, pins ou oliviers quatre fois centenaires.

Nature : 🏞 🏕 🌳	
Loisirs : ✕ 🛶	
Services : 🔌 🅿 🛁 🛜 laverie	**GPS** E : 9.20083 N : 41.39972
À prox. : 🐎	

CALACUCCIA

20224 - Carte Michelin **345** D5 - 316 h. - alt. 830
▶ Ajaccio 107 - Bastia 76 - Porto-Vecchio 146 - Corte 27

▲ Acquaviva

📞 04 95 48 00 08, www.acquaviva-fr.com

Pour s'y rendre : 500 m au sud-ouest par D 84 et chemin à gauche, face à la station service

Ouverture : de mi-avr. à fin oct.

4 ha (50 empl.) plat et peu incliné, pierreux, herbeux

Empl. camping : 🚶 7€ 🚗 3€ 🅿 6€ – 🔌 (16A) 4€

Dominant le lac avec un petit ombrage et profitant des services de l'hôtel-restaurant tenu par le même propriétaire.

Nature : 🏞 ≤ Lac et montagnes 🌿	
Loisirs : 🏠 🛶	
Services : 🛁 🛜 🖥	**GPS** E : 9.01049 N : 42.33341
À prox. : 🍴 ✕ 🚣 🎣	

Use this year's Guide.

CALCATOGGIO

20111 - Carte Michelin **345** B7 - 522 h. - alt. 250
▶ Ajaccio 23 - Bastia 156

▲▲▲ Lacasa

📞 04 95 10 09 78, www.lacasa-camping.com

Pour s'y rendre : lieu-dit : Pianottolo (5 km au nord-ouest par la D 101 et D 81)

Ouverture : de déb. avr. à fin oct.

4 ha (173 empl.) fort dénivelé, en terrasses, peu incliné, plat, pierreux

Empl. camping : 22€ 🚶🚶 🚗 🅿 🔌 (10A) - pers. suppl. 4€ - frais de réservation 10€
Location : (de déb. avr. à fin oct.) - 🏕 (de déb. juil. à fin août) - 116 🚐 - 3 🏠. Nuitée 40 à 190€ - Sem. 280 à 1 330€ - frais de réservation 10€

Emplacements bien ombragés et mobile homes neufs, mais préférer les plus éloignés de la route.

Nature : 🏞 🌳	
Loisirs : 🍴 ✕ 🏠 🏃 🛶 🏊	
Services : 🔌 laverie 🧺 🗄	**GPS** E : 8.75432 N : 42.04226

▲▲▲ La Liscia

📞 04 95 52 20 65, www.laliscia.com

Pour s'y rendre : rte de Tiuccia (5 km au nord-ouest par D 81, au bord de la rivière, dans le golfe de la Liscia, à 500 m de la plage)

Ouverture : de déb. mai à fin sept.

3 ha (100 empl.) fort dénivelé, en terrasses, plat, herbeux, pierreux

Empl. camping : (Prix 2018) 21€ 🚶🚶 🚗 🅿 🔌 (10A) - pers. suppl. 7€ - frais de réservation 20€
Location : (Prix 2018) (de déb. mai à fin sept.) - 🏕 - 7 🚐 - 2 🏠 - 3 studios. Nuitée 50 à 90€ - Sem. 245 à 930€ - frais de réservation 20€
🚮 borne artisanale 9€

Beaucoup de terrasses ombragées, mais préférer les emplacements les plus éloignés de la route. Sanitaires et certains locatifs simples en confort.

Nature : 🌿🌿	
Loisirs : 🍴 ✕ 🏠 🛶 🚲	
Services : 🔌 🛁 🛜 laverie 🧺 réfrigérateurs	**GPS** E : 8.75526 N : 42.04678

CALVI

20260 - Carte Michelin **345** B4 - 5 377 h.
- Corsica Linea ℰ 0 825 88 80 88
- Bastia 92 - Corte 88 - L'Ile-Rousse 25 - Porto 73

Donnez-nous votre avis sur les terrains que nous recommandons. Faites-nous connaître vos observations et vos découvertes par mail à l'adresse : leguidecampingfrance@tp.michelin.com.

⚠ La Pinède 👥

ℰ 04 95 65 17 80, www.camping-calvi.com

Pour s'y rendre : rte de la Pinède (300 m de la plage)

Ouverture : de fin mars à déb. nov.

5 ha (262 empl.) plat, sablonneux, pierreux

Empl. camping : 49€ 👫 🚗 🔌 (10A) - pers. suppl. 12,50€ - frais de réservation 25€

Location : (de fin mars à déb. nov.) - ♿ (4 chalets) - 74 🚐 - 65 🏠. Sem. 294 à 1 743€ - frais de réservation 25€

borne AireService

Installations complètes et de qualité, locatif de bon confort. Préférer les emplacements les plus éloignés de la route.

Nature : 🌳🌳
Loisirs : 🍴 ✗ 🎮 🏓 ≋ hammam jacuzzi 🏊 ✗ 🎾 ☞ terrain multisports
Services : ⚡ 🛁 🛒 ⚗ laverie 🧺 🛒 cases réfrigérées
À prox. : 🛒

GPS E : 8.76795 N : 42.55318

⚠ Les Castors et L'International

ℰ 04 95 65 13 30, www.camping-castors.fr (de mi-juin à mi-sept.)

Pour s'y rendre : rte de Piétramaggiore (1 km au sud par T 30 direction l'Île Rousse et rte de Pietra-Major à dr.)

Ouverture : de déb. avr. à déb. oct.

4 ha (200 empl.) plat, herbeux, pierreux, gravier

Empl. camping : (Prix 2018) 👤 12€ 🚗 6€ 🔲 6€ – 🔌 (15A) 6€ - frais de réservation 15€

Location : (Prix 2018) (de déb. avr. à déb. oct.) - ✂ - 70 🚐 - 5 appartements - 35 studios. Nuitée 62 à 220€ - Sem. 350 à 1 300€ - frais de réservation 15€

borne eurorelais

Bel ombrage d'eucalyptus et locatif varié.

Nature : 🌿🌳🌳
Loisirs : 🍴 ✗ 🏊 🎾 ✗
Services : ⚡ 🛁 ⚗ 🔲

GPS E : 8.7561 N : 42.55735

⚠ Bella Vista

ℰ 04 95 65 11 76, www.camping-calvi-bellavista.com

Pour s'y rendre : rte de Pietramaggiore (1,5 km au sud par T 30 direction l'Île Rousse et rte de Pietra-Major à dr.)

Ouverture : de déb. avr. à fin sept. - 🏩

6 ha/4 campables (152 empl.) plat et peu incliné, sablonneux, pierreux

Empl. camping : (Prix 2018) 👤 9€ 🚗 5€ 🔲 5€ – 🔌 (10A) 5€

Location : (Prix 2018) (de déb. avr. à fin oct.) - ✂ (de déb. avr. à fin juin) - 24 🏠. Sem. 310 à 1 180€

borne artisanale 5€

À l'ombre des pins, eucalyptus et lauriers roses. Pas de véhicule sur les emplacements en haute saison (parking).

Nature : 🌿🌳🌳
Loisirs : ✗ 🏊
Services : ⚡ 🅿 🛁 🛒 ⚗ 🔲 🧺 réfrigérateurs

GPS E : 8.75334 N : 42.55068

⚠ Paradella

ℰ 04 95 65 00 97, www.camping-paradella.fr ✉ 20214 Calenzana

Pour s'y rendre : rte de l'aéroport, à Calenzana (9,5 km au sud-est par T 30, rte de l'Ile-Rousse et D 81 à dr.)

Ouverture : de mi-avr. à fin sept.

5 ha (150 empl.) plat, sablonneux, pierreux

Empl. camping : (Prix 2018) 👤 9€ 🚗 3€ 🔲 5€ – 🔌 (10A) 5€

Location : (Prix 2018) (de déb. nov. à fin juil.) - 12 🚐 - 3 🏠 - 1 appartement. Sem. 360 à 1 000€

borne artisanale 5€

Bel ombrage de pins et d'eucalyptus. Préférer les emplacements les plus éloignés de la route. Accueil groupes.

Nature : ▱🌳🌳
Loisirs : 🏊 🎾 ✗
Services : ⚡ 🛁 ⚗ 🔲 🧺
À prox. : 🐎

GPS E : 8.79166 N : 42.50237

⚠ Paduella

ℰ 04 95 65 06 16, www.campingpaduella.com

Pour s'y rendre : rte de Bastia (1,8 km au sud-est par T 30, rte de l'Ile-Rousse, à 400 m de la plage)

Ouverture : de déb. mai à déb. oct.

4,5 ha (160 empl.) plat, sablonneux, pierreux

Empl. camping : 👤 9€ 🚗 4€ 🔲 4€ – 🔌 (10A) 4€

borne artisanale

Emplacements quelquefois bien délimités à l'ombre d'une agréable pinède et un espace vert idéal pour la détente ou les jeux collectifs.

Nature : 🌿🌳🌳
Loisirs : 🍴 🏊
Services : ⚡ 🛁 ⚗ 🔲 🧺
À prox. : 🛒

GPS E : 8.76429 N : 42.55219

⚠ Dolce Vita

ℰ 04 95 65 05 99, www.dolce-vita-calvi.com

Pour s'y rendre : 4,5 km au sud-est par T 30, rte de l'Ile-Rousse, à l'embouchure de la Figarella, à 200 m de la mer

Ouverture : de fin avr. à déb. oct.

6 ha (200 empl.) plat, herbeux, sablonneux, pierreux

Empl. camping : 32€ 👫 🚗 🔲 🔌 (10A) - pers. suppl. 8,50€ - frais de réservation 15€

Location : (de fin avr. à déb. oct.) - 12 🚐 - 27 🏠. Nuitée 39 à 209€ - Sem. 238 à 1 267€ - frais de réservation 15€

borne eurorelais

Préférer les emplacements côté mer, plus éloignés de la route et de la petite voie ferrée Calvi-l'Île-Rousse.

Nature : 💧💧💧
Loisirs : 🍴 ✗ 🏊
Services : ⚡ ⚗ 🔲 🧺
À prox. : ⚓

GPS E : 8.78972 N : 42.55582

CARGÈSE

20130 - Carte Michelin **345** A7 - 1 117 h. - alt. 75
▶ Ajaccio 51 - Calvi 106 - Corte 119 - Piana 21

⚠ Torraccia

📞 04 95 26 42 39, www.camping-torraccia.com

Pour s'y rendre : à Bagghiuccia (4,5 km au nord par D 81, rte de Porto)

Ouverture : de fin avr. à fin sept.

3 ha (90 empl.) fort dénivelé, en terrasses, plat, herbeux, pierreux

Empl. camping : (Prix 2018) 🚶 10€ 🚗 4€ 🔲 8€ – 🔌 (10A) 5€ - frais de réservation 19€

Location : (Prix 2018) (de fin avr. à fin sept.) - 25 🏠 - 10 cabanons. Nuitée 45 à 120€ - Sem. 300 à 980€ - frais de réservation 19€

Pour certains chalets, vue panoramique sur la mer. Bon confort sanitaire. Préférer les emplacements éloignés de la route.

Nature : ⬚ ≤ 🌳🌳
Loisirs : 🍹 jacuzzi 🛝🚴 🛶
Services : 🛒🚿♨🍴🅰 🔲 🚿

G P S E : 8.59797
N : 42.16258

CASAGLIONE

20111 - Carte Michelin **345** B7 - 365 h. - alt. 150
▶ Ajaccio 33 - Bastia 166

⚠ U Sommalu

📞 04 95 52 24 21, www.usommalu-camping.fr

Pour s'y rendre : rte de Casaglione (3 km au nord-est par D 81 et D 25 à drte - à 600 m de la plage de Liamone)

Ouverture : de déb. avr. à fin sept.

4 ha (123 empl.) en terrasses, plat et peu incliné, pierreux, herbeux

Empl. camping : 🚶 9€ 🚗 4€ – 🔌 (16A) 5€

Location : (de déb. avr. à fin sept.) - 15 🛖 - 22 🏠 - 12 cabanons. Sem. 778 à 1 328€ - frais de réservation 8€

🚐 borne artisanale

Emplacements en terrasses, ombragés, avec vue sur la mer pour quelques uns.

Nature : ⬚ ≤ 🌳🌳
Loisirs : 🍹 🍴 🛝🚴 🛶
Services : 🛒🚿♨ 🖙 laverie

G P S E : 8.73126
N : 42.07027

CASTELLARE-DI-CASINCA

20213 - Carte Michelin **345** F5 - 557 h. - alt. 140
▶ Paris 943 - Ajaccio 136 - Bastia 31

⚠ Tohapi Domaine d'Anghione 👥

(pas d'emplacement tentes et caravanes)

📞 04 95 36 50 22, www.tohapi.fr

Pour s'y rendre : à Anghione (6 km à l'est par D 106)

40 ha/26 campables (290 empl.) plat, herbeux, pierreux, sablonneux

Location : (de déb. avr. à fin sept.) - ♿ (1 mobile home) - 95 🛖 - 195 gîtes. Sem. 420 à 1 437€

Village vacances au bord de la plage avec beaucoup d'espaces verts et du locatif souvent de confort simple.

Nature : ⬚ 🌳🌳 🏖
Loisirs : 🍹🍴 🍴 🎬 salle d'animations 🚴 centre balnéo ♨ hammam jacuzzi 🛝🚴🚲 🎾 ⛱ terrain multisports
Services : 🛒🚿♨ 🖙 laverie 🔲 🚿
À prox. : 🐎

G P S E : 9.52707
N : 42.47547

CENTURI

20238 - Carte Michelin **345** F2 - 221 h. - alt. 228
▶ Ajaccio 202 - Bastia 55

⚠ Isulottu

📞 04 95 35 62 81, www.isulottu.fr

Pour s'y rendre : lieu-dit : Marine de Mute (par D 35 rte de Morsiglia, à 200 m de la plage)

Ouverture : de mi-mai à fin sept.

2,3 ha (80 empl.) en terrasses, plat et peu incliné, pierreux

Empl. camping : (Prix 2018) 🚶 8€ 🚗 4€ 🔲 4€ – 🔌 (20A) 4€

Location : (Prix 2018) Permanent - 2 🏠. Nuitée 65 à 120€ - Sem. 550 à 850€ - frais de réservation 16€

🚐 borne artisanale 4€

Dans un cadre naturel emplacements bien ombragés sur de multiples petites terrasses avec pour certains vue sur mer ou village !

Nature : 🌳 ≤ 🌳🌳
Loisirs : 🛝🚴
Services : 🛒🚿♨ 🔲
À prox. : plongée

G P S E : 9.3515
N : 42.96048

Deze gids is geen overzicht van alle kampeerterreinen maar een selektie van de beste terreinen in iedere categorie.

CERVIONE

20221 - Carte Michelin **345** F6 - 1 757 h. - alt. 350
▶ Paris 1186 - Ajaccio 137 - Bastia 51

⚠ Yelloh! Village Le Campoloro

📞 04 95 38 00 20, www.lecampoloro.com

Pour s'y rendre : lieu-dit : Prunete (7,1 km au sud-est par la D 71)

Ouverture : de mi-mai à mi-sept.

12 ha/4 campables (250 empl.) plat, sablonneux, pierreux

Empl. camping : 63€ 🚶🚶 🚗 🔲 🔌 (10A) - pers. suppl. 8€

Location : (de mi-mai à mi-sept.) - 50 🛖 - 60 🏠. Nuitée 59 à 249€ - Sem. 413 à 1 743€

🚐 borne artisanale

En bordure de plage avec du locatif de qualité et beaucoup d'espaces pour les jeux collectifs ou la détente.

Nature : 🌳 🛖 🌳🌳 🏖
Loisirs : 🍹🍴 🍴 🎬 🛝🚴 🛶 🛝 ⛱ terrain multisports
Services : 🛒 laverie 🔲 🚿

G P S E : 9.54408
N : 42.31995

CORTE

20250 - Carte Michelin **345** D6 - 6 744 h. - alt. 396
▶ Ajaccio 81 - Bastia 68

⚠ St-Pancrace

📞 04 95 46 09 22, www.campingsaintpancrace.fr

Pour s'y rendre : quartier St-Pancrace (1,5 km au nord par le Cours Paoli et chemin à gauche après la Sous-Préfecture)

Ouverture : de déb. avr. à fin oct.

12 ha/1 campable (30 empl.) incliné, peu incliné, herbeux, pierreux

Empl. camping : (Prix 2018) 🚶 6€ 🚗 3€ 🔲 3€ – 🔌 (16A) 4€

Produits de la ferme à la vente : fromage de brebis, tomme et confitures.

Nature : 🐚 🌳🌳
Loisirs : ✕ 🏠
Services : 🔾 🚐 ☑️

G P S E : 9.14696
N : 42.32026

FARINOLE (MARINA DE)

20253 - Carte Michelin **345** F3 - 224 h. - alt. 250
▶ Bastia 20 - Rogliano 61 - St-Florent 13

⚠ A Stella

☏ 04 95 37 14 37, www.campingastella.com

Pour s'y rendre : Marine de Farinole (par D 80)

Ouverture : de déb. mai à fin oct. - 🅁

3 ha (100 empl.) en terrasses, peu incliné, plat, herbeux, pierreux

Empl. camping : (Prix 2018) 🚶 8€ 🚗 4€ 🔲 8€ – 🔌 (10A) 4€
Location : (Prix 2018) (de déb. mai à fin oct.) - 2 appartements. Sem. 450 à 900€

Terrasses bien ombragées ou emplacements ensoleillés avec vue sur mer, au bord d'une plage de galets.

Nature : 🐚 ⩻ 🌳🌳 ⛰
Loisirs : 🏠
Services : 🔾 🚐 ☎ 📷 🛁

G P S E : 9.34259
N : 42.72911

Utilisez le guide de l'année.

FIGARI

20114 - Carte Michelin **345** D11 - 1 217 h. - alt. 80
▶ Ajaccio 122 - Bonifacio 18 - Porto-Vecchio 20 - Sartène 39

⚠ U Moru

☏ 04 95 71 23 40, www.u-moru.com

Pour s'y rendre : 5 km au nord-est par D 859 rte de Porto-Vecchio

Ouverture : de mi-juin à mi-sept.

6 ha/4 campables (100 empl.) plat et peu incliné, sablonneux

Empl. camping : 🚶 9€ 🚗 4€ 🔲 5€ – 🔌 (6A) 6€
Location : (de mi-juin à mi-sept.) - 🦽 (1 mobile home) - 14 🚐. Nuitée 125 à 140€ - Sem. 865 à 955€

Emplacements très ombragés en partie sous les pins ; terrasses mobile homes bien aménagées (kitchenette...).

Nature : 🛋 🌳🌳
Loisirs : 🏠 🚣
Services : 🔾 ☎ 📷 réfrigérateurs

G P S E : 9.16564
N : 41.53096

GHISONACCIA

20240 - Carte Michelin **345** F7 - 3 669 h. - alt. 25
▶ Bastia 85 - Aléria 14 - Ghisoni 27 - Venaco 56

⛺ Arinella-Bianca 👥

☏ 04 95 56 04 78, www.arinellabianca.com

Pour s'y rendre : rte de la Mer (3,5 km à l'est par D 144 puis 700 m par chemin à drte)

Ouverture : de fin avr. à mi-oct.

10 ha (400 empl.) plat, herbeux, sablonneux

Empl. camping : 56€ 🚶🚶 🚗 🔲 🔌 (10A) - pers. suppl. 18€ - frais de réservation 50€

Location : (de fin avr. à mi-oct.) - 🦽 (2 mobile homes) - 🚫 - 188 🚐 - 40 chalets sur pilotis. Nuitée 65 à 310€ - Sem. 390 à 2 080€ - frais de réservation 50€
🚐 borne AireService 10€

Un bel espace balnéo avec son agréable parc aquatique zen. Quelques locations grand confort et un espace vie au bord de la plage.

Nature : 🐚 🌳🌳 ⛰
Loisirs : 🍷 ✕ 🏠 ⛳ 🏃 centre balnéo hammam jacuzzi 🚣 🚲 (électrique) 🎿 🛶 point d'informations touristiques terrain multisports parc aquatique
Services : 🔾 🛒 🛁 ☎ laverie 🧊 🔑 cases réfrigérées
À prox. : 🛶 🚤 🤿

G P S E : 9.44331
N : 41.9972

⛺ Homair Vacances Marina d'Erba Rossa 👥

☏ 04 95 56 25 14, www.homair.com - peu d'emplacements pour tentes et caravanes

Pour s'y rendre : rte de la Mer (4 km à l'est par D 144, au bord de plage)

Ouverture : de déb. avr. à mi-oct.

12 ha/8 campables (588 empl.) plat, herbeux

Empl. camping : 67,70€ 🚶🚶 🚗 🔲 🔌 (10A) - frais de réservation 25€

Location : (de déb. avr. à mi-oct.) - 450 🚐 - 114 🏠 - 20 tentes lodges. Sem. 237 à 1 687€ - frais de réservation 25€
🚐 borne artisanale

Ensemble verdoyant, ombragé, avec l'espace vie au bord de la plage. Possibilité de séjours en formule hôtelière, pension complète ou 1/2 pension.

Nature : 🐚 🛋 🌳🌳 ⛰
Loisirs : 🍷 ✕ 🏠 ⛳ 🏃 centre balnéo 🈁 jacuzzi 🚣 🎿 🐎 🛶 mini ferme
Services : 🔾 🛁 ☎ laverie 🧊 🔑 cases réfrigérées
À prox. : 🚤 🤿 plongée

G P S E : 9.44339
N : 42.00211

⛺ Sunêlia Village Vacances Perla Di Mare

(pas d'emplacement tentes et caravanes)

☏ 04 95 56 53 10, www.perla-di-mare.fr

Pour s'y rendre : plage de Vignale, rte de la Mer (4.2 km à l'est par D 144)

10 ha (174 empl.) vallonné

Location : (de déb. avr. à fin oct.) - 🦽 (2 mobile homes) - 100 🚐 - 46 appartements - 4 studios. Nuitée 41 à 272€ - Sem. 532 à 2 135€

Locatif varié et de bon confort pour certains, avec un espace vie au bord de la plage.

Nature : 🐚 🌳🌳 ⛰
Loisirs : 🍷 ✕ 🏠 ⛳ 🏃 centre balnéo 🈁 hammam jacuzzi 🚣 🚲 🛶 🤿 terrain multisports
Services : 🔾 🛒 ☎ laverie 🔑

G P S E : 9.4558
N : 42.00647

De gids wordt jaarlijks bijgewerkt.
Doe als wij, vervang hem, dan blijf je bij.

LUMIO

20260 - Carte Michelin **345** B4 - 1 250 h. - alt. 150
▶ Ajaccio 158 - Bastia 83 - Corte 77 - Calvi 10

⛰ Le Panoramic

℘ 04 95 60 73 13, www.le-panoramic.com

Pour s'y rendre : rte de Lavatoggio (2 km au nord-est sur D 71, rte de Belgodère)

Ouverture : de déb. mai à fin sept.

6 ha (108 empl.) fort dénivelé, en terrasses, pierreux, sablonneux

Empl. camping : ★ 11€ ⇔ 5€ 🔲 6€ – (½) (6A) 5€ - frais de réservation 15€

Location : (de déb. mai à fin sept.) - ♿ (1 mobile home) - ⚡ - 12 ☐. Nuitée 60 à 186€ - Sem. 400 à 1 300€ - frais de réservation 15€

Vue panoramique sur la mer pour quelques emplacements.

Nature : 🔆 ≤ ᴖᴖ
Loisirs : ⊤ ✗ ⅏
Services : ⊶ ⊅ 🛜 🔲 🧺, réfrigérateurs

G P S | E : 8.84805
N : 42.58973

MOLTIFAO

20218 - Carte Michelin **345** D5 - 724 h. - alt. 420
▶ Ajaccio 113 - Bastia 58

⛰ E Canicce

℘ 04 95 35 16 75, www.campingecanicce.com ⚡ (de déb. juil. à fin août)

Pour s'y rendre : Vallée de l'Asco (3 km au sud sur D 47)

Ouverture : Permanent

1 ha (25 empl.) plat, pierreux

Empl. camping : 25€ ★★ ⇔ 🔲 (½) (10A) - pers. suppl. 6€

Location : Permanent ⚡ - 3 ☐ - 3 gîtes. Nuitée 60 à 93€ - Sem. 360 à 650€

Au milieu du maquis, au pied des montagnes et au bord de l'Asco. Gîtes en pierres du pays avec petite piscine privée.

Nature : 🔆 ≤ Monte Cinto et Scala di Santa Régina ᴖᴖ
Loisirs : ⅏ ⅏
Services : ⊶ ⅏ 🛜 🔲

G P S | E : 9.13444
N : 42.47573

OLMETO

20113 - Carte Michelin **345** C9 - 1 230 h. - alt. 320
▶ Ajaccio 64 - Propriano 8 - Sartène 20

⛰ Vigna Maggiore

℘ 04 95 76 02 07, www.vignamaggiore.com

Pour s'y rendre : T 40 (3.6 km au sud au niveau de la D 121 rte pour Porto-Pollo, à la station Total)

Ouverture : de mi-mai à mi-oct.

6 ha (180 empl.) fort dénivelé, en terrasses, plat et peu incliné, pierreux

Empl. camping : (Prix 2018) 30€ ★★ ⇔ 🔲 (½) (6A) - pers. suppl. 9€ - frais de réservation 15€

Location : (Prix 2018) (de mi-avr. à mi-oct.) - 20 ☐ - 40 ☐. Nuitée 50 à 165€ - Sem. 295 à 1 150€ - frais de réservation 15€

☐ borne artisanale - ⬝ (½)21€

Jolie vue panoramique de la piscine et pour quelques chalets souvent de bon confort. Éviter les emplacements proches de la route, préférer ceux côté potager.

Nature : 🔆 ᴖᴖ
Loisirs : ⊤ ✗ ⅏ ⅏
Services : ⊶ ⅏ 🛜 🔲 🧺 ⅏ réfrigérateurs

G P S | E : 8.89626
N : 41.69832

⛰ L'Esplanade

℘ 04 95 76 05 03, www.camping-esplanade.com

Pour s'y rendre : à Olmeto-Plage, rte de Porto-Pollo (1,6 km par D 157, à 100 m de la plage - accès direct)

Ouverture : de déb. avr. à fin oct.

4,5 ha (160 empl.) fort dénivelé, en terrasses, plat et peu incliné, pierreux, rochers

Empl. camping : (Prix 2018) 45€ ★★ ⇔ 🔲 (½) (6A) - pers. suppl. 9€ - frais de réservation 11€

Location : (Prix 2018) (de déb. avr. à fin oct.) - ℗ (chalets) - 18 ☐ - 50 ☐ - 15 tentes lodges. Nuitée 52 à 210€ - Sem. 394 à 1 470€ - frais de réservation 11€

Préférer les emplacements qui descendent à la plage, plus éloignés de la route. Vue panoramique pour certains chalets, la piscine et le restaurant.

Nature : 🔆 ⊏⊐ ᴖᴖᴖ
Loisirs : ⊤ ✗ ⅏ ⅏ ⅏
Services : ⊶ ⅏ 🛜 🔲 🧺 ⅏ cases réfrigérées

G P S | E : 8.88868
N : 41.69562

PATRIMONIO

20253 - Carte Michelin **345** F3 - 707 h. - alt. 100
▶ Bastia 16 - St-Florent 6 - San-Michele-de-Murato 22

⛰ U Sole Marinu

℘ 06 23 42 13 33, usolemarinu.com

Pour s'y rendre : lieu-dit : Catarelli (4.3 km au nord-ouest par la D 80 et chemin à gauche)

Ouverture : de déb. mai à mi-sept.

2 ha (50 empl.) plat, pierreux, sablonneux

Empl. camping : (Prix 2018) 25€ ★★ ⇔ 🔲 (½) (6A) - pers. suppl. 8€ - frais de réservation 8€

Location : (Prix 2018) (de mi-mai à fin sept.) - ♿ (1 mobile home) - 20 ☐. Nuitée 65 à 177€ - Sem. 400 à 1 240€ - frais de réservation 16€

☐ borne artisanale

Cadre agréable entre la plage de galets, la rivière et les vignes de Patrimonio.

Nature : 🔆 ⊏⊐ ᴖᴖ ⌂
Loisirs : ✗ ⅏
Services : ⊶ ⅏ 🛜 🔲

G P S | E : 9.33
N : 42.71816

PIANA

20115 - Carte Michelin **345** A6 - 450 h. - alt. 420
▶ Ajaccio 72 - Calvi 85 - Évisa 33 - Porto 13

⛰ Plage d'Arone

℘ 04 95 20 64 54

Pour s'y rendre : rte Danièle-Casanova (11,5 km au sud-ouest par D 824)

3,8 ha (125 empl.) en terrasses, non clos, plat, herbeux, pierreux

À 500 m de la plage par un petit sentier, emplacements au milieu du maquis et à l'ombre des oliviers, eucalyptus, lauriers et autres arbres ou arbustes méditerranéens.

Nature : 🔆 ≤ ᴖᴖ
Services : ⊶ ⅏ 🔲 🧺

G P S | E : 8.58228
N : 42.20933

PIETRACORBARA

20233 - Carte Michelin **345** F2 - 573 h. - alt. 150
▶ Paris 967 - Ajaccio 170 - Bastia 21 - Biguglia 31

⚥ La Pietra

✆ 04 95 35 27 49, www.la-pietra.com

Pour s'y rendre : 4 km au sud-est par D 232 et chemin à gauche, à 500 m de la plage

Ouverture : de fin mars à déb. nov.

4 ha (126 empl.) plat, herbeux, pierreux

Empl. camping : (Prix 2018) ✚ 11€ ⊕ 5€ ▣ 7€ – ⚡ (10A) 4€

Location : (Prix 2018) (de déb. avr. à fin oct.) - 13 ⌂. Nuitée 70 à 185€ - Sem. 450 à 1 150€

⛽ borne Sanistation

Cadre soigné avec emplacements délimités et ombragés ou prairie ensoleillée. Nouveau, un petit village de chalets grand à très grand confort.

Nature : ⅍ ⟨ ▱ ⑳⑳		
Loisirs : ✕ ▱ ⚤ ⚒ ⛏	**G**	E : 9.4739
Services : ⊶ ⚏ ⚒ ⚑ ⚏, cases réfrigérées	**P** **S**	N : 42.83939
À prox. : 🐎		

PINARELLU

20124 - Carte Michelin **345** F9
▶ Ajaccio 146 - Bonifacio 44 - Porto-Vecchio 16

⚠ California

✆ 04 95 71 49 24, www.camping-california-corsica.com ✉ 20144 Ste-Lucie-de-Porto-Vecchio ⚥

Pour s'y rendre : 800 m au sud par D 468 et 1,5 km par chemin à gauche, au bord de la plage

Ouverture : de mi-mai à mi-oct.

7 ha/5 campables (100 empl.) vallonné, plat, sablonneux, étang

Empl. camping : (Prix 2018) ✚ 11€ ⊕ 2€ ▣ 11,50€ – ⚡ (10A) 3€

⛽ borne artisanale

Entre étangs et mer, situation privilégiée dans un cadre préservé en bord de plage.

Nature : ⅍ ⑳⑳ ⚥		
Loisirs : ✕ ⚤ ⚒	**G**	E : 9.38084
Services : ⊶ ⓟ ⚏ ▣ ⚑ ⚒	**P** **S**	N : 41.66591

Jährlich eine neue Ausgabe.
Aktuellste Informationen, jährlich für Sie.

PORTO

20150 - Carte Michelin **345** B6 - 544 h.
▶ Ajaccio 84 - Calvi 73 - Corte 93 - Évisa 23

⚥ Les Oliviers ♟

✆ 04 95 26 14 49, www.camping-oliviers-porto.com ✉ 20150 Ota ⚥

Pour s'y rendre : au pont (par D 81, au bord du Porto et à 100 m du bourg)

Ouverture : de fin mars à déb. nov.

5,4 ha (216 empl.) fort dénivelé, en terrasses, plat, pierreux, rochers

Empl. camping : (Prix 2018) ✚ 12€ ⊕ 4€ ▣ 4€ – ⚡ (20A) 5€ - frais de réservation 15€

Location : (Prix 2018) (de fin mars à déb. nov.) - ⚥ - 44 ⌂. Sem. 332 à 1 635€ - frais de réservation 16€

Bel espace piscine avec des emplacements en sous-bois et du locatif de bon confort dans un cadre naturel.

Nature : ⅍ ▱ ⑳⑳		
Loisirs : ♟ ✕ ⚤ ⚓ centre balnéo ⚏ hammam jacuzzi ⚤ ⚒ ⚏ ⚑ école de plongée	**G**	E : 8.71005
Services : ⊶ ⓟ ⚏ ⚏ laverie ⚒ cases réfrigérées	**P** **S**	N : 42.26242
À prox. : 🛒 🚲		

⚥⚥⚥ Sole e Vista

✆ 04 95 26 15 71, www.camping-sole-e-vista.fr ✉ 20150 Ota

Pour s'y rendre : au bourg (accès principal : 1 km à l'est par D 124, rte d'Ota - accès secondaire : au bourg, parking du supermarché)

Ouverture : de mi-mars à mi-nov.

4 ha (170 empl.) fort dénivelé, en terrasses, plat, pierreux, rochers

Empl. camping : 35€ ✚✚ ⊕ ▣ ⚡ (16A) - pers. suppl. 12€

Location : (de mi-mars à mi-nov.) - 34 ⌂ - 15 tentes lodges - 15 tentes sur pilotis - 5 cabanons. Nuitée 35 à 110€ - Sem. 200 à 1 020€

⛽ borne artisanale

Cadre naturel et boisé avec de multiples petites terrasses pour les emplacements et le locatif de bon confort. Vue panoramique sur mer et montagne depuis la piscine et le restaurant.

Nature : ⅍ ⟨ ▱ ⑳⑳		
Loisirs : ♟ ✕ ⚤ ⚒ terrain multisports	**G**	E : 8.71256
Services : ⊶ ⚏ laverie ⚒ réfrigérateurs	**P** **S**	N : 42.2643
À prox. : 🛒 ⚏ ⚒		

⚥ Funtana a l'Ora

✆ 04 95 26 11 65, www.funtanaalora.fr ✉ 20150 Ota

Pour s'y rendre : rte d'Evisa (1,4 km au sud-est par D 84, à 200 m du Porto)

Ouverture : de déb. avr. à fin oct.

2 ha (70 empl.) fort dénivelé, en terrasses, plat et peu incliné, pierreux, rochers

Empl. camping : (Prix 2018) ✚ 10€ ⊕ 4€ ▣ 5€ – ⚡ (10A) 4€ - frais de réservation 15€

Location : (Prix 2018) (de déb. avr. à fin oct.) - 10 ⌂ - 11 ⌂. Nuitée 52 à 202€ - Sem. 320 à 1 260€ - frais de réservation 15€

⛽ borne artisanale

Emplacements bien ombragés entre les rochers sur de multiples petites terrasses dans un agréable cadre naturel.

Nature : ⅍ ▱ ⑳⑳		
Loisirs : ♟ ⚏ ⚒ terrain multisports	**G**	E : 8.71621
Services : ⊶ ⚏ ⚏ laverie ⚒ cases réfrigérées	**P** **S**	N : 42.25823

⛰ Casa del Torrente

(pas d'emplacement tentes et caravanes)

𝄢 04 95 22 45 14, www.casadeltorrente.com ✉ 20150 Ota

Pour s'y rendre : rte d'Evisa (1 km au sud-est par D 84, au bord du Porto (accès direct)

1,5 ha fort dénivelé, en terrasses

Location : (Prix 2018) (de déb. avr. à fin oct.) - ✸ - 12 🏠 - 3 gîtes.
Nuitée 48 à 244€ - Sem. 300 à 1 550€ - frais de réservation 15€

Gîtes et certains chalets idéaux pour les grandes familles avec accès libre aux loisirs et services du camping Funtana a l'Ora à 400 m en face, de l'autre côté de la route.

Nature : 🏊 ♀ ♨ 🛶 Loisirs : 🏖 Services : ⚬🚐 🏧 ▥ 🛜 📶 À prox. : 🍷 🛥 🛶 terrain multisports	**GPS** E : 8.71183 N : 42.26021

PORTO-VECCHIO

20137 - Carte Michelin **345** E10 - 11 005 h. - alt. 40
🚢 Corsica Linea 𝄢 0 825 88 80 88 (0,15 € TTC/mn) et CMN Port de Commerce 𝄢 09 70 83 20 20
▶ Ajaccio 141 - Bonifacio 28 - Corte 121 - Sartène 59

⛰ Golfo di Sogno 👥

𝄢 04 95 70 00 98, www.golfo-di-sogno.fr

Pour s'y rendre : rte de Cala-Rossa (6 km au nord-est par D 468)

Ouverture : de déb. mai à fin sept.

22 ha (650 empl.) plat, herbeux, sablonneux

Empl. camping : (Prix 2018) 30€ ✸✸ 🚐 ▣ (10A) - pers. suppl. 10€

Location : (Prix 2018) (de déb. mai à fin sept.) - 12 🚐 - 61 🏠 - 138 cabanons - 12 gîtes. Sem. 380 à 2 500€

🚐 borne eurorelais

Très agréable pinède en bord de mer, beaucoup d'espace et du locatif diversifié et variable en confort.

Nature : 🏊 🚐 ♨ 🌲 Loisirs : 🍷 🍴 🎬 salle d'animations 🏃 🎯 🛥 🏊 🚣 ♨ base nautique terrain multisports Services : ⚬🚐 🛥 💧 laverie 🛒 🛥 À prox. : ⚓	**GPS** E : 9.31297 N : 41.62974

⛰ U Pirellu 👥

𝄢 04 95 70 23 44, www.camping-palombaggia.corsica ✸

Pour s'y rendre : à Piccovagia (9 km à l'est, rte de Palombaggia)

Ouverture : de mi-avr. à fin sept. - 🏪

5 ha (150 empl.) fort dénivelé, en terrasses, plat et peu incliné, herbeux, pierreux

Empl. camping : (Prix 2018) ✸ 11€ 🚐 5€ ▣ 9€ – (6A) 4€

Location : (Prix 2018) (de mi-avr. à déb. oct.) - ✸ - 16 🏠. Nuitée 70 à 145€ - Sem. 410 à 1 650€

Pour certains chalets, vue panoramique sur la mer et la pointe de la Chiapa.

Nature : 🏊 🚐 ♨ Loisirs : 🍷 🍴 🎬 🎬 diurne 🏃 🎯 🛥 🛶 Services : ⚬🚐 🄿 🛥 💧 🛜 📶 🛥 À prox. : ⛴	**GPS** E : 9.3322 N : 41.58962

⛰ La Vetta

𝄢 04 95 70 09 86, www.campinglavetta.com

Pour s'y rendre : lieu-dit : La Trinité (5,5 km au nord sur T 10, rte de Bastia)

Ouverture : de mi-juin à fin sept. - 🏪

8 ha (110 empl.) en terrasses, incliné, plat, herbeux, pierreux, rochers

Empl. camping : (Prix 2018) ✸ 15€ 🚐 – (10A) 4€

Location : (Prix 2018) (de déb. juin à fin sept.) - 53 🚐 - 6 🏠 - 1 appartement. Nuitée 147 à 230€ - Sem. 1 024 à 1 605€

Magnifique cadre sauvage et naturel avec quelques locatifs grand confort. Préférer les emplacements éloignés des routes.

Nature : ♨ Loisirs : 🍴 🛥 🛶 Services : ⚬🚐 🛥 🛜 📶 cases réfrigérées	**GPS** E : 9.29356 N : 41.63285

⛰ Bella Vista

𝄢 04 95 70 58 01, www.bella-vista.cc ✸

Pour s'y rendre : à Piccovagia, rte de Palombaggia (9,3 km à l'est)

Ouverture : de déb. juin à fin sept. - 🏪

2,5 ha (88 empl.) fort dénivelé, en terrasses, plat, herbeux, pierreux

Empl. camping : (Prix 2018) ✸ 9€ 🚐 4€ ▣ 6€ – (6A) 4€

Location : (Prix 2018) (de déb. mai à fin sept.) - ✸ - 8 🏠. Nuitée 75 à 215€ - Sem. 450 à 1 500€

Pour certains chalets, vue panoramique sur la mer et la pointe de la Chiapa.

Nature : 🏊 ⛰ ♨ Loisirs : 🍴 🛥 🛶 Services : ⚬🚐 🛜 📶	**GPS** E : 9.3367 N : 41.58672

⛰ Arutoli

Camping Arutoli

𝄢 04 95 70 12 73, www.arutoli.com

Pour s'y rendre : rte de l'Ospédale (2 km au nord-ouest par D 368)

Ouverture : de déb. avr. à déb. nov.

4 ha (150 empl.) plat et peu incliné, rochers, pierreux

Empl. camping : ✸ 8€ 🚐 3€ ▣ 4€ – (6A) 4€

Location : (de déb. avr. à déb. nov.) - 34 🏠. Nuitée 58 à 99€ - Sem. 393 à 678€

🚐 borne AireService

Emplacements bien ombragés et un petit village de chalets paysagé.

Nature : ♨ Loisirs : 🍴 🚐 🛶 Services : ⚬🚐 🛥 🛜 📶 🛥	**GPS** E : 9.26556 N : 41.60186

⛺ Les Îlots d'Or

𝄢 04 95 70 01 30, www.campinglesilotsdor.com

Pour s'y rendre : rte Pezza-Cardo (6 km au nord-est par D 568 ou par T 10 rte de Bastia et à droite par D 468 b)

4 ha (176 empl.) en terrasses, plat, herbeux, plat, rochers

Location : - 3 🚐 - 24 🏠.

Quelques emplacements les pieds dans l'eau !

Nature : 🏊 🚐 ♨ 🌲 Loisirs : 🍴 Services : ⚬🚐 🛥 🛜 📶 À prox. : 🛒 ♨	**GPS** E : 9.30819 N : 41.6275

⛺ Les Jardins du Golfe

☎ 04 95 70 46 92, www.camping-jardinsdugolfe.fr ✂

Pour s'y rendre : rte de Palombaggia (5,2 km au sud)

Ouverture : de fin juin à déb. sept.

4 ha (200 empl.) incliné, plat, herbeux, sablonneux

Empl. camping : (Prix 2018) ♠ 8€ ⛟ 4€ 🔲 8€ – 🔌 (10A) 4€

Location : (Prix 2018) (de déb. avr. à fin oct.) - ♿ (1 chalet) - ✂
- 14 🏠. Nuitée 65 à 145€ - Sem. 360 à 860€

🚰 borne AireService 5€

Gestion associative pour des emplacements ombragés et des chalets de bon confort.

Nature : 🌳 ♉♉
Loisirs : 🏊 (petite piscine)
Services : ⚕🛏🚿 🖥 🗑 réfrigérateurs
À prox. : 🚿

G P S E : 9.2905 N : 41.57353

PROPRIANO

20110 - Carte Michelin **345** C9 - 3 292 h. - alt. 5
🚢 Corsica Linea ☎ 0 825 88 80 88 (0,15 €TTC/mn)
et CMN ☎ 09 70 83 20 20
▶ Ajaccio 70 - Bastia 202 - Olbia 126 - Sassari 32

🏘 Village Vacances U Livanti

(pas d'emplacement tentes et caravanes)

☎ 04 95 76 08 06, www.residence-ulivanti.com

Pour s'y rendre : à Portigliolo, rte de Campomoro (8 km au sud par T 40 et D 121, dans le golfe du Valinco)

6 ha (114 empl.) en terrasses

Location : (de déb. avr. à fin oct.) - ♿ (1 chalet) - ✂ - 🅿 - 90 🏠
- 12 🛏. Nuitée 80 à 325€ - Sem. 490 à 1 850€ - frais de réservation 10€

Village de chalets de bon ou très bon confort avec de jolies terrasses aménagées ; restaurant les pieds dans l'eau.

Nature : 🌳 ♉♉ ⛰
Loisirs : 🍽 ✕
Services : ⚕ 🗑 laverie 🚿
À prox. : 🚤 🏄 ski nautique

G P S E : 8.86912 N : 41.64491

Avant de prendre la route, consultez www.viamichelin.fr : votre meilleur itinéraire, le choix de votre hôtel, restaurant, des propositions de visites touristiques.

ST-FLORENT

20217 - Carte Michelin **345** E3 - 1 636 h.
▶ Bastia 22 - Calvi 70 - Corte 75 - L'Île-Rousse 45

🏔 Homair Vacances Kalliste 🧑‍🤝‍🧑

☎ 04 95 37 03 08, campingkalliste@orange.fr

Pour s'y rendre : rte de la Plage, lieu-dit : Ceppitone (1,2 km par D 81, rte de l'Ile Rousse et chemin à droite après le pont)

4 ha (175 empl.) plat, pierreux

Empl. camping : (Prix 2018) 46€ ♠♠ ⛟ 🔲 🔌 (10A) - pers. suppl. 10€

Location : (Prix 2018) (de déb. avr. à mi-oct.) - ✂ (de mi-juil. à déb. sept.) - 135 🚍. Sem. 253 à 1 247€

Situé à 200 m de la plage de Ceppitone et bordé par l'Aliso, emplacements ombragés avec du locatif de bon confort même si parfois un peu serré.

Nature : 🌳 ♉♉
Loisirs : 🍽 ✕ 🎱 🏓 jacuzzi 🏄 🏊 (petite piscine) 🎣
Services : ⚕🛏🗑 🚿 laverie 🗑 🚿 cases réfrigérées
À prox. : 💧 ⚓

G P S E : 9.29739 N : 42.67309

🏔 Olzo

☎ 04 95 37 03 34, www.campingolzo.com

Pour s'y rendre : lieu-dit : Strutta (2,5 km au nord-est par D 81 rte de Bastia)

Ouverture : de fin avr. à mi-sept.

1,5 ha (65 empl.) plat, pierreux, gravier

Empl. camping : (Prix 2018) ♠ 9€ ⛟ 4€ 🔲 12€ – 🔌 (10A) 5€ - frais de réservation 15€

Location : (Prix 2018) (de fin avr. à mi-sept.) - 12 🚍 - 15 🏠 - 19 cabanons - 6 appartements. Nuitée 69 à 129€ - Sem. 485 à 905€ - frais de réservation 15€

Emplacements bien ombragés avec quelques locatifs de confort simple à 300 m de la plage.

Nature : ♉♉
Loisirs : 🍽 ✕ 🏊
Services : ⚕🛏🗑 🚿 laverie 🚿

G P S E : 9.3253 N : 42.69349

STE-LUCIE-DE-PORTO-VECCHIO

20144 - Carte Michelin **345** F9
▶ Ajaccio 142 - Porto-Vecchio 16

🏔 Homair Vacances Acqua E Sole 🧑‍🤝‍🧑

(pas d'emplacement tentes et caravanes)

☎ 04 95 50 15 75, www.homair.com

Pour s'y rendre : lieu-dit : Pianu Di Conca (1 km au nord-est par T 10, rte de Solenzara et chemin à gauche)

5 ha (160 empl.) en terrasses, plat

Location : (Prix 2018) (de déb. avr. à mi-oct.) - ♿ (1 mobile home) - 125 🚍 - 15 🏠 - 7 🛏 - 15 chalets sur pilotis. Sem. 140 à 1 575€

Village de mobile homes, chalets parfois sur pilotis et quelques chambres en formule hôtelière.

Nature : 🌳 ♉♉
Loisirs : 🍽 ✕ 🎱 🎦 diurne 🏓 🏄 🏊 🎣 terrain multisports
Services : ⚕🛏🗑 🚿 laverie 🚿
À prox. : 🐎

G P S E : 9.35129 N : 41.70328

Donnez-nous votre avis sur les terrains que nous recommandons. Faites-nous connaître vos observations et vos découvertes par mail à l'adresse : leguidecampingfrance@tp.michelin.com.

⛰ Santa-Lucia ♣♣

📞 04 95 71 45 28, www.campingsantalucia.com

Pour s'y rendre : T 10 (au bourg)

Ouverture : de déb. avr. à déb. oct.

3 ha (160 empl.) plat et peu incliné, rochers, pierreux, sablonneux

Empl. camping : (Prix 2018) ♣ 10€ ⟷ 4€ 🔲 7€ – 🔌 (6A) 3€ - frais de réservation 10€

Location : (Prix 2018) (de déb. avr. à déb. oct.) - 🏕 - 21 🏠 - 12 bungalows toilés - 10 tentes lodges. Nuitée 30 à 150€ - Sem. 210 à 1 025€ - frais de réservation 15€

Emplacements bien ombragés, calmes avec un bon confort sanitaire et du locatif varié de bon confort.

Nature : 🌊 🗀 🎠		G	E : 9.3434
Loisirs : ✗ 🏃 🚴 🎣		P	N : 41.6966
Services : ⟲ 🛁 🗑 🛒		S	
À prox. : 🛒			

⛰ Fautea

📞 04 95 71 41 51

Pour s'y rendre : lieu-dit : Fautea (5 km au nord-est sur T 10, rte de Solenzara)

Ouverture : de déb. mai à fin sept. - ⛽

5 ha (100 empl.) en terrasses, pierreux

Empl. camping : (Prix 2018) ♣ 10€ ⟷ 2€ 🔲 9€ – 🔌 (10A) 5€

Préférer les emplacements sur les petites terrasses avec vue panoramique sur la mer, plus éloignés de la route.

Nature : ⩽ 🗀 🎠 ▲		G	E : 9.40191
Loisirs : 🚴		P	N : 41.71557
Services : ⟲ 🚗 🗑 🛁 🗑 cases réfrigérées		S	
À prox. : ✗			

20100 - Carte Michelin **345** C10 - 3 363 h. - alt. 310
▶ Ajaccio 81 - Bastia 180 - Olbia 132

⛰ Campéole L'Avéna

📞 04 95 77 02 18, www.campeole.com/etablissement/post/l-avena-sartene

Pour s'y rendre : à Tizzano (16 km au sud par le D 48 et chemin à gauche)

Ouverture : de mi-mai à mi-sept.

5 ha (194 empl.) en terrasses, plat, pierreux, herbeux

Empl. camping : (Prix 2018) 35€ ♣♣ ⟷ 🔲 🔌 (16A) - pers. suppl. 9€

Location : (Prix 2018) (de mi-mai à mi-sept.) - 27 🏠 - 35 bungalows toilés - 44 tentes lodges - 10 tentes lodges (avec sanitaires). Nuitée 42 à 157€ - Sem. 294 à 1 099€

Locatifs variés souvent en toiles et un accès direct à la plage par un sentier (500 m).

Nature : 🌊 🎠		G	E : 8.86282
Loisirs : ♟ ✗ terrain multisports		P	N : 41.53483
Services : ⟲ 🗑 laverie 🛁 🛒		S	

20145 - Carte Michelin **345** F8 - 1 169 h.
▶ Ajaccio 131 - Bastia 105

⛰ Homair Vacances Sole di Sari ♣♣

(pas d'emplacement tentes et caravanes)

📞 04 95 57 07 70, www.soledisari.com

Pour s'y rendre : rte de Bavella (1,5 km au nord-ouest par D 268)

4 ha (136 empl.) en terrasses

Location : (Prix 2018) (de déb. avr. à mi-oct.) - ♿ (1 mobile home) - 76 🏠 - 44 chalets sur pilotis - 16 tentes sur pilotis. Sem. 294 à 1 610€

Bel ensemble de locatif varié, souvent de grand confort et sur pilotis pour épouser le relief qui descend jusqu'à la rivière Solenzara.

Nature : 🌊 🎵		G	E : 9.38396
Loisirs : ✗ 🎪diurne 🏃 🚴 🎣 ⛱		P	N : 41.86493
Services : ⟲ 🗑 🛁 🗑 laverie 🛒		S	

⛰ Côte des Nacres

📞 04 95 57 40 65, www.campingdesnacres.fr

Pour s'y rendre : T 10 (1.3 km au nord, rte de Bastia)

Ouverture : de déb. avr. à fin sept.

3 ha (180 empl.) plat, pierreux, sablonneux

Empl. camping : (Prix 2018) 34€ ♣♣ ⟷ 🔲 🔌 (6A) - pers. suppl. 8€ - frais de réservation 10€

Location : (Prix 2018) (de déb. avr. à fin sept.) - 🏕 - 39 🏠. Sem. 370 à 900€ - frais de réservation 10€

Emplacements à l'ombre des eucalyptus et bordés par la Solenzara ou carrément sur la plage face à la mer.

Nature : ⩽ 🗀 🎵		G	E : 9.3957
Loisirs : ♟ ✗ 🏃 ⛱		P	N : 41.86448
Services : ⟲ 🗑 laverie 🛁 🛒		S	
À prox. : parcours dans les arbres , canyoning paddle			

*Choisissez votre restaurant sur **restaurant.michelin.fr***

20111 - Carte Michelin **345** B7
▶ Ajaccio 30 - Cargèse 22 - Vico 22

⛰ Les Couchants

📞 04 95 52 26 60, campinglescouchants.fr ✉ 20111 Casaglione

Pour s'y rendre : rte de Casaglione (4,9 km au nord par D 81 et D 25 à dr.)

Ouverture : de fin juin à mi-sept.

5 ha (120 empl.) en terrasses, plat, herbeux, pierreux

Empl. camping : (Prix 2018) ♣ 7€ ⟷ 4€ – 🔌 (6A) 5€

Location : (Prix 2018) (de fin juin à mi-sept.) - 8 🏠. Nuitée 86 à 100€ - Sem. 602 à 700€

🚐 21 🔲 11€

Emplacements au milieu des oliviers, eucalyptus et lauriers multicolores.

Nature : 🌊 ⩽ 🎵		G	E : 8.74894
Loisirs : ♟ ✗ 🚴 🎣		P	N : 42.08114
Services : ⟲ 🚗 🗑 🛁 🗑 🛒		S	

VIVARIO

20219 - Carte Michelin **345** E6 - 532 h. - alt. 850
▶ Bastia 89 - Aléria 49 - Corte 22 - Bocognano 22

⚠ Aire Naturelle le Soleil

✆ 04 95 47 21 16, www.camping-lesoleil.fr - alt. 800

Pour s'y rendre : lieu-dit : Tattone (6 km au sud-ouest par T 20, rte d'Ajaccio, près de la petite gare de Tattone)

Ouverture : de déb. mai à fin sept.

1 ha (25 empl.) en terrasses, peu incliné, plat, herbeux

Empl. camping : 21 € ✚✚ ⛺ 🚗 ▣ 🔌 (10A) - pers. suppl. 7 €
Location : Permanent 🦌 - 3 🏠. Sem. 1 500 €
🚐 borne eurorelais
Ombrage en partie sous les arbres fruitiers face à la montagne.

Nature : 🏞 💧💧		
Loisirs : 🍽 ✗ 🏠	**G**	E : 9.15186
Services : ⚷ 📶 laverie réfrigérateurs	**P** **S**	N : 42.1532

ZONZA

20124 - Carte Michelin **345** E9 - 1 802 h. - alt. 780
▶ Ajaccio 93 - Porto-Vecchio 40 - Sartène 38 - Solenzara 40

⚠ Municipal

✆ 04 95 78 62 74, mairiedezonza@orange.fr

Pour s'y rendre : rte de Porto-Vecchio (3 km au sud-est par D 368)

Ouverture : de déb. mai à fin sept. - 🚻

2 ha (120 empl.) vallonné, en terrasses, plat, pierreux

Empl. camping : (Prix 2018) 16 € ✚✚ 🚗 ▣ 🔌 (6A) - pers. suppl. 8 €
🚐 borne AireService 3 €
À l'ombre d'une agréable pinède, au bord de la rivière.

Nature : 🏞 💧💧		
Loisirs : 🎣	**G**	E : 9.19563
Services : ⚷ 🚗 📶 📶	**P** **S**	N : 41.7504

FRANCHE-COMTÉ

Hiroshi Higuchi/age fotostock

Il était une fois… la Franche-Comté ! Ses contes et légendes s'inspirent d'une nature mystérieuse qui réserve bien des surprises aux visiteurs curieux. La forêt de résineux s'y étend par monts et par vaux, jetant de doux sortilèges aux explorateurs de grottes, gouffres et gorges qu'elle dissimule. La magie des lieux tient aussi à l'abondance des torrents, cascades et lacs dont les larges taches bleutées contrastent avec le vert des pâturages. Les artisans comtois transforment comme par enchantement le bois en horloges, jouets et pipes pour les touristes en quête de souvenirs. Et l'éventail des arômes déployés par les produits du terroir envoûte les gastronomes : fromage de comté au goût de noisette, savoureuses charcuteries fumées et radieux cortège de vins distillant des bouquets subtils et fruités.

Once upon a time in a land called Franche-Comté…many of France's tales and legends begin in the secret wilderness of this secluded region on the Swiss border. The Jura's peaks and dales, clad in a cloak of fragrant conifers, cast a gentle charm over its explorers: the magic spell is also woven by the waterfalls, grottoes and mysterious lakes, their dark blue waters reflecting the surrounding hills. Nimble-fingered craftsmen transform the local wood into clocks, toys and pipes which will delight anyone with a love of fine craftsmanship. Hungry travellers will want to savour the rich, hazelnut tang of Comté cheese, but beware: the delicate smoked and salted meats, in which you can almost taste the pine and juniper, plus Franche-Comté's sumptuous and subtly fruity wines may lure you back for more!

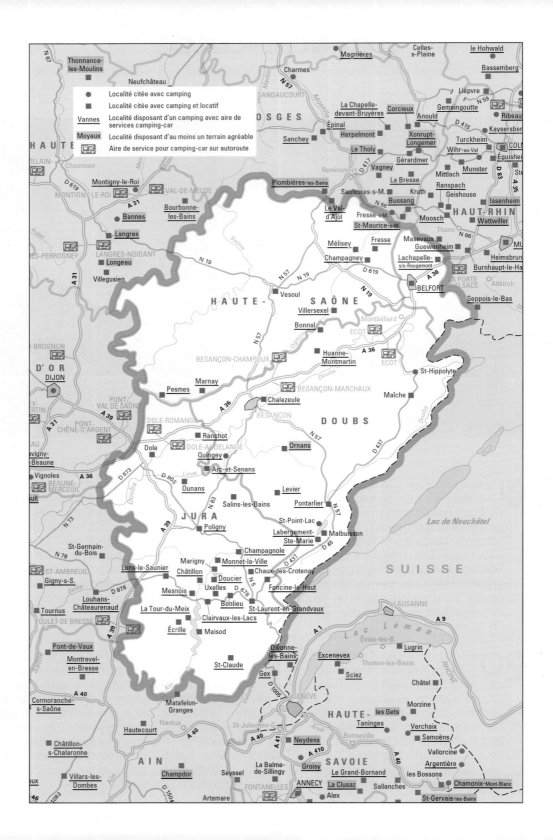

ARC ET SENANS

25610 - Carte Michelin **321** E4 - 1 580 h. - alt. 231
▶ Paris 402 - Besançon 35 - Genève 129 - Lausanne 120

⚠ La Saline

📞 03 81 57 50 28, www.campinglasaline.fr

Pour s'y rendre : 18 r. des Graduations (1.3 km au sud-est)

Ouverture : de mi-avr. à mi-oct.

0,5 ha (36 empl.) plat, herbeux

Empl. camping : 25€ ✛✛ ⬅ 📧 ⚡ (16A) - pers. suppl. 5€
Location : (de mi-avr. à mi-oct.) - 3 tentes lodges - 4 tentes sur pilotis - 1 tipi - 1 gîte. Nuitée 30 à 100€ - Sem. 150 à 550€
🚐 borne artisanale - 4 📧 8€ - 🔌 8€
Proche de la Loue.

	GPS
Nature : ♋♋	E : 5.79369
Loisirs : 🍸 🏠 🛶 🚲 🛁 🏄	N : 47.02912
Services : ⬅ 🛜 laverie	

Utilisez le guide de l'année.

BELFORT

90000 - Carte Michelin **315** F11 - 50 199 h. - alt. 360
▶ Paris 422 - Lure 33 - Luxeuil-les-Bains 52 - Montbéliard 23

⚠ L'Étang des Forges

📞 03 84 22 54 92, www.camping-belfort.com

Pour s'y rendre : r. du Gén.-Béthouart (1,5 km au nord par D 13, rte d'Offemont et à dr. - par A 36 sortie 13)

Ouverture : de déb. avr. à fin oct.

3,4 ha (110 empl.) plat, herbeux, pierreux

Empl. camping : (Prix 2018) 27€ ✛✛ ⬅ 📧 ⚡ (10A) - pers. suppl. 5€
- frais de réservation 5€
Location : (Prix 2018) (de déb. avr. à fin oct.) - 🔥 (1 chalet) - 9 🛖
- 9 🏠 - 2 bungalows toilés. Nuitée 40 à 130€ - Sem. 237 à 650€
- frais de réservation 10€
🚐 borne flot bleu
Établissement coquet et bien entretenu avec une grande variété d'arbres.

	GPS
Nature : ≤ ⌂ ♋♋	E : 6.86436
Loisirs : 🍸 ✗ 🏠 🛶 🚲 🛁	N : 47.65341
Services : ⬅ 🛏 🚿 ⛱ 🛜 laverie	
À prox. : 🏄 🛥 ♨	

BONLIEU

39130 - Carte Michelin **321** F7 - 253 h. - alt. 785
▶ Paris 439 - Champagnole 23 - Lons-le-Saunier 32 - Morez 24

⚠ L'Abbaye

📞 03 84 25 57 04, www.camping-abbaye.com

Pour s'y rendre : 2 rte du Lac (1,5 km à l'est par N 78, rte de St-Laurent-en-Grandvaux)

Ouverture : de déb. mai à fin sept.

3 ha (88 empl.) incliné, plat, herbeux

Empl. camping : 22€ ✛✛ ⬅ 📧 ⚡ (10A) - pers. suppl. 4€
Location : (Prix 2018) (de déb. mai à fin sept.) - 🛖 - 4 🛖 - 1 gîte.
Sem. 300 à 550€
🚐 borne flot bleu 5€ - 4 📧 9€

Dans un joli site au pied des falaises, non loin de la cascade du Hérisson.

	GPS
Nature : 🏞 ≤ ⌂	E : 5.87562
Loisirs : 🍸 ✗ 🛶	N : 46.59199
Services : ⬅ 🛏 🛜 laverie 🚿	
À prox. : 🐎 canoë	

BONNAL

25680 - Carte Michelin **321** I1 - 21 h. - alt. 270
▶ Paris 392 - Besançon 47 - Belfort 51 - Épinal 106

⚠⚠ Le Val de Bonnal 👥

📞 03 81 86 90 87, www.camping-valdebonnal.com

Pour s'y rendre : 1 chemin du Moulin

Ouverture : de déb. mai à déb. sept.

140 ha/15 campables (280 empl.) plat, herbeux

Empl. camping : 53€ ✛✛ ⬅ 📧 ⚡ (10A) - pers. suppl. 15€ - frais de réservation 15€
Location : (de déb. mai à déb. sept.) - 🛖 - 16 🛖 - 12 🏠
- 12 tentes sur pilotis. Nuitée 59 à 220€ - frais de réservation 15€
🚐 borne artisanale
Situation agréable en bordure de l'Ognon et près d'un plan d'eau.

	GPS
Nature : 🏞 ⌂ ♋	E : 6.35619
Loisirs : 🍸 ✗ 🏠 🌙nocturne 🏹 🛶 🎣 🚲 🏄	N : 47.50734
Services : ⬅ 🛏 ⛱ 🛜 laverie 🚿 🚿	
À prox. : 🛶 🛥 parcours dans les arbres	

Guide Michelin (hôtels et restaurants),
Guide Vert (sites et circuits touristiques) et
cartes routières Michelin sont complémentaires.
Utilisez-les ensemble.

CHALEZEULE

25220 - Carte Michelin **321** G3 - 1 180 h. - alt. 252
▶ Paris 410 - Dijon 96 - Lyon 229 - Nancy 209

⚠ Camping de Besançon

📞 03 81 88 04 26, www.campingdebesancon.com

Pour s'y rendre : 12 rte de Belfort (4,5 km au nord-est par N 83, au bord du Doubs)

Ouverture : de mi-mars à fin oct.

2,5 ha (152 empl.) terrasse, plat, herbeux

Empl. camping : ✛ 6€ ⬅ 📧 8€ – ⚡ (16A) 4€
Location : (de mi-mars à fin oct.) - 12 🛖. Nuitée 32 à 135€ - Sem. 190 à 885€
🚐 borne artisanale - 10 📧 20€
Une attention particulière est apportée à la décoration végétale. Tramway à 500 m pour le centre-ville de Besançon.

	GPS
Nature : ♋♋	E : 6.07103
Loisirs : ✗ 🛶	N : 47.26445
Services : ⬅ 🛏 🚿 🛜 laverie	
À prox. : 🛥 🏇 🛁 🛶	

CHAMPAGNEY

70290 - Carte Michelin **314** I6 - 3 728 h. - alt. 370
▶ Paris 413 - Basel 93 - Besançon 115 - Vesoul 48

⚑ Domaine Des Ballastières

✆ 03 84 23 11 22, www.campingdesballastieres.com

Pour s'y rendre : 20 r. du Pâquis

Ouverture : de déb. avr. à fin oct.

5 ha (110 empl.) peu incliné, plat, herbeux

Empl. camping : 18€ ✯✯ ⇔ 🔲 (16A) - pers. suppl. 4€ - frais de réservation 5€

Location : Permanent & (1 mobile home) - 10 🛏 - 5 tentes lodges - 3 tentes sur pilotis. Nuitée 20 à 75€ - Sem. 100 à 610€ - frais de réservation 10€

🚐 borne eurorelais 2€ - 10 🔲 11€
Au bord de l'étang de Chavannel.

Loisirs : 🏠 ✯ 🚴	**G** E : 6.67414
Services : ☎ 🛜 laverie	**P** N : 47.70615
À prox. : 🚣 🛶 🐴 🎣	**S**

Renouvelez votre guide chaque année.

CHAMPAGNOLE

39300 - Carte Michelin **321** F6 - 8 088 h. - alt. 541
▶ Paris 420 - Besançon 66 - Dole 68 - Genève 86

⚑ Boyse ♣♥

✆ 03 84 52 00 32, www.camping-boyse.com

Pour s'y rendre : 20 r. Georges-Vallerey (sortie nord-ouest par D 5, rte de Lons-le-Saunier et r. à gauche)

Ouverture : de déb. avr. à fin sept.

9 ha/7 campables (188 empl.) peu incliné, plat, herbeux

Empl. camping : (Prix 2018) 25€ ✯✯ ⇔ 🔲 (10A) - pers. suppl. 6€
Location : (Prix 2018) (de déb. avr. à fin sept.) - & (2 chalets) - 25 🛏 - 2 tentes lodges. Nuitée 135 à 175€ - Sem. 280 à 794€

🚐 borne AireService 6€ - 5 🔲 6€
Joli site sur un coteau surplombant l'Ain de 30 m. Accès direct à la rivière par un chemin.

Nature : 🌊 🌳	**G** E : 5.89741
Loisirs : ✗ 🏠 🎮 ✯ 🚴 🐎 🎣 terrain multisports	**P** N : 46.74643
Services : ☎ 🛜 laverie 🧺	**S**
À prox. : 🎿 🎯 🛜	

CHÂTILLON

39130 - Carte Michelin **321** E7 - 131 h. - alt. 500
▶ Paris 421 - Champagnole 24 - Clairvaux-les-Lacs 15 - Lons-le-Saunier 19

⚑ Le Domaine de l'Épinette ♣♥

✆ 03 84 25 71 44, www.domaine-epinette.com

Pour s'y rendre : 15 r. de l'Épinette (1,3 km au sud par D 151)

Ouverture : de mi-mai à déb. sept.

7 ha (150 empl.) en terrasses, peu incliné, plat, herbeux, pierreux

Empl. camping : 17€ ✯✯ ⇔ 🔲 (6A) - pers. suppl. 4€ - frais de réservation 15€

Location : (de mi-mai à déb. sept.) - 57 🛏 - 7 🛏. Nuitée 32 à 142€ - Sem. 199 à 994€ - frais de réservation 15€

🚐 borne artisanale

En terrasses, sur le flanc d'un vallon dominant l'Ain.

Nature : 🌊 🌲	**G** E : 5.72218
Loisirs : ✯ 🚴 🎿 🎣 🛶	**P** N : 46.6513
Services : ☎ 🛜 laverie 🧺	**S**
À prox. : 🚴	

CHAUX-DES-CROTENAY

39150 - Carte Michelin **321** F7 - 412 h. - alt. 735
▶ Paris 440 - Besançon 88 - Lons-le-Saunier 48 - Genève 78

⚑ Municipal du Bois Joli

✆ 03 84 51 50 82, www.chaletsalesiajura.com

Pour s'y rendre : 8 rte de la Piscine

1 ha (42 empl.) plat, herbeux

Location : & (1 chalet) - 8 🛏.

Jolie vue sur les reliefs environnants.

Nature : 🌊 🌲 montagnes	**G** E : 5.96072
Loisirs : 🏠 ✯	**P** N : 46.66307
Services : laverie	**S**
À prox. : 🎿 🍽 🎣	

*Choisissez votre restaurant sur **restaurant.michelin.fr***

CLAIRVAUX-LES-LACS

39130 - Carte Michelin **321** E7 - 1 454 h. - alt. 540
▶ Paris 428 - Bourg-en-Bresse 94 - Champagnole 34 - Lons-le-Saunier 22

⚑ Yelloh! Village Le Fayolan ♣♥

✆ 03 84 25 88 52, www.campinglefayolan.fr

Pour s'y rendre : r. du Langard (1,2 km au sud-est par D 118)

Ouverture : de déb. mai à déb. sept.

17 ha/13 campables (516 empl.) en terrasses, peu incliné, plat, herbeux, pinède

Empl. camping : 48€ ✯✯ ⇔ 🔲 (16A) - pers. suppl. 9€
Location : (de déb. mai à déb. sept.) - 130 🛏 - 10 tentes lodges. Nuitée 39 à 234€ - Sem. 273 à 1 638€

🚐 borne artisanale
Au bord du lac, avec de nombreux services et loisirs.

Nature : 🌊 🏞	**G** E : 5.75
Loisirs : 🍸 ✗ 🏠 🎮 salle d'animations ✯ 🛜 hammam 🐎 🎿 🎣 🛶 🚴	**P** N : 46.56667
Services : ☎ 🛒 🧺 🛜 laverie 🧺	**S**
À prox. : 🎣 parcours de santé	

⚑ Le Grand Lac ♣♥

✆ 03 84 25 22 14, www.odesia-clairvaux.com

Pour s'y rendre : chemin du Langard (800 m au sud-est par D 118, rte de Châtel-de-Joux et chemin à dr.)

Ouverture : de mi-mai à mi-sept.

2,5 ha (191 empl.) en terrasses, peu incliné, plat, herbeux

Empl. camping : (Prix 2018) 30€ ✯✯ ⇔ 🔲 (10A) - pers. suppl. 5€ - frais de réservation 15€

Location : (Prix 2018) (de mi-mai à mi-sept.) - 33 🛏 - 5 bungalows toilés. Nuitée 42 à 119€ - Sem. 294 à 833€ - frais de réservation 15€

🚐 borne artisanale - 🚐 🚿 20€

Au bord du lac, avec une belle plage et un impressionnant plongeoir !

Nature : ≤ ♀ ≞
Loisirs : ⚙ ⚑ ⚓ ⤳ ≋ (plage) ⚓ pédalos
Services : ⌂ 🛢 ⤳ laverie ⚏
À prox. : ♟ ⚓

G P S E : 5.75507
N : 46.56823

DOLE

39100 - Carte Michelin **321** C4 - 24 906 h. - alt. 220
▶ Paris 363 - Besançon 55 - Chalon-sur-Saône 67 - Dijon 50

🏔 Le Pasquier

✆ 03 84 72 02 61, www.camping-le-pasquier.com

Pour s'y rendre : 18 chemin Victor-et-Georges-Thévenot (au sud-est par av. Jean-Jaurès)

Ouverture : de mi-mars à mi-oct.

2 ha (120 empl.) plat, herbeux, gravillons

Empl. camping : 22€ ⚑⚑ ⚓ 🔲 (10A) - pers. suppl. 5€ - frais de réservation 15€
Location : (de mi-mars à mi-oct.) - 8 🚐 - 2 tentes lodges. Nuitée 35 à 97€ - Sem. 200 à 680€ - frais de réservation 15€

Dans un cadre verdoyant, près du Doubs, avec vue sur la collégiale de Dole.

Nature : ♀
Loisirs : ♟ ✗ ⚙ diurne ⚓ 🚲 ⤳ (petite piscine)
Services : ⌂ 🛢 ⚏ ⤳ ⤳ laverie
À prox. : ≋ ⚓

G P S E : 5.50357
N : 47.08982

*Avant de prendre la route, consultez **www.viamichelin.fr** : votre meilleur itinéraire, le choix de votre hôtel, restaurant, des propositions de visites touristiques.*

DOUCIER

39130 - Carte Michelin **321** E7 - 300 h. - alt. 526
▶ Paris 427 - Champagnole 21 - Genève 99 - Lons-le-Saunier 25

🏔 Domaine de Chalain ⚎

✆ 03 84 25 78 78, www.chalain.com

Pour s'y rendre : 3 km au nord-est

Ouverture : de fin avr. à mi-sept.

30 ha/18 campables (712 empl.) plat, herbeux, pierreux

Empl. camping : (Prix 2018) 45€ ⚑⚑ ⚓ 🔲 (10A) - pers. suppl. 7€ - frais de réservation 12€
Location : (Prix 2018) (de fin avr. à mi-sept.) - ⚓ - 59 🚐 - 35 🏠 - 4 bungalows toilés - 41 cabanons. Nuitée 37 à 161€ - Sem. 222 à 1 127€ - frais de réservation 12€
🚐 borne Urbaflux 2€

Agréablement situé dans une baie cernée de falaises, entre la forêt et le lac de Chalain.

Nature : ≤ ♀ ≞
Loisirs : ♟ ✗ 🍴 ⚙ ⚑ 🏌 centre balnéo ⚓ 🚲 ✗ ⚏ ⤳ ≋ ⚑
Services : ⌂ 🛢 🛢 ⚏ ⤳ ⤳ laverie ⚏ ⚓ cases réfrigérées

G P S E : 5.81395
N : 46.66422

ÉCRILLÉ

39270 - Carte Michelin **321** D7 - 89 h. - alt. 400
▶ Paris 437 - Dijon 119 - Genève 128 - Lons-le-Saunier 23

🏔 La Faz

✆ 03 84 25 40 27, jura-camping-lafaz.com

Pour s'y rendre : rte de Sarrogna (2.7 km au nord-ouest par D 167 et D 80)

Ouverture : de déb. mai à fin sept.

6 ha (99 empl.) plat, herbeux

Empl. camping : 22€ ⚑⚑ ⚓ 🔲 (10A) - pers. suppl. 5€ - frais de réservation 3€
Location : Permanent - 13 🚐 - 5 🏠 - 1 tipi. Nuitée 50 à 98€ - Sem. 350 à 700€ - frais de réservation 3€
🚐 borne artisanale 3€

Emplacements le long de la Valouse.

Nature : ≞ ≤ ♀
Loisirs : ♟ ✗ ⚓ ⚓ ⤳
Services : ⌂ ⚏ ⤳ ⤳ laverie ⚓

G P S E : 5.62025
N : 46.50959

FONCINE-LE-HAUT

39460 - Carte Michelin **321** G7 - 1 027 h. - alt. 790
▶ Paris 444 - Champagnole 24 - Clairvaux-les-Lacs 34 - Lons-le-Saunier 62

⚠ Les Chalets du Val de Saine

✆ 03 84 51 93 11, www.camping-haut-jura.com - alt. 900 - empl. traditionnels également disponibles

Pour s'y rendre : sortie sud-ouest par la D437, rte de St-Laurent-en-Grandvaux et à gauche, au stade, au bord de la Saine.

1,2 ha plat

Location : 🅿 - 19 🏠.
🚐 borne AireService - 8 🔲

Terrain sous les peupliers et au bord d'un ruisseau

Nature : ≞
Loisirs : ⚓
Services : ⤳ laverie
À prox. : ⚏ ♟ ✗ ✗ ⚙

G P S E : 6.07253
N : 46.65888

FRESSE

70270 - Carte Michelin **314** H6 - 725 h. - alt. 472
▶ Paris 405 - Belfort 31 - Épinal 71 - Luxeuil-les-Bains 30

⚠ La Broche

✆ 06 77 65 10 55, www.camping-broche.com

Pour s'y rendre : lieu-dit : Le Volvet (sortie ouest, rte de Melesey et chemin à gauche)

Ouverture : de mi-avr. à déb. oct.

2 ha (50 empl.) terrasse, peu incliné, plat, herbeux

Empl. camping : ⚑ 3€ ⚓ 🔲 3€ – (10A) 3€
Location : (de déb. mai à fin sept.) - 6 🚐. Nuitée 23 à 28€ - Sem. 160 à 300€
🚐 borne artisanale - ⚓ 12€

Dans un site vallonné et boisé, au bord d'un étang.

Nature : ≞ ≤ ♀
Loisirs : ⚓
Services : ⌂ ⤳ ⤳ ⚓

G P S E : 6.65269
N : 47.75587

HUANNE-MONTMARTIN

25680 - Carte Michelin **321** I2 - 83 h. - alt. 310
▸ Paris 392 - Baume-les-Dames 14 - Besançon 37 - Montbéliard 52

⛰ Le Bois de Reveuge

✆ 03 81 84 38 60, www.campingduboisdereveuge.com

Pour s'y rendre : rte de Rougemont (1,1 km au nord par D 113)

Ouverture : de fin avr. à déb. sept.

24 ha/15 campables (320 empl.) en terrasses, plat, herbeux, gravier, bois

Empl. camping : 36€ ★★ ⇌ 🖃 🔌 (10A) - pers. suppl. 10€ - frais de réservation 20€

Location : (de fin avr. à déb. sept.) - 132 🚐 - 20 🏠. Nuitée 58 à 165€ - Sem. 290 à 1 155€ - frais de réservation 20€

🚏 borne artisanale

Autour de deux grands étangs, à la lisière d'un bois.

Nature : 🏞 ⌂ ♤♤
Loisirs : 🍽 ✕ 🍴 🎲 🏕 🏇 🎯 🔫 🚴 🎠 ◻ ⬚
Services : ⚓ 🛏 ♿ 🚰 🛜 laverie 🧺

GPS : E : 6.3447 / N : 47.44346

LABERGEMENT-STE-MARIE

25160 - Carte Michelin **321** H6 - 1 040 h. - alt. 859
▸ Paris 454 - Champagnole 41 - Pontarlier 17 - St-Laurent-en-Grandvaux 41

⛰ Le Lac

✆ 03 81 69 31 24, www.camping-lac-remoray.com

Pour s'y rendre : 10 r. du Lac (sortie sud-ouest par D 437, rte de Mouthe et r. à dr.)

Ouverture : de déb. mai à fin sept.

1,8 ha (80 empl.) en terrasses, peu incliné, plat, herbeux

Empl. camping : 21€ ★★ ⇌ 🖃 🔌 (10A) - pers. suppl. 5€ - frais de réservation 5€

Location : Permanent - 12 🚐 - 4 🏠. Nuitée 55 à 100€ - Sem. 220 à 699€ - frais de réservation 10€

🚏 11 🖃 6€

À 300 m du lac de Remoray.

Nature : ⬳
Loisirs : 🍽 ✕ 🍴 🚴
Services : ⚓ 🛏 🛜 laverie 🧺
À prox. : 🍴 🏊 ⛵

GPS : E : 6.27563 / N : 46.77134

LACHAPELLE-SOUS-ROUGEMONT

90360 - Carte Michelin **315** G10 - 549 h. - alt. 400
▸ Paris 442 - Belfort 16 - Basel 66 - Colmar 55

⛰ Flower Le Lac de la Seigneurie

✆ 03 84 23 00 13, www.camping-lac-seigneurie.com

Pour s'y rendre : 3 r. de la Seigneurie (3,2 km au nord par D 11, rte de Lauw)

Ouverture : de déb. avr. à fin oct.

4 ha (110 empl.) plat, herbeux

Empl. camping : 17€ ★★ ⇌ 🖃 🔌 (6A) - pers. suppl. 4€ - frais de réservation 4€

Location : Permanent 🏕 - 2 🚐 - 7 🏠. Nuitée 25 à 105€ - Sem. 211 à 700€ - frais de réservation 15€

🚏 borne raclet - 12 🖃 21€

En lisière de forêt, près d'un grand étang et en deux parties distinctes traversées par une petite route.

Nature : 🏞 ⌂ ♤♤
Loisirs : 🍽 ✕ 🍴 🏇 🏊
Services : ⚓ 🛜 laverie

GPS : E : 7.01498 / N : 47.73613

LEVIER

25270 - Carte Michelin **321** G5 - 1 949 h. - alt. 719
▸ Paris 443 - Besançon 45 - Champagnole 37 - Pontarlier 22

⛰ La Forêt

✆ 03 81 89 53 46, www.camping-dela-foret.com

Pour s'y rendre : rte de Septfontaines (1 km au nord-est par D 41)

Ouverture : de fin avr. à mi-sept.

4 ha/2,5 campables (70 empl.) terrasse, peu incliné, plat, herbeux

Empl. camping : (Prix 2018) 26€ ★★ ⇌ 🖃 🔌 (10A) - pers. suppl. 6€ - frais de réservation 10€

Location : (Prix 2018) Permanent - 2 🚐 - 7 🏠 - 2 tentes lodges. Nuitée 45 à 160€ - Sem. 230 à 770€ - frais de réservation 10€

🚏 10 🖃 22€

Niché à la lisière d'une forêt, dans un très beau décor d'arbres superbes et d'affleurements rocheux.

Nature : 🏞 ♤♤
Loisirs : 🍽 ✕ 🍴 🏇 🚴 🔫
Services : ⚓ 🛏 🛜 laverie 🧺
À prox. : parcours sportif

GPS : E : 6.13308 / N : 46.95915

We recommend that you consult the up to date price list posted at the entrance of the site. Inquire about possible restrictions. The information in this Guide may have been modified since going to press.

LONS-LE-SAUNIER

39000 - Carte Michelin **321** D6 - 17 907 h. - alt. 255 - ⚕
▸ Paris 408 - Besançon 84 - Bourg-en-Bresse 73 - Chalon-sur-Saône 61

⛰ La Marjorie

✆ 03 84 24 26 94, www.camping-marjorie.com

Pour s'y rendre : 640 bd de l'Europe (au nord-est en dir. de Besançon par bd de Ceinture)

Ouverture : de déb. avr. à mi-oct.

9 ha/3 campables (193 empl.) plat, herbeux, pierreux, goudronné

Empl. camping : 25€ ★★ ⇌ 🖃 🔌 (10A) - pers. suppl. 6€ - frais de réservation 15€

Location : (de fin mars à mi-oct.) - ♿ (1 chalet) - 4 🚐 - 15 🏠 - 2 bungalows toilés. Nuitée 50 à 85€ - Sem. 280 à 720€ - frais de réservation 15€

🚏 borne artisanale 5€ - 38 🖃 19€

Agréable décoration arbustive, au bord d'un ruisseau.

Nature : ⌂ ♤♤
Loisirs : 🍽 🍴 🌙 nocturne 🏇
Services : ⚓ 🍴 🛏 ♿ 🚰 🛜 laverie 🧺
À prox. : 🍴 ◻ 🔫

GPS : E : 5.56855 / N : 46.68422

MAICHE

25120 - Carte Michelin **321** K3 - 4 282 h. - alt. 777
▶ Paris 501 - Baume-les-Dames 69 - Besançon 74 - Montbéliard 43

⚠ Municipal St-Michel

✆ 03 81 64 12 56, www.mairie-maiche.fr

Pour s'y rendre : 23 r. St-Michel (1,3 km au sud, sur D 422 reliant la D 464, rte de Charquemont et la D 437, rte de Pontarlier - accès conseillé par D 437, rte de Pontarlier)

Ouverture : de déb. mai à fin oct.

2 ha (70 empl.) en terrasses, peu incliné, herbeux, bois

Empl. camping : (Prix 2018) 🕇 4€ 🚗 5€ – (❄) (10A) 5€

Location : (Prix 2018) (de déb. déc. à mi-nov.) - 5 🏠 - 3 🛏 - 1 gîte. Nuitée 60 à 80€ - Sem. 250 à 310€

Proche d'un parc aquatique couvert.

Nature : 💧	
Loisirs : 🏖	**G** E : 6.80109
Services : 🎮 📶 🖥	**P** N : 47.24749
À prox. : 🏊 hammam jacuzzi 💧🏊🎣	**S**

Give us your opinion of the camping sites we recommend. Let us know of your remarks and discoveries : leguidecampingfrance@tp.michelin.com.

MAISOD

39260 - Carte Michelin **321** E8 - 316 h. - alt. 520
▶ Paris 436 - Lons-le-Saunier 30 - Oyonnax 34 - St-Claude 29

⛰ Trélachaume

✆ 03 84 42 03 26, www.trelachaume.fr

Pour s'y rendre : 50 rte du Mont-du-Cerf (2,2 km au sud par D 301 et rte à dr.)

Ouverture : de fin avr. à déb. sept.

3 ha (180 empl.) peu incliné, plat, pierreux, herbeux

Empl. camping : (Prix 2018) 28€ 🕇🕇 🚗 🖫 (❄) (10A) - pers. suppl. 6€
Location : (Prix 2018) (de fin avr. à mi-sept.) - 🌫 - 11 🚐 - 14 🏠 - 5 roulottes. Sem. 294 à 765€

Niché dans les bois qui surplombent le lac de Vouglans.

Nature : 💧 ❮ lac 💧💧	
Loisirs : 🕇 🏠 🎮🏖 💧 salle d'animation	**G** E : 5.68875
Services : 🔌 🏕 📶 laverie	**P** N : 46.46873
À prox. : ✗	**S**

MALBUISSON

25160 - Carte Michelin **321** H6 - 687 h. - alt. 900
▶ Paris 456 - Besançon 74 - Champagnole 42 - Pontarlier 16

⛰ Les Fuvettes 🔱

✆ 03 81 69 31 50, www.camping-fuvettes.com

Pour s'y rendre : 24 rte de la Plage et des Perrières (1 km au sud-ouest)

Ouverture : de déb. avr. à fin sept.

6 ha (306 empl.) plat et peu incliné, pierreux, herbeux

Empl. camping : (Prix 2018) 32€ 🕇🕇 🚗 🖫 (❄) (10A) - pers. suppl. 7€ - frais de réservation 4€

Location : (de déb. avr. à fin sept.) - 🦽 (1 mobile home) - 30 🚐 - 4 🏠 - 3 bungalows toilés - 4 tentes lodges. Nuitée 65 à 170€ - Sem. 299 à 1 189€ - frais de réservation 7€

Au bord du lac de St-Point, important parc aquatique en partie couvert et à côté d'une mini base de loisirs nautiques.

Nature : ❮ 💧 ⛰	
Loisirs : 🕇 ✗ 🏠 🎮🏖 🏖 hammam 🏊 🏠 💧🏊🏖🎣 🦌 mini ferme avec poneys et alpagas	**G** E : 6.29391
Services : 🔌🏕 📶 laverie 💧🚿	**P** N : 46.79232
À prox. : pédalo	**S**

MARIGNY

39130 - Carte Michelin **321** E6 - 177 h. - alt. 519
▶ Paris 426 - Arbois 32 - Champagnole 17 - Doucier 5

🏔 Capfun La Pergola 🔱

✆ 03 84 25 70 03, www.lapergola.com

Pour s'y rendre : 1 r. des Vernois (800 m au sud)

Ouverture : de fin avr. à déb. sept.

10 ha (350 empl.) en terrasses, plat, herbeux, pierreux

Empl. camping : (Prix 2018) 49€ 🕇🕇 🚗 🖫 (❄) (12A) - pers. suppl. 7€ - frais de réservation 27€

Location : (Prix 2018) (de fin avr. à déb. sept.) - 286 🚐. Nuitée 44 à 360€ - Sem. 175 à 2 520€ - frais de réservation 27€

Bel ensemble de piscines dominant le lac de Chalain. Quelques mobile homes grand confort.

Nature : ❮ 🌳 💧 ⛰	
Loisirs : 🕇 ✗ 🏠 🎮🏖🏖🏖 🎣 💧🏊🎣 🦌 💿 cinéma	**G** E : 5.77984
Services : 🔌🏕 🏊🚿 📶 laverie 💧🚿	**P** N : 46.67737
À prox. : 🚴	**S**

Geef ons uw mening over de kampeerterreinen die wij aanbevelen. Schrijf ons over uw ervaringen en ontdekkingen.

MARNAY

70150 - Carte Michelin **314** C9 - 1 416 h. - alt. 220
▶ Paris 402 - Besançon 29 - Lons-le-Saunier 104 - Vesoul 55

⛰ Woka Loisirs Vert Lagon

✆ 03 84 31 73 16, accueil@camping-vertlagon.com

Pour s'y rendre : rte de Besançon (500 m à l'est par la D 29)

Ouverture : de déb. mai à fin sept.

2 ha (80 empl.) plat, herbeux

Empl. camping : (Prix 2018) 25€ 🕇🕇 🚗 🖫 (❄) (10A) - pers. suppl. 4€
Location : (Prix 2018) (de déb. mai à fin sept.) - 11 🚐 - 5 bungalows toilés - 3 tentes lodges - 1 tente (16 lits). Sem. 300 à 680€

🚐 borne eurorelais 5€ - 8 🖫 25€

Emplacements agréablement ombragés et locatif varié.

Nature : 💧	
Loisirs : 🕇 ✗ 💧	**G** E : 5.77881
Services : 🔌🏕 📶 laverie	**P** N : 47.28897
À prox. : 💧🚴🦌🎣	**S**

MÉLISEY

70270 - Carte Michelin **314** H6 - 1 699 h. - alt. 330
▶ Paris 397 - Belfort 33 - Épinal 63 - Luxeuil-les-Bains 22

⛺ La Pierre

📞 03 84 20 84 38, melisey.cchvo.org/index.php?IdPage=1238083072
- peu d'emplacements pour tentes et caravanes

Pour s'y rendre : lieu-dit : Les Granges Baverey (2,7 km au nord sur D 293, rte de Mélay)

Ouverture : de déb. mai à fin sept. - ⚑

1,5 ha (58 empl.) peu incliné, plat, herbeux

Empl. camping : 🚶 4€ 🚐 2€ 🖃 4€ – [⚡] (6A) 3€

Location : Permanent - 4 🏠. Nuitée 60 à 90€ - Sem. 250 à 410€

🚰 borne artisanale 6€ - 6 🖃 12€

Cadre pittoresque dans un site boisé.

Nature : 🏞 🗔 ♀	G	E : 6.58101
Loisirs : 🖼 ✦✦	P	N : 47.77552
Services : 🚿 📶 🖥	S	

*Créez votre voyage sur **voyages.michelin.fr***

MESNOIS

39130 - Carte Michelin **321** E7 - 202 h. - alt. 460
▶ Paris 431 - Besançon 90 - Lons 18 - Chalon 77

⛰ Sites et Paysages Beauregard

📞 03 84 48 32 51, www.juracampingbeauregard.com

Pour s'y rendre : 2 Grande-Rue (sortie sud)

Ouverture : de fin mars à fin sept.

6 ha/4,5 campables (192 empl.) en terrasses, peu incliné, herbeux

Empl. camping : (Prix 2018) 33€ 🚶🚶 🚐 🖃 [⚡] (10A) - pers. suppl. 7€ - frais de réservation 10€

Location : (Prix 2018) (de fin mars à fin sept.) - 41 🚐 - 5 bungalows toilés. Nuitée 45 à 132€ - Sem. 315 à 924€ - frais de réservation 10€

🚰 borne artisanale - 5 🖃 28€ - 🚐 [⚡]18€

Parc aquatique en partie couvert.

Nature : 🏞 🗔 ♀	G	E : 5.68878
Loisirs : 🍴 ✕ 🖼 ≋ hammam jacuzzi ✦✦	P	N : 46.60036
✂ 🔒 🔲 🏊		
Services : 🔌 🛁 📶 laverie 🚿	S	

MONNET-LA-VILLE

39300 - Carte Michelin **321** E6 - 372 h. - alt. 550
▶ Paris 421 - Arbois 28 - Champagnole 11 - Doucier 10

⛰ Sous Doriat

📞 03 84 51 21 43, www.camping-sous-doriat.com

Pour s'y rendre : 34 r. Marcel-Hugon (sortie nord par D 27e, rte de Ney)

Ouverture : de déb. mai à fin sept.

3 ha (110 empl.) plat, herbeux

Empl. camping : 23€ 🚶🚶 🚐 🖃 [⚡] (10A) - pers. suppl. 5€ - frais de réservation 10€

Location : (de déb. mai à fin sept.) - 20 🚐 - 6 🏠 - 2 yourtes - 1 cabanon. Sem. 231 à 770€ - frais de réservation 10€

🚰 borne flot bleu

Ensemble très simple avec vue imprenable sur le Jura.

Nature : 🏞 ≤ ♀	G	E : 5.79779
Loisirs : 🍴 🖼 🗔 ✦✦ 🔲 (découverte en saison) terrain multisports	P	N : 46.72143
Services : 🔌 🛁 📶 laverie	S	
À prox. : 🏊		

⛺ Du Gît

📞 03 84 51 21 17, www.campingdugit.com

Pour s'y rendre : 7 chemin du Gît (1 km au sud-est par D 40, rte de Mont-sur-Monnet et chemin à dr.)

Ouverture : de mi-mai à déb. sept.

6 ha (60 empl.) peu incliné, plat, herbeux

Empl. camping : 18€ 🚶🚶 🚐 🖃 [⚡] (10A) - pers. suppl. 4€

🚰 borne artisanale 4€

Ensemble très simple au faible confort sanitaire.

Nature : 🏞 ≤ 🗔	G	E : 5.79733
Loisirs : 🍴 🖼 ✦✦	P	N : 46.71234
Services : 🔌 📶 🖥	S	

ORNANS

25290 - Carte Michelin **321** G4 - 4 152 h. - alt. 355
▶ Paris 428 - Baume-les-Dames 42 - Besançon 26 - Morteau 48

⛰ Domaine Le Chanet 👥

📞 03 81 62 23 44, www.lechanet.com

Pour s'y rendre : 9 chemin du Chanet (1,5 km au sud-ouest par D 241, rte de Chassagne-St-Denis et chemin à dr., à 100 m de la Loue)

Ouverture : de déb. avr. à déb. oct.

1,4 ha (95 empl.) peu incliné à incliné, herbeux

Empl. camping : (Prix 2018) 16€ 🚶🚶 🚐 🖃 [⚡] (10A) - pers. suppl. 4€ - frais de réservation 8€

Location : (Prix 2018) (de déb. avr. à déb. oct.) - 22 🚐 - 2 tentes lodges - 4 cabanons - 1 gîte - 2 appartements. Nuitée 35 à 110€ - Sem. 235 à 750€ - frais de réservation 10€

🚰 borne artisanale 3€ - 4 🖃 17€

Sur les hauteurs du bourg, équipé d'une piscine écologique.

Nature : 🏞 ≤ ♀♀	G	E : 6.12779
Loisirs : 🍴 ✕ 🖼 🛝 🎮 ≋ ✦✦ 🔲	P	N : 47.10164
Services : 🔌 🔲 🛁 📶 laverie	S	
À prox. : 🚲 ✂ 🏞		

⛰ Sites et Paysages La Roche d'Ully

📞 03 81 57 17 79, www.camping-ornans.com

Pour s'y rendre : allée de la Tour-de-Peilz

Ouverture : de déb. avr. à déb. oct.

2 ha (125 empl.) plat, herbeux

Empl. camping : 37€ 🚶🚶 🚐 🖃 [⚡] (10A) - pers. suppl. 8€ - frais de réservation 8€

Location : (de déb. avr. à déb. oct.) - 16 🚐 - 8 🏠 - 1 chalet sur pilotis - 16 tentes lodges - 4 tentes sur pilotis - 5 tipis. Nuitée 55 à 160€ - Sem. 220 à 1 050€ - frais de réservation 15€

🚰 borne artisanale 3€ - 4 🖃 17€

Accès gratuit pour les clients du camping au centre nautique mitoyen. Bornes pour les véhicules électriques.

Nature : 🏕
Loisirs : 🍴✕ 🏃 🛶🚴
Services : ⚡ 🚐 🚾 📶 🧺 🚿
À prox. : centre balnéo 🧖 hammam jacuzzi
🏊🏊🛶🚣

GPS E : 6.15807
N : 47.10286

OUNANS

39380 - Carte Michelin **321** D5 - 371 h. - alt. 230
▶ Paris 383 - Arbois 16 - Arc-et-Senans 13 - Dole 23

⛰ Huttopia La Plage Blanche 👥

☎ 03 84 37 69 63, www.huttopia.com

Pour s'y rendre : 3 r. de la Plage (1,5 km au nord par D 71, rte de Montbarey et chemin à gauche)

Ouverture : de mi-avr. à fin sept.

7 ha (157 empl.) plat, herbeux

Empl. camping : 41€ 🚶🚶 🚗 📺 ⚡ (10A) - pers. suppl. 6€ - frais de réservation 15€

Location : (de mi-avr. à fin sept.) - 16 🚐 - 40 tentes lodges. Nuitée 39 à 135€ - frais de réservation 15€

🚐 borne artisanale - 🚿 ⚡ 18€

Le long des berges de la Loue.

Nature : 🐾 🌳
Loisirs : 🚣 ✕ 🛶 🎦 nocturne 🏃 🧖 jacuzzi 🏊🏊🛶 🎣 🐎 terrain multisports
Services : ⚡ 🏪 🚿 📶 laverie 🚿 🛶
À prox. : 🚴 🛶

GPS E : 5.66333
N : 47.00276

⛰ Le Val d'Amour

☎ 03 84 37 61 89, www.levaldamour.com

Pour s'y rendre : 1 r. du Val-d'Amour (sortie est par D 472, dir. Chamblay)

Ouverture : de déb. avr. à fin sept.

3,7 ha (97 empl.) plat, herbeux, verger

Empl. camping : (Prix 2018) 25€ 🚶🚶 🚗 📺 ⚡ (10A) - pers. suppl. 6€ - frais de réservation 10€

Location : (Prix 2018) (de déb. avr. à fin sept.) - 14 🚐 - 6 🏠 - 6 bungalows toilés - 3 cabanons. Nuitée 50 à 110€ - Sem. 200 à 750€ - frais de réservation 10€

🚐 borne artisanale 2€ - 🚿 ⚡ 12€

Jolie décoration florale.

Nature : 🐾 🏕 🌳🌳
Loisirs : ✕ 🎦 🚣 🛶 🚿 bi-cross
Services : ⚡ 🚿 📶 laverie
À prox. : 🚿 🚴

GPS E : 5.6733
N : 46.99103

Avant de vous installer, consultez les tarifs en cours, affichés obligatoirement à l'entrée du terrain, et renseignez-vous sur les conditions particulières de séjour. Les indications portées dans le guide ont pu être modifiées depuis la mise à jour.

PESMES

70140 - Carte Michelin **314** B9 - 1 111 h. - alt. 205
▶ Paris 387 - Besançon 52 - Vesoul 64 - Dijon 69

⛺ La Colombière

☎ 03 84 31 20 15, www.camping-pesmes.com

Pour s'y rendre : sortie sud par D 475, rte de Dole, bord de l'Ognon

Ouverture : de déb. mai à fin sept.

1 ha (40 empl.) plat, herbeux

Empl. camping : (Prix 2018) 13€ 🚶🚶 🚗 📺 ⚡ (10A) - pers. suppl. 4€

Location : (Prix 2018) (de déb. mai à fin sept.) - 🚿 - 5 🚐. Nuitée 47 à 87€ - Sem. 300 à 520€ - frais de réservation 5€

🚐 borne flot bleu 2€

Au bord de la rivière, non loin du centre-ville.

Nature : 🏕 🌳
Loisirs : 🚣 🎣
Services : 🏪 🚿 📶
À prox. : 🍴 ✕ 🚴 🛶

GPS E : 5.56392
N : 47.27403

Gebruik de gids van het lopende jaar.

POLIGNY

39800 - Carte Michelin **321** E5 - 4 229 h. - alt. 373
▶ Paris 397 - Besançon 57 - Dole 45 - Lons-le-Saunier 30

⛺ La Tulipe de Vigne

☎ 03 84 37 35 90, www.camping-poligny.com

Pour s'y rendre : rte de Lons-le-Saunier

Ouverture : de déb. avr. à fin sept.

1,5 ha (87 empl.) plat, herbeux

Empl. camping : (Prix 2018) 21€ 🚶🚶 🚗 📺 ⚡ (10A) - pers. suppl. 5€

Location : (Prix 2018) (de déb. avr. à fin sept.) - 4 🏠 - 2 bungalows toilés - 4 cabanons. Nuitée 40 à 93€ - Sem. 250 à 560€

🚐 borne artisanale 3€

À la sortie de la ville, pratique pour une étape.

Nature : ⛰ 🌳
Loisirs : 🍴 ✕ 🚣
Services : ⚡ 🚿 📶

GPS E : 5.70078
N : 46.83424

PONTARLIER

25300 - Carte Michelin **321** I5 - 18 267 h. - alt. 838
▶ Paris 462 - Basel 180 - Beaune 164 - Belfort 126

⛺ Le Larmont

☎ 03 81 46 23 33, www.camping-pontarlier.fr - alt. 880

Pour s'y rendre : 2 chemin du Toulombief (au sud-est en dir. de Lausanne, près du centre équestre)

4 ha (75 empl.) en terrasses, plat, herbeux, gravier

Location : - 8 🏠

🚐 borne eurorelais - 20 📺

À flanc de colline, emplacements bien délimités.

Nature : 🐾 ⛰ 🏕
Loisirs : 🎦 🚣
Services : ⚡ 🏪 🚿 🚾 📶 laverie
À prox. : 🐎 parcours sportif

GPS E : 6.37349
N : 46.90013

QUINGEY

25440 - Carte Michelin **321** F4 - 1 300 h. - alt. 275
▶ Paris 397 - Baume-les-Dames 40 - Besançon 23 - Morteau 78

⚠ Municipal Les Promenades

✆ 03 81 63 74 01, www.quingeycamping.fr

Pour s'y rendre : lieu-dit : Les Promenades (sortie sud, rte de Lons-le-Saunier et chemin à droite apr. le pont)

Ouverture : de mi-avr. à fin sept.

1,5 ha (63 empl.) plat, herbeux, gravier

Empl. camping : 20€ ♣♣ ⛺ 🔲 (16A) (16A) - pers. suppl. 4€
Location : Permanent - 4 tentes lodges. Nuitée 49 à 69€ - Sem. 290 à 415€
🚐 borne artisanale

Le long des berges de la Loue, près du centre-ville et d'une base de loisirs nautiques.

Nature : 🏞 🎋
Loisirs : 🛶 🎣 ⛵
Services : ⚡ (juil.-août) 🚿 ♿ 🛜 laverie
À prox. : 🚵 🍽 🚲 🛶

GPS E : 5.88928
N : 47.10454

RANCHOT

39700 - Carte Michelin **321** E4 - 480 h. - alt. 248
▶ Paris 385 - Besançon 37 - Lons-le-Saunier 78 - Vesoul 75

⚠ Île

✆ 03 84 71 13 56, www.juracampingdelile.fr

Pour s'y rendre : 1 imp. de l'Île

Ouverture : Permanent

1,2 ha (33 empl.) plat, herbeux

Empl. camping : 20€ ♣♣ ⛺ 🔲 (16A) - pers. suppl. 6€
Location : (de mi-avr. à mi-oct.) - 🚐 - 3 🚐 - 1 Tente. Nuitée 25 à 65€ - Sem. 150 à 450€
🚐 borne eurorelais 4€

Emplacements ombragés avec vue sur le Doubs, à 50m de l'Eurovéloroute 6.

Nature : ≤ le Doubs 🎋
Loisirs : 🍽 🍴 🚲 🛶
Services : ⚡ 🚿 ♿ 🛜 laverie

GPS E : 5.72528
N : 47.14796

Benutzen Sie den Hotelführer des laufenden Jahres.

ST-CLAUDE

39200 - Carte Michelin **321** F8 - 11 355 h. - alt. 450
▶ Paris 465 - Annecy 88 - Bourg-en-Bresse 90 - Genève 60

⛰ Flower Le Martinet

✆ 03 84 45 00 40, www.camping-saint-claude.fr

Pour s'y rendre : 14 rte du Martinet (2 km au sud-est par rte de Genève et D 290 à dr., au confluent du Flumen et du Tacon)

Ouverture : de déb. avr. à fin sept.

2,9 ha (112 empl.) incliné, plat, herbeux

Empl. camping : 22€ ♣♣ ⛺ 🔲 (10A) - pers. suppl. 5€ - frais de réservation 10€
Location : (de déb. avr. à fin sept.) - 12 🚐 - 2 bungalows toilés - 3 cabanons. Nuitée 40 à 102€ - Sem. 364 à 714€ - frais de réservation 10€
🚐 24 🔲 22€

Blotti dans un agréable site montagneux en bord de rivière.

Nature : ≤ 🎋
Loisirs : 🍽 🍴 🚲 🛶
Services : ⚡ (juil.-août) 🛜 laverie 🧺
À prox. : 🚵 🛶 🛶

GPS E : 5.86953
N : 46.37309

ST-HIPPOLYTE

25190 - Carte Michelin **321** K3 - 917 h. - alt. 380
▶ Paris 490 - Basel 93 - Belfort 48 - Besançon 89

⚠ Les Grands Champs

✆ 03 81 96 54 53, www.tourisme-saint-hippolyte-doubs.fr/tourisme/campings.htm

Pour s'y rendre : r. Baumotte (1 km au nord-est par D 121, rte de Montécheroux et chemin à dr., près du Doubs (accès direct))

Ouverture : de déb. mai à fin sept.

2,2 ha (64 empl.) en terrasses, peu incliné, herbeux, pierreux

Empl. camping : ♣ 6€ ⛺ 6€ 🔲 6€ – 🔌 (6A) 4€

Tout en longueur avec des emplacements qui s'échelonnent sur une pente bordée par le Doubs.

Nature : 🌿 ≤ 🎋
Loisirs : 🛶
Services : ⚡ (juil.-août) 🚿 🛜 laverie

GPS E : 6.82332
N : 47.32291

ST-LAURENT-EN-GRANDVAUX

39150 - Carte Michelin **321** F7 - 1 779 h. - alt. 904
▶ Paris 442 - Champagnole 22 - Lons-le-Saunier 45 - Morez 11

⚠ Municipal Champ de Mars

✆ 06 03 61 06 61, www.camping-saint-laurent-jura.fr

Pour s'y rendre : 8 r. du Camping (sortie est par N 5)

Ouverture : de mi-déc. à fin sept.

3 ha (133 empl.) plat et peu incliné, herbeux

Empl. camping : 16€ ♣♣ ⛺ 🔲 🔌 (10A) - pers. suppl. 4€
Location : (de mi-déc. à fin sept.) - ♿ (2 chalets) - 10 🚐. Sem. 259 à 525€
🚐 12 🔲 16€ - 🚐 13€

Près des pistes de raquette et de ski de fond. Tarifs plus élevés en hiver.

Nature : ❄ ≤
Loisirs : 🏠 🛶
Services : ⚡ 🍴 🚿 ♿ 🛜 laverie

GPS E : 5.96294
N : 46.57616

ST-POINT-LAC

25160 - Carte Michelin **321** H6 - 269 h. - alt. 860
▶ Paris 453 - Champagnole 39 - Pontarlier 13 - St-Laurent-en-Grandvaux 45

⚠ Municipal

✆ 03 81 69 61 64, www.camping-saintpointlac.fr

Pour s'y rendre : 8 r. du Port (au bourg)

Ouverture : de déb. mai à fin sept.

1,8 ha (84 empl.) plat, herbeux, gravillons

Empl. camping : (Prix 2018) 22€ ♣♣ ⛺ 🔲 🔌 (16A) - pers. suppl. 5€ - frais de réservation 2€

Sur la rive du lac de St-Point, emplacements camping-cars à proximité.

Nature : ⩊ ⚐
Loisirs : 🏠 🚣 🚴
Services : ⚡ ▥ 📶 laverie 🚿
À prox. : 🍴 ✕ 🚤 🎣 base nautique

GPS E : 6.30336
N : 46.81209

SALINS-LES-BAINS

39110 - Carte Michelin **321** F5 - 2 987 h. - alt. 340 - ♨
▶ Paris 419 - Besançon 41 - Dole 43 - Lons-le-Saunier 52

⚠ Municipal domaine des Gabelous

✆ 06 77 34 65 15, www.salins-camping.com

Pour s'y rendre : pl. de la Gare (sortie nord, rte de Besançon)

Ouverture : de déb. avr. à fin oct.

1 ha (44 empl.) plat, herbeux, gravillons

Empl. camping : 24€ ✦✦ 🚐 ▣ 🔌 (10A) - pers. suppl. 4€

Location : (de déb. avr. à fin oct.) - 3 bungalows toilés - 13 tentes lodges - 3 tentes sur pilotis - 1 tipi. Nuitée 35 à 105€ - Sem. 170 à 685€

Dans un vallon avec vue superbe sur les montagnes alentours et la citadelle. Locatif variés.

Nature : ⩊ 🏞
Loisirs : 🏠 🚣 ⛱ (petite piscine)
Services : ⚡ 📶 🚿

GPS E : 5.87919
N : 46.94625

Ne prenez pas la route au hasard !
MICHELIN *vous apporte à domicile
ses conseils routiers,
touristiques, hôteliers : viamichelin.fr !*

LA TOUR-DU-MEIX

39270 - Carte Michelin **321** D7 - 226 h. - alt. 470
▶ Paris 430 - Champagnole 42 - Lons-le-Saunier 24 - St-Claude 36

⛰ Surchauffant

Camping Domaine du Surchauffant

✆ 03 84 25 41 08, www.camping-surchauffant.fr

Pour s'y rendre : lieu-dit : Le Pont de la Pyle (1 km au sud-est par D 470 et chemin à gauche, à 150 m du lac de Vouglans - accès direct)

Ouverture : de fin avr. à mi-sept.

2,5 ha (200 empl.) plat, herbeux, pierreux

Empl. camping : (Prix 2018)

29€ ✦✦ 🚐 ▣ 🔌 (10A) - pers. suppl. 6€

Location : (Prix 2018) (de fin avr. à mi-sept.) - 🏠 - 24 🏕 - 24 🏡 - 2 bungalows toilés. Nuitée 31 à 102€ - Sem. 186 à 714€

🚐 borne Urbaflux 2€ - 20 ▣ 11€

Nature : 🏞 ⩊ 🌿
Loisirs : 🏠 🚣 🚴 ⛱
Services : ⚡ (juil.-août) ⚒ 🚿 📶 laverie cases réfrigérées
À prox. : 🍴 ✕ 🚣 🚤 (plage) 🎣

GPS E : 5.6742
N : 46.52298

UXELLES

39130 - Carte Michelin **321** E7 - 49 h. - alt. 598
▶ Paris 440 - Besançon 93 - Genève 86 - Lausanne 102

⛰ Village Vacances Odesia Les Crozats

(pas d'emplacement tentes et caravanes)

✆ 03 84 25 51 43, www.odesia-lacs.com

Pour s'y rendre : 1 r. Principale

2 ha peu incliné, plat, herbeux

Location : 🅿 - 15 🏡 - 28 🛏.

Un joli petit village de chalets dans la vallée des lacs, avec possibilité de séjours en 1/2 pension.

Nature : ❄ 🌿
Loisirs : 🍴 ✕ 🏠 🔥 👫 ⛷ hammam 🚴⛱ salle d'animations
Services : ⚡ 📶 laverie 🚿

GPS E : 5.78836
N : 46.60277

VESOUL

70000 - Carte Michelin **314** E7 - 15 920 h. - alt. 221
▶ Paris 360 - Belfort 68 - Besançon 47 - Épinal 91

⛰ International du Lac

✆ 03 84 76 22 86, www.camping-vesoul.com

Pour s'y rendre : à Vaivre-et-Montoille, av. des Rives-du-Lac (2,5 km à l'ouest)

4 ha (183 empl.) plat, herbeux

Location : ♿ (1 chalet) - 11 🏡.

Au bord d'un grand lac.

Nature : 🏞 ⩊ 🌿
Loisirs : 🏠 🔥 🚣 🚤 🎣
Services : ⚡ ▥ 🚿 ⛽ 📶 laverie
À prox. : 🍴 ✕ 🚤 🚣

GPS E : 6.13084
N : 47.63121

VILLERSEXEL

70110 - Carte Michelin **314** G7 - 1 472 h. - alt. 287
▶ Paris 386 - Belfort 41 - Besançon 59 - Lure 18

⚠ Le Chapeau Chinois

✆ 03 84 63 40 60, www.pan-sarl.eu

Pour s'y rendre : 92 r. du Chapeau-Chinois (1 km au nord par D 486, rte de Lure et chemin à dr. apr. le pont)

Ouverture : de fin mars à déb. oct.

2 ha (80 empl.) plat, herbeux

Empl. camping : (Prix 2018) 22€ ✦✦ 🚐 ▣ 🔌 (6A) - pers. suppl. 4€

Location : (Prix 2018) (de fin mars à déb. oct.) - 🏠 - 6 🏕 - 2 🏡 - 2 cabanons - 1 gîte. Nuitée 51 à 66€ - Sem. 322 à 462€ - frais de réservation 10€

🚐 7 ▣ 22€

Au bord de l'Ognon.

Nature : 🏞 🌿
Loisirs : 🏠 🚣 🚤 🎣
Services : ⚒ 📶 laverie
À prox. : ✕ ♨ 🛶

GPS E : 6.436
N : 47.55814

ÎLE-DE-FRANCE

P. Escudero / hemis.fr

L'Île-de-France s'identifie à Paris. Historique, culturelle, moderne, la capitale, que domine la silhouette élancée de la tour Eiffel, mêle sans vergogne palais royaux devenus musées, édifices contemporains, petites maisons bohèmes et immeubles haussmanniens. Mille ambiances s'y côtoient : calme villageois des ruelles fleuries, effervescence des Grands Boulevards, convivialité bruyante des bistrots, intimité des ateliers d'artistes, décontraction des terrasses de café où s'affiche parfois une star du show-biz, affriolants spectacles de cabaret… Hors la métropole, la région recèle d'autres richesses : nobles demeures entourées de hautes futaies, parc enchanté de Disneyland, joyeuses guinguettes des bords de Marne… Sans oublier Versailles qui abrite « le plus beau château du monde », paré de tous ses ors.

Paris, the City of Light, is the heart of the Île de France, a chic and cosmopolitan capital where former royal palaces are adorned with glass pyramids, railway stations become museums and alleyways of bohemian houses lead off from broad, plane-planted boulevards. Paris is neverending in its contrasts: from bustling department stores to elegant cafés, from the bateaux-mouches, gliding past the city by night, to the whirlwind glitz of a cabaret. But the land along the Seine is not content to stay in the shadows of France's illustrious first city; the region is home to secluded chateaux, the magic of Disneyland and the gaiety of the summer cafés on the banks of the Marne. And who could forget the sheer splendour of Versailles, the most beautiful palace in the world?

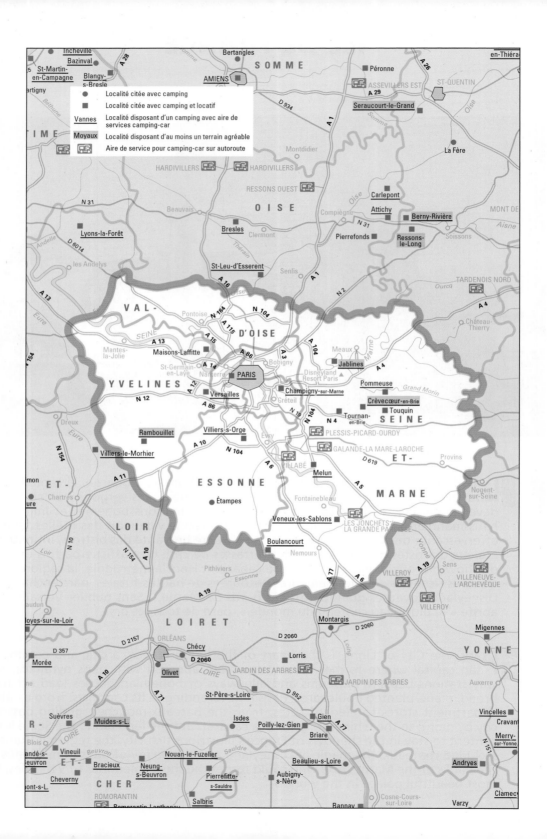

BOULANCOURT

77760 - Carte Michelin **312** D6 - 357 h. - alt. 79
▶ Paris 79 - Étampes 33 - Fontainebleau 28 - Melun 44

⚠ Île de Boulancourt

☎ 01 64 24 13 38, www.camping-iledeboulancourt.com - peu d'emplacements pour tentes et caravanes

Pour s'y rendre : 6 allée des Marronniers (au sud, rte d'Augerville-la-Rivière)

Ouverture : de mi-janv. à mi-déc.

5,5 ha (110 empl.) plat, herbeux

Empl. camping : 16€ ♣♣ ⇔ 🔲 ⚡ (6A) - pers. suppl. 5€
Location : (de déb. mars à fin oct.) - 🚫 - 7 🛏 - 4 🏠 - 1 cabanon - 1 gîte. Sem. 260 à 420€

🚐 borne eurorelais 4€ - 4 🔲 21€

Agréable cadre boisé dans une boucle de l'Essonne avec beaucoup de caravanes de propriétaires-résidents.

Nature : 🏞 ♀♀		
Loisirs : 🍴 🚴 🎣		**G** E : 2.435
Services : ⚡ 🎱 ♨ 🛜 📷		**P S** N : 48.25583

The Guide changes, so renew your guide every year.

CHAMPIGNY-SUR-MARNE

94500 - Carte Michelin **312** E3 - 75 090 h. - alt. 40
▶ Paris 13 - Créteil 10 - Amiens 150 - Bobigny 13

⚠ Homair Vacances Paris Est

☎ 01 43 97 43 97, www.campingchampigny.paris - réservé aux usagers résidant hors Île de France

Pour s'y rendre : bd des Alliés

Ouverture : Permanent

3 ha (405 empl.) plat, herbeux, gravier, cimenté

Empl. camping : (Prix 2018) 40,70€ ♣♣ ⇔ 🔲 ⚡ (10A) - pers. suppl. 8€ - frais de réservation 10€
Location : (Prix 2018) Permanent - 259 🛏. Sem. 329 à 973€ - frais de réservation 10€

🚐 borne artisanale 9,90€ - 32 🔲

Au bord de la Marne avec vue sur le Pavillon Baltard.

Loisirs : 🍴 🍴 jacuzzi 🚴		
Services : ⚡ 🎱 ♨ 🛜 laverie 🔦 🚿		**G** E : 2.47701
À prox. : 🎣		**P S** N : 48.82958

CREVECOEUR-EN-BRIE

77610 - Carte Michelin **312** G3 - 299 h. - alt. 116
▶ Paris 51 - Melun 36 - Boulogne-Billancourt 59 - Argenteuil 66

⚠ Caravaning des 4 Vents

☎ 01 64 07 41 11, www.caravaning-4vents.fr - peu d'emplacements pour tentes et caravanes

Pour s'y rendre : 22 r. de Beauregard (1 km à l'ouest par rte de la Houssaye et rte à gauche)

Ouverture : de fin mars à fin oct.

9 ha (199 empl.) plat, herbeux

Empl. camping : 32€ ♣♣ ⇔ 🔲 ⚡ (6A) - pers. suppl. 7€
Location : (de fin mars à fin oct.) - 🚫 - 4 🛏 - 5 🏠. Nuitée 70 à 100€ - Sem. 476 à 680€

🚐 borne artisanale 32€ - 30 🔲 32€ - 🚐 ⚡26€

Agréable cadre verdoyant avec de grands emplacements bien délimités.

Nature : 🏞 🗂 ♀		
Loisirs : 🛖 🚴 🛶		**G** E : 2.89722
Services : ⚡ 🎱 ♨ 🛜 laverie		**P S** N : 48.75065
À prox. : 🍴 🐴		

ÉTAMPES

91150 - Carte Michelin **312** B5 - 22 182 h. - alt. 80
▶ Paris 51 - Chartres 59 - Évry 35 - Fontainebleau 45

⚠ Le Vauvert

☎ 01 64 94 21 39, www.caravaning-levauvert-91 - peu d'emplacements pour tentes et caravanes

Pour s'y rendre : rte de Saclas (2,3 km au sud par D 49)

Ouverture : de déb. mai à fin sept.

8 ha (230 empl.) plat, herbeux

Empl. camping : 17€ ♣♣ ⇔ 🔲 ⚡ (10A) - pers. suppl. 6€

Moins de 30 emplacements pour tentes et caravanes contigües aux 200 mobile homes de propriétaires-résidents.

Nature : 🗂 ♀		
Loisirs : 🍴 🛖 🚴 🎣		**G** E : 2.14532
Services : ⚡ 🎱 ♨ 🚿 🛜		**P S** N : 48.41215
À la base de loisirs : 🏞 🛶 🏊 🐴 escalade		

Avant de vous installer, consultez les tarifs en cours, affichés obligatoirement à l'entrée du terrain, et renseignez-vous sur les conditions particulières de séjour. Les indications portées dans le guide ont pu être modifiées depuis la mise à jour.

JABLINES

77450 - Carte Michelin **312** F2 - 629 h. - alt. 46
▶ Paris 44 - Meaux 14 - Melun 57

⚠ L' International

☎ 01 60 26 09 37, www.camping-jablines.com

Pour s'y rendre : à la base de loisirs (2 km au sud-ouest par D 45, rte d'Annet-sur-Marne, à 9 km du Parc Disneyland-Paris)

Ouverture : de mi-avr. à déb. nov.

300 ha/4 campables (154 empl.) plat, herbeux

Empl. camping : 32€ ♣♣ ⇔ 🔲 ⚡ (10A) - pers. suppl. 8€ - frais de réservation 13€
Location : (de mi-avr. à déb. nov.) - 🚫 - 15 🛏. Nuitée 65 à 107€ - Sem. 540 à 750€ - frais de réservation 13€

🚐 borne eurorelais 4€

Belle situation dans une boucle de la Marne, à côté de l'importante base de loisirs.

Nature : 🏞 🗂 ♀♀		
Loisirs : 🚴		
Services : ⚡ 🎱 ♨ 🛜 laverie 🔦		**G** E : 2.73437
À la base de loisirs : 🍴 🍴 🚿 🚴 🎣 🏖		**P S** N : 48.91367
(plan d'eau) 🚤 🐴 télé-ski nautique		

MAISONS-LAFFITTE

78600 - Carte Michelin **311** I2 - 22 717 h. - alt. 38
▶ Paris 23 - Versailles 24 - Pontoise 20 - Nanterre 13

⚘ Sandaya Paris Maisons-Laffitte

✆ 01 39 12 21 91, www.sandaya.fr/nos-campings/paris-maisons-laffitte

Pour s'y rendre : 1 r. Johnson (sur l'île de la Commune)

Ouverture : de déb. avr. à déb. nov.

6,5 ha (336 empl.) plat, herbeux

Empl. camping : 36€ ✶✶ ⇔ 🅴 (10A) - pers. suppl. 9€
Location : (de déb. avr. à déb. nov.) - 🅰 (1 mobile home) - 100 🚐
- 5 cabanes perchées. Nuitée 55 à 173€ - Sem. 385 à 1 211€
Sur une île de la Seine avec une partie du locatif en formule hôtelière.

Nature : 🏕 🌳🌳
Loisirs : ♈ ✕ 🏠 jacuzzi 🚣 ⛵ 🎣
Services : ⚡ 🏪 🚿 🛜 laverie 🔧 ⛐
À prox. : 🍴

GPS | E : 2.1458
N : 48.94156

Gebruik de gids van het lopende jaar.

MELUN

77000 - Carte Michelin **312** E4 - 39 400 h. - alt. 43
▶ Paris 47 - Chartres 105 - Fontainebleau 18 - Meaux 55

⚘ "C'est si bon" La Belle Étoile

✆ 01 64 39 48 12, www.campinglabelleetoile.com

Pour s'y rendre : 64bis quai Mar.-Joffre (au sud-est par N 6, rte de Fontainebleau (rive gauche))

Ouverture : de déb. avr. à fin sept.

3,5 ha (180 empl.) plat, herbeux

Empl. camping : ✶ 8€ ⇔ 🅴 12€ – (6A) 4€ - frais de réservation 8€
Location : (de déb. avr. à fin sept.) - 🅰 (1 chalet) - 🛖 - 17 🚐
- 5 🏠 - 2 bungalows toilés - 6 cabanons. Nuitée 30 à 130€ - Sem. 168 à 819€ - frais de réservation 8€
🚰 borne artisanale 3€
Cadre verdoyant, tout proche de la Seine.

Nature : 🏞 🌳🌳
Loisirs : ✕ 🏠 🚣 🎣 🎱 (bassin)
Services : ⚡ 🏪 🚿 🛜 laverie ⛐
À prox. : ⛵ hammam 🍴 🏀 🏐 🎣

GPS | E : 2.66765
N : 48.50929

PARIS

75000 - Plans de Paris Michelin : n°50 à 68 - 2 234 105 h. - alt. 30
Au Bois de Boulogne - 75016

⚘ Camping de Paris Bois de Boulogne

✆ 01 45 24 30 00, www.campingparis.fr - réservé aux usagers résidant hors Île de France

Pour s'y rendre : 2 allée du Bord-de-l'Eau (entre le pont de Suresnes et le pont de Puteaux)

Ouverture : Permanent

7 ha (410 empl.) plat, gravillons

Empl. camping : (Prix 2018) 46€ ✶✶ ⇔ 🅴 (10A) - pers. suppl. 9€
- frais de réservation 23€

Location : (Prix 2018) Permanent🅰 (1 mobile home) - 58 🚐
- 20 tentes lodges. Nuitée 80 à 155€ - Sem. 560 à 1 085€ - frais de réservation 23€
🚰 borne artisanale 9€
Préférer les emplacements le long de la Seine près des péniches à quai, un peu plus au calme. Bus pour la Porte Maillot (RER-métro).

Nature : 🏕 🌳🌳
Loisirs : ♈ ✕ 🏠 🚣 🎣 🚲
Services : ⚡ 🏪 🚿 🛜 🛜 laverie 🔧 ⛐

GPS | E : 2.23464
N : 48.86849

POMMEUSE

77515 - Carte Michelin **312** H3 - 2 756 h. - alt. 67
▶ Paris 58 - Château-Thierry 49 - Créteil 54 - Meaux 23

⚘ Iris Parc Le Chêne Gris 🧍🧍

✆ 01 64 04 21 80, www.irisparc.fr/camping-le-chene-gris/

Pour s'y rendre : 24 pl. de la Gare (2 km au sud-ouest, derrière la gare de Faremoutiers-Pommeuse)

Ouverture : de fin mars à fin oct.

6 ha (350 empl.) en terrasses, plat, herbeux, gravier

Empl. camping : (Prix 2018) 46€ ✶✶ ⇔ 🅴 (10A) - pers. suppl. 6€
- frais de réservation 20€
Location : (Prix 2018) (de fin mars à fin oct.) - 218 🚐
- 80 bungalows toilés. Sem. 420 à 882€ - frais de réservation 20€
🚰 borne Sanistation
Jeux de qualité et couverts pour les enfants.

Nature : 🏞 🏕 🌳🌳
Loisirs : ✕ 🏠 🎮 🏀 🚣 🎱 🎣
Services : ⚡ 🏪 🚿 🛜 🛜 laverie 🔧 ⛐

GPS | E : 2.99368
N : 48.80814

*Utilisez les **cartes MICHELIN**, complément indispensable de ce guide.*

RAMBOUILLET

78120 - Carte Michelin **311** G4 - 26 065 h. - alt. 160
▶ Paris 53 - Chartres 42 - Étampes 44 - Mantes-la-Jolie 50

⚘ Huttopia Rambouillet 🧍🧍

✆ 01 30 41 07 34, www.huttopia.com

Pour s'y rendre : rte du Château-d'Eau (4 km au sud par N 10, rte de Chartres)

Ouverture : de déb. avr. à déb. nov.

8 ha (116 empl.) plat, herbeux, gravier, bois

Empl. camping : 39€ ✶✶ ⇔ 🅴 (16A) - pers. suppl. 9€ - frais de réservation 15€
Location : (Prix 2018) (de déb. avr. à déb. nov.) - ⓟ - 25 🏠
- 10 chalets sur pilotis - 29 tentes lodges. Nuitée 49 à 172€ - frais de réservation 15€
🚰 borne AireService 7€
En bordure d'un étang, avec une piscine écologique et au cœur de la forêt domaniale de Rambouillet.

Nature : 🏞 🏕 🌳🌳
Loisirs : ♈ ✕ 🏠 🏀 🚣 🎣 🎱
Services : ⚡ 🏪 🚿 🛜 laverie 🔧 ⛐
À prox. : 🎣 ⛵ mini ferme

GPS | E : 1.84374
N : 48.62634

TOUQUIN

77131 - Carte Michelin **312** H3 - 1 095 h. - alt. 112
▶ Paris 57 - Coulommiers 12 - Melun 36 - Montereau-Fault-Yonne 48

⛰ Les Étangs Fleuris

✆ 01 64 04 16 36, www.etangsfleuris.com

Pour s'y rendre : rte de La Couture (3 km à l'est)

Ouverture : de mi-avr. à mi-sept.

9,4 ha (225 empl.) en terrasses, peu incliné, plat, herbeux

Empl. camping : 30€ 🏕 🚗 回 (10A) - pers. suppl. 6€
Location : (de mi-avr. à fin août) - 🛖 - 24 🛏 - 2 bungalows toilés. Nuitée 50 à 112€ - Sem. 300 à 672€

Cadre verdoyant, ombragé près des étangs avec quelques grands emplacements bien ensoleillés.

Nature : 🐟 🛏 ♨
Loisirs : 🍽 🍴 🛖 🛶 🎣 🛝 🏊 🏄 terrain multisports
Services : ⚷ 🏪 🚿 🗑 🛜 laverie 🧺

G P S	E : 3.04728	N : 48.73279

Benutzen Sie den Hotelführer des laufenden Jahres.

TOURNAN-EN-BRIE

77220 - Carte Michelin **312** F3 - 8 116 h. - alt. 102
▶ Paris 44 - Melun 29 - Amiens 176 - Créteil 38

⛰ Capfun Fredland - Parc de Combreux

✆ 01 64 07 96 44, www.campings-capfun.fr

Pour s'y rendre : 1.5 km au sud par D 10, rte de Liverdy-en-Brie

26 ha/7 campables (189 empl.) plat, herbeux

Empl. camping : (Prix 2018) 20€ 🏕 🚗 回 (10A) - pers. suppl. 4€
Location : (Prix 2018) Permanent - 158 🛏 - 6 🛖 - 5 cabanes perchées. Sem. 252 à 900€ - frais de réservation 27€

À 800 m de la station RER (25 mn pour Paris).

Nature : 🐟 ♨
Loisirs : 🍽 🍴 🛝 🛶 🏊 (petite piscine) 🏊 🏄
Services : ⚷ 🏪 🛜 laverie 🧺 🧺

G P S	E : 2.76915	N : 48.73517

VENEUX-LES-SABLONS

77250 - Carte Michelin **312** F5 - 4 788 h. - alt. 76
▶ Paris 72 - Fontainebleau 9 - Melun 26 - Montereau-Fault-Yonne 14

⛰ Les Courtilles du Lido

✆ 01 60 70 46 05, www.les-courtilles-du-lido.fr

Pour s'y rendre : chemin du Passeur (1,5 km au nord-est)

Ouverture : de mi-mars à mi-sept.

5 ha (180 empl.) plat, herbeux, pierreux

Empl. camping : (Prix 2018) 🏕 5€ 🚗 3€ 回 7€ – (10A) 3€
Location : (Prix 2018) (de mi-mars à mi-sept.) - 20 🛏. Nuitée 120 à 150€ - Sem. 408 à 689€
🚽 borne artisanale 6€ - 10 回 23€

Emplacements très ombragés.

Nature : 🐟 🛏 ♨
Loisirs : 🍽 🍴 🛶 🛝 🏊
Services : ⚷ 🛜 laverie 🧺

G P S	E : 2.80194	N : 48.38333

VERSAILLES

78000 - Carte Michelin **311** I3 - 86 477 h. - alt. 130
▶ Paris 29 - Chartres 80 - Fontainebleau 73 - Rambouillet 35

⛰ Huttopia Versailles

✆ 01 39 51 23 61, www.huttopia.com

Pour s'y rendre : 31 r. Berthelot

Ouverture : de déb. avr. à déb. nov.

4,6 ha (180 empl.) en terrasses, peu incliné, plat, herbeux

Empl. camping : 50€ 🏕 🚗 回 (10A) - pers. suppl. 11€ - frais de réservation 15€
Location : Permanent ♿ (1 chalet) - 35 🛖 - 6 chalets sur pilotis - 28 tentes lodges. Nuitée 71 à 195€ - Sem. 426 à 1 365€ - frais de réservation 15€
🚽 borne artisanale 9€

Emplacements en sous-bois, proches de la ville.

Nature : 🐟 ♨
Loisirs : 🍴 🛶 🚲 🏊
Services : ⚷ 🏪 🛜 laverie

G P S	E : 2.15912	N : 48.79441

VILLIERS-SUR-ORGE

91700 - Carte Michelin **312** C4 - 3 896 h. - alt. 75
▶ Paris 25 - Chartres 71 - Dreux 89 - Évry 15

⛰ Paris Beau Village

✆ 01 60 16 17 86, www.campingaparis.com - peu d'emplacements pour tentes et caravanes

Pour s'y rendre : 1 voie des Prés (600 m au sud-est par le centre-ville, 800 m de la gare de Ste-Geneviève-des-Bois - par A 6, sortie 6)

Ouverture : Permanent

2,5 ha (124 empl.) plat, herbeux, gravillons, goudronné

Empl. camping : 29€ 🏕 🚗 回 (10A) - pers. suppl. 6€
Location : Permanent - 40 🛏 - 3 🛖 - 1 appartement - 1 studio. Nuitée 49 à 99€ - Sem. 230 à 595€
🚽 borne flot bleu 5€ - 20 回

Cadre verdoyant, légèrement ombragé au bord de l'Orge, avec de vrais emplacements pour camping-car.

Nature : 🐟 🛏 ♨
Loisirs : 🍽 🛖 🛶
Services : ⚷ 🏪 🛜 laverie
À prox. : 🛹 skate-park terrain multisports

G P S	E : 2.30421	N : 48.65511

Si vous recherchez :
🐟 un terrain très tranquille,
P un terrain ouvert toute l'année,
👫 des équipements et des loisirs adaptés aux enfants,
🏊 un parc aquatique,
B un centre balnéo,
🎭 des animations sportives, culturelles ou de détente,
consultez la liste thématique des campings.

LANGUEDOC-ROUSSILLON

Tobias Richter/LOOK-foto/Getty Images

Kaléidoscope est le mot qui convient pour évoquer la diversité des paysages et des cultures du Languedoc-Roussillon. Au rythme endiablé des sardanes et des ferias, vous serez tour à tour conquis par la beauté vertigineuse des gorges du Tarn, l'altière splendeur des Pyrénées, l'envoûtante atmosphère des grottes, l'admirable solitude des « citadelles du vertige » cathares, les entêtants parfums de la garrigue, la splendeur des remparts de Carcassonne, l'exubérance des retables catalans, la quiétude du canal du Midi, la rude majesté des Cévennes… Cascade de sensations fortes qui mettent l'estomac à rude épreuve : à vous d'y remédier avec une assiette d'aligot, une bourride sétoise ou un cassoulet géant, suivi d'un roquefort affiné juste ce qu'il faut et arrosé d'un vin de pays à la belle couleur… rubis !

Languedoc-Roussillon is home to one of France's most diverse collages of landscape and culture: the feverish rhythm of its festivals, the dizzying beauty of the Tarn Gorges, the bewitching spell of its caves and stone statues, the seclusion of its clifftop citadels, the heady perfumes of its sunburnt garrigue, the nonchalant flamingos on its long salt flats, the splendour of Carcassonne's ramparts, the quiet waters of the Midi Canal and the harsh majesty of the Cévennes. Taking in so many sights and sensations is likely to exhaust most explorers, but remedies are close at hand: a plate of "aligot", mashed potato, garlic and cheese, and a simmering cassoulet, the famously rich combination of duck, sausage, beans and herbs, followed by a slice of Roquefort cheese and a glass of ruby-red wine.

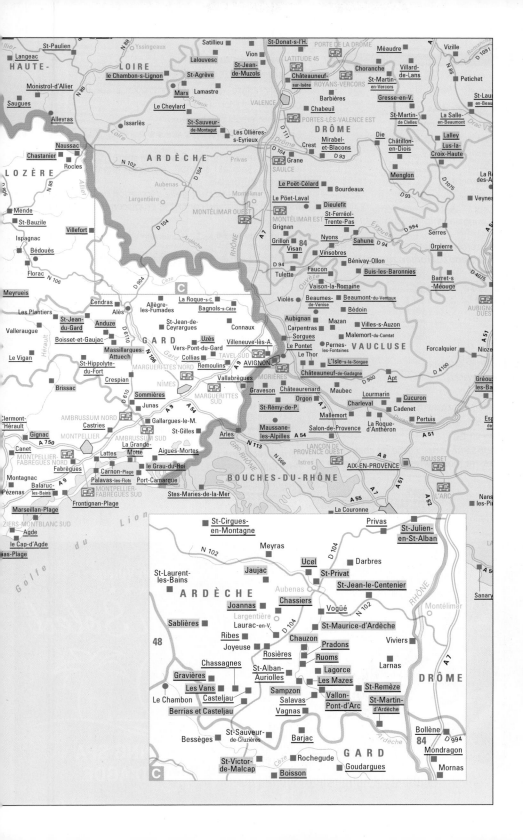

AGDE

34300 - Carte Michelin **339** F9 - 24 031 h. - alt. 5
▶ Paris 754 - Béziers 24 - Lodève 60 - Millau 118

🏕 Yelloh! Village Mer et Soleil 👪

📞 0467942114, www.camping-mer-soleil.com

Pour s'y rendre : chemin de Notre-Dame à St-Martin, rte de Rochelongue (3 km au sud)

Ouverture : de mi-avr. à fin sept.

8 ha (477 empl.) plat, herbeux, sablonneux

Empl. camping : 55€ 👪 🚐 📺 🔌 (6A) - pers. suppl. 9€
Location : (de mi-avr. à fin sept.) - 🔥 (1 mobile home, 1 chalet) - 🔥 - 212 🛏 - 5 🏠 - 42 bungalows toilés. Nuitée 30 à 262€ - Sem. 210 à 1 834€

Ensemble classique avec toutefois un bel espace balnéo et 2 "villages" de mobile homes de grand confort en zone piétonne.

Nature : 🏖 🌊 🌳🌳
Loisirs : 🍴 🍽 🎪 🎦nocturne 🏃 ⛷
centre balnéo ≋ jacuzzi ⛷ 🚲 🛶 🏊
terrain multisports
Services : 🔌 🛒 ☕ 🛁 laverie 🌊 🍴
À prox. : 🐎

GPS
E : 3.47812
N : 43.28621

🏕 Village Vacances Les Pescalunes

(pas d'emplacement tentes et caravanes)

📞 0467013706, www.grandbleu.fr

Pour s'y rendre : rte de Luxembourg (rte du Cap-d'Agde)

3 ha (80 empl.) fort dénivelé, en terrasses
Location : 🔥 (2 chalets) - Ⓟ - 40 🏠.

À flanc de colline sur le Mont-Saint-Loup, village de chalets au calme avec vue sur les terres, les montagnes et pour quelques uns la mer entre le pins.

Nature : 🏖 ≤ 🌳🌳
Loisirs : 🎪 🎦 🏊 🏃
Services : 🎳 ☕ laverie

GPS
E : 3.50223
N : 43.30109

🏕 Neptune 👪

📞 0467942394, www.campingleneptune.com

Pour s'y rendre : 46 bd du St-Christ (2 km au sud, près de l'Hérault)

Ouverture : de déb. avr. à fin sept.

2,1 ha (165 empl.) plat, herbeux

Empl. camping : (Prix 2018) 40€ 👪 🚐 📺 🔌 (10A) - pers. suppl. 9€ - frais de réservation 30€
Location : (Prix 2018) (de mi-avr. à fin sept.) - 🔥 - 28 🛏. Nuitée 33 à 150€ - Sem. 231 à 1 050€ - frais de réservation 30€
🔋 borne eurorelais

Face à la rivière l'Hérault, belle décoration florale avec quelques mobile homes grand confort et emplacements bien aménagés.

Nature : 🏕 🌿
Loisirs : 🍴 🍽 🏃 🎦 ⛷ 🚲 🛶 terrain multisports
Services : 🔌 🛒 ☕ – 4 sanitaires individuels (🚿🍽🚽 wc) 🛁 ☕ laverie
À prox. : 🎣 ⚓

GPS
E : 3.4581
N : 43.29805

🏕 Les Romarins

📞 0467941859, www.romarins.com

Pour s'y rendre : 6 rte du Grau (4.2 km au sud, près de l'Hérault)

Ouverture : de fin mars à mi-oct.

2 ha (120 empl.) plat, herbeux, sablonneux

Empl. camping : (Prix 2018) 39€ 👪 🚐 📺 🔌 (10A) - pers. suppl. 9€ - frais de réservation 23€
Location : (Prix 2018) (de fin mars à mi-oct.) - 🔥 (1 mobile home) - 🔥 - 40 🛏 - 3 tentes lodges - 2 studios. Nuitée 30 à 147€ - Sem. 150 à 1 029€ - frais de réservation 23€
🔋 borne eurorelais 3€

Terrain rectiligne face au port de pêche du Grau-du-Roi et de l'Hérault.

Nature : 🏕 🌳🌳
Loisirs : 🍴 🍽 🎪 ⛷ 🚲 🛶 terrain multisports
Services : 🔌 ☕ ☕ laverie

GPS
E : 3.4468
N : 43.29131

⛰ La Pépinière

✆ 0467941094, www.campinglapepiniere.com

Pour s'y rendre : 3 rte du Grau (4 km au sud)

Ouverture : de déb. avr. à fin sept.

3 ha (100 empl.) plat, herbeux

Empl. camping : (Prix 2018) 32€ ✶✶ ⇌ 🔲 ⚡ (10A) - pers. suppl. 7€
- frais de réservation 20€

Location : (Prix 2018) (de déb. avr. à fin sept.) - ♿ (1 mobile home)
- 35 🚐 - 2 bungalows toilés. Nuitée 40 à 90€ - Sem. 280 à 630€
- frais de réservation 20€

🅿 borne artisanale

Terrain familial tout près de l'Hérault avec du locatif varié.

Nature : 🌿 ⌂		
Loisirs : 🍴 🗙 ⚽ ⛸ 🤸 🏊	**G**	E : 3.45368
Services : ⚡ 🅿 📶 laverie 🚿	**P**	N : 43.29488
À prox. : 🎣 ⚓	**S**	

AIGUES-MORTES

30220 - Carte Michelin **339** K7 - 8 116 h. - alt. 3
▶ Paris 745 - Arles 49 - Montpellier 38 - Nîmes 42

⛰ Yelloh! Village La Petite Camargue 👥

✆ 0466539898, www.yellohvillage-petite-camargue.com

Pour s'y rendre : 3,5 km à l'ouest par D 62, rte de Montpellier

Ouverture : de mi-avr. à mi-sept.

42 ha/10 campables (553 empl.) plat, herbeux, sablonneux

Empl. camping : 63€ ✶✶ ⇌ 🔲 ⚡ (16A) - pers. suppl. 9€

Location : (de mi-avr. à mi-sept.) - ♿ (1 mobile home) - 325 🚐.
Nuitée 39 à 313€ - Sem. 273 à 2 191€

🅿 borne artisanale

Autour d'un centre équestre avec du locatif de qualité. Navette gratuite pour les plages.

Nature : ⌂ ♨		
Loisirs : 🍴 🗙 ⚽ ⛸ 🤸 🚴 🏊 🎠	**G**	E : 4.15963
discothèque mini ferme terrain multisports	**P**	N : 43.56376
Services : ⚡ 🏧 🅿 📶 laverie 🚿	**S**	

Utilisez le guide de l'année.

ALET-LES-BAINS

11580 - Carte Michelin **344** E5 - 436 h. - alt. 186
▶ Paris 786 - Montpellier 187 - Carcassonne 35 - Castelnaudary 49

⛰ Val d'Aleth

✆ 0468699040, www.valdaleth.com

Pour s'y rendre : au bourg (D 2118 et à drte au bord de l'Aude)

Ouverture : Permanent.

0,5 ha (37 empl.) plat, herbeux, pierreux

Empl. camping : 24€ ✶✶ ⇌ 🔲 ⚡ (10A) - pers. suppl. 5€

Location : (Permanent) - 2 🚐 - 4 🏠 - 4 bungalows toilés
- 4 tentes lodges. Sem. 200 à 350€

🅿 8 🔲 18€

Emplacements bien ombragés entre la rivière et les ruines du château ; bruit de la route en fond sonore.

Nature : ⌂ ♨		
Loisirs : 🤸 🎣	**G**	E : 2.25564
Services : ⚡ 📶 laverie	**P**	N : 42.99486
	S	

ALLÈGRE-LES-FUMADES

30500 - Carte Michelin **339** K3 - 695 h. - alt. 135 - ⚕
▶ Paris 696 - Alès 16 - Barjac 102 - La Grand-Combe 28

⛰ Capfun Le Domaine des Fumades 👥

✆ 0466248078, www.domaine-des-fumades.com

Pour s'y rendre : Les Fumade-les-Bains (accès par D 241)

Ouverture : de déb. avr. à mi-sept.

15 ha/6 campables (253 empl.) peu incliné, plat, herbeux, pierreux

Empl. camping : (Prix 2018) 39€ ✶✶ ⇌ 🔲 ⚡ (10A) - pers. suppl. 7€
- frais de réservation 27€

Location : (Prix 2018) (de déb. avr. à mi-sept.) - ♿ (1 mobile home) - 204 🚐 - 12 🏠 - 8 bungalows toilés - 4 tentes lodges - 5 appartements. Nuitée 42 à 368€ - Sem. 168 à 2 576€ - frais de réservation 27€

Bien ombragé au bord de l'Alauzène avec de grandes pelouses pour la détente et proche de l'établissement thermal et son casino.

Nature : 🌿 ⌂ ♨♨		
Loisirs : 🍴 🗙 🎦 📷 🤸 🤾 🚣 🛝 🏊 🏊	**G**	E : 4.22904
cinéma terrain multisports	**P**	N : 44.18484
Services : ⚡ 🅿 📶 laverie 🚿 🚿	**S**	
À prox. : 🐎 casino		

ANDUZE

30140 - Carte Michelin **339** I4 - 3 303 h. - alt. 135
▶ Paris 718 - Alès 15 - Florac 68 - Lodève 84

⛰ L'Arche 👥

✆ 0466617408, www.camping-arche.fr

Pour s'y rendre : 1105 chemin de Récoulin (2 km au nord-ouest, au bord du Gardon)

Ouverture : de déb. avr. à fin sept.

6 ha (302 empl.) en terrasses, peu incliné, plat, herbeux, sablonneux

Empl. camping : 55€ ✶✶ 🔲 ⚡ (10A) - pers. suppl. 12€ - frais de réservation 15€

Location : (de déb. avr. à fin sept.) - ✂ - 30 🚐 - 10 🏠. Sem. 430 à 1 550€ - frais de réservation 15€

🅿 borne eurorelais 2€

Bords de rivière agréable avec ces rochers face à la Bambouse-raie et beaucoup d'espaces verts pour les jeux ou la détente.

Nature : 🌿 ♨ ⚑		
Loisirs : 🍴 🗙 🎦 📷 🤸 centre balnéo ⛸	**G**	E : 3.97284
hammam 🤾 🏊 🏊 🌊 🎣 squash terrain	**P**	N : 44.06873
multisports	**S**	
Services : ⚡ 🏧 🅿 🚿 🚽 📶 laverie 🚿 🚿		
À prox. : 🛒 🐎		

*Pour choisir et suivre un itinéraire, pour calculer un kilométrage, pour situer exactement un terrain (en fonction des indications fournies dans le texte) : utilisez les **cartes MICHELIN**, compléments indispensables de cet ouvrage.*

⛰ Yelloh! Village Le Castel Rose ♣

𝒫 04 66 61 80 15, www.castelrose.com

Pour s'y rendre : 610 chemin de Récoulin (1.5 km au nord-ouest)

Ouverture : de mi-avr. à fin sept.

7 ha (270 empl.) plat, sablonneux, herbeux

Empl. camping : 52€ ✝✝ ⇔ 🅴 (10A) - pers. suppl. 9€
Location : (de mi-avr. à fin sept.) - 90 ⛺ - 7 tentes lodges.
Nuitée 39 à 251€ - Sem. 273 à 1 757€
🚰 borne artisanale
Emplacements tout le long de la rivière et joli parc aquatique.

Nature :	🏞 ⇐ 🌳🌳⛰		G P S	E : 3.97731
Loisirs :	🍸🍴 🏛 🎮🏕 🚣 🏊 🛶 🔫			N : 44.06471
Services :	⚡ 🏧♿ 🚿 🚻 🛜 laverie 🍽			

⛰ Cévennes-Provence ♣

𝒫 04 66 61 73 10, www.camping-cevennes-provence.fr

Pour s'y rendre : à Corbès-Thoiras (au Mas du Pont, au bord du Gardon de Mialet et près du Gardon de St-Jean)

Ouverture : de fin mars à fin sept.

30 ha/15 campables (242 empl.) fort dénivelé, en terrasses, plat et peu incliné, herbeux, pierreux

Empl. camping : 35€ ✝✝ ⇔ 🅴 (10A) - pers. suppl. 10€ - frais de réservation 15€
Location : (de fin mars à fin sept.) - 16 🏠. Sem. 390 à 830€
🚰 borne artisanale
Emplacements et grands espaces verts près de la rivière pour la baignade ou panoramiques dominant la vallée, pour la vue.

Nature :	🏞 ⇐ 🖼🌳🌳⛰		G P S	E : 3.96643
Loisirs :	🍸🍴 🏛 🎮🏕 🔫🎯 🏊 🛶			N : 44.07711
Services :	⚡ 🏧♿ 🛜 laverie 🍽🪤			
À prox. :	parc-aventure			

⛰ Les Fauvettes ♣

𝒫 04 66 61 72 23, www.camping-anduze.net

Pour s'y rendre : rte de St-Jean-du-Gard (1,7 km au nord-ouest)

Ouverture : de mi-avr. à fin sept.

7 ha/3 campables (144 empl.) fort dénivelé, en terrasses, plat et peu incliné, herbeux

Empl. camping : 29€ ✝✝ ⇔ 🅴 (10A) - pers. suppl. 7€ - frais de réservation 20€
Location : (de fin mars à mi-oct.) - 41 ⛺ - 1 🏠 - 2 tentes.
Nuitée 55 à 80€ - Sem. 249 à 699€ - frais de réservation 20€
🚰 borne artisanale 15€
Préférer les quelques emplacements les plus éloignés de la route.

Nature :	🖼 🌳		G P S	E : 3.9738
Loisirs :	🍸🍴 🏛 salle d'animations 🏕 🚣 🏊🛶			N : 44.06027
Services :	⚡ ♿🛜 🖼 🪤			
À prox. :	🛒🚲			

⛰ Le Bel Eté d'Anduze

𝒫 04 66 61 76 04, www.camping-bel-ete.com

Pour s'y rendre : 1870 rte de Nîmes (2,5 km au sud-est)

Ouverture : de déb. avr. à fin sept.

2,26 ha (97 empl.) plat, herbeux

Empl. camping : (Prix 2018) 37€ ✝✝ ⇔ 🅴 (16A) - pers. suppl. 8€ - frais de réservation 20€

Location : (Prix 2018) Permanent - 37 ⛺. Nuitée 50€ - Sem. 240 à 350€ - frais de réservation 20€
Préférer les emplacements près du Gardon, plus éloignés de la route.

Nature :	🌳🌳		G P S	E : 3.99468
Loisirs :	🍴 🏛 🎮🏕 🔫 🏊 🛶 terrain multisports			N : 44.03827
Services :	⚡♿🚿 🛜 🖼 🪤 réfrigérateurs			
À prox. :	🔫🍽			

ARGELÈS-SUR-MER

66700 - Carte Michelin **344** J7 - 10 033 h. - alt. 19
▶ Paris 872 - Céret 28 - Perpignan 22 - Port-Vendres 9

Centre

⛰ Le Front de Mer ♣

𝒫 04 68 81 08 70, www.camping-front-mer.com

Pour s'y rendre : av. du Grau (250 m de la plage)

Ouverture : de déb. avr. à fin sept.

10 ha (588 empl.) plat, herbeux, pierreux

Empl. camping : 46€ ✝✝ ⇔ 🅴 (6A) - pers. suppl. 8€ - frais de réservation 30€
Location : (de déb. avr. à fin sept.) - ♿ (1 mobile home) - 145 ⛺.
Nuitée 50 à 180€ - Sem. 304 à 1 267€ - frais de réservation 30€
Agréable terrasse du bar-restaurant surplombant le joli parc aquatique en partie couvert, à 250 m de la plage.

Nature :	🖼 🌳🌳		G P S	E : 3.04687
Loisirs :	🍸🍴 🎮🏕 🚣 centre balnéo 🧖 hammam jacuzzi 🔫🎯 🏊 🛶 terrain multisports			N : 42.54684
Services :	⚡♿🛜 laverie 🍽🪤			

⛰ La Chapelle ♣

𝒫 04 68 81 28 14, www.camping-la-chapelle.com

Pour s'y rendre : av. du Tech (place de l'Europe)

Ouverture : de mi-avr. à fin sept.

6 ha (626 empl.) plat, herbeux

Empl. camping : 50€ ✝✝ ⇔ 🅴 (10A) - pers. suppl. 14€ - frais de réservation 26€
Location : (de mi-avr. à fin sept.) - 68 ⛺. Sem. 199 à 1 449€ - frais de réservation 26€
🚰 borne AireService - 8 🅴 39€
Emplacements ombragés à 400 m de la plage par la rue commerçante, avec un parc aquatique et sa piscine couverte.

Nature :	🖼 🌳🌳		G P S	E : 3.0447
Loisirs :	🍸🍴 🏛 🎮nocturne 🏕 🚣 🔫🎯 🏊 🛶 terrain multisports			N : 42.55294
Services :	⚡♿🛜 laverie 🪤			
À prox. :	🛒🚲			

⛰ Pujol

𝒫 04 68 81 00 25, www.pujol.info

Pour s'y rendre : av. de la Rétirada-1939

Ouverture : de déb. juin à déb. nov.

6,2 ha (304 empl.) plat, herbeux, sablonneux

Empl. camping : 43€ ✝✝ ⇔ 🅴 (6A) - pers. suppl. 9€ - frais de réservation 20€

Location : (de déb. juin à déb. nov.) - 60 🛏 - 4 bungalows toilés. Nuitée 21 à 147€ - Sem. 125 à 875€ - frais de réservation 20€

🚐 borne artisanale

Nombreux emplacements tentes ou caravanes souvent bien ombragés.

Nature : 🌳🌳
Loisirs : 🍴✕ 🎮 🏇 🚣 🎯 🏕 🏊 terrain multisports
Services : ⚡ 🚿 📶 laverie 🔌 🧺
À prox. : 🎿 🐎

GPS E : 3.02768 N : 42.55532

🏕 Capfun Paris-Roussillon

(pas d'emplacement tentes et caravanes)

📞 0468811971, www.parisroussillon.com

Pour s'y rendre : av. de la Rétirada-1939

3,5 ha (200 empl.) plat, herbeux

Location : (Prix 2018) (de fin mars à mi-sept.) - ♿ (2 mobile homes) - 173 🛏. Nuitée 40 à 221€ - Sem. 161 à 1 547€ - frais de réservation 27€

Village de mobile homes standards ou bardés bois à la décoration originale.

Nature : 🌿 🌳🌳
Loisirs : 🍴✕ 🎮 🏇 🚣 🎯 🏊 🏊
Services : ⚡ 📶 laverie 🧺
À prox. : 🐎

GPS E : 3.03117 N : 42.55782

🏕 Europe

📞 0468810810, www.camping-europe.net

Pour s'y rendre : av. du Gén.-de-Gaulle (500 m de la plage)

Ouverture : de fin mars à fin sept.

1,2 ha (91 empl.) plat, herbeux

Empl. camping : 35€ 🧍🧍 🚐 🔲 ⚡ (10A) - pers. suppl. 8€ - frais de réservation 20€

Location : (de fin mars à fin sept.) - ♿ (1 mobile home) - 13 🛏. Nuitée 50 à 140€ - Sem. 220 à 854€ - frais de réservation 20€

🚐 borne artisanale 35€

Bel ombrage, parfois sous les platanes et un bon confort sanitaire, à 500 m de la plage par la rue commerçante.

Nature : 🌳🌳🌳
Loisirs : 🏇 🏊
Services : ⚡ 🚿 📶 laverie 🔌
À prox. : 🏕

GPS E : 3.04185 N : 42.54987

⛺ La Massane

📞 0468810685, www.camping-massane.com

Pour s'y rendre : av. Molière (face à "l'Espace Jean Carrère")

2,7 ha (184 empl.) plat, herbeux

Location : - 23 🛏.

Emplacements ombragés d'une belle allée de pins maritimes et un confort sanitaire ancien à très ancien bien entretenu.

Nature : 🌿 🌴 🌳🌳
Loisirs : 🎮 🏇 🏕 🏊
Services : ⚡ 🚿 📶 laverie
À prox. : 🎿 terrain multisports

GPS E : 3.03115 N : 42.55137

⛺ Albizia

📞 0468811562, www.camping-albizia.com

Pour s'y rendre : av. Gén.-de-Gaulle (300 m de la plage)

Ouverture : de déb. avr. à fin sept.

1,2 ha (90 empl.) plat, herbeux

Empl. camping : 34€ 🧍🧍 🚐 🔲 ⚡ (10A) - pers. suppl. 8€ - frais de réservation 20€

Location : (de déb. avr. à fin sept.) - 🏖 (de déb. juil. à fin août) - 19 🛏. Nuitée 40 à 120€ - Sem. 220 à 830€ - frais de réservation 20€

🚐 borne artisanale - 🚐12€

Cadre bien ombragé de platanes à 300 m de la plage par la rue commerçante.

Nature : 🌴 🌳🌳
Loisirs : 🎮 🏇
Services : ⚡ 🚿 📶 laverie
À prox. : 🔌🍴✕ 🚲 🎿 🏕 ⚓

GPS E : 3.04423 N : 42.55145

Nord

🏕 Village Vacances La Sirène et l'Hippocampe 🧑‍🤝‍🧑

(pas d'emplacement tentes et caravanes)

📞 0468810461, www.camping-lasirene.fr

Pour s'y rendre : rte de Taxo

21 ha (1250 empl.) plat, herbeux, gravillons

Location : (de mi-avr. à mi-sept.) - 750 🛏 - 20 🏠. Nuitée 45 à 280€ - Sem. 315 à 1 960€ - frais de réservation 20€

En deux parties distinctes de chaque côté de la route. L'Hippocampe plus calme et sans véhicule et La Sirène avec son impressionnant parc aquatique en partie couvert.

Nature : 🌴 🌳🌳
Loisirs : 🍴✕ 🎮 🎲 🏇 🚣 🚲 🎿 🏕 🏊 🏊 🐎 discothèque pub plongée tir à l'arc terrain multisports
Services : ⚡ 🚿 📶 laverie 🛒 🧺

GPS E : 3.0326 N : 42.57058

🏕 Club Airotel Le Soleil 🧑‍🤝‍🧑

📞 0468811448, www.camping-le-soleil.fr

Pour s'y rendre : rte du Littoral

17 ha (844 empl.) plat, herbeux, sablonneux

Location : - 170 🛏.

🚐 borne artisanale - 20 🔲

Cadre ombragé et verdoyant en bordure de plage avec un bel espace aquatique.

Nature : 🌴 🌳🌳 ⛰
Loisirs : 🍴✕ 🎮 🎲 🏇 🚣 🚲 🏊 🏊 discothèque terrain multisports
Services : ⚡ 🚿 📶 laverie 🛒 🧺

GPS E : 3.04618 N : 42.5744

Guide Michelin (hôtels et restaurants),
Guide Vert (sites et circuits touristiques) et
cartes routières Michelin sont complémentaires.
Utilisez-les ensemble.

⚞⚞⚞ Les Marsouins ♟♟

✆ 04 68 81 14 81, www.lesmarsouins.cielavillage.fr

Pour s'y rendre : av. de la Rétirada-1939

Ouverture : de mi-avr. à fin sept.

10 ha (587 empl.) plat, herbeux

Empl. camping : 52€ ♟♟ ⚬ 🖳 🗓 (10A) - pers. suppl. 11€ - frais de réservation 20€

Location : (de mi-avr. à fin sept.) - ♿ (2 mobile homes) - 260 🚐. Nuitée 42 à 259€ - Sem. 294 à 1 813€ - frais de réservation 20€

🚽 borne artisanale 10€

Nombreux emplacements pour tentes et caravanes dans un cadre verdoyant, un bon confort sanitaire et une agréable pelouse autour du parc aquatique.

Nature : 🗓 ♀♀
Loisirs : 🍴 ✕ 🗓 ⚓ ⚱ ⚱ ⚱ terrain multisports
Services : ⚬ 🏢 🖳 🚿 📶 laverie ⚱ ⚱
À prox. : 🐎

G P S E : 3.03471
N : 42.56376

⚞⚞⚞ Le Dauphin ♟♟

✆ 04 68 81 17 54, www.campingledauphin.com 🏵

Pour s'y rendre : rte de Taxo à la Mer

Ouverture : de mi-avr. à mi-sept.

8,5 ha (346 empl.)

Empl. camping : 58€ ♟♟ ⚬ 🖳 🗓 (10A) - pers. suppl. 10€ - frais de réservation 20€

Location : (de mi-avr. à mi-sept.) - ♿ (1 mobile home) - 🏵 - 146 🚐 - 8 tentes lodges. Nuitée 41 à 285€ - Sem. 287 à 1 995€ - frais de réservation 20€

Emplacements au milieu d'un jardin botanique avec une belle variété de plantes, arbustes et arbres parfois aux couleurs exotiques.

Nature : 🐾 🗓 ♀♀
Loisirs : 🍴 ✕ 🗓 🗓 salle d'animations ⚱
⚱ ⚮ ✕ ⚱ ⚱ tir à l'arc terrain multisports
Services : ⚬ 🖳 – 99 sanitaires individuels
(🚿🛁 wc) 📶 laverie ⚱ ⚱
À prox. : 🕴

G P S E : 3.01763
N : 42.57329

⚞⚞⚞ Sunêlia Les Pins ♟♟

✆ 04 68 81 10 46, www.les-pins.com

Pour s'y rendre : av. du Tech (plage des Pins à 300m)

4 ha (326 empl.) plat, herbeux

Location : - 74 🚐 - 10 Tentes sur pilotis (avec sanitaires).
🚽 borne artisanale

Locatif varié et emplacements tentes et caravanes avec un bon confort sanitaires à 300 m de la plage par la rue commerçante.

Nature : 🐾 🗓 ♀♀
Loisirs : 🍴 ✕ 🗓 nocturne ⚱ ⚱ ⚱ ⚱
terrain multisports
Services : ⚬ 🖳 🚿 laverie ⚱
À prox. : 🛒

G P S E : 3.04267
N : 42.55532

⚞⚞⚞ MS Vacances Le Littoral ♟♟

(pas d'emplacement tentes et caravanes)

✆ 02 53 81 70 00, www.ms-vacances.com/camping-club-ms/camping-club-le-littor

Pour s'y rendre : rte du Littoral

Ouverture : de déb. avr. à mi-sept.

8 ha (321 empl.) plat, herbeux

Location : (de déb. avr. à mi-sept.) - 277 🚐 - 4 tentes lodges (avec sanitaires). Nuitée 35 à 307€ - Sem. 245 à 2 149€ - frais de réservation 30€

Village de mobile homes et quelques tentes lodges sur pilotis autour d'un parc aquatique et une piscine "zen". Petit train gratuit pour Argelès-sur-Mer.

Nature : 🐾 🗓 ♀♀
Loisirs : 🍴 ✕ ⚓ 🗓 ⚱ ⚱ 🏵 hammam ⚱
⚮ ✕ 🗓 (petite piscine) ⚱ ⚱ terrain multisports
Services : ⚬ 🖳 📶 laverie ⚱ ⚱
À prox. : golf

G P S E : 3.03332
N : 42.58078

⚞⚞⚞ Le Pearl Village club ♟♟

✆ 04 68 81 26 49, www.camping-lepearl.com

Pour s'y rendre : rte de Taxo A la mer

Ouverture : de déb. avr. à fin sept.

4 ha (167 empl.) plat, herbeux

Empl. camping : (Prix 2018) 80€ ♟♟ ⚬ 🖳 🗓 (16A) - pers. suppl. 10€

Location : (de déb. avr. à fin sept.) - 135 🚐 - 5 bungalows toilés - 4 tentes lodges. Nuitée 50 à 220€ - Sem. 250 à 1 540€ - frais de réservation 18€

Cadre verdoyant avec de l'espace pour les jeux ou la détente. Préférer les emplacements au fond du terrain plus éloignés de la route.

Nature : 🗓 ♀
Loisirs : 🍴 ✕ ⚓ 🗓 ⚱ ⚱ ✕ ⚱ ⚱ mini ferme tir à l'arc terrain multisports
Services : ⚬ 🖳 🚿 📶 laverie ⚱ ⚱

G P S E : 3.01857
N : 42.57344

⚞⚞⚞ Yelloh! Village La Marende ♟♟

✆ 04 68 81 12 09, www.marende.com

Pour s'y rendre : av. du Littoral (400 m de la plage)

Ouverture : de fin avr. à fin sept.

3 ha (208 empl.) plat, herbeux, sablonneux

Empl. camping : 52€ ♟♟ ⚬ 🖳 🗓 (10A) - pers. suppl. 9€ - frais de réservation 30€

Location : Permanent ♿ (1 mobile home) - 82 🚐. Nuitée 36 à 192€ - Sem. 252 à 1 344€ - frais de réservation 30€

🚽 borne eurorelais

Bel ombrage de pins et d'eucalyptus, sanitaires "enfants" de qualité mais préférer les emplacements éloignés de la route.

Nature : 🗓 ♀♀
Loisirs : 🍴 ✕ 🗓 nocturne ⚱ jacuzzi ⚱ ⚱
⚱ terrain multisports
Services : ⚬ 🖳 🚿 ⚱ 📶 laverie ⚱ ⚱
À prox. : ✕ 🕴 🐎

G P S E : 3.0422
N : 42.57395

⚠ Club Airotel Les Galets 👥

📞 0468810812, www.campinglesgalets.fr - peu d'emplacements pour tentes et caravanes

Pour s'y rendre : rte de Taxo-à-la-Mer

Ouverture : de déb. avr. à fin sept.

5 ha (233 empl.) plat, herbeux

Empl. camping : 19€ � ♿ 🚗 📧 ⚡ (10A) - pers. suppl. 6€ - frais de réservation 15€

Location : (de déb. avr. à fin sept.) - ♿ (4 mobile homes, 2 chalets) - 130 🏠 - 35 🏡. Nuitée 36 à 135€ - Sem. 200 à 945€ - frais de réservation 15€

Terrain familial avec du locatif mobile homes et vrais chalets bois mais très peu d'emplacements pour tentes et caravanes.

Nature : 🏞 ♤♤		
Loisirs : ▼ ✕ 🎦 🎡 nocturne ⛹ 🏊 🎣 terrain multisports	**G**	E : 3.0144
Services : ⚿ 🛁 🖥 🚿 laverie 🧺	**P**	N : 42.57249
À prox. : 🐎	**S**	

Sud

⚠ Les Castels Les Criques de Porteils 👥

📞 0468811273, www.lescriques.com

Pour s'y rendre : corniche de Collioure, RD 114

Ouverture : de fin mars à fin oct.

4,5 ha (248 empl.) fort dénivelé, en terrasses, peu incliné, plat, herbeux, pierreux

Empl. camping : 60€ ♿ 🚗 📧 ⚡ (10A) - pers. suppl. 14€ - frais de réservation 26€

Location : (de fin mars à fin oct.) - 35 🏠 - 10 bungalows toilés - 7 tentes sur pilotis. Sem. 168 à 1 890€ - frais de réservation 26€

🚐 borne eurorelais 6€ - 5 📧 44€

Emplacements ombragés ou plein soleil avec vue panoramique sur la baie d'Argelès-sur-Mer ou sur le vignoble du Roussillon. Accès direct à la plage par un escalier abrupt.

Nature : 🏞 ≼ baie d'Argelès-sur-Mer 🏞 ♤ ⛰		
Loisirs : ▼ ✕ 🎦 🎡 ⛹ 🏊 ✕ 🎣 plongée tyrolienne petit jardin méditerranéen terrain multisports	**G**	E : 3.06778
Services : ⚿ 🖥 🛁 🚿 laverie 🧺 🔧	**P**	N : 42.53389
	S	

⚠ La Coste Rouge

📞 0468810894, www.lacosterouge.com - peu d'emplacements pour tentes et caravanes

Pour s'y rendre : rte de Collioure (3 km au sud-est)

Ouverture : de déb. avr. à fin sept.

3,7 ha (145 empl.) terrasse, plat et peu incliné, herbeux, pierreux

Empl. camping : 41€ ♿ 🚗 📧 ⚡ (6A) - pers. suppl. 7€ - frais de réservation 20€

Location : (de déb. avr. à fin sept.) - ♿ (1 mobile home) - 29 🏠 - 6 studios. Nuitée 42 à 61€ - Sem. 294 à 1 015€ - frais de réservation 20€

À l'écart de l'agitation d'Argelès-sur-Mer mais la route en font sonore. Relié aux plages par navette gratuite.

Nature : 🏞 ♤♤		
Loisirs : ▼ ✕ 🎦 🛏 ⛹ 🎣 🎣	**G**	E : 3.05285
Services : 🛁 🚿 laverie 🧺 🔧	**P**	N : 42.53301
	S	

ARLES-SUR-TECH

66150 - Carte Michelin **344** G8 - 2 757 h. - alt. 280
▶ Paris 886 - Amélie-les-Bains-Palalda 4 - Perpignan 45 - Prats-de-Mollo-la-Preste 19

⚠ Le Vallespir

📞 0468399000, www.campingvallespir.com

Pour s'y rendre : 2 km au nord-est, rte d'Amélie-les-Bains-Palalda, au bord du Tech

Ouverture : de mi-fév. à déb. déc.

8 ha/4 campables (158 empl.) peu incliné, plat, herbeux, pierreux

Empl. camping : (Prix 2018) 25€ ♿ 🚗 📧 ⚡ (6A) - pers. suppl. 7€

Location : (Prix 2018) (de mi-fév. à déb. déc.) - ♿ (2 mobile homes) - 62 🏠. Nuitée 37 à 120€ - Sem. 246 à 820€

🚐 borne artisanale

Autour d'une jolie bâtisse en pierres et briques, locatif mobile home de bon confort et beaucoup d'espaces verts pour la détente au bord du ruisseau.

Nature : 🏞 ♤♤		
Loisirs : ▼ ✕ 🎦 🎡 ✕ 🎣 🎣 mini ferme terrain multisports	**G**	E : 2.65306
Services : ⚿ 🖥 🛁 🚿 laverie	**P**	N : 42.46671
	S	

BAGNOLS-SUR-CÈZE

30200 - Carte Michelin **339** M4 - 18 105 h. - alt. 51
▶ Paris 653 - Alès 54 - Avignon 34 - Nîmes 56

⚠ Les Genêts d'Or

📞 0466895867, www.camping-genets-dor.com ✂ (de déb. juil. à fin août)

Pour s'y rendre : chemin de Carmignan (sortie nord par N 86 puis 2 km par D 360 à dr.)

Ouverture : de mi-avr. à mi-sept.

8 ha/3,5 campables (120 empl.) terrasse, plat, herbeux

Empl. camping : 36€ ♿ 🚗 📧 ⚡ (10A) - pers. suppl. 6€ - frais de réservation 12€

Location : (de mi-avr. à mi-sept.) - ✂ (de déb. juil. à fin août) - 8 🏠. Sem. 423 à 761€ - frais de réservation 12€

🚐 borne artisanale

Emplacements bien ombragés surplombant la rivière avec de grands espaces verts pour les jeux ou la détente.

Nature : ♤♤ ⛰		
Loisirs : ▼ ✕ 🎣 🎣 🎣	**G**	E : 4.63694
Services : ⚿ 🖥 🛁 🚿 laverie 🧺 🔧 réfrigérateurs	**P**	N : 44.17358
À prox. : 🚴	**S**	

Avant de vous installer, consultez les tarifs en cours, affichés obligatoirement à l'entrée du terrain, et renseignez-vous sur les conditions particulières de séjour. Les indications portées dans le guide ont pu être modifiées depuis la mise à jour.

BALARUC-LES-BAINS

34540 - Carte Michelin **339** H8 - 6 622 h. - alt. 3 - ⚓
🚩 Paris 781 - Agde 32 - Béziers 52 - Frontignan 8

🏔 Sites et Paysages Le Mas du Padre ♨

𝒫 04 67 48 53 41, www.mas-du-padre.com

Pour s'y rendre : 4 chemin du Mas-du-Padre (2 km au nord-est par D 2e et chemin à dr.)

Ouverture : de déb. avr. à fin oct.

1,8 ha (116 empl.) peu incliné, plat, herbeux, gravillons

Empl. camping : (Prix 2018) 40€ ⚥ ⚥ 🚐 ▣ 🅷 (10A) - pers. suppl. 6€
- frais de réservation 14€

Location : (Prix 2018) (de déb. avr. à fin oct.) - ♿ (1 chalet)
- 16 🚐 - 1 🏠 - 8 cabanons. Nuitée 90 à 266€ - Sem. 224 à 844€
- frais de réservation 22€

Jolie décoration arbustive et florale au calme en zone pavillonnaire.

Nature : 🌿 🏕 🌳🌳
Loisirs : 🛖 🛝 🎣 🛶
Services : ⚡ 🛁 📶 🅱 réfrigérateurs

GPS : E : 3.6924 / N : 43.4522

🏔 Les Vignes

Les Vignes

𝒫 04 67 48 04 93, www.camping-lesvignes.com - peu d'emplacements pour tentes et caravanes

Pour s'y rendre : 1 chemin des Vignes (1,7 km au nord-est par D 129, D 2e rte de Sète et chemin à gauche)

Ouverture : de déb. avr. à fin oct.

2 ha (169 empl.) plat, gravier

Empl. camping : 29€ ⚥ ⚥ 🚐 ▣ 🅷 (10A) - pers. suppl. 7€ - frais de réservation 15€

Location : (de déb. avr. à fin oct.) - ♿ (1 mobile home) - 23 🚐 - 9 🏠. Sem. 230 à 640€ - frais de réservation 15€

🚰 borne flot bleu 4€

Emplacements bien délimités, au calme avec du locatif généralement de bon confort.

Nature : 🌿 🏕 🌳🌳
Loisirs : 🛖 🛝 🛶
Services : ⚡ 🛁 🚿 📶 🅱 🚮

GPS : E : 3.68806 / N : 43.45351

LE BARCARÈS

66420 - Carte Michelin **344** J6 - 4 018 h. - alt. 3
🚩 Paris 839 - Narbonne 56 - Perpignan 23 - Quillan 84

🏔 Club Airotel Le Floride et L'Embouchure ♨

𝒫 04 68 86 11 75

Pour s'y rendre : rte de St-Laurent (1.2 km au nord-est par D 90 - A9 sortie Perpignan nord)

11 ha (632 empl.) plat, gravier, herbeux

Location : ♿ (2 mobile homes) - 335 🚐 - 20 🏠 - 6 roulottes.

En deux parties distinctes dont une l'embouchure plus calme avec accès direct à la plage. Locatif de bon confort et très bon confort en sites paysagés.

Nature : 🏕 🌳🌳
Loisirs : 🍴 🗙 🛖 🎣 🏃 🏄 jacuzzi 🚗 🚲 🏓 🏊 🛶 crèche paddle terrain multisports
Services : 🔲 🛁 – 45 sanitaires individuels (🛁🚿 wc) 🛁 🚾 laverie 🚮 🚿 réfrigérateurs point d'informations touristiques

GPS : E : 3.03055 / N : 42.7787

🏔 Yelloh! Village Le Pré Catalan ♨

𝒫 04 68 86 12 60, www.precatalan.com

Pour s'y rendre : rte de St-Laurent-de-la-Salanque (1,5 km au sud-ouest par D 90 puis 600 m par chemin à dr.)

Ouverture : de mi-mai à fin sept.

4 ha (250 empl.) plat, herbeux, sablonneux

Empl. camping : 53€ ⚥ ⚥ 🚐 ▣ 🅷 (10A) - pers. suppl. 9€

Location : (de mi-mai à fin sept.) - 140 🚐. Nuitée 30 à 233€
- Sem. 210 à 2 330€

🚰 borne artisanale

Agréable terrain avec des animations et des services adaptés aux familles avec de jeunes enfants.

Nature : 🌿 🏕 🌳🌳
Loisirs : 🍴 🗙 🛖 🎣 🏃 🏄 🏊 🛶 🛝 terrain multisports
Services : ⚡ 🛁 🚿 laverie 🚮
À prox. : 🛒

GPS : E : 3.02272 / N : 42.78086

🏔 L'Oasis ♨

𝒫 04 68 86 12 43, www.camping-oasis.com

Pour s'y rendre : rte de St-Laurent-de-la-Salanque (1,3 km au sud-ouest par D 90)

Ouverture : de fin avr. à mi-sept.

10 ha (492 empl.) plat, herbeux, sablonneux

Empl. camping : (Prix 2018) 47€ ⚥ ⚥ 🚐 ▣ 🅷 (16A) - pers. suppl. 6€
- frais de réservation 30€

Location : (Prix 2018) (de fin avr. à mi-sept.) - 226 🚐
- 2 bungalows toilés. Nuitée 25 à 241€ - Sem. 175 à 1 687€ - frais de réservation 30€

🚰 borne artisanale

Faible ombrage mais jolies haies de lauriers roses et blancs. Locatif varié avec quelques mobile homes de très grand confort (jacuzzi privatif).

Nature : 🏕 🌳
Loisirs : 🍴 🗙 🎣 🏃 🏄 🏊 🛶 🛝 terrain multisports
Services : ⚡ 🛁 🚿 laverie 🚮 🚿
À prox. : 🛒

GPS : E : 3.02462 / N : 42.77619

🏔 Village Vacances Nai'a Village

𝒫 04 68 86 15 36, www.naia-village.com - peu d'emplacements pour tentes et caravanes

Pour s'y rendre : rte de St-Laurent-de-la-Salanque (2 km au sud-ouest par D 90, à 200 m de l'Agly - D 83 : sortie 9)

6 ha (325 empl.) plat, herbeux

Location : - 120 🚐 - 22 gîtes.

Préférer les locatifs et les quelques emplacements tentes ou caravanes restant éloignés de la route.

Nature : 🏕 🌳
Loisirs : 🍴 🗙 🛖 🎣 🏃 🏊 🏄 🏊 🛶 🛝 terrain multisports
Services : ⚡ – 325 sanitaires individuels (🛁🚿 wc) 🛁 🚾 📶 🅱 🚮 🚿

GPS : E : 3.02064 / N : 42.775

⚠ Village Vacances Le Soleil Bleu 🏠🚶

(pas d'emplacement tentes et caravanes)

📞 04 68 86 15 50, www.lesoleilbleu.com

Pour s'y rendre : lieu-dit : Mas de la Tourre (1,4 km au sud-ouest par D 90 rte de St-Laurent-de-la-Salanque, à 100 m de l'Agly - D 83 sortie 9)

3 ha (176 empl.) plat, gravier

Location : - 162 🚐 - 14 🏠.

Préférer les locations éloignées de la route.

Nature : 00	
Loisirs : 🍴 🗙 🏠 🎯 🏃 ⛹ 🚲 🛷 ⛵ terrain multisports	**G** E : 3.02842
Services : ⚡ 👶 📶 laverie ⚒ 🔧	**P** N : 42.77663 **S**

⚠ Homair Vacances La Presqu'île 🏠🚶

📞 04 68 86 12 80, www.lapresquile.com - peu d'emplacements pour tentes et caravanes

Pour s'y rendre : r. de la Presquile (au nord - D 83 sortie 11)

3,5 ha (163 empl.) plat, herbeux, sablonneux, gravier

Location : (de déb. avr. à fin sept.) - 133 🚐 - 12 🏠 - 5 studios. Sem. 169 à 1 400€ - frais de réservation 25€

Terrain entouré d'eau idéal pour les pêcheurs. Bruit de la route pour les emplacements côté pont. Snack-parc aquatique-animations de l'autre côté de la route.

Nature : 🔲 00	
Loisirs : 🍴 🗙 🏠 nocturne 🏃 jacuzzi ⛹ 🚲 🛷 terrain multisports	**G** E : 3.02672
Services : ⚡ 👶 📶 laverie ⚒ 🔧	**P** N : 42.80528 **S**
À prox. : ⚓	

⚠ Le California 🏠🚶

📞 04 68 86 16 08, www.camping-california.fr

Pour s'y rendre : rte de St-Laurent-de-la-Salanque (1,5 km au sud-ouest par D 90 - sur D 83 sortie 9 : Canet-en-Roussillon)

Ouverture : de déb. mai à mi-sept.

5 ha (265 empl.) plat, herbeux, pierreux

Empl. camping : (Prix 2018) 45€ 🚶🚶 🚗 📧 ⚡ (10A) - pers. suppl. 9€

Location : (Prix 2018) (de déb. mai à mi-sept.) - 🦽 (2 mobile homes) - 130 🚐 - 20 🏠 - 2 bungalows toilés - 10 gîtes. Sem. 225 à 1 200€

Bel ombrage des emplacements, locatif varié en confort et au fond du terrain un grand espace pour les animations sportives.

Nature : 🏞 🔲 00	
Loisirs : 🍴 🗙 🏠 🎯 🏃 ⛹ 🍴 ⛵ terrain multisports	**G** E : 3.02346
Services : ⚡ 👶 📶 laverie ⚒ 🔧	**P** N : 42.77606 **S**
À prox. : 🛒	

⚠ Capfun Las Bousigues 🏠🚶

(pas d'emplacement tentes et caravanes)

📞 04 68 86 16 19, www.capfun.com - peu d'emplacements pour tentes et caravanes

Pour s'y rendre : av. des Corbières (900 m à l'ouest - D 85 sortie 10)

3 ha (544 empl.) plat, sablonneux, pierreux

Location : (Prix 2018) (de déb. avr. à mi-sept.) - 🦽 (2 mobile homes) - 479 🚐 - 4 tipis - 31 gîtes. Nuitée 40 à 221€ - Sem. 161 à 1 547€ - frais de réservation 27€

Le regroupement de 3 campings en font un site disparate, sans homogénéité, avec du plus pour certains mobile homes et du médiocre avec les sanitaires individuels ou les bungalows-gîtes.

Nature : 🍴 00	
Loisirs : 🍴 🗙 🏠 🏃 ⛹ 🍴 ⛵ ⛷	**G** E : 3.0254
Services : ⚡ 👶 – 27 sanitaires individuels (🚿 wc) 📶 laverie 🔧	**P** N : 42.7869 **S**
À prox. : 🚤	

BARJAC

30430 - Carte Michelin **339** L3 - 1 546 h. - alt. 171
▶ Paris 666 - Alès 34 - Aubenas 45 - Pont-St-Esprit 33

⚠ La Combe

📞 04 66 24 51 21, www.campinglacombe.com

Pour s'y rendre : lieu-dit : Mas de Reboul (3 km à l'ouest par D 901, rte des Vans et D 384 à dr.)

Ouverture : de déb. avr. à fin sept.

2,5 ha (100 empl.) peu incliné, plat, herbeux

Empl. camping : (Prix 2018) 27€ 🚶🚶 🚗 📧 ⚡ (6A) - pers. suppl. 9€ - frais de réservation 5€

Location : (Prix 2018) (de déb. avr. à fin sept.) - 10 🚐 - 4 🏠 - 1 appartement. Nuitée 50 à 95€ - Sem. 340 à 660€ - frais de réservation 15€

🚐 borne eurorelais 5€ - 🔋12€

Terrain familial aux structures anciennes, calme et bien ombragé.

Nature : 🏞 00	
Loisirs : 🍴 🏠 ⛹ ⛵	**G** E : 4.34784
Services : ⚡ 👶 📶 📧 🔧	**P** N : 44.30917 **S**

Ce guide n'est pas un répertoire de tous les terrains de camping mais une sélection des meilleurs campings dans chaque catégorie.

BÉDOUÈS

48400 - Carte Michelin **330** J8 - 291 h. - alt. 565
▶ Paris 624 - Alès 69 - Florac 5 - Mende 39

⚠ Chon du Tarn

📞 04 66 45 09 14, www.camping-chondutarn.com

Pour s'y rendre : chemin du Chon-du-Tarn (sortie nord-est, rte de Cocurès)

Ouverture : de déb. mai à déb. oct.

2 ha (100 empl.) peu incliné, plat, herbeux

Empl. camping : 18€ 🚶🚶 🚗 📧 ⚡ (6A) - pers. suppl. 5€

🚐 borne artisanale

Cadre agréable et verdoyant au bord du Tarn.

Nature : 🏞 🌿	
Loisirs : ⛹ 🚤	**G** E : 3.60531
Services : ⚡ 🚿 👶 📶 laverie	**P** N : 44.3446 **S**
À prox. : 🍴 🗙 escalade	

BELCAIRE

11340 - Carte Michelin **344** C6 - 440 h. - alt. 1 002
▶ Paris 810 - Ax-les-Thermes 26 - Axat 32 - Foix 54

⋀⋀ Les Chalets du Lac

℘ 04 68 20 39 47, www.camping-pyrenees-cathare.fr

Pour s'y rendre : 4 chemin du Lac (sortie ouest par D 613, rte d'Ax-les-Thermes, à 150 m d'un plan d'eau)

Ouverture : de déb. juin à mi-sept.

1,3 ha (55 empl.) peu incliné, herbeux

Empl. camping : 22€ ★★ ⏏ ▣ ⚡ (16A) - pers. suppl. 5€

Location : (de fin déc. à mi-oct.) - 6 🚐 - 15 🏠 - 5 tentes lodges - 1 cabanon. Nuitée 20 à 110€ - Sem. 145 à 740€

Tout près d'un joli plan d'eau, locatif varié, parfois insolite et souvent de bon confort.

Nature : ⩙ 〽️
Loisirs : ✗ 🍴 ⛹ 🚴
Services : ⛽ 🛒 🛜 laverie 🧺
À prox. : ✗ 🍴 ⛴ pédalos

E : 1.95022
N : 42.81637

BESSÈGES

30160 - Carte Michelin **339** J3 - 3 169 h. - alt. 170
▶ Paris 651 - Alès 32 - La Grand-Combe 20 - Les Vans 18

⋀⋀ Les Drouilhèdes

℘ 04 66 25 04 80, www.campingcevennes.com

Pour s'y rendre : lieu-dit : Peyremale-sur-Cèze (2 km à l'ouest par D 17, rte de Génolhac puis 1 km par D 386 à dr.)

Ouverture : de déb. avr. à mi-sept.

2 ha (90 empl.) plat, herbeux, pierreux

Empl. camping : (Prix 2018) 33€ ★★ ⏏ ▣ ⚡ (6A) - pers. suppl. 6€ - frais de réservation 16€

Location : (Prix 2018) (de déb. avr. à mi-sept.) - 10 🚐 - 6 🏠 - 2 bungalows toilés. Nuitée 49 à 115€ - Sem. 295 à 805€ - frais de réservation 16€

Emplacements bien ombragés au bord de la Cèze avec du locatif parfois ancien.

Nature : ⩙ ⛺ 〽️
Loisirs : 🍴 ✗ 🚴 ⛴ (plage) 🛶
Services : ⛽ 🛒 🛜 ▣ 🧺

E : 4.0678
N : 44.29143

BLAVIGNAC

48200 - Carte Michelin **330** H5 - 236 h. - alt. 800
▶ Paris 542 - Montpellier 218 - Mende 58 - Clermont-Ferrand 126

⋀⋀ Les Chalets de la Margeride

(pas d'emplacement tentes et caravanes)

℘ 04 66 42 56 00, www.chalets-margeride.com

Pour s'y rendre : lieu-dit : Chassagnes (4,5 km au nord-ouest par D 989, rte de St-Chély-d'Apcher et D 4, rte de la Garde - Par A 75 : sortie 32)

50 ha/2 campables en terrasses

Location : Permanent♿ (1 chalet) - 21 🏠. Nuitée 55 à 99€ - Sem. 400 à 740€ - frais de réservation 9€

Agréable situation panoramique sur les monts de la Margeride.

Nature : ⩙ ≤ Plateau de la Margeride
Loisirs : 🎱 🚴 🏊 (découverte en saison)
Services : 🛒 🛜 laverie

E : 3.30631
N : 44.87017

BOISSET-ET-GAUJAC

30140 - Carte Michelin **339** J4 - 2 302 h. - alt. 140
▶ Paris 722 - Montpellier 103 - Nîmes 53 - Alès 14

⋀⋀⋀ Domaine de Gaujac 🏕

℘ 04 66 61 67 57, www.domaine-de-gaujac.com

Pour s'y rendre : 2406 chemin de la Madelaine

Ouverture : de déb. mai à déb. sept.

10 ha/6,5 campables (293 empl.) en terrasses, peu incliné, plat, herbeux, gravillons

Empl. camping : (Prix 2018) 40€ ★★ ⏏ ▣ ⚡ (10A) - pers. suppl. 8€ - frais de réservation 20€

Location : (Prix 2018) (de déb. mai à déb. sept.) - 48 🚐 - 20 🏠. Nuitée 30 à 125€ - Sem. 150 à 875€ - frais de réservation 20€

🚐 borne artisanale 10€ - 8 ▣ 10€

Emplacements bien ombragés sur le bas du terrain plus proche du Gardon mais aussi sur les terrasses, un peu plus isolés.

Nature : ⩙ 〽️
Loisirs : 🍴 ✗ 🎱 ⛹ jacuzzi ⛴ ✗ 🎣
Services : ⛽ 🛒 🛜 laverie 🧺
À prox. : ⛴ 🛶

E : 4.02771
N : 44.03471

BOISSON

30500 - Carte Michelin **339** K3
▶ Paris 682 - Alès 19 - Barjac 17 - La Grand-Combe 28

⋀⋀⋀ Yelloh! Village Le Château de Boisson 🏕

℘ 04 66 24 85 61, www.chateaudeboisson.com

Pour s'y rendre : hameau de Boisson

Ouverture : de mi-avr. à mi-sept.

7,5 ha (165 empl.) fort dénivelé, en terrasses, plat, herbeux

Empl. camping : 50€ ★★ ⏏ ▣ ⚡ (6A) - pers. suppl. 9€

Location : (de mi-avr. à déb. sept.) - 54 🚐 - 18 🏠 - 15 gîtes. Nuitée 39 à 439€ - Sem. 273 à 3 073€

🚐 borne artisanale 12€

Beaux emplacements au pied d'un château cévenol restauré et vue sur les Cévennes pour certains chalets.

Nature : ⩙ ⛺ 〽️
Loisirs : 🍴 ✗ 🎱 ⛹ 🚴 ⛴ 🎣 ✗ 🏊 🛶
Services : ⛽ 🏧 🛒 - 7 sanitaires individuels (🛁 wc) 🧺 🛜 laverie 🧺 réfrigérateurs

E : 4.25673
N : 44.20966

Benutzen Sie den Hotelführer des laufenden Jahres.

LE BOSC

34490 - Carte Michelin **339** F6 - 1 046 h. - alt. 90
▶ Paris 706 - Montpellier 51 - Béziers 58 - Sète 68

⋀⋀ Village Vacances Relais du Salagou

(pas d'emplacement tentes et caravanes)

℘ 04 67 44 76 44, www.relais-du-salagou.com

Pour s'y rendre : à Salèlles, 8 r. des Terrasses (4,5 km au sud-est par D 140 - A 75, sortie 56)

12 ha/3 campables plat

Location : (de mi-mars à déb. nov.) - ⧖ (1 chalet) - Ⓟ - 28 🏠.
Nuitée 75 à 110€ - Sem. 330 à 1 450€

Petit village de chalets perdus dans une belle végétation médi-terranéenne. Dommage pour le bruit de fond de l'autoroute.

Nature : 🌳🌳
Loisirs : 🍽 🛥 centre balnéo ≋ hammam
jacuzzi 🏄 🎣 🏓 🎯 🛝 🏊
Services : ⚡ ▥ 📶 laverie

GPS
E : 3.41425
N : 43.68061

BRISSAC

34190 - Carte Michelin **339** H5 - 615 h. - alt. 145
▶ Paris 732 - Ganges 7 - Montpellier 41 - St-Hippolyte-du-Fort 19

🏔 Le Val d'Hérault

☎ 0467737229, www.camping-levaldherault.com

Pour s'y rendre : av. d'Issensac (4 km au sud par D 4, rte de Causse-de-la-Selle)

Ouverture : de déb. avr. à fin oct.

4 ha (175 empl.) en terrasses, plat et peu incliné, herbeux, pierreux

Empl. camping : (Prix 2018) 18€ ✹✹ 🚗 ▣ ⚡ (6A) - pers. suppl. 4€
- frais de réservation 12€

Location : (Prix 2018) (de déb. avr. à fin oct.) - 22 🚐 - 4 🏠
- 10 bungalows toilés. Sem. 270 à 950€ - frais de réservation 12€

Emplacements bien ombragés parfois sur de petites terrasses individuelles ou au bord de l'Hérault.

Nature : 🌊 🛖 🌳🌳 ⛰
Loisirs : 🍽🍴 🛥 🌙nocturne 🏄 🏊 🛶 🎣
Services : ⚡ 🚿 🛁 🚽 📶 ▣ 🛒 🚮 🏊
À prox. : escalade (via ferrata)

GPS
E : 3.70433
N : 43.84677

🏔 Le Domaine d'Anglas 👥

☎ 0467737018, www.camping-anglas.com

Pour s'y rendre : 2 km à l'est par la D 108

Ouverture : Permanent

115 ha/5 campables (101 empl.) en terrasses, plat, herbeux, pierreux

Empl. camping : (Prix 2018) 30€ ✹✹ 🚗 ▣ ⚡ (10A) - pers. suppl. 9€
- frais de réservation 17€

Location : (Prix 2018) Permanent - 12 🏠 - 5 tentes lodges
- 3 tipis - 3 cabanes perchées - 1 gîte. Nuitée 35 à 233€ - Sem.
221 à 1 100€ - frais de réservation 17€

Au bord de l'Hérault et au milieu des vignes, locatif varié de bon confort. Vente de produits locaux et de vins du domaine.

Nature : 🛖 🌳🌳 ⛰
Loisirs : 🍽🍴 🏓 🏄 🚲 🎣 tyrolienne
Services : ⚡ 🚿 🛁 🚽 📶 laverie 🚮

GPS
E : 3.71615
N : 43.87602

BROUSSES-ET-VILLARET

11390 - Carte Michelin **344** E2 - 313 h. - alt. 412
▶ Paris 768 - Carcassonne 21 - Castelnaudary 36 - Foix 88

🏔 Le Martinet-Rouge

☎ 0468265198, www.camping-martinet.fr

Pour s'y rendre : à Brousses (500 m au sud par D 203 et chemin à dr., à 200 m de la Dure)

Ouverture : de déb. avr. à mi-oct.

2,5 ha (63 empl.) vallonné, plat, herbeux, rochers

Empl. camping : 25€ ✹✹ 🚗 ▣ ⚡ (6A) - pers. suppl. 5€

Location : (de déb. avr. à mi-oct.) - 9 🚐 - 1 🏠 - 1 tente lodge
- 2 gîtes. Nuitée 50 à 100€ - Sem. 240 à 720€

Agréable site avec des emplacements entre les rochers et sous un bel ombrage de petits chênes verts. Quelques locatifs et certains sanitaires très anciens d'un confort modeste.

Nature : 🌊 🛖 🌳🌳
Loisirs : 🍽🍴 🛥 🏄 🎣 🛶 terrain
multisports
Services : ⚡ 🚿 📶 ▣

GPS
E : 2.25342
N : 43.33972

CANET

34800 - Carte Michelin **339** F7 - 3 269 h. - alt. 42
▶ Paris 717 - Béziers 47 - Clermont-l'Hérault 6 - Gignac 10

🏔 Les Rivières

☎ 0467967553, www.camping-lesrivieres.com

Pour s'y rendre : lieu-dit : la Sablière (1,8 km au nord par D 131e)

Ouverture : de déb. avr. à fin sept.

9 ha/5 campables (110 empl.) plat, herbeux, pierreux

Empl. camping : 33€ ✹✹ 🚗 ▣ ⚡ (10A) - pers. suppl. 7€ - frais de réservation 12€

Location : (de mi-mars à fin sept.) - ⧖ - 13 🚐 - 5 🏠 - 4 tentes lodges - 3 cabanons - 2 gîtes. Nuitée 40 à 114€ - Sem. 220 à 800€
- frais de réservation 12€

🚐 borne flot bleu - 3 ▣ 15€

Beaucoup d'espace au bord de l'Hérault avec possibilité de baignade.

Nature : 🌊 🛖 🌳🌳
Loisirs : 🍽🍴 🛥 jacuzzi 🏄 🚲 🎣 🛶 🛝
terrain multisports
Services : ⚡ 🚿 📶 ▣ 🛒
À prox. : 🐎

GPS
E : 3.49229
N : 43.61792

Use this year's Guide.

CANET-PLAGE

66140 - Carte Michelin **344** J6
▶ Paris 849 - Argelès-sur-Mer 20 - Le Boulou 35 - Canet-en-Roussillon 3

🏔 Yelloh! Village Le Brasilia 👥

☎ 0468802382, www.brasilia.fr

Pour s'y rendre : av. des Anneaux-du-Roussillon (au port, au bord de la Têt)

Ouverture : de mi-avr. à déb. oct.

15 ha (705 empl.) plat, herbeux, sablonneux

Empl. camping : 71€ ✹✹ 🚗 ▣ ⚡ (10A) - pers. suppl. 9€

Location : (de mi-avr. à déb. oct.) - ⧖ (2 mobile homes) - 132 🚐
- 12 🏠 - 35 gîtes. Nuitée 36 à 327€ - Sem. 252 à 2 289€

🚐 borne artisanale

Des emplacements verdoyants et ombragés, des villages de mobile homes paysagés, des chalets très grand confort, des animations variées en font un vrai village club en bord de mer.

Nature : 🌊 🛖 🌳🌳 ⛰
Loisirs : 🍽🍴 🛥 🌙 🏓 🏃 hammam jacuzzi
🏄 🚲 🎯 🛶 🛝 🏊 discothèque tir à l'arc
paddle terrain multisports
Services : ⚡ ▥ 🚿 🛁 🚽 📶 laverie 🚮 🛒
À prox. : 🏇 🐎 ⚓

GPS
E : 3.03551
N : 42.70808

⚠ Siblu Mar Estang ♣♨

📞 04 68 80 35 53, www.marestang.com

Pour s'y rendre : rte de St-Cyprien (1,5 km au sud par D 18a, près de l'étang et de la plage)

Ouverture : de mi-avr. à mi-sept.

11 ha (600 empl.) plat, herbeux

Empl. camping : (Prix 2018) 👤 15 € 🚗 9 € 🅴 44 € – [⚡] (6A) 7 € - frais de réservation 26 €

Location : (Prix 2018) (de mi-avr. à mi-sept.) - ♿ (1 mobile home) - Ⓟ - 255 € - 32 bungalows toilés. Sem. 255 à 1 530 € - frais de réservation 26 €

🚐 borne eurorelais - 8 🅴

Un accès direct à la plage par souterrain, des emplacements un peu ombragés et des animations orientées jeunes et adolescents.

Nature : 🏕 💧💧
Loisirs : 🍷 ✕ 🎱 🎪 (amphithéâtre) 🏃 🎣 🏊 ⛷ discothèque terrain multisports
Services : 🔌 🛉 �📶 laverie 🛒 ♨

GPS E : 3.03124
N : 42.6759

⚠ Les Fontaines

Camping les Fontaines

📞 04 68 80 22 57, www.campinglesfontaines.fr

Pour s'y rendre : 23 av. de St-Nazaire

Ouverture : de fin avr. à fin sept.

5,3 ha (160 empl.) plat, herbeux, pierreux

Empl. camping : (Prix 2018) 39 € 👤👤 🚗 🅴 [⚡] (10A) - pers. suppl. 7 € - frais de réservation 15 €

Location : (Prix 2018) (de fin avr. à fin sept.) - 115 🏠. Nuitée 38 à 130 € - Sem. 210 à 910 € - frais de réservation 15 €

🚐 borne artisanale 5 €

Bien peu d'ombrage et de végétation mais un grand espace pour les jeux collectifs ou la détente. Préférer les emplacements près de l'étang, éloignés de la route.

Nature : 🏕
Loisirs : 🍷 ✕ 🎱 🏇 🚲 🏊 mini ferme
Services : 🔌 (juil.-août) 🛉 ♨ 📶 laverie ♨

GPS E : 2.99892
N : 42.68909

CANILHAC

48500 - Carte Michelin **330** G8 - 138 h. - alt. 700

▶ Paris 593 - La Canourgue 8 - Marvejols 26 - Mende 52

⚠ Municipal la Vallée

📞 04 66 32 91 14, www.camping-vallee-du-lot.com

Pour s'y rendre : lieu-dit : Miège Rivière (12 km au nord par N 9, rte de Marvejols, D 988 à gauche, rte de St-Geniez-d'Olt et chemin à gauche - par A 75, sortie 40 dir. St-Laurent-d'Olt puis 5 km par D 988)

Ouverture : de mi-juin à mi-sept.

1 ha (50 empl.) plat, herbeux

Empl. camping : (Prix 2018) 17 € 👤👤 🚗 🅴 [⚡] (12A) - pers. suppl. 4 €

Location : (Prix 2018) (de mi-juin à mi-sept.) - 3 🏠 - 2 bungalows toilés. Nuitée 25 à 50 € - Sem. 175 à 350 €

🚐 borne artisanale - 🚐 11 €

Dans une petite vallée verdoyante au bord du Lot.

Nature : 🏞 ⟨ 🏕 💧💧
Loisirs : 🎱 🏇 🏊 🎣 🚣
Services : 🔌 🛉 📶 🖥
À prox. : ✕

GPS E : 3.14892
N : 44.4365

LA CANOURGUE

48500 - Carte Michelin **330** H8 - 2 112 h. - alt. 563

▶ Paris 588 - Marvejols 21 - Mende 40 - Millau 53

⚠ Chalets et camping du golf

📞 04 66 44 23 60, www.lozereleisure.com

Pour s'y rendre : rte des Gorges-du-Tarn (3,6 km au sud-est par D 988, rte de Chanac, après le golf, au bord de l'Urugne)

Ouverture : de mi-mai à mi-sept.

8 ha (72 empl.) terrasse, plat

Empl. camping : (Prix 2018) 19 € 👤👤 🚗 🅴 [⚡] (6A) - pers. suppl. 4 €

Location : (Prix 2018) (de mi-avr. à fin sept.) - 22 🏠. Sem. 209 à 899 €

🚐 borne AireService

Cadre verdoyant avec des chalets simples ou de bon confort ; pour les emplacements tentes et caravanes, des sanitaires très anciens.

Nature : 🏞 🏕 💧💧
Loisirs : 🏇 🏊
Services : 🛒 📶 laverie
À prox. : 🍷 ✕ golf

GPS E : 3.24072
N : 44.40842

Utilisez le guide de l'année.

LE CAP-D'AGDE

34300 - Carte Michelin **339** G9

▶ Paris 767 - Montpellier 57 - Béziers 29 - Narbonne 59

⚠ La Clape

📞 04 67 26 41 32, www.campings-sodeal.fr

Pour s'y rendre : 2 r. du Gouverneur (près de la plage - accès direct)

Ouverture : de déb. avr. à fin sept.

7 ha (450 empl.) plat, herbeux, pierreux

Empl. camping : (Prix 2018) 47 € 👤👤 🚗 🅴 [⚡] (10A) - pers. suppl. 9 € - frais de réservation 27 €

Location : (Prix 2018) (de déb. avr. à fin sept.) - ♿ (1 chalet) - 103 🏠 - 24 🏠 - 9 bungalows toilés. Nuitée 45 à 150 € - frais de réservation 27 €

🚐 borne flot bleu - 43 🅴

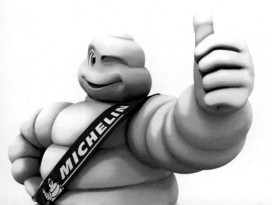

Terrain en zone résidentielle comprenant un accès direct à la plage. Services et stationnements pour camping-cars extérieurs au terrain.

Nature : ⌐ ♉♉
Loisirs : ♀ ✗ ⌂ ⛱ ⚴ ⅃ terrain multisports
Services : ⌐ �🏛 🛁 📶 laverie 🧺 ♨
réfrigérateurs

GPS E : 3.5193
N : 43.28534

CARCASSONNE

11000 - Carte Michelin **344** F3 - 47 854 h. - alt. 110
▶ Paris 768 - Albi 110 - Béziers 90 - Narbonne 61

▲▲▲ La Cité ♟♟

℘ 04 68 10 01 00, www.campingcitecarcassonne.com

Pour s'y rendre : rte de St-Hilaire (sortie est par N 113, rte de Narbonne puis 1,8 km par D 104, près d'un bras de l'Aude)

Ouverture : de déb. avr. à fin oct.

7 ha (200 empl.) plat, herbeux

Empl. camping : 27 € ♟♟ ⇔ ▣ 🔌 (10A) - pers. suppl. 7 €

Location : (de déb. avr. à fin oct.) - ♿ (2 mobile homes) - 40 ⌷⌷ - 3 bungalows toilés. Nuitée 39 à 139 € - Sem. 254 à 904 €

Tout près de la Cité avec des espaces verts pour la détente, mais préférer les emplacements les plus éloignés de la route.

Nature : ⌐ ♉♉
Loisirs : ♀ ✗ ⌂ 🎮 ⚴ ⛶ jacuzzi ⚴ ⅃ terrain multisports
Services : ⌐ 🛁 📶 laverie ♨

GPS E : 2.35474
N : 43.2

Ne pas confondre :
▲ ... à ... ▲▲▲ : *appréciation* **MICHELIN**
et
★ ... à ... ★★★★★ : *classement officiel*

CARNON-PLAGE

34280 - Carte Michelin **339** I7
▶ Paris 758 - Aigues-Mortes 20 - Montpellier 20 - Nîmes 56

▲▲ Capfun Les Saladelles

℘ 04 67 68 23 71, www.capfun.com

Pour s'y rendre : r. de l'Aigoual (Carnon-est, D 59, à 100 m de la plage)

7,6 ha (340 empl.) plat, sablonneux

Empl. camping : (Prix 2018) 24 € ♟♟ ⇔ ▣ 🔌 (10A) - pers. suppl. 4 € - frais de réservation 27 €

Location : (Prix 2018) (de déb. avr. à fin sept.) - 302 ⌷⌷. Sem. 270 à 800 € - frais de réservation 27 €

⌷⌷ borne AireService 27 € - 19 ▣ 27 €

Préférer les emplacements éloignés de la route, côté mer. Accueil groupes et colonies. Stationnement et services pour camping-cars en face du terrain.

Nature : ♉♉
Loisirs : 🎮 ⚴ ⅃ terrain multisports
Services : ⌐ 🛁 🚿 📶 ▣

GPS E : 3.99464
N : 43.55079

CASTRIES

34160 - Carte Michelin **339** I6 - 6 017 h. - alt. 70
▶ Paris 746 - Lunel 15 - Montpellier 19 - Nîmes 44

▲▲▲ Le Fondespierre

℘ 04 67 91 20 03, www.campingfondespierre.com

Pour s'y rendre : 277 chemin Pioch-Viala (2,5 km au nord-est par N 110, rte de Sommières et rte à gauche - sur A 709 sortie 28)

Ouverture : Permanent

3 ha (103 empl.) en terrasses, peu incliné, pierreux

Empl. camping : 33 € ♟♟ ⇔ ▣ 🔌 (10A) - pers. suppl. 6 €

Location : Permanent - 22 ⌷⌷ - 2 ⌂ - 8 bungalows toilés. Sem. 300 à 900 € - frais de réservation 15 €

⌷⌷ borne artisanale 4 €

Au calme dans un cadre naturel parfois même un peu sauvage.

Nature : ⟰ ⌐ ♉♉ ⅃
Loisirs : ✗ ⚴ 🚲 ⚴ ⅃
Services : ⌐ 🏛 🛁 📶 laverie
À prox. : ✗

GPS E : 3.99903
N : 43.69125

CELLES

34700 - Carte Michelin **339** F7 - 22 h. - alt. 140
▶ Paris 707 - Montpellier 55 - Nîmes 111 - Albi 190

▲ Municipal les Vailhès

℘ 04 11 95 01 82, www.campingleusailhes.fr

Pour s'y rendre : 2 km au nord-est par D 148E4 rte de Lodève - A75 sortie 54

4 ha (239 empl.) en terrasses, peu incliné, plat, herbeux, gravillons

⌷⌷ borne artisanale

Belle situation sur les collines à la terre rouge au bord du lac du Salagou.

Nature : ⟰ < ⌐ ♉♉ ⚠
Loisirs : ✗ ⚴ ⛱ 🛶 bateaux électriques
Services : ⌐ 📶 ▣
À prox. : 🎣

GPS E : 3.36012
N : 43.66865

CENDRAS

30480 - Carte Michelin **339** J4 - 1 930 h. - alt. 155
▶ Paris 694 - Montpellier 76 - Nîmes 50 - Avignon 76

▲▲▲ La Croix Clémentine ♟♟

℘ 04 66 86 52 69, www.clementine.fr

Pour s'y rendre : rte de Mende, lieu-dit : La Fare (2 km au nord-ouest par D 916 et D 32 à gauche)

Ouverture : de déb. avr. à mi-sept.

10 ha (234 empl.) fort dénivelé, en terrasses, plat, herbeux, rochers

Empl. camping : 48 € ♟♟ ⇔ ▣ 🔌 (10A) - pers. suppl. 13 € - frais de réservation 14 €

Location : (de fin avr. à mi-sept.) - 4 ⌷⌷ - 30 ⌂ - 10 cabanons. Nuitée 50 à 155 € - Sem. 300 à 900 € - frais de réservation 14 €

⌷⌷ borne artisanale 5 € - 2 ▣ 17 € - 🚐 18 €

Cadre boisé avec de nombreux emplacements sur de petites terrasses souvent individuelles.

Nature : ⟰ ⌐ ♉♉♉
Loisirs : ♀ ✗ ⌂ 🎮 nocturne ⚴ ⚴ ✗ ⚴ ⅃ terrain multisports
Services : ⌐ 🏛 🛁 🚿 📶 laverie 🧺 ♨ réfrigérateurs
À prox. : 🐎

GPS E : 4.04333
N : 44.15167

LE CHAMBON

30450 - Carte Michelin **339** J3 - 273 h. - alt. 260
▶ Paris 640 - Alès 31 - Florac 59 - Génolhac 10

⚠ Municipal le Luech

℘ 04 66 61 51 32, mairie-du-chambon@wanadoo.fr

Pour s'y rendre : lieu-dit : Palanquis (600 m au nord-ouest par D 29, rte de Chamborigaud)

Ouverture : de déb. juil. à fin août

0,5 ha (30 empl.) en terrasses, peu incliné, herbeux, pierreux

Empl. camping : (Prix 2018) 🚶 2€ 🚗 2€ 📧 1€ – ⚡ (10A) 4€

Au bord du Luech, en deux parties distinctes de part et d'autre de la route. Sanitaires simples avec douches à jetons.

Nature : 🌿🌿
Loisirs : 🏊
Services : 🚱
À prox. : 🍴
GPS
E : 4.00317
N : 44.30494

CHASTANIER

48300 - Carte Michelin **330** K6 - 92 h. - alt. 1 090
▶ Paris 570 - Châteauneuf-de-Randon 17 - Langogne 10 - Marvejols 71

⚠ La Via Natura Le Pont de Braye

℘ 04 66 69 53 04, www.camping-lozere-naussac.fr

Pour s'y rendre : Les Berges du Chapeauroux (1 km à l'ouest, carr. D 988 et D 34, au pont)

Ouverture : de déb. mai à mi-sept.

1,5 ha (35 empl.) en terrasses, plat, herbeux

Empl. camping : 21,60€ 🚶🚶 🚗 📧 ⚡ (6A) - pers. suppl. 4,90€ - frais de réservation 10€

Location : (de déb. mai à mi-sept.) - 2 bungalows toilés - 3 tentes lodges - 3 yourtes - 1 gîte. Nuitée 40 à 70€ - Sem. 179 à 539€ - frais de réservation 10€

🚐 borne artisanale 3€ - 🚐 ⚡13€

Au bord de la rivière avec du locatif varié, original, au confort simple.

Nature : 🌊🌿🌿
Loisirs : 🍴🏡 🛶🚴🏊
Services : 🚱🏪🚿♨🚰🛎笑laverie🔧
À prox. : 🍴
GPS
E : 3.74755
N : 44.72656

Wilt u een stad of streek bezichtigen ?
*Raadpleed de **groene Michelingidsen**.*

CLERMONT-L'HÉRAULT

34800 - Carte Michelin **339** F7 - 7 627 h. - alt. 92
▶ Paris 718 - Béziers 46 - Lodève 24 - Montpellier 42

🏔 Club du Salagou 👥

℘ 04 67 96 13 13, www.campinglacdusalagou.fr

Pour s'y rendre : au lac du Salagou (5 km au nord-ouest par D 156e 4, à 300 m du lac)

Ouverture : de mi-avr. à mi-oct.

7,5 ha (388 empl.) en terrasses, peu incliné, plat, herbeux, gravier

Empl. camping : 28€ 🚶🚶 🚗 📧 ⚡ (16A) - pers. suppl. 7€ - frais de réservation 15€

Location : (de mi-avr. à mi-oct.) - 🦽 (1 mobile home) - 45 🚐 - 8 tentes lodges - 8 tentes sur pilotis - 15 cabanons - 13 appart'hôtels. Nuitée 45 à 140€ - Sem. 225 à 980€ - frais de réservation 15€

🚐 borne artisanale 5€ - 5 📧 20€

Situation agréable à proximité du lac et de la base nautique.

Nature : 🌊🌲🌿🌿
Loisirs : 🍴🍽🏡 ⛳🎣🚣🏊terrain multisports
Services : 🚱🏪♨♨🚰笑🛎laverie🔧réfrigérateurs
À prox. : 🚴🏄🎣🛶

COLLIAS

30210 - Carte Michelin **339** L5 - 1 002 h. - alt. 45
▶ Paris 694 - Alès 45 - Avignon 32 - Bagnols-sur-Cèze 35

🏔 Le Barralet

℘ 04 66 22 84 52, www.barralet.fr

Pour s'y rendre : 6 chemin du Grès (1 km au nord-est par D 3, rte d'Uzès et chemin à dr.)

Ouverture : de déb. avr. à fin sept.

2 ha (132 empl.) peu incliné, plat, herbeux

Empl. camping : 27€ 🚶🚶 🚗 📧 ⚡ (6A) - pers. suppl. 6€ - frais de réservation 10€

Location : (de déb. avr. à fin sept.) - 33 🚐 - 9 🏠 - 1 tente lodge. Nuitée 45 à 115€ - Sem. 315 à 770€ - frais de réservation 10€

🚐 borne eurorelais 5€

De la terrasse du bar et de la piscine, vue panoramique sur la rivière et le pont de Collias. Locatif de confort variable.

Nature : 🌊🌿🌿
Loisirs : 🍴🍽🎣🏊terrain multisports
Services : 🚱🚰笑🛎🔧
À prox. : 🛶
GPS
E : 4.48718
N : 43.95769

Renouvelez votre guide chaque année.

CONNAUX

30330 - Carte Michelin **339** M4 - 1 583 h. - alt. 86
▶ Paris 661 - Avignon 32 - Alès 52 - Nîmes 48

🏔 Le Vieux Verger

℘ 04 66 82 91 62, www.campinglevieuxverger.com

Pour s'y rendre : 526 av. des Platanes (au sud du bourg, à 200 m de la N 86)

Ouverture : Permanent

3 ha (60 empl.) fort dénivelé, en terrasses, plat, herbeux, pierreux

Empl. camping : (Prix 2018) 24€ 🚶🚶 🚗 📧 ⚡ (6A) - pers. suppl. 5€ - frais de réservation 10€

Location : (Prix 2018) Permanent🌿 - 10 🚐 - 5 🏠. Nuitée 55 à 115€ - Sem. 319 à 789€ - frais de réservation 25€

Emplacements pour tentes et caravanes sur le haut du terrain plus ombragé, vue pour certains mais fond sonore de la route.

Nature : 🏡🌿🌿
Loisirs : 🍴🍽🏊
Services : 🚱🚰笑🛎
À prox. : 🍴
GPS
E : 4.59108
N : 44.08478

CRESPIAN

30260 - Carte Michelin **339** J5 - 325 h. - alt. 80
▶ Paris 731 - Alès 32 - Anduze 27 - Nîmes 24

🏔 Le Mas de Reilhe 🏊

📞 04 66 77 82 12, www.camping-mas-de-reilhe.fr

Pour s'y rendre : chemin du Mas-de-Reilhe (sortie sud par N 110)

Ouverture : de fin avr. à fin sept.

2 ha (92 empl.) fort dénivelé, plat, pierreux, herbeux

Empl. camping : 18 € ⚑⚑ ⟵ 🅴 🅟 (10A) - pers. suppl. 6 € - frais de réservation 20 €

Location : (de fin avr. à fin sept.) - 15 🚐 - 7 🏠 - 4 tentes lodges. Nuitée 36 à 120 € - Sem. 227 à 840 € - frais de réservation 20 €

🚐 borne artisanale

Locatif varié installé en terrasses et des emplacements sur la partie basse avec un bon confort sanitaire.

Nature : ⌂ ♤♤ Loisirs : 🍽 🍴 🏠 🕴 jacuzzi 🚤 🚲 terrain multisports Services : ⚬⟵ ▥ ♨ ☂ 🚿 🛜 laverie 🚿 À prox. : 🍴	**G P S** E : 4.09676 N : 43.88015

EGAT

66120 - Carte Michelin **344** D7 - 453 h. - alt. 1 650
▶ Paris 856 - Andorra-la-Vella 70 - Ax-les-Thermes 53 - Bourg-Madame 15

🏔 Las Clotes

📞 04 68 30 26 90, www.pro.pagesjaunes.fr/camping-las-clotes

Pour s'y rendre : 400 m au nord du bourg, au bord d'un petit ruisseau

Ouverture : de déb. janv. à fin déc.

2 ha (80 empl.) en terrasses, plat, herbeux, rochers

Empl. camping : 15 € ⚑⚑ ⟵ 🅴 🅟 (6A) - pers. suppl. 5 €

🚐 borne artisanale

Agréable situation dominante, à flanc de colline rocheuse et traversé par un petit torrent.

Nature : ⌂ ≤ Sierra del Cadi et Puigmal ⌂ ♤ Loisirs : 🏠 Services : ⚬⟵ 🚐 ✅ ▥ ☂ 🛜 📶	**G P S** E : 2.01655 N : 42.50419

*Choisissez votre restaurant sur **restaurant.michelin.fr***

ERR

66800 - Carte Michelin **344** D8 - 640 h. - alt. 1 350 - Sports d'hiver : 1 850/2 520 m
▶ Paris 854 - Andorra-la-Vella 77 - Ax-les-Thermes 52 - Bourg-Madame 10

🏔 Le Puigmal

📞 04 68 04 71 83, www.camping-le-puigmal.fr

Pour s'y rendre : 30 rte du Puigmal (par D 33b, au bord d'un ruisseau)

Ouverture : Permanent

3,2 ha (125 empl.) terrasse, peu incliné, plat, herbeux, gravillons

Empl. camping : 23 € ⚑⚑ ⟵ 🅴 🅟 (6A) - pers. suppl. 5 €

Location : Permanent - 11 🚐. Nuitée 65 à 80 € - Sem. 400 à 480 €

Cadre agréable, verdoyant et en partie ombragé. Au centre, sanitaires de bon confort.

Nature : ⌂ ♤♤ Loisirs : 🏠 🚤 Services : ⚬⟵ ▥ 🛜 laverie À prox. : 🏊 🏄 parc aquatique	**G P S** E : 2.03539 N : 42.43751

🏔 Las Closas

📞 04 68 04 71 42, www.camping-las-closas.com

Pour s'y rendre : 1 pl. St-Génis (par D 33b)

Ouverture : Permanent

2 ha (100 empl.) peu incliné, plat, herbeux, pierreux

Empl. camping : (Prix 2018) 24 € ⚑⚑ ⟵ 🅴 🅟 (10A) - pers. suppl. 5 €

Location : Permanent - 13 🚐 - 3 bungalows toilés - 1 appartement. Nuitée 61 à 94 € - Sem. 370 à 549 €

Au pied de la petite église, agréable site avec un bon confort sanitaire et du locatif varié.

Nature : ⌂ ♤♤ Loisirs : 🏠 🚤 Services : ⚬⟵ ▥ ☂ 🛜 📶 laverie À prox. : 🍴 🏊 🏄 parc aquatique	**G P S** E : 2.03138 N : 42.44014

ESTAVAR

66800 - Carte Michelin **344** D8 - 429 h. - alt. 1 200
▶ Paris 852 - Montpellier 247 - Perpignan 97

🏔 L'Enclave 🏊

L'Enclave

📞 04 68 04 72 27, www.camping.lenclave.com

Pour s'y rendre : 2 r. Vinyals (sortie est par D 33, au bord de l'Angoust)

Ouverture : de déb. nov. à fin sept.

3,5 ha (175 empl.) en terrasses, plat et peu incliné, pierreux, herbeux

Empl. camping : 33 € ⚑⚑ ⟵ 🅴 🅟 (10A) - pers. suppl. 6 € - frais de réservation 10 €

Location : (de déb. nov. à fin sept.) - 31 🚐. Nuitée 40 à 120 € - Sem. 190 à 830 € - frais de réservation 10 €

🚐 borne eurorelais 6 €

Cadre ombragé de part et d'autre du ruisseau avec au fond du terrain une belle aire de jeux et la piscine de l'autre côté de la petite rue.

Nature : ⌂ ⌂ ♤♤ Loisirs : 🏠 salle d'animations 🕴 🎣 jacuzzi 🚤 🎿 🛶 randonnées accompagnées Services : ⚬⟵ ▥ ☂ 🛜 📶 laverie À prox. : 🏊 🍽 🍴 🚿 🎿	**G P S** E : 1.99813 N : 42.4688

FABREGUES

34690 - Carte Michelin **339** H7 - 6 565 h. - alt. 25
▶ Paris 747 - Montpellier 12 - Nîmes 65 - Toulouse 231

⛰ Le Botanic

✆ 04 67 85 53 18, www.camping-le-botanic.com

Pour s'y rendre : Launac-le-Vieux (3.6 km au sud-est par D 613 et D 114)

Ouverture : de déb. avr. à mi-oct.

5 ha (80 empl.) plat, herbeux, pierreux

Empl. camping : (Prix 2018) 34€ ♛♛ ⛺ 🅿 (⚡) (10A) - pers. suppl. 6€ - frais de réservation 18€

Location : (Prix 2018) (de déb. avr. à mi-oct.) - ♿ (2 chalets) - 18 🚐 - 2 🏠. Sem. 340 à 840€ - frais de réservation 18€

🅿 borne artisanale 3€

Joli village de mobile homes grand confort dominant le lagon et sa plage de sable blanc.

Nature : 🗠 ᵔᵔ		G	E : 3.74762
Loisirs : 🍸 ✗ ⛵ 🛶 🌊 (plan d'eau)		P	N : 43.54112
Services : ⚡ 🏧 🚿 📶 📺 🚮		S	
À prox. : golf			

FABREZAN

11200 - Carte Michelin **344** H4 - 1 288 h. - alt. 60
▶ Paris 809 - Carcassonne 40 - Montpellier 122 - Perpignan 87

⛰ Le Pinada

✆ 04 68 43 32 29, www.lepinada.com

Pour s'y rendre : lieu-dit : Villerouge-La-Crémade (7.1 km au sud-est par la D 611 et D 106)

Ouverture : de déb. avr. à déb. nov.

4 ha (110 empl.)

Empl. camping : (Prix 2018) 24€ ♛♛ ⛺ 🅿 (⚡) (9A) - pers. suppl. 6€ - frais de réservation 15€

Location : (Prix 2018) Permanent 🌳 (de déb. avr. à déb. nov.) - 20 🚐 - 1 studio. Nuitée 45 à 100€ - Sem. 200 à 835€ - frais de réservation 15€

🅿 borne artisanale 13€

Emplacements ombragés au milieu des vignes des Corbières.

Nature : 🌳 🗠 ᵔᵔ		G	E : 2.73754
Loisirs : 🍸 ✗ ⛵ 🌊 ⛷ terrain multisports		P	N : 43.11471
Services : ⚡ 📶 📺 🚮		S	

FLORAC

48400 - Carte Michelin **330** J9 - 1 921 h. - alt. 542
▶ Paris 622 - Alès 65 - Mende 38 - Millau 84

⛰ Flower Le Pont du Tarn 👥

Hervé Leclair/Camping Le Pont du Tarn

✆ 04 66 45 18 26, www.camping-florac.com

Pour s'y rendre : rte du Pont-de-Montvert (2 km au nord par N 106, rte de Mende et D 998 à dr., accès direct au Tarn)

Ouverture : de mi-avr. à mi-oct.

3 ha (181 empl.) en terrasses, plat, pierreux, herbeux

Empl. camping : (Prix 2018) 30€ ♛♛ ⛺ 🅿 (⚡) (10A) - pers. suppl. 6€ - frais de réservation 13€

Location : (Prix 2018) (de mi-avr. à mi-oct.) - 26 🚐 - 2 🏠 - 8 bungalows toilés - 2 tentes lodges. Nuitée 49 à 138€ - Sem. 252 à 973€ - frais de réservation 13€

🅿 borne AireService - 🔌 (⚡) 19€

Quelques emplacements au bord du Tarn mais préférer les plus éloignés de la route.

Nature : ⩽ ᵔᵔ		G	E : 3.59013
Loisirs : 🍸 ⛷ ⛵ 🛶 🌊		P	N : 44.33625
Services : ⚡ 🏧 📺 🚿 🚮 📶 laverie 🚮		S	
À prox. : ✗			

FONT-ROMEU

66120 - Carte Michelin **344** D7 - 2 003 h. - alt. 1 800 - Sports d'hiver : ⛷ 🎿 🚡
▶ Paris 860 - Montpellier 245 - Perpignan 90 - Canillo 62

⛰ Huttopia Font Romeu 👥

✆ 04 68 30 09 32, www.huttopia.com - alt. 1 800

Pour s'y rendre : rte de Mont-Louis (RN 618, à l'entrée de Font-Romeu face au stade municipal)

Ouverture : de déb. juin à mi-sept.

7 ha (175 empl.) fort dénivelé, terrasse, peu incliné, plat, herbeux, rochers

Empl. camping : 36€ ♛♛ ⛺ 🅿 (⚡) (10A) - pers. suppl. 8€ - frais de réservation 15€

Location : (de déb. juin à mi-sept.) - 34 🏠 - 24 tentes sur pilotis - 6 tentes lodges (avec sanitaires). Nuitée 45 à 190€ - Sem. 315 à 1 330€ - frais de réservation 15€

🅿 borne artisanale 7€

À 300 m du départ des télécabines, dans un cadre naturel locatif varié, de bon confort pour les chalets.

Nature : 🌲 ⩽ chaîne des Pyrénées ♀		G	E : 2.04666
Loisirs : 🍸 ✗ 🎮 🎭 nocturne ⛷ ⛵ 🌊		P	N : 42.50628
Services : ⚡ 🏧 🚿 laverie 🚮		S	

Pour visiter une ville ou une région :
*utilisez le **Guide Vert MICHELIN**.*

FORMIGUERES

66210 - Carte Michelin **344** D7 - 435 h. - alt. 1 500
▶ Paris 883 - Montpellier 248 - Perpignan 96

⛰ La Devèze

✆ 06 37 59 73 89, www.campingladeveze.com - alt. 1 600

Pour s'y rendre : rte de la Devèze

Ouverture : de déb. déc. à fin sept.

4 ha (117 empl.) en terrasses, plat, herbeux, pierreux, rochers

Empl. camping : ♛ 5€ ⛺ 7€ – (⚡) (10A) 5€

Location : (de déb. déc. à fin sept.) - 10 🚐 - 4 tentes lodges - 1 tipi. Nuitée 60 à 65€ - Sem. 300 à 750€

🅿 borne artisanale 3€ - 10 🅿 20€

Cadre naturel dans une jolie pinède de montagne. Accueil chevaux et cavaliers.

Nature : 🌳 🗠 ᵔᵔ		G	E : 2.0922
Loisirs : ✗ 🎮 ⛵ 🌊		P	N : 42.61035
Services : ⚡ 🏧 🚿 🚮 📶 laverie 🚮		S	

FRONTIGNAN-PLAGE

34110 - Carte Michelin **339** H8 - 23 068 h. - alt. 2
▶ Paris 775 - Lodève 59 - Montpellier 26 - Sète 10

🏔 Sandaya Les Tamaris 🔩

🕾 04 67 43 44 77, www.sandaya.fr/nos-campings/les-tamaris

Pour s'y rendre : 140 av. d'Ingril (au nord-est par D 60)

Ouverture : de déb. avr. à fin sept.

4 ha (250 empl.) plat, herbeux, pierreux, sablonneux

Empl. camping : 65€ ✲✲ ⇔ 🅴 [⚡] (10A) - pers. suppl. 9€
Location : (de déb. avr. à fin sept.) - 🔩 (1 mobile home) - 131 🚐.
Nuitée 30 à 273€ - Sem. 210 à 1 911€

🚐 borne AireService

Emplacements avec un peu d'ombrage en bord de mer et une plage "privée" aménagée de transats et parasols.

Nature : 🐟 🍃 👤 ⛱			**G**	E : 3.80572	
Loisirs : 🍽 ✗ 🏠 🎮 🏃 ⛷ 🛝			**P**	N : 43.44993	
Services : ⚬━ 🏧 🛢 🚿 🚾 📶 laverie 🗜 🗜			**S**		
réfrigérateurs					

FUILLA

66820 - Carte Michelin **344** F7 - 372 h. - alt. 547
▶ Paris 902 - Font-Romeu-Odeillo-Via 42 - Perpignan 55 - Prades 9

🏔 Le Rotja

🕾 04 68 96 52 75, www.camping-lerotja.com

Pour s'y rendre : 34 av. de la Rotja (au bourg de Fuilla le Milieu)

Ouverture : de déb. avr. à mi-oct.

1,6 ha (100 empl.) peu incliné, plat, herbeux, pierreux, verger

Empl. camping : 33€ ✲✲ ⇔ 🅴 [⚡] (10A) - pers. suppl. 6€ - frais de réservation 13€

Location : (de déb. avr. à mi-oct.) - 9 🚐 - 1 bungalow toilé - 8 tentes lodges. Nuitée 35 à 120€ - Sem. 210 à 750€ - frais de réservation 13€

🚐 borne artisanale 10€

Emplacements en terrasses en partie ombragés et locatif varié.

Nature : 🐟 ⟨ ▱ 🌳			**G**	E : 2.35883	
Loisirs : ✗ 🛝 (petite piscine)			**P**	N : 42.56181	
Services : ⚬━ 🛢 📶 📺			**S**		

GALLARGUES-LE-MONTUEUX

30660 - Carte Michelin **339** K6 - 3 257 h. - alt. 55
▶ Paris 727 - Aigues-Mortes 21 - Montpellier 39 - Nîmes 25

🏔 Les Amandiers 🔩

🕾 04 66 35 28 02, www.camping-lesamandiers.fr - peu d'emplacements pour tentes et caravanes

Pour s'y rendre : 20 r. des Stades (sortie sud-ouest, rte de Lunel)

Ouverture : de déb. avr. à fin sept.

3 ha (150 empl.) plat, herbeux, pierreux

Empl. camping : 29€ ✲✲ ⇔ 🅴 [⚡] (16A) - pers. suppl. 6€ - frais de réservation 21€

Location : (de déb. avr. à fin sept.) - 🎿 - 40 🚐 - 12 bungalows toilés - 12 tentes lodges. Nuitée 24 à 80€ - Sem. 168 à 560€ - frais de réservation 21€

Nombreux mobile homes à la location de différent confort.

Nature : ▱ 🌳			**G**	E : 4.16609	
Loisirs : 🍽 ✗ 🏠 🎮 🏃 ⛵ hammam jacuzzi			**P**	N : 43.71612	
⛷ ✗ 🛝			**S**		
Services : ⚬━ 🛢 📶 laverie 🗜					

GIGNAC

34150 - Carte Michelin **339** G7 - 5 271 h. - alt. 53
▶ Paris 719 - Béziers 58 - Clermont-l'Hérault 12 - Lodève 25

⚠ Municipal la Meuse

🕾 04 67 57 92 97, www.campinglameuse.com

Pour s'y rendre : chemin de la Meuse (1,2 km au nord-est par D 32, rte d'Aniane puis chemin à gauche, à 200 m de l'Hérault et d'une base nautique)

Ouverture : de déb. mai à mi-sept.

3,4 ha (100 empl.) plat, herbeux

Empl. camping : (Prix 2018) ✲ 3€ ⇔ 🅴 10€ – [⚡] (16A) 3€ - frais de réservation 8€

Location : (Prix 2018) (de déb. mai à mi-sept.) - 🎿 - 9 🚐. Nuitée 47 à 59€ - Sem. 270 à 460€ - frais de réservation 8€

🚐 borne eurorelais 3€

Agréables emplacements bien délimités, vastes et ombragés.

Nature : 🐟 ▱ 🌳			**G**	E : 3.55927	
Loisirs : 🎿			**P**	N : 43.662	
Services : ⚬━ 🛢 🚾 📶 📺 🗜			**S**		
À prox. : ⛵ 🚣 🎣 parcours de santé					

*Créez votre voyage sur **voyages.michelin.fr***

GOUDARGUES

30630 - Carte Michelin **339** L3 - 1 032 h. - alt. 77
▶ Paris 667 - Alès 51 - Bagnols-sur-Cèze 17 - Barjac 20

🏔 St-Michelet 🔩

🕾 04 66 82 24 99, www.lesaintmichelet.com

Pour s'y rendre : rte de Frigoulet (1 km au nord-ouest par D 371, au bord de la Cèze)

4 ha (160 empl.) terrasse, plat et peu incliné, herbeux, pierreux

Location : - 55 🚐 - 4 tentes lodges.

Une partie basse au bord de la Cèze pour tentes et caravanes et une partie haute avec la piscine et les mobile homes.

Nature : 🐟 ▱ 🌳			**G**	E : 4.46271	
Loisirs : 🍽 ✗ 🏠 🏃 ⛷ 🛝 ⛵ 🚣			**P**	N : 44.22123	
Services : ⚬━ 🛢 📶 laverie 🗜			**S**		

🏔 Les Amarines 2 🔩

🕾 04 66 82 24 92, www.campinglesamarines.com

Pour s'y rendre : lieu-dit : La Vérune Cornillon (1 km au nord-est par D 23, au bord de la Cèze)

Ouverture : de déb. avr. à fin sept.

3,7 ha (120 empl.) plat, herbeux, pierreux

Empl. camping : 34€ ✲✲ ⇔ 🅴 [⚡] (10A) - pers. suppl. 7€ - frais de réservation 15€

Location : (de déb. avr. à fin sept.) - 🎿 - 23 🚐. Nuitée 50 à 117€ - Sem. 280 à 819€ - frais de réservation 15€

Au bord de la Cèze, terrain rectiligne à l'ombre des peupliers et au milieu des vignes. De la piscine jolie vue sur le village de Cornillon.

Nature : 🐟 ▱ 🌳			**G**	E : 4.47924	
Loisirs : 🍽 ✗ 🏠 🏃 ⛷ 🛝 ⛵ 🚣			**P**	N : 44.22047	
Services : ⚬━ 🏧 🛢 🚿 🚾 📶 laverie			**S**		
réfrigérateurs					

⛺ La Grenouille

📞 04 66 82 21 36, www.camping-la-grenouille.com

Pour s'y rendre : av. du Lavoir (près de la Cèze - accès direct)

Ouverture : de déb. avr. à mi-oct.

0,8 ha (50 empl.) peu incliné, plat, herbeux

Empl. camping : (Prix 2018) 31€ ⚲⚲ ⛟ 🅴 ⚡ (6A) - pers. suppl. 7€

Location : (Prix 2018) (de déb. avr. à mi-oct.) - 4 bungalows toilés - 4 tentes lodges. Nuitée 42 à 49€ - Sem. 294 à 590€ - frais de réservation 10€

🚐 borne eurorelais - 🚌 ⚡ 19€

Agréable petit terrain traversé par un ruisseau tout proche du bourg.

Nature : 🏞 ⌂ ♢♢	**G**
Loisirs : 🏇 ⚲ (petite piscine) 🎣	**P** E : 4.46847
Services : ⚬ ⚙ 🚿 🛜 🔲 réfrigérateurs	**S** N : 44.21468
À prox. : 🏊 🍸 ✕ 🍴	

LA GRANDE-MOTTE

34280 - Carte Michelin **339** J7 - 8 391 h. - alt. 1

▶ Paris 747 - Aigues-Mortes 12 - Lunel 16 - Montpellier 28

⛺⛺⛺ Le Garden 👥

📞 04 67 56 50 09, www.legarden.fr

Pour s'y rendre : av. de la Petite-Motte (sortie ouest par D 59, à 300 m de la plage)

Ouverture : de déb. avr. à fin sept.

3 ha (209 empl.) plat, sablonneux, pierreux

Empl. camping : (Prix 2018) 50€ ⚲⚲ ⛟ 🅴 ⚡ (10A) - pers. suppl. 11€

Location : (Prix 2018) Permanent ♿ (2 mobile homes) - 125 🛏. Sem. 320 à 1 200€

Un réel confort sanitaire et du locatif de qualité avec de nombreux commerces ouverts sur l'extérieur.

Nature : ⌂ ♢♢	**G**
Loisirs : 🍸 ✕ 🎦 🏓 🏇 🎯 ⚲	**P** E : 4.07235
Services : ⚬ ⚙ 🚿 🛜 laverie 🛒 🔧	**S** N : 43.56229
À prox. : 🏌 🏇	

⛺ Municipal Les Cigales

📞 04 67 56 50 85, www.campingdelor.com/

Pour s'y rendre : allée des Pins (sortie ouest par D 59)

2,5 ha (148 empl.) plat, sablonneux

Empl. camping : (Prix 2018) 28€ ⚲⚲ ⛟ 🅴 ⚡ (10A) - pers. suppl. 7€ - frais de réservation 27€

Location : (Prix 2018) (de déb. avr. à fin sept.) - ♿ (1 mobile home) - 123 🛏. Nuitée 42 à 91€ - Sem. 168 à 1 260€ - frais de réservation 27€

🚐 32 🅴 16€

Terrain ombragé avec en fond sonore le bruit de la route. Importante aire de stationnement pour camping-cars contiguë au camping.

Nature : ♢♢	**G**
Services : ⚬ 🚿 🔧 🛜 laverie	**P** E : 4.07612
À prox. : 🏇	**S** N : 43.56722

LE GRAU-DU-ROI

30240 - Carte Michelin **339** J7 - 7 995 h. - alt. 2

▶ Paris 751 - Aigues-Mortes 7 - Arles 55 - Lunel 22

⛺⛺⛺ Capfun Le Boucanet 👥

📞 04 66 51 41 48, www.campingboucanet.fr 🐾

Pour s'y rendre : rte de Carnon (2 km au nord-ouest du Grau-du-Roi (rive droite) par rte de la Grande-Motte, au bord de plage)

Ouverture : de déb. avr. à fin sept.

7,5 ha (462 empl.) plat, sablonneux

Empl. camping : (Prix 2018) 47€ ⚲⚲ ⛟ 🅴 ⚡ (6A) - pers. suppl. 9€ - frais de réservation 27€

Location : (Prix 2018) (de déb. avr. à fin sept.) - ♿ (5 mobile homes) - 🐾 - 431 🛏. Nuitée 65 à 410€ - Sem. 259 à 3 220€ - frais de réservation 27€

🚐 borne eurorelais 4€ - 5 🅴 26€

Situation privilégiée au bord d'une belle plage avec des mobile homes style paillotes.

Nature : ⌂ ♀ ⛰	**G**
Loisirs : 🍸 ✕ 🎦 🏖 🏓 🏇 🎠 🔲 ⚲	**P** E : 4.10753
🦋 pédalos kite-surf cinéma paddle terrain multisports	**S** N : 43.55428
Services : ⚬ 🚿 🛜 laverie 🛒 🔧 cases réfrigérées	
À prox. : 🏇	

GRUISSAN

11430 - Carte Michelin **344** J4 - 4 873 h. - alt. 2

▶ Paris 798 - Carcassonne 73 - Montpellier 103 - Perpignan 78

⛺⛺ Campéole Barberousse

📞 04 68 49 07 22, www.campeole.com/etablissement/post/barberousse-gruissan

Pour s'y rendre : rte de l'Ayrolles (2 km à l'ouest près du petit port de Barberousse et des Salines St-Martin.)

Ouverture : de fin avr. à fin sept.

2 ha (200 empl.) plat, pierreux, herbeux

Empl. camping : (Prix 2018) 27€ ⚲⚲ ⛟ 🅴 ⚡ (10A) - pers. suppl. 5€

Location : (Prix 2018) (de fin avr. à fin sept.) - 20 🛏. Nuitée 44 à 125€ - Sem. 308 à 875€

🚐 borne eurorelais - 17 🅴 19€

Emplacements proches du petit port avec un ombrage léger de tamaris.

Nature : 🏞 ♀	**G**
Loisirs : 🍸 ✕ 🏇	**P** E : 3.08554
Services : ⚬ 🛜 laverie 🔧	**S** N : 43.10166
À prox. : 🏊 🎣 ⚓	

Gebruik de gids van het lopende jaar.

ISPAGNAC

48320 - Carte Michelin **330** J8 - 851 h. - alt. 518

▶ Paris 612 - Florac 11 - Mende 28 - Meyrueis 46

⛺⛺ Municipal du Pré Morjal

📞 04 66 45 43 57, www.campingdupremorjal.com

Pour s'y rendre : chemin du Beldiou (sortie ouest par D 907bis, rte de Millau et chemin à gauche, près du Tarn)

2 ha (123 empl.) plat, herbeux

Location : - 8  - 8 bungalows toilés.

Agréable cadre boisé aux portes des gorges du Tarn.

Nature : 🐾 ⟨ 🏕 ♨♨
Loisirs : 🏓 🏃 🚴 🛶
Services : ☎🍴🛒📶 laverie
À prox. : 🎿 🏇

Location : (de déb. avr. à mi-oct.) - 10 🚐 - 6 🏠 - 2 cabanons.
Nuitée 45 à 100€ - Sem. 200 à 680€ - frais de réservation 12€

Adresse familiale, à l'ombre des chênes verts et proche du village.

Nature : 🐾 ♨♨
Loisirs : 🏃 ⛰ 🛶
Services : ☎🛒📶🖥

G P S E : 4.12489
N : 43.77081

JUNAS

30250 - Carte Michelin **339** J6 - 1 085 h. - alt. 75
▶ Paris 730 - Aigues-Mortes 30 - Aimargues 15 - Montpellier 42

⛰ Les Chênes

📞 0466809907, www.camping-les-chenes.com

Pour s'y rendre : 95 chemin des Tuileries-Basses (1,3 km au sud par D 140, rte de Sommières et chemin à gauche)

Ouverture : de mi-avr. à mi-oct.

1,7 ha (90 empl.) en terrasses, plat et peu incliné, pierreux, herbeux

Empl. camping : 24€ ✶✶ 🚗 🔲 (🖉) (10A) - pers. suppl. 5€ - frais de réservation 12€

Location : (de mi-avr. à mi-oct.) - 🚿 - 9 🚐 - 1 cabanon. Sem. 190 à 700€ - frais de réservation 12€

Bel ombrage sous les chênes verts avec emplacements en terrasses parfois délimités par de petits murs en pierre.

Nature : 🐾 ♨♨
Loisirs : 🏃 🛶
Services : ☎🛒📶🖥

G P S E : 4.123
N : 43.76921

⛰ L'Olivier

📞 0466803952, www.campinglolivier.fr

Pour s'y rendre : 112 rte de Congenies (sortie est par D 140 et chemin à dr.)

Ouverture : de déb. avr. à mi-oct.

1 ha (45 empl.) plat et peu incliné, pierreux, herbeux, rochers

Empl. camping : ✶ 9€ 🚗 – (🖉) (10A) 7€ - frais de réservation 12€

LANUÉJOLS

30750 - Carte Michelin **339** F4 - 334 h. - alt. 905
▶ Paris 656 - Alès 109 - Mende 68 - Millau 35

⛰ Domaine de Pradines

📞 0467827385, www.domaine-de-pradines.com - alt. 800

Pour s'y rendre : rte de Millau, D28 (3,5 km à l'ouest par D 28, rte de Roujarie et chemin à gauche)

Ouverture : de mi-juin à mi-sept.

150 ha/30 campables (75 empl.) peu incliné, plat, herbeux

Empl. camping : ✶ 9€ 🚗 – (🖉) (16A) 3€

Location : (de mi-avr. à fin oct.) - 2 🚐 - 7 🏠 - 4 tentes lodges - 1 tente sur pilotis - 4 yourtes - 1 cabane perchée - 4 gîtes - 4 appartements. Nuitée 55€ - Sem. 345 à 740€

En pleine nature, sur un vaste domaine, locatif varié parfois insolite. Emplacements souvent isolés avec un confort sanitaire modeste et très ancien.

Nature : 🐾 ⟨ ♨
Loisirs : 🍴 🏓 🏃 🎿 🛶
Services : ☎🛒📶 laverie 🧊 🚿

G P S E : 3.60837
N : 44.08731

LAROQUE-DES-ALBÈRES

66740 - Carte Michelin **344** I7 - 2 028 h. - alt. 100
▶ Paris 881 - Argelès-sur-Mer 11 - Le Boulou 14 - Collioure 18

🏔 Cybele Vacances Les Albères 🗺

☎ 04 68 89 23 64, www.camping-des-alberes.com 🗺
Pour s'y rendre : rte du Moulin-de-Cassagnes (sortie nord-est par D 2, rte d'Argelès-sur-Mer puis 0,4 km par chemin à dr.)
Ouverture : de déb. avr. à fin sept.
5 ha (340 empl.) fort dénivelé, en terrasses, peu incliné, plat, herbeux, pierreux
Empl. camping : (Prix 2018) 39€ ★★ ⛟ 🅴 🔌 (16A) - pers. suppl. 6€ - frais de réservation 30€
Location : (Prix 2018) (de déb. avr. à fin sept.) - 🗺 - 150 🛖 - 9 🏠 - 9 tentes lodges. Nuitée 40 à 199€ - Sem. 189 à 1 399€ - frais de réservation 30€

Relief très vallonné sous les chênes-lièges avec du locatif varié et même des mobile homes de grand confort équipés d'un jacuzzi privatif.

Nature : 🌊 ⌂ 🌳
Loisirs : 🍽 🍴 🏛 🎯 ⛵ 🚴 🏊 🛝 terrain multisports
Services : 🔌 📶 📷 🚿 réfrigérateurs
GPS E : 2.94418
N : 42.52404

LATTES

34970 - Carte Michelin **339** I7 - 15 804 h. - alt. 3
▶ Paris 766 - Montpellier 7 - Nîmes 54 - Béziers 68

🏔 Le Parc

☎ 04 67 65 85 67, www.leparccamping.com
Pour s'y rendre : rte de Mauguio (2 km au nord-est par D 172)
Ouverture : Permanent
1,6 ha (100 empl.) plat, herbeux, pierreux
Empl. camping : (Prix 2018) 30€ ★★ ⛟ 🅴 🔌 (10A) - pers. suppl. 6€ - frais de réservation 15€
Location : (Prix 2018) Permanent🚿 (1 mobile home) - 🗺 - 30 🛖. Sem. 210 à 790€ - frais de réservation 15€
🛖 borne AireService 3€

Emplacements très ombragé à proximité du tramway (ligne 3) pour Montpellier, Pérols ou Lattes.

Nature : ⌂ 🌳
Loisirs : 🍽 🍴 🎯 ⛵ 🏊 🛝
Services : 🔌 📷 📶 laverie
GPS E : 3.92578
N : 43.57622

Use this year's Guide.

LAURENS

34480 - Carte Michelin **339** E7 - 1 349 h. - alt. 140
▶ Paris 736 - Bédarieux 14 - Béziers 22 - Clermont-l'Hérault 40

🏔 Sites et Paysages L'Oliveraie 🚹

☎ 04 67 90 24 36, www.oliveraie.com
Pour s'y rendre : 1600 chemin de Bédarieux (2 km au nord et chemin à dr.)
Ouverture : de mi-mars à fin oct.
7 ha (110 empl.) en terrasses, peu incliné, plat, herbeux, pierreux
Empl. camping : (Prix 2018) 34€ ★★ ⛟ 🅴 🔌 (10A) - pers. suppl. 7€ - frais de réservation 20€

Location : (Prix 2018) (de mi-mars à fin oct.) - 16 🛖 - 2 🏠 - 2 tentes lodges. Nuitée 47 à 101€ - Sem. 329 à 712€ - frais de réservation 20€

En 2 grandes terrasses, terrain bien ombragé et bordé par un petit ruisseau avec sur la partie basse la piscine décorée d'oliviers.

Nature : 🌊 ⌂ 🌳
Loisirs : 🍽 🍴 nocturne ★★ ⛷ ⛵ 🚴 🏊 🛝 🏊 🐴
Services : 🔌 📷 🚿 📶 📦 🚿 🛒
GPS E : 3.18571
N : 43.53631

MARSEILLAN-PLAGE

34340 - Carte Michelin **339** G8
▶ Paris 765 - Montpellier 51 - Nîmes 100 - Carcassonne 114

🏔 Les Méditerranées - Beach Garden 🚹

☎ 04 67 21 92 83, www.lesmediterranees.com
Pour s'y rendre : av. des Campings, quartier : Plage ouest
Ouverture : de déb. avr. à fin sept.
14 ha (817 empl.) plat, herbeux, sablonneux
Empl. camping : 66€ ★★ ⛟ 🅴 🔌 (10A) - pers. suppl. 11€ - frais de réservation 30€
Location : (de déb. avr. à fin sept.) - 🦽 (1 mobile home) - 🗺 - 194 🛖 - 22 🏠. Nuitée 45 à 385€ - Sem. 315 à 2 695€

En bord de plage avec un restaurant panoramique, un bel espace animations, de beaux emplacements tentes et caravanes et du locatif grand confort.

Nature : 🌊 ⌂ 🌳 ⛰
Loisirs : 🍽 🍴 🏛 🎯 ★★ centre balnéo ☁ hammam jacuzzi ⛵ 🚴 🏊 🛝 🏊 terrain multisports
Services : 🔌 🚿 🚿 📶 laverie 🛒
À prox. : 🚲 accès libre aux 2 autres campings "Les Méditerranées-Beach"
GPS E : 3.538
N : 43.3058

🏔 Les Méditerranées - Beach Club Nouvelle Floride 🚹

☎ 04 67 21 94 49, www.lesmediterranees.com
Pour s'y rendre : 262 av. des Campings, quartier : Plage ouest
Ouverture : de déb. avr. à fin sept.
7 ha (475 empl.) plat, sablonneux, herbeux
Empl. camping : 66€ ★★ ⛟ 🅴 🔌 (10A) - pers. suppl. 11€ - frais de réservation 30€
Location : (de déb. avr. à fin sept.) - 🗺 - 160 🛖. Nuitée 45 à 305€ - Sem. 315 à 2 135€
🛖 borne eurorelais

Situation agréable en bord de plage avec un bel espace scénique pour les animations en soirée. Plusieurs "petits" villages paysagés de mobile homes de bon confort.

Nature : 🌊 ⌂ 🌳 ⛰
Loisirs : 🍽 🍴 🏛 🎯 salle d'animations ★★ 🎯 jacuzzi ⛵ 🚴 🏊 🛝 terrain multisports
Services : 🔌 📷 🚿 🚿 📶 laverie 🛒
À prox. : 🚲 accès libre aux 2 autres campings "Les Méditerranées-Beach"
GPS E : 3.54243
N : 43.30923

Les Méditerranées/Beach Garden

Les Méditerranées/Nouvelle Floride

Beach Club Charlemagne

⛰ Les Méditerranées - Beach Club Charlemagne

✆ 0467219249,
www.lesmediterranees.com

Pour s'y rendre : av. des Campings, quartier : Plage ouest (250 m de la plage)

Ouverture : de déb. avr. à fin sept.

6,7 ha (473 empl.) plat, herbeux, sablonneux

Empl. camping : 66€ ✦✦ ⛟ 🔲 ⚡ (10A) - pers. suppl. 11€ - frais de réservation 30€

Location : (de déb. avr. à fin sept.) - ⚡ - 173 🚐. Nuitée 45 à 280€ - Sem. 315 à 1 960€

🚐 borne eurorelais

Un ensemble homogène, ombragé avec un entretien et une tenue exemplaires.

Nature : 🗆 ♌♌
Loisirs : 🍴 ✕ 🖼 🅖 jacuzzi ⛷ 🔲 ⛴ ⛵
Services : ⛻ ♿ 🔥 🚾 🛒 laverie 🍱 ⛽ ⛽
À prox. : ⛸ 🎿 accès libre aux 2 autres campings "Les Méditerranées-Beach"

GPS E : 3.54337 N : 43.31052

⛰ Flower Le Robinson 👥

✆ 0467219007, www.camping-robinson.com

Pour s'y rendre : 34 quai de plaisance (plage est)

Ouverture : de fin avr. à mi-sept.

2,5 ha (179 empl.) plat, sablonneux

Empl. camping : 55€ ✦✦ ⛟ 🔲 ⚡ (10A) - pers. suppl. 10€

Location : (de fin avr. à mi-sept.) - 71 🚐 - 3 chalets sur pilotis. Nuitée 54 à 208€ - Sem. 239 à 1 456€

🚐 borne artisanale

Au bord de la plage, tout près du port et en retrait du centre animé de la station balnéaire, emplacements ombragés et locatif de bon confort.

Nature : 🐟 ♌♌
Loisirs : 🍴 ✕ 🅖 ⛸ ⛷ 🚲 ⛴ 🏓 terrain multisports
Services : ⛻ ♿ 🛜 ⛽ ⛽
À prox. : 🎣 ⚓

GPS E : 3.55782 N : 43.31912

⛰ Le Galet

✆ 0467219561, www.camping-galet.com

Pour s'y rendre : av. des Campings, quartier : Plage centre (à 250 m de la plage)

Ouverture : de déb. avr. à fin sept.

3 ha (258 empl.) plat, herbeux, sablonneux

Empl. camping : (Prix 2018) 47€ ✦✦ ⛟ 🔲 ⚡ (10A) - pers. suppl. 8€ - frais de réservation 25€

Location : (Prix 2018) (de déb. avr. à fin sept.) - 70 🚐. Nuitée 27 à 143€ - Sem. 185 à 998€ - frais de réservation 25€

🚐 borne artisanale

Un terrain tout en longueur qui mène à un joli parc aquatique.

Nature : 🐟 🗆 ♌
Loisirs : ✕ ⛷ ⛴ ⛵ terrain multisports
Services : ⛻ ♿ 🛜 laverie
À prox. : 🛒 🍴 ⛴

GPS E : 3.5421 N : 43.31108

⛺ La Créole

✆ 0467219269, www.campinglacreole.com

Pour s'y rendre : 74 av. des Campings, quartier Plage centre

Ouverture : de fin mars à mi-oct.

1,5 ha (118 empl.) plat, herbeux, sablonneux

Empl. camping : 41€ ✦✦ ⛟ 🔲 ⚡ (10A) - pers. suppl. 8€ - frais de réservation 20€

Location : (de fin mars à mi-oct.) - ⚡ - 24 🚐 - 1 bungalow toilé. Nuitée 30 à 130€ - Sem. 200 à 890€ - frais de réservation 20€

🚐 borne artisanale - 8 🔲 15€

Terrain ombragé tout en longueur jusqu'à la jolie plage de sable avec quelques emplacements vue mer.

Nature : 🐟 🗆 ♌♌ ⛰
Loisirs : ✕ ⛷ terrain multisports
Services : ⛻ 🛜 🔲
À prox. : ⛴ 🍴 ⛴ 🐎

GPS E : 3.54375 N : 43.31047

MARVEJOLS

48100 - Carte Michelin **330** H7 - 5 053 h. - alt. 650
▶ Paris 573 - Espalion 64 - Florac 50 - Mende 28

⚑ V.V.F. Villages et Camping de l'Europe

✆ 04 66 32 03 69, www.vvf-villages.fr
Pour s'y rendre : lieu-dit : Le Colagnet (1,3 km à l'est par D 999, D 1, rte de Montrodat et chemin à dr., au bord du Colagnet - par A 75, sortie 38)

3 ha (100 empl.) plat, herbeux
Location : - 9 🏠 - 41 gîtes.

Emplacements bien ombragés au bord de la rivière, gîtes de confort simple et chalets mieux aménagés.

Nature : 🌊 ⌂ 🌳🌳		
Loisirs : 🏠 👥🎣 ✖️ 🏊 terrain multisports	**G**	E : 3.30432
Services : 🅿 🚿 🚰 🛜 laverie	**P**	
À prox. : 🛒	**S**	N : 44.55075

MASSILLARGUES-ATTUECH

30140 - Carte Michelin **339** J4 - 675 h. - alt. 156
▶ Paris 726 - Montpellier 56 - Nîmes 43 - Avignon 78

⚑ Le Fief d'Anduze ⚑⚑

✆ 04 66 61 81 71, www.campinglefief.fr
Pour s'y rendre : à Attuech, 195 chemin du Plan-d'Eau (1,5 km au nord, par D 982, près d'un étang)

Ouverture : de déb. avr. à fin sept.

5,5 ha (88 empl.) plat, herbeux

Empl. camping : (Prix 2018) 30€ ✶✶ 🚐 📺 [‡] (10A) - pers. suppl. 6€ - frais de réservation 10€

Location : (Prix 2018) Permanent - 17 🚐 - 1 🏠. Sem. 260 à 800€ - frais de réservation 10€

Emplacements bien ombragés avec de grands espaces verts pour les jeux ou la détente près des paillotes du bar.

Nature : 🌊 🎱		
Loisirs : 🍹 ✖️ 🏠 👬 🏊 hammam jacuzzi 🎣 🏊 terrain multisports	**G**	E : 4.02804
Services : 🔑 🚿 🛜 📺 🚮	**P**	
À prox. : 🎣	**S**	N : 44.02897

Utilisez le guide de l'année.

MATEMALE

66210 - Carte Michelin **344** D7 - 294 h. - alt. 1 514
▶ Paris 855 - Font-Romeu-Odeillo-Via 20 - Perpignan 92 - Prades 46

⚠ Le Lac

✆ 04 68 30 94 49, www.camping-lac-matemale.com - alt. 1 540 - peu d'emplacements pour tentes et caravanes
Pour s'y rendre : 1,7 km au sud-ouest par D 52, rte des Angles et rte à gauche, à 150 m du lac

Ouverture : Permanent

3,5 ha (120 empl.) en terrasses, vallonné, plat et peu incliné, bois, herbeux, pierreux

Empl. camping : (Prix 2018) ✶ 6€ 🚐 📺 5€ - [‡] (6A) 5€
Location : (Prix 2018) Permanent - 5 🏠. Sem. 260 à 580€
🚐 borne artisanale 3€ - 8 📺 20€

Site agréable de montagne sous une jolie forêt de sapins et un accès direct au village par chemin piétonnier. Bon confort des chalets.

Nature : 🌊 🌳🌳		
Loisirs : 🏠 🎣 jacuzzi 🎣	**G**	E : 2.10673
Services : 🔑 🚿 👥 🛜 laverie	**P**	
À prox. : 🍹 🚴 🎣 ✖️ 🏊 🛶 🐎 🎣 base de loisirs à 800 m	**S**	N : 42.58164

MAUREILLAS-LAS-ILLAS

66480 - Carte Michelin **344** H8 - 2 649 h. - alt. 130
▶ Paris 873 - Gerona 71 - Perpignan 31 - Port-Vendres 31

⚠ Les Bruyères

✆ 04 68 83 26 64, www.camping-lesbruyeres-66.fr
Pour s'y rendre : rte de Céret (1,2 km à l'ouest par D 618)

Ouverture : de mi-mars à mi-nov.

4 ha (104 empl.) fort dénivelé, en terrasses, plat, herbeux, pierreux

Empl. camping : 29€ ✶✶ 🚐 📺 [‡] (10A) - pers. suppl. 6€ - frais de réservation 8€

Location : (de mi-mars à mi-nov.) - 18 🚐 - 4 🏠 - 5 tentes lodges. Nuitée 45 à 135€ - Sem. 270 à 740€ - frais de réservation 10€

🚐 borne artisanale 3€

Cadre boisé sous les chênes-lièges mais préférer les emplacements les plus éloignés de la route.

Nature : ⌂ 🌳🌳		
Loisirs : 🏠 🎣 🏃 🏊	**G**	E : 2.79509
Services : 🔑 🚿 👥 🚰 🛜 📺	**P**	
À prox. : 🐎	**S**	N : 42.49249

*Benutzen Sie die **Grünen MICHELIN-Reiseführer**, wenn Sie eine Stadt oder Region kennenlernen wollen.*

MENDE

48000 - Carte Michelin **330** J7 - 12 285 h. - alt. 731
▶ Paris 584 - Clermont-Ferrand 174 - Florac 38 - Langogne 46

⚑ Tivoli

✆ 06 74 15 57 47, www.campingtivoli.com
Pour s'y rendre : chemin de Tivoli (2 km au sud-ouest par N 88, rte de Rodez et chemin à dr., devant le centre commercial, au bord du Lot)

Ouverture : Permanent

1,8 ha (100 empl.) plat, herbeux

Empl. camping : (Prix 2018) 21€ ✶✶ 🚐 📺 [‡] (6A) - pers. suppl. 6€
Location : (Prix 2018) (de fin avr. à mi-sept.) - 🏊 - 18 🚐. Nuitée 60 à 80€ - Sem. 215 à 680€ - frais de réservation 25€
🚐 borne artisanale

En contrebas de la route de Rodez et face au complexe sportif accessible par une passerelle au-dessus du Lot.

Nature : 🌳🌳		
Loisirs : 🏠 🎣 🏊	**G**	E : 3.45693
Services : 🔑 🚮 🚿 🛜 📺 🛒	**P**	
À prox. : ✖️	**S**	N : 44.51268

MEYRUEIS

48150 - Carte Michelin **330** I9 - 853 h. - alt. 698
▶ Paris 643 - Florac 36 - Mende 57 - Millau 43

▲▲▲ Le Capelan

✆ 04 66 45 60 50, www.campingcapelan.com

Pour s'y rendre : rte de Millau (1 km au nord-ouest par D 996, au bord de la Jonte)

Ouverture : de déb. mai à mi-sept.

2,8 ha (100 empl.) plat, herbeux

Empl. camping : 31 € ♦♦ ⇔ 回 囚 (16A) - pers. suppl. 7 € - frais de réservation 16 €

Location : (de déb. avr. à mi-sept.) - ❄ (de déb. juil. à fin août) - 44 ⬚. Nuitée 53 à 128 € - Sem. 210 à 899 € - frais de réservation 19 €

⬚ borne artisanale 5 € - ⬚ 囚 21 €

Dans les gorges de la Jonte avec une passerelle pour accéder au village et la piscine de l'autre côté de la route.

	GPS
Nature : ≤ ⬚ ♀♀	E : 3.4199
Loisirs : ♈ ⬚ ⬚ ⬚ ⬚ ⬚ escalade	N : 44.1859
Services : ⬚ ⬚ 3 sanitaires individuels (⬚ wc) ⬚ ⬚ ⬚ laverie ⬚	

▲▲▲ Hip Village Le Jardin des Cévennes

✆ 04 66 45 60 51, www.campinglejardindescevennes.com

Pour s'y rendre : rte de la Brèze (500 m à l'est par D 57, rte de Campis, près de la Brèze)

Ouverture : de fin avr. à fin sept.

1,5 ha (91 empl.) peu incliné, herbeux

Empl. camping : (Prix 2018) 33 € ♦♦ ⇔ 回 囚 (12A) - pers. suppl. 7 € - frais de réservation 15 €

Location : (Prix 2018) (de fin avr. à fin sept.) - 21 ⬚ - 2 bungalows toilés - 6 tentes lodges. Nuitée 35 à 113 € - Sem. 198 à 795 € - frais de réservation 18 €

⬚ borne eurorelais - ⬚ 囚 17 €

Cadre verdoyant et fleuri.

	GPS
Nature : ⬚ ≤ ⬚ ♀	E : 3.43536
Loisirs : ♈ ⬚ ⬚ ⬚	N : 44.18079
Services : ⬚ ⬚ ⬚ laverie ⬚	
À prox. : ⬚ ⬚	

▲ La Via Natura La Cascade

✆ 04 66 45 45 45, www.camping-la-cascade.com/

Pour s'y rendre : lieu-dit : Salvinsac (3,8 km au nord-est par D 996, rte de Florac et chemin à dr., près de la Jonte et d'une cascade)

Ouverture : de mi-avr. à fin sept.

1 ha (54 empl.) vallonné, plat, herbeux

Empl. camping : 17 € ♦♦ ⇔ 回 囚 (10A) - pers. suppl. 4 €

Location : Permanent - 13 ⬚ - 2 cabanons. Nuitée 42 à 100 € - Sem. 188 à 698 €

⬚ borne artisanale 5 €

Dans la vallée de la Jonte, avec une démarche qui se tourne vers l'écologie.

	GPS
Nature : ⬚ ≤ ♀	E : 3.45567
Loisirs : ⬚ ⬚ ⬚	N : 44.19645
Services : ⬚ ⬚ ⬚ 回	

▲ Le Pré de Charlet

✆ 04 66 45 63 65, www.camping-cevennes-meyrueis.com

Pour s'y rendre : rte de Florac (1 km au nord-est par D 996, au bord de la Jonte)

Ouverture : de fin avr. à fin sept.

2 ha (70 empl.) en terrasses, peu incliné, plat, herbeux

Empl. camping : (Prix 2018) 20 € ♦♦ ⇔ 回 囚 (8A) - pers. suppl. 4 €

Location : (Prix 2018) (de fin avr. à fin sept.) - 6 ⬚ - 3 bungalows toilés - 1 cabanon. Nuitée 35 à 55 € - Sem. 188 à 498 €

⬚ borne artisanale 4 €

En contrebas de la route, emplacements en partie le long de la rivière avec un sanitaire rénové.

	GPS
Nature : ⬚ ♀♀	E : 3.43831
Loisirs : ⬚ ⬚ ⬚	N : 44.18587
Services : ⬚ ⬚ ⬚ laverie	
À prox. : ⬚	

MIREPEISSET

11120 - Carte Michelin **344** I3 - 767 h. - alt. 39
▶ Paris 791 - Carcassonne 50 - Montpellier 100 - Perpignan 81

▲▲▲ Homair Vacances Le Val de Cesse

(pas d'emplacement tentes et caravanes)

✆ 04 68 46 14 94, www.camping-levaldecesse.fr

Pour s'y rendre : lieu-dit : Le Val de Cesse (1.3 km à l'ouest du bourg)

3 ha (114 empl.) plat, herbeux, pierreux

Location : (Prix 2018) (de déb. avr. à mi-sept.) - 83 ⬚. Sem. 125 à 800 €

Bordé par la rivière avec baignade, bien ombragé pour des mobile homes classiques.

	GPS
Nature : ⬚ ⬚ ♀♀	E : 2.89009
Loisirs : ♈ ✕ nocturne ⬚ ⬚ ⬚ ⬚	N : 43.2866
Services : ⬚ ⬚ ⬚ 回 ⬚ ⬚	
À prox. : ⬚ ⬚ ⬚	

MONTAGNAC

34530 - Carte Michelin **339** F8 - 4 082 h. - alt. 41
▶ Paris 736 - Montpellier 46 - Nîmes 95 - Toulouse 210

▲▲▲ Village Vacances VFF Montagnac-Méditerranée

(pas d'emplacement tentes et caravanes)

✆ 04 67 24 07 28, www.vvf-villages.fr

Pour s'y rendre : à Bessilles (5.2 km à l'est)

8,5 ha (160 empl.) vallonné

Location : (Prix 2018) Permanent ⬚ (1 mobile home) - 84 ⬚ - 76 gîtes. Sem. 315 à 1 500 € - frais de réservation 45 €

Au milieu des vignes, sous une jolie pinède vallonnée, un parc locatif avec des mobile homes de bon confort et des gîtes un peu plus anciens, parfois mitoyens.

	GPS
Nature : ⬚ ♀♀	E : 3.53718
Loisirs : ♈ ✕ ⬚ ⬚ ⬚ ⬚ ⬚	N : 43.47547
Services : ⬚ ⬚ 回 ⬚ laverie ⬚	
À prox. : ⬚ ⬚ base de loisirs paintball parcours dans les arbres	

MONTCLAR

11250 - Carte Michelin **344** E4 - 186 h. - alt. 210
▶ Paris 766 - Carcassonne 19 - Castelnaudary 41 - Limoux 15

⚠ Yelloh! Village Domaine d'Arnauteille ♣♣

✆ 0468268453, www.camping-arnauteille.com

Pour s'y rendre : 2,2 km au sud-est par D 43

Ouverture : de mi-avr. à fin sept.

115 ha/12 campables (198 empl.) fort dénivelé, en terrasses, peu incliné, plat, herbeux, pierreux

Empl. camping : 43€ ♦♦ ⇔ 🔲 🔌 (10A) - pers. suppl. 9€
Location : (de mi-avr. à fin sept.) - 104 🛏 - 11 🏠. Nuitée 39 à 241€ - Sem. 245 à 1 687€
🚐 borne artisanale
Dans un vaste et agréable domaine vallonné, sur une colline, avec des emplacements ombragés ou plein soleil.

Nature : 🌳 ⌁ ⌂ ♀
Loisirs : ✗ 🏛 🎣 ✳ jacuzzi 🚣 ⛵ 🎯 🐎 terrain multisports
Services : ⛽ ▥ ♨ 🕾 laverie 🧺 🧹
G P S E : 2.26107 N : 43.12431

Renouvelez votre guide chaque année.

NARBONNE

11100 - Carte Michelin **344** J3 - 51 227 h. - alt. 13
▶ Paris 787 - Béziers 28 - Carcassonne 61 - Montpellier 96

⚠ Yelloh! Village Les Mimosas ♣♣

✆ 0468490372, www.lesmimosas.com

Pour s'y rendre : chaussée de Mandirac (7 km au sud, après le quartier : La Nautique)

Ouverture : de déb. avr. à mi-oct.

9 ha (266 empl.) plat, herbeux, pierreux, sablonneux

Empl. camping : 54€ ♦♦ ⇔ 🔲 🔌 (6A) - pers. suppl. 9€
Location : (de déb. avr. à mi-oct.) - 124 🛏 - 4 studios. Nuitée 33 à 247€ - Sem. 231 à 1 729€
🚐 borne artisanale - 🛒 🔌16€
Emplacements au milieu des vignes du Languedoc avec, au bar, une sympathique carte des vins de viticulteurs locaux.

Nature : 🌳 ⌂ ♀
Loisirs : ✗ 🏛 🎣 salle d'animations ✳ 🎯 ⛵ 🐎 🎯 ⚜ terrain multisports
Services : ⛽ ♨ ⚒ 🕾 laverie 🧹
À prox. : 🐎
G P S E : 3.02592 N : 43.13658

⚠ La Nautique

✆ 0468904819, www.campinglanautique.com

Pour s'y rendre : chemin de La Nautique (6 km au sud, à Port La Nautique)

Ouverture : de déb. mars à fin oct.

16 ha (390 empl.) plat et peu incliné, herbeux, gravillons

Empl. camping : 50€ ♦♦ ⇔ 🔲 🔌 (10A) - pers. suppl. 9€ - frais de réservation 9€
Location : (de déb. mars à fin oct.) - 🛇 (4 mobile homes) - 100 🛏 - 14 cabanons. Nuitée 47 à 156€ - Sem. 264 à 1 092€ - frais de réservation 9€
🚐 borne artisanale

Au bout du terrain, de beaux espaces verts dominant l'étang de Bages et de Sigean. Sanitaires individuels propres mais un peu exigus.

Nature : ⌁ ⌂ ♀
Loisirs : ✗ 🏛 🎣 ✳ 🚣 🐎 🎯 ⛵ 🎯 🐟 pédalos
Services : ⛽ 390 sanitaires individuels (🚿 wc) 🧴 ⚒ 🕾 laverie 🧺 🧹
À prox. : 🎣
G P S E : 3.00424 N : 43.14703

NASBINALS

48260 - Carte Michelin **330** G7 - 498 h. - alt. 1 180
▶ Paris 573 - Aumont-Aubrac 24 - Chaudes-Aigues 27 - Espalion 34

⚠ Municipal

✆ 0466325187, mairie.nasbinals@laposte.net - alt. 1 100

Pour s'y rendre : rte de St-Urcize (1 km au nord-ouest par D 12)

2 ha (75 empl.) peu incliné, plat, herbeux

Nature : 🌳 ⌁
Loisirs : 🎣
Services : ⛽ 🕾
À prox. : 🐎
G P S E : 3.04016 N : 44.67022

NAUSSAC

48300 - Carte Michelin **330** L6 - 206 h. - alt. 920
▶ Paris 575 - Grandrieu 26 - Langogne 3 - Mende 46

⚠ Les Terrasses du Lac

✆ 0466692962, www.naussac.com

Pour s'y rendre : au lac de Naussac (au nord du bourg par D 26, rte de Saugues et à gauche, à 200 m du lac (accès direct))

Ouverture : de déb. mai à fin sept.

6 ha (180 empl.) en terrasses, peu incliné, plat, herbeux

Empl. camping : (Prix 2018) 23€ ♦♦ ⇔ 🔲 🔌 (10A) - pers. suppl. 5€
Location : (Prix 2018) (de mi-avr. à mi-oct.) - 3 🛏 - 12 🏠 - 17 🏕 - 9 cabanons. Nuitée 49 à 124€ - Sem. 230 à 835€ - frais de réservation 10€
🚐 borne artisanale - 🛒 🔌15€
Tous les emplacements et locatifs bénéficient d'une vue panoramique sur le lac de 1 000 ha.

Nature : 🌳 ⌁ le lac
Loisirs : ✗ 🏛 ✳ 🎯 ⛵
Services : ⛽ ♨ 🕾 laverie 🧹
À prox. : 🚣 🛶 (plage) 🐟 🎣
G P S E : 3.83505 N : 44.73478

Choisissez votre restaurant sur restaurant.michelin.fr

PALAU-DE-CERDAGNE

66340 - Carte Michelin **344** C8 - 411 h. - alt. 1 250
▶ Paris 851 - Barcelona 160 - Perpignan 101 - Toulouse 176

⚠ Las Aspéras

✆ 0468046208, www.camping-pyrenees-cerdagne.com

Pour s'y rendre : av. du Poulligou (600 m au sud)

Ouverture : Permanent

1,2 ha (66 empl.) plat, herbeux

Empl. camping : 23€ ♦♦ ⇔ 🔲 🔌 (10A) - pers. suppl. 5€

Location : Permanent - 7 ⌂. Nuitée 55 à 68€ - Sem. 350 à 480€

Près d'un ruisseau, au calme avec ombrage et soleil sur les emplacements.

Nature : 🐟 ♀
Loisirs : 🎱
Services : ⌐ 🏢 📶 🖥

G P S E : 1.96648
N : 42.41189

PALAU-DEL-VIDRE

66690 - Carte Michelin **344** I7 - 2 736 h. - alt. 26
▶ Paris 867 - Argelès-sur-Mer 8 - Le Boulou 16 - Collioure 15

🏕 Le Haras

☎ 0468221450, www.camping-le-haras.com

Pour s'y rendre : 1 ter av. Juliot-Curie, au Domaine St-Galdric (sortie nord-est par D 11)

Ouverture : de déb. avr. à fin sept.

2,3 ha (131 empl.) plat, herbeux

Empl. camping : 41€ ✹✹ 🚐 🔲 🔌 (10A) - pers. suppl. 8€ - frais de réservation 20€

Location : (de déb. avr. à fin sept.) - 14 ⌂ - 4 bungalows toilés - 1 tente lodge. Nuitée 30 à 140€ - Sem. 210 à 980€ - frais de réservation 20€

🔧 borne artisanale

Magnifique parc ombragé de palmiers, eucalyptus, pins maritimes et joliment fleuri. Préférer les emplacements au font du terrain, plus au calme.

Nature : 🏕 🌳
Loisirs : 🍴✗ 🎱 🚴 🏊 bibliothèque mini ferme
Services : ⌐ 🚐 🚾 📶 laverie ♿

G P S E : 2.96474
N : 42.57575

        🏔 ... 🏔

Terrains particulièrement agréables dans leur ensemble et dans leur catégorie.

PALAVAS-LES-FLOTS

34250 - Carte Michelin **339** I7 - 5 996 h. - alt. 1
▶ Paris 765 - Montpellier 13 - Sète 41 - Lunel 33

🏕 Tohapi Palavas ♠♣

(pas d'emplacement tentes et caravanes)

☎ 0825002030, www.tohapi.fr - peu d'emplacements pour tentes et caravanes

Pour s'y rendre : rte de Maguelone (rive droite)

8 ha (438 empl.) plat, sablonneux, gravillons

Location : (Prix 2018) (de déb. avr. à fin sept.) - ♿ (1 mobile home) - 213 ⌂ - 152 tentes lodges. Nuitée 65 à 240€ - Sem. 450 à 1 650€ - frais de réservation 10€

Village de mobile homes en bordure de plage.

Nature : 🐟 ⛰
Loisirs : 🍴✗ 🎱 🚴 centre balnéo 〰 hammam jacuzzi 🚴 🏊 kite-surf plongée paddle terrain multisports
Services : ⌐ 🚐 📶 laverie 🔧 ♿

G P S E : 3.9095
N : 43.51963

🏕 Club Airotel Les Roquilles ♠♣

☎ 0467680347, www.camping-les-roquilles.fr ✖

Pour s'y rendre : 267 bis av. St-Maurice (rte de Carnon-Plage, à 100 m de la plage)

Ouverture : de mi-avr. à mi-sept.

15 ha (792 empl.) plat, herbeux, gravier

Empl. camping : (Prix 2018) 46€ ✹✹ 🚐 🔲 🔌 (6A) - pers. suppl. 6€ - frais de réservation 34€

Location : (Prix 2018) (de mi-avr. à mi-sept.) - ♿ (1 mobile home) - ✖ - 100 ⌂ - 50 ⌂. Sem. 270 à 1 335€ - frais de réservation 34€

🔧 borne artisanale

Quelques emplacements au bord d'un étang parfois lieu de pêche des flamants roses. Balades en Harley Davidson.

Nature : 🏕 ♀
Loisirs : 🍴✗ 🎱 🚴 jacuzzi 🚴 🏊 🏊 terrain multisports
Services : ⌐ 🚐 🔧 📦 🔧 point d'informations touristiques

G P S E : 3.96037
N : 43.53851

PÉZENAS

34120 - Carte Michelin **339** F8 - 7 443 h. - alt. 15
▶ Paris 734 - Agde 22 - Béziers 24 - Lodève 39

🏕 Ecolodge Les Cigales

☎ 0467989799, www.campinglescigales.com

Pour s'y rendre : à Conas, 2 Impasse des Cigalous (2.5 km au sud par D 13, rte d'Agde - A 75 sortie 59.1 : Castelnau-Le-G.)

Ouverture : de fin mars à déb. nov.

0,5 ha (40 empl.) plat, herbeux, pierreux

Empl. camping : 34€ ✹✹ 🚐 🔲 🔌 (10A) - pers. suppl. 7€

Location : (de fin mars à déb. nov.) - 20 ⌂ - 6 bungalows toilés. Nuitée 40 à 130€ - Sem. 199 à 910€

Au centre du village avec des emplacements bien ombragés et du locatif varié de bon confort.

Nature : 🏕 🌳🌳
Loisirs : 🍴✗ 🏊
Services : ⌐ 📶 🖥

G P S E : 3.41781
N : 43.44233

LES PLANTIERS

30122 - Carte Michelin **339** H4 - 252 h. - alt. 400
▶ Paris 667 - Alès 48 - Florac 46 - Montpellier 85

🏕 Caylou

☎ 0466839285, www.camping-caylou.fr

Pour s'y rendre : lieu-dit : Le Caylou (1 km au nord-est par D 20, rte de Saumane, au bord du Gardon au Borgne)

Ouverture : de mi-avr. à mi-oct.

4 ha (75 empl.) en terrasses, peu incliné, plat, herbeux

Empl. camping : 18€ ✹✹ 🚐 🔲 🔌 (10A) - pers. suppl. 5€

Location : (de déb. avr. à fin oct.) - 4 ⌂ - 2 gîtes. Nuitée 45 à 90€ - Sem. 280 à 600€

Gîtes de bon confort et belle terrasse du bar dominant la vallée, la piscine, le camping.

Nature : 🐟 ⟨🏕 🌳🌳
Loisirs : 🍴✗ 🎱 salle d'animations 🚴 🏊 〰
Services : ⌐ 🔧 🔧 📶

G P S E : 3.73101
N : 44.12209

PORT-CAMARGUE

30240 - Carte Michelin **339** J7
▶ Paris 762 - Montpellier 36 - Nîmes 47 - Avignon 93

⋀⋀⋀ Yelloh! Village Les Petits Camarguais ♠♣

📞 04 66 51 16 16, www.yellohvillage-petits-camarguais.com - peu d'emplacements pour tentes et caravanes

Pour s'y rendre : rte de l'Espiguette

Ouverture : de déb. avr. à déb. nov.

10 ha (510 empl.) plat, herbeux, sablonneux

Empl. camping : (Prix 2018) 57€ ★★ ⇌ 🗉 ⚡ (10A) - pers. suppl. 9€
Location : (Prix 2018) Permanent ♿ (3 mobile homes) - 482 🚐. Nuitée 45 à 289€ - Sem. 315 à 2 023€

Terrain divisé en 3 parties distinctes traversées par la route pour la plage. Côté "Secret de Camargue", cadre plus verdoyant, fleuri et calme. Navette gratuite pour la plage.

Nature : 🏕 ♨♨
Loisirs : 🍴 ✕ 🎱 🎮 salle d'animations ⛹ jacuzzi 🚴 🏊 🛝 terrain multisports
Services : 🔑 🛁 🔽 🛜 laverie 🧺 🧹
À prox. : 🛒 🐴

G P S E : 4.14456 N : 43.50472

⋀⋀⋀ Abri de Camargue

📞 04 66 51 54 83, www.abridecamargue.fr - peu d'emplacements pour tentes et caravanes

Pour s'y rendre : 320 rte de l'Espiguette (près du Casino (jeux) et face au parc d'attractions)

Ouverture : de déb. avr. à fin sept.

4 ha (277 empl.) plat, herbeux, sablonneux

Empl. camping : 28€ ★★ ⇌ 🗉 ⚡ (6A) - pers. suppl. 7€ - frais de réservation 24€
Location : (de déb. avr. à fin sept.) - ♿ (1 mobile home) - 100 🚐. Nuitée 42 à 184€ - Sem. 294 à 1 288€ - frais de réservation 24€
🚐 borne eurorelais 7€ - 🚐 ⚡22€

Beaucoup de mobile homes et quelques places pour tentes et caravanes. Navette gratuite pour les plages.

Nature : 🏕 ♨♨
Loisirs : 🍴 ✕ 🎮 ⛹ 🏊 🛝 cinéma terrain multisports
Services : 🔑 🛜 laverie 🧺 🧹
À prox. : 🛒 🐴 parc d'attractions casino

G P S E : 4.1488 N : 43.52272

⋀⋀⋀ Tohapi La Marine ♠♣

(pas d'emplacement tentes et caravanes)

📞 04 30 05 17 58, www.tohapi.fr

Pour s'y rendre : 2196 rte de l'Espiguette

5 ha plat, sablonneux, herbeux

Location : (Prix 2018) (de déb. avr. à fin sept.) - ♿ (1 mobile home) - 278 🚐 - 15 tentes lodges. Nuitée 48 à 234€ - Sem. 336 à 1 638€ - frais de réservation 15€

Préférer les emplacements éloignés de la route. Navette gratuite pour les plages.

Nature : ♨♨
Loisirs : 🍴 ✕ 🎱 🎮 ⛹ centre balnéo ⇌ hammam jacuzzi 🏊 🛝
Services : 🔑 🛁 🛜 laverie 🧺 🧹
À prox. : 🛒 🐴 parc d'attractions casino

G P S E : 4.1457 N : 43.5074

PORTIRAGNES-PLAGE

34420 - Carte Michelin **339** F9
▶ Paris 768 - Montpellier 72 - Carcassonne 99 - Nîmes 121

⋀⋀⋀ Les Sablons ♠♣

📞 04 67 90 90 55, www.les-sablons.com

Pour s'y rendre : Plage Est (sortie nord)

Ouverture : de fin mars à fin sept.

15 ha (800 empl.) plat, herbeux, sablonneux, étang

Empl. camping : (Prix 2018) 60€ ★★ ⇌ 🗉 ⚡ (10A) - pers. suppl. 15€ - frais de réservation 25€

Location : (Prix 2018) (de fin mars à fin sept.) - ♿ (2 mobile homes) - 325 🚐 - 85 🏠 - 41 tentes lodges. Sem. 950 à 2 350€ - frais de réservation 25€

En bordure de plage et d'un étang, des locatifs grand confort et une immense "plaine de jeux", idéal pour le sport et la détente.

Nature : 🏕 ♨♨ ⛰
Loisirs : 🍴 ✕ 🎱 🎮 ⛹ 🎣 ⇌ 🚴 🍴 🏊 🛝 discothèque tir à l'arc skate-parc terrain multisports
Services : 🔑 🛁 🛜 laverie 🧺 🧹
À prox. : 🎣 🎿

G P S E : 3.36469 N : 43.2788

⋀⋀⋀ Les Mimosas ♠♣

📞 04 67 90 92 92, www.mimosas.com

Pour s'y rendre : à Port-Cassafières (2 km au sud)

Ouverture : de déb. juin à déb. sept.

7 ha (400 empl.) plat, herbeux

Empl. camping : 52€ ★★ ⇌ 🗉 ⚡ (8A) - pers. suppl. 13€ - frais de réservation 37€

Location : (de déb. juin à déb. sept.) - ♿ (1 mobile home) - 217 🚐. Nuitée 49 à 295€ - Sem. 343 à 2 065€ - frais de réservation 37€

🚐 borne raclet 2€

Eloignés des routes, emplacements bien alignés, ombragés avec un grand parc aquatique et ludique équipé de très nombreux toboggans. Navettes gratuites pour les plages.

Nature : ⛲ 🏕 ♨♨
Loisirs : 🍴 ✕ 🎱 🎮 ⛹ 🎣 ⇌ 🚴 🏊 🛝 terrain multisports
Services : 🔑 🛁 17 sanitaires individuels (🚿 wc) 🛜 laverie 🧺 🧹 cases réfrigérées
À prox. : 🐴 🎿

G P S E : 3.37305 N : 43.2915

⋀⋀⋀ L'Émeraude

📞 04 67 90 93 76, www.campinglemeraude.com

Pour s'y rendre : station, 1 km au nord par rte de Portiragnes, à l'entrée de la station

Ouverture : de mi-mai à déb. sept.

4,2 ha (280 empl.) plat, herbeux, sablonneux

Empl. camping : (Prix 2018) 40€ ★★ ⇌ 🗉 ⚡ (5A) - pers. suppl. 8€ - frais de réservation 25€

Location : (Prix 2018) (de mi-mai à déb. sept.) - 170 ⬛. Sem. 210 à 1 255€ - frais de réservation 25€

Emplacements bien ombragés, alignés avec un agréable parc aquatique.

Nature : 🌳🌿
Loisirs : 🍽❌🏠 ◨ 🛝♨️🛶⛵terrain multisports
Services : ⚡👶📶 laverie 🧺🛒 cases réfrigérées réfrigérateurs
À prox. : 🐎

GPS E : 3.36199
N : 43.28766

PORT-LA-NOUVELLE

11210 - Carte Michelin **344** J4 - 5 635 h. - alt. 2
▶ Paris 812 - Carcassonne 79 - Montpellier 117 - Perpignan 49

🏔 Capfun Domaine Côte Vermeille

(pas d'emplacement tentes et caravanes)
📞 04 68 48 05 80, www.campings-capfun.com

Pour s'y rendre : chemin des Vignes (3.3 km au sud)

5 ha (300 empl.) plat

Location : (Prix 2018) (de déb. avr. à fin sept.) - 300 ⬛. Nuitée 42 à 100€ - Sem. 168 à 2 632€ - frais de réservation 27€

Isolé, face à la plage, un village de mobile homes de confort varié.

Nature : 🌊🌿
Loisirs : 🍽❌🏠 ◨ 🏃♨️🚴🎬 🛶⛵
petite salle de cinéma terrain multisports
Services : ⚡📶 laverie 🧺🛒

GPS E : 3.04933
N : 43.00007

Avant de vous installer, consultez les tarifs en cours, affichés obligatoirement à l'entrée du terrain, et renseignez-vous sur les conditions particulières de séjour. Les indications portées dans le guide ont pu être modifiées depuis la mise à jour.

PREIXAN

11250 - Carte Michelin **344** E4 - 604 h. - alt. 165
▶ Paris 775 - Carcassonne 11 - Montpellier 163 - Perpignan 128

🏔 Village Grand Sud

📞 04 68 26 88 18, www.camping-grandsud.com

Pour s'y rendre : rte de Limoux (2.5 km au nord par la D 118)

Ouverture : de fin avr. à déb. sept.

4 ha (110 empl.) plat, herbeux

Empl. camping : 27€ ✦✦ 🚗 ▣ 🔌 (6A) - pers. suppl. 7€ - frais de réservation 20€
Location : (de fin avr. à déb. sept.) - 12 ⬛ - 26 🏠 - 3 cabanons. Nuitée 62 à 130€ - Sem. 250 à 890€ - frais de réservation 20€

Entre vignes et étangs. Préférer les emplacements les plus éloignés de la route.

Nature : 🌿🌿
Loisirs : 🍽🏠 ♨️🛶🎿🛝🛶
Services : ⚡👶📶 laverie 🛒

GPS E : 2.29306
N : 43.15661

QUILLAN

11500 - Carte Michelin **344** E5 - 3 352 h. - alt. 291
▶ Paris 797 - Andorra-la-Vella 113 - Ax-les-Thermes 55 - Carcassonne 52

🏔 Municipal la Sapinette

📞 04 68 20 13 52, www.villedequillan.fr

Pour s'y rendre : 21 av. René-Delpech (0.8 km à l'ouest par D 79, rte de Ginoles)

Ouverture : de déb. avr. à fin oct.

1,8 ha (90 empl.) en terrasses, peu incliné, plat, herbeux

Empl. camping : (Prix 2018) 13€ ✦✦ 🚗 ▣ 🔌 (16A) - pers. suppl. 5€
Location : (Prix 2018) (de déb. avr. à fin oct.) - 26 🏠. Nuitée 40€ - Sem. 250 à 540€
🚐 borne artisanale 4€ - 4 ▣ 14€ - 🔌18€

Emplacements en terrasses avec un petit ombrage et sur la partie haute, le village de chalets.

Nature : 🌊 ⛰🌿
Loisirs : 🏠 ♨️🛶🎿
Services : ⚡🛶📶 laverie

GPS E : 2.17585
N : 42.87404

The Guide changes, so renew your guide every year.

REMOULINS

30210 - Carte Michelin **339** M5 - 2 405 h. - alt. 27
▶ Paris 685 - Alès 50 - Arles 37 - Avignon 23

🏔 Club Airotel La Sousta 👥

📞 04 66 37 12 80, www.lasousta.com

Pour s'y rendre : 28 av. du Pont-du-Gard (2 km au nord-ouest, rte du Pont du Gard, rive droite)

Ouverture : de mi-mars à fin oct.

14 ha (320 empl.) vallonné, peu incliné, plat, herbeux, sablonneux

Empl. camping : 34€ ✦✦ 🚗 ▣ 🔌 (6A) - pers. suppl. 10€ - frais de réservation 15€
Location : (de mi-mars à fin oct.) - 60 ⬛ - 4 🏠. Nuitée 75 à 90€ - Sem. 310 à 1 140€ - frais de réservation 15€
🚐 borne artisanale

Agréable cadre boisé en bordure du Gardon, proche du Pont du Gard.

Nature : 🌊 ♒
Loisirs : 🍽❌◨ 🏃♨️🐎🛝🛶⇆ parcours sportif
Services : ⚡🛶🏧👶📶 laverie 🧺🛒

GPS E : 4.54
N : 43.94

🏔 Capfun Domaine de La Soubeyranne 👥

📞 04 66 37 03 21, www.soubeyranne.com

Pour s'y rendre : 1110 rte de Beaucaire (2,5 km au sud par N 86 et D 986, rive droite)

4 ha (200 empl.) plat, herbeux, pierreux

Location : (Prix 2018) (de déb. avr. à déb. sept.) - 270 ⬛. Nuitée 47 à 179€ - Sem. 189 à 2 520€ - frais de réservation 27€

Nombreux mobile homes bien alignés et une aire de jeux pour les enfants très bien aménagée.

Nature : 🌊 ☐🌿🌿
Loisirs : 🍽❌◨ 🏃♨️✂️🛝🛶⛵terrain multisports
Services : ⚡🛶🏧👶📶 laverie 🛒

GPS E : 4.56236
N : 43.93031

ROCHEGUDE

30430 - Carte Michelin **339** K3 - 209 h. - alt. 110
▶ Paris 692 - Montpellier 118 - Nîmes 58 - Privas 82

⛰ Universal ♣♟

📞 04 66 24 41 26, www.camping-universal.com

Pour s'y rendre : chemin de Belbuis, lieu-dit : Les Moulens (sur D 51, rte de St-Victor-Malcap)

Ouverture : de fin avr. à mi-sept.

4,5 ha (90 empl.) plat, herbeux, pierreux, gravillons

Empl. camping : 20€ ✿✿ ⇆ 🔲 ⚡ (10A) - pers. suppl. 5€ - frais de réservation 20€

Location : (de fin avr. à mi-sept.) - 21 🛏 - 1 🏠 - 1 chalet sur pilotis - 5 bungalows toilés - 2 cabanes perchées. Nuitée 60 à 90€ - Sem. 420 à 750€ - frais de réservation 20€

Emplacements bien ombragés au bord de l'Auzon et de grands espaces verts pour les jeux et la détente. En face vente de produits locaux : vin, fruits et légumes.

Nature : ⌂ ♤♤
Loisirs : 🍸 🍴 🏠 ⛹ 🏊 🎣
Services : ⚬➡ 🛒 🛜 laverie

G P S E : 4.27447
N : 44.23782

ROCLES

48300 - Carte Michelin **330** K6 - 209 h. - alt. 1 085
▶ Paris 581 - Grandrieu 20 - Langogne 8 - Mende 44

⛰ Rondin des Bois

📞 04 66 69 06 94, www.camping-rondin.com - alt. 1 000

Pour s'y rendre : lieu-dit : Palhere (3 km au nord par rte de Bessettes et chemin de Vaysset à dr.)

Ouverture : de déb. mai à mi-oct.

2 ha (78 empl.) en terrasses, peu incliné, plat, pierreux, rochers

Empl. camping : 21€ ✿✿ ⇆ 🔲 ⚡ (10A) - pers. suppl. 5€
Location : (de déb. mai à mi-oct.) - 6 🛏 - 8 🏠 - 2 tentes lodges - 5 tentes sur pilotis. Nuitée 31 à 101€ - Sem. 205 à 760€

Dans un site sauvage, emplacements et chalets en bois aux toits végétalisés, à proximité du lac de Naussac.

Nature : ≋ ← ⌂ ♤
Loisirs : 🍸 🍴 🏠 ⛹ 🎯 🏊 parcours dans les arbres
Services : ⚬➡ 🛒 🛜 laverie 🐾
À prox. : 🚴 ⛵

G P S E : 3.78105
N : 44.73814

ROQUEFEUIL

11340 - Carte Michelin **344** C6 - 276 h. - alt. 900
▶ Paris 813 - Montpellier 226 - Carcassonne 78

⛰ La Mare aux Fées

📞 06 16 47 06 65, www.camping-lamareauxfees.com

Pour s'y rendre : r. de l'Église (au bourg)

Ouverture : de déb. avr. à fin oct.

0,5 ha (23 empl.) terrasse, plat, herbeux

Empl. camping : 16€ ✿✿ ⇆ 🔲 ⚡ (16A) - pers. suppl. 5€ - frais de réservation 9€

Location : (de déb. avr. à fin oct.) - ♿ (1 chalet) - 2 🛏 - 6 🏠. Nuitée 50 à 70€ - Sem. 275 à 590€ - frais de réservation 9€

🛏 borne AireService 4€

Cadre soigné à l'ombre du clocher de l'église !

Nature : ≋ ⌂ ♀
Loisirs : 🍴 jacuzzi 🚲 🏊 (petite piscine)
Services : ⚬➡ 🛒 ⛽ 🛜 🛜 📧 🐾
À prox. : 🍴

G P S E : 1.9952
N : 42.8193

ROQUEFORT-DES-CORBIÈRES

11540 - Carte Michelin **344** I5 - 947 h. - alt. 50
▶ Paris 813 - Montpellier 118 - Carcassonne 78 - Perpignan 45

⛰ Gîtes La Capelle

(pas d'emplacement tentes et caravanes)

📞 06 19 50 95 26, gitelacapelle.com

Pour s'y rendre : 4 r. la Capelle (au bourg)

0,3 ha plat

Location : (de mi-mars à fin déc.) - 🅿 - 13 gîtes. Nuitée 110 à 280€ - Sem. 270 à 1 290€

Petit ensemble de gîtes mitoyens autour de la piscine.

Nature : ≋ ♤♤
Loisirs : 🏠 🏊
Services : 🛒 🛜 📧

G P S E : 2.95345
N : 42.9897

LA ROQUE-SUR-CÈZE

30200 - Carte Michelin **339** M3 - 173 h. - alt. 90
▶ Paris 663 - Alès 53 - Bagnols-sur-Cèze 13 - Bourg-St-Andéol 35

⛰ Les Cascades ♣♟

📞 04 66 82 72 97, www.campinglescascades.com

Pour s'y rendre : 6 rte de Donnat (600 m au sud par D 166, accès direct à la Cèze)

Ouverture : de mi-avr. à fin sept.

5 ha (136 empl.) en terrasses, plat et peu incliné, incliné, herbeux

Empl. camping : 45€ ✿✿ ⇆ 🔲 ⚡ (10A) - pers. suppl. 5€
Location : (de mi-avr. à fin sept.) - 53 🛏. Nuitée 35 à 145€ - Sem. 245 à 1 015€

🛏 borne artisanale

Emplacements en terrasses, bien ombragés, qui descendent jusqu'à la rivière avec rochers, plage et baignade.

Nature : ≋ ⌂ ♤♤
Loisirs : 🍸 🍴 nocturne ⛹ 🏊 🏊 (plage) 🎣 terrain multisports
Services : ⚬➡ 🛒 ⛽ 🛜 🛜 laverie 🐾

G P S E : 4.52532
N : 44.18825

LE ROZIER

48150 - Carte Michelin **330** H9 - 145 h. - alt. 400
▶ Paris 632 - Florac 57 - Mende 63 - Millau 23

⛰ Les Prades ♣♟

📞 05 65 62 62 09, www.campinglesprades.com 📧 12720 Peyreleau

Pour s'y rendre : 4.2 km à l'ouest par la D 187, rive gauche du Tarn

Ouverture : de déb. mai à mi-sept.

3,5 ha (150 empl.) plat, herbeux, sablonneux

Empl. camping : (Prix 2018) 40€ ✿✿ ⇆ 🔲 ⚡ (6A) - pers. suppl. 9€ - frais de réservation 17€

Location : (Prix 2018) (de déb. mai à mi-sept.) - ✈ - 30 🚐
- 3 🛏 - 2 bungalows toilés. Nuitée 45 à 55 € - Sem. 250 à 980 €
- frais de réservation 18 €

🅖 borne AireService

En contrebas de la route, emplacements en partie au bord du Tarn avec un bon confort sanitaire et un joli petit parc aquatique et ludique.

Nature : 🌳🌳
Loisirs : 🍸✗ 🤸 🛶 🚴 🎣 ⛷ ⛵
Services : 🔌 🗄 👕 🛜 🏧 🚿 🚮

GPS E : 3.17332
N : 44.1996

⛰ Le St Pal et son Parc Longue Lègue

🅟 0565626446, www.campingsaintpal.com ✉ 12720 Mostuéjouls

Pour s'y rendre : lieu-dit : La Muse-St-Pal, rte des Gorges-du-Tarn (1 km au nord-ouest par D 907, rte de Millau)

Ouverture : de mi-juin à déb. sept.

2 ha (105 empl.) plat, herbeux

Empl. camping : (Prix 2018) 37 € ✮✮ 🚗 📺 💧 (10A) - pers. suppl. 7 €
- frais de réservation 15 €

Location : (Prix 2018) (de mi-juin à déb. sept.) - 25 🚐 - 3 tentes lodges. Nuitée 42 à 210 € - Sem. 58 à 287 € - frais de réservation 15 €

En contrebas de la route, emplacements en partie le long du Tarn avec un bon confort sanitaire. Département de l'Aveyron (12).

Nature : 🌳🌳 ⛰
Loisirs : 🍸✗ 🛖 ⛷ 🎣 ✈
Services : 🔌 🗄 🛜 laverie 🚿

GPS E : 3.19822
N : 44.19639

ST-ALBAN-SUR-LIMAGNOLE

48120 - Carte Michelin **330** I6 - 1 519 h. - alt. 950
▶ Paris 558 - Montpellier 214 - Mende 39 - Le Puy-en-Velay 76

⛰ Le Galier

🅟 0466315880, www.campinglegalier.fr

Pour s'y rendre : rte de St-Chély-d'Apcher (1,5 km à l'ouest par D 987 rte d'Aumont-Aubrac - Par A 75, sortie 34)

Ouverture : de mi-mars à fin sept.

12 ha/3,5 campables (77 empl.) en terrasses, plat, herbeux, bois

Empl. camping : 21 € ✮✮ 🚗 📺 💧 (6A) - pers. suppl. 5 € - frais de réservation 5 €

Location : (de déb. mai à fin sept.) - ✈ - 11 🚐 - 2 cabanons. Sem. 180 à 600 € - frais de réservation 10 €

Emplacements en partie en sous-bois et traversés par le Limagnole.

Nature : 🦌🌿
Loisirs : 🍸 🎣 🎮 (découverte en saison)
Services : 🔌 🗄 🛜 🏧

GPS E : 3.37167
N : 44.7752

ST-BAUZILE

48000 - Carte Michelin **330** J8 - 579 h. - alt. 750
▶ Paris 598 - Chanac 19 - Florac 29 - Marvejols 30

⛺ Municipal les Berges de Bramont

🅟 0466470597, www.saint-bauzile.fr

Pour s'y rendre : à Rouffiac (1,5 km au sud-ouest par D 41, N 106, rte de Mende, près du Bramont et du complexe sportif)

1,5 ha (50 empl.) terrasse, plat, herbeux

Location : - 4 🏠.

🅖 borne AireService

Cadre verdoyant avec des chalets en bois de bon confort.

Nature : ≤ 🌿
Loisirs : 🛖 🤸
Services : 🗄 🚿 👕 🛜
À prox. : 🍸✗ 🚴 ✂

GPS E : 3.49428
N : 44.47666

ST-CYPRIEN-PLAGE

66750 - Carte Michelin **344** J7
▶ Paris 870 - Montpellier 173 - Perpignan 21 - Carcassonne 135

⛰ Cala Gogo 👥

🅟 0468210712, www.camping-le-calagogo.fr

Pour s'y rendre : av. Armand-Lanoux - Les Capellans (4 km au sud, au bord de la plage)

Ouverture : Permanent

11 ha (649 empl.) plat, herbeux, pierreux, sablonneux

Empl. camping : (Prix 2018) 49 € ✮✮ 🚗 📺 💧 (10A) - pers. suppl. 10 € - frais de réservation 25 €

Location : (Prix 2018) Permanent♿, (1 mobile home) - 219 🚐. Nuitée 30 à 210 € - Sem. 198 à 1 495 € - frais de réservation 25 €

🅖 borne eurorelais

Encore beaucoup d'emplacements tentes et caravanes en bord de plage avec un confort sanitaire un peu ancien et du locatif standard autour d'un espace piscine paysagé.

Nature : 🏖 🌿 ⛰
Loisirs : 🍸✗ 🛖 🎮 🤸 🚴 ✂ 🎣
discothèque
Services : 🔌 🗜 🗄 🚿 👕 🛜 laverie 🚮 🚿

GPS E : 3.03789
N : 42.59998

⛰ Le Soleil de La Méditerranée 👥

🅟 0468210797, camping-soleil-mediterranee.com - peu d'emplacements pour tentes et caravanes

Pour s'y rendre : 2 r. Ste-Beuve (4 km à l'est par la D 22)

Ouverture : Permanent

12 ha (520 empl.) plat, herbeux

Empl. camping : 45 € ✮✮ 🚗 📺 💧 (10A) - pers. suppl. 10 €

Location : (Prix 2018) Permanent♿, (2 mobile homes) - 300 🚐 - 50 🏠. Sem. 295 à 1 520 €

🅖 borne eurorelais

Cadre verdoyant avec quelques places pour tentes et caravanes. Préférer les emplacements les plus éloignés de la route.

Nature : 🏖 🌳🌳
Loisirs : 🍸✗ 🛖 🎮 🤸 hammam 🚴 🚲 🎣
🎣 ⛷ terrain multisports
Services : 🔌 🗄 🚿 🛜 laverie 🚮 🚿

GPS E : 3.02745
N : 42.62676

ST-GENIS-DES-FONTAINES

66740 - Carte Michelin **344** I7 - 2 792 h. - alt. 63
▶ Paris 878 - Argelès-sur-Mer 10 - Le Boulou 10 - Collioure 17

⚕ Fagamis L'Oasis

🕽 04 68 89 75 29, www.fagamis.fr

Pour s'y rendre : av. des Albères (au sud du bourg par D 2)

Ouverture : de déb. mai à fin sept.

1 ha (71 empl.) plat, herbeux

Empl. camping : 30 € ✶✶ ⇆ 🔲 🔌 (16A) - pers. suppl. 7 € - frais de réservation 20 €

Location : (de déb. mai à fin sept.) - 12 🛏. Nuitée 32 à 93 € - Sem. 220 à 650 € - frais de réservation 20 €

🛱 3 🔲 13 €

Agréable pinède en zone pavillonnaire et locatif mobile homes neufs et anciens.

Nature : 🌳🌳	
Loisirs : 🛶⇆🚲🛷	**G P S** E : 2.9245
Services : 🔌🛆🛜 laverie	N : 42.54093
À prox. : ✂	

ST-GEORGES-DE-LÉVÉJAC

48500 - Carte Michelin **330** H9 - 259 h. - alt. 900
▶ Paris 603 - Florac 53 - Mende 45 - Millau 49

⚕ Cassaduc

🕽 04 66 48 85 80, www.camping-cassaduc.com

Pour s'y rendre : rte du Point-Sublime (1,4 km au sud-est)

Ouverture : de mi-juin à mi-sept.

2,2 ha (75 empl.) en terrasses, peu incliné, plat, herbeux, pierreux

Empl. camping : 23 € ✶✶ ⇆ 🔲 🔌 (16A) - pers. suppl. 6 €

Location : (de mi-juin à mi-sept.) - 🛷 - 2 🛏. Nuitée 85 € - Sem. 430 à 495 €

🛱 borne artisanale 5 € - 6 🔲 18 €

À 500 m du Point Sublime, emplacements en terrasses sous une jolie pinède.

Nature : 🐾 ≤ 🌳🌳	
Loisirs : 🖼 ≋s jacuzzi	**G P S** E : 3.24282
Services : 🔌🛒🛆🛜🖥	N : 44.31532
À prox. : 🍷✗	

To make the best possible use of this Guide,
READ CAREFULLY THE EXPLANATORY NOTES.

ST-GERMAIN-DU-TEIL

48340 - Carte Michelin **330** H8 - 810 h. - alt. 760
▶ Paris 601 - Montpellier 166 - Mende 46 - Millau 58

⚕ Les Chalets du Plan d'Eau de Booz

(pas d'emplacement tentes et caravanes)

🕽 04 66 48 48 48, chaletsdebooz.com

Pour s'y rendre : Plan d'eau de Booz (8 km au sud-est par D 52 et sur D 809, après l'autoroute)

5 ha plat, herbeux, plan d'eau

Location : (Prix 2018) (de déb. avr. à fin oct.) - ♿ (1 chalet) - 43 🛏. Sem. 220 à 700 €

Village de chalets en bois dans un cadre verdoyant avec pour certains une jolie vue sur une boucle du Lot. Possibilité de séjours 1/2 pension.

Nature : ♀	
Loisirs : 🍷✗🖼🏃 jacuzzi 🛶🏊🦆🛝 pédalos	**G P S** E : 3.19764
Services : 🔌🛒🎬🛜 laverie	N : 44.45787
À prox. : 🚲parcours dans les arbres	

ST-GILLES

30800 - Carte Michelin **339** L6 - 13 100 h. - alt. 10
▶ Paris 734 - Avignon 51 - Marseille 107 - Nîmes 21

⚕⚕ La Chicanette

🕽 04 66 87 28 32, www.campinglachicanette.fr

Pour s'y rendre : 7 r. de La Chicanette

Ouverture : de déb. avr. à fin oct.

1,5 ha (89 empl.) plat, herbeux

Empl. camping : (Prix 2018) 28 € ✶✶ ⇆ 🔲 🔌 (6A) - pers. suppl. 6 € - frais de réservation 7 €

Location : (Prix 2018) (de déb. avr. à fin oct.) - 17 🛏 - 5 🏠 - 2 bungalows toilés - 4 appartements - 1 studio. Nuitée 35 à 150 € - Sem. 180 à 900 € - frais de réservation 15 €

Cadre ombragé pratiquement au centre du village.

Nature : 🐾 ⬜🌳🌳	
Loisirs : 🍷 🎡	**G P S** E : 4.42968
Services : 🔌🛆🛷🛜🖥	N : 43.67571
À prox. : 🏊✗	

*La catégorie (1 à 5 tentes, **noires** ou **rouges**) que nous attribuons aux terrains sélectionnés dans ce guide est une appréciation qui nous est propre. Elle ne doit pas être confondue avec le classement (1 à 5 étoiles) établi par les services officiels.*

ST-HIPPOLYTE-DU-FORT

30170 - Carte Michelin **339** I5 - 3 803 h. - alt. 165
▶ Paris 703 - Alès 35 - Anduze 22 - Nîmes 48

⚕⚕ Graniers

🕽 06 59 74 24 88, www.camping-graniers.fr

Pour s'y rendre : 4 km au nord-est par rte d'Uzès puis D 133, rte de Monoblet et chemin à dr., au bord d'un ruisseau

Ouverture : Permanent

2 ha (50 empl.) en terrasses, peu incliné, plat, herbeux, pierreux

Empl. camping : ✶ ⇆ 🔲 22 € – 🔌 (6A) 4 €

Location : Permanent - 8 🛏 - 3 🏠 - 3 bungalows toilés. Nuitée 40 à 75 € - Sem. 280 à 650 €

🛱 borne artisanale

Installé au milieu des bois, au calme avec des emplacements bien ombragés.

Nature : 🐾 🌳🌳	
Loisirs : 🍷✗🛶🚲🛷	**G P S** E : 3.8874
Services : 🔌🛆🛜🖥🛆	N : 43.98089

ST-JEAN-DE-CEYRARGUES

30360 - Carte Michelin **339** K4 - 158 h. - alt. 180

▶ Paris 700 - Alès 18 - Nîmes 33 - Uzès 21

⛰ Les Vistes

✆ 0466832809, www.lesvistes.com

Pour s'y rendre : 1 rte des Vistes (500 m au sud par D 7)

Ouverture : de déb. avr. à mi-nov.

6 ha/3 campables (52 empl.) non clos, peu incliné, plat, herbeux, pierreux

Empl. camping : 31€ ♣♣ ⇔ 🔲 ⅏ (10A) - pers. suppl. 8€

Location : (de déb. avr. à mi-nov.) - ♿ (1 chalet) - Ⓟ - 6 🛏
- 11 🏠 - 3 bungalows toilés - 2 cabanons. Nuitée 50 à 110€
- Sem. 310 à 750€

Belle situation panoramique offrant pour de nombreux emplacements une vue sur les Cévennes. Locatif variés.

Nature : 🏞 ≤ Mt-Aigoual ♧♧
Loisirs : 🏡 ♣♣ 🛶
Services : ⚡ Ⓟ ⇥♨⚲ 🛒 réfrigérateurs

G P S E : 4.23016 N : 44.04734

ST-JEAN-DU-GARD

30270 - Carte Michelin **339** I4 - 2 687 h. - alt. 183

▶ Paris 675 - Alès 28 - Florac 54 - Lodève 91

⛰ Mas de la Cam ♣♣

✆ 0466851202, www.camping-cevennes.info

Pour s'y rendre : rte de St-André-de-Valborgne (3 km au nord-ouest par D 907, au bord du Gardon de St-Jean)

Ouverture : de fin avr. à fin sept.

6 ha (200 empl.) en terrasses, peu incliné, herbeux

Empl. camping : (Prix 2018) 46€ ♣♣ ⇔ 🔲 ⅏ (6A) - pers. suppl. 11€
- frais de réservation 17€

Location : (Prix 2018) (de fin avr. à fin sept.) - ⚲ - 6 gîtes. Nuitée
55 à 96€ - Sem. 385 à 670€ - frais de réservation 17€

De grands espaces verts pour les jeux ou la détente au bord du Gardon, bien adaptées aux jeunes enfants.

Nature : 🏞 ≤ 🛖 ♧♧
Loisirs : 🍴 ✗ 🏡 🔲 nocturne ♣♣ ⇥ ✱ 🛶
🏊 🛶 parcours dans les arbres tyrolienne
terrain multisports
Services : ⚡♨⚲ laverie ⚗ ⚖
À prox. : 🏊

G P S E : 3.85319 N : 44.1123

⛰ Les Sources

✆ 0688395485, www.campingsources.fr

Pour s'y rendre : rte de Mialet (1 km au nord-est par D 983 et D 50)

Ouverture : de déb. avr. à fin sept.

3 ha (92 empl.) en terrasses, peu incliné, herbeux

Empl. camping : 32€ ♣♣ ⇔ 🔲 ⅏ (10A) - pers. suppl. 7€ - frais de réservation 20€

Location : (de déb. avr. à fin oct.) - 4 🛏 - 15 🏠 - 4 bungalows toilés. Nuitée 60 à 131€ - Sem. 420 à 917€ - frais de réservation 25€

🔌 borne artisanale 4€ - 5 🔲 19€ - 🚐 ⅏ 17€

Ambiance familiale et emplacements très ombragés.

Nature : 🏞 🛖 ♧♧
Loisirs : 🍴 ✗ 🏡 ♣♣ 🛶
Services : ⚡ 🏛 ♨⚲ 🛁 🛜 laverie ⚖

G P S E : 3.89363 N : 44.11503

⛺ La Forêt

✆ 0466853700, www.camping-cevennes-nature.com

Pour s'y rendre : rte de Falguières (2 km au nord par D 983, rte de St-Étienne-Vallée-Française puis 2 km par D 333)

Ouverture : de mi-mai à déb. sept.

3 ha (65 empl.) fort dénivelé, en terrasses, plat, herbeux, pierreux

Empl. camping : (Prix 2018) 35€ ♣♣ ⇔ 🔲 ⅏ (6A) - pers. suppl. 8€
- frais de réservation 10€

Location : (Prix 2018) (de mi-mai à déb. sept.) - ⚲ - 3 🏠
- 2 cabanons. Sem. 300 à 600€ - frais de réservation 10€

Emplacements souvent très ombragés à l'orée d'une grande et jolie pinède.

Nature : 🏞 ≤ 🛖 ♒
Loisirs : ♣♣ 🛶
Services : ⚡♨🛜 🛒 réfrigérateurs

G P S E : 3.89072 N : 44.12948

ST-VICTOR-DE-MALCAP

30500 - Carte Michelin **339** K3 - 683 h. - alt. 140

▶ Paris 680 - Alès 23 - Barjac 15 - La Grand-Combe 25

⛰ Domaine de Labeiller ♣♣

✆ 0466241527, www.labeiller.fr

Pour s'y rendre : 1701 rte de Barjac (1 km au sud-est, accès par D 51, rte de St-Jean-de-Maruéjols et chemin à gauche)

6 ha (216 empl.) en terrasses, plat, herbeux, pierreux

Location : - 13 🛏 - 7 mobile homes (sans sanitaire).

Agréable chênaie autour d'un joli petit parc aquatique.

Nature : 🏞 🛖 ♧♧
Loisirs : 🍴 ✗ 🏡 ♣♣ ⇥ 🛶 🏊 🛶
Services : ⚡♨⚲ laverie
À prox. : ✗ 🚐

G P S E : 4.22727 N : 44.24154

STE-ÉNIMIE

48210 - Carte Michelin **330** I8 - 525 h. - alt. 470

▶ Paris 612 - Florac 27 - Mende 28 - Meyrueis 30

⛰ Le Couderc

✆ 0466485053, www.campingcouderc.fr

Pour s'y rendre : rte de Millau (2 km au sud-ouest par D 907bis, au bord du Tarn)

2,5 ha (130 empl.) en terrasses, plat, herbeux, pierreux

Location : - 7 🛏 - 2 bungalows toilés.

🔌 borne eurorelais

En contrebas de la route avec des emplacements tout le long du Tarn et très ombragés.

Nature : ♧♧ 🏔
Loisirs : 🍴 🛶 🚐
Services : ⚡ 🏛 ♨🛜 laverie

G P S E : 3.39917 N : 44.35194

Wilt u een stad of streek bezichtigen ?
*Raadpleed de **groene Michelingidsen**.*

⚠ Yelloh! Village Nature et Rivière

🕿 04 66 48 57 36, www.camping-nature-riviere.com

Pour s'y rendre : rte de Millau (3 km au sud-ouest par D 907bis, au bord du Tarn)

Ouverture : de mi-avr. à mi-sept.

2 ha (77 empl.) en terrasses, plat, herbeux, pierreux

Empl. camping : (Prix 2018) 37 € ✶✶ ⊐ 回 🗗 (16A) - pers. suppl. 8 €
Location : (Prix 2018) (de mi-avr. à mi-sept.) - 14 ⌸ - 1 ⌂ - 10 bungalows toilés. Nuitée 29 à 179 € - Sem. 203 à 1 253 €

En contrebas de la route, emplacements en terrasses le long du Tarn.

Nature : 🐾 ⌐ 🗘🗘
Loisirs : ▼ 🏊🚴🏊🦆
Services : 🗝 🛁 ☏ laverie 🖫 réfrigérateurs

G P S E : 3.39504
N : 44.34583

⚠ Le Site Locanoë

🕿 04 66 48 58 08, www.gorges-du-tarn.fr

Pour s'y rendre : lieu-dit : Castelbouc (7 km au sud-est par D 907b, rte d'Ispagnac puis 500 m par rte de Castelbouc à dr., au bord du Tarn)

Ouverture : de mi-avr. à fin sept.

1 ha (60 empl.) non clos, peu incliné, plat, herbeux

Empl. camping : 22 € ✶✶ ⊐ 回 🗗 (10A) - pers. suppl. 4 €
Location : (de mi-mai à mi-sept.) - 10 ⌸ - 2 tipis. Sem. 310 à 580 €

Bordé par la rivière et face à une mini cascade dans un rocher !

Nature : 🐾 ⌐ 🗘🗘🖦
Loisirs : 🦆
Services : ☏ 🖫

G P S E : 3.46571
N : 44.34423

STE-MARIE

66470 - Carte Michelin **344** J6 - 4 641 h. - alt. 4
▶ Paris 845 - Argelès-sur-Mer 24 - Le Boulou 37 - Perpignan 14

🏔 Le Palais de la Mer ♣🔢

🕿 04 68 73 07 94, www.palaisdelamer.com

Pour s'y rendre : av. de Las-Illes (600 m au nord de la station, à 150 m de la plage (accès direct))

Ouverture : de mi-mai à fin sept.

8 ha/3 campables (200 empl.) plat, herbeux, sablonneux

Empl. camping : 51 € ✶✶ ⊐ 回 🗗 (10A) - pers. suppl. 11 € - frais de réservation 35 €
Location : (de mi-mai à fin sept.) - 100 ⌸ - 2 appartements. Nuitée 28 à 178 € - Sem. 196 à 1 250 € - frais de réservation 35 €

Cadre verdoyant, fleuri, ombragé avec de l'autre côté de la petite rivière l'espace bar et l'importante ferme animalière : chevaux, paons, chèvres, ânes...

Nature : 🐾 ⌐ 🗘🗘
Loisirs : ▼ ✗ 🏊 nocturne 🏃 🔥 hammam jacuzzi 🏊 ✗ 🏊 mini ferme terrain multisports
Services : 🗝 🛁 ☏ 🗝 ☏ laverie 🖫 🖫

G P S E : 3.03307
N : 42.74045

🏔 Oléla La Pergola ♣🔢

🕿 02 51 20 41 94, www.campinglapergola.com

Pour s'y rendre : 21 av. Frédéric-Mistral (500 m de la plage)

Ouverture : de déb. avr. à fin sept.

3,5 ha (181 empl.) plat, herbeux, sablonneux

Empl. camping : 44 € ✶✶ ⊐ 回 🗗 (10A) - pers. suppl. 5 €
Location : (de déb. avr. à fin sept.) - 🖢 (1 mobile home) - 109 ⌸ - 5 tentes lodges. Nuitée 22 à 212 € - Sem. 154 à 1 484 €

En 2 parties distinctes de chaque côté de la route, emplacements bien ombragés et locatif standard.

Nature : 🗘🗘🗘
Loisirs : ▼ ✗ 🏊 🗗 🏊 nocturne 🏃 🏊🚴 🏊
Services : 🗝 🛁 🗝 🗝 ☏ laverie 🖫 réfrigérateurs
À prox. : 🍴

 **G P S** E : 3.03315
N : 42.72672

SAISSAC

11310 - Carte Michelin **344** E2 - 923 h. - alt. 467
▶ Paris 756 - Carcassonne 25 - Castelnaudary 25 - Foix 81

🏔 La Porte d'Autan

🕿 04 68 76 36 08, www.laportedautan.fr

Pour s'y rendre : r. Boris Vian

Ouverture : de mi-avr. à mi-oct.

2,3 ha (78 empl.) plat, herbeux

Empl. camping : 22 € ✶✶ ⊐ 回 🗗 (6A) - pers. suppl. 5 € - frais de réservation 10 €

Location : (de déb. avr. à mi-oct.) - 6 ⌸ - 3 bungalows toilés. Nuitée 45 à 85 € - Sem. 260 à 630 € - frais de réservation 10 €

Cadre verdoyant avec pour certains emplacements une vue panoramique sur la plaine du Lauraguais et la chaîne des Pyrénées.

Nature : 🐾 ⇐ ⌐ 🗘🗘
Loisirs : ✗ 🏊🚴 🏊 poneys
Services : 🗝 ☏ 🖫 🖫

G P S E : 2.16145
N : 43.36217

SÉRIGNAN

34410 - Carte Michelin **339** E9 - 6 631 h. - alt. 7
▶ Paris 765 - Agde 22 - Béziers 11 - Narbonne 34

🏔 Village Vacances Sunêlia Le Mas des Lavandes

(pas d'emplacement tentes et caravanes)

🕿 04 67 39 75 88, www.masdeslavandes.fr

Pour s'y rendre : chemin de la Mer (D 19 rte de Valras-Plage - A9 sortie Béziers-est)

3,8 ha plat

Location : (Prix 2018) Permanent🖢 (1 mobile home) - 🅿 - 300 ⌸. Nuitée 36 à 204 € - Sem. 252 à 1 428 € - frais de réservation 25 €

Mobile homes de bon confort mais préférer les plus éloignés de la route. Locatifs en petits villages paysagés parfois interdits aux véhicules.

Nature : ⌐ 🗘🗘
Loisirs : ▼ ✗ 🗗 🏃 jacuzzi 🏊🚴 ✗ 🏊 🏊 terrain multisports
Services : 🗝 ☏ 🖫 🖫
À prox. : 🛒

G P S E : 3.2831
N : 43.25732

Teneinde deze gids beter te kunnen gebruiken,
DIENT U DE VERKLARENDE TEKST AANDACHTIG TE LEZEN.

⚏ Capfun L'Hermitage

(pas d'emplacement tentes et caravanes)

☎ 04 67 32 61 81, www.club-hermitage.fr

Pour s'y rendre : chemin de la Mer (à côté du Mas des Lavandes à Sérignan)

3 ha (200 empl.) plat, gravier, herbeux

Location : (Prix 2018) (de déb. mars à fin oct.) - ᕕ (1 mobile home) - ⓟ - 174 ⌷ - 3 ⌂. Sem. 230 à 1 650 € - frais de réservation 27 €

Village de mobile homes dont certains en site paysagé sans véhicule.

Nature : ↯↯	
Loisirs : ♈ ✕ ⌂ ☺ ⚐ ⛷ ⛴ ⚲ ⊟ ⊠ △ terrain multisports	**G** E : 3.28344
Services : ⚊ ⚲ 🛜 laverie ⚐	**P** N : 43.25973 **S**
À prox. : 🛒	

⚏ Capfun Le Domaine Les Vignes d'Or 🔱

(pas d'emplacement tentes et caravanes)

☎ 04 67 32 37 18, www.vignesdor.com

Pour s'y rendre : chemin de l'Hermitage (3,5 km au sud, prendre la contre-allée située derrière le garage Citroën)

4 ha (250 empl.) plat, herbeux, pierreux

Location : (Prix 2018) (de déb. avr. à mi-sept.) - ᕕ (2 mobile homes) - 209 ⌷ - 10 ⌂. Nuitée 74 à 361 € - Sem. 147 à 2 527 € - frais de réservation 27 €

Beaucoup de mobile homes autour du parc aquatique et vaste espace vert pour les jeux ou la détente.

Nature : ↯↯	
Loisirs : ♈ ✕ ☺ ⛴ ⚲ ⊟ ⊠ △ terrain multisports	**G** E : 3.2757
Services : ⚊ ⚲ 🛜 laverie ⚐	**P** N : 43.2593 **S**
À prox. : 🛒 ⚲ 🐎	

⚏ Le Paradis

☎ 04 67 32 24 03, www.camping-leparadis.com ⚌

Pour s'y rendre : rte de Valras-Plage (1,5 km au sud)

Ouverture : de déb. avr. à fin sept.

2,2 ha (128 empl.) plat, herbeux

Empl. camping : 43 € ✲ ✲ ⚐ 🗐 ⚡ (10A) - pers. suppl. 7 € - frais de réservation 18 €

Location : (de déb. sept. à déb. sept.) - ⚌ - 18 ⌷ - 5 bungalows toilés. Nuitée 50 à 100 € - Sem. 170 à 700 € - frais de réservation 18 €

⌷ borne artisanale

Cadre agréable, fleuri autour de grands emplacements.

Nature : ↯↯	
Loisirs : ♈ ✕ ⌂ jacuzzi ⛴ ⊟	**G** E : 3.28628
Services : ⚊ ⚲ 🛜 laverie ⚐	**P** N : 43.26829 **S**
À prox. : 🛒	

34410 - Carte Michelin **339** E9

▶ Paris 769 - Montpellier 73 - Carcassonne 100

⚏ Yelloh! Village Le Sérignan Plage 🔱

☎ 04 67 32 35 33, www.leserignanplage.com

Pour s'y rendre : lieu-dit : L'Orpellière (en bordure de plage)

Ouverture : de mi-avr. à fin sept.

20 ha (1200 empl.) plat, herbeux, sablonneux

Empl. camping : 45 € ✲ ✲ ⚐ 🗐 ⚡ (10A) - pers. suppl. 9 €

Location : (de mi-avr. à fin sept.) - ᕕ (3 mobile homes) - ⚌ - 436 ⌷ - 52 ⌂ - 5 tentes lodges. Nuitée 39 à 349 € - Sem. 273 à 2 443 €

Des emplacements nature, ensoleillés près des marais et du locatif grand confort bien ombragé côté plage. Piscine couverte avec accès restreint.

Nature : ⛴ ⌷ ↯↯ △	
Loisirs : ♈ ✕ ⌂ ☺ ⛷ ⚲ jacuzzi ⛴ ⚲ ⚌ ⊟ ⊠ △ discothèque espace "Bien-être"(naturiste le matin) terrain multisports	**G** E : 3.3213
Services : ⚊ ⚲ 🛜 laverie 🛒 ⚐	**P** N : 43.26401 **S**
À prox. : ⚲ 🐎	

⚏ Yelloh! Village Aloha 🔱

☎ 04 67 39 71 30, www.alohacamping.com

Pour s'y rendre : chemin des Dunes

Ouverture : de mi-avr. à mi-sept.

9,5 ha (430 empl.) plat, herbeux, sablonneux

Empl. camping : (Prix 2018) 67 € ✲ ✲ ⚐ 🗐 ⚡ (10A) - pers. suppl. 9 €

Location : (Prix 2018) (de mi-avr. à mi-sept.) - ⓟ - 196 ⌷ - 12 ⌂. Sem. 280 à 2 800 €

⌷ borne artisanale - 3 🗐

De part et d'autre du chemin qui mène à la plage avec du locatif en site paysagé et une belle terrasse bar panoramique sur le parc aquatique et la mer en fond.

Nature : ⛴ ⌷ ↯↯ △	
Loisirs : ♈ ✕ ⌂ ☺ ⛷ jacuzzi ⛴ ⚲ ⚲ ⊟ ⊠ terrain multisports	**G** E : 3.33941
Services : ⚊ ⚲ 🛜 laverie 🛒 ⚐	**P** N : 43.26745 **S**
À prox. : ⚲ 🐎	

⚏ Le Clos Virgile Aloa Vacances 🔱

☎ 04 67 32 20 64, www.leclosvirgile.com

Pour s'y rendre : 500 m de la plage

Ouverture : de déb. mai à mi-sept.

5 ha (300 empl.) plat, herbeux, sablonneux

Empl. camping : (Prix 2018) 45 € ✲ ✲ ⚐ 🗐 ⚡ (10A) - pers. suppl. 9 € - frais de réservation 25 €

Location : (Prix 2018) (de déb. mai à mi-sept.) - 92 ⌷ - 18 ⌂. Sem. 200 à 995 € - frais de réservation 25 €

⌷ borne eurorelais

Emplacements ombragés.

Nature : ⌷ ↯↯	
Loisirs : ♈ ✕ ⌂ ☺ ⛷ jacuzzi ⛴ ⊟ ⊠ △ terrain multisports	**G** E : 3.33152
Services : ⚊ ⚲ 🛜 laverie ⚐ ⚐	**P** N : 43.27204 **S**
À prox. : ⚲ 🐎	

🚶 Domaine de Beauséjour 👫

℘ 04 67 39 50 93, www.camping-beausejour.com

Pour s'y rendre : en bordure de plage

Ouverture : de déb. avr. à fin sept.

10 ha/6 campables (380 empl.) plat, herbeux, sablonneux

Empl. camping : (Prix 2018) 55€ 🚶🚶 🚗 🖿 🗲 (10A) - pers. suppl. 9€ - frais de réservation 20€

Location : (Prix 2018) (de déb. avr. à fin sept.) - 100 🚐. Nuitée 45 à 252€ - Sem. 315 à 1 764€ - frais de réservation 20€

🚐 borne artisanale

Très agréable centre balnéo ouvert toute l'année.

Nature : 🏖 🏕 ♨♨ ⚓
Loisirs : 🍸 ✗ 🎲 nocturne 🏃 🎠 centre balnéo ⛲ hammam jacuzzi 🚣 🚲 ⛵ base nautique parcours sportif terrain multisports
Services : 🔑 🚻 ♿ 🛒 🛜 laverie 🔌 🚿

GPS E : 3.33692 | N : 43.26711

SOMMIÈRES

30250 - Carte Michelin **339** J6 - 4 496 h. - alt. 34

▶ Paris 734 - Alès 44 - Montpellier 35 - Nîmes 29

🚶 Le Domaine de Massereau

℘ 04 66 53 11 20, www.massereau.com

Pour s'y rendre : 1990 rte d'Aubais (Les Hauteurs de Sommières)

Ouverture : de déb. avr. à fin sept.

90 ha/7,7 campables (149 empl.) peu incliné, plat, herbeux, pierreux

Empl. camping : 55€ 🚶🚶 🚗 🖿 🗲 (16A) - pers. suppl. 13€ - frais de réservation 29€

Location : (de déb. avr. à fin sept.) - ♿ (1 chalet, 1 mobile home) - 35 🚐 - 24 🏠 - 2 cabanons. Nuitée 41 à 240€ - Sem. 205 à 1 768€ - frais de réservation 29€

🚐 borne eurorelais 2€ - 4 🖿 20€ - 🚐 20€

Locatif de grand confort au milieu d'un domaine viticole traversé par une piste cyclable (Sommières-Nîmes). Important "Parc-Aventure".

Nature : 🏖 🏕 ♨♨
Loisirs : 🍸 ✗ 🎲 centre balnéo ⛲ hammam jacuzzi 🚣 🚲 🎯 🧗 🏊 🛝 🏌 ⛵ parcours de santé parcours dans les arbres tyrolienne tir à l'arc, poney terrain multisports
Services : 🔑 🚻 ♿ 🚿 🛜 laverie 🔌 🚿
À prox. : 🎣

GPS E : 4.09735 | N : 43.76574

🏕 Municipal de Garanel

℘ 04 66 80 33 49, camping-sommieres.fr

Pour s'y rendre : chemin Princesse (au bourg, près du Vidourle)

Ouverture : de déb. avr. à fin sept.

7 ha (60 empl.) plat, sablonneux, pierreux

Empl. camping : (Prix 2018) 20€ 🚶🚶 🚗 🖿 🗲 (8A) - pers. suppl. 5€

🚐 borne eurorelais 4€ - 🚐 8€

Tout proche des arènes et du centre-ville.

Nature : 🏕 ♨♨
Loisirs : 🏊 (petite piscine)
Services : 🔑 🚻 ♿ 🚿 🛜 🖿
À prox. : 🔌 🍸 ✗ 🎯 🚴

GPS E : 4.08703 | N : 43.78738

SOUBÈS

34700 - Carte Michelin **339** F6 - 911 h. - alt. 239

▶ Paris 695 - Montpellier 60 - Nîmes 116 - Rodez 120

🚶 Des Sources

℘ 04 67 44 32 02, campingdessources.fr

Pour s'y rendre : 1445 chemin d'Aubaygues (1,7 km au sud-est par D 149, rte de Fozières et D 149E S à gauche)

Ouverture : de déb. mai à déb. sept.

1,2 ha (51 empl.) en terrasses, plat, herbeux, pierreux

Empl. camping : (Prix 2018) 28€ 🚶🚶 🚗 🖿 🗲 (6A) - pers. suppl. 7€ - frais de réservation 15€

Location : (Prix 2018) (de mi-avr. à mi-sept.) - 13 🏠 - 2 bungalows toilés. Nuitée 53 à 107€ - Sem. 260 à 710€ - frais de réservation 15€

Site agréable avec les sources (Le Loucar et l'Aurisse) qui coulent dans le camping et la terrasse au-dessus de la rivière : La Brèze. Chemin piétonnier pour le village.

Nature : 🏖 ♨♨
Loisirs : 🍸 ✗ 🎲 🏊 🚣 🛝 🎣 🎣
Services : 🔑 🚻 ♿ 🚿 🛜 🖿 🚿
À prox. : 🍴

GPS E : 3.3577 | N : 43.762

Use this year's Guide.

TORREILLES-PLAGE

66440 - Carte Michelin **344** I6

▶ Paris 853 - Montpellier 157 - Perpignan 20 - Carcassonne 119

🚶 AMAC - Les Dunes 👫

℘ 04 68 28 38 29, www.camping-lesdunes.fr - peu d'emplacements pour tentes et caravanes

Pour s'y rendre : voie de Barcelone (à 150 m de la plage)

Ouverture : de déb. avr. à fin sept.

16 ha (615 empl.) plat, herbeux, gravillons, sablonneux

Empl. camping : (Prix 2018) 96€ 🚶🚶 🚗 🖿 🗲 (16A) - pers. suppl. 9€ - frais de réservation 30€

Location : (Prix 2018) (de déb. avr. à fin sept.) - ♿ (1 mobile home) - 326 🚐 - 20 tentes lodges. Nuitée 42 à 320€ - Sem. 1 155 à 2 240€ - frais de réservation 30€

En bordure de plage avec un bel espace zen autour de la paillotte et du locatif récent de très grand confort pour certains.

Nature : 🏕 ♨ ⚓
Loisirs : 🍸 🎲 🎲 🏃 🚣 🚲 🎯 🧗 🏊 🛝 ⛵ terrain multisports
Services : 🔑 🚻 ♿ 🚿 🛜 laverie 🛒 🔌 🚿

GPS E : 3.03088 | N : 42.76128

🚶 Sunêlia Les Tropiques 👫

℘ 04 68 28 05 09, www.campinglestropiques.com

Pour s'y rendre : bd de la Plage (à 500 m de la plage)

Ouverture : de déb. avr. à déb. oct.

8 ha (450 empl.) plat, sablonneux, pierreux

Empl. camping : (Prix 2018) 58€ 🚶🚶 🚗 🖿 🗲 (10A) - pers. suppl. 6€ - frais de réservation 15€

Location : (Prix 2018) (de déb. avr. à déb. oct.) - ♿ (2 mobile homes) - 335 🚐 - 20 🏠 - 6 bungalows toilés - 2 tentes lodges. Sem. 240 à 1 650€ - frais de réservation 15€

🚐 borne artisanale

À 500 m de la plage, encore quelques emplacements pour tentes et caravanes. Locatifs variés en gamme et en confort et agréable espace balnéo.

Nature : 🏊 ⌂ ♫♫
Loisirs : ⛾ ✕ 🎮 📷 ✖ 🎣 ⛷ centre balnéo 〰s hammam jacuzzi 🏄 ✖ ⛴ 🚴 discothèque terrain multisports
Services : ⚷ 👶 📶 laverie 🔖 🚿
À prox. : 🐎 🎣

GPS E : 3.02972 N : 42.7675

🏕 Marisol 👥

📞 0468280407, www.camping-marisol.com - peu d'emplacements pour tentes et caravanes

Pour s'y rendre : bd de la Plage (150 m de la plage - accès direct)

Ouverture : de déb. avr. à mi-sept.

7 ha (377 empl.) plat, herbeux, sablonneux

Empl. camping : (Prix 2018) 68€ 🚻 🚐 📺 ⚡ (10A) - pers. suppl. 12€ - frais de réservation 50€

Location : (Prix 2018) (de déb. avr. à mi-sept.) - 180 🚐. Nuitée 25 à 380€ - Sem. 250 à 2 660€ - frais de réservation 50€

Un vrai village club avec de nombreuses animations et un grand parc aquatique avec accès direct à la plage à 150 m. Locatif de confort variable.

Nature : ⌂ ♀
Loisirs : ⛾ ✕ 🎮 🚴 📷 🎣 〰s hammam jacuzzi 🏄 🚴 ⛴ terrain multisports
Services : ⚷ 👶 📶 laverie 🔖 🚿

GPS E : 3.03327 N : 42.76746

🏕 Le Calypso 👥

📞 0468280947, www.camping-calypso.com - peu d'emplacements pour tentes et caravanes

Pour s'y rendre : bd de la Plage

Ouverture : de fin avr. à déb. sept.

6 ha (308 empl.) plat, sablonneux, pierreux

Empl. camping : 20€ 🚻 🚐 📺 ⚡ (10A) - pers. suppl. 5€ - frais de réservation 40€

Location : (de fin avr. à déb. sept.) - 174 🚐 - 28 🏠. Nuitée 44 à 281€ - Sem. 308 à 1 967€ - frais de réservation 40€

Bel ombrage avec des locatifs anciens mais aussi de bon confort et au fond du terrain une grande prairie idéale pour la détente ou les jeux collectifs.

Nature : ⌂ ♫♫
Loisirs : ⛾ ✕ 🎮 📷 ✖ 🎣 jacuzzi 🏄 🚴 ⛴ terrain multisports
Services : ⚷ 👶 – 9 sanitaires individuels (🚿👶🚽 wc) 📶 laverie 🔖 🚿 réfrigérateurs
À prox. : 🐎 🎣

GPS E : 3.03043 N : 42.77128

🏔 Homair Vacances La Palmeraie 👥

📞 0468282064, www.homair.com - peu d'emplacements pour tentes et caravanes

Pour s'y rendre : bd de la Plage

Ouverture : de déb. avr. à mi-sept.

4,5 ha (200 empl.) plat, sablonneux, pierreux

Empl. camping : (Prix 2018) 18€ 🚻 🚐 📺 ⚡ (10A) - pers. suppl. 6€ - frais de réservation 10€

Location : (Prix 2018) (de déb. avr. à mi-sept.) - 188 🚐. Sem. 140 à 970€ - frais de réservation 10€

En zone pavillonnaire donc calme avec un bon ombrage et une offre locative simple à grand confort.

Nature : 🏊 ⌂ ♫♫
Loisirs : ⛾ ✕ 🎮 📷 ✖ 🎣 🏄 🚴 ⛴ terrain multisports
Services : ⚷ 👶 📶 laverie 🔖 🚿 cases réfrigérées
À prox. : 🛒 ✖ 🐎 🎣

GPS E : 3.02806 N : 42.76361

TRÈBES

11800 - Carte Michelin **344** F3 - 5 416 h. - alt. 84
▶ Paris 776 - Carcassonne 8 - Conques-sur-Orbiel 9 - Lézignan-Corbières 28

🔺 Municipal À l'Ombre des Micocouliers

📞 0468786175, www.campingmicocouliers.com

Pour s'y rendre : chemin de la Lande

Ouverture : de déb. avr. à fin sept.

1,5 ha (70 empl.) plat, herbeux, sablonneux

Empl. camping : 27€ 🚻 🚐 📺 ⚡ (16A) - pers. suppl. 6€

Location : (de déb. avr. à fin sept.) - 5 🚐. Nuitée 45 à 55€ - Sem. 300 à 530€

🚐 borne artisanale 5€

Au bord de l'Aude, à l'ombre des micocouliers.

Nature : ⌂ ♫♫
Loisirs : ✕ 🎮 🏄 🎣 🐎
Services : ⚷ 👶 📺 🚿
À prox. : 🛒 ✖ ⛴ skate parc terrain multisports

GPS E : 2.44237 N : 43.20682

Dans notre guide, les indications d'accès à un terrain sont généralement indiquées à partir du centre de la localité.

TUCHAN

11350 - Carte Michelin **344** H5 - 769 h. - alt. 150
▶ Paris 836 - Montpellier 140 - Carcassonne 80 - Canillo 168

🏕 Domaine de la Peirière

📞 0468454650, www.campinglapeiriere.com/

Pour s'y rendre : 0,7 km par D 611, rte de Paziols et chemin à gauche

Ouverture : de mi-mars à fin oct.

7 ha (74 empl.) en terrasses, plat, pierreux, gravier, rochers, étang

Empl. camping : 21€ 🚻 🚐 📺 ⚡ (10A) - pers. suppl. 6€ - frais de réservation 10€

Location : (de mi-mars à fin oct.) - 9 🚐 - 2 🏠. Nuitée 48 à 76€ - Sem. 260 à 530€ - frais de réservation 10€

🚐 borne artisanale

Au milieu des vignes, cadre naturel avec des petites terrasses ombragées d'oliviers, amandiers, micocouliers et autres espèces méditerranéennes.

Nature : ⌂ 🚐 ♫♫
Loisirs : ⛾ ✕ 🎮 ⛴ 🎣 mini ferme
Services : ⚷ 📶 📺 🚿

GPS E : 2.71842 N : 42.88323

UZÈS

30700 - Carte Michelin **339** L4 - 8 339 h. - alt. 138
▶ Paris 682 - Alès 34 - Arles 52 - Avignon 38

⛰ Le Moulin Neuf ♨

✆ 04 66 22 17 21, www.le-moulin-neuf.fr

Pour s'y rendre : à St-Quentin-La-Poterie (4,5 km au nord-est par D 982, rte de Bagnols-sur-Cèze et D 5 à gauche)

Ouverture : de fin mars à fin sept.

5 ha (137 empl.) terrasse, plat, herbeux

Empl. camping : 26€ ★★ ⇔ 🔲 (5A) - pers. suppl. 7€ - frais de réservation 10€

Location : Permanent - 35 gîtes. Nuitée 65 à 110€ - Sem. 252 à 670€ - frais de réservation 10€

🖰 borne artisanale

Terrain rectangulaire, à l'ombre des peupliers, avec des gîtes anciens au confort modeste.

Nature : 🐟 ⌂ 🗎
Loisirs : ♈ ✕ 🖼 🏊 🎣 🗡 🏕 terrain multisports
Services : ⚿ 🛋 🚿 🗎 🖩 🛒
À prox. : 🐎

GPS : E : 4.45569 N : 44.0321

⛰ Le Mas de Rey

✆ 04 66 22 18 27, www.campingmasderey.com

Pour s'y rendre : rte d'Anduze (3 km au sud-ouest par D 982)

Ouverture : de déb. avr. à mi-oct.

7 ha (117 empl.) en terrasses, plat, herbeux

Empl. camping : (Prix 2018) 32€ ★★ ⇔ 🔲 (10A) - pers. suppl. 8€ - frais de réservation 15€

Location : (Prix 2018) (de déb. avr. à mi-oct.) - 🚭 (1 chalet) - 6 🏡 - 4 tentes lodges - 2 cabanons. Nuitée 40 à 120€ - Sem. 250 à 990€ - frais de réservation 15€

En deux parties distinctes, dont une, la partie haute, réservées aux tentes sur de grands emplacements bien ombragés. Bon confort sanitaires.

Nature : 🐟 ⌂ 🗎
Loisirs : ✕ 🖼 🏊 🗡 parcours dans les arbres
Services : ⚿ 🛋 🚿 🗎 🛒

GPS : E : 4.38471 N : 43.99806

Utilisez le guide de l'année.

VALLABRÈGUES

30300 - Carte Michelin **339** M5 - 1 318 h. - alt. 8
▶ Paris 698 - Arles 26 - Avignon 22 - Beaucaire 9

⛰ Lou Vincen

✆ 04 66 59 21 29, www.campinglouvincen.fr

Pour s'y rendre : à l'ouest du bourg, à 100 m du Rhône et d'un petit lac

Ouverture : de déb. avr. à fin oct.

1,4 ha (79 empl.) plat, herbeux

Empl. camping : 27€ ★★ ⇔ 🔲 (8A) - pers. suppl. 8€ - frais de réservation 18€

Location : (de déb. avr. à fin oct.) - 10 🚐. Nuitée 69 à 95€ - Sem. 289 à 660€ - frais de réservation 18€

🖰 borne artisanale

À l'entrée du bourg, sur la rive gauche du Rhône avec du locatif de confort variable.

Nature : 🐟 ⌂ 🗎
Loisirs : 🖼 🏊
Services : ⚿ 🛋 🚿 🗎 🛒
À prox. : ✕ 🚲 🎣

GPS : E : 4.62546 N : 43.85493

VALLERAUGUE

30570 - Carte Michelin **339** G4 - 1 070 h. - alt. 346
▶ Paris 684 - Mende 100 - Millau 75 - Nîmes 86

⛰ Le Mourétou

✆ 04 67 82 22 30, www.camping-mouretou.com

Pour s'y rendre : rte de l'Aigoual et chemin à drte (3 km à l'ouest sur D 986)

Ouverture : de mi-avr. à fin oct.

1 ha (33 empl.) en terrasses, peu incliné, plat, herbeux

Empl. camping : 29€ ★★ ⇔ 🔲 (6A) - pers. suppl. 7€ - frais de réservation 10€

Location : Permanent 🏊 - 4 🚐 - 2 tentes lodges - 3 tentes sur pilotis - 2 gîtes. Nuitée 32 à 49€ - Sem. 229 à 629€ - frais de réservation 16€

Emplacements bien ombragés au bord de l'Hérault et d'un petit plan d'eau.

Nature : ⌂ 🗎
Loisirs : ✕ 🎣 🏊 (petite piscine)
Services : ⚿ 🚿 🗎 🛒
À prox. : 🏖 (plan d'eau)

GPS : E : 3.60785 N : 44.0871

Pour une meilleure utilisation de cet ouvrage,
LISEZ ATTENTIVEMENT les premières pages du guide.

VALRAS-PLAGE

34350 - Carte Michelin **339** E9 - 4 649 h. - alt. 1
▶ Paris 767 - Agde 25 - Béziers 16 - Montpellier 76

⛰ Domaine de La Yole ♨

✆ 04 67 37 33 87, www.campinglayole.fr

Pour s'y rendre : av. de La MLéditerranée (2 km au sud-ouest, rte de Vendres, à 500 m de la plage)

Ouverture : de fin avr. à fin sept.

23 ha (1280 empl.) plat, herbeux, sablonneux

Empl. camping : 58€ ★★ ⇔ 🔲 (5A) - pers. suppl. 11€ - frais de réservation 30€

Location : (de fin avr. à fin sept.) - 🚭 (1 mobile home) - 🅿 - 344 🚐 - 49 🏡 - 20 tentes lodges - 1 cabane perchée. Nuitée 49 à 318€ - Sem. 245 à 2 226€ - frais de réservation 30€

🖰 borne artisanale

Structure complète avec de nombreux services et loisirs de qualité. Vignoble attenant (Domaine de La Yole) et restaurant auberge-ferme découverte.

Nature : ⌂ 🗎
Loisirs : ♈ ✕ 🖼 🎳 🏕 🎣 🚴 🗡 🏕 🏓 🏊 🎣 parcours dans les arbres terrain multisports
Services : ⚿ 🚿 – 15 sanitaires individuels (🚿 🛁 wc) 🛋 🚗 🚿 laverie 🖩 🛒
À prox. : 🐎

GPS : E : 3.262 N : 43.23731

🏕 Sandaya Blue Bayou ♠♣

📞 04 67 37 41 97, www.sandaya.fr/nos-campings/blue-bayou

Pour s'y rendre : à Grau-de-Vendres, av. du Port (5 km au sud-ouest, à 400 m de la plage)

Ouverture : de mi-avr. à mi-sept.

15 ha (600 empl.) plat, herbeux, sablonneux

Empl. camping : 59 € 👫 �car 🔲 🔌 (10A) - pers. suppl. 9 €

Location : (de mi-avr. à mi-sept.) - ♿ (1 mobile home) - 339 🚐. Nuitée 35 à 472 € - Sem. 245 à 3 304 €

À 400 m de la mer à travers les dunes, emplacements ombragés avec un parc aquatique et une piscine "zen" réservée aux plus de 18 ans.

Nature : 🌿 🏕 ♨
Loisirs : 🍴 ✕ 🎱 🎮 🏃 🛷 🎿 🏠 🛶 poneys (école FFE)
Services : 🚿 🛒 🚮 – 50 sanitaires individuels (🚬 wc) 🚰 📶 laverie 🧺 🚲
À prox. : 🏇

GPS E : 3.24222 N : 43.22575

🏕 La Plage et du Bord de Mer ♠♣

📞 04 67 37 34 38, www.camping-plage-mediterranee.com

Pour s'y rendre : rte de Vendres (1,5 km au sud-ouest, au bord de mer)

13 ha (655 empl.) plat, herbeux, sablonneux

Location : ♿ (3 mobile homes) - 97 🚐 - 6 tentes lodges.

🚐 borne artisanale

Encore beaucoup d'emplacements tentes et caravanes en bord de mer. Quelques mobile homes avec un toit terrasse pour une vue sur la mer.

Nature : 🚐 ♨ 🏖
Loisirs : 🍴 ✕ 🎱 🏃 🛷 🚲 🎿 🏠 🛶 🛶 terrain multisports
Services : 🚿 🛒 🚮 🚰 📶 laverie 🧺 🚲 réfrigérateurs
À prox. : 🛶 🏇

GPS E : 3.26889 N : 43.23559

🏕 Lou Village ♠♣

📞 04 67 37 33 79, www.louvillage.com - peu d'emplacements pour tentes et caravanes

Pour s'y rendre : chemin des Montilles (2 km au sud-ouest, à 100 m de la plage)

Ouverture : de déb. mai à mi-sept.

8 ha (470 empl.) plat, herbeux, étang, sablonneux

Empl. camping : (Prix 2018) 57 € 👫 🚗 🔲 🔌 (10A) - pers. suppl. 9 € - frais de réservation 30 €

Location : (Prix 2018) (de déb. mai à mi-sept.) - 🚲 - 90 🚐 - 20 🏠. Nuitée 60 à 210 € - Sem. 140 à 1 480 € - frais de réservation 30 €

🚐 borne artisanale

Le parc aquatique et l'accès direct à la plage sont les plus du terrain.

Nature : 🚐 ♨ 🏖
Loisirs : 🍴 ✕ 🎱 🎆 nocturne 🏃 jacuzzi 🛷 🎿 🛶 🏊 plongée terrain multisports
Services : 🚿 📶 🎮 🛒 🚲
À prox. : 🏇 jet-ski

GPS E : 3.26046 N : 43.23386

🏕 Palmira Beach ♠♣

📞 04 67 94 29 00, www.palmirabeach.fr

Pour s'y rendre : av. du Port de Vendres (7 km au sud-ouest)

Ouverture : de mi-avr. à fin sept.

4 ha (222 empl.) plat, pierreux, herbeux

Empl. camping : (Prix 2018) 50 € 👫 🚗 🔲 🔌 (16A) - pers. suppl. 5 € - frais de réservation 30 €

Location : (Prix 2018) (de mi-avr. à fin sept.) - 🚲 - 80 🚐. Sem. 300 à 1 700 € - frais de réservation 30 €

À 300 m de la plage à travers les dunes, emplacements plein soleil ou légèrement ombragés.

Nature : ♨
Loisirs : 🍴 ✕ 🏃 🛷 🚲 🛶 terrain multisports
Services : 🚿 🛒 🚮 📶 laverie 🚲
À prox. : poneys

GPS E : 3.24511 N : 43.22837

VERDUN-EN-LAURAGAIS

11400 - Carte Michelin **344** D2 - 281 h. - alt. 333
▶ Paris 752 - Albi 83 - Carcassonne 37 - Toulouse 77

🏕 Yelloh! Village Le Bout du Monde

📞 04 68 94 95 96, www.yellohvillage.com

Pour s'y rendre : lieu-dit : Ferme de Rhodes (à 3 km au nord-est par la D 903)

Ouverture : de mi-avr. à fin sept.

200 ha/10 campables (128 empl.) en terrasses, plat, herbeux, forêt

Empl. camping : 15 € 👫 🚗 🔲 🔌 (16A) - pers. suppl. 6 €

Location : (de mi-avr. à fin sept.) - ♿ (1 mobile home) - 35 🚐 - 4 bungalows toilés - 4 tentes lodges - 2 yourtes - 1 cabanon. Nuitée 32 à 166 € - Sem. 224 à 1 162 €

🚐 borne artisanale

Sur les terres d'une ferme en activité (chèvres, lapins, poules, ânes...), vastes emplacements dans un cadre naturel parfois même un peu sauvage.

Nature : 🌿 🚐 ♨
Loisirs : 🍴 ✕ 🎱 🎮 salle d'animations 🛷 🛶 🏊 (bassin) 🛶 🚲 📶 pédalos poneys
Services : 🚿 🛒 🚮 laverie 🧺 🚲

GPS E : 2.07373 N : 43.37706

VERNET-LES-BAINS

66820 - Carte Michelin **344** F7 - 1 432 h. - alt. 650 - ♨
▶ Paris 904 - Mont-Louis 36 - Perpignan 57 - Prades 11

🏕 L'Eau Vive

📞 04 68 05 54 14, www.leauvive-camping.com

Pour s'y rendre : chemin St-Saturnin (sortie vers Sahorre puis apr. le pont 1,3 km par av. St-Saturnin à dr., près du Cady)

Ouverture : de déb. avr. à déb. nov.

2 ha (90 empl.) peu incliné, plat, herbeux

Empl. camping : 21 € 👫 🚗 🔲 🔌 (10A) - pers. suppl. 4 € - frais de réservation 5 €

Location : Permanent ♿ (1 chalet) - 16 🚐 - 10 🏠 - 1 tente lodge - 5 cabanons. Nuitée 29 à 63 € - Sem. 270 à 780 €

Dans un site agréable.

Nature : 🌿 ♨
Loisirs : 🍴 ✕ 🎮 🛷 🛶 🛶
Services : 🚿 🛒 🚮 🚰 📶 🚲

GPS E : 2.37789 N : 42.5547

VERS-PONT-DU-GARD

30210 - Carte Michelin **339** M5 - 1 696 h. - alt. 40
▶ Paris 698 - Montpellier 81 - Nîmes 26 - Avignon 27

🏔 Capfun Domaine des Gorges du Gardon 🚶

𝒫 04 66 22 81 81, www.capfun.com

Pour s'y rendre : 762 chemin Barque-Vieille (au sud, D 981 et D 5, au bord du Gardon)

Ouverture : de mi-mars à mi-sept.

4 ha (200 empl.) terrasse, plat, herbeux, pierreux, gravillons

Empl. camping : (Prix 2018) 40 € 🛉🛉 ⇌ 🔳 ⚡ (10A) - pers. suppl. 7 €

Location : (Prix 2018) (de mi-mars à mi-sept.) - ᕝ (1 mobile home) - 119 ⑰ - 4 🏠 - 3 tentes lodges. Sem. 133 à 1 379 € - frais de réservation 27 €

Nombreux mobile homes et des emplacements qui dominent jusqu'à la rivière.

Nature : 🏞 ⛱ 🌳🌳
Loisirs : 🍽 ✕ 🎯 🛶 ⚓ 🏊 🚣 ⛵
Services : ⚡ 🚿 📶 laverie 🚲

	GPS	E : 4.51766
		N : 43.95599

*Choisissez votre restaurant sur **restaurant.michelin.fr***

VIAS-PLAGE

34450 - Carte Michelin **339** F9 - 5 386 h. - alt. 10
▶ Paris 752 - Agde 5 - Béziers 19 - Narbonne 46

🏔 Sunêlia Domaine de la Dragonnière

𝒫 04 67 01 03 10, www.dragonniere.com - peu d'emplacements pour tentes et caravanes

Pour s'y rendre : RD 612 (5 km à l'ouest, rte de Béziers)

Ouverture : de déb. avr. à déb. nov.

30 ha (800 empl.) plat, herbeux, pierreux

Empl. camping : 85 € 🛉🛉 ⇌ 🔳 ⚡ (10A) - pers. suppl. 15 €

Location : Permanent ᕝ (2 mobile homes) - 402 ⑰ - 362 🏠 - 2 tentes lodges. Nuitée 37 à 122 € - Sem. 289 à 2 597 € - frais de réservation 35 €

Nombreux types d'hébergements de confort variable, un centre balnéo de grande qualité, une piscine aux dimensions olympiques (50 m) complété d'un joli lagon filtré naturellement et sa plage de sable blanc.

Nature : ⛱ 🌳
Loisirs : 🍽 ✕ 🎬 👨‍🍳 🎯 centre balnéo 🧖 hammam jacuzzi 🏓 🚴 ✂ 🏊 🚣 ⛵ crèche point d'informations touristiques terrain multisports
Services : ⚡ 📶 – 38 sanitaires individuels (🚿🛁 wc) 🧺 🚐 📶 laverie 🛒 🍷 🚲

	GPS	E : 3.36335
		N : 43.3126

🏔 Yelloh! Village Club Farret 🚶

𝒫 04 67 21 64 45, www.camping-farret.com

Pour s'y rendre : chemin des Rosses (en bord de plage)

Ouverture : de mi-avr. à fin sept.

7 ha (437 empl.) plat, herbeux, sablonneux

Empl. camping : 66 € 🛉🛉 ⇌ 🔳 ⚡ (10A) - pers. suppl. 9 €

Location : (de mi-avr. à fin sept.) - ✂ - 317 ⑰ - 64 🏠 - 19 🏡 - 19 cabanons - 4 appartements. Nuitée 25 à 339 € - Sem. 175 à 2 373 €

⑰ borne artisanale

Jolis villages paysagés à thèmes de mobile homes conforts : Pirates dans le sable, Pacific et Marina avec leur lagon, California à l'ambiance surfeur.

Nature : 🏞 ⛱ 🌳🌳 ⛰
Loisirs : 🍽 ✕ 🎬 🎯 salle d'animations 🏓 🚴 centre balnéo 🧖 hammam jacuzzi 🏊 ✂ crèche 🏓 ✂ 🏊 🚣 ⛵ ⚓
Services : ⚡ 📶 🧺 🚐 📶 laverie 🛒 🚲
À prox. : 🎣

	GPS	E : 3.419
		N : 43.2911

🏔 Cap Soleil 🚶

𝒫 04 67 21 64 77, www.capsoleil.fr - peu d'emplacements pour tentes et caravanes

Pour s'y rendre : chemin de la Grande-Cosse (Côte Ouest, 600 m de la plage)

Ouverture : de déb. avr. à fin sept.

4,5 ha (288 empl.) plat, herbeux, gravier

Empl. camping : 53 € 🛉🛉 ⇌ 🔳 ⚡ (10A) - pers. suppl. 8 € - frais de réservation 35 €

Location : (de déb. avr. à fin sept.) - ᕝ (2 mobile homes) - 143 ⑰. Nuitée 40 à 251 € - Sem. 280 à 1 757 € - frais de réservation 35 €

⑰ borne artisanale

Un bel espace aquatique, de grands toboggans et un superbe centre balnéo en partie couvert avec accès libre et gratuit (+ de 18 ans).

Nature : ⛱ 🌳🌳
Loisirs : 🍽 ✕ 🎬 🎯 🏓 centre balnéo 🧖 hammam jacuzzi 🏓 🚴 ✂ 🏊 🚣 terrain multisports
Services : ⚡ 🚿 – 8 sanitaires individuels (🚿🛁 wc) 🧺 🚐 📶 laverie 🍷 🚲 réfrigérateurs
À prox. : 🏇

	GPS	E : 3.39953
		N : 43.29262

🏔 Club Airotel Californie Plage 🚶

𝒫 04 67 21 64 69, www.californie-plage.fr

Pour s'y rendre : chemin du Trou-de-Ragout (Côte Ouest, au sud-ouest par D 137e et chemin à gauche, au bord de la mer)

Ouverture : de déb. mai à fin sept.

5,8 ha (371 empl.) plat, herbeux, sablonneux

Empl. camping : (Prix 2018) 52 € 🛉🛉 ⇌ 🔳 ⚡ (10A) - pers. suppl. 8 € - frais de réservation 25 €

Location : (Prix 2018) (de déb. mai à fin sept.) - ᕝ (1 mobile home) - 160 ⑰ - 3 tentes lodges. Nuitée 36 à 241 € - Sem. 252 à 1 687 € - frais de réservation 25 €

⑰ borne artisanale

Décoration sur le thème des pirates à l'accueil, au restaurant et même pour certains mobile-homes. Accès gratuit au parc aquatique du camping Cap-Soleil (en face à 100 m).

Nature : 🏞 ⛱ 🌳🌳 ⛰
Loisirs : 🍽 ✕ 🎬 🎯 🏓 🏓 🚴 🏊 terrain multisports
Services : ⚡ 🚿 📶 laverie 🍷 🚲 réfrigérateurs
À prox. : ✂ 🏊

	GPS	E : 3.39843
		N : 43.29051

⛰ Méditerranée-Plage

📞 04 67 90 99 07, www.mediterranee-plage.com

Pour s'y rendre : Côte Ouest (6 km au sud-ouest par D 137e2)

Ouverture : de déb. avr. à fin sept.

9,6 ha (490 empl.) plat, herbeux, sablonneux

Empl. camping : 53 € ♛♛ ⇆ 🅴 (6A) - pers. suppl. 11 € - frais de réservation 25 €

Location : (de déb. avr. à fin sept.) - ♿ (1 mobile home) - 250 🚐. Sem. 240 à 1 855 € - frais de réservation 25 €

🚐 borne eurorelais

Cadre agréable au bord de la mer en accès direct et services de qualité.

Nature : 🏖 ⌂ 🌳 ⛰
Loisirs : 🍽 ✕ 🎦 ⚄ 🏃 🚴 ✂ ♫ 🎣 ⛵ mini ferme terrain multisports
Services : ⚷ 🛁 📶 laverie 🏧 🛒

GPS E : 3.37106
N : 43.28202

⛰ Le Napoléon ♛👥

📞 04 67 01 07 80, www.camping-napoleon.fr

Pour s'y rendre : 1171 av. de la Méditerranée (250 m de la plage)

Ouverture : de déb. avr. à fin sept.

3 ha (228 empl.) plat, herbeux, sablonneux

Empl. camping : (Prix 2018) 61 € ♛♛ ⇆ 🅴 (10A) - pers. suppl. 8 € - frais de réservation 28 €

Location : (Prix 2018) (de déb. avr. à fin sept.) - ♿ (1 mobile home) - 78 🚐 - 38 🏠 - 2 🛏 - 5 bungalows toilés - 5 tentes lodges - 10 appartements - 4 maisons. Nuitée 42 à 343 € - Sem. 294 à 2 401 € - frais de réservation 28 €

🚐 borne artisanale 25 € - 10 🅴 33 € - 🚐 (0)30 €

Derrière la rue animée de la station, terrain qui offre de belles prestations et du locatif varié dont 4 villas grand confort.

Nature : ⌂ 🌳
Loisirs : 🍽 ✕ 🎦 ⚄ 🏃 ♨ 🚿 hammam 🏇 🚴 ⛵ terrain multisports
Services : ⚷ 🛁 🛒 📶 laverie 🛒 cases réfrigérées
À prox. : discothèque, parcours sportif

GPS E : 3.41661
N : 43.29179

⛰ Hélios

📞 04 67 21 63 66, www.camping-helios.com

Pour s'y rendre : av. des Pêcheurs (près du Libron, à 250 m de la plage)

Ouverture : de fin avr. à fin sept.

2,5 ha (215 empl.) plat, herbeux, sablonneux

Empl. camping : 50 € ♛♛ ⇆ 🅴 (6A) - pers. suppl. 6 € - frais de réservation 10 €

Location : (Prix 2018) (de fin avr. à fin sept.) - ♿ (1 mobile home) - 40 🚐 - 6 🏠 - 6 bungalows toilés - 4 cabanons. Sem. 250 à 980 € - frais de réservation 20 €

Au bord du Libron, ombragé, avec un centre balnéo et un bel espace piscine en partie couvert.

Nature : 🏖 🌳
Loisirs : 🍽 ✕ 🎦 ⚄ nocturne centre balnéo 🚿 hammam jacuzzi 🏇 🚴 ⛵
Services : ⚷ 🛁 📶 🅴 🏧 🛒

GPS E : 3.40764
N : 43.29115

⛰ Capfun Les Flots Bleus ♛👥

📞 04 67 21 64 80, www.camping-flots-bleus.com

Pour s'y rendre : Côte Ouest, chemin des Blanquettes (au sud-ouest, au bord de plage)

Ouverture : de mi-avr. à mi-sept.

5 ha (317 empl.) plat, herbeux, sablonneux

Empl. camping : (Prix 2018) 39 € ♛♛ ⇆ 🅴 (6A) - pers. suppl. 7 € - frais de réservation 27 €

Location : (Prix 2018) (de mi-avr. à mi-sept.) - 332 🚐 - 27 🏠. Nuitée 42 à 172 € - Sem. 161 à 1 204 € - frais de réservation 27 €

🚐 borne artisanale 5 €

Gestion commune avec le camping France Floride, mitoyen.

Nature : ⌂ 🌳 ⛰
Loisirs : 🍽 ✕ 🎦 ⚄ 🏃 🏇 🚴 ⛵ ✂ terrain multisports
Services : ⚷ 🛁 📶 laverie 🏧 🛒

GPS E : 3.4055
N : 43.29

⛰ L'Air Marin ♛👥

📞 04 67 21 64 90, www.camping-air-marin.fr

Pour s'y rendre : Côte Est, chemin des Oeillets (derrière le terrain de football)

Ouverture : de déb. avr. à mi-sept.

5,5 ha (305 empl.) plat, herbeux, sablonneux

Empl. camping : 45 € ♛♛ ⇆ 🅴 (6A) - pers. suppl. 10 € - frais de réservation 25 €

Location : (de mi-avr. à mi-sept.) - 99 🚐 - 5 🏠. Nuitée 30 à 207 € - Sem. 180 à 1 449 € - frais de réservation 25 €

Terrain rectiligne ombragé de peupliers avec un bel espace aquatique, tout près du canal du Midi.

Nature : 🏖 🌳
Loisirs : 🍽 ✕ 🎦 ⚄ nocturne 🏃 ♨ 🚴 ✂ ♫ 🎣 ⛵ 🏇 barques terrain multisports
Services : ⚷ 🛁 📶 laverie 🏧 🛒
À prox. : 🎢 parc d'attractions

GPS E : 3.42129
N : 43.30076

⛰ Tohapi Le Petit Mousse ♛👥

(pas d'emplacement tentes et caravanes)

📞 08 25 00 20 30, www.tohapi.fr

Pour s'y rendre : chemin des Poregals (rte de la Grande Cosse)

5,2 ha (365 empl.) plat, sablonneux, herbeux

Location : (Prix 2018) (de déb. juin à fin sept.) - 330 🚐. Sem. 290 à 1 280 €

Au bord de la plage avec l'espace bar, animation surplombant la mer.

Nature : 🏖 🌳 ⛰
Loisirs : 🍽 ✕ 🎦 🏃 🏇 ⛵ 🚴 ⛵
Services : ⚷ 🛁 📶 laverie 🏧 🛒

GPS E : 3.39869
N : 43.29039

LANGUEDOC-ROUSSILLON

⚠ Yelloh ! Village Ste Cécile ♟♟

✆ 04 67 21 63 70, www.camping-sainte-cecile.com
Pour s'y rendre : av. des Pêcheur (près du Libron, à 500 m de la plage)
Ouverture : de mi-avr. à mi-sept.
4 ha/3 campables (194 empl.) plat, herbeux, sablonneux
Empl. : 47 € ♟♟ ⇔ 🅴 🄿 (10A) - pers. suppl. 8 €
Location : - 142 🛏. Nuitée 35 à 191 € - Sem. 245 à 1 337 €
🅿 borne artisanale - 14 🄴 14 € - 🄴🄿14 €
Emplacements ombragés sous les peupliers avec beaucoup d'espaces verts pour la détente ou les jeux collectifs.

Nature : 🐾 🗔 ♀♀
Loisirs : 🍽 🖻 🄽nocturne 🚶 🚵 🎨
🏊 parcours de santé tyrolienne terrain multisports
Services : 🔒 🕹 🛜 laverie 🔧
À prox. : 🐴

G P S   E : 3.40858   N : 43.29395

LE VIGAN

30120 - Carte Michelin **339** G5 - 3 959 h. - alt. 221
▶ Paris 707 - Alès 66 - Lodève 50 - Mende 108

⚠ Le Val de l'Arre

✆ 04 67 81 02 77, www.camping-levaldelarre.com
Pour s'y rendre : lieu-dit : Roudoulouse, rte du Pont-de-la-Croix (2,5 km à l'est par D 999, rte de Ganges et chemin à droite, au bord de l'Arre)
Ouverture : de déb. avr. à fin sept.
4 ha (173 empl.) en terrasses, incliné, peu incliné, plat, herbeux
Empl. camping : (Prix 2018) 30 € ♟♟ ⇔ 🅴 🄿 (10A) - pers. suppl. 8 € - frais de réservation 15 €
Location : (Prix 2018) (de déb. avr. à fin sept.) - 🎣 - 35 🛏 - 2 bungalows toilés - 1 gîte. Nuitée 30 à 104 € - Sem. 210 à 728 € - frais de réservation 15 €
🅿 borne artisanale 4 € - 🄴12 €
En deux parties distinctes de chaque côté de la route avec des emplacements pour tentes et caravanes bien ombragés près de la rivière.

Nature : ♀♀
Loisirs : 🖻 🏌 🚵 🏊 🗔 terrain multisports
Services : 🔒 🕹 🛜 laverie 🔧
À prox. : 🐴

G P S   E : 3.63751   N : 43.99128

LES VIGNES

48210 - Carte Michelin **330** H9 - 103 h. - alt. 410
▶ Paris 615 - Mende 52 - Meyrueis 33 - Le Rozier 12

⚠ Huttopia Les Gorges du Tarn

✆ 04 66 48 82 79, www.huttopia.com
Pour s'y rendre : 0,8 km au nord par D 907Bis, rte de Florac, bord du Tarn
Ouverture : Permanent
5 ha (142 empl.) en terrasses, plat, herbeux, pierreux
Empl. camping : 40 € ♟♟ ⇔ 🅴 🄿 (10A) - pers. suppl. 8 € - frais de réservation 15 €
Location : Permanent - 15 🏠 - 20 tentes lodges. Nuitée 40 à 130 € - Sem. 225 à 920 € - frais de réservation 15 €
En deux parties distinctes de part et d'autre de la route, avec certains emplacements au bord du Tarn.

Nature : ♀♀ 🐾
Loisirs : 🍽 🚶 🚵 🏊 🗔 🎣
Services : 🔒 🛜 🄿 🔧

G P S   E : 3.23445   N : 44.28717

⚠ La Blaquière

✆ 04 66 48 54 93, www.campinggorgesdutarn.fr
Pour s'y rendre : 6 km au nord-est par D 907bis, au bord du Tarn
Ouverture : de mi-avr. à mi-sept.
1 ha (79 empl.) en terrasses, pierreux, plat, herbeux
Empl. camping : 32 € ♟♟ ⇔ 🅴 🄿 (10A) - pers. suppl. 7 € - frais de réservation 13 €
Location : (Prix 2018) (de mi-avr. à mi-sept.) - 🎣 - 10 🛏 - 3 tentes lodges. Nuitée 35 à 125 € - Sem. 155 à 725 € - frais de réservation 13 €
En contrebas de la route, le long du Tarn, emplacements bien ombragés.

Nature : 🗔 ♀♀ ⛰
Loisirs : 🖻 🚵 🎣
Services : 🔒 🕹 🛜 🄿 🗔 🔧
À prox. : 🏊

G P S   E : 3.2685   N : 44.3042

VILLEFORT

48800 - Carte Michelin **330** L8 - 618 h. - alt. 600
▶ Paris 616 - Alès 52 - Aubenas 61 - Florac 63

⚠ La Palhère

✆ 04 66 46 80 63, www.campinglapalhere.com - alt. 750
Pour s'y rendre : rte du Mas-de-la-Barque (4 km au sud-ouest par D 66, au bord d'un torrent)
Ouverture : Permanent
1,8 ha (45 empl.) en terrasses, pierreux, herbeux
Empl. camping : 14 € ♟♟ ⇔ 🅴 🄿 (6A) - pers. suppl. 5 €
Location : (Prix 2018) Permanent - 3 🛏 - 5 🏠 - 2 bungalows toilés - 2 tipis. Nuitée 30 à 120 € - Sem. 210 à 845 € - frais de réservation 15 €
Au bord d'un joli petit torrent avec du locatif varié.

Nature : 🐾 🌲 ♀♀
Loisirs : 🍽 🏊 🗔 🎣
Services : 🔒 🕹 🚿 🛜 🄿 🗔 🔧

G P S   E : 3.91026   N : 44.41862

⚠ Morangiés - Le Lac

✆ 04 66 46 81 27, www.camping-lac-cevennes.com - peu d'emplacements pour tentes et caravanes
Pour s'y rendre : à Morangiés (3,4 km au nord par D 901, rte de Mende, D 906, rte de Prévenchère et à gauche chemin de Pourcharesses)
Ouverture : de déb. mai à fin sept.
4 ha (75 empl.) en terrasses, gravillons, herbeux
Empl. camping : 21 € ♟♟ ⇔ 🅴 🄿 (10A) - pers. suppl. 6 € - frais de réservation 5 €
Location : Permanent - 32 🛏 - 19 🏠 - 2 tipis - 2 roulottes - 1 kota - 2 tentes. Nuitée 26 à 116 € - Sem. 340 à 815 € - frais de réservation 5 €
🅿 17 🄴 21 €
Agréable situation au bord du lac avec des installations et des locations parfois bien vieillissantes. Gîtes mitoyens.

Nature : 🐾 🌲 ♀♀
Loisirs : 🖻 🚵 🏊
Services : 🔒 🕹 🚿 🛜 🄿 🗔
À prox. : 🏊 🐴 🎣 ⚓

G P S   E : 3.92812   N : 44.46183

274

VILLEGLY

11600 - Carte Michelin **344** F3 - 1 020 h. - alt. 130
▶ Paris 778 - Lézignan-Corbières 36 - Mazamet 46 - Carcassonne 14

🏔 Sites et Paysages Moulin de Ste-Anne

🖊 04 68 72 20 80, www.moulindesainteanne.com

Pour s'y rendre : 2 chemin de Ste-Anne (sortie est par D 435, rte de Villarzel)

Ouverture : de déb. avr. à mi-oct.

1,6 ha (60 empl.) en terrasses, peu incliné, plat, herbeux

Empl. camping : 32€ ♥♥ ⛌ 🔲 🔌 (10A) - pers. suppl. 6€ - frais de réservation 17€

Location : (Prix 2018) (de déb. avr. à mi-oct.) - ♿ (1 chalet) - 15 🏠 - 2 tentes lodges. Nuitée 47 à 114€ - Sem. 329 à 798€ - frais de réservation 17€

🚐 borne AireService 5€

Beaux emplacements et locatif de qualité sur des terrasses ombragées.

Nature : 🌿 🏞 🌳🌳	
Loisirs : 🍽 ✗ 🏠 jacuzzi ⛵ 🏊 terrain multisports	**G P S** E : 2.44347
Services : 🚿 🎱 ⛽ 🧺 ⬇ 🛜 🛒 🖨 🚽	N : 43.28374
À prox. : ✗	

VILLENEUVE-LÈS-AVIGNON

30400 - Carte Michelin **339** N5 - 12 463 h. - alt. 23
▶ Paris 678 - Avignon 8 - Nîmes 46 - Orange 28

🏔 Campéole L'île des Papes 👥

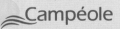

🖊 04 90 15 15 90, www.campeole.com/camping/post/ile-des-papes-villeneuve-lez-avignon

Pour s'y rendre : Barrage de Villeneuve (4,5 km au nord-est par D 980, rte de Roquemaure et D 780 à dr., entre le Rhône et le canal)

Ouverture : de fin mars à déb. nov.

20 ha (406 empl.) plat, herbeux, pierreux, étang

Empl. camping : (Prix 2018) 36€ ♥♥ ⛌ 🔲 🔌 (10A) - pers. suppl. 5€

Location : (Prix 2018) (de fin mars à déb. nov.) - ♿ (2 mobile homes) - 139 🚐 - 14 🏠 - 49 bungalows toilés - 1 tente lodge. Nuitée 36 à 168€ - Sem. 252 à 1 176€

🚐 borne artisanale

Vaste domaine en partie ombragé équipé d'une jolie pataugeoire ludique.

Nature : 🌿 ⬅ 🏞 🌳🌳	
Loisirs : 🍽 ✗ 🏠 🌙nocturne 🏃 🛶 🚴 ⛳ 🏊 🎣 terrain multisports	**G P S** E : 4.81826
Services : 🚿 🎱 🛜 laverie 🧺 🚽 réfrigérateurs	N : 43.99383

🏔 Les Avignon

🖊 04 90 25 76 06, www.campinglesavignon.com

Pour s'y rendre : chemin St-Honoré (au nord-est, accès par D 980, près du stade et des piscines)

Ouverture : de déb. mars à fin oct.

2,3 ha (126 empl.) plat, pierreux, herbeux

Empl. camping : (Prix 2018) 14€ ♥♥ ⛌ 🔲 🔌 (10A) - pers. suppl. 5€ - frais de réservation 15€

Location : (Prix 2018) (de déb. mars à fin oct.) - 10 🚐 - 3 bungalows toilés. Nuitée 25 à 87€ - Sem. 175 à 609€ - frais de réservation 15€

🚐 borne artisanale

Au milieu des installations sportives de la ville, terrain très ombragé au confort sanitaire modeste.

Nature : 🏞 🌳🌳	
Loisirs : 🏠 ⛵ 🏊	**G P S** E : 4.79711
Services : 🚿 🛜 🖨	N : 43.96331
À prox. : ✗ 🎿 🏊 skate-parc skate parc	

Des vacances réussies sont des vacances bien préparées !
Ce guide est fait pour vous y aider... mais :
– n'attendez pas le dernier moment pour réserver
– évitez la période critique du 14 juillet au 15 août.
Pensez aux ressources de l'arrière-pays,
à l'écart des lieux de grande fréquentation.

LIMOUSIN

Les citadins en mal de verdure viennent goûter en Limousin la simplicité de joies bucoliques : humer l'air vivifiant du plateau de Millevaches, flâner le long de rivières poissonneuses, se perdre dans les bois à la recherche de champignons... Et s'extasier devant les placides boeufs à la robe « froment vif » ou le spectacle attendrissant des agneaux tétant leur mère. En automne la forêt se pare d'une éblouissante palette d'ocres, de rouges et de bruns profonds sous-tendue de reflets mordorés, qui a inspiré bien des peintres. Détenteurs de savoir-faire ancestraux — émaux, porcelaines, tapisseries — bourgs et cités paisibles ne s'en ouvrent pas moins à l'art contemporain. Les plaisirs de la table ? Authentiques, comme la région : soupe au lard, pâté de pommes de terre, potée et... viandes exquises !

Life in Limousin is lived as it should be: tired Parisians in need of greenery come to rediscover the simple joys of country life, breathe the bracing air of its high plateaux and wander through its woodlands in search of mushrooms and chestnuts. The sight of peacefully grazing cattle or lambs frolicking in a spring meadow will rejuvenate the most jaded city-dweller. Come autumn, the forests are swathed in colour: a perfect backdrop to the granite and sandstone of the peaceful towns and villages, where ancestral crafts, like Limoges porcelain and Aubusson tapestries, blend a love of tradition with an enthusiasm for the best of the new. The food is as wholesome as the region: savoury bacon soup, Limousin stew and, as any proud local will tell you, the most tender, succulent beef in the world.

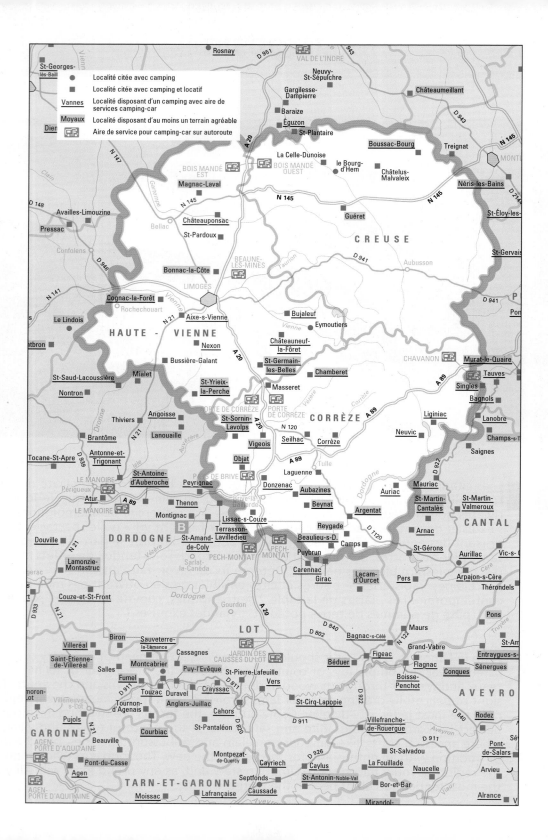

AIXE-SUR-VIENNE

87700 - Carte Michelin **325** D6 - 5 464 h. - alt. 204
▶ Paris 400 - Châlus 21 - Confolens 60 - Limoges 14

⚠ Municipal les Grèves

✆ 05 55 70 12 98, www.mairie-aixesurvienne.fr

Pour s'y rendre : r. Jean-Claude-Papon (au bord de la Vienne)

Ouverture : de déb. juin à fin sept.

3 ha (80 empl.) plat, herbeux

Empl. camping : (Prix 2018) 15 € ✚✚ ⛺ 🅿 [½] (15A) - pers. suppl. 5 €
Location : (Prix 2018) (de déb. avr. à fin oct.) - ♿ (1 mobile home)
- 3 🚐 - 2 tentes. Sem. 225 à 415 €
🚐 borne artisanale 5 €
Emplacements au bord de la Vienne tout proches du centre-ville.

Nature : 🦢 🌳🌳	
Loisirs : 🍷 🏠 🛝 🎣 🛶	**G** E : 1.1149
Services : 🔌 📶 📷	**P** N : 45.8069
À prox. : 🏊	**S**

ARGENTAT

19400 - Carte Michelin **329** M5 - 3 052 h. - alt. 183
▶ Paris 503 - Aurillac 54 - Brive-la-Gaillarde 45 - Mauriac 49

⛰ Sea Green Le Gibanel

✆ 05 55 28 10 11, www.camping-gibanel.com

Pour s'y rendre : 4,5 km au nord-est par D 18, rte d'Égletons puis
chemin à dr.

Ouverture : de déb. avr. à fin oct.

60 ha/8,5 campables (250 empl.) terrasse, plat, herbeux

Empl. camping : (Prix 2018) 36 € ✚✚ ⛺ 🅿 [½] (10A) - pers. suppl. 6 €
- frais de réservation 25 €

Location : (Prix 2018) (de déb. avr. à fin oct.) - 46 🚐. Nuitée
35 à 145 € - Sem. 245 à 1 015 € - frais de réservation 25 €
Sur les terres d'un château du 16ᵉ s. et au bord d'un lac.

Nature : 🦢 ⛰🌳🌳⛰	
Loisirs : 🍷 🏠 🌞diurne 🛝 🎣 🛶	**G** E : 1.95852
terrain multisports	**P** N : 45.1107
Services : 🔌🛁🚿📶 laverie 🔥🛒	**S**

⛰⛰⛰ Club Airotel Au Soleil d'Oc ♿👥

✆ 05 55 28 84 84, www.campingsoleildoc.com

Pour s'y rendre : à Monceaux-sur-Dordogne (4,5 km au sud-ouest
par D 12, rte de Beaulieu puis D 12e, rte de Vergnolles et chemin à
gauche apr. le pont, au bord de la Dordogne)

Ouverture : de fin avr. à mi-nov.

4 ha (120 empl.) terrasse, plat, herbeux

Empl. camping : (Prix 2018) 36 € ✚✚ ⛺ 🅿 [½] (6A) - pers. suppl. 7 €
- frais de réservation 18 €

Location : (Prix 2018) (de fin avr. à mi-nov.) - 40 🚐 - 12 🏠
- 3 bungalows toilés - 1 tente lodge. Nuitée 45 à 170 € - Sem.
225 à 1 190 € - frais de réservation 18 €
🚐 borne artisanale 12 € - 🛒[½]8 €
*Emplacements très ombragés, au bord de la rivière pour cer-
tains.*

Nature : 🦢 🌳 🌳🌳 ⛰	
Loisirs : 🍷🍴 🏠 🛝🏃🛶🧗🎣🛶	**G** E : 1.91836
terrain multisports	**P** N : 45.07618
Services : 🔌🛁📶 laverie 🔥	**S**
réfrigérateurs	

Give us your opinion of the camping sites we recommend.
Let us know of your remarks and discoveries : leguidecampingfrance@tp.michelin.com.

🏔 Le Vaurette ♣♣

📞 05 55 28 09 67, www.vaurette.com

Pour s'y rendre : lieu-dit : Vaurette (9 km au sud-ouest par D 12, rte de Beaulieu, au bord de la Dordogne)

Ouverture : de déb. mai à mi-sept.

4 ha (120 empl.) en terrasses, peu incliné, plat, herbeux

Empl. camping : 37€ ★★ ⛟ 🅴 ⚡ (6A) - pers. suppl. 7€ - frais de réservation 15€

Location : (de déb. mai à mi-sept.) - 🚐 - 2 🛖. Sem. 340 à 890€ - frais de réservation 15€

Le long de la rivière avec des emplacements les pieds dans l'eau.

	GPS
Nature : 🏞 ♤♤ ⛰	E : 1.8825
Loisirs : 🍴 🍽 🏕 diurne salle d'animations 🎣 ⛱ 🏊 🛶	N : 45.04568
Services : 🔑 🛁 📶 laverie 🚮	

AUBAZINE

19190 - Carte Michelin **329** L4 - 852 h. - alt. 345
▶ Paris 480 - Aurillac 86 - Brive-la-Gaillarde 14 - St-Céré 50

🏔 Campéole Le Coiroux ♣♣

📞 05 55 27 21 96, www.campeole.com/camping/post/le-coiroux-aubazine

Pour s'y rendre : Parc touristique du Coiroux (5 km à l'est par D 48, rte du Chastang, à prox. d'un plan d'eau et d'un parc de loisirs)

Ouverture : de fin avr. à fin sept.

165 ha/6 campables (174 empl.) peu incliné, plat, herbeux, bois

Empl. camping : (Prix 2018) 31€ ★★ ⛟ 🅴 ⚡ (10A) - pers. suppl. 7€

Location : (Prix 2018) (de fin avr. à fin sept.) - ♿ (2 mobile homes) - 47 🛖 - 10 🏠 - 27 bungalows toilés - 1 tente lodge. Nuitée 33 à 160€ - Sem. 231 à 1 120€

🚐 borne eurorelais

Beaucoup d'espaces verts, de grands emplacements et une base de loisirs bien aménagée.

	GPS
Nature : 🏞 ⛱ ♤♤	E : 1.70739
Loisirs : 🍴 🍽 🏕 🎣 ⛱ 🏊 🛶 🏐 terrain multisports	N : 45.18611
Services : 🔑 🛁 📶 laverie 🚮 🚿	
À prox. : 🎿 🚴 🏖 (plage) 🛶 parcours dans les arbres mur d'escalade , golf (18 trous)	

The Guide changes, so renew your guide every year.

AURIAC

19220 - Carte Michelin **329** N4 - 226 h. - alt. 608
▶ Paris 517 - Argentat 27 - Égletons 33 - Mauriac 23

⛺ Municipal

📞 05 55 28 25 97, www.auriac.fr

Pour s'y rendre : au bourg (sortie sud-est par D 65, rte de St-Privat, près d'un étang et d'un parc boisé)

Ouverture : de déb. mai à déb. oct.

1,7 ha (63 empl.) non clos, peu incliné, plat, herbeux

Empl. camping : (Prix 2018) ★ 4€ ⛟ 2€ 🅴 2€ – ⚡ (8A) 4€

Location : (Prix 2018) (de déb. avr. à déb. nov.) - 8 🛖. Nuitée 40 à 65€ - Sem. 160 à 405€

🚐 borne artisanale 10€

Certains emplacements dominent le plan d'eau.

	GPS
Nature : 🏞 ⛵ ⛱ ♤♤ ⛰	E : 2.14772
Loisirs : 🏕 🛶	N : 45.20206
Services : (mi-juil.-mi-août) 📶 🖥	
À prox. : 🎿 🚴 🏖 (plage) 🚿 🛶 pédalos	

BEAULIEU-SUR-DORDOGNE

19120 - Carte Michelin **329** M6 - 1 283 h. - alt. 142
▶ Paris 513 - Aurillac 65 - Brive-la-Gaillarde 44 - Figeac 56

🏔 Huttopia Beaulieu-sur-Dordogne ♣♣

📞 05 55 91 02 65, www.huttopia.com

Pour s'y rendre : bd Rodolphe-de-Turenne (à l'est du centre bourg)

Ouverture : de mi-avr. à fin sept.

7 ha (185 empl.) plat, herbeux

Empl. camping : 35€ ★★ ⛟ 🅴 ⚡ (10A) - pers. suppl. 8€ - frais de réservation 15€

Location : (de mi-avr. à fin sept.) - 10 🛖 - 14 🏠 - 26 tentes lodges - 2 tentes sur pilotis. Nuitée 35 à 154€ - frais de réservation 15€

🚐 borne artisanale 7€

Cadre et situation pittoresques sur une île de la Dordogne.

	GPS
Nature : 🏞 ♤♤ ⛰	E : 1.84049
Loisirs : 🍴 🍽 🏕 🎣 ⛱ 🏊 🛶	N : 44.97968
Services : 🔑 🏪 🛁 📶 laverie 🚮	
À prox. : 🎿	

BEYNAT

19190 - Carte Michelin **329** L5 - 1 253 h. - alt. 420
▶ Paris 496 - Argentat 47 - Beaulieu-sur-Dordogne 23 - Brive-la-Gaillarde 21

🏔 Club Airotel Le Lac de Miel

📞 05 55 85 50 66, www.camping-miel.com

Pour s'y rendre : 4 km à l'est par N 121, rte d'Argentat, au bord d'un plan d'eau

Ouverture : de fin avr. à mi-sept.

50 ha/9 campables (180 empl.) vallonné, peu incliné, herbeux

Empl. camping : (Prix 2018) 33€ ★★ ⛟ 🅴 ⚡ (6A) - pers. suppl. 7€ - frais de réservation 18€

Location : (Prix 2018) (de fin avr. à mi-sept.) - 70 🛖 - 6 🏠 - 3 bungalows toilés - 6 tentes lodges - 2 roulottes - 4 gîtes. Sem. 195 à 1 141€ - frais de réservation 18€

🚐 borne artisanale - 🛢 12€

	GPS
Nature : 🏞 ⛵ ♤♤ ⛰	E : 1.77103
Loisirs : 🍴 🍽 🏕 🎣 ⛱ 🎿 🚴 🏊 (découverte en saison) 🛶 🚿 terrain multisports	N : 45.13332
Services : 🔑 🛁 📶 laverie	
À prox. : 🏖 (plage) pédalos paintball	

🏔 Village Vacances Chalets en France Les Hameaux de Miel

(pas d'emplacement tentes et caravanes)

📞 05 55 84 34 48, www.terresdefrance.com

Pour s'y rendre : lieu-dit : Miel

12 ha fort dénivelé, en terrasses

Location : Permanent🔥 (3 chalets) - 65 🏠. Nuitée 49 à 129€ - Sem. 149 à 849€

Nature : 🏊 ⚲ ♀
Loisirs : 🍴 🍽 🏛 📷 🏃 🛷 🎣 ▢ 🛶 🚣 terrain multisports
Services : 🔌 🏢 📶 laverie
À prox. : ❀ 🎣 ⛵ 🏖 🛥 pédalos paintball

G P S	E : 1.76141 N : 45.12932

BONNAC-LA-CÔTE

87270 - Carte Michelin **325** E5 - 1 374 h. - alt. 428
▶ Paris 382 - Guéret 78 - Limoges 16 - Tulle 101

⛰ Les Castels Le Château de Leychoisier

🅿 05 55 39 93 43, www.leychoisier.com

Pour s'y rendre : 1 rte de Leychoisier (1 km par D 97, rte du 8 mai 1945)

Ouverture : de mi-avr. à mi-sept.

50 ha/4 campables (80 empl.) peu incliné, plat, herbeux

Empl. camping : 35€ ✹✹ 🚗 🔳 (⚡) (10A) - pers. suppl. 10€
Location : (de mi-avr. à mi-sept.) - 🚐 - 2 🏠. Sem. 400 à 600€

Sur les terres d'un château du 9e siècle avec des arbres quadricentenaires : séquoia, cèdres du Liban.

Nature : 🏊 ⚲⚲
Loisirs : 🍴 🍽 🏛 🛶 🚣
Services : 🔌 ⊡ 🏢 🏖 ☂ 📶 laverie 🚿

G P S	E : 1.28973 N : 45.93337

LE BOURG-D'HEM

23220 - Carte Michelin **325** H3 - 225 h. - alt. 320
▶ Paris 333 - Aigurande 20 - Le Grand-Bourg 28 - Guéret 21

⛰ Municipal

🅿 05 55 62 84 36, www.paysdunois.fr

Pour s'y rendre : à l'ouest par D 48, rte de Bussière-Dunoise et chemin à dr.

Ouverture : de déb. juin à fin sept.

0,33 ha (32 empl.) non clos, en terrasses, plat, herbeux

Empl. camping : ✹ 3€ 🚗 2€ 🔳 2€ – (⚡) (10A) 3€

Un confort sanitaire très simple, mais un site agréable au bord de la Creuse (plan d'eau).

Nature : 🏊 🖵 ⚲⚲ ▲
Loisirs : 🎣
Services : (juil.-août) 🛒 ☂ 📶
À prox. : 🍴 🏖 ⛵ pédalos

G P S	E : 1.82412 N : 46.29752

BOUSSAC-BOURG

23600 - Carte Michelin **325** K2 - 787 h. - alt. 423
▶ Paris 334 - Aubusson 52 - La Châtre 37 - Guéret 43

⛰ Les Castels Le Château de Poinsouze 👥

🅿 05 55 65 02 21, www.camping-de-poinsouze.com 📠 (de mi-juil. à fin août)

Pour s'y rendre : rte de La Châtre (2,8 km au nord par D 917)

Ouverture : de mi-mai à mi-sept.

150 ha/22 campables (145 empl.) peu incliné, plat, herbeux, étang

Empl. camping : 39€ ✹✹ 🚗 🔳 (⚡) (16A) - pers. suppl. 9€ - frais de réservation 15€

Location : (de mi-mai à mi-sept.) - 📠 - 24 🏚 - 2 🏠 - 1 gîte.
Sem. 240 à 910€ - frais de réservation 15€
🚐 borne artisanale

Vaste domaine autour d'un château du 16e s. et de ses dépendances, cadre verdoyant et très fleuri.

Nature : 🏊 ⚲ 🖵 ♀
Loisirs : 🍴 🍽 🏛 📷 🏃 🛷 🎣 🚲 🛶 🚣 🎣
pédalos ferme animalière
Services : 🔌 🏖 ☂ 🛒 📶 laverie 🚿 🚲

G P S	E : 2.20472 N : 46.3725

BUJALEUF

87460 - Carte Michelin **325** G6 - 881 h. - alt. 380
▶ Paris 423 - Bourganeuf 28 - Eymoutiers 14 - Limoges 35

⛰ Municipal du Lac

🅿 05 55 69 28 98, www.bujaleuf.fr

Pour s'y rendre : 1 km au nord par D 16 et rte à gauche, près du lac

Ouverture : de mi-juin à fin sept.

2 ha (110 empl.) fort dénivelé, en terrasses, plat, herbeux

Empl. camping : (Prix 2018) 15€ ✹✹ 🚗 🔳 (⚡) (10A) - pers. suppl. 3€
Location : (Prix 2018) Permanent - 10 gîtes. Sem. 170 à 400€
🚐 borne artisanale - 4 🔳

Grandes terrasses qui dominent le lac.

Nature : 🏊 ♀
Loisirs : 🚲
Services : 🛒 🏢 📶 laverie
À prox. : 🍴 🍽 🏖 (plage) 🛶 🎣

G P S	E : 1.6297 N : 45.80166

Avant de vous installer, consultez les tarifs en cours, affichés obligatoirement à l'entrée du terrain, et renseignez-vous sur les conditions particulières de séjour. Les indications portées dans le guide ont pu être modifiées depuis la mise à jour.

BUSSIÈRE-GALANT

87230 - Carte Michelin **325** D7 - 1 394 h. - alt. 410
▶ Paris 422 - Aixe-sur-Vienne 23 - Châlus 6 - Limoges 36

⛰ Municipal Espace Hermeline

🅿 05 55 78 86 12, www.espace-hermeline.com

Pour s'y rendre : av. du Plan-d'eau (1,7 km au sud-ouest par D 20, rte de la Coquille et chemin à dr., près du stade et à 100 m d'un plan d'eau)

Ouverture : de mi-avr. à déb. nov.

1 ha (23 empl.) en terrasses, peu incliné, herbeux

Empl. camping : 15€ ✹✹ 🚗 🔳 (⚡) (12A) - pers. suppl. 6€
Location : (de mi-avr. à déb. nov.) - 2 yourtes. Nuitée 72€ - Sem. 504€

Sur le site d'une base de loisirs.

Nature : 🏊 ⚲ 🖵 ⚲⚲
Services : 🔌🖵 🏢 ☂
À prox. : ❀ 🎣 🏖 (plage) 🎣 parcours dans les arbres tyrolienne , vélo rail petit train

G P S	E : 1.03086 N : 45.61364

CAMPS

19430 - Carte Michelin **329** M6 - 246 h. - alt. 520
▶ Paris 520 - Argentat 17 - Aurillac 45 - Bretenoux 18

⚠ Municipal la Châtaigneraie

✆ 05 55 28 53 15, www.correze-camping.fr

Pour s'y rendre : au bourg (à l'ouest par D 13 et chemin à dr.)

Ouverture : de déb. mai à fin sept.

1 ha (23 empl.) peu incliné à incliné, herbeux

Empl. camping : (Prix 2018) 🏕 3 € ⇌ 🄴 3 € – 🔌 (10A) 3 €

Location : (Prix 2018) Permanent - 9 🛖 - 4 cabanons. Nuitée 30 à 80 € - Sem. 180 à 480 €

Chalets en bois de bon confort et emplacements ombragés au-dessus du petit étang.

Nature : 🌿 ≤ ♀♀ Loisirs : 🍸 🗙 🛶 Services : 🚽 🛜 🖥 À prox. : 🗙 🛥 (plage) 🌊	**G P S** E : 1.98756 N : 44.98368

LA CELLE-DUNOISE

23800 - Carte Michelin **325** H3 - 607 h. - alt. 230
▶ Paris 329 - Aigurande 16 - Aubusson 63 - Dun-le-Palestel 11

⚠ Municipal de la Baignade

✆ 05 55 89 10 77, www.lacelledunoise.fr

Pour s'y rendre : à l'est, par D 48a, rte du Bourg d'Hem, près de la Creuse (accès direct)

Ouverture : Permanent

1,4 ha (30 empl.) terrasse, plat, herbeux

Empl. camping : 12 € 🏕🏕 ⇌ 🄴 🔌 (16A) - pers. suppl. 3 €

Location : Permanent - 3 🛖. Nuitée 38 à 51 € - Sem. 150 à 308 €

Autour d'une jolie bâtisse en pierre qui abrite l'accueil et les sanitaires. Petit chemin escarpé pour descendre à la rivière.

Nature : ♀♀ Loisirs : 🛖 🗙 Services : 🚽 ⛵ laverie À prox. : 🍸 🗙 🛥 🚲 🌊	**G P S** E : 1.77583 N : 46.30913

CHAMBERET

19370 - Carte Michelin **329** L2 - 1 318 h. - alt. 450
▶ Paris 453 - Guéret 84 - Limoges 66 - Tulle 45

🏔 Village Vacances Les Chalets du Bois Combet

(pas d'emplacement tentes et caravanes)

✆ 05 55 98 96 83, www.complexelamontagnelimousine.fr - empl. traditionnels également disponibles

Pour s'y rendre : 1,3 km au sud-ouest par D 132, rte de Meilhards et chemin à dr., à 100 m d'un petit plan d'eau et d'un étang

1 ha plat, herbeux

Location : (de déb. avr. à fin oct.) - 🔥 (1 chalet) - 🅿 - 5 🛖 - 10 🛖. Nuitée 49 à 72 € - Sem. 257 à 588 €

🏕 borne AireService

Joli petit village de chalets qui dominent l'espace aquatique.

Nature : 🌿 ♀ Loisirs : 🛖 🛶 🏇 Services : ⚊ 🚽 🛜 laverie À prox. : 🏊 ⛷ ⛰ parcours dans les arbres terrain multisports	**G P S** E : 1.70994 N : 45.57541

CHÂTEAUNEUF-LA-FORÊT

87130 - Carte Michelin **325** G6 - 1 641 h. - alt. 376
▶ Paris 424 - Eymoutiers 14 - Limoges 36 - St-Léonard-de-Noblat 19

⚠ Le Cheyenne

✆ 05 55 69 39 29, www.camping-le-cheyenne.com

Pour s'y rendre : av. Michel-Sinibaldi (800 m à l'ouest du centre bourg, rte du stade, à 100 m d'un plan d'eau)

1 ha (45 empl.) plat, herbeux

Location : - 9 🛖 - 1 🛖.

🏕 borne AireService

Nature : 🌿 ♀ Loisirs : 🍸 🗙 Services : ⚊ 🛜 laverie À prox. : 🚴 🛥 🗙 🛥 (plage) 🌊	**G P S** E : 1.60127 N : 45.71633

Gebruik de gids van het lopende jaar.

CHÂTEAUPONSAC

87290 - Carte Michelin **325** E4 - 2 158 h. - alt. 290
▶ Paris 361 - Bélâbre 55 - Limoges 48 - Bellac 21

🏔 La Gartempe

✆ 05 55 76 55 33, www.campingdelagartempe.fr

Pour s'y rendre : av. de Ventenat (sortie sud-ouest par D 711, rte de Nantiat, à 200 m de la rivière)

Ouverture : Permanent

1,5 ha (56 empl.) en terrasses, peu incliné, plat, herbeux

Empl. camping : (Prix 2018) 18 € 🏕🏕 ⇌ 🄴 🔌 (10A) - pers. suppl. 4 €

Location : (Prix 2018) Permanent - 2 🚐 - 2 🛖 - 11 gîtes. Nuitée 60 à 75 € - Sem. 219 à 505 € - frais de réservation 10 €

🏕 borne artisanale - ⚌ 11 €

Cadre verdoyant entre le bourg, l'église et la rivière.

Nature : 🌿 ♀♀ Loisirs : 🍸 🗙 🛖 🏓 🏇 Services : ⚊ 🕳 🛜 laverie À prox. : 🛶 🏊 🚲 🌊	**G P S** E : 1.27046 N : 46.1318

CHÂTELUS-MALVALEIX

23270 - Carte Michelin **325** J3 - 563 h. - alt. 410
▶ Paris 333 - Aigurande 25 - Aubusson 46 - Boussac 19

⚠ Municipal La Roussille

✆ 05 55 80 70 31, www.chatelusmalvaleix.fr

Pour s'y rendre : 10 pl. de la Fontaine (à l'ouest du bourg)

Ouverture : de déb. juin à fin sept. - 🐾

0,5 ha (26 empl.) peu incliné, plat, herbeux

Empl. camping : (Prix 2018) 🏕 6 € ⇌ 🄴 – 🔌 (16A) 4 €

Location : (Prix 2018) Permanent 🔥 (1 chalet) - 8 🛖. Nuitée 55 à 60 € - Sem. 200 à 450 €

Un confort sanitaire faible pour les emplacements, mais tout près d'une agréable petite base de loisirs.

Nature : 🌿 ♀♀ ⚓ Loisirs : 🛖 🛶 Services : ⚊ 🚽 🛜 laverie À prox. : 🍸 🛶 🗙 🛥 ⚓	**G P S** E : 2.01818 N : 46.3031

COGNAC-LA-FORET

87310 - Carte Michelin **325** D5 - 1 022 h. - alt. 410
▶ Paris 417 - Guéret 113 - Limoges 27 - Périgueux 87

⚠ Les Alouettes

✆ 05 55 03 26 93, www.camping-des-alouettes.com

Pour s'y rendre : lieu-dit : Les Alouettes (1 km à l'ouest par D 10, rte de Rochechouart)

Ouverture : de déb. avr. à fin sept.

5 ha (68 empl.) peu incliné, plat, herbeux

Empl. camping : (Prix 2018) 24 € ✶ ✶ ⛛ 🅿 🕭 (10A) - pers. suppl. 6 €
Location : (Prix 2018) (de déb. avr. à fin sept.) - ⚡ - 6 🚍
- 3 bungalows toilés. Nuitée 55 à 90 € - Sem. 220 à 630 €
🚐 borne artisanale 15 €
Cadre verdoyant et sanitaires neufs de bon confort.

Nature : 🐟 ▱	
Loisirs : 🏠 🚣 🎣	**G** E : 0.99678
Services : ⚬🔧♨🛜📺	**P** N : 45.82463
	S

CORRÈZE

19800 - Carte Michelin **329** M3 - 1 168 h. - alt. 455
▶ Paris 480 - Argentat 47 - Brive-la-Gaillarde 45 - Égletons 22

⚠ Municipal la Chapelle

✆ 05 55 21 25 21, www.mairie-correze.fr

Pour s'y rendre : lieu-dit : La Chapelle (sortie est par D 143, rte d'Egletons et à dr., rte de Bouysse)

Ouverture : de déb. mai à fin sept.

3 ha (54 empl.) non clos, terrasse, peu incliné, plat, herbeux, bois

Empl. camping : (Prix 2018) ✶ 3 € ⛛ 2 € 🅿 3 € – 🕭 (5A) 3 €
Location : (Prix 2018) Permanent ⚡ - 3 🚍 - 1 gîte. Nuitée
30 à 45 € - Sem. 200 à 300 €
🚐 borne artisanale - 10 🅿 9 € - 🚐 🕭 9 €
En deux parties distinctes, traversé par une petite route, au bord de la Corrèze et près d'une petite chapelle.

Nature : 🐟 ▱▱	
Loisirs : 🏠 🚣 🐬	**G** E : 1.8798
Services : ⚬🔧🛜📺	**P** N : 45.37191
À prox. : 🏊	**S**

Benutzen Sie den Hotelführer des laufenden Jahres.

DONZENAC

19270 - Carte Michelin **329** K4 - 2 492 h. - alt. 204
▶ Paris 469 - Brive-la-Gaillarde 11 - Limoges 81 - Tulle 27

⚠ La Rivière

✆ 06 82 92 67 65, campinglariviere.jimdo.com

Pour s'y rendre : rte d'Ussac (1,6 km au sud du bourg, par rte de Brive et chemin, au bord du Maumont)

Ouverture : de déb. mars à fin oct.

1,2 ha (60 empl.) plat, herbeux

Empl. camping : (Prix 2018) ✶ 6 € ⛛ 6 € – 🕭 (10A) 4 €
Location : (Prix 2018) (de déb. avr. à fin oct.) - ♿ (1 chalet) - 14 🏠.
Sem. 185 à 580 € - frais de réservation 10 €
🚐 borne eurorelais 5 € - 🚐 🕭 16 €

Agréable pelouse ombragée entre un petit ruisseau et les installations sportives municipales.

Nature : ▱ ▱▱	
Loisirs : 🏠	**G** E : 1.52149
Services : ⚬🔧🛜📺	**P** N : 45.21761
À prox. : ✂ 🔥 🛶	**S**

EYMOUTIERS

87120 - Carte Michelin **325** H6 - 2 033 h. - alt. 417
▶ Paris 432 - Aubusson 55 - Guéret 62 - Limoges 44

⚠ Municipal

✆ 05 55 69 27 81, tourisme-portesdevassiviere.fr

Pour s'y rendre : à St-Pierre (2 km au sud-est par D 940, rte de Tulle et chemin à gauche)

Ouverture : de déb. juin à fin sept. - ⛨

1 ha (33 empl.) non clos, en terrasses, peu incliné, plat, herbeux

Empl. camping : (Prix 2018) 10 € ✶ ✶ ⛛ 🅿 🕭 (16A) - pers. suppl. 2 €
Petit terrain en position dominante, tout simple sans aucun service.

Nature : 🐟 ▱ ▱▱	
Services : 🔧	**G** E : 1.75296
	P N : 45.73161
	S

GUÉRET

23000 - Carte Michelin **325** I3 - 13 844 h. - alt. 457
▶ Paris 351 - Bourges 122 - Châteauroux 90 - Clermont-Ferrand 132

⚠ Courtille

✆ 05 55 81 92 24, www.camping-courtille.com

Pour s'y rendre : rte de Courtille (2,5 km au sud-ouest par D 914, rte de Benevent et chemin à gauche)

Ouverture : de déb. avr. à fin sept.

2,4 ha (70 empl.) peu incliné, plat, herbeux

Empl. camping : (Prix 2018) 19 € ✶ ✶ ⛛ 🅿 🕭 (10A) - pers. suppl. 3 €
- frais de réservation 5 €
Location : (Prix 2018) (de déb. avr. à fin sept.) - 4 🚍 - 1 🏠. Sem.
245 à 574 € - frais de réservation 10 €
Cadre verdoyant et boisé au bord d'un joli plan d'eau et sa base de loisirs.

Nature : 🐟 ▱ ▱▱	
Loisirs : 🚣	**G** E : 1.85823
Services : ⚬🔧🛜 laverie réfrigérateurs	**P** N : 46.16093
À prox. : 🚲 🏊 (plage) 🛶 🎣 🛟 base	**S**
nautique skate parc	

LAGUENNE

19150 - Carte Michelin **329** L4 - 1 453 h. - alt. 205
▶ Paris 484 - Cahors 131 - Limoges 93 - Tulle 5

⚠ Le Pré du Moulin

✆ 05 55 26 21 96, www.lepredumoulin.com

Pour s'y rendre : r. du Vieux-Moulin (2 km au nord)

Ouverture : de déb. avr. à fin sept. - ⚑

1,5 ha (22 empl.) en terrasses, plat, herbeux

Empl. camping : ⭍ 6 € ⇋ 回 8 € – ⁅ (6A) 3 €
Location : (de déb. avr. à fin sept.) - 2 🏠 - 2 bungalows toilés.
Sem. 250 à 280 €

Dans une petite clairière au bord de la Corrèze.

Nature : ⛰ ▭ ００		
Loisirs : ⌇ (petite piscine) ⌇	**G P S**	E : 1.78145
Services : ⊶ ⌇ 回		N : 45.24657

⚞ᴬᴬᴬ ... ⚞

*Besonders angenehme Campingplätze,
ihrer Kategorie entsprechend.*

LIGINIAC

19160 - Carte Michelin **329** P3 - 641 h. - alt. 665
▶ Paris 464 - Aurillac 83 - Bort-les-Orgues 24 - Clermont-Ferrand 107

⚠ Municipal le Maury

✆ 05 55 95 92 28, www.camping-du-maury.com

Pour s'y rendre : 4,6 km au sud-ouest par rte de la plage, au bord
du lac de Triouzoune - accès conseillé par D 20, rte de Neuvic

Ouverture : de mi-juin à mi-sept.

2 ha (50 empl.) en terrasses, peu incliné, plat, herbeux

Empl. camping : (Prix 2018) 17 € ⭍⭍ ⇋ 回 ⁅ (16A) - pers. suppl. 4 €
Location : (Prix 2018) (de déb. avr. à fin oct.) - 9 cabanons
- 12 gîtes. Sem. 148 à 505 €
⛽ borne eurorelais
Belle prairie vallonnée qui descend jusqu'au plan d'eau.

Nature : ⛰ ♀		
Loisirs : ▭ ⌇ ✖	**G P S**	E : 2.30498
Services : ⊶ ⌇ laverie		N : 45.39143
À prox. : ⌇ ✖ ⌇ ⌇ (plage) pédalos		

LISSAC-SUR-COUZE

19600 - Carte Michelin **329** J5 - 710 h. - alt. 170
▶ Paris 486 - Brive-la-Gaillarde 11 - Périgueux 68 - Sarlat-la-
Canéda 42

⚠ Flower Le Lac de Causse ⚐⚐

✆ 05 55 85 37 97, www.campingdulacducausse.com

Pour s'y rendre : 1,4 km au sud-ouest par D 59 et chemin à gauche,
près du lac du Causse

Ouverture : de fin mars à fin sept.

5 ha (120 empl.) en terrasses, plat, herbeux, gravillons

Empl. camping : (Prix 2018) 17 € ⭍⭍ ⇋ 回 ⁅ (10A) - pers. suppl. 6 €
Location : (Prix 2018) Permanent - 20 🏠 - 3 tentes lodges
- 15 cabanons - 25 gîtes. Sem. 155 à 800 € - frais de réservation 20 €
⛽ 8 回

Le village de gîtes est à 500 m.

Nature : ⛰ ⚑ le lac du Causse ▭ ００		
Loisirs : ⌇ ✖ ▭ ⌇ ⌇ ⌇ bi-cross	**G P S**	E : 1.45465
Services : ⊶ ⌇ ⌇ ⌇ ⌇ laverie ⌇		N : 45.10125
à la base de loisirs : ⌇ ⌇ (plage) ⌇ ⌇ ⌇		
⌇ pédalos		

⚠ Village Vacances Les Hameaux du Perrier

(pas d'emplacement tentes et caravanes)

✆ 05 55 84 33 48, www.terresdefrance.com

Pour s'y rendre : lieu-dit : Le Perrier

17 ha/10 campables en terrasses

Location : Permanent - 65 🏠. Nuitée 49 à 119 € - Sem. 99 à 699 €

Important village de chalets de confort variable.

Nature : ⛰ ⚑ ００		
Loisirs : ⌇ ✖ ▭ ⌇ ⌇ ⌇	**G P S**	E : 1.43848
Services : ⊶ ⌇ ⌇ laverie ⌇		N : 45.10029
À prox. : ⌇ ✖ ⌇ ⌇		

MAGNAC-LAVAL

87190 - Carte Michelin **325** D3 - 1 850 h. - alt. 231
▶ Paris 366 - Limoges 64 - Poitiers 86 - Guéret 62

⚠ Village Vacances Le Hameau de Gîtes des Pouyades

(pas d'emplacement tentes et caravanes)

✆ 05 55 60 73 45, www.lespouyades.com

Pour s'y rendre : lieu-dit : Les Pouyades

1,5 ha plat

Location : (de déb. fév. à fin déc.) - 12 gîtes. Sem. 286 à 707 € - frais
de réservation 16 €

*Cadre verdoyant au bord d'un joli petit étang et certaines ter-
rasses de gîtes surplombent l'eau.*

Nature : ⛰ ⚑ Sur le lac ♀		
Loisirs : ▭ ⌇ ⌇ ⌇	**G P S**	E : 1.19236
Services : ⌇ ⌇ laverie		N : 46.20331

---

*Ce guide n'est pas un répertoire de tous les terrains
de camping mais une sélection des meilleurs campings
dans chaque catégorie.*

MASSERET

19510 - Carte Michelin **329** K2 - 675 h. - alt. 380
▶ Paris 432 - Guéret 132 - Limoges 45 - Tulle 48

⚠ Domaine des Forges

✆ 05 55 73 44 57, www.camping-domainedesforges.com

Pour s'y rendre : 3 km à l'est par D 20, rte des Meilhards, à la sortie
de Masseret-Gare

Ouverture : de déb. avr. à fin sept.

100 ha/2 campables (80 empl.) non clos, vallonné, peu incliné, plat,
herbeux, gravillons

Empl. camping : 21 € ⭍⭍ ⇋ 回 ⁅ (10A) - pers. suppl. 4 €

Location : (de déb. avr. à fin sept.) - 4 🚐 - 1 tente lodge - 1 tipi - 6 cabanons. Nuitée 35 à 75€ - Sem. 110 à 500€

Agréable cadre boisé dominant le plan d'eau.

Nature : 🐾 ⬅ le plan d'eau ♨
Loisirs : 🛏
Services : 🔑 📶 📷
À prox. : 🍷 ✕ ⛵ 🏄 ✂ ⛄ 🏊 (plage) 🎣

GPS
E : 1.54908
N : 45.54154

MEYSSAC

19500 - Carte Michelin **329** L5 - 1 245 h. - alt. 220
▶ Paris 507 - Argentat 62 - Beaulieu-sur-Dordogne 21 - Brive-la-Gaillarde 23

🏔 Intercommunal Moulin de Valane

✆ 05 55 25 41 59, www.campinglavalane.com

Pour s'y rendre : 1 km au nord-ouest, rte de Collonges-la-Rouge, au bord d'un ruisseau

Ouverture : de déb. mai à fin sept.

4 ha (115 empl.) en terrasses, peu incliné, plat, herbeux

Empl. camping : (Prix 2018) 19€ 🚹🚹 🚗 📧 🅿 (10A) - pers. suppl. 4€
Location : (Prix 2018) (de déb. avr. à fin sept.) - 21 🚐 - 11 cabanons. Nuitée 31 à 60€ - Sem. 176 à 600€

Confort sanitaire vieillissant. Accueil de groupes et de colonies.

Nature : 🏕 ♨
Loisirs : ✕ 🛏 🏄 🚴 ✂ 🎱 🏊 🎣
Services : 🔌 (juil.-août) 📶 laverie 🧺

GPS
E : 1.66381
N : 45.06102

Use this year's Guide.

NEUVIC

19160 - Carte Michelin **329** O3 - 1 868 h. - alt. 620
▶ Paris 465 - Aurillac 78 - Mauriac 25 - Tulle 56

🏔 Domaine de Mialaret 🧍‍🧍

✆ 05 55 46 02 50, www.lemialaret.com

Pour s'y rendre : rte d'Égleton (3 km à l'ouest par D 991 et chemin à drte)

Ouverture : de fin avr. à fin sept.

44 ha/3 campables (170 empl.) vallonné, incliné, peu incliné, plat, herbeux

Empl. camping : (Prix 2018) 17€ 🚹🚹 🚗 📧 🅿 (10A) - pers. suppl. 6€
Location : Permanent - 30 🏠 - 25 tentes lodges - 14 gîtes. Nuitée 50 à 145€ - Sem. 350 à 1 015€
🚐 borne eurorelais

Emplacements sur un domaine boisé, autour du château qui abrite l'hôtel-restaurant, avec du locatif varié parfois de confort modeste et ancien.

Nature : 🐾 🏕 ♨
Loisirs : 🍷 ✕ 🛏 🎮 🏊 🏄 🎣 🏊
Services : 🔑 ⛴ 📶 laverie 🧺

GPS
E : 2.22922
N : 45.38216

🏔 Municipal du Lac

✆ 05 55 95 85 48, www.campingdulac-neuvic-correze.com

Pour s'y rendre : rte de la Plage (2,3 km à l'est par D 20, rte de Bort-les-Orgues et rte de la plage à gauche, au bord du lac de Triouzoune)

5 ha (93 empl.) en terrasses, gravillons, herbeux
Location : 👤 (1 gîte) - 12 🏠 - 15 gîtes.
🚐 borne artisanale

Vue sur le lac pour quelques emplacements tentes ou caravanes. Gîtes à proximité du camping.

Nature : 🐾 🏕 ♨
Loisirs : 🛏 🏄 🎣
Services : 🔑 📶 laverie
À prox. : 🍷 ✕ 🏊 (plage) 🚤 ⚓ ⛵ pédalos

GPS
E : 2.29207
N : 45.3841

NEXON

87800 - Carte Michelin **325** E6 - 2 457 h. - alt. 359
▶ Paris 412 - Châlus 20 - Limoges 22 - Nontron 53

🏔 Municipal de la Lande

✆ 05 55 58 35 44, www.camping-nexon.fr

Pour s'y rendre : étang de la Lande (1 km au sud par rte de St-Hilaire, accès près de la pl. de l'Hôtel-de-Ville)

Ouverture : de déb. juin à fin sept.

2 ha (60 empl.) en terrasses, peu incliné, herbeux

Empl. camping : (Prix 2018) 12€ 🚹🚹 🚗 📧 🅿 (10A) - pers. suppl. 4€
Location : (Prix 2018) (de déb. avr. à déb. nov.) - 6 🏠 - 9 cabanons. Nuitée 31 à 57€ - Sem. 118 à 436€
🚐 borne artisanale

Cadre verdoyant et bien ombragé avec vue sur le lac pour certains emplacements.

Nature : 🏕 ♨
Loisirs : 🛏 🚴
Services : 🔌 ⛴ 🚐 📶 📷
À prox. : 🏄 🏊 (plage) pédalos

GPS
E : 1.17997
N : 45.67078

Avant de vous installer, consultez les tarifs en cours, affichés obligatoirement à l'entrée du terrain, et renseignez-vous sur les conditions particulières de séjour. Les indications portées dans le guide ont pu être modifiées depuis la mise à jour.

OBJAT

19130 - Carte Michelin **329** J4 - 3 605 h. - alt. 131
▶ Paris 495 - Limoges 106 - Tulle 46 - Brive-la-Gaillarde 20

🏔 Village Vacances Les Grands Prés

(pas d'emplacement tentes et caravanes)

✆ 05 55 24 08 80, www.tourismeobjat.com

Pour s'y rendre : av. Jules-Ferry (à l'espace loisirs : Les Grands Prés)

18 ha/4 campables plat

Location : (Prix 2018) Permanent - 20 🏠. Nuitée 52€ - Sem. 257 à 580€ - frais de réservation 16€
🚐 borne eurorelais 2€

Sur un immense site naturel et de loisirs bien aménagé.

Nature : 🐾 ⬅
Loisirs : 🛏 🏊
Services : 🚐 🏛 📶 laverie
À prox. : 🍷 ✕ 🏄 🚴 🎱 🏊 🎣 pédalos terrain multisports

GPS
E : 1.41069
N : 45.26687

REYGADES

19430 - Carte Michelin **329** M5 - 193 h. - alt. 460
▶ Paris 516 - Aurillac 56 - Brive-la-Gaillarde 56 - St-Céré 26

🏔 La Belle Étoile

🖉 0555285008, www.campingbelle-etoile.fr

Pour s'y rendre : à Lestrade (1 km au nord par D 41, rte de Beaulieu-sur-Dordogne)

Ouverture : de déb. juin à fin sept.

5 ha/3 campables (25 empl.) en terrasses, plat, herbeux

Empl. camping : 17€ ★ ★ ⬜ 🅔 🅗 (6A) - pers. suppl. 4€
Location : Permanent - 6 🛆 - 6 🏠 - 4 bungalows toilés. Sem. 205 à 665€

Au calme avec des emplacements ombragés et du locatif varié de bon confort.

Nature : 🐾 ⬅ ⬜ 🍃🍃
Loisirs : 🏠 ⚘ 🛖 (petite piscine)
Services : ⌁ 🚿♨laverie 🔲

G P S E : 1.90538
N : 45.02405

---

*To visit a town or region : use the **MICHELIN** Green Guides.*

ST-GERMAIN-LES-BELLES

87380 - Carte Michelin **325** F7 - 1 151 h. - alt. 432
▶ Paris 422 - Eymoutiers 33 - Limoges 34 - St-Léonard-de-Noblat 31

🏔 Le Montréal

🖉 0555718620, www.campingdemontreal.com

Pour s'y rendre : r. du Petit-Moulin (sortie sud-est, rte de la Porcherie, au bord d'un plan d'eau)

Ouverture : Permanent

1 ha (60 empl.) terrasse, peu incliné, plat, herbeux

Empl. camping : 20€ ★ ★ ⬜ 🅔 🅗 (10A) - pers. suppl. 4€
Location : (de fin mars à déb. nov.) - 5 🏠 - 6 bungalows toilés. Nuitée 50 à 80€ - Sem. 300 à 525€
🚐 borne artisanale 4€

Emplacements bien délimités avec vue sur le plan d'eau.

Nature : 🐾 ⬅ ⬜ 🍃
Loisirs : 🛖
Services : ⌁ 🔲 🛜 laverie
À prox. : ✗ ⚘ ⚘ 🎿 ⚓ (plage) 🎣

G P S E : 1.5011
N : 45.61143

ST-PARDOUX

87250 - Carte Michelin **325** E4 - 536 h. - alt. 370
▶ Paris 366 - Bellac 25 - Limoges 33 - St-Junien 39

🏔 Aquadis Loisirs Le Freaudour

🖉 0555765722, www.aquadis-loisirs.com/camping-de-freaudour

Pour s'y rendre : à la base de loisirs (1,2 km au sud, au bord du lac de St-Pardoux)

Ouverture : de déb. avr. à fin oct.

4,5 ha (107 empl.) peu incliné, plat, herbeux

Empl. camping : 20€ ★ ★ ⬜ 🅔 🅗 (10A) - pers. suppl. 6€ - frais de réservation 10€
Location : (de déb. avr. à fin oct.) - 20 🛆 - 10 🏠. Nuitée 70 à 90€ - Sem. 239 à 599€ - frais de réservation 10€
🚐 borne artisanale

Cadre verdoyant, ombragé au bord du lac.

Nature : 🐾 ⬜ 🍃🍃
Loisirs : 🍴 🏠 🛖 parcours de santé ski nautique
Services : ⌁ 🚿♨ 🛜 laverie
À prox. : ⚘ ⚓ (plage) terrain multisports

G P S E : 1.2788
N : 46.04931

ST-SORNIN-LAVOLPS

19230 - Carte Michelin **329** J3 - 911 h. - alt. 400
▶ Paris 454 - Cahors 126 - Limoges 63 - Tulle 47

🏔 Les Étoiles

🖉 0555730127, www.camping-pompadour.com

Pour s'y rendre : au bourg

Ouverture : de fin mars à mi-oct.

1 ha (40 empl.) en terrasses, plat, herbeux

Empl. camping : 15€ ★ ★ ⬜ 🅔 🅗 (16A) - pers. suppl. 5€
Location : (de fin mars à mi-oct.) - ♿ (1 chalet) - 4 🛆 - 1 🏠 - 9 cabanons. Nuitée 45 à 130€ - Sem. 190 à 800€
🚐 borne AireService 3€ - 🛒 🅗15€

Entre l'église et un petit étang et à 2 km de la cité du cheval, Arnac-Pompadour.

Nature : 🐾 🍃🍃
Loisirs : 🛖
Services : ⌁ 🔲♨🛜 🔲
À prox. : 🎣

G P S E : 1.38333
N : 45.377

Avant de vous installer, consultez les tarifs en cours, affichés obligatoirement à l'entrée du terrain, et renseignez-vous sur les conditions particulières de séjour. Les indications portées dans le guide ont pu être modifiées depuis la mise à jour.

ST-YRIEIX-LA-PERCHE

87500 - Carte Michelin **325** E7 - 6 932 h. - alt. 360
▶ Paris 430 - Brive-la-Gaillarde 63 - Limoges 40 - Périgueux 63

🏔 Municipal d'Arfeuille

🖉 0555750875, saint-yrieix.fr/decouvrir/un-magnifique-detour-2/le-camping-darfeuille/

Pour s'y rendre : rte du Viaduc (2,5 km au nord par rte de Limoges et chemin à gauche, au bord d'un étang)

Ouverture : de déb. avr. à fin sept.

2 ha (76 empl.) en terrasses, plat, herbeux

Empl. camping : (Prix 2018) ★ 16€ ⬜ 6€ 🅔 5€ 🅗 (7A)
Location : (Prix 2018) Permanent ♿ (1 chalet) - 11 🏠. Nuitée 140 à 200€ - Sem. 300 à 530€
🚐 borne artisanale - 🛒 🅗16€

Site verdoyant, ombragé avec vue panoramique sur le plan d'eau. Sanitaires simples, anciens mais bien tenus.

Nature : 🐾 ⬅ ⬜ 🍃🍃
Loisirs : 🛖 🛖
Services : ⌁ 🛜 laverie
À prox. : 🍴 ✗ ⚘ ⚓ (plage) 🚣 🎣 pédalos

G P S E : 1.20009
N : 45.52791

SEILHAC

19700 - Carte Michelin **329** L3 - 1 721 h. - alt. 500

▶ Paris 461 - Aubusson 97 - Brive-la-Gaillarde 33 - Limoges 73

⚿ Le Lac de Bournazel

⌖ 05 55 27 05 65, www.camping-lac-bournazel.com

Pour s'y rendre : 1,5 km au nord-ouest par N 120, rte d'Uzerche puis 1 km à dr.

Ouverture : de déb. avr. à fin sept.

6,5 ha (120 empl.) en terrasses, plat, herbeux, gravier

Empl. camping : (Prix 2018) 17 € ♣ ♣ ⇔ 🅴 ⚡ (16A) - pers. suppl. 6 € - frais de réservation 10 €

Location : (Prix 2018) (de déb. avr. à fin sept.) - 2 🚐 - 10 🏠 - 2 tipis. Nuitée 30 à 112 € - Sem. 150 à 784 € - frais de réservation 13 €

🚰 borne artisanale 4 € - 🚐 ⚡12 €

Agréable cadre verdoyant et bien ombragé en partie sous des tilleuls.

Nature : 🐟 🏞 ♤♤
Loisirs : ♟ 🗙 🏓 🚴
Services : ⚬ᴑ ▥ 🛜 laverie 🧺
À prox. : ✂ 🏊 🎣 🐎 parcours de santé

GPS E : 1.7022
N : 45.37838

VIGEOIS

19410 - Carte Michelin **329** K3 - 1 194 h. - alt. 390

▶ Paris 457 - Limoges 68 - Tulle 32 - Brive-la-Gaillarde 41

⛺ Municipal du Lac de Pontcharal

⌖ 05 55 98 90 86, www.vigeois.com

Pour s'y rendre : à Pontcharal (2 km au sud-est par D 7, rte de Brive, près du lac de Pontcharal)

Ouverture : de déb. juin à fin sept.

32 ha/1,7 (85 empl.) terrasse, vallonné, peu incliné, plat, herbeux

Empl. camping : (Prix 2018) ♣ 4 € ⇔ 🅴 5 € – ⚡ (16A) 5 €

Location : (Prix 2018) (de déb. avr. à fin oct.) - 7 🚐. Nuitée 75 € - Sem. 300 à 440 €

🚰 borne eurorelais 3 € - 10 🅴

Ensemble agréable autour de la base de loisirs.

Nature : 🐟 ♤♤ ⚲
Loisirs : ♟ 🗙 🏊 (plage) 🎣
Services : ⚬ᴑ (juil.-août) 🛜 🛜 🖼 🧺
À prox. : pédalos

GPS E : 1.53806
N : 45.36873

B. Rieger/hemis.fr

Le pèlerinage sur les hauts lieux du souvenir militaire peut constituer la première étape de votre périple lorrain qui s'annonce riche en coups de cœur : splendide héritage architectural de Nancy magnifié par Stanislas et de Metz la « ville lumière », pétillant chapelet de stations thermales dispensatrices d'amincissants bienfaits, petites ruches créatives à l'origine du cristal de Baccarat, des émaux de Longwy et des faïences de Lunéville, silence des hauts fourneaux endormis, visions inspirées de l'histoire à Domrémy et Colombey… Sans oublier les vergers de mirabelles et les épaisses forêts vosgiennes. Accordez-vous en route une halte gourmande dans une marcairie : le géromé y clôture des repas généreux consacrés par l'indispensable quiche, à moins qu'il ne soit le prélude à un dessert arrosé de kirsch.

If you want to do justice to the wealth of wonderful sights in Lorraine, bring your walking boots. But before you head for the hills, make time to discover Nancy's splendid artistic heritage and admire the lights of Metz. Then tour a string of tiny spa resorts and the famous centres of craftsmanship which produce the legendary Baccarat crystal, Longwy enamels and Lunéville porcelain, before reaching the poignant silence of the dormant mines and quarries at Domrémy and Colombey. The lakes, forests and wildlife of the Vosges national park will keep you entranced as you make your way down hillsides dotted with plum orchards. Stop for a little "light" refreshment in a "marcairerie", a traditional farm-inn, and try the famous quiches and tarts, a slab of Munster cheese or a kirschflavoured dessert.

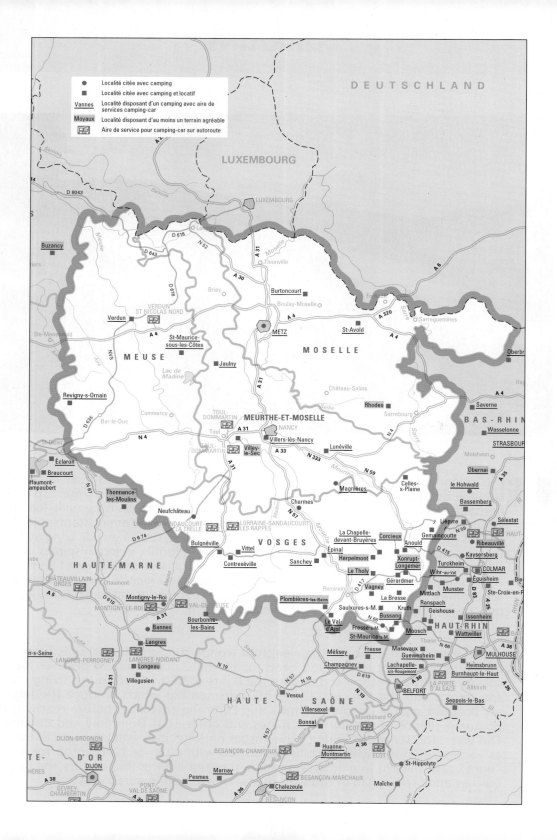

ANOULD

88650 - Carte Michelin **314** J3 - 3 336 h. - alt. 457
▶ Paris 430 - Colmar 43 - Épinal 45 - Gérardmer 15

⚠ Les Acacias

✆ 03 29 57 11 06, www.acaciascamp.com

Pour s'y rendre : 191 r. Léonard-de-Vinci (sortie ouest par N 415, rte de Colmar et chemin à dr.)

Ouverture : de déb. janv. à fin sept.

2,5 ha (84 empl.) en terrasses, plat, herbeux

Empl. camping : 16€ ⚡⚡ 🚐 🄔 ⑭ (6A) - pers. suppl. 4€
Location : (de déb. déc. à fin sept.) - 7 🚏 - 8 🏠 - 2 cabanons. Sem. 195 à 575€
🚽 borne artisanale - 6 🄔 13€ - 🔋 10€
Cadre paisible pleine nature au bord de la voie cyclable.

Nature : 🔲 ♀
Loisirs : 🍸 🏠 🚣 ⚓ (petite piscine)
Services : 🔌 (juin-sept.) 🏢 🛁 📶 laverie 🧺
À prox. : sentiers pédestres

G P S
E : 6.95786
N : 48.18437

△△△△ … △
Terrains particulièrement agréables dans leur ensemble et dans leur catégorie.

LA BRESSE

88250 - Carte Michelin **314** J4 - 4 732 h. - alt. 636 - Sports d'hiver : 650/1 350 m
▶ Paris 437 - Colmar 52 - Épinal 52 - Gérardmer 13

⚠ Belle Hutte

✆ 03 29 25 49 75, www.camping-belle-hutte.com - alt. 900

Pour s'y rendre : 1bis Vouille de Belle-Hutte (9 km au nord-est par D 34, rte du col de la Schlucht, au bord de la Moselotte)

Ouverture : de mi-déc. à fin oct.

5 ha (130 empl.) en terrasses, plat, pierreux, herbeux

Empl. camping : 33€ ⚡⚡ 🚐 🄔 ⑭ (10A) - pers. suppl. 9€ - frais de réservation 50€
Location : (de mi-déc. à fin oct.) - ♿ (3 chalets) 16 🏠 - 1 chalet sur pilotis - 4 yourtes - 2 appartements. Nuitée 80 à 200€ - Sem. 280 à 1 120€ - frais de réservation 20€
Dans un très beau site boisé, terrain en terrasses à flanc de montagne.

Nature : ❄ ← 🔲
Loisirs : 🍸 🍴 🏠 🚣 ⚓ 🎣
Services : 🔌 🏢 🛁 📶 laverie 🧺

G P S
E : 6.96254
N : 48.0349

⚠ Municipal le Haut des Bluches

✆ 03 29 25 64 80, www.hautdesbluches.com - alt. 708

Pour s'y rendre : 5 rte des Planches (3,2 km à l'est par D 34, rte du Col de la Schlucht, au bord de la Moselotte)

Ouverture : de mi-déc. à mi-nov.

4 ha (140 empl.) en terrasses, peu incliné, plat, herbeux, rochers

Empl. camping : 27€ ⚡⚡ 🚐 🄔 ⑭ (13A) - pers. suppl. 4€ - frais de réservation 2€
Location : (de mi-déc. à mi-nov.) - ♿ (2 chalets) - 6 🏠 - 13 🛏. Sem. 365 à 651€ - frais de réservation 2€
🚽 borne AireService 3€ - 31 🄔 6€ - 🔋⑭ 11€

Cadre pittoresque de pleine montagne traversé par un torrent et survolé par une tyrolienne.

Nature : ❄ ←
Loisirs : 🍸 🍴 🏠 🚣 ⚓ 🎣 parc-aventure terrain multisports
Services : 🔌 🏢 🛁 📶 laverie 🧺
À prox. : parcours sportif

G P S
E : 6.91831
N : 47.99878

BULGNÉVILLE

88140 - Carte Michelin **314** D3 - 1 400 h. - alt. 350
▶ Paris 331 - Contrexéville 6 - Épinal 53 - Neufchâteau 22

⚠ Porte des Vosges

✆ 03 29 09 12 00, www.camping-portedesvosges.com

Pour s'y rendre : lieu-dit : La Grande Tranchée (1,3 km au sud-est par D 164, rte de Contrexéville et D 14, rte de Suriauville à dr.)

Ouverture : de fin mars à fin oct.

3,5 ha (100 empl.) peu incliné, plat, gravier, herbeux

Empl. camping : 20€ ⚡⚡ 🚐 🄔 ⑭ (10A) - pers. suppl. 5€
Location : (de fin mars à fin oct.) - 6 🚏 - 1 🏠 - 1 bungalow toilé - 1 tente lodge - 2 cabanons. Nuitée 25 à 60€ - Sem. 175 à 420€
🚽 borne artisanale
Cadre champêtre avec piscine sous les bouleaux et sapins.

Nature : ♀
Loisirs : 🍸 🍴 🚣 ⚓ 🎣
Services : 🔌 🖲 🏢 🛁 📶

G P S
E : 5.84514
N : 48.19529

BURTONCOURT

57220 - Carte Michelin **307** J3 - 184 h. - alt. 225
▶ Paris 346 - Grevenmacher 74 - Metz 28 - Nancy 80

△ La Croix du Bois Sacker

✆ 03 87 35 74 08, www.campingcroixsacker.com

Pour s'y rendre : lieu-dit : La Croix du Bois Sacker (1.1 km à l'ouest par D 53A)

Ouverture : de déb. avr. à mi-oct.

8 ha (131 empl.) peu incliné, plat, herbeux

Empl. camping : 20€ ⚡⚡ 🚐 🄔 ⑭ (6A) - pers. suppl. 5€
Location : (de déb. avr. à fin sept.) - ⚡ - 6 🚏 - 3 🏠. Nuitée 165 à 175€ - Sem. 300 à 540€ - frais de réservation 10€
🚽 3 🄔 20€
Emplacements ombragés, au calme et quelques locatifs de bon confort.

Nature : 🔲 ♀♀
Loisirs : 🏠 🚣 ⚓ 🎣 🎣
Services : 🔌 🛁 ⚓ 📶 laverie

G P S
E : 6.39663
N : 49.22535

BUSSANG

88540 - Carte Michelin **314** J5 - 1 604 h. - alt. 605
▶ Paris 444 - Belfort 44 - Épinal 59 - Gérardmer 38

🗻 Sunêlia Domaine de Champé 🏕

🖉 03 29 61 61 51, www.domaine-de-champe.com

Pour s'y rendre : 14 r. des Champs-Navets (au nord-est, accès par rte à gauche de l'église)

Ouverture : Permanent

3,5 ha (100 empl.) plat, herbeux

Empl. camping : (Prix 2018) 37 € ★★ 🚐 🖃 🔌 (10A) - pers. suppl. 10 € - frais de réservation 23 €

Location : (Prix 2018) Permanent - 36 🛖 - 8 🏠. Nuitée 63 à 190 € - frais de réservation 23 €

🚐 borne artisanale

Au bord de la Moselle et d'un ruisseau, un terrain d'exception lové au cœur de la vallée.

Nature : ⬁
Loisirs : 🍴 ✗ 🖼 🎪 diurne 🏃 🛝 centre balnéo ♨ hammam 🚣 🚴 ✗ 🛝 🛝 ⛵ terrain multisports
Services : 🔌 🍴 🖥 🚿 🛜 laverie 🧺
À prox. : 🎰 casino

GPS	E : 6.85748 N : 47.8889

Utilisez le guide de l'année.

CELLES-SUR-PLAINE

88110 - Carte Michelin **314** J2 - 857 h. - alt. 318
▶ Paris 391 - Baccarat 23 - Blâmont 23 - Lunéville 49

🗻 Les Lacs 🏕

🖉 03 29 41 28 00, www.paysdeslacs.com/camping

Pour s'y rendre : pl. de la Gare (au sud-ouest du bourg)

Ouverture : de déb. avr. à fin sept.

15 ha/4 campables (135 empl.) plat, herbeux, pierreux

Empl. camping : (Prix 2018) 20 € ★★ 🚐 🖃 🔌 (10A) - pers. suppl. 5 € - frais de réservation 10 €

Location : (Prix 2018) (de déb. avr. à déb. nov.) - 20 chalets sur pilotis - 10 bungalows toilés - 8 tentes lodges - 10 cabanons - 20 gîtes. Sem. 230 à 450 € - frais de réservation 16 €

En bordure de rivière et à proximité du lac.

Nature : ⬁ 🖼
Loisirs : 🍴 ✗ 🖼 🏃 🚣 ✗ 🛝 🛝 ⛵
Services : 🔌 🖥 🚿 🛜 laverie 🧺
au lac : 🚴 🛶 💧

GPS	E : 6.94756 N : 48.4557

LA CHAPELLE-DEVANT-BRUYÈRES

88600 - Carte Michelin **314** I3 - 621 h. - alt. 457
▶ Paris 416 - Épinal 31 - Gérardmer 22 - Rambervillers 26

🗻 Les Pinasses

🖉 03 29 58 51 10, www.camping-les-pinasses.fr

Pour s'y rendre : 215 rte de Bruyères (1,2 km au nord-ouest sur D 60)

Ouverture : de déb. avr. à mi-sept.

3 ha (128 empl.) plat, herbeux, pierreux, petit étang

Empl. camping : 19 € ★★ 🚐 🖃 🔌 (10A) - pers. suppl. 5 € - frais de réservation 15 €

Location : (de déb. avr. à mi-sept.) - 9 🛖 - 16 🏠 - 3 tentes lodges. Nuitée 90 € - Sem. 336 à 650 € - frais de réservation 15 €
🚐 borne flot bleu - 💧 ☕ 12 €
Cadre paisible au bord d'un étang.

Nature : 🖼 🞈🞈
Loisirs : ✗ 🖼 🚣 ✗ 🛝 🛝 ⛵
Services : 🔌 🚿 🛜 laverie

GPS	E : 6.77411 N : 48.18974

CHARMES

88130 - Carte Michelin **314** F2 - 4 613 h. - alt. 282
▶ Paris 381 - Mirecourt 17 - Nancy 43 - Neufchâteau 58

🗻 Les Îles

🖉 03 29 38 87 71, campinglesilesdamiennazon@orange.fr

Pour s'y rendre : 20 r. de l'Écluse (1 km au sud-ouest par D 157 et chemin à dr., près du stade)

Ouverture : de déb. avr. à mi-oct.

3,5 ha (67 empl.) plat, herbeux

Empl. camping : (Prix 2018) 18 € ★★ 🚐 🖃 🔌 (10A) - pers. suppl. 4 €

Cadre agréable entre le canal de l'Est et la Moselle, eurovéloroute à proximité.

Nature : 🞈
Loisirs : 🍴 🚣 🚴 💧
Services : 🔌 🚿 🛜 🧺
À prox. : ✗ ✗ 🛝

GPS	E : 6.28668 N : 48.37583

CONTREXÉVILLE

88140 - Carte Michelin **314** D3 - 3 440 h. - alt. 342 - ⚕
▶ Paris 337 - Épinal 47 - Langres 75 - Luxeuil 73

🗻 Contrexeville

🖉 03 29 08 15 06, www.campingcontrexeville.com

Pour s'y rendre : r. du 11-Septembre (1 km au sud-ouest par D 13, rte de Suriauville)

Ouverture : de fin mars à fin oct.

1,8 ha (80 empl.) plat, herbeux, gravillons

Empl. camping : 20 € ★★ 🚐 🖃 🔌 (10A) - pers. suppl. 5 €
Location : (de fin mars à fin oct.) - 12 🛖. Nuitée 45 à 55 € - Sem. 315 à 385 €
🚐 borne artisanale - 14 🖃 8 € - 💧 8 €
À l'orée d'un bois, terrain urbain au calme.

Nature : 🞈 🞈🞈
Loisirs : 🖼
Services : 🔌 🚿 🛜 🖥

GPS	E : 5.88517 N : 48.18022

CORCIEUX

88430 - Carte Michelin **314** J3 - 1 668 h. - alt. 534
▶ Paris 424 - Épinal 39 - Gérardmer 15 - Remiremont 43

🗻 Yelloh! Village Le Domaine des Bans

🖉 03 29 51 64 67, www.domaine-des-bans.fr

Pour s'y rendre : 6 r. James-Wiese (près de la pl. Notre-Dame)

Ouverture : de fin avr. à déb. sept.

15,7 ha (700 empl.) plat, herbeux, pierreux

Empl. camping : 48 € ★★ 🚐 🖃 🔌 (6A) - pers. suppl. 9 €

Location : (de déb. mai à déb. sept.) - 180 . Nuitée 30 à 190€ - Sem. 210 à 1 330€

🚐 borne artisanale 5€

Cadre agréable de montagne au bord de plans d'eau.

Nature : ≤ 🗘 ♀
Loisirs : 🍷 ✕ 🏠 🖽 ♣ 🎿 ⛷ 🚲 ✂ ◻ 🎣 △ 🎣 discothèque
Services : 🔌 🎬 🗑 🚾 🛜 laverie 🧺 🖐
À prox. : 🐴

GPS E : 6.87985 N : 48.16867

🏔️ Sites et paysages Au Clos de la Chaume

Didier Cavalhes/Camping Au Clos de la Chaume

☎ 03 29 50 76 76, www.camping-closdelachaume.com

Pour s'y rendre : 21 r. d'Alsace

Ouverture : de déb. avr. à fin sept.

4 ha (90 empl.) plat, herbeux, étang

Empl. camping : 27€ 🚶🚶 🚗 ▣ 🔌 (10A) - pers. suppl. 7€ - frais de réservation 11€

Location : (de déb. avr. à fin sept.) - 10 - 5 🏠 - 8 tentes lodges. Nuitée 55 à 119€ - Sem. 199 à 819€ - frais de réservation 16€

🚐 borne artisanale 6€ - 10 ▣ 12€ - 🚐 🔌 12€

Environnement paisible au bord d'un ruisseau et d'un étang.

Nature : ♀
Loisirs : 🍷 🏠 ♣ ◻
Services : 🔌 🚿 🗑 🚾 🛜 laverie
À prox. : 🧺 ✕ 🐴

GPS E : 6.88383 N : 48.17026

ÉPINAL

88000 - Carte Michelin **314** G3 - 35 100 h. - alt. 324
▶ Paris 385 - Belfort 96 - Colmar 88 - Mulhouse 106

🏕️ Le Parc du Château

☎ 03 29 34 43 65, camping-parcduchateau.com

Pour s'y rendre : 37 r. du Petit-Chaperon-Rouge

Ouverture : Permanent

1,2 ha (42 empl.) en terrasses, peu incliné, plat, herbeux

Empl. camping : (Prix 2018) 23€ 🚶🚶 🚗 ▣ 🔌 (15A) - pers. suppl. 4€

Location : (Prix 2018) Permanent 🚗 (de déb. sept. à mi-mai) - 5 - 1 🏠 - 6 🛏️ - 4 cabanons - 1 gîte. Nuitée 40 à 100€ - Sem. 210 à 690€ - frais de réservation 10€

🚐 borne artisanale - 12 ▣ 18€

Cadre paisible dans l'ancien parc du château médiéval, proche des commodités du centre-ville.

Nature : ♀♀
Loisirs : 🍷 🏠 ◻
Services : 🔌 🎬 🗑 🚾 🛜 laverie 🖐
À prox. : 🧺

GPS E : 6.46753 N : 48.17986

FRESSE-SUR-MOSELLE

88160 - Carte Michelin **314** I5 - 1 868 h. - alt. 515
▶ Paris 447 - Metz 178 - Épinal 54 - Mulhouse 56

🏕️ Municipal Bon Accueil

☎ 03 29 25 08 98, campingaubonaccueil@orange.fr

Pour s'y rendre : 36ter r. de Lorraine (sortie nord-ouest par N 66, rte du Thillot, à 80 m de la Moselle)

Ouverture : de déb. avr. à fin oct.

0,6 ha (50 empl.) plat, herbeux

Empl. camping : (Prix 2018) 🚶 3€ 🚗 3€ ▣ 2€ - 🔌 (16A) 3€

Cadre agréable, éviter les emplacements proche de l'entrée pour le bruit de la route.

Nature : ≤
Loisirs : ♣
Services : 🚾 🖐
À prox. : 🛒 ✕

GPS E : 6.78023 N : 47.878

Renouvelez votre guide chaque année.

GEMAINGOUTTE

88520 - Carte Michelin **314** K3 - 119 h. - alt. 446
▶ Paris 411 - Colmar 59 - Ribeauvillé 31 - St-Dié 14

🏕️ Municipal Le Violu

☎ 03 29 57 70 70, www.gemaingoutte.fr

Pour s'y rendre : sortie ouest par RD 59, rte de St-Dié, au bord d'un ruisseau

1 ha (48 empl.) plat, herbeux

Location : - 2 🏠.

🚐 borne AireService - 8 ▣

Halte agréable dans la vallée, cadre verdoyant au bord d'un ruisseau.

Nature : ♀
Loisirs : ♣
Services : ▣

GPS E : 7.08584 N : 48.25361

GÉRARDMER

88400 - Carte Michelin **314** J4 - 8 757 h. - alt. 669 - Sports d'hiver : 660/1 350 m
▶ Paris 425 - Belfort 78 - Colmar 52 - Épinal 40

🏕️ Les Sapins

☎ 03 29 63 15 01, www.camping-gerardmer.com

Pour s'y rendre : 18 chemin de Sapois (1,5 km au sud-ouest, à 200 m du lac)

Ouverture : de déb. avr. à mi-oct.

1,3 ha (70 empl.) plat, herbeux, gravier

Empl. camping : 22€ 🚶🚶 🚗 ▣ 🔌 (10A) - pers. suppl. 5€ - frais de réservation 8€

Location : (de déb. avr. à mi-oct.) - 3 . Sem. 300 à 550€ - frais de réservation 10€

🚐 borne artisanale 3€

Situé à 200m du lac, terrain à l'ambiance familiale.

Nature : 🏕️ ♀
Loisirs : 🍷
Services : 🔌 🚾 🛜
À prox. : 🐴

GPS E : 6.85614 N : 48.0635

⚠ Les Granges-Bas

𝒫 03 29 63 12 03, www.lesgrangesbas.fr

Pour s'y rendre : 116 chemin des Granges-Bas (4 km à l'ouest par D 417 puis, à Costet-Beillard, 1 km par un chemin à gauche)

Ouverture : de mi-déc. à déb. oct.

2 ha (98 empl.) peu incliné, plat, herbeux

Empl. camping : 17€ ♣♣ ⟺ 🅴 [ⓕ] (6A) - pers. suppl. 4€
Location : (de mi-déc. à déb. oct.) - ⚡ - 11 ⚏ - 1 bungalow toilé - 1 tente lodge - 2 appartements. Nuitée 46 à 106€ - Sem. 287 à 651€ - frais de réservation 10€

Terrain bien isolé en pleine montagne, cadre agréable et calme.

Nature : 🏞 ⤺ ⛱	**G**	E : 6.80653
Loisirs : 🛋 🚣 ⚡ ✗ 🎾	**P**	N : 48.06927
Services : ⚏ 📶 laverie	**S**	

HERPELMONT

88600 - Carte Michelin **314** I3 - 247 h. - alt. 480
▣ Paris 413 - Épinal 28 - Gérardmer 20 - Remiremont 33

⚠ "C'est si bon" Domaine des Messires

𝒫 03 29 58 56 29, www.domainedesmessires.com

Pour s'y rendre : r. des Messires (1,5 km au nord)

Ouverture : de mi-avr. à mi-sept.

11 ha/3 campables (100 empl.) plat, herbeux

Empl. camping : 30€ ♣♣ ⟺ 🅴 [ⓕ] (6A) - pers. suppl. 8€ - frais de réservation 12€
Location : (de mi-avr. à mi-sept.) - ⚡ - 22 ⚏ - 8 bungalows toilés - 5 tentes lodges. Nuitée 48 à 99€ - Sem. 300 à 700€ - frais de réservation 12€

Situation et cadre agréables au bord d'un lac.

Nature : 🏞 ⤺ lac et montagne ⛱ 〰 ⛰	**G**	E : 6.74278
Loisirs : 🍷 ✗ 🛋 🚣 ⛵ (plan d'eau) 🐟	**P**	N : 48.17854
Services : ⚏ 🚿 📶 laverie 🛒	**S**	

---

*Choisissez votre restaurant sur **restaurant.michelin.fr***

JAULNY

54470 - Carte Michelin **307** G5 - 262 h. - alt. 230
▣ Paris 310 - Commercy 41 - Metz 33 - Nancy 51

⚠ La Pelouse

𝒫 03 83 81 91 67, www.campingdelapelouse.com - peu d'emplacements pour tentes et caravanes

Pour s'y rendre : chemin de Fey (500 m au sud du bourg, accès situé près du pont)

Ouverture : de déb. avr. à fin sept.

2,9 ha (100 empl.) peu incliné, plat, herbeux

Empl. camping : (Prix 2018) 23€ ♣♣ ⟺ 🅴 [ⓕ] (6A) - pers. suppl. 4€
Location : (Prix 2018) (de déb. avr. à fin oct.) - 🚿 (2 chalets) - 6 ⚏. Nuitée 140€ - Sem. 300 à 565€
🚐 borne AireService

Sur une petite colline boisée dominant la rivière.

Nature : 🏞 ⛱ ⚑	**G**	E : 5.88658
Loisirs : ✗ 🛋 🚣 🏊	**P**	N : 48.9705
Services : ⚏ 📶 🛒	**S**	
À prox. : 🐟		

LUNÉVILLE

54300 - Carte Michelin **307** J7 - 19 937 h. - alt. 224
▣ Paris 347 - Épinal 69 - Metz 95 - Nancy 36

⚠ Les Bosquets

𝒫 03 83 73 37 58, www.delunevilleabaccarat.fr

Pour s'y rendre : chemin de la Ménagerie (au nord, en dir. de Château-Salins et à dr., apr. le pont sur la Vézouze)

Ouverture : de déb. mai à fin sept.

1 ha (60 empl.) terrasse, plat, herbeux

Empl. camping : (Prix 2018) 12€ ♣♣ ⟺ 🅴 [ⓕ] (16A) - pers. suppl. 4€
Location : (Prix 2018) (de déb. mai à fin sept.) - 4 ⚏. Nuitée 41 à 56€ - Sem. 194 à 367€
🚐 borne Urbaflux - 23 🅴 9€

Près du parc du château et des jardins avec une belle aire de stationnement pour camping-cars.

Nature : ⚑	**G**	E : 6.49886
Loisirs : 🛋	**P**	N : 48.59647
Services : 🚿 🚿 laverie	**S**	
À prox. : 🚣 ✗ 🎣 🏊		

---

*Créez votre voyage sur **voyages.michelin.fr***

MAGNIÈRES

54129 - Carte Michelin **307** K8 - 341 h. - alt. 250
▣ Paris 365 - Baccarat 16 - Épinal 40 - Lunéville 22

⚠ Le Pré Fleury

𝒫 03 83 72 34 73, campingdemagnieres.jimdo.com

Pour s'y rendre : 18 r. de la Barre (500 m à l'ouest par D 22, rte de Bayon, à 200 m de la Mortagne)

Ouverture : de déb. avr. à fin sept.

1 ha (34 empl.) plat et peu incliné, herbeux, gravillons

Empl. camping : (Prix 2018) 15€ ♣♣ ⟺ 🅴 [ⓕ] (10A) - pers. suppl. 3€

À côté de l'ancienne gare et au bord d'un étang.

Nature : 🏞 ⛱	**G**	E : 6.55735
Loisirs : 🛋 🚣 🚲 🚃 draisines (voiturettes-vélo sur rail)	**P**	N : 48.44653
Services : ⚏ 🚿 🚿 📱	**S**	

METZ

57000 - Carte Michelin **307** I4 - 121 841 h. - alt. 173
▣ Paris 330 - Longuyon 80 - Pont-à-Mousson 31 - St-Avold 44

⚠ Municipal Metz-Plage

𝒫 03 87 68 26 48, metz.fr/lieux/lieu-1941.php

Pour s'y rendre : allée de Metz-Plage (au nord, entre le pont des Morts et le pont de Thionville - par A 31 : sortie Metz-Nord Pontiffroy)

Ouverture : de mi-avr. à fin sept.

2,5 ha (150 empl.) plat, herbeux, pierreux

Empl. camping : (Prix 2018) ♣ 3€ ⟺ 4€ 🅴 14€ [ⓕ] (10A)
🚐 borne artisanale

Petit terrain idéal pour une halte, au bord de la Moselle.

Nature : ⚑⚑	**G**	E : 6.17058
Loisirs : ✗ 🚣 🚲 🐟	**P**	N : 49.12569
Services : ⚏ 🏧 🚿 🚿 📶 laverie 🛒	**S**	
À prox. : 🏊		

NEUFCHÂTEAU

88300 - Carte Michelin **314** C2 - 7 040 h. - alt. 300
▶ Paris 321 - Chaumont 57 - Contrexéville 28 - Épinal 75

⚠ Intercommunal

✆ 03 29 94 10 95, www.camping-neufchateau-vosges.com

Pour s'y rendre : r. Georges-Joecker (sortie ouest, rte de Chaumont et à dr., près du complexe sportif)

Ouverture : de mi-avr. à mi-sept.

0,8 ha (50 empl.) plat, herbeux

Empl. camping : (Prix 2018) 18€ ♣♣ ⇔ 🔲 🔌 (16A) - pers. suppl. 3€

Charmant camping urbain avec commerces et piscine à proximité.

Nature : 🌳🌳
Services : 🚿🚽 📶
À prox. : 🏊 ✗ 🎣 hammam ✗ 🎯 🛶
skate-board

GPS	E : 5.68605
	N : 48.35725

Dans notre guide, les indications d'accès à un terrain sont généralement indiquées à partir du centre de la localité.

PLOMBIÈRES-LES-BAINS

88370 - Carte Michelin **314** G5 - 1 869 h. - alt. 429 - ⚓
▶ Paris 378 - Belfort 79 - Épinal 38 - Gérardmer 43

⛰ L'Hermitage

✆ 03 29 30 01 87, www.hermitage-camping.com

Pour s'y rendre : 54 r. du Boulot (1,5 km au nord-ouest par D 63, rte de Xertigny puis D 20, rte de Ruaux)

Ouverture : de mi-avr. à mi-oct.

1,4 ha (55 empl.) en terrasses, peu incliné, plat, herbeux, gravier

Empl. camping : 20€ ♣♣ ⇔ 🔲 🔌 (10A) - pers. suppl. 5€ - frais de réservation 10€

Location : Permanent - 4 🛖 - 4 🏠 - 1 cabane perchée. Nuitée 65€ - Sem. 260 à 470€ - frais de réservation 10€

🚐 borne artisanale 4€ - 20 🔲 19€ - 🚐🔌17€

Terrain fonctionnel convenant parfaitement au passage ; piscine pour la détente.

Nature : 🌳🌲
Loisirs : 🎣 🛶 🛝
Services : 🔑 📶 📺 🛒

GPS	E : 6.4431
	N : 47.96859

⚠ Le Fraiteux

✆ 03 29 66 00 71, www.camping-fraiteux.com

Pour s'y rendre : 81 r. du Camping (4 km à l'ouest par D 20 et D 20e)

Ouverture : Permanent

0,8 ha (36 empl.) peu incliné, plat, herbeux, gravillons

Empl. camping : (Prix 2018) 22€ ♣♣ ⇔ 🔲 🔌 (16A) - pers. suppl. 4€

Location : (Prix 2018) Permanent - 4 🛖 - 4 🏠. Nuitée 80 à 120€ - Sem. 350 à 460€

🚐 borne artisanale 5€ - 🚐🔌17€

Cadre paisible et fleuri au cœur du village de Ruaux.

Nature : 🌲 🌳
Loisirs : 🍷 🛶
Services : 🔑 🛖 📶 laverie 🚿

GPS	E : 6.41647
	N : 47.96573

REVIGNY-SUR-ORNAIN

55800 - Carte Michelin **307** A6 - 3 145 h. - alt. 144
▶ Paris 239 - Bar-le-Duc 18 - St-Dizier 30 - Vitry-le-François 36

⚠ Municipal du Moulin des Gravières

✆ 03 29 78 73 34, www.revigny-sur-ornain.fr

Pour s'y rendre : 1 r. du Stade (au bourg vers sortie sud, rte de Vitry-le-François et r. à dr., à 100 m de l'Ornain)

Ouverture : de mi-avr. à fin sept.

1 ha (27 empl.) plat, herbeux

Empl. camping : (Prix 2018) 13€ ♣♣ ⇔ 🔲 🔌 (6A) - pers. suppl. 3€

Location : (Prix 2018) Permanent🚫 - 3 🛖. Nuitée 63 à 100€ - Sem. 224 à 300€

🚐 borne eurorelais - 2 🔲

Cadre enchanteur traversé par le canal Oudot avec accueil et office de tourisme regroupés.

Nature : 🏞🌳
Loisirs : 🎣
Services : 🔑 📺 📶 📺 🛒
À prox. : 🛒 ✗ 🎯 🛶

GPS	E : 4.98373
	N : 48.82669

RHODES

57810 - Carte Michelin **307** M6 - 103 h. - alt. 260
▶ Paris 413 - Metz 82 - Nancy 62 - Strasbourg 94

⛰ Parc Animalier de Ste-Croix

(pas d'emplacement tentes et caravanes)

✆ 03 87 03 92 05, www.parcsaintecroix.com

Pour s'y rendre : Parc animalier de Rhodes

120 ha/1 campable (15 empl.) plat, herbeux

Location : (Prix 2018) (de déb. fév. à fin déc.) - 🚫 - 17 🏠 - 4 tentes lodges - 5 cabanes perchées - 1 tanière - 1 cabane du trappeur - 1 grange (11 chambres). Nuitée 106 à 150€

Dans l'enceinte du parc avec des hébergements insolites. Réservation impérative très longtemps à l'avance.

Nature : 🦌 🌳🌳
Loisirs : 🍷 ✗
Services : 🔑 🚿🚽 🛒

GPS	E : 6.89488
	N : 48.77269

ST-AVOLD

57500 - Carte Michelin **307** L4 - 16 298 h. - alt. 260
▶ Paris 372 - Haguenau 117 - Lunéville 77 - Metz 46

⚠ Le Felsberg

✆ 03 87 92 75 05, www.mairie-saint-avold.fr

Pour s'y rendre : r. en Verrerie (au nord, près D 603, face à la station service Record - par A 4 : sortie St-Avold Carling)

Ouverture : Permanent

1,2 ha (31 empl.) en terrasses, peu incliné, plat, herbeux, pierreux

Empl. camping : 🚶 4€ ⇔ 🔲 6€ – 🔌 (10A) 5€

Location : (Prix 2018) Permanent - 3 🏠 - 15 ⛺ - 4 studios. Nuitée 55 à 65€ - Sem. 280 à 350€

🚐 borne artisanale

Sur les hauteurs agréablement boisées de la ville.

Nature : 🌲 🌳 🌳🌳
Loisirs : 🍷 🎣 🚲
Services : 🔑 🛖 📺 🚿🚽 📶

GPS	E : 6.71579
	N : 49.11102

ST-MAURICE-SOUS-LES-CÔTES

55210 - Carte Michelin **307** F4 - 409 h. - alt. 268
▶ Paris 292 - Bar-le-Duc 57 - Metz 55 - Nancy 68

⚠ Le Bois Joli

☏ 06 43 00 43 47, www.forest-campingbj.com/

Pour s'y rendre : 12 r. Haute-Gaston-Parant

Ouverture : de déb. avr. à fin sept.

3 ha (25 empl.) peu incliné, plat, herbeux

Empl. camping : 15€ ★★ ⬟ 🅴 (6A) - pers. suppl. 4€
Location : (de déb. mai à fin août) - ⚡ - 1 tipi - 1 cabanon -
1 Tentes - 1 Bulle. Nuitée 28 à 75€ - Sem. 190 à 520€
🏕 2 🅴 15€

Sur les côtes de Meuse à l'ombre des mirabelliers.

Nature : 🐾 ♀	**G**	E : 5.67498
Services : 🚿🗑🖥	**P**	N : 49.01745
	S	

The Guide changes, so renew your guide every year.

ST-MAURICE-SUR-MOSELLE

88560 - Carte Michelin **314** I5 - 1 486 h. - alt. 560 - Sports d'hiver :
550/1 250 m
▶ Paris 441 - Belfort 41 - Bussang 4 - Épinal 56

⚠ Les Deux Ballons

☏ 03 29 25 17 14, www.camping-deux-ballons.fr

Pour s'y rendre : 17 r. du Stade (sortie sud-ouest par N 66, rte du
Thillot, au bord d'un ruisseau)

Ouverture : de mi-avr. à mi-sept.

4 ha (160 empl.) en terrasses, plat, herbeux

Empl. camping : 33€ ★★ ⬟ 🅴 (10A) - pers. suppl. 8€ - frais de
réservation 15€
Location : (de déb. mai à mi-sept.) - ⚡ - 7 🏠. Sem. 390 à 800€
🏕 borne artisanale

*Un terrain à la beauté naturelle parfaitement préservée, idéal
pour la détente et le ressourcement en montagne.*

Nature : 🐾 ◁ ♀♀	**G**	E : 6.81124
Loisirs : 🍴 🗙 🏠 🚣🚴🏊⛳ 🎣	**P**	N : 47.8554
Services : 🔑 🗑🖥🏖🛒 laverie	**S**	
À prox. : 🛶 🐎 sentiers pédestres		

SANCHEY

88390 - Carte Michelin **314** G3 - 789 h. - alt. 368
▶ Paris 390 - Metz 129 - Épinal 8 - Nancy 69

⚠ Kawan Villages Lac de Bouzey

☏ 03 29 82 49 41, www.lacdebouzey.com

Pour s'y rendre : 19 r. du Lac (au sud par D 41)

Ouverture : Permanent

3 ha (160 empl.) en terrasses, peu incliné, plat, herbeux

Empl. camping : (Prix 2018) 37€ ★★ ⬟ 🅴 (10A) - pers.
suppl. 11€ - frais de réservation 25€
Location : (Prix 2018) Permanent - 30 🛏. Nuitée 80 à 180€
- Sem. 560 à 1 260€ - frais de réservation 25€
🏕 borne flot bleu - 🚐 🅴 22€

Face au lac, agréables installations d'accueil et de loisirs.

Nature : 🐾 🏞 ♀♀	**G**	E : 6.3602
Loisirs : 🍴 🗙 🎣 salle d'animations 🚴 🏊🛶	**P**	N : 48.1667
🎿 discothèque terrain multisports	**S**	
Services : 🔑🗑🏖🛒🚐🛒 laverie 🛶🐎		

SAULXURES-SUR-MOSELOTTE

88290 - Carte Michelin **314** I5 - 2 782 h. - alt. 464
▶ Paris 431 - Épinal 46 - Gérardmer 24 - Luxeuil-les-Bains 53

⚠ Lac de la Moselotte

☏ 03 29 24 56 56, www.lac-moselotte.fr

Pour s'y rendre : 336 rte des Amias (1,5 km à l'ouest sur ancienne
D 43)

Ouverture : Permanent

23 ha/3 campables (75 empl.) plat, herbeux, pierreux

Empl. camping : 23€ ★★ ⬟ 🅴 (10A) - pers. suppl. 6€
Location : Permanent - 10 🛏 - 20 🏠 - 10 cabanons. Nuitée
74 à 282€ - Sem. 323 à 859€ - frais de réservation 18€

Dans un site boisé au bord d'un lac et près d'une base de loisirs.

Nature : ◁ 🏞 ⛰	**G**	E : 6.75236
Loisirs : 🍴 🗙 🏠 salle d'animations 🚴 🚣	**P**	N : 47.95264
🚴	**S**	
Services : 🔑🗑🏖🛒🚐🛒🖥		
à la base de loisirs : 🛶 🐎 escalade		

*Avant de vous installer, consultez les tarifs en cours,
affichés obligatoirement à l'entrée du terrain,
et renseignez-vous sur les conditions particulières de séjour.
Les indications portées dans le guide ont pu être modifiées
depuis la mise à jour.*

LE THOLY

88530 - Carte Michelin **314** I4 - 1 589 h. - alt. 628
▶ Paris 414 - Bruyères 21 - Épinal 30 - Gérardmer 11

⚠ Noirrupt

☏ 03 29 61 81 27, www.jpvacances.com

Pour s'y rendre : 15 chemin de l'Étang-de-Noirrupt (1,3 km au nord-
ouest par D 11, rte d'Épinal et chemin à gauche)

Ouverture : de déb. mai à fin sept.

2,9 ha (70 empl.) en terrasses, plat, pierreux, herbeux

Empl. camping : (Prix 2018) 28€ ★★ ⬟ 🅴 (6A) - pers. suppl. 7€
- frais de réservation 13€
Location : (Prix 2018) Permanent ⚡ (de déb. juil. à fin août)
- 12 🏠. Nuitée 52 à 110€ - Sem. 290 à 770€ - frais de réservation
13€
🏕 borne artisanale

*Cadre de montagne ombragé et arboré, chalets insolites de
montagne aux toits pentus.*

Nature : ◁ ♀	**G**	E : 6.72893
Loisirs : 🍴 🏠 🎣 ⛲ 🚣🏊⛳ 🎣	**P**	N : 48.08881
Services : 🔑🏖🛒🚐🛒 laverie	**S**	
À prox. : 🐎		

Campéole — NOS CAMPINGS EN ALSACE-LORRAINE — campeole.com

LE BRABOIS ★ ★ ★

Au Parc de Brabois, la nature dans la ville

Cadre calme et boisé. Emplacements campeurs, mobil-homes. **Nouveauté 2019 piscine couverte et chauffée**. Point de départ idéal pour découvrir Nancy, facile d'accès depuis le camping.

Avenue Paul Muller - 54600 Villers-les-Nancy
+33 (0)3 83 27 18 28 - brabois@campeole.com

LE GIESSEN ★ ★ ★ ★

Aux pieds des Vosges, au cœur de l'Alsace

Mobil-homes, chalets. Snack-bar (juillet/août). Découvrez l'Alsace gourmande et authentique : randonnées ou visites de châteaux-forts, circuits œnologiques, tartes flambées ou kougelhopf...

Route de Villé - 67220 Bassemberg
+33 (0)3 88 58 98 14 - giessen@campeole.com

VAGNEY

88120 - Carte Michelin **314** I4 - 4 024 h. - alt. 412
▶ Paris 429 - Épinal 39 - Metz 163 - Strasbourg 129

🏔 La Via Natura Le Mettey

📞 03 29 23 19 45, www.campingdumettey.com

Pour s'y rendre : chemin du Camping

Ouverture : de déb. avr. à fin sept.

5 ha (80 empl.) en terrasses, plat, herbeux

Empl. camping : (Prix 2018) 27 € ✶✶ ⇌ 🖳 🔌 (10A) - pers. suppl. 8 €
- frais de réservation 10 €

Location : (Prix 2018) Permanent🔌 (1 chalet) - ✄ - 10 🏠
- 1 yourte - 1 roulotte - 6 cabanons - 1 bulle - 1 nid. Sem. 420 à 740 € - frais de réservation 16 €

Nombreux hébergements insolites et emplacements en pleine nature, cadre paisible garanti.

Nature : 🦢 ⇐ ⌂ 🔟
Loisirs : ♈ ✕ 🍴 ⛲ 🚣 🚲 ⛴ (petite piscine)
Services : ⚬━ ▥ 😀 ♨ ⚓ ⚲ laverie

GPS
E : 6.73106
N : 48.00961

Gebruik de gids van het lopende jaar.

LE VAL-D'AJOL

88340 - Carte Michelin **314** G5 - 4 069 h. - alt. 380
▶ Paris 382 - Épinal 41 - Luxeuil-les-Bains 18 - Plombières-les-Bains 10

🏕 Municipal L'Orée des Vosges

📞 03 29 66 55 17, mairie@valdajol.fr

Pour s'y rendre : r. des Œuvres (sortie nord-ouest par D 20, rte de Plombières-les-Bains)

Ouverture : de mi-avr. à fin sept.

1 ha (48 empl.) plat, herbeux

Empl. camping : (Prix 2018) ✶ 3 € ⇌ 🖳 4 € – 🔌 (6A) 3 €
Location : (Prix 2018) Permanent🔌 (1 chalet) - 2 🏠. Nuitée 50 à 60 € - Sem. 300 à 400 €
🚐 borne artisanale

Un terrain au calme à proximité des installations sportives de la ville.

Nature : ⇐ ⌂
Loisirs : 🍴
Services : ⚬━ ▥ 🚿 ⚓ ⚲ 🔓
À prox. : 🚴 ✕ ⛴ ⛱ 🚣

GPS
E : 6.47586
N : 47.92488

VERDUN

55100 - Carte Michelin **307** D4 - 18 557 h. - alt. 198
▶ Paris 263 - Bar-le-Duc 56 - Châlons-en-Champagne 89 - Metz 78

🏔 Les Breuils

📞 03 29 86 15 31, www.campinglesbreuils.fr

Pour s'y rendre : 7 allée des Breuils (sortie sud-ouest par rocade D S1 vers rte de Paris et chemin à gauche)

Ouverture : de mi-mars à mi-oct.

5,5 ha (162 empl.) en terrasses, peu incliné, plat, herbeux, gravier, bois

Empl. camping : 24 € ✶✶ ⇌ 🖳 🔌 (10A) - pers. suppl. 7 €
Location : Permanent - 23 🏠. Nuitée 65 à 75 € - Sem. 295 à 595 €
🚐 borne flot bleu 5 €

Cadre champêtre au bord d'un étang.

Nature : ⌂ ♈
Loisirs : ♈ 🍴 🚣 🚲 ⛴ ⛱ 🚣 terrain multisports
Services : ⚬━ ▥ 🚿 ⚲ laverie 🛒

GPS
E : 5.36598
N : 49.15428

Guide Michelin (hôtels et restaurants),
Guide Vert (sites et circuits touristiques) et
cartes routières Michelin sont complémentaires.
Utilisez-les ensemble.

VILLERS-LÈS-NANCY

54600 - Carte Michelin **307** H6 - 14 133 h. - alt. 232
▶ Paris 314 - Épinal 70 - Metz 59 - Nancy 5

⛰ Campéole Le Brabois

✆ 03 83 27 18 28, www.campeole.com/camping/post/le-brabois-villers-les-nancy

Pour s'y rendre : av. Paul-Muller

Ouverture : de fin mars à mi-oct.

6 ha (190 empl.) plat, herbeux

Empl. camping : (Prix 2018) 21€ ✦✦ ⟺ ▣ ⑭ (10A) - pers. suppl. 6€
Location : (Prix 2018) (de fin mars à mi-oct.) - ⚲ (1 mobile home) - 17 ⬚⬚ - 1 tente lodge. Nuitée 56 à 96€ - Sem. 392 à 672€
⛽ borne AireService - 60 ▣ 18€

Emplacements au calme dans un cadre boisé aux portes du jardin botanique de la ville.

Nature : ⌑ 🌳		**G** E : 6.13982
Loisirs : 🍽 ✗ 🏠 🎯 🛶 terrain multisports		**P**
Services : ⊶ 🏢 ♨ 🚐 🚰 ☇ laverie 🏧 🚿		**S** N : 48.65732
À prox. : 🏇		

⌂⌂⌂ ... ⌂
Terrains particulièrement agréables dans leur ensemble et dans leur catégorie.

VILLEY-LE-SEC

54840 - Carte Michelin **307** G7 - 415 h. - alt. 324
▶ Paris 302 - Lunéville 49 - Nancy 20 - Pont-à-Mousson 51

⛰ Camping de Villey-le-Sec

✆ 03 83 63 64 28, www.campingvilleylesec.com

Pour s'y rendre : 34 r. de la Gare (2 km au sud par D 909, rte de Maron et r. à dr.)

Ouverture : de déb. avr. à fin sept.

2,5 ha (90 empl.) plat, herbeux

Empl. camping : (Prix 2018) 25€ ✦✦ ⟺ ▣ ⑭ (10A) - pers. suppl. 4€
Location : (Prix 2018) (de déb. avr. à fin sept.) - ⚲ (1 mobile home) - ⚡ - 6 ⬚⬚ - 1 ⛺ - 1 tente sur pilotis. Nuitée 42 à 85€ - Sem. 280 à 595€

Cadre naturel d'exception au bord de la Moselle.

Nature : 🐟 🌳		**G** E : 5.98559
Loisirs : 🍽 ✗ 🛶 🚣 🎣		**P**
Services : ⊶ 🏢 ♨ ☇ laverie 🏧 🚿		**S** N : 48.6526

VITTEL

88800 - Carte Michelin **314** D3 - 5 434 h. - alt. 347
▶ Paris 342 - Belfort 129 - Épinal 43 - Chaumont 84

⛺ Aquadis Loisirs de Vittel

✆ 03 29 08 02 71, www.aquadis-loisirs.com/camping-de-vittel

Pour s'y rendre : 270 r. Claude-Bassot (sortie nord-est par D 68, rte de They-sous-Montfort)

Ouverture : de déb. avr. à fin oct.

3,5 ha (85 empl.) plat, herbeux, gravillons

Empl. camping : 18€ ✦✦ ⟺ ▣ ⑭ (10A) - pers. suppl. 5€ - frais de réservation 10€
Location : (de déb. avr. à fin oct.) - 12 ⬚⬚. Nuitée 65 à 73€ - Sem. 269 à 529€ - frais de réservation 10€
⛽ borne artisanale

Cadre idéal de détente à deux pas de la station thermale.

Nature : ⌑ 🌳		**G** E : 5.95605
Loisirs : 🏠 🛶		**P**
Services : ⊶ 🏢 ☇ laverie		**S** N : 48.2082

XONRUPT-LONGEMER

88400 - Carte Michelin **314** J4 - 1 580 h. - alt. 714 - Sports d'hiver : 750/1 300 m
▶ Paris 429 - Épinal 44 - Gérardmer 4 - Remiremont 32

⛰ Flower Verte Vallée 👥

✆ 03 29 63 21 77, www.campingvertevallee.com

Pour s'y rendre : 4092 rte du Lac

Ouverture : fermé de déb. nov. à mi-déc.

3 ha (147 empl.) plat, herbeux

Empl. camping : 29€ ✦✦ ⟺ ▣ ⑭ (10A) - pers. suppl. 8€ - frais de réservation 10€
Location : (fermé de déb. nov. à mi-déc.) - ⚲ (1 chalet) - ⚡ - 7 ⬚⬚ - 5 ⛺ - 2 tentes lodges - 2 cabanons. Nuitée 41 à 141€ - Sem. 205 à 987€ - frais de réservation 15€
⛽ borne artisanale - 🔋 12€

Cadre verdoyant traversé par la rivière : La Vologne.

Nature : ❄ 🐟 🌳		**G** E : 6.96489
Loisirs : 🍽 🏠 🎯 🛶 🚲 🏊 (découverte en saison)		**P**
Services : ⊶ 🏢 ♨ ☇ laverie		**S** N : 48.06249

⛰ Les Jonquilles

✆ 03 29 63 34 01, www.camping-jonquilles.com

Pour s'y rendre : 2586 rte du Lac (2,5 km au sud-est)

Ouverture : de fin avr. à fin sept.

4 ha (237 empl.) peu incliné, herbeux

Empl. camping : 20€ ✦✦ ⟺ ▣ ⑭ (6A) - pers. suppl. 4€ - frais de réservation 8€
⛽ borne artisanale

Situation agréable au bord du lac.

Nature : 🐟 ≤ lac et montagnes boisées ⛰		**G** E : 6.94871
Loisirs : 🍽 🏠 🛶 🏊 (plan d'eau) 🎣		**P**
Services : ⊶ ♨ ☇ laverie 🏧 🚿		**S** N : 48.0677

⛺ La Vologne

✆ 03 29 60 87 23, camping-vosges-vologne.com

Pour s'y rendre : 3030 rte de Retournemer (4,5 km au sud-est par D 67a)

Ouverture : de déb. mai à fin sept.

2,5 ha (100 empl.) plat, herbeux

Empl. camping : 16€ ✦✦ ⟺ ▣ ⑭ (6A) - pers. suppl. 3€ - frais de réservation 6€
Location : (de mi-avr. à fin sept.) - 3 ⛺ - 4 tentes lodges - 1 appartement. Nuitée 38 à 85€ - Sem. 228 à 595€ - frais de réservation 15€

Dans un site boisé au cœur de la vallée, emplacements de part et d'autre de la rivière.

Nature : ≤		**G** E : 6.96919
Loisirs : 🏠 🛶		**P**
Services : ⊶ 🚐 ♨ ☇ 📺		**S** N : 48.06245
À prox. : 🏊		

MIDI-PYRÉNÉES

Rrrainbow/iStock

Lourdes n'a pas l'apanage des miracles : le Midi-Pyrénées tout entier « donne aux saints la nostalgie de la terre ». Voici d'abord la barrière pyrénéenne, sa coiffe immaculée, ses gaves tumultueux et ses épaisses forêts où se cachent quelques ours. Puis les cités médiévales et forteresses, qui se colorent au soleil couchant d'une palette féerique : Albi gouachée de rouge, Toulouse la rose, bastides aux reflets corail… Dans l'obscurité des grottes, c'est l'art fécond des premiers hommes qui prend un tour surnaturel. La liste des prodiges serait incomplète si l'on n'évoquait la fertilité des pays de Garonne producteurs de fruits, de légumes, de vins et de céréales, et la générosité de la table où garbure, cassoulet, confits et foies gras assouvissent l'appétit légendaire des héritiers des Mousquetaires.

Lourdes may be famous for its miracles, but some would say that the whole of the Midi-Pyrénées has been uniquely blessed: it continues to offer sanctuary to a host of exceptional fauna and flora, like the wild bears which still roam the high peaks of the Pyrenees. At sunset, the towers of its medieval cities and fortresses glow in the evening light, its forbidding Cathar castles are stained a bloody red, Albi paints a crimson watercolour and Toulouse is veiled in pink. Yet this list of marvels would not be complete without a mention of the Garonne's thriving, fertile »garden of France« , famous for its vegetables, fruit and wine. This land of milk and honey is as rich as ever in culinary tradition, and it would be a crime to leave without sampling some foie gras or a confit de canard.

Localité citée avec camping

Localité citée avec camping et locatif

<u>Vannes</u>   Localité disposant d'un camping avec aire de services camping-car

<u>Moyaux</u>   Localité disposant d'au moins un terrain agréable

Aire de service pour camping-car sur autoroute

AGOS-VIDALOS

65400 - Carte Michelin **342** L4 - 380 h. - alt. 450
▶ Paris 859 - Toulouse 185 - Tarbes 32 - Pau 51

⚲ Club Airotel La Châtaigneraie

✆ 05 62 97 07 40, www.camping-chataigneraie.com

Pour s'y rendre : 46 av. Lavedan (par N 21, à Vidalos)

1,5 ha (80 empl.) en terrasses, peu incliné, plat, herbeux

Location : - 16 ⌂ - 1 appartement - 3 studios.

Face à la chaîne des Pyrénées. Bon confort sanitaire et du locatif varié.

Nature : ≤ ᵥᵥ	**G** W : 0.07534
Loisirs : 🎞 ♨ 🛝 ⚲	**P**
Services : ⚬⚬ 🎭 ♨ 🎣 laverie	**S** N : 43.03201

Gebruik de gids van het lopende jaar.

AGUESSAC

12520 - Carte Michelin **338** K6 - 872 h. - alt. 375
▶ Paris 635 - Toulouse 198 - Rodez 62 - Montpellier 129

⚲ La Via Natura Les Cerisiers

✆ 05 65 59 87 96, www.campinglescerisiers.com

Pour s'y rendre : à Pailhas (3 km au nord par D 907, rte des Gorges du Tarn - Par A 75 sortie 44-1)

Ouverture : de déb. mai à mi-sept.

2,5 ha (80 empl.) plat, herbeux

Empl. camping : 23€ ♣♣ 🚗 🔲 🔌 (6A) - pers. suppl. 6€

Location : (de déb. mai à mi-sept.) - 8 ⌂ - 2 tentes lodges - 2 cabanons. Nuitée 60 à 90€ - Sem. 320 à 590€

🚐 borne artisanale 5€

Refuge LPO au bord du Tarn.

Nature : ᗑ ≤ ♀	**G** E : 3.12053
Loisirs : 🎞 ♨ ♨	**P**
Services : ⚬⚬ 🎣 🔲	**S** N : 44.16745
À prox. : ᗏᗑ	

AIGUES-VIVES

09600 - Carte Michelin **343** J7 - 559 h. - alt. 425
▶ Paris 776 - Carcassonne 63 - Castelnaudary 46 - Foix 36

⚲ La Serre

✆ 05 61 03 06 16, www.camping-la-serre.com

Pour s'y rendre : 5 chemin de La Serre (à l'ouest du bourg)

Ouverture : de mi-mars à fin oct.

6,5 ha (66 empl.) fort dénivelé, vallonné, en terrasses, plat, herbeux, gravillons

Empl. camping : 30€ ♣♣ 🚗 🔲 🔌 (10A) - pers. suppl. 6€ - frais de réservation 17€

Location : Permanent - 4 ⌂ - 8 🏠 - 1 chalet sur pilotis - 6 tentes lodges - 1 cabane perchée. Nuitée 39 à 147€ - Sem. 274 à 1 030€ - frais de réservation 17€

🚐 borne artisanale 5€ - 6 🔲 22€

Vaste domaine vallonné, bien ombragé et, pour certains emplacements, vue sur les Pyrénées.

Nature : ᗑ ᗏ ᵥᵥ	**G** E : 1.87199
Loisirs : ♀ ✗ 🎞 ♨ 🛝	**P**
Services : ⚬⚬ 🎭 🎣 laverie ♨	**S** N : 42.99741

ALBI

81000 - Carte Michelin **338** E7 - 48 858 h. - alt. 174
▶ Paris 699 - Toulouse 77 - Montpellier 261 - Rodez 71

⚲ Albirondack Park

✆ 05 63 60 37 06, www.albirondack.fr

Pour s'y rendre : 1 allée de la Piscine

Ouverture : de déb. avr. à mi-nov.

1,8 ha (84 empl.) en terrasses, plat, herbeux, pierreux

Empl. camping : (Prix 2018) 30€ ♣♣ 🚗 🔲 🔌 (10A) - pers. suppl. 7€ - frais de réservation 10€

Location : (Prix 2018) (de déb. mars à fin oct.) - ♿ (1 chalet) - 10 ⌂ - 25 🏠 - 2 cabanes perchées. Nuitée 33 à 145€ - Sem. 231 à 1 015€ - frais de réservation 15€

🚐 borne artisanale 5€ - 6 🔲 24€ - ♨ 🔌17€

Proche du centre ville (navette en minibus "vintage"), c'est un îlot de verdure avec du locatif varié, de bon confort et des prestations de qualité.

Nature : ᗑ ᗏ ᵥᵥ	**G** E : 2.16397
Loisirs : ♀ ✗ 🎞 centre balnéo ♨ hammam jacuzzi ♨	**P** N : 43.93445
Services : ⚬⚬ 🔲 ♨ 🎣 🎣 laverie ♨	**S**

ALRANCE

12430 - Carte Michelin **338** I6 - 404 h. - alt. 750
▶ Paris 664 - Albi 63 - Millau 52 - Rodez 37

⚲ Les Cantarelles

✆ 06 52 50 30 09, www.lescantarelles.com

Pour s'y rendre : 3 km au sud par D 25, au bord du lac de Villefranche-de-Panat

Ouverture : de déb. avr. à mi-oct.

3,5 ha (165 empl.) peu incliné, plat, herbeux

Empl. camping : 25€ ♣♣ 🚗 🔲 🔌 (10A) - pers. suppl. 7€ - frais de réservation 12€

Location : (Prix 2018) (de déb. avr. à mi-oct.) - 55 ⌂ - 1 tonneau. Nuitée 55 à 95€ - Sem. 350 à 680€ - frais de réservation 12€

🚐 borne artisanale - 10 🔲 28€

Nature : ≤ ᗏ ♀ �	**G** E : 2.68933
Loisirs : ♀ ✗ 🎞 ♨ 🚲 🛝 ♨ ᗏ pédalos	**P** N : 44.10669
Services : ⚬⚬ 🎣 🎣 laverie	**S**

Benutzen Sie den Hotelführer des laufenden Jahres.

ANGLARS-JUILLAC

46140 - Carte Michelin **337** D5 - 331 h. - alt. 98
▶ Paris 590 - Cahors 26 - Gourdon 41 - Sarlat-la-Canéda 53

⚲ Base Nautique de Floiras

✆ 05 65 36 27 39, www.campingfloiras.com

Pour s'y rendre : à Juillac, sur la D 8

Ouverture : de mi-avr. à mi-oct.

1 ha (25 empl.) non clos, plat, herbeux

Empl. camping : ♣ 6€ 🚗 🔲 13€ – 🔌 (10A) 5€ - frais de réservation 12€

Location : (de mi-juin à fin août) - 2 tentes lodges. Sem. 395 à 695€ - frais de réservation 12€

Tous les emplacements sont face au Lot.

Nature : 🐚 ♉️
Loisirs : 🍷✕ 🛶 🛥️
Services : ⚊ 🛜 laverie

G P S — E : 1.1987
N : 44.4872

ARAGNOUET

65170 - Carte Michelin **342** N6 - 244 h. - alt. 1 100
▶ Paris 842 - Arreau 24 - Bagnères-de-Luchon 56 - Lannemezan 51

⛺ Fouga Pic de Bern

📞 06 84 72 47 24, campingfouga.blogspot.fr

Pour s'y rendre : à Fabian (2,8 km au nord-est par D 118, rte de St-Lary-Soulan, près de la Neste-d'Avre)

Ouverture : Permanent

3 ha (80 empl.) non clos, en terrasses, plat, herbeux

Empl. camping : 🚶 4€ ⮐ 🔲 4€ – 🔌 (13A) 8€
🚐 borne artisanale - 🔋 12€

Préférer la partie en prairie avec soleil et ombrage, plus éloignée de la route.

Nature : 🐚 ♉️
Loisirs : 🍷✕ 🛖 🛥️
Services : ⚊ 🛜

G P S — E : 0.23608
N : 42.78853

En juin et septembre les campings sont plus calmes, moins fréquentés et pratiquent souvent des tarifs « hors saison ».

ARCIZANS-AVANT

65400 - Carte Michelin **342** L5 - 360 h. - alt. 640
▶ Paris 868 - Toulouse 194 - Tarbes 41 - Pau 61

⛰ Le Lac

📞 05 62 97 01 88, www.camping-du-lac-pyrenees.com

Pour s'y rendre : 29 chemin d'Azun (sortie ouest, à prox. du lac)

Ouverture : de déb. juin à fin sept.

2 ha (90 empl.) peu incliné

Empl. camping : (Prix 2018) 34€ 🚶🚶 ⮐ 🔲 🔌 (10A) - pers. suppl. 9€ - frais de réservation 25€
Location : (Prix 2018) Permanent 🚭 - 17 🏡. Nuitée 90 à 110€ - Sem. 345 à 860€ - frais de réservation 25€
🚐 borne artisanale 19€ - 🔋 18€

Des piscines et pour de nombreux emplacements, vue dégagée sur les Pyrénées, le village, l'église.

Nature : 🐚 ♉️
Loisirs : 🍷✕ 🛖 🛥️ 🛥️
Services : ⚊ 🛜 laverie
À prox. : 🛶

G P S — W : 0.10803
N : 42.9857

⛰ Les Châtaigniers

📞 06 30 58 11 00, www.camping-les-chataigniers.com

Pour s'y rendre : 6 r. Cap-Deth-Vilatge

Ouverture : de déb. juin à mi-sept.

3 ha (51 empl.) en terrasses, peu incliné, plat, herbeux, bois

Empl. camping : (Prix 2018) 31€ 🚶🚶 ⮐ 🔲 🔌 (6A) - pers. suppl. 8€

Location : (Prix 2018) Permanent - 4 🛖 - 4 🏡 - 4 cabanons. Nuitée 35 à 80€ - Sem. 200 à 780€

Emplacements ombragés avec vue sur les Pyrénées, la vallée et le village.

Nature : 🐚 ♉️
Loisirs : 🛖 🛥️ 🛥️
Services : ⚊ 🛜 laverie
À prox. : 🛶

G P S — W : 0.10488
N : 42.98505

ARGELÈS-GAZOST

65400 - Carte Michelin **342** L6 - 3 297 h. - alt. 462 - ⚓
▶ Paris 863 - Lourdes 13 - Pau 58 - Tarbes 32

🏔🏔 Sunêlia Les Trois Vallées 👥

📞 05 62 90 35 47, www.camping3vallees.com

Pour s'y rendre : av. des Pyrénées (sortie nord)

Ouverture : de déb. avr. à mi-oct.

11 ha (438 empl.) plat, herbeux

Empl. camping : 52€ 🚶🚶 ⮐ 🔲 🔌 (10A) - pers. suppl. 17€ - frais de réservation 30€
Location : (de déb. avr. à mi-oct.) - ♿ (2 mobile homes) - 🚭 - 250 🛖 - 13 bungalows toilés. Nuitée 64 à 292€ - Sem. 448 à 2 044€ - frais de réservation 30€

Belle décoration florale de l'important espace aquatique, ludique et commercial. Quartier mobile homes VIP et un vrai bon confort sanitaire.

Nature : 🗀 ♉️
Loisirs : 🍷✕ 🛖 ☺ salle d'animations 🏃 jacuzzi 🛥️ 🚲 🛖 🏊 🏖 discothèque terrain multisports
Services : ⚊ 🏧 🛜 laverie 🛥️ 🛥️
À prox. : 🛒 🛥️ 🛥️

G P S — W : 0.09718
N : 43.0121

Deze gids is geen overzicht van alle kampeerterreinen maar een selektie van de beste terreinen in iedere categorie.

ARRAS-EN-LAVEDAN

65400 - Carte Michelin **342** L5 - 527 h. - alt. 700
▶ Paris 868 - Toulouse 193 - Tarbes 40 - Pau 60

⛰ L'Idéal

📞 05 62 97 03 13, www.camping-arras-argeles.com - alt. 600

Pour s'y rendre : rte du Val-d'Azun (300 m au nord-ouest par D 918, rte d'Argelès-Gazost)

Ouverture : de déb. juin à mi-sept.

2 ha (60 empl.) en terrasses, plat, herbeux

Empl. camping : (Prix 2018) 🚶 6€ ⮐ 🔲 6€ – 🔌 (10A) 5€
Location : (Prix 2018) Permanent 🚭 - 4 🏡. Nuitée 70 à 130€ - Sem. 320 à 800€
🚐 borne artisanale 3€

Agréable terrain. Préférer les emplacements les plus éloignés de la route.

Nature : ♉️
Loisirs : 🛖 🛥️ 🛥️
Services : ⚊ 🛥️ 🛜 laverie

G P S — W : 0.11954
N : 42.99483

ARRENS-MARSOUS

65400 - Carte Michelin 342 K5 - 721 h. - alt. 885
▶ Paris 875 - Argelès-Gazost 13 - Cauterets 29 - Laruns 37

⚠ La Hèche

📞 05 62 97 02 64, www.campinglaheche.com

Pour s'y rendre : 54 rte d'Azun (800 m à l'est par D 918, rte d'Argelès-Gazost et chemin à dr., au bord du Gave d'Arrens)

5 ha (166 empl.) plat, herbeux

Location : - 4 🏠

Une belle prairie ombragée par des arbres bien alignés.

Nature : ⛰ ‹ 🌳🌳	
Loisirs : 🔲 ⚡🏕	**GPS**
Services : ⚬🔧 ▦ 🛁 🛖 laverie	W : 0.20534
À prox. : 🚤 🎣 ⛵ 🏊	N : 42.95847

ARVIEU

12120 - Carte Michelin 338 H5 - 861 h. - alt. 730
▶ Paris 663 - Albi 66 - Millau 59 - Rodez 31

⚠ Le Doumergal

📞 05 65 74 24 92, www.camping-doumergal-aveyron.fr

Pour s'y rendre : r. de la Rivière (à l'ouest du bourg, au bord d'un ruisseau)

1,5 ha (27 empl.) peu incliné, plat, herbeux

Location : - 1 🏠 - 1 🏠.

Nature : ⛰ 🏕 🌿	
Loisirs : ⚡🏕	**GPS**
Services : ⚬🔧 🛖 🚰	E : 2.66014
À prox. : 🎣	N : 44.19066

⛰⛰⛰ ... ⛰
Besonders angenehme Campingplätze,
ihrer Kategorie entsprechend.

ASTON

09310 - Carte Michelin 343 I8 - 219 h. - alt. 563
▶ Paris 788 - Andorra-la-Vella 78 - Ax-les-Thermes 20 - Foix 59

⚠ Le Pas de l'Ours

📞 05 61 64 90 33, www.lepasdelours.fr

Pour s'y rendre : lieu-dit : Les Gesquis (au sud du bourg, près du torrent)

Ouverture : de déb. juin à mi-sept.

3,5 ha (50 empl.) plat et peu incliné, rochers, herbeux

Empl. camping : (Prix 2018) 🚶 8€ 🚗 9€ – 🔌 (6A) 4€

Location : (Prix 2018) Permanent♿ (1 chalet) - 11 🏠 - 16 🏠 - 4 gîtes. Nuitée 70 à 85€ - Sem. 290 à 682€

Ensemble agréable avec du locatif de qualité.

Nature : ⛰ ‹ 🏕 🌳🌳	
Loisirs : ✖ 🔲 salle d'animations 🚴	**GPS**
Services : ⚬🔧 (juil.-août) ▦ 🛖 laverie	E : 1.67181
À prox. : 🏊 🎣	N : 42.77245

AUCH

32000 - Carte Michelin 336 F8 - 21 792 h. - alt. 169
▶ Paris 713 - Agen 74 - Bordeaux 205 - Tarbes 74

⛰⛰ Le Castagné

📞 06 07 97 40 37, www.domainelecastagne.com

Pour s'y rendre : chemin de Naréoux (4 km à l'est par D 924 rte de Toulouse et à dr.)

Ouverture : de déb. juin à fin sept.

70 ha/2 campables (24 empl.) fort dénivelé, peu incliné, herbeux, pierreux

Empl. camping : 🚶 6€ 🚗 🅿 6€ – 🔌 (12A) 5€

Location : Permanent - 4 🏠 - 9 🏠 - 4 🛏 - 12 gîtes - 1 appartement. Nuitée 50 à 120€ - Sem. 350 à 650€

Sur les terres d'une ferme en activité, locatif varié avec aussi quatre chambres d'hôte de bon confort. Vue superbe sur la campagne gersoise.

Nature : ⛰ ‹ 🌳🌳🌳	
Loisirs : 🔲 ⚡🏕 jacuzzi ⚡🏕 🛖 🚣 pédalos	**GPS**
Services : ⚬🔧 🛖 🖥	E : 0.6337
	N : 43.6483

AUCUN

65400 - Carte Michelin 342 K7 - 261 h. - alt. 853
▶ Paris 872 - Argelès-Gazost 10 - Cauterets 26 - Lourdes 22

⛰⛰ Azun Nature

📞 05 62 97 45 05, www.camping-azun-nature.com

Pour s'y rendre : 1 rte de Las Poueyes (700 m à l'est par D 918, rte d'Argeles-Gazost et rte à dr., à 300 m du Gave d'Azun)

Ouverture : Permanent

1 ha (50 empl.) plat, herbeux

Empl. camping : 24€ 🚶🚶 🚗 🅿 🔌 (10A) - pers. suppl. 5€

Location : Permanent - 17 🏠. Nuitée 30 à 103€ - Sem. 200 à 720€

Cadre soigné et locatif de qualité avec un espace bien-être face à la montagne.

Nature : ⛰ ‹ 🏕 🌿	
Loisirs : 🔲 ≋ jacuzzi ⚡🏕	**GPS**
Services : ⚬🔧 🛁 🛖 laverie	W : 0.18796
À prox. : 🚴 🚣 sentiers pédestres	N : 42.97399

⛰⛰⛰ ... ⛰
Bijzonder prettige terreinen die bovendien opvallen
in hun categorie.

AUGIREIN

09800 - Carte Michelin 343 D7 - 63 h. - alt. 629
▶ Paris 788 - Aspet 22 - Castillon-en-Couserans 12 - St-Béat 30

⚠ La Vie en Vert

📞 05 61 96 82 66, www.lavieenvert.com

Pour s'y rendre : à l'est du bourg, au bord de la Bouigane

Ouverture : de fin mai à mi-sept.

0,3 ha (15 empl.) plat, herbeux

Empl. camping : (Prix 2018) 25€ 🚶🚶 🚗 🅿 🔌 (10A) - pers. suppl. 6€

Location : (Prix 2018) (de fin mai à mi-sept.) - 🚫 - 2 tipis. Nuitée 40 à 65€ - Sem. 210 à 390€

Autour d'une ancienne ferme en pierre du pays soigneusement restaurée.

Nature : 🐾 ⛺ ♨️
Loisirs : 🏠 🎣
Services : 🔑 📶 📺
À prox. : 🍸 ✕

GPS E : 0.91978
N : 42.93161

AULUS-LES-BAINS

09140 - Carte Michelin **343** G8 - 221 h. - alt. 750 - 🛁
▶ Paris 807 - Foix 76 - Oust 17 - St-Girons 34

⛰️ Le Coulédous

🖉 05 61 66 43 56, www.camping-aulus-couledous.com

Pour s'y rendre : rte de St-Girons (sortie nord-ouest par D 32, près du Garbet)

1,6 ha (98 empl.) plat, herbeux, gravillons, pierreux

Location : - 18 🏠.

🚐 borne artisanale

Au milieu d'un parc aux arbres parfois centenaires. Chalets et confort sanitaire très anciens.

Nature : ⬅️ ♨️
Loisirs : 🏠 🎠
Services : 🔑 🏧 📶 laverie
À prox. : 🎯 🎣 parcours dans les arbres

GPS E : 1.33215
N : 42.79394

Si vous recherchez :

🐾   *un terrain très tranquille,*
P   *un terrain ouvert toute l'année,*
👪   *des équipements et des loisirs adaptés aux enfants,*
🏊   *un parc aquatique,*
B   *un centre balnéo,*
🎭   *des animations sportives, culturelles ou de détente,*
consultez la liste thématique des campings.

AURIGNAC

31420 - Carte Michelin **343** D5 - 1 187 h. - alt. 430
▶ Paris 750 - Auch 71 - Bagnères-de-Luchon 69 - Pamiers 92

⛰️ Les Petites Pyrénées

🖉 05 61 87 06 91, www.camping-aurignac.fr

Pour s'y rendre : rte de Boussens (sortie sud-est par D 635, à dr., près du stade - A64 sortie 21)

0,9 ha (38 empl.) plat, herbeux

Location : - 3 🚐 - 2 tentes lodges.

🚐 borne artisanale - 2 📧

Petite structure simple, au confort sanitaire ancien. Accès gratuit à la piscine municipale. Accueil de groupes.

Nature : ⛺ ♨️
Loisirs : 🏠
Services : 🔑 📶 laverie
À prox. : ✂️ 🏊 🐎

GPS E : 0.89132
N : 43.21389

AX-LES-THERMES

09110 - Carte Michelin **343** J8 - 1 384 h. - alt. 720 - 🛁
▶ Paris 805 - Toulouse 129 - Foix 43 - Pamiers 62

🏔️ Sunêlia Le Malazeou 👪

🖉 05 61 64 69 14, www.campingmalazeou.com

Pour s'y rendre : RN 20, rte de l'Espagne (à Savignac-les-Ormeaux, 1 km au nord-ouest, rte de Foix)

Ouverture : Permanent

6,5 ha (198 empl.) en terrasses, plat, herbeux, pierreux

Empl. camping : (Prix 2018) 31€ 👫 🚐 📧 🔌 (10A) - pers. suppl. 8€ - frais de réservation 30€

Location : (Prix 2018) Permanent 🚻 (2 chalets) - 25 🚐 - 70 🏠. Nuitée 100 à 278€ - Sem. 398 à 976€ - frais de réservation 30€

🚐 borne artisanale 5€

Ombragé, au bord de l'Ariège. Préférer les emplacements éloignés de la route.

Nature : ♨️
Loisirs : 🍸 ✕ 🏠 🎣 🏓 🎯 💪 🏊 ⛷️ 🎿 🎠 🛷
Services : 🔑 🏧 ⛵ 📶 laverie 🐕
GPS E : 1.82538
N : 42.72852

AYZAC-OST

65400 - Carte Michelin **342** L4 - 399 h. - alt. 430
▶ Paris 862 - Toulouse 188 - Tarbes 35 - Pau 54

🏔️ La Bergerie

🖉 05 62 97 59 99, www.camping-labergerie.com

Pour s'y rendre : 8 chemin de la Bergerie (sortie sud par N 21 et chemin à gauche)

Ouverture : de déb. mai à fin sept.

2 ha (105 empl.) plat, herbeux

Empl. camping : (Prix 2018) 34€ 👫 🚐 📧 🔌 (6A) - pers. suppl. 9€ - frais de réservation 17€

Agréable petit parc aquatique paysagé entouré de nombreux mobile homes de propriétaires-résidents.

Nature : ⬅️ ♨️
Loisirs : 🍸 🏠 🎠 🎿 🏊
Services : 🔑 ⛵ 📶 🎣
À prox. : 🛒 ✕ 🐕 🚲

GPS W : 0.0961
N : 43.01824

BAGNAC-SUR-CÉLÉ

46270 - Carte Michelin **337** I3 - 1 562 h. - alt. 234
▶ Paris 593 - Cahors 83 - Decazeville 16 - Figeac 15

⛰️ Les Berges du Célé

🖉 06 35 23 56 95, www.lesbergesducele.com

Pour s'y rendre : lieu-dit : La Plaine (au sud-est du bourg, derrière la gare, au bord du Célé)

Ouverture : de mi-avr. à mi-oct.

1 ha (44 empl.) plat, herbeux

Empl. camping : 19€ 👫 🚐 📧 🔌 (5A) - pers. suppl. 5€

Location : (de mi-avr. à mi-oct.) - 5 🚐 - 2 bungalows toilés. Nuitée 30 à 80€ - Sem. 300 à 550€

🚐 borne AireService - 🚐 🔌 15€

Nature : ♨️
Loisirs : 🎠 🎿 🎣
Services : 🔑 📶 📺
À prox. : ✕

GPS E : 2.16009
N : 44.66461

BAGNÈRES-DE-BIGORRE

65200 - Carte Michelin **342** M6 - 8 040 h. - alt. 551 - ♨
▶ Paris 829 - Lourdes 24 - Pau 66 - St-Gaudens 65

⛰ Le Monlôo

Bernard LAUTIER/Camping du Monlôo

☎ 05 62 95 19 65, www.lemonloo.com
Pour s'y rendre : 5 chemin de Monlôo
(sortie nord-est, par D 938, rte de
Toulouse puis à gauche 1,4 km par D 8,
rte de Tarbes et chemin à dr.)
Ouverture : de déb. janv. à mi-déc.
4 ha (199 empl.) peu incliné, plat, herbeux
Empl. camping : (Prix 2018)
35€ ♟♟ ⛺ 🅿 🔌 (16A) - pers. suppl. 6€
Location : (Prix 2018) (de mi-janv. à
mi-déc.) - 31 🚐 - 9 🏠. Nuitée 55 à 120€ - Sem. 260 à 850€
🚰 borne artisanale - 3 🅿 17€
Locatif varié, de qualité et petit plan d'eau écologique agrémenté d'une jolie plage.

Nature : 🏞 ⛰ 🌳🌳
Loisirs : 🏕 🚗 🏊 🌊 (plan d'eau) ⛷
Services : 🅿 🏪 🛁 📶 laverie
GPS E : 0.15107
N : 43.0817

⛺ Les Fruitiers

☎ 05 62 95 25 97, www.camping-les-fruitiers.com
Pour s'y rendre : 8 r. Pierre-Latécoère (rte de Toulouse)
Ouverture : de déb. avr. à déb. nov.
1,5 ha (88 empl.) plat, herbeux
Empl. camping : (Prix 2018) ♟ 5€ ⛺ 🅿 5€ – 🔌 (6A) 4€
Location : (Prix 2018) (de déb. avr. à fin nov.) - 🎣 - 3 🚐
- 2 studios. Nuitée 50 à 70€ - Sem. 250 à 550€
🚰 borne artisanale 6€ - 🚐 11€
Belle pelouse ombragée. Préférer les emplacements éloignés de la route.

Nature : ⛰ Pic du Midi 🌳🌳
Loisirs : 🏕 🚗 🏊
Services : 🅿 📶 laverie
À prox. : ⛷
GPS E : 0.15746
N : 43.07108

BAGNÈRES-DE-LUCHON

31110 - Carte Michelin **343** B8 - 2 600 h. - alt. 630 - ♨ - Sports
d'hiver : à Superbagnères : 1 440/2 260 m
▶ Paris 814 - Bagnères-de-Bigorre 96 - St-Gaudens 48 - Tarbes 98

⛰ Pradelongue

☎ 05 61 79 86 44, www.camping-pradelongue.com
Pour s'y rendre : à Moustajon, 5 chemin des Tretes (2 km au nord
par D 125, près du magasin Intermarché)
Ouverture : de déb. avr. à fin sept.
4 ha (142 empl.) plat, herbeux
Empl. camping : 32€ ♟♟ ⛺ 🅿 🔌 (10A) - pers. suppl. 8€ - frais de
réservation 13€
Location : (de déb. avr. à fin sept.) - 🎣 - 26 🚐 - 2 cabanons.
Nuitée 43 à 160€ - Sem. 258 à 1 120€ - frais de réservation 13€
🚰 borne artisanale - 7 🅿 14€
Nombreux espaces verts parfaits pour la détente ou les sports collectifs.

Nature : ⛰ 🌳 🌳🌳
Loisirs : 🏕 🚗 🏊 terrain multisports
Services : 🅿 🏪 🛁 🚿 📶 laverie
À prox. ; 🚣 🏊 🐎 tyrolienne
GPS E : 0.5981
N : 42.81667

⛰ Les Myrtilles ♟♟

☎ 05 61 79 89 89, www.camping-myrtilles.com
Pour s'y rendre : à Moustajon (2,5 km au nord par D 125, au bord
d'un ruisseau.)
2 ha (100 empl.) plat, herbeux
Location : - 20 🚐 - 7 🛏 - 3 bungalows toilés - 1 gîte.
🚰 borne artisanale
Navette gratuite pour les thermes.

Nature : ⛰ 🌳 🌳
Loisirs : 🍴🍽 🏕 🏃 🚴 🎿
Services : 🅿 🏪 🛁 🚿 📶 laverie 🚗
À prox. : 🚣 🐎
GPS E : 0.59975
N : 42.81663

⛰ Domaine O Lanette ♟♟

☎ 05 61 89 84 90, www.domaineolanette-luchon.com
Pour s'y rendre : à Montauban-de-Luchon, rte de Subercarrère
(1,5 km à l'est par D 27)
Ouverture : Permanent
5 ha (194 empl.) plat et peu incliné, herbeux
Empl. camping : (Prix 2018) 12€ ♟♟ ⛺ 🅿 🔌 (10A) - pers. suppl. 4€
- frais de réservation 15€
Location : (Prix 2018) Permanent - 8 🚐 - 21 🏠. Nuitée 50 à 99€
- Sem. 220 à 690€ - frais de réservation 15€
🚰 borne AireService
Emplacements bien ombragés ou plus ensoleillés.

Nature : 🏞 🌳 🌳
Loisirs : 🍴🍽 🏃 🐎 🚴
Services : 🅿 🛁 📶 🅿 🚗
GPS E : 0.60814
N : 42.79496

⛺ Au Fil de l'Oô

☎ 05 61 79 30 74, www.campingaufildeloo.com
Pour s'y rendre : 37 av. de Vénasque (1,5 km au sud par D 618)
Ouverture : de fin mars à fin oct.
2,5 ha (104 empl.) plat, herbeux
Empl. camping : (Prix 2018) 20€ ♟♟ ⛺ 🅿 🔌 (10A) - pers. suppl. 5€
Location : (Prix 2018) (de fin mars à fin oct.) - 28 🚐. Sem.
285 à 570€ - frais de réservation 12€
🚰 borne artisanale
Bon ombrage au bord d'un petit ruisseau. Préférer les emplacements les plus éloignés de la route.

Nature : 🏡 🌳🌳
Loisirs : 🏕
Services : 🅿 📶 laverie 🚗
GPS E : 0.6003
N : 42.77777

BARBOTAN-LES-THERMES

32150 - Carte Michelin **336** B6 - ♨
▶ Paris 703 - Aire-sur-l'Adour 37 - Auch 75 - Condom 37

⛰ Sunêlia Les Rives du Lac ♟♟

☎ 05 62 09 53 91, www.camping-lesrivesdulac.com
Pour s'y rendre : av. du Lac (1,5 km au sud-ouest, rte de Cazaubon
et à gauche, à la base de loisirs (au bord du lac))
Ouverture : de déb. avr. à mi-oct.
6 ha (286 empl.) plat, herbeux, gravier
Empl. camping : 28€ ♟♟ ⛺ 🅿 🔌 (10A) - pers. suppl. 8€ - frais de
réservation 11€

Location : (de déb. avr. à mi-oct.) - 51 🚐 - 7 🏠. Nuitée 37 à 151€
- Sem. 259 à 1 057€ - frais de réservation 11€
🚰 borne artisanale - 26 ▣ 30€
Les emplacements et les locatifs ont pour beaucoup une jolie vue sur le lac.

Nature : 🦥 ≤♢♢🔺
Loisirs : 🏕🏃🚴🏂♨️⛵ terrain multisports
Services : ⛽🛁🚿laverie ❄️réfrigérateurs
À prox. : 🏊🍴🏖 (plage) 🚣pédalos skate parc

G P S W : 0.04431 N : 43.93971

LA BASTIDE-DE-SÉROU

09240 - Carte Michelin **343** G6 - 959 h. - alt. 410
▶ Paris 779 - Foix 18 - Le Mas-d'Azil 17 - Pamiers 38

🏕 Flower L'Arize

☎ 0561658151, www.camping-arize.com

Pour s'y rendre : sortie est par D 117, rte de Foix puis 1,5 km par D 15, rte de Nescus à dr., au bord de la rivière

Ouverture : de déb. avr. à fin oct.

7,5 ha/1,5 (90 empl.) plat, herbeux

Empl. camping : 17€ 👫👫 🚗 ▣ (6A) - pers. suppl. 5€ - frais de réservation 5€
Location : (de déb. avr. à fin oct.) - 16 🚐 - 4 🏠 - 3 bungalows toilés. Nuitée 35 à 137€ - Sem. 196 à 950€ - frais de réservation 16€
🚰 borne artisanale 5€ - 9 ▣ 16€
Traversé par un petit ruisseau qui sépare la partie ombragée de la partie ensoleillée.

Nature : 🦥🏕♢♢
Loisirs : 🍴🍴🏕🚴⛵🏂
Services : ⛽🛁🚿🚰🚿laverie
À prox. : 🐎

G P S E : 1.44509 N : 43.00168

BEAUMONT-DE-LOMAGNE

82500 - Carte Michelin **337** B8 - 3 809 h. - alt. 400
▶ Paris 662 - Agen 60 - Auch 51 - Castelsarrasin 27

🏕 Municipal Le Lomagnol 👥

☎ 0563261200, www.village-de-loisirs.com

Pour s'y rendre : av. du Lac (800 m à l'est, accès par la déviation et chemin, au bord d'un plan d'eau)

Ouverture : de déb. avr. à fin oct.

6 ha/1,5 (100 empl.) plat, herbeux

Empl. camping : (Prix 2018) 18€ 👫👫 🚗 ▣ (10A) - pers. suppl. 4€ - frais de réservation 15€
Location : (Prix 2018) Permanent🔥 (1 mobile home) - Ⓟ - 4 🚐 - 5 tipis - 24 gîtes. Nuitée 80 à 90€ - Sem. 270 à 560€ - frais de réservation 15€
🚰 borne artisanale
Autour du lac avec de nombreuses activités nautiques mais baignade interdite.

Nature : 🏕♢♢
Loisirs : 🍴🌙nocturne 🏃♨️jacuzzi 🚴pédalos
Services : ⛽🛁🚿🚿
À prox. : 🍴parcours de santé

G P S E : 0.99864 N : 43.88295

BÉDUER

46100 - Carte Michelin **337** H4 - 730 h. - alt. 260
▶ Paris 572 - Cahors 63 - Figeac 9 - Villefranche-de-Rouergue 36

🏕 La Via Natura Pech Ibert

☎ 0565400585, www.camping-pech-ibert.com

Pour s'y rendre : lieu-dit : Pech Ibert (1 km au nord-ouest par D 19, rte de Cajarc et rte à dr.)

Ouverture : de fin mars à déb. oct.

1 ha (37 empl.) plat, herbeux, pierreux, gravillons

Empl. camping : 👤4€ 1€ ▣ 4€ – (9A) 4€
Location : (de fin mars à déb. oct.) - 3 🚐 - 4 🏠 - 1 bungalow toilé. Nuitée 22 à 65€ - Sem. 310 à 665€ - frais de réservation 15€
🚰 borne artisanale 6€ - 2 ▣ 12€ - 🚐12€
Ombrage varié en fonction des emplacements.

Nature : 🦥🏕🌳
Loisirs : 🍴🍴🏕🚴🏂
Services : ⛽🛁🚿🚿🔲 réfrigérateurs
À prox. : 🍴

G P S E : 1.9375 N : 44.57833

LE BEZ

81260 - Carte Michelin **338** G9 - 803 h. - alt. 644
▶ Paris 745 - Albi 63 - Anglès 12 - Brassac 5

⛺ Le Plô

☎ 0563740082, www.camping-leplo.fr

Pour s'y rendre : Le Bourg (900 m à l'ouest par D 30, rte de Castres et chemin à gauche)

Ouverture : de fin avr. à fin sept.

2,5 ha (62 empl.) en terrasses, peu incliné, herbeux, bois

Empl. camping : 31€ 👫👫 🚗 ▣ (6A) - pers. suppl. 6€ - frais de réservation 14€
Location : (de fin avr. à fin sept.) - 8 tentes lodges - 5 Tentes. Nuitée 35 à 108€ - Sem. 225 à 645€ - frais de réservation 14€
🚰 borne artisanale 5€ - 2 ▣ 11€ - 🚐11€
Cadre soigné, fleuri avec du locatif exclusivement en tentes pour garder l'esprit camping.

Nature : 🦥♢♢
Loisirs : 🏕🚴⛵🏂
Services : ⛽🚿🚿laverie

G P S E : 2.47064 N : 43.60815

BOISSE-PENCHOT

12300 - Carte Michelin **338** F3 - 539 h. - alt. 169
▶ Paris 594 - Toulouse 193 - Rodez 46 - Aurillac 65

⛺ Le Roquelongue

☎ 0565633967, www.camping-roquelongue.com

Pour s'y rendre : 1.6 km à l'est par la D 42, près du Lot (accès direct)

Ouverture : Permanent

3,5 ha (66 empl.) plat, herbeux

Empl. camping : 25€ 👫👫 🚗 ▣ (10A) - pers. suppl. 5€
Location : Permanent - 9 🚐 - 7 🏠. Nuitée 42 à 105€ - Sem. 175 à 690€
🚰 borne artisanale

Nature : ≤🏕♢♢
Loisirs : 🍴🍴🚴🏂⛵🚣pédalos
Services : ⛽🚿🚿🚿🔲

G P S E : 2.22179 N : 44.58224

BOR-ET-BAR

12270 - Carte Michelin **338** E5 - 194 h. - alt. 250
▶ Paris 631 - Toulouse 109 - Rodez 61 - Albi 47

⛺ Le Gourpassou

🖉 07 80 34 57 61, www.camping-legourpassou.com

Pour s'y rendre : ferme de Cessetière (2.1 km au sud par la D 69)

2,5 ha (39 empl.) plat, herbeux

Location : - 7 🚐.

Camping à la ferme au bord du Viaur.

Nature : ≤ ♀	**G** E : 5.01096
Loisirs : ♥ 🏠 🛶	**P** N : 47.32128
Services : ⛽ 🚿 ♨	**S**

BOURISP

65170 - Carte Michelin **342** O6 - 147 h. - alt. 790
▶ Paris 828 - Toulouse 155 - Tarbes 70 - Lourdes 66

🏔 Le Rioumajou ♣♣

🖉 05 62 39 48 32, www.camping-le-rioumajou.com

Pour s'y rendre : 1,3 km au nord-ouest par D 929, rte d'Arreau et chemin à gauche, au bord de la Neste d'Aure

Ouverture : Permanent

5 ha (192 empl.) plat, herbeux, gravillons

Empl. camping : (Prix 2018) 16€ ♣♣ 🚗 🔌 🔋 (10A) - pers. suppl. 7€ - frais de réservation 14€

Location : (Prix 2018) Permanent 🚐 - 8 🚐 - 6 bungalows toilés. Sem. 400 à 710€ - frais de réservation 14€

🔋 borne eurorelais 4€ - 🔋 21€

Beaucoup d'espaces verts pour la détente, au bord du ruisseau.

Nature : ❄ 🌳 ≤ 🏠 ♀♀	**G** E : 0.33943
Loisirs : ♥ ✕ 🏠 🛁 🕏 jacuzzi 🛶 🏊 🛥	**P** N : 42.83786
Services : ⛽ ▥ ♨ 🛜 laverie 🚿	**S**

Use this year's Guide.

BRUSQUE

12360 - Carte Michelin **338** J8 - 309 h. - alt. 465
▶ Paris 698 - Albi 91 - Béziers 75 - Lacaune 30

🏔 V.V.F. Villages Le Domaine de Céras

🖉 05 65 49 50 66, www.vvfvillages.fr - peu d'emplacements pour tentes et caravanes

Pour s'y rendre : 1,6 km au sud par D 92, rte d'Arnac, au bord du Dourdou et d'un petit plan d'eau

Ouverture : de mi-juin à mi-sept.

14 ha (160 empl.) vallonné, plat, herbeux

Empl. camping : (Prix 2018) 27€ ♣♣ 🚗 🔌 🔋 (10A) - pers. suppl. 5€

Location : (Prix 2018) (de mi-juin à mi-sept.) - ♿ (3 appartements) - 19 🏚 - 20 bungalows toilés - 48 appartements. Sem. 290 à 349€ - frais de réservation 35€

Isolé au fond d'une vallée verdoyante et paisible avec du locatif varié en confort comme en structure.

Nature : 🌳 ≤ ♀♀ ⛰	**G** E : 2.95742
Loisirs : ♥ ✕ 🏠 🕏 salle d'animations 🏃 🛶 🏊 ⛵ (plan d'eau) 🔦 parcours de santé mini ferme terrain multisports	**P** N : 43.75666
Services : ⛽ 🛜 laverie 🚿	**S**

CAHORS

46000 - Carte Michelin **337** E5 - 19 948 h. - alt. 135
▶ Paris 575 - Agen 85 - Albi 110 - Bergerac 108

🏔 Rivière de Cabessut

🖉 05 65 30 06 30, www.cabessut.com

Pour s'y rendre : r. de la Rivière (3 km au sud par D 911 dir. Rodez puis chemin à gauche, quai Ludo-Rolles, au bord du Lot)

Ouverture : de déb. avr. à fin sept.

2 ha (113 empl.) plat, herbeux

Empl. camping : 24€ ♣♣ 🚗 🔌 🔋 (10A) - pers. suppl. 6€ - frais de réservation 10€

Location : (de déb. avr. à fin sept.) - 🚐 - 8 🚐. Nuitée 60 à 140€ - Sem. 260 à 680€ - frais de réservation 10€

🔋 borne artisanale 4€

Emplacements bien ombragés en partie au bord du Lot.

Nature : 🏠 ♀♀	**G** E : 1.44192
Loisirs : ✕ 🏠 🛶 🏊 ⛰ 🏊 🛥	**P** N : 44.46364
Services : ⛽ ▥ ♨ 🛜 laverie	**S**
À prox. : 🏊 parc aquatique	

CALMONT

31560 - Carte Michelin **343** H5 - 2 177 h. - alt. 220
▶ Paris 724 - Toulouse 48 - Ordino 144 - Canillo 127

⛺ Le Mercier

🖉 06 09 61 16 93, www.camping-mercier.com 🚲 (de déb. juil. à fin août)

Pour s'y rendre : 2,4 km au sud par D 11, rte de Pamiers

Ouverture : Permanent

0,6 ha (22 empl.) plat, herbeux

Empl. camping : 22€ ♣♣ 🚗 🔌 🔋 (5A) - pers. suppl. 5€

Location : Permanent 🚲 - 8 🚐. Nuitée 55 à 115€ - Sem. 350 à 760€ - frais de réservation 15€

🔋 borne artisanale - 2 🔋 17€ - 🔋 9€

Bon accueil dans un cadre soigné avec du locatif varié.

Nature : 🌳 🏠 ♀	**G** E : 1.6334
Loisirs : 🏊	**P** N : 43.2819
Services : ⛽ 🚿 ♨ 🛜 📶	**S**

En juillet et août, beaucoup de terrains affichent complets et leurs emplacements retenus longtemps à l'avance. N'attendez pas le dernier moment pour réserver.

LES CAMMAZES

81540 - Carte Michelin **338** E10 - 309 h. - alt. 610
▶ Paris 736 - Aurillac 241 - Castres 35 - Figeac 183

🏔 La Rigole

🖉 05 63 73 28 99, www.campingdelarigole.com

Pour s'y rendre : rte du Barrage (sortie sud par D 629 et rte à gauche)

Ouverture : de fin avr. à fin sept.

3 ha (65 empl.) terrasse, plat et peu incliné, herbeux

Empl. camping : (Prix 2018) 31€ ♣♣ 🚗 🔌 🔋 (6A) - pers. suppl. 6€

Location : (Prix 2018) (de fin avr. à fin sept.) - 11 🚐 - 9 🏠 - 1 cabanon. Nuitée 50 à 120€ - Sem. 350 à 840€ - frais de réservation 15€

Très agréable cadre verdoyant et fleuri avec du locatif de bon confort. Vente de produits régionaux.

Nature : 🏊 ☁ ♀♀
Loisirs : 🍴 ✕ 🛶 🚲 🎣 mini ferme
Services : ⚷ 🏕 📶 laverie

GPS E : 2.08625 N : 43.40787

CANET-DE-SALARS

12290 - Carte Michelin **338** I5 - 416 h. - alt. 850
▶ Paris 654 - Pont-de-Salars 9 - Rodez 33 - St-Beauzély 28

🏕 Les Castels Le Caussanel 👥👤

Camping le Caussanel

🕿 05 65 46 85 19, www.lecaussanel.com

Pour s'y rendre : au lac de Pareloup (2,7 km au sud-est par D 538 et à dr.)

Ouverture : de mi-mai à déb. sept.

10 ha (228 empl.) en terrasses, plat, herbeux

Empl. camping : (Prix 2018) 38€ ✶✶ 🚗 📧 🅙 (6A) - pers. suppl. 8€ - frais de réservation 30€

Location : (Prix 2018) (de mi-mai à déb. sept.) - 30 🚐 - 35 🏠. Sem. 364 à 931€ - frais de réservation 30€

Nature : 🏊 ∢ sur le lac ♀ ⚠
Loisirs : 🍴 ✕ 🛶 salle d'animations 🏃 🛶 🚲 🛶 🏹 ✿ accrobranche pédalos terrain multisports
Services : ⚷ 🏕 🚿 📶 laverie 🛒 🛒

GPS E : 2.76651 N : 44.21426

🏕 Soleil Levant

🕿 05 65 46 03 65, www.camping-soleil-levant.com

Pour s'y rendre : au lac de Pareloup (3,7 km au sud-est par D 538 et D 993, rte de Salles-Curan, à gauche, av. le pont)

Ouverture : de déb. mai à fin sept.

11 ha (206 empl.) en terrasses, plat, herbeux

Empl. camping : 30€ ✶✶ 🚗 📧 🅙 (6A) - pers. suppl. 7€ - frais de réservation 21€

Location : (de déb. mai à fin sept.) - 29 🚐 - 5 mobile homes (sans sanitaire). Sem. 165 à 745€ - frais de réservation 21€

Situation agréable au bord du lac de Pareloup.

Nature : 🏊 ∢ ♀♀ ⚠
Loisirs : 🍴 🛶 🛶 🏹 ✿
Services : ⚷ 🏕 🚿 📶 laverie
À prox. : 🚲 ⚓

GPS E : 2.77795 N : 44.21551

CARENNAC

46110 - Carte Michelin **337** G2 - 389 h. - alt. 123
▶ Paris 528 - Toulouse 183 - Cahors 81 - Limoges 139

🏕 L'Eau vive 👥👤

🕿 05 65 10 97 39, www.camping-lot-eauvive.com

Pour s'y rendre : lieu-dit : Pré Nabots (1,3 km au sud-ouest par D 30)

2 ha (80 empl.) en terrasses, plat, herbeux

Location : - 40 🚐 - 3 bungalows toilés.
🚐 borne artisanale

Préférer les emplacements au bord de la Dordogne, plus éloignés de la route.

Nature : ☁ ♀♀
Loisirs : 🍴 ✕ 🛶 🏃 🛶 🚲 🏹 🛶 ✿ terrain multisports
Services : ⚷ 🏕 📶 📧 🛒

GPS E : 1.74105 N : 44.9102

CARLUCET

46500 - Carte Michelin **337** F3 - 228 h. - alt. 322
▶ Paris 542 - Cahors 47 - Gourdon 26 - Labastide-Murat 11

🏕 Château de Lacomté

🕿 05 65 38 75 46, www.chateaulacomte.com

Pour s'y rendre : lieu-dit : Lacomté (1,8 km au nord-ouest du bourg, au château)

Ouverture : de déb. mai à mi-sept.

12 ha/4 campables (96 empl.) vallonné, peu incliné, plat, herbeux, sous-bois

Empl. camping : 42€ ✶✶ 🚗 📧 🅙 (10A) - pers. suppl. 11€ - frais de réservation 15€

Location : (de déb. mai à mi-sept.) - 4 🚐 - 5 🏠 - 1 gîte. Nuitée 40 à 140€ - Sem. 280 à 980€ - frais de réservation 15€
🚐 3 📧 39€

Réservé aux adultes (+ de 18 ans). Emplacements en sous-bois ou plus ensoleillés, beaucoup d'espaces verts.

Nature : 🏊 ☁ ♀♀
Loisirs : 🍴 ✕ 🛶 ✂ 🛶
Services : ⚷ 🍽 🚿 🛗 📶 laverie 🛒

GPS E : 1.59692 N : 44.72881

Avant de vous installer, consultez les tarifs en cours, affichés obligatoirement à l'entrée du terrain, et renseignez-vous sur les conditions particulières de séjour. Les indications portées dans le guide ont pu être modifiées depuis la mise à jour.

CASSAGNABÈRE-TOURNAS

31420 - Carte Michelin **343** C5 - 415 h. - alt. 380
▶ Paris 758 - Auch 78 - Bagnères-de-Luchon 65 - Pamiers 101

🏕 La Via Natura Pré Fixe

🕿 05 61 98 71 00, www.camping-pre-fixe.com

Pour s'y rendre : rte de St-Gaudens (au sud-ouest du bourg)

Ouverture : de déb. mai à mi-sept.

1,2 ha (40 empl.) en terrasses, plat, herbeux

Empl. camping : 31€ ✶✶ 🚗 📧 🅙 (10A) - pers. suppl. 7€

Location : (de déb. avr. à fin sept.) - 6 🏠 - 1 tente lodge - 4 tentes. Nuitée 49 à 110€ - Sem. 159 à 910€
🚐 borne artisanale

Agréable terrain en terrasse avec du locatif varié, de qualité et un petit bar à vin tenu par le propriétaire.

Nature : 🏊 ☁ ♀♀
Loisirs : 🍴 🛶 🏃 🛶
Services : ⚷ 📶 📧 🛒
À prox. : ✕

GPS E : 0.79 N : 43.22889

CASSAGNES

46700 - Carte Michelin **337** C4 - 209 h. - alt. 185
▶ Paris 577 - Cahors 34 - Cazals 15 - Fumel 19

⚠ Le Carbet

✆ 05 65 36 61 79, www.camping-carbet.fr

Pour s'y rendre : lieu-dit : La Barte (1,5 km au nord-ouest par D 673, rte de Fumel, près d'un lac)

3 ha (29 empl.) non clos, en terrasses, plat, herbeux, pierreux

Location : - 10 🛖 - 2 tentes lodges.

Emplacements en sous-bois avec du locatif varié en catégorie et en confort.

Nature : 🏞 🌲		
Loisirs : 🍴 ✕ 🛶 🏊		**G** E : 1.13102
Services : 🔌 🚿 🛜 laverie 🧺		**P** N : 44.56338
À prox. : 🎣		**S**

CASTELNAU-DE-MONTMIRAL

81140 - Carte Michelin **338** C7 - 950 h. - alt. 287
▶ Paris 645 - Albi 31 - Bruniquel 22 - Cordes-sur-Ciel 22

⚠⚠ Le Chêne Vert

✆ 05 63 33 16 10, www.campingduchenevert.com

Pour s'y rendre : lieu-dit : Travers du Rieutort (3,5 km au nord-ouest par D 964, rte de Caussade, D 1 et D 87, rte de Penne, à gauche)

Ouverture : de déb. juin à fin sept.

10 ha/2 campables (114 empl.) vallonné, en terrasses, peu incliné, plat, herbeux

Empl. camping : 26€ ✚✚ 🚗 🅿 ⚡ (10A) - pers. suppl. 9€

Location : (de déb. mai à fin sept.) - ♿ (1 chalet) - 11 🛖 - 31 🏠 - 2 cabanons. Sem. 245 à 875€ - frais de réservation 15€

Partie haute en sous-bois, partie basse plus ensoleillée avec du locatif varié simple en confort.

Nature : 🐟 🏞 🌲		
Loisirs : 🍴 ✕ 🏊 🛶 🏊		**G** E : 1.78947
Services : 🔌 🛜 🅿 🧺		**P** N : 43.97702
à la base de loisirs (500m) : 🍴 🏊 🏖 (plage) 🚣 🚴 pédalos		**S**

To visit a town or region : use the MICHELIN Green Guides.

CASTÉRA-VERDUZAN

32410 - Carte Michelin **336** E7 - 937 h. - alt. 114
▶ Paris 720 - Agen 61 - Auch 40 - Condom 20

⚠⚠ La Plage de Verduzan

✆ 05 62 68 12 23, www.camping-castera.com

Pour s'y rendre : 30 r. du Lac (au nord du bourg, au bord de l'Aulone)

2 ha (92 empl.) plat, herbeuxLocation : - 16 🛖.

🚐 borne artisanale

Au bord d'un plan d'eau, emplacements soignés.

Nature : 🐟 🏞 🌲		
Loisirs : 🏖		**G** E : 0.43116
Services : 🔌 🛜 🅿 🧺 🅿		**P** N : 43.80817
À prox. : 🍴 🏖 (plage) 🚣 pédalos		**S**

CASTRES

81100 - Carte Michelin **338** F9 - 42 900 h. - alt. 170
▶ Paris 723 - Albi 43 - Carcassonne 70 - Toulouse 72

⚠⚠ Gourjade

✆ 05 63 59 33 51, www.campingdegourjade.net

Pour s'y rendre : av. de Roquecourbe (2.7 km au nord par la D 89)

Ouverture : de déb. avr. à fin sept.

4 ha/2 campables (98 empl.) en terrasses, plat, herbeux

Empl. camping : 15€ ✚✚ 🚗 🅿 ⚡ (16A) - pers. suppl. 4€

Location : (de déb. mars à fin sept.) - 8 🛖 - 4 🏠 - 6 bungalows toilés. Nuitée 30 à 97€ - Sem. 190 à 680€

🚐 borne AireService - 🚰 14€

Dans le parc de Gourjade, au bord de l'Agout emplacements très ombragés ou plus ensoleillés. Navette gratuite pour le centre-ville.

Nature : 🐟 🏞 🌲		
Loisirs : 🍴 ✕ 🛶 🏊 🏊		**G** E : 2.25254
Services : 🔌 🚿 🛜 laverie 🧺		**P** N : 43.6206
À prox. : 🎣 🏊 🚴 🏇 golf (9 trous) skate-park terrain multisports		**S**

CAUSSADE

82300 - Carte Michelin **337** F7 - 6 586 h. - alt. 109
▶ Paris 606 - Albi 70 - Cahors 38 - Montauban 28

⚠ Municipal la Piboulette

✆ 05 63 93 09 07, www.mairie-caussade.fr

Pour s'y rendre : 1 km au nord-est par D 17, rte de Puylaroque et à gauche, au stade, à 200 m d'un étang

Ouverture : de déb. mai à fin oct.

1,5 ha (72 empl.) plat, herbeux

Empl. camping : (Prix 2018) 13€ ✚✚ 🚗 🅿 ⚡ (16A) - pers. suppl. 4€

🚐 borne AireService 2€ - 8 🅿 13€

Emplacements ombragés entre les terrains de sport municipaux.

Nature : 🐟 🌲		
Services : 🔌 🏚 🛜 🅿		**G** E : 1.54624
À prox. : 🛶 🍴 🎣 parcours de santé		**P** N : 44.16877
		S

Utilisez le guide de l'année.

CAUTERETS

65110 - Carte Michelin **342** L5 - 941 h. - alt. 932 - ⛷ - Sports d'hiver : 1 000/2 350 m
▶ Paris 880 - Argelès-Gazost 17 - Lourdes 30 - Pau 75

⚠⚠ Les Glères

✆ 05 62 92 55 34, www.gleres.com

Pour s'y rendre : 19 rte de Pierrefitte (sortie nord par D 920, au bord du Gave)

Ouverture : de déb. déc. à fin oct.

1,2 ha (76 empl.) plat, herbeux, gravillons

Empl. camping : 22€ ✚✚ 🚗 🅿 ⚡ (6A) - pers. suppl. 5€ - frais de réservation 10€

Location : (de déb. déc. à fin oct.) - 🚐 - 13 🛖 - 8 🏠 - 1 appartement. Nuitée 49 à 96€ - Sem. 228 à 429€

🚐 47 🅿 15€

Proche du centre-ville avec un bon confort sanitaire et une agréable terrasse-détente sur le torrent.

Nature : ❄ ⊏ ♀♀
Loisirs : 🎱 🏖 ⌙
Services : ⚷ 🚽 🏛 🛁 🔽 laverie
À prox. : ⚐ patinoire

| | G P S | W : 0.11275 N : 42.89625 |

⛰ GR 10

📞 06 20 30 25 85, www.gr10camping.com

Pour s'y rendre : à Concé (2,8 km au nord par D 920, rte de Lourdes, près du Gave de Pau)

Ouverture : de mi-juin à fin août

1,5 ha (69 empl.) peu incliné, plat, herbeux, rochers

Empl. camping : 🚶 7 € 🚗 回 5 € – ⚡ (8A) 4 € - frais de réservation 3 €
Location : Permanent - 1 🚐 - 1 🏠 - 6 🛏 - 1 yourte - 3 gîtes. Nuitée 70 à 120 € - Sem. 490 à 790 € - frais de réservation 3 €

Point de départ de nombreuses activités loisirs de montagne.

Nature : 🦅 ⊏ ♀
Loisirs : 🎱 🏖 ⚐ parcours dans les arbres sports en eaux vives escalade
Services : ⚷🚽🚽 🏛 🔽 laverie

| | G P S | W : 0.09892 N : 42.91107 |

⛰ Le Cabaliros

📞 05 62 92 55 36, www.camping-cabaliros.com

Pour s'y rendre : 93 av. du Mamelon-Vert (1,6 km au nord par rte de Lourdes et au pont à gauche)

Ouverture : de fin mai à fin sept.

2 ha (100 empl.) peu incliné à incliné, herbeux

Empl. camping : 20 € 🚶🚶 🚗 回 ⚡ (6A) - pers. suppl. 6 €
Location : Permanent 🔽 - 6 🚐. Nuitée 85 à 110 € - Sem. 290 à 580 €
🚐 borne artisanale 3 €

Emplacements ombragés ou plein soleil en pente douce jusqu'au bord du gave de Pau.

Nature : 🦅 ≤ ♀♀
Loisirs : 🎱 🏖 ⌙
Services : ⚷ 🛁 🔽 🔽 laverie

| | G P S | W : 0.10735 N : 42.90406 |

⛰ Le Péguère

📞 05 62 92 52 91, www.campingpeguere.com

Pour s'y rendre : 31 rte de Pierrefitte (1,5 km au nord par rte de Lourdes, au bord du Gave de Pau)

Ouverture : de déb. avr. à mi-oct.

3,5 ha (160 empl.) peu incliné, plat, herbeux

Empl. camping : 18 € 🚶🚶 🚗 回 ⚡ (10A) - pers. suppl. 5 €
Location : (Prix 2018) (de déb. avr. à fin sept.) - 2 🚐 - 2 🏠 - 1 cabanon - 1 gîte d'étape (15 lits). Nuitée 40 à 60 € - Sem. 250 à 490 €
🚐 borne artisanale 5 €

Tout en longueur entre la route et le gave de Cauterets, offrant un bon confort sanitaire.

Nature : ≤ ♀
Loisirs : 🎱
Services : ⚷ 🛁 🔽 🔽 laverie

| | G P S | W : 0.10683 N : 42.9024 |

82160 - Carte Michelin **337** G6 - 1 536 h. - alt. 228
▶ Paris 628 - Albi 60 - Cahors 59 - Montauban 50

⛰ La Bonnette

📞 05 63 65 70 20, www.campingbonnette.com

Pour s'y rendre : lieu-dit : Les Condamines (sortie nord-est par D 926, rte de Villefranche-de-Rouergue et D 97 à dr., rte de St-Antonin-Noble-Val)

Ouverture : de fin mars à déb. oct.

1,5 ha (51 empl.) plat, herbeux

Empl. camping : 26 € 🚶🚶 🚗 回 ⚡ (10A) - pers. suppl. 7 €
Location : (Prix 2018) (de fin mars à déb. oct.) - 3 🚐 - 6 tentes lodges - 2 tentes sur pilotis. Nuitée 55 à 120 € - Sem. 350 à 840 €
🚐 borne artisanale 10 €

Au bord de la Bonnette et à proximité d'un plan d'eau.

Nature : ⊏ ♀♀
Loisirs : 🍴 ✕ 🏖 ⌙
Services : ⚷ 🛁 🔽 🔽 laverie
À prox. : 🔽

| | G P S | E : 1.77629 N : 44.23375 |

Renouvelez votre guide chaque année.

82240 - Carte Michelin **337** F6 - 264 h. - alt. 140
▶ Paris 608 - Cahors 39 - Caussade 11 - Caylus 17

⛰ Le Clos de la Lère 👥

📞 05 63 31 20 41, www.camping-leclosdelalere.com

Pour s'y rendre : lieu-dit : Clergue (sortie sud-est par D 9, rte de Septfonds)

Ouverture : de déb. mars à déb. nov.

1 ha (55 empl.) plat, herbeux

Empl. camping : 24 € 🚶🚶 🚗 回 ⚡ (10A) - pers. suppl. 6 €
Location : (de déb. mars à déb. nov.) - 7 🚐 - 6 🏠 - 4 tentes lodges. Nuitée 35 à 64 € - Sem. 195 à 755 € - frais de réservation 8 €
🚐 borne eurorelais - 4 回 14 €

Belle décoration arbustive et florale.

Nature : 🦅 ⊏ ♀♀
Loisirs : 🍴 ✕ 🏓 🏖 ⌙
Services : ⚷ 🏛 🛁 🔽 laverie 🔽
À prox. : ✕ terrain multisports

| | G P S | E : 1.61291 N : 44.21735 |

CONDOM

32100 - Carte Michelin **336** E6 - 7 099 h. - alt. 81
▶ Paris 729 - Agen 41 - Auch 46 - Mont-de-Marsan 80

⚠ Municipal L'Argenté

☏ 05 62 28 17 32, campingdecondom.jimdo.com

Pour s'y rendre : chemin de l'Argenté (2 km sortie sud par D 931, rte d'Eauze, près de la Baïse)

Ouverture : de déb. avr. à fin sept.

2 ha (78 empl.) plat, herbeux

Empl. camping : (Prix 2018) ♣ 4 € 🚗 🔲 6 € – 🔌 (10A) 4 €
Location : (Prix 2018) (de déb. avr. à fin sept.) - ♿ (2 chalets) - 🏕
- 10 🏠. Nuitée 45 à 70 € - Sem. 310 à 490 €
🚐 borne artisanale
Cadre verdoyant, ombragé avec des chalets en bois de bon confort.

Nature : 🌳🌳
Loisirs : 🏛
Services : 🔌🚿🛁🏊🛜📶
À prox. : 🍴🍽 jacuzzi 🎿🛶⛸🏄 parc aquatique

GPS E : 0.36436
N : 43.94802

CONQUES

12320 - Carte Michelin **338** G3 - 280 h. - alt. 350
▶ Paris 601 - Aurillac 53 - Decazeville 26 - Espalion 42

⚠ Beau Rivage

☏ 05 65 69 82 23, www.campingconques.com

Pour s'y rendre : lieu-dit : Molinols (à l'ouest du bourg, par D 901, au bord du Dourdou)

1 ha (60 empl.) plat, herbeux

Location : - 12 🏠.
🚐 borne artisanale
En contrebas du village médiéval, au bord de la rivière.

Nature : 🏞🌳🌳
Loisirs : 🍽 🛶🛷🛶
Services : 🔌📶 laverie 🧴

GPS E : 2.39285
N : 44.59891

Choisissez votre restaurant sur **restaurant.michelin.fr**

CORDES-SUR-CIEL

81170 - Carte Michelin **338** D6 - 1 006 h. - alt. 279
▶ Paris 655 - Albi 25 - Montauban 59 - Rodez 78

🏔 Le Garissou

☏ 05 63 56 27 14, www.legarissou.fr

Pour s'y rendre : à Les Cabannes (3 km au nord-ouest par D 91)

7 ha/4 campables (59 empl.) en terrasses, plat, herbeux, pierreux
Location : ♿ (1 chalet) - 30 🏠.
🚐 borne artisanale
Belle situation dominante sur la colline avec une piscine et les toboggans aquatiques ouverts à tous.

Nature : 🏞 ⬌ Cordes-sur-Ciel ou la vallée 🏞🌳🌳
Loisirs : 🏛 🛶🛷🍴 🛶🏄 terrain multisports
Services : 🔌🛁📶 laverie 🧴
À prox. : parcours dans les arbres

GPS E : 1.92407
N : 44.06655

🏔 Moulin de Julien

☏ 05 63 56 11 10, www.campingmoulindejulien.com

Pour s'y rendre : à Livers-Cazelles (2.5 km au sud-est par D 922, rte de Gaillac)

Ouverture : de déb. mai à fin sept.

9 ha (92 empl.) en terrasses, incliné, plat, herbeux, étang

Empl. camping : 25 € ♣♣ 🚗 🔲 🔌 (5A) - pers. suppl. 6 € - frais de réservation 10 €
Location : (de déb. mai à fin sept.) - 3 🏠 - 3 cabanons - 5 gîtes. Nuitée 35 à 150 € - Sem. 210 à 640 € - frais de réservation 10 €
Cadre ombragé autour d'un étang et traversé par un petit ruisseau. Préférer les emplacements les plus éloignés de la route.

Nature : 🌳🌳
Loisirs : 🍴🏛🛶🛷🍴🛶🏄
Services : 🔌🛁📶📺
À prox. : 🎿

GPS E : 1.97628
N : 44.05036

🏔 Camp Redon

☏ 06 47 46 13 62, www.campredon.com

Pour s'y rendre : à Livers-Cazelles (6 km au sud-est par D 600, rte d'Albi puis 800 m par D 107, rte de Virac à gauche)

Ouverture : de fin avr. à fin sept. - ♨

2 ha (53 empl.) peu incliné, plat, herbeux

Empl. camping : 31 € ♣♣ 🚗 🔲 🔌 (10A) - pers. suppl. 8 €
Location : (de fin avr. à fin sept.) - 3 🏠 - 3 bungalows toilés - 3 tentes lodges. Nuitée 80 à 128 € - Sem. 350 à 895 €
Autour d'une belle maison en pierre, cadre verdoyant et locatif varié.

Nature : 🏞🏞🌳
Loisirs : 🏛 🛶🛷🍴🛶
Services : 🚐🔌📶📺

GPS E : 2.01767
N : 44.04318

COS

09000 - Carte Michelin **343** H7 - 369 h. - alt. 486
▶ Paris 766 - La Bastide-de-Sérou 14 - Foix 5 - Pamiers 25

⚠ Municipal

☏ 06 71 18 10 38, www.camping-municipal-cos09.fr

Pour s'y rendre : Le Rieutort (700 m au sud-ouest sur D 61, au bord d'un ruisseau)

Ouverture : Permanent

0,7 ha (32 empl.) non clos, plat, herbeux

Empl. camping : (Prix 2018) 14 € ♣♣ 🚗 🔲 🔌 (10A) - pers. suppl. 2 €
Location : (Prix 2018) Permanent - 4 🏠. Sem. 200 à 400 €
Petit terrain ombragé au confort sanitaire simple et un peu ancien.

Nature : 🏞🌳🌳
Loisirs : 🏛 🎿
Services : 🔌🍴🛁🚽📺
À prox. : 🛶🛷

GPS E : 1.57332
N : 42.97102

CRAYSSAC

46150 - Carte Michelin **337** D4 - 695 h. - alt. 300
▶ Paris 582 - Agen 81 - Cahors 16 - Toulouse 129

▲▲▲ Campéole Les Reflets du Quercy ▲▲

✆ 05 65 30 00 27, www.campeole.com/camping/post/les-reflets-du-quercy-crayssac

Pour s'y rendre : au lieu-dit : Mas de Bastide (1,8 km au nord-ouest par D 23 rte de Catus et rte à gauche, accès conseillé par D 911)

Ouverture : de mi-avr. à mi-sept.

4,5 ha (136 empl.) fort dénivelé, en terrasses, peu incliné, plat, herbeux, pierreux

Empl. camping : (Prix 2018) 31 € ✷✷ ⇔ 🔲 🔌 (10A) - pers. suppl. 7 €
Location : (Prix 2018) (de mi-avr. à mi-sept.) - 8 🚐 - 26 🏠 - 37 bungalows toilés - 18 tentes lodges. Nuitée 32 à 132 € - Sem. 224 à 924 €
🚐 borne eurorelais - 5 🔲 18 €
Sous une agréable chênaie.

Nature : 🏞 ⌂ 🌳		
Loisirs : 🍽🍴 🏛 🎮 🏃 🚣 🛶	**G**	E : 1.32227
Services : ⚡🚰🛁🛜🚐🚿	**P** **S**	N : 44.5099

CREISSELS

12100 - Carte Michelin **338** K6 - 1 487 h. - alt. 330
▶ Paris 646 - Toulouse 184 - Rodez 69 - Montpellier 115

▲ St-Martin

✆ 05 65 60 31 83, www.campingsaintmartin.fr

3 ha (90 empl.) plat, herbeux
Location : - 8 🚐
🚐 borne artisanale

Nature : 🏞 ⌂ ⌂ 🌳		
Loisirs : 🏛 🚣 🛶	**G**	E : 3.04907
Services : ⚡🛜 laverie	**P** **S**	N : 44.07461
À prox. : 🍴		

CREYSSE

46600 - Carte Michelin **337** F2 - 296 h. - alt. 110
▶ Paris 517 - Brive-la-Gaillarde 40 - Cahors 79 - Gourdon 40

▲▲▲ Le Port

✆ 05 65 32 20 82, www.campingduport.com

Pour s'y rendre : au sud du bourg, près du château, au bord de la Dordogne

Ouverture : de fin avr. à fin sept.

3,5 ha (100 empl.) non clos, plat, herbeux

Empl. camping : (Prix 2018) 24 € ✷✷ ⇔ 🔲 🔌 (10A) - pers. suppl. 7 € - frais de réservation 10 €
Location : (Prix 2018) (de fin avr. à fin sept.) - 10 🚐 - 1 tente lodge - 3 tentes sur pilotis. Nuitée 27 à 75 € - Sem. 190 à 730 € - frais de réservation 10 €

Plage agréable au bord de la Dordogne. Vente de produits de la ferme : miel et noix.

Nature : 🏞 ⌂ ⌂ ⛰		
Loisirs : 🍽 🏛 🚣 🚴 🛶 🐕 escalade sports en eaux vives	**G**	E : 1.59895
Services : ⚡🛁🛜 laverie	**P** **S**	N : 44.88545

DAMIATTE

81220 - Carte Michelin **338** D9 - 931 h. - alt. 148
▶ Paris 698 - Castres 26 - Graulhet 16 - Lautrec 18

▲▲▲ Le Plan d'Eau St-Charles ▲▲

✆ 05 63 70 66 07, www.campingplandeau.com

Pour s'y rendre : lieu-dit : la Cahuzière (sortie rte de Graulhet puis 1,2 km par rte à gauche avant le passage à niveau)

Ouverture : de déb. avr. à fin oct.

7,5 ha/2 campables (82 empl.) plat, herbeux, pierreux

Empl. camping : 28 € ✷✷ ⇔ 🔲 🔌 (6A) - pers. suppl. 7 € - frais de réservation 18 €
Location : (de déb. avr. à fin oct.) - 22 🚐 - 16 🏠 - 9 bungalows toilés. Nuitée 75 à 120 € - Sem. 200 à 820 € - frais de réservation 18 €
🚐 borne artisanale 16 €
Agréable situation autour d'un joli lagon au sable blanc idéal pour la baignade et un grand étang dédié à la pêche.

Nature : 🏞 ⌂ ⌂		
Loisirs : 🍴 🏛 🎮 🏃 🚣 🌊 (plan d'eau) 🏖 🐕	**G**	E : 1.97011
Services : ⚡🚰🛁🛜🔲🚿	**P** **S**	N : 43.66289

DURAVEL

46700 - Carte Michelin **337** C4 - 957 h. - alt. 110
▶ Paris 610 - Toulouse 153 - Cahors 39 - Villeneuve-sur-Lot 37

▲▲▲ Capfun Le Domaine Duravel ▲▲

✆ 05 65 24 65 06, www.capfun.com

Pour s'y rendre : rte du Port-de-Vire (2,3 km au sud par D 58, au bord du Lot)

Ouverture : de mi-avr. à mi-sept.

9 ha (290 empl.) plat, herbeux

Empl. camping : (Prix 2018) 41 € ✷✷ ⇔ 🔲 🔌 (10A) - pers. suppl. 8 € - frais de réservation 27 €
Location : (Prix 2018) (de mi-avr. à mi-sept.) - 190 🚐 - 18 🏠 - 9 tentes lodges. Sem. 150 à 2 245 € - frais de réservation 27 €

Cadre boisé avec du locatif varié et des sanitaires individuels pour certains emplacements VIP.

Nature : 🏞 ⌂ ⌂		
Loisirs : 🍽🍴 🏛 🎮 🏃 🚣 🚴 🏓 🛶 🏖 🐕 terrain multisports	**G**	E : 1.08201
Services : ⚡🛁 - 36 sanitaires individuels (🍳🚿 wc) 🛜 laverie 🚐🚿	**P** **S**	N : 44.49633

ENTRAYGUES-SUR-TRUYÈRE

12140 - Carte Michelin **338** H3 - 1 224 h. - alt. 236
▶ Paris 600 - Aurillac 45 - Figeac 58 - Mende 128

🏕 Le Val de Saures

𝒫 05 65 44 56 92, www.camping-valdesaures.com

Pour s'y rendre : chemin de Saures (1,6 km au sud par D 904, rte d'Espeyrac, en bordure du Lot (accès direct))

Ouverture : de déb. mai à mi-sept.

4 ha (126 empl.) en terrasses, plat, herbeux

Empl. camping : (Prix 2018) 24€ ✭✭ 🚐 🔲 🔌 (10A) - pers. suppl. 4€
Location : (Prix 2018) (de mi-mai à mi-sept.) - 11 🛖 - 5 tentes lodges. Nuitée 29 à 105€ - Sem. 199 à 735€
🚐 borne artisanale

Nature : 🌅 ⟨ 🏞 ⛰⛰		
Loisirs : 🎮 🎯 🚵		**G** E : 2.56352
Services : 🛒 🛁 📶 laverie		**P** N : 44.64248
À prox. : 🏊 🛶 terrain multisports		**S**

⚠ Le Lauradiol

𝒫 05 65 44 53 95, camping-lelauradiol.jimdo.com

Pour s'y rendre : à Campouriez (5 km au nord-est par D 34, rte de St-Amans-des-Cots, au bord de la Selves)

Ouverture : de mi-juin à mi-sept.

1 ha (31 empl.) plat, herbeux

Empl. camping : (Prix 2018) 18€ ✭✭ 🚐 🔲 🔌 (16A) - pers. suppl. 3€ - frais de réservation 15€
Location : (Prix 2018) (de mi-mai à mi-sept.) - 4 🚐. Nuitée 29 à 73€ - Sem. 203 à 511€ - frais de réservation 20€

Situation agréable au fond d'une petite vallée, bordée par la rivière.

Nature : 🌅 🏞 ⛰⛰		
Loisirs : 🎮 🚵 ✂ 🛶 🎣		**G** E : 2.58289
Services : 🛒 (juil.-août) 🛁 🚰 📶 🔲		**P** N : 44.67768
		S

ESPALION

12500 - Carte Michelin **338** I3 - 4 409 h. - alt. 342
▶ Paris 592 - Aurillac 72 - Figeac 93 - Mende 101

🏕 Le Roc de l'Arche

𝒫 05 65 44 06 79, www.rocdelarche.com

Pour s'y rendre : r. du Foirail (à l'est, par av. de la Gare et à gauche, apr. les terrains de sport, au bord du Lot)

Ouverture : de déb. mai à mi-sept.

2,5 ha (95 empl.) plat, herbeux

Empl. camping : (Prix 2018) 26€ ✭✭ 🚐 🔲 🔌 (10A) - pers. suppl. 6€ - frais de réservation 15€
Location : (Prix 2018) (de déb. mai à mi-sept.) - 20 🚐. Sem. 286 à 511€ - frais de réservation 15€
🚐 borne artisanale 3€ - 5 🔲 8€ - 🚐 8€

Nature : 🏞 ⛰⛰		
Loisirs : 🎮 🚵 🚲 🎣		**G** E : 2.76959
Services : 🛒 🛁 🚰 📶 🔲		**P** N : 44.52244
À prox. : 🛒 ✂ 🛶 🚵 terrain multisports		**S**

ESTAING

65400 - Carte Michelin **342** K5 - 77 h. - alt. 970
▶ Paris 874 - Argelès-Gazost 12 - Arrens 7 - Laruns 43

🏕 "C'est si bon" Pyrénées Natura

𝒫 05 62 97 45 44, www.camping-pyrenees-natura.com - alt. 1 000

Pour s'y rendre : rte du Lac (au nord du bourg)

Ouverture : de mi-mai à fin sept.

3 ha (65 empl.) en terrasses, gravier, plat, herbeux

Empl. camping : 40€ ✭✭ 🚐 🔲 🔌 (10A) - pers. suppl. 6€
Location : (de mi-avr. à fin sept.) - 19 🚐 - 1 bungalow toilé. Nuitée 38 à 101€ - Sem. 210 à 710€
🚐 borne artisanale - 2 🔲 19€

Autour d'une ancienne ferme du 19e s., locatif de qualité et sanitaires de bon confort.

Nature : 🌅 ⟨ 🏞 🌳		
Loisirs : 🍽 ✕ 🎮 🎱 🚵 🎣		**G** W : 0.17725
Services : 🛒 🛁 🚰 📶 laverie 🏊		**P** N : 42.94145
		S

ESTANG

32240 - Carte Michelin **336** B6 - 643 h. - alt. 120
▶ Paris 712 - Aire-sur-l'Adour 25 - Eauze 17 - Mont-de-Marsan 35

🏕 Les Lacs de Courtès 👥

𝒫 05 62 09 61 98, www.lacsdecourtes.com

Pour s'y rendre : au sud du bourg par D 152, derrière l'église et au bord d'un lac

Ouverture : Permanent

7 ha (136 empl.) en terrasses, peu incliné, plat, herbeux

Empl. camping : (Prix 2018) ✭ 5€ 🚐 🔲 14€ – 🔌 (10A) 6€
Location : (Prix 2018) Permanent - 2 🚐 - 21 🛖 - 2 bungalows toilés - 6 cabanons - 22 gîtes. Nuitée 40 à 78€ - Sem. 220 à 1 190€ - frais de réservation 20€
🚐 borne artisanale 5€ - 🚐 8€

Derrière l'église et au bord du lac.

Nature : 🌅 🏞 ⛰⛰		
Loisirs : 🍽 ✕ 🎮 salle d'animations 🤸 jacuzzi 🚵 ⛰ 🛶 🎣 📶		**G** W : 0.1025
Services : 🛒 🔲 🛁 📶 laverie 🏊		**P** N : 43.86472
		S

*Créez votre voyage sur **voyages.michelin.fr***

FIGEAC

46100 - Carte Michelin **337** I4 - 9 847 h. - alt. 214
▶ Paris 578 - Aurillac 64 - Rodez 66 - Villefranche-de-Rouergue 36

🏕 Le Domaine du Surgié

𝒫 05 61 64 88 54, www.domainedusurgie.com

Pour s'y rendre : au Domaine du Surgié (1,2 km à l'est par N 140, rte de Rodez, au bord de la rivière et d'un plan d'eau)

Ouverture : de déb. mai à fin sept.

2 ha (159 empl.) en terrasses, plat, herbeux

Empl. camping : 23€ ✭✭ 🚐 🔲 🔌 (10A) - pers. suppl. 7€
Location : (de déb. fév. à fin oct.) - 20 🚐 - 4 🛖 - 6 bungalows toilés - 4 tentes lodges - 30 gîtes. Nuitée 29 à 132€ - Sem. 200 à 930€ - frais de réservation 20€
🚐 4 🔲 17€ - 🚐 🔌 17€

Le camping bordé par la rivière est au milieu d'une importante base de loisirs.

Nature : ♤♤
Loisirs : 🎱 🛝 🏃 ⚓
Services : ⚡ 📶 laverie
À prox. : ♈ ✕ 🚣 salle d'animations 🚗 🚲 🛶 ⛷ 🚤 pédalos

G P S — E : 2.05037 — N : 44.61031

FLAGNAC

12300 - Carte Michelin **338** F3 - 972 h. - alt. 220
▶ Paris 603 - Conques 19 - Decazeville 5 - Figeac 25

🏔 Flower Le Port de Lacombe

Le Port de Lacombe

🕿 05 65 65 67 59, www.campinglacauxoiseaux.fr

Pour s'y rendre : 1 km au nord par D 963 et chemin à gauche, près d'un plan d'eau et du Lot (accès direct)

Ouverture : de déb. avr. à fin sept.

4 ha (97 empl.) plat, herbeux

Empl. camping : 29€ ♛♛ 🚗 🔳 🔌 (10A) - pers. suppl. 5€ - frais de réservation 20€

Location : (de déb. avr. à mi-sept.) - 36 🛏 - 4 bungalows toilés - 9 tentes lodges. **Nuitée** 54 à 107€ - **Sem.** 196 à 890€ - frais de réservation 20€

🚐 borne AireService - 12 🔳 12€ - 🚐 🔌12€

Nature : 🐟 🔲 ♤♤
Loisirs : ♈ ✕ 🚣 🚲 🛶 ⛷ ⚓
Services : ⚡ 📶 laverie
À prox. : ✕ 🛶 🐴 pédalos

G P S — E : 2.23533 — N : 44.60819

*The classification (1 to 5 tents, **black** or red) that we award to selected sites in this Guide is a system that is our own. It should not be confused with the classification (1 to 5 stars) of official organisations.*

LA FOUILLADE

12270 - Carte Michelin **338** E5 - 1 113 h. - alt. 420
▶ Paris 624 - Toulouse 109 - Rodez 61 - Albi 52

⚠ Le Bosquet

🕿 06 63 95 30 65, www.campinglafouillade-najac.com

Pour s'y rendre : r. Genêts

Ouverture : Permanent

5 ha (76 empl.) en terrasses, plat, herbeux

Empl. camping : (Prix 2018) 18€ ♛♛ 🚗 🔳 🔌 (10A) - pers. suppl. 5€ - frais de réservation 5€

Location : (Prix 2018) Permanent - 12 🛏 - 4 tentes lodges. **Nuitée** 16 à 25€ - **Sem.** 250 à 850€ - frais de réservation 8€

🚐 borne AireService 5€ - 6 🔳 16€ - 🚐 🔌12€

Nature : 🐟 ≤ ♤♤
Loisirs : 🚣 🚲 🛶
Services : ⚡ ♨ 📶 laverie
À prox. : 🛶 ✕

G P S — E : 2.03717 — N : 44.22635

GARIN

31110 - Carte Michelin **343** B8 - 133 h. - alt. 1 100
▶ Paris 827 - Toulouse 153 - Tarbes 85 - Lourdes 84

⚠ Les Frênes

🕿 05 61 79 88 44, www.chalets-luchon-peyragudes.com - empl. traditionnels également disponibles

Pour s'y rendre : à l'est du bourg par D 618, rte de Bagnères-de-Luchon et à gauche, D 76e vers rte de Billière

Ouverture : Permanent

0,8 ha (36 empl.) en terrasses

Empl. camping : (Prix 2018) 18€ ♛♛ 🚗 🔳 🔌 (10A) - pers. suppl. 5€
Location : (Prix 2018) Permanent ℗ - 9 🛖. **Nuitée** 80 à 117€ - **Sem.** 222 à 739€

Location à la nuitée possible hors vacances scolaires.

Nature : 🐟 ≤ ♤
Loisirs : 🎱
Services : ⚡ 🚮 🏧 📶 laverie
À prox. : 🛶 ✕

G P S — E : 0.51976 — N : 42.80933

The Guide changes, so renew your guide every year.

GAVARNIE

65120 - Carte Michelin **342** L6 - 140 h. - alt. 1 350 - Sports d'hiver : 1 350/2 400 m
▶ Paris 901 - Lourdes 52 - Luz-St-Sauveur 20 - Pau 96

⚠ Le Pain de Sucre

🕿 05 62 92 47 55, www.camping-gavarnie.com - alt. 1 273

Pour s'y rendre : quartier Couret (3 km au nord par D 921, rte de Luz-St-Sauveur, au bord du Gave de Gavarnie)

Ouverture : de mi-déc. à fin sept.

1,5 ha (54 empl.) non clos, plat, herbeux

Empl. camping : (Prix 2018) ♛ 5€ 🚗 🔳 5€ – 🔌 (10A) 7€ - frais de réservation 3€
Location : (Prix 2018) (de mi-déc. à fin sept.) - ⛺ - 4 🛏 - 5 🛖. **Nuitée** 34 à 80€ - **Sem.** 215 à 550€

Cadre montagnard au bord du ruisseau avec un bon confort sanitaire.

Nature : ❄ ≤ ♤♤
Loisirs : ♈ ✕ 🚣 ⚓
Services : ⚡ 🏧 📶 laverie

G P S — E : 0.00137 — N : 42.75983

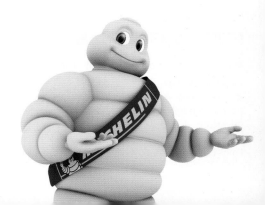

GIRAC

46130 - Carte Michelin **337** G2 - 379 h. - alt. 123
▶ Paris 522 - Beaulieu-sur-Dordogne 11 - Brive-la-Gaillarde 42 - Gramat 27

⛰ Les Chalets sur la Dordogne

𝒫 05 65 10 93 33, www.camping-chalet-sur-dordogne.com

Pour s'y rendre : au Port (1 km au nord-ouest par D 703, rte de Vayrac et chemin à gauche, au bord de la Dordogne)

Ouverture : de mi-avr. à fin sept.

2 ha (39 empl.) non clos, plat, herbeux, sablonneux

Empl. camping : (Prix 2018) 25 € ♟♟ ⛟ ▣ ⚡ (10A) - pers. suppl. 6 € - frais de réservation 10 €

Location : (Prix 2018) (de déb. mars à fin sept.) - 9 🚐 - 2 🏚 - 2 bungalows toilés. Nuitée 70 à 150 € - Sem. 219 à 999 € - frais de réservation 16 €

🚐 borne eurorelais 5 € - 27 ▣ 12 € - 🚐 8 €

Emplacements ombragés au bord de la rivière. Accueil de groupes et de colonies. Stationnement camping-car à l'extérieur du camping.

Nature : 🏞 🗠 ◑◑ ⚓
Loisirs : ♟ ✗ 🚣 🎣 🏊
Services : ⊶ (juin-août) 🛜 laverie 🌡
À prox. : 🚲

GPS E : 1.80501
N : 44.91809

GONDRIN

32330 - Carte Michelin **336** D6 - 1 180 h. - alt. 174
▶ Paris 745 - Agen 58 - Auch 42 - Condom 17

⛰ Le Pardaillan 👥

𝒫 05 62 29 16 69, www.camping-le-pardaillan.com

Pour s'y rendre : 27 r. Pardaillan (à l'est du bourg)

Ouverture : de mi-mai à mi-sept.

2,5 ha (115 empl.) en terrasses, plat, gravillons, herbeux, étang

Empl. camping : (Prix 2018) 24 € ♟♟ ⛟ ▣ ⚡ (10A) - pers. suppl. 6 €
Location : (Prix 2018) Permanent 🌡 (1 chalet) - 25 🚐 - 25 🏚 - 5 bungalows toilés. Sem. 245 à 795 € - frais de réservation 15 €
🚐 borne AireService - 4 ▣ 11 € - 🚐 ⚡ 11 €

Emplacements ombragés sous une jolie pinède dans la partie centrale. Locatif varié en gamme et en confort.

Nature : 🏞 🗠 ◑◑
Loisirs : ♟ ✗ 🏚 🤸 🚣 🚴 🛶
Services : ⊶ 🛂 🌡 🚽 🛜 laverie 🌡
À prox. : ✗ 🚣 (bassin) ⚓ parc de loisirs parc aquatique terrain multisports

GPS E : 0.23873
N : 43.88165

Gebruik de gids van het lopende jaar.

GOUAUX

65240 - Carte Michelin **342** O5 - 73 h. - alt. 923
▶ Paris 824 - Toulouse 151 - Tarbes 65 - Foix 149

⛰ Le Ruisseau

𝒫 05 62 39 95 49, www.camping-aure-pyrenees.com

Pour s'y rendre : au bourg (par D 25, accès conseillé par D 19)

Ouverture : de déb. avr. à mi-oct.

2 ha (115 empl.) en terrasses, plat, herbeux

Empl. camping : (Prix 2018) 21 € ♟♟ ⛟ ▣ ⚡ (6A) - pers. suppl. 5 € - frais de réservation 5 €

Location : (Prix 2018) (de déb. avr. à mi-oct.) - 25 🚐. Nuitée 70 à 85 € - Sem. 199 à 595 € - frais de réservation 15 €
🚐 borne artisanale 2 €

La moitié des emplacements sont occupés par des mobile homes locatifs ou des propriétaires-résidents.

Nature : 🏞 ⚄
Loisirs : ✗ 🏚 🚣
Services : ⊶ 🟦 🛂 🛜 laverie 🌡

GPS E : 0.36085
N : 42.86423

GOURDON

46300 - Carte Michelin **337** E3 - 4 622 h. - alt. 250
▶ Paris 543 - Bergerac 91 - Brive-la-Gaillarde 66 - Cahors 44

⛰ Le Paradis

𝒫 05 65 41 65 01, www.campingleparadis.com

Pour s'y rendre : lieu-dit : La Peyrugue (2 km au sud-ouest par D 673, rte de Fumel et chemin à gauche, près du parking Intermarché)

Ouverture : de déb. avr. à fin sept.

1 ha (25 empl.) non clos, en terrasses, plat, herbeux, sous-bois

Empl. camping : (Prix 2018) ♟ 6 € ⛟ ▣ 6 € – ⚡ (10A) 4 € - frais de réservation 4 €

Location : (Prix 2018) (de déb. avr. à fin sept.) - 6 🚐 - 1 🏚 - 1 tente lodge. Nuitée 55 à 80 € - Sem. 300 à 500 € - frais de réservation 4 €

Emplacements en sous-bois ou plus ensoleillés.

Nature : 🏞 ◑◑
Loisirs : 🏚 🚣
Services : ⊶ 🛜 🔲

GPS E : 1.37397
N : 44.72323

Si vous recherchez :

🏞   *un terrain très tranquille,*
P   *un terrain ouvert toute l'année,*
👥   *des équipements et des loisirs adaptés aux enfants,*
⚓   *un parc aquatique,*
B   *un centre balnéo,*
🎭   *des animations sportives, culturelles ou de détente,*
consultez la liste thématique des campings.

GRAND-VABRE

12320 - Carte Michelin **338** G3 - 406 h. - alt. 213
▶ Paris 615 - Aurillac 47 - Decazeville 18 - Espalion 50

⛰ Village Vacances Grand-Vabre Aventures et Nature

(pas d'emplacement tentes et caravanes)

𝒫 05 65 72 85 67, www.grand-vabre.com

Pour s'y rendre : lieu-dit : Les Passes (1 km au sud-est par D 901, rte de Conques, au bord de Dourdou)

1,5 ha plat, herbeux

Location : 🌡 (1 gîte) - 20 gîtes

Nature : ◑◑
Loisirs : 🏚 🤸 🚣 🚴 🚣 🏊
Services : ⊶ 🟦 🛜 laverie

GPS E : 2.36297
N : 44.62473

HÈCHES

65250 - Carte Michelin **342** O4 - 602 h. - alt. 690
▶ Paris 805 - Arreau 14 - Bagnères-de-Bigorre 35 - Bagnères-de-Luchon 47

⛰ La Bourie

☏ 06 51 31 35 34, www.camping-labourie.com

Pour s'y rendre : à Rebouc (2 km au sud par D 929, rte d'Arreau et D 26 à gauche, au bord de la Neste d'Aure)

Ouverture : Permanent

2 ha (122 empl.) plat, herbeux

Empl. camping : 23€ ✚✚ �car 🔲 🔌 (10A) - pers. suppl. 5€ - frais de réservation 5€
Location : Permanent 🚫 - 15 🚐 - 2 🏠 - 3 tentes sur pilotis. Nuitée 17 à 30€ - Sem. 140 à 790€ - frais de réservation 15€
🚐 borne artisanale

Sur les lieux d'une ancienne usine avec beaucoup de proprié-taires-résidents.

Nature : ⚘ 🏕 ⚲⚲
Loisirs : ✗ 🏛 🛶 🎣
Services : ☛ 🚿 🏧 📶 ♻

GPS E : 0.37887
N : 43.03815

L'HOSPITALET-PRÈS-L'ANDORRE

09390 - Carte Michelin **343** I9 - 91 h. - alt. 1 446
Tunnel de Puymorens : péage en 2018, aller simple : 6,80 € autos, 14 € caravanes, 22,90/37,70 € P. L., 4,10 € deux-roues. Tarifs spéciaux A.R. : renseignements ☏ 04 68 04 97 20.
▶ Paris 822 - Andorra-la-Vella 40 - Ax-les-Thermes 19 - Bourg-Madame 26

⛰ Municipal La Porte des Cimes

☏ 05 61 05 21 10, www.laportedescimes.fr - alt. 1 500

Pour s'y rendre : 600 m au nord par N 20, rte d'Ax-les-Thermes et rte à dr.

Ouverture : de déb. juin à fin sept.

1,5 ha (57 empl.) en terrasses, plat, herbeux, gravillons

Empl. camping : (Prix 2018) 16€ ✚✚ 🚗 🔲 🔌 (15A) - pers. suppl. 4€

Préférer les emplacements les plus éloignés de la route.

Nature : ⚘ ⚲
Services : (juil.-août) 🏧 🛁 🚰 📶 laverie
À prox. : 🛶 🎣

GPS E : 1.80343
N : 42.59135

Benutzen Sie den Hotelführer des laufenden Jahres.

LACAM-D'OURCET

46190 - Carte Michelin **337** I2 - 129 h. - alt. 520
▶ Paris 544 - Aurillac 51 - Cahors 92 - Figeac 38

⛰ Les Teuillères

☏ 05 65 11 90 55, www.lesteuilleres.com

Pour s'y rendre : 4,8 km au sud-est par D 25, rte de Sousceyrac et rte de Sénaillac-Latronquière, vers le lac de Tolerme

Ouverture : de déb. mai à fin sept.

3 ha (30 empl.) peu incliné, plat, herbeux

Empl. camping : (Prix 2018) 35€ ✚✚ 🚗 🔲 🔌 (6A) - pers. suppl. 7€ - frais de réservation 12€

Location : Permanent - 3 🛏 - 3 gîtes. Nuitée 60 à 75€ - Sem. 553 à 1 253€

Autour d'une ancienne jolie ferme en pierre du pays.

Nature : ⚘ ⚘ 🏕 ⚲⚲
Loisirs : 🛶 🎣 🏊
Services : ☛ 🚿 📶 📶 ♻

GPS E : 2.04086
N : 44.8342

LACAVE

46200 - Carte Michelin **337** F2 - 284 h. - alt. 130
▶ Paris 528 - Brive-la-Gaillarde 51 - Cahors 58 - Gourdon 26

⛰ La Rivière 👥

☏ 05 65 37 02 04, www.campinglariviere.com

Pour s'y rendre : lieu-dit : Le Bougayrou (2,5 km au nord-est par D 23, rte de Martel et chemin à gauche, au bord de la Dordogne)

Ouverture : de déb. mai à mi-sept.

2,5 ha (110 empl.) non clos, plat, herbeux, pierreux

Empl. camping : 28€ ✚✚ 🚗 🔲 🔌 (10A) - pers. suppl. 8€ - frais de réservation 10€
Location : Permanent - 19 🚐. Nuitée 90 à 121€ - Sem. 270 à 850€ - frais de réservation 9€

Ambiance familiale avec des emplacements dominant la rivière.

Nature : ⚘ ⚲⚲
Loisirs : 🍽 ✗ 🤸 🛶 🎣 🏓 🏊 🛥
Services : ☛ 🛁 📶 laverie 🚮

GPS E : 1.559
N : 44.8613

Informieren Sie sich über die gültigen Gebühren, bevor Sie Ihren Platz beziehen. Die Gebührensätze müssen am Eingang des Campingplatzes angeschlagen sein. Erkundigen Sie sich auch nach den Sonderleistungen. Die im vorliegenden Band gemachten Angaben können sich seit der Überarbeitung geändert haben.

LAFRANÇAISE

82130 - Carte Michelin **337** D7 - 2 828 h. - alt. 183
▶ Paris 621 - Castelsarrasin 17 - Caussade 41 - Lauzerte 23

⛰ Le Lac

☏ 05 63 65 89 69, www.campings82.fr

Pour s'y rendre : r. Jean-Moulin (sortie sud-est par D 40, rte de Montastruc et à gauche, à 250 m d'un plan d'eau (accès direct))

Ouverture : de mi-avr. à fin sept.

0,9 ha (41 empl.) en terrasses, peu incliné, plat, herbeux, pierreux

Empl. camping : 22€ ✚✚ 🚗 🔲 🔌 (10A) - pers. suppl. 8€
Location : Permanent ♿ (1 gîte) - 19 🚐 - 1 🏠 - 11 gîtes. Nuitée 72 à 95€ - Sem. 370 à 665€
🚐 borne raclet 8€ - 4 🔲 22€ - 🔌 🔌12€

En sous-bois dominant la petite base de loisirs.

Nature : ⚘ 🏕 ⚲⚲⚲
Loisirs : 🚲 🛶 🎣
Services : ☛ 🛁 📶 📶
À prox. : ✗ 🤸 🛶 🏊 🛷 🛥 🎿 pédalos skate parc

GPS E : 1.24675
N : 44.1246

LAGUIOLE

12210 - Carte Michelin **338** J2 - 1 267 h. - alt. 1 004 - Sports d'hiver : 1 100/1 400 m
▶ Paris 571 - Aurillac 79 - Espalion 22 - Mende 83

⚠ Municipal les Monts d'Aubrac

✆ 05 65 44 39 72, www.campinglesmontsdaubraclaguiole.jimdo.com - alt. 1 050

Pour s'y rendre : rte de Rodez (sortie sud par D 921, puis 600 m par rte à gauche, au stade)

Ouverture : de mi-mai à fin sept.

1,2 ha (57 empl.) peu incliné, plat, herbeux

Empl. camping : (Prix 2018) 13€ ✚✚ ⬡ 回 [½] (16A) - pers. suppl. 4€
⬡ borne flot bleu 2€

Nature : 🌳 ≤ ♀
Services : 🏢 ⬡ 🗑
À prox. : 🛹 skate-board terrain multisports

E : 2.85501
N : 44.6815

LAMONTÉLARIÉ

81260 - Carte Michelin **338** H9 - 62 h. - alt. 847
▶ Paris 736 - Toulouse 116 - Albi 83 - Castres 44

⛰ Rouquié

✆ 05 63 70 98 06, www.campingrouquie.fr

Pour s'y rendre : au lac de la Raviège (3.9 km au sud par les D 52 et D 62)

Ouverture : de déb. mai à fin oct.

3 ha (97 empl.) fort dénivelé, en terrasses, plat, herbeux

Empl. camping : (Prix 2018) 28€ ✚✚ ⬡ 回 [½] (10A) - pers. suppl. 6€ - frais de réservation 15€

Location : (Prix 2018) (de déb. avr. à fin oct.) - 11 ⬡ - 4 ⬡. Nuitée 57 à 116€ - Sem. 210 à 809€ - frais de réservation 15€

De longues terrasses pour les emplacements qui offrent à chacun une jolie vue sur le lac.

Nature : 🌳 ≤ sur le lac ♀♀
Loisirs : 🍽 🗙 ⛷ 🛶 🎣 pédalos
Services : 🔌 🚿 🛎 laverie 🧺
À prox. : ⚓

E : 2.60663
N : 43.60038

LAU-BALAGNAS

65400 - Carte Michelin **342** L5 - 499 h. - alt. 430
▶ Paris 864 - Toulouse 188 - Tarbes 36 - Pau 70

🔺🔺🔺 Yelloh! Village Le Lavedan

✆ 05 62 97 18 84, www.lavedan.com

Pour s'y rendre : 44 rte des Vallées (1 km au sud-est)

Ouverture : de fin avr. à mi-oct.

2 ha (100 empl.) plat, herbeux

Empl. camping : (Prix 2018) 45€ ✚✚ ⬡ 回 [½] (10A) - pers. suppl. 8€

Location : (Prix 2018) (de fin avr. à mi-oct.) - ⛁ (1 mobile home) - 20 ⬡ - 1 ⬡. Sem. 230 à 1 090€

Mobile homes locatifs ou de propriétaires-résidents et encore quelques places pour tentes et caravanes, à choisir éloignés de la route.

Nature : ♀♀
Loisirs : 🍽 🗙 🚤 🎮 salle d'animations ⛷ 🎣 (découverte en saison)
Services : 🔌 🏢 ⬡ 🚿 ⬡ 🛎 laverie 🧺 point d'informations touristiques réfrigérateurs

W : 0.08896
N : 42.98818

LECTOURE

32700 - Carte Michelin **336** F6 - 3 766 h. - alt. 155
▶ Paris 708 - Agen 39 - Auch 35 - Condom 26

🔺🔺🔺 Yelloh! Village Le Lac des 3 Vallées 👥

✆ 05 62 68 82 33, www.lacdes3vallees.fr

Pour s'y rendre : 2,4 km au sud-est par N 21, rte d'Auch, puis 2,3 km par rte à gauche au bord du lac

Ouverture : de déb. juin à mi-sept.

40 ha (600 empl.) vallonné, en terrasses, peu incliné, plat, herbeux

Empl. camping : (Prix 2018) 50€ ✚✚ ⬡ 回 [½] (10A) - pers. suppl. 9€
Location : (Prix 2018) (de déb. juin à mi-sept.) - 237 ⬡ - 26 bungalows toilés - 19 tentes lodges. Nuitée 39 à 205€ - Sem. 273 à 1 435€
⬡ borne AireService - 10 回 50€

De grands espaces verdoyants, vallonnés avec de nombreux locatifs variés et de bon confort. Jolie salle de jeux pour les tout-petits.

Nature : 🌳 ≤ 🏕 ♀♀
Loisirs : 🍽 🗙 🚤 🎮 ⛷ 🎣 🛶 🛁 jacuzzi ⛷ 🗙 🛁 🎳 (plage) 🎣 🎵 discothèque pédalos terrain multisports skate parc
Services : 🔌 🛎 🛁 🚿 ⬡ laverie 🧺 réfrigérateurs

E : 0.64533
N : 43.91252

Use this year's Guide.

LOUDENVIELLE

65510 - Carte Michelin **342** O6 - 229 h. - alt. 987
▶ Paris 833 - Arreau 15 - Bagnères-de-Luchon 27 - La Mongie 54

⛰ Pène Blanche

✆ 05 62 99 68 85, www.peneblanche.com

Pour s'y rendre : sortie nord-ouest par D 25, rte de Génos, près de la Neste de Louron et à prox. d'un plan d'eau

Ouverture : de déb. janv. à fin oct.

4 ha (120 empl.) en terrasses, peu incliné, plat, herbeux

Empl. camping : (Prix 2018) 28€ ✚✚ ⬡ 回 [½] (10A) - pers. suppl. 6€
Location : (Prix 2018) Permanent - 51 ⬡ - 3 tentes lodges. Nuitée 25 à 124€ - Sem. 196 à 868€

Proche de nombreuses animations et loisirs aquatiques.

Nature : 🌳 ≤ ♀
Services : 🔌 (juil.-août) 🏢 ⬡ laverie
À prox. : 🍽 🗙 centre balnéo ⛷ 🗙 🛁 🎣 🛶 🎣 centre de remise en forme parapente parc aquatique

E : 0.40722
N : 42.79611

LOUPIAC

46350 - Carte Michelin **337** E3 - 274 h. - alt. 230
▶ Paris 527 - Brive-la-Gaillarde 51 - Cahors 51 - Gourdon 16

🏔 Sites et Paysages Les Hirondelles ♣♣

📞 05 65 37 66 25, www.camping-leshirondelles.com

Pour s'y rendre : lieu-dit : Al Pech (3 km au nord par rte de Souillac et chemin à gauche, à 200 m de la N 20)

Ouverture : de déb. avr. à fin sept.

2,5 ha (60 empl.) peu incliné, plat, herbeux, pierreux

Empl. camping : 18€ ♣♣ ⚬ 🔲 (6A) - pers. suppl. 5€
Location : (de déb. avr. à fin sept.) - 🔲 (1 mobile home) - 25 🛖 - 4 🏠 - 5 tentes lodges - 4 cabanes perchées. Sem. 89 à 880€ - frais de réservation 15€

Emplacements en sous-bois avec du locatif varié de différent confort.

Nature : 🗀 ♧♧
Loisirs : 🍴 ✗ 🏠 🛝 🛶 🔲 (découverte en saison)
Services : ⚬ 🏧 🛁 🛜 laverie 🧺

GPS E : 1.46455
N : 44.82934

Teneinde deze gids beter te kunnen gebruiken,
DIENT U DE VERKLARENDE TEKST AANDACHTIG TE LEZEN.

LOURDES

65100 - Carte Michelin **342** L4 - 14 361 h. - alt. 420
▶ Paris 850 - Bayonne 147 - Pau 45 - St-Gaudens 86

🏔 Sites et Paysages La Forêt ♣♣

📞 05 62 94 04 38, www.camping-hautes-pyrenees.com

Pour s'y rendre : rte de La Forêt (3 km au nord-ouest - accès conseillé par rte de Pau)

Ouverture : de mi-avr. à fin oct.

4,5 ha (98 empl.) plat, herbeux

Empl. camping : 25€ ♣♣ ⚬ 🔲 (10A) - pers. suppl. 6€
Location : Permanent 🚹 (1 mobile home) - 21 🛖 - 2 🏠 - 2 tentes lodges. Nuitée 45 à 99€ - Sem. 285 à 725€ - frais de réservation 15€
🔄 borne AireService - 🔋 16€

À l'orée de la forêt, avec une piscine qui offre une vue panoramique sur la vallée.

Nature : 🌲 ♧♧
Loisirs : 🍴 ✗ 🛝 🛶 🚲 🛶 mini ferme terrain multisports
Services : ⚬ 🛜 🔲 🧺

GPS W : 0.07564
N : 43.09597

🏔 La Via Natura Arrouach

📞 05 62 42 11 43, www.camping-arrouach.com

Pour s'y rendre : 9 r. des Trois Archanges, quartier de Biscaye (4 km au nord-ouest, rte de Pau)

Ouverture : de fin mars à fin oct.

13 ha/2 campables (47 empl.) plat, herbeux

Empl. camping : 21€ ♣♣ ⚬ 🔲 (10A) - pers. suppl. 5€
Location : (de fin mars à fin oct.) - 8 🛖 - 4 🏘 - 2 bungalows toilés - 2 gîtes. Nuitée 50 à 95€ - Sem. 275 à 650€ - frais de réservation 10€
🔄 borne artisanale 6€

Sur les terres d'une ancienne ferme, avec un bon confort sanitaire.

Nature : 🌲 ♧♧
Loisirs : 🍴 ✗ 🛝 🛶 🛶 🚲
Services : ⚬ 🛁 🛜 laverie 🧺
À prox. : golf

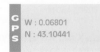

GPS W : 0.06801
N : 43.10441

🏔 Plein Soleil

📞 06 70 25 23 10, www.camping-pleinsoleil.com

Pour s'y rendre : 11 av. du Monge (1 km au nord)

Ouverture : de mi-avr. à mi-oct.

0,5 ha (30 empl.) en terrasses, plat, herbeux, gravillons

Empl. camping : 24€ ♣♣ ⚬ 🔲 (13A) - pers. suppl. 6€
Location : (de mi-avr. à mi-oct.) - 4 🛖 - 7 🏠 - 1 tente lodge. Nuitée 33 à 95€ - Sem. 210 à 650€
🔄 borne artisanale 5€ - 12 🔲 18€ - 🔋 15€

Emplacements en terrasse avec un bon confort sanitaire et vue sur les Pyrénées pour certains locatifs.

Nature : ♧♧
Loisirs : 🏠 🛶 🔲 (découverte en saison)
Services : ⚬ 🏧 🛁 🛶 🛜 laverie
À prox. : 🛒

GPS W : 0.03646
N : 43.11438

🏔 Sarsan

📞 05 62 94 43 09, www.camping-sarsan.fr

Pour s'y rendre : 4 av. Jean-Moulin (1,5 km à l'est par déviation)

Ouverture : de déb. avr. à mi-oct.

1,8 ha (67 empl.) peu incliné, plat, herbeux

Empl. camping : 23€ ♣♣ ⚬ 🔲 (10A) - pers. suppl. 6€
Location : (de déb. avr. à mi-oct.) - 8 🛖. Nuitée 50 à 90€ - Sem. 250 à 600€
🔄 borne artisanale 3€

Prairie ombragée autour de la piscine. Préférer les emplacements les plus éloignés de la route.

Nature : ♧♧
Loisirs : 🏠 🛶 🔲 (découverte en saison)
Services : ⚬ 🛶 🛜 laverie

GPS W : 0.02744
N : 43.10226

🏔 Le Moulin du Monge

📞 05 62 94 28 15, www.camping-lourdes.com

Pour s'y rendre : 28 av. Jean-Moulin (1,3 km au nord)

Ouverture : de déb. avr. à déb. oct.

1 ha (67 empl.) terrasse, peu incliné, plat, herbeux

Empl. camping : 27€ ♣♣ ⚬ 🔲 (6A) - pers. suppl. 6€
Location : (de déb. avr. à déb. oct.) - 12 🛖 - 1 gîte. Nuitée 57 à 111€ - Sem. 399 à 777€
🔄 borne artisanale 4€ - 9 🔲 16€

Belle pelouse ombragée. Proximité de la route et de la voie de chemin de fer.

Nature : ♧♧
Loisirs : 🏠 🛝 🛶 🛶
Services : ⚬ 🏧 🛜 laverie 🧺

GPS W : 0.03148
N : 43.11575

MIDI-PYRÉNÉES

LUZ-ST-SAUVEUR

65120 - Carte Michelin **342** L5 - 983 h. - alt. 710 - ⚕ - Sports d'hiver : 1 800/2 450 m

▶ Paris 882 - Argelès-Gazost 19 - Cauterets 24 - Lourdes 32

🏔 Club Airotel Pyrénées ♠♠

✆ 05 62 92 89 18, www.airotel-pyrenees.com

Pour s'y rendre : à Esquièze-Sère, 46 av. du Barège (1 km au nord-ouest par D 921, rte de Lourdes)

Ouverture : de déb. déc. à fin sept.

2,5 ha (146 empl.) en terrasses, peu incliné, plat, herbeux

Empl. camping : 40€ ♟♟ 🚗 🅴 🔌 (10A) - pers. suppl. 9€ - frais de réservation 25€

Location : (de déb. déc. à fin sept.) - ⚡ - 40 🛖 - 12 🏠. Nuitée 30 à 167€ - Sem. 210 à 1 165€ - frais de réservation 25€

🚐 borne AireService 9€

Joli petit village de chalets de bon confort, plusieurs piscines. Préférer les emplacements éloignés de la route.

Nature : ❄ ⩽ 🏕 ♋♋
Loisirs : 🏠 ⚽ 💆 centre balnéo 🛁 hammam jacuzzi ⚡ ⛷ ♨ mur d'escalade terrain multisports
Services : ⚡ 🏧 ♨ ≋ laverie ⚡ ⚡

GPS W : 0.01152 / N : 42.88014

🏔 International

✆ 05 62 92 82 02, www.international-camping.fr

Pour s'y rendre : à Esquièze-Sère, 50 av. du Barège (1,3 km au nord-ouest par D 921, rte de Lourdes)

Ouverture : de déb. juin à fin sept.

4 ha (180 empl.) fort dénivelé, en terrasses, plat, herbeux

Empl. camping : (Prix 2018) 37€ ♟♟ 🚗 🅴 🔌 (10A) - pers. suppl. 8€ - frais de réservation 20€

Location : (Prix 2018) (de déb. juin à fin sept.) - 38 🛖 - 1 tente sur pilotis - 2 cabanons - 1 appartement. Sem. 220 à 990€ - frais de réservation 20€

Locatif varié et de bon confort avec pour les tentes et caravanes des installations sanitaires de qualité. Préférer les emplacements éloignés de la route.

Nature : ❄ ⩽ 🏕 ♋♋
Loisirs : 🍸 🏠 jacuzzi ⚡ ⛷ ♨ 🎿 (découverte en saison) ⛷ terrain multisports
Services : ⚡ 🏧 ♨ ≋ laverie ⚡

GPS W : 0.01388 / N : 42.88322

🏔 Sites et Paysages Pyrénévasion

✆ 05 62 92 91 54, www.campingpyrenevasion.com - alt. 834

Pour s'y rendre : à Sazos, rte de Luz-Ardiden (3,4 km au nord-ouest par D 921, rte de Gavarnie et D 12)

Ouverture : de déb. avr. à mi-oct.

3,5 ha (99 empl.) en terrasses, plat, herbeux, rochers

Empl. camping : 38€ ♟♟ 🚗 🅴 🔌 (10A) - pers. suppl. 7€ - frais de réservation 14€

Location : (de déb. avr. à mi-oct.) - 10 🛖 - 8 🏠 - 2 appartements. Nuitée 45 à 160€ - Sem. 250 à 1 200€ - frais de réservation 16€

🚐 borne artisanale 8€ - ⚡15€

Jolie piscine d'intérieur et vue panoramique sur la vallée de Luz pour quelques emplacements.

Nature : 🌿 ⩽ 🏕 ♋♋
Loisirs : 🍸 🍴 🏠 🛁 jacuzzi ⚡ ⛷ ♨ terrain multisports
Services : ⚡ 🏧 ♨ ⚡ ≋ laverie ⚡

GPS W : 0.02417 / N : 42.8831

🏔 Les Cascades

✆ 05 62 92 85 85, www.camping-luz.com

Pour s'y rendre : r. Ste-Barbe (au sud de la localité, au bord de torrents, accès conseillé par rte de Gavarnie)

Ouverture : de déb. déc. à fin sept.

1,5 ha (77 empl.) en terrasses, peu incliné, plat, herbeux, rochers

Empl. camping : 35€ ♟♟ 🚗 🅴 🔌 (10A) - pers. suppl. 7€

Location : (de déb. déc. à fin sept.) - 18 🛖. Nuitée 60 à 80€ - Sem. 350 à 750€

Un très bon confort sanitaire pour les tentes et caravanes.

Nature : 🌿 ⩽ ♋♋
Loisirs : 🍸 🍴 🏠 🛁 jacuzzi ⚡ ⛷ ♨
Services : ⚡ 🏧 ≋ laverie ⚡
À prox. : 🚣

GPS W : 0.00292 / N : 42.86973

⛺ Le Bergons

✆ 05 62 92 90 77, www.camping-bergons.com

Pour s'y rendre : rte de Barèges (500 m à l'est par D 918)

Ouverture : de déb. mai à fin oct.

1 ha (74 empl.) en terrasses, plat, herbeux

Empl. camping : 17€ ♟♟ 🚗 🅴 🔌 (6A) - pers. suppl. 4€ - frais de réservation 10€

Location : (de mi-déc. à fin oct.) - 5 🛖 - 1 🏠. Nuitée 40 à 80€ - Sem. 250 à 560€

Préférer les emplacements les plus éloignés de la route.

Nature : ❄ ⩽ ♋♋
Loisirs : 🏠 ⚡
Services : ⚡ (juil.-août) 🏧 ≋ laverie

GPS E : 0.00281 / N : 42.87334

⛺ Toy

✆ 05 62 92 86 85, www.camping-toy.com

Pour s'y rendre : 17 pl. du 8-Mai (centre bourg)

Ouverture : de déb. déc. à fin sept.

1,2 ha (83 empl.) en terrasses, plat, herbeux, pierreux

Empl. camping : ♟ 5€ 🚗 🅴 5€ – 🔌 (10A) 8€

🚐 borne artisanale 15€

Au bord du torrent Le Bastan, et en plein centre de Luz, avec tous les commerces à proximité.

Nature : 🌿 ⩽ ♋♋
Loisirs : 🎣
Services : ⚡ 🚮 ≋ laverie
À prox. : 🛒 🍸 🍴 ♨

GPS W : 0.00312 / N : 42.87328

MANE

31260 - Carte Michelin **343** D6 - 998 h. - alt. 297

▶ Paris 753 - Aspet 19 - St-Gaudens 22 - St-Girons 22

⛺ Municipal La Justale

✆ 05 61 90 68 18, www.village-vacances-mane.fr

Pour s'y rendre : 2 allée de la Justale (500 m au sud-ouest du bourg par r. près de la mairie)

Ouverture : de déb. avr. à fin oct.

3 ha (43 empl.) plat, herbeux

Empl. camping : (Prix 2018) ♟ 3€ 🚗 3€ 🅴 4€ – 🔌 (16A) 4€

🚐 borne eurorelais

Agréable cadre verdoyant au bord de l'Arbas, avec du locatif et un sanitaire simples et un peu anciens.

Nature : 🦢 ⌂ 🎔🎔
Loisirs : 🍽 🏌 🎣 m 🛶
Services : 🚿 ☎ laverie
À prox. : ✂ 🐎

G P S : E : 0.94716
N : 43.07621

MARTRES-TOLOSANE

31220 - Carte Michelin **343** E5 - 2 236 h. - alt. 268
▶ Paris 735 - Auch 80 - Auterive 48 - Bagnères-de-Luchon 81

🏔 Sites et Paysages Le Moulin

🖉 05 61 98 86 40, www. CampingLeMoulin.com

Pour s'y rendre : lieu-dit : Le Moulin (1,5 km au sud-est par rte du stade, av. de St-Vidian et chemin à gauche apr. le pont, au bord d'un ruisseau et d'un canal, près de la Garonne (accès direct))

Ouverture : de déb. avr. à fin sept.

6 ha/3 campables (106 empl.) plat, herbeux, pierreux

Empl. camping : 33€ 🚶🚶 🚗 🔲 (10A) - pers. suppl. 7€ - frais de réservation 18€

Location : (Prix 2018) Permanent🚷 (1 chalet) - 5 🛖 - 24 🚐 - 2 bungalows toilés - 2 tentes lodges - 1 gîte. Nuitée 49 à 160€ - Sem. 252 à 1 080€ - frais de réservation 18€

🚐 borne artisanale - 3 🔲 21€

Beaucoup d'espace dans un cadre verdoyant jusqu'à la Garonne et autour d'un ancien moulin avec du locatif varié et de bon confort.

Nature : 🦢 ⌂ 🎔🎔
Loisirs : 🍽 ✗ 🏠 🎦salle d'animations 🏃 jacuzzi 🏌 ✗ 🛶 🎣 mini ferme
Services : 🚰 🛁 🚮 ☎ laverie 🧺

G P S : E : 1.0181
N : 43.1905

To visit a town or region : use the MICHELIN Green Guides.

MAZAMET

81200 - Carte Michelin **338** G10 - 9 975 h. - alt. 241
▶ Paris 739 - Albi 64 - Béziers 90 - Carcassonne 50

🏕 Municipal la Lauze

🖉 05 63 61 24 69, www.camping-mazamet.com

Pour s'y rendre : chemin de la Lauze (sortie est par N 112, rte de Béziers et à dr.)

Ouverture : de mi-avr. à fin sept.

1,7 ha (55 empl.) peu incliné, plat, herbeux

Empl. camping : (Prix 2018) 22€ 🚶🚶 🚗 🔲 (10A) - pers. suppl. 5€
Location : (Prix 2018) Permanent - 5 🛖. Sem. 287 à 615€
🚐 borne artisanale - 🚐 🔲13€

Emplacements bien ombragés, tout près de la Voie Verte Mazamet-Bédarieux (80 km).

Nature : ⌂ 🎔🎔
Loisirs : 🏠
Services : 🚰 🚮 🛁 🚿 ☎ 🖥
À prox. : ✂ 🛶

G P S : E : 2.39148
N : 43.49692

MERCUS-GARRABET

09400 - Carte Michelin **343** H7 - 1 153 h. - alt. 480
▶ Paris 772 - Ax-les-Thermes 32 - Foix 12 - Lavelanet 25

🏔 Le Lac de Mercus

🖉 05 61 05 90 61, www.campingdulacmercus.com

Pour s'y rendre : 1 promenade du Camping (800 m au sud par D 618, rte de Tarascon et à dr. au passage à niveau)

Ouverture : de mi-avr. à mi-oct.

1,2 ha (63 empl.) en terrasses, plat, herbeux

Empl. camping : 28€ 🚶🚶 🚗 🔲 (10A) - pers. suppl. 6€
Location : (de mi-avr. à mi-oct.) - 11 🛖 - 16 🚐 - 4 tentes lodges. Sem. 355 à 745€ - frais de réservation 15€
🚐 borne artisanale

Emplacements et locatif bien ombragés le long de l'Ariège.

Nature : 🎔🎔 ⛰
Loisirs : 🍽 ✗ 🏠 hammam jacuzzi 🚴 🛶 🎣
Services : 🚰 🛁 ☎ laverie

G P S : E : 1.62252
N : 42.87154

MÉRENS-LES-VALS

09110 - Carte Michelin **343** J9 - 185 h. - alt. 1 055
▶ Paris 812 - Ax-les-Thermes 10 - Axat 61 - Belcaire 36

🏕 Municipal de Ville de Bau

🖉 05 61 02 85 40, camping.merenslesvals.fr - alt. 1 100

Pour s'y rendre : à Ville de Bau (1,5 km au sud-ouest par N 20, rte d'Andorre et chemin à dr., au bord de l'Ariège)

2 ha (70 empl.) plat, herbeux, pierreux

Location : 🚷 (1 chalet) - 3 🛖.

Au bord de l'Ariège. Préférer les emplacements les plus éloignés de la route.

Nature : ≤ ⌂ 🎔🎔
Loisirs : 🏠 🎣
Services : 🚰 🏧 🚮 ☎ laverie

G P S : E : 1.83104
N : 42.64622

Utilisez le guide de l'année.

MEYRONNE

46200 - Carte Michelin **337** F2 - 300 h. - alt. 130
▶ Paris 520 - Cahors 77 - Toulouse 180 - Tulle 74

🏔 La Plage

🖉 06 32 02 82 82, www.camping-laplage.com

Pour s'y rendre : 1 km au sud par D 15 et D 23

Ouverture : de mi-mai à mi-sept.

1,8 ha (80 empl.) plat, herbeux

Empl. camping : 22€ 🚶🚶 🚗 🔲 (10A) - pers. suppl. 5€
Location : (de mi-mai à mi-sept.) - 7 bungalows toilés - 5 tentes lodges. Nuitée 54 à 69€ - Sem. 195 à 555€

Emplacements ombragés au bord de la Dordogne avec une base de canoë-kayak.

Nature : 🦢 🎔🎔
Loisirs : 🏌 🛶 🎣 ✈
Services : 🚰 🛁 ☎ 🖥 🧺 réfrigérateurs

G P S : E : 1.57732
N : 44.87625

MIERS

46500 - Carte Michelin **337** G2 - 435 h. - alt. 302
▶ Paris 526 - Brive-la-Gaillarde 49 - Cahors 69 - Rocamadour 12

⛺ Le Pigeonnier

✆ 05 65 33 71 95, www.campinglepigeonnier.com

Pour s'y rendre : 700 m à l'est par D 91, rte de Padirac et chemin à dr. derrière le cimetière

Ouverture : de déb. avr. à fin oct.

1 ha (45 empl.) en terrasses, peu incliné, plat, herbeux

Empl. camping : (Prix 2018) ✱ 6€ ⇦ 回 6€ – 🗲 (15A) 4€ - frais de réservation 15€

Location : (Prix 2018) (de déb. avr. à fin oct.) - 12 🛏 - 2 chalets sur pilotis. Nuitée 50 à 110€ - Sem. 249 à 779€ - frais de réservation 15€

🛒 borne artisanale 7€ - 5 回 12€
Locatif de bon confort et vue sur le village pour certains emplacements.

Nature : 🐾 ⌂ 🌳
Loisirs : 🎪 ⛴ 🛶
Services : ⚬🔥 🛁 🛜 laverie

GPS E : 1.71028
N : 44.85289

Utilisez le guide de l'année.

MILLAU

12100 - Carte Michelin **338** K6 - 22 013 h. - alt. 372
A 75- Viaduc de Millau - Péage en 2018 : 8,30/10,40 € autos, 12,40/15,60 € caravanes, 28,20/36,70 € P. L., 5,10 € motos
▶ Paris 636 - Albi 106 - Alès 138 - Béziers 122

⛰⛰ Club Airotel Les Rivages 👥

✆ 05 65 61 01 07, www.campinglesrivages.com

Pour s'y rendre : 860 av. de l'Aigoual (1,7 km à l'est par D 991, rte de Nant, au bord de la Dourbie)

Ouverture : de déb. avr. à fin sept.

7 ha (314 empl.) plat, herbeux

Empl. camping : (Prix 2018) 37€ ✱✱ ⇦ 回 🗲 (10A) - pers. suppl. 9€ - frais de réservation 19€

Location : (Prix 2018) (de déb. avr. à fin sept.) - 42 🛏 - 12 bungalows toilés - 5 tentes lodges. Nuitée 52 à 149€ - Sem. 219 à 1 043€ - frais de réservation 19€

🛒 borne artisanale 5€
Jolie vue sur les massifs boisés.

Nature : 🌳 ⛰
Loisirs : 🍽 ✖ 🏠 🎬 🚴 jacuzzi ⛴ 🎯 🛶 ☁ 🛶
Services : ⚬🔥 🛁 🛒 🚿 🛜 laverie 🧺 🛎 point d'informations touristiques
À prox. : 🪂 deltaplane

GPS E : 3.09616
N : 44.10161

⛰⛰ Viaduc 👥

✆ 05 65 60 15 75, www.camping-du-viaduc.com

Pour s'y rendre : 121 av. de Millau-Plage (800 m au nord-est par D 991, rte de Nant et D 187 à gauche rte de Paulhe)

Ouverture : de mi-avr. à déb. oct.

5 ha (237 empl.) plat, herbeux

Empl. camping : (Prix 2018) 40€ ✱✱ ⇦ 回 🗲 (6A) - pers. suppl. 8€ - frais de réservation 22€

Location : (Prix 2018) (de mi-avr. à déb. oct.) - 48 🛏 - 4 bungalows toilés. Nuitée 39 à 175€ - frais de réservation 22€
Au bord du Tarn.

Nature : ⌂ 🌳 ⛰
Loisirs : 🍽 ✖ 🏠 🚴 ⛴ 🛶 🛶
Services : ⚬🔥 🏛 🛁 🚿 🛜 laverie 🧺 🛎
À prox. : 🛒🚲 ✖ 🛶 🐎 parapente

GPS E : 3.08853
N : 44.10578

⛺ Les Érables

✆ 05 65 59 15 13, www.campingleserables.fr

Pour s'y rendre : av. de Millau-Plage (900 m nord-est par D 991, rte de Nant et D 187 à gauche, rte de Paulhe, au bord du Tarn)

Ouverture : de déb. avr. à fin sept.

1,4 ha (78 empl.) plat, herbeux

Empl. camping : 20€ ✱✱ ⇦ 回 🗲 (10A) - pers. suppl. 4€ - frais de réservation 10€

Location : (de déb. avr. à fin sept.) - 6 🛏. Nuitée 46 à 80€ - Sem. 276 à 560€ - frais de réservation 10€

Nature : ⟨ ⌂ 🌳
Loisirs : 🏠
Services : ⚬🔥 🛜 laverie
À prox. : 🛒 ✖ ⛴ 🛶 🛶

GPS E : 3.08704
N : 44.11022

MIRANDE

32300 - Carte Michelin **336** E8 - 3 705 h. - alt. 173
▶ Paris 737 - Auch 25 - Mont-de-Marsan 98 - Tarbes 49

⛺ L'Île du Pont

✆ 05 62 66 64 11, www.belairvillage.com

Pour s'y rendre : lieu-dit : Le Batardeau (à l'est de la ville)

Ouverture : de déb. avr. à fin oct.

10 ha/5 campables (167 empl.) non clos, plat, herbeux

Empl. camping : 21€ ✱✱ ⇦ 回 🗲 (12A) - pers. suppl. 7€

Location : Permanent 🏠 (3 mobile homes) - 60 🛏 - 12 🏡. Nuitée 90 à 180€ - Sem. 260 à 1 100€ - frais de réservation 10€
Site agréable sur une île de la Grande Baïse, avec de grands espaces en pelouse idéals pour la détente.

Nature : 🌳 🌳
Loisirs : 🏠 🚴 ⛴ 🛶
Services : ⚬🔥 🛜 laverie
À prox. : 🛶 ☁ 🛶 parc aquatique terrain multisports

GPS E : 0.40932
N : 43.51376

Renouvelez votre guide chaque année.

MIRANDOL-BOURGNOUNAC

81190 - Carte Michelin **338** E6 - 1 077 h. - alt. 393
▶ Paris 653 - Albi 29 - Rodez 51 - St-Affrique 79

⛺ Les Clots

✆ 05 63 80 72 15, www.domainelesclots.com

Pour s'y rendre : lieu-dit : Les Clots (5,5 km au nord par D 905, rte de Rieupeyroux et chemin sur la gauche, à 500 m du Viaur (accès direct))

Ouverture : de déb. juin à fin août

7 ha/4 campables (28 empl.) fort dénivelé, en terrasses, plat, herbeux, pierreux

Empl. camping : (Prix 2018) 36€ ✱✱ ⇦ 回 🗲 (6A) - pers. suppl. 7€

Location : (Prix 2018) (de déb. juin à fin août) - ⚹ (1 chalet) - 5 🏠 - 3 bungalows toilés - 1 cabanon - 1 gîte. Nuitée 75 à 145 € - Sem. 475 à 995 €

Au fond de la vallée boisée, calme absolu et beaux espaces verts. Chalets de bon confort.

Nature : 🌊 〰〰
Loisirs : 🏠 🏕 m 🛶
Services : ⚡ 🚿 ⊠ ♨ 📶 laverie
À prox. : 🎣

GPS E : 2.17881 N : 44.17713

MIREPOIX

32390 - Carte Michelin **336** G7 - 204 h. - alt. 150
▶ Paris 696 - Auch 17 - Fleurance 13 - Gimont 25

🏔 Village Vacances Les Chalets des Mousquetaires
(pas d'emplacement tentes et caravanes)
🖉 0562643366, www.chalets-mousquetaires.com

Pour s'y rendre : lieu-dit : En Luquet (2 km au sud-est du bourg)

Empl. camping : 1 ha non clos, étang, plat
Location : Permanent⚹ (1 chalet) - 11 🏠. Nuitée 45 à 84 € - Sem. 299 à 785 € - frais de réservation 20 €

Près d'une ferme, situation dominante sur la campagne vallonnée du Gers.

Nature : 🌊 ← 🏠 〰〰
Loisirs : 🏠 🏕 🚴 m 🛶
Services : ⚡ 🚿 📶 🛒
À prox. : 🎣

GPS E : 0.69271 N : 43.73682

Avant de vous installer, consultez les tarifs en cours, affichés obligatoirement à l'entrée du terrain, et renseignez-vous sur les conditions particulières de séjour. Les indications portées dans le guide ont pu être modifiées depuis la mise à jour.

MOISSAC

82200 - Carte Michelin **337** C7 - 12 244 h. - alt. 76
▶ Paris 632 - Agen 57 - Auch 120 - Cahors 63

🏔 Municipal L'Île de Bidounet 🧍🧍
🖉 0563325252, www.camping-moissac.com

Pour s'y rendre : lieu-dit : St-Benoît (1 km au sud par N 113, rte de Castelsarrasin et D 72 à gauche)

Ouverture : de déb. avr. à fin oct.

4,5 ha/2,5 campables (109 empl.) plat, herbeux
Empl. camping : (Prix 2018) 20 € 🧍🧍 🚗 🔲 ⚡ (6A) - pers. suppl. 6 € - frais de réservation 10 €
🚗 4 🔲 14 €

Agréable situation sur une île du Tarn.

Nature : 🌊 🏕 〰〰
Loisirs : 🍽 🏠 🏕 🚴 🛶
Services : ⚡ 🚿 ♨ 📶 laverie
À prox. : 🚤 base nautique

GPS E : 1.09005 N : 44.09671

MONCLAR-DE-QUERCY

82230 - Carte Michelin **337** F8 - 1 692 h. - alt. 178
▶ Paris 644 - Toulouse 73 - Montauban 22 - Albi 58

🏔 Village Vacances Les Hameaux des Lacs
(pas d'emplacement tentes et caravanes)
🖉 0555843448, www.terresdefrance.com

Pour s'y rendre : à la base de loisirs des Lacs

5 ha fort dénivelé, vallonné, bois
Location : Permanent - 113 🏠. Nuitée 49 à 129 € - Sem. 149 à 849 €

En deux parties distinctes, une en situation dominante sur l'importante base de loisirs et une en sous-bois.

Nature : 🌊 ← 〰〰
Loisirs : 🏠 🏕 🏊 m terrain multisports
Services : ⚡ 📶 laverie
À prox. : 🎣 🛶 pédalos

GPS E : 1.59544 N : 43.96957

MONTCABRIER

46700 - Carte Michelin **337** C4 - 367 h. - alt. 191
▶ Paris 584 - Cahors 39 - Fumel 12 - Tournon-d'Agenais 24

🏔 Moulin de Laborde
🖉 0565246206, www.moulindelaborde.eu 🎣

Pour s'y rendre : 2 km au nord-est par D 673, rte de Gourdon, au bord de la Thèze

Ouverture : de mi-mai à mi-sept.

4 ha (90 empl.) plat, herbeux, petit étang
Empl. camping : (Prix 2018) 🧍 8 € 🚗 🔲 12 € – ⚡ (10A) 5 €

Autour des bâtiments d'un vieux moulin, beaux emplacements ombragés.

Nature : 〰〰
Loisirs : 🍽 🍴 🏠 🏕 🛶 petit étang avec barques
Services : ⚡ 🚿 ♨ 📶 laverie 🛒

GPS E : 1.08247 N : 44.54819

MONTLAUR

12400 - Carte Michelin **338** I7 - 664 h. - alt. 320
▶ Paris 686 - Toulouse 145 - Rodez 88 - Montpellier 138

🏔 Village Vacances Le Hameau des Genêts
(pas d'emplacement tentes et caravanes)
🖉 0684550618, www.hameaudesgenets.com

Pour s'y rendre : au bourg

2 ha plat
Location : (Prix 2018) (de déb. avr. à fin oct.) - ⚹ (1 chalet) - 32 🏠. Nuitée 35 à 101 € - Sem. 245 à 707 € - frais de réservation 10 €

Entre le stade, la rivière et au pied du village, ensemble de chalets anciens mais bien entretenus dans un cadre fleuri.

Nature : 🌊 ← 🌿
Loisirs : 🏠 🚴 ✂ 🔲 (découverte en saison) 🐑 mini ferme
Services : ⚡ ♨ 📶 laverie
À prox. : 🏕

GPS E : 2.83404 N : 43.87653

MONTPEZAT-DE-QUERCY

82270 - Carte Michelin **337** E6 - 1 461 h. - alt. 275
▶ Paris 598 - Cahors 28 - Caussade 12 - Castelnau-Montratier 13

⚠ Révéa Le Faillal

✆ 04 73 93 60 00, www.revea-vacances.fr/fr/campagne/nos-destinations-campagne

Pour s'y rendre : au parc de loisirs Le Faillal (sortie nord par D 20, rte de Cahors et à gauche)

0,9 ha (69 empl.) en terrasses, herbeux, pierreux

Location : Ⓟ - 25 🏠.

De beaux emplacements pour tentes et caravanes et des gîtes un peu anciens.

Nature : 🐾 🖾 🗘🗘	G	E : 1.47725
Loisirs : 🖾 🚣 🚴 🏑	P	N : 44.24318
Services : 🖭 🎖 🚿 🛁 🖾	S	
À prox. : 🍴 🛶		

*Choisissez votre restaurant sur **restaurant.michelin.fr***

NAGES

81320 - Carte Michelin **338** I8 - 340 h. - alt. 800
▶ Paris 717 - Brassac 36 - Lacaune 14 - Lamalou-les-Bains 45

⚠⚠⚠ Tohapi Rieu-Montagné 👥

✆ 04 48 20 20 20, www.tohapi.fr

Pour s'y rendre : à la base de loisirs du Lac de Laouzas (4,5 km au sud par D 62 et rte à gauche, à 50 m du lac)

Ouverture : de fin avr. à déb. sept.

8,5 ha (179 empl.) fort dénivelé, en terrasses, pierreux, herbeux

Empl. camping : 25€ 🏕🏕 🚗 🖻 🔌 (10A) - pers. suppl. 6€ - frais de réservation 15€

Location : (Prix 2018) (de fin avr. à déb. sept.) - 101 🛖 - 5 🏠 - 20 tentes lodges. Nuitée 37 à 146€ - Sem. 434 à 1 022€ - frais de réservation 15€

Belle situation dominant le Lac du Laounas, avec pour certains une vue panoramique.

Nature : 🐾 < lac et montagnes boisées 🖾 🗘🗘	G	E : 2.77806
Loisirs : 🍴 🍴 🖾 🗘diurne 🏑 🚣 🚴 🛶	P	N : 43.64861
Services : 🖭 🚿 🛁 🖾 laverie 🖾🖾	S	
à la base de loisirs : 🛶 hammam 🛶 🛶 🗑 (plage) 🚴 🐎 pédalos		

NAILLOUX

31560 - Carte Michelin **343** H4 - 2 717 h. - alt. 285
▶ Paris 711 - Auterive 15 - Castelnaudary 42 - Foix 50

⚠⚠⚠ Le Lac de la Thésauque

✆ 05 61 81 34 67, www.campingthesauque.com

Pour s'y rendre : 3,4 km à l'est par D 622, rte de Villefranche-de-Lauragais, D 25 à gauche et chemin, à 100 m du lac

Ouverture : Permanent

6 ha (57 empl.) en terrasses, plat, herbeux, pierreux

Empl. camping : 25€ 🏕🏕 🚗 🖻 🔌 (10A) - pers. suppl. 6€ - frais de réservation 13€

Location : Permanent🚃 (1 mobile home) - 5 🛖 - 14 🏠. Nuitée 38 à 91€ - Sem. 235 à 615€ - frais de réservation 13€

🚰 borne eurorelais 2€ - 10 🖻 6€

Près d'un lac avec des animations nautiques.

Nature : 🐾 🗘🗘	G	E : 1.64834
Loisirs : 🍴 🛶 🖾 🚣 🛶 🏑 🛶 🗗 🗗 pédalos	P	N : 43.3554
Services : 🖭 🖭 🎖 🖻 🛶	S	

NANT

12230 - Carte Michelin **338** L6 - 919 h. - alt. 490
▶ Paris 669 - Le Caylar 21 - Millau 33 - Montpellier 92

⚠⚠⚠ RCN Le Val de Cantobre 👥

✆ 05 65 58 43 00, www.rcn.fr

Pour s'y rendre : Domaine de Vellas (4,5 km au nord par D 991, rte de Millau et chemin à dr., au bord de la Dourbie)

Ouverture : de fin avr. à mi-sept.

6 ha (216 empl.) fort dénivelé, en terrasses, plat, herbeux, pierreux, rocailleux

Empl. camping : 50€ 🏕🏕 🚗 🖻 🔌 (10A) - pers. suppl. 8€

Location : (de fin avr. à mi-sept.) - 32 🛖 - 9 🏠. Nuitée 45 à 205€ - Sem. 315 à 1 435€

🚰 borne Sanistation

Autour d'une vieille ferme caussenarde du 15e s.

Nature : 🐾 < 🖾 🗘🗘	G	E : 3.30177
Loisirs : 🍴 🍴 🖾 🗗 🏑 🚣 🛶 🛶 terrain multisports	P	N : 44.04554
Services : 🖭 🚿 🛁 🛶 🎖 laverie 🖾 🛶 cases réfrigérées	S	

⚠ Sites et Paysages Les 2 Vallées

Camping Les 2 Vallées

✆ 05 65 62 26 89, www.lesdeuxvallees.com

Pour s'y rendre : rte de l'Estrade-Basse

Ouverture : de mi-avr. à mi-oct.

2 ha (80 empl.) plat, herbeux

Empl. camping : 24€ 🏕🏕 🚗 🖻 🔌 (6A) - pers. suppl. 4€

Location : (de mi-avr. à mi-oct.) - 15 🛖 - 1 🏠 - 1 bungalow toilé. Nuitée 25 à 59€ - Sem. 139 à 651€

🚰 borne artisanale 5€ - 20 🖻 8€ - ⛽11€

Nature : 🐾 🖾 🗘🗘	G	E : 3.35457
Loisirs : 🛶 🖾 🎣 🚣 🚴 🛶 🗗	P	N : 44.0241
Services : 🖭 🚿 🛁 🛶 🎖 laverie réfrigérateurs	S	
À prox. : 🐎		

NAUCELLE

12800 - Carte Michelin **338** G5 - 2 049 h. - alt. 490
▶ Paris 652 - Albi 46 - Millau 90 - Rodez 32

⚠⚠⚠ Flower Le Lac de Bonnefon

✆ 06 73 13 07 16, www.camping-du-lac-de-bonnefon.com

Pour s'y rendre : sortie sud-est par D 997, rte de Naucelle-Gare puis 1,5 km par rte de Crespin et rte de St-Just à gauche, à 100 m de l'étang (accès direct)

Ouverture : de mi-avr. à fin sept.

4,5 ha (112 empl.) en terrasses, plat, herbeux

Empl. camping : 29€ 🏕🏕 🚗 🖻 🔌 (10A) - pers. suppl. 6€ - frais de réservation 10€

Location : (de déb. mai à fin sept.) - ♿ - 8 ▥ - 18 🚐 - 15 bungalows toilés - 2 tentes lodges. Nuitée 38 à 142€ - Sem. 190 à 994€ - frais de réservation 15€
🚐 borne artisanale 15€ - 4 ▣ 15€

Nature : 🏞 🗀 ♨		
Loisirs : 🍴✕ 🛶 🏊 🎣	**G**	E : 2.34867
Services : 🔌🚿♿🛜 🔲	**P**	N : 44.18902
À prox. : ✕ 🐎	**S**	

NÈGREPELISSE

82800 - Carte Michelin **337** F7 - 5 056 h. - alt. 87
▶ Paris 614 - Bruniquel 13 - Caussade 11 - Gaillac 46

⛺ Municipal le Colombier

📞 05 63 64 20 34, www.ville-negrepelisse.fr

Pour s'y rendre : au sud-ouest, près de la D 115

1 ha (53 empl.) en terrasses, plat, herbeux
🚐 borne artisanale - 10 ▣

Nature : ♨		
Services : 🔌🚿🛜 🔲	**G**	E : 1.51843
À prox. : 🛶🎣 terrain multisports	**P**	N : 44.07286
	S	

OUST

09140 - Carte Michelin **343** F7 - 545 h. - alt. 500
▶ Paris 792 - Aulus-les-Bains 17 - Castillon-en-Couserans 31 - Foix 61

⛰ Les Quatre Saisons

📞 05 61 65 89 21, www.camping4saisons.com

Pour s'y rendre : rte d'Aulus-les-Bains (sortie sud-est par D 32, près du Garbet)

Ouverture : Permanent

3 ha (108 empl.) plat, herbeux

Empl. camping : 19€ ✶✶ 🚐 ▣ 🔌 (16A) - pers. suppl. 6€
Location : Permanent♿ (1 gîte) - 21 ▥ - 3 🚐 - 6 🛏 - 2 gîtes - 2 appartements. Nuitée 15 à 90€ - Sem. 250 à 700€
🚐 borne eurorelais - 10 ▣ 15€
Cadre agréable et ombragé derrière l'hôtel-restaurant.

Nature : 🗀 ♨		
Loisirs : 🍴✕ 🛶 🏊 🎣	**G**	E : 1.22103
Services : 🔌▥♿🛜 laverie 🐾	**P**	N : 42.87215
À prox. : ✕ 🐎	**S**	

OUZOUS

65400 - Carte Michelin **342** L4 - 202 h. - alt. 550
▶ Paris 862 - Toulouse 188 - Tarbes 35 - Pau 55

⛺ La Ferme du Plantier

📞 05 62 97 58 01, www.e-monsite.com

Pour s'y rendre : r. de l'Oulet (au bourg, D 102)

Ouverture : de déb. mai à fin sept.

0,6 ha (15 empl.) en terrasses, peu incliné, plat, herbeux

Empl. camping : ✶ 3€ 🚐 3€ ▣ 3€ – 🔌 (6A) 4€
Sur les terres d'une ferme en activité.

Nature : 🏞 ⊲montagnes ♨		
Loisirs : 🛶🏇	**G**	W : 0.1042
Services : 🔌🚿🛜 🔲	**P**	N : 43.02958
	S	

PADIRAC

46500 - Carte Michelin **337** G2 - 194 h. - alt. 360
▶ Paris 531 - Brive-la-Gaillarde 50 - Cahors 68 - Figeac 41

⛰ Capfun Roca D'Amour 🔼🔽

📞 05 65 33 65 54, www.capfun.com/camping-france-midi_pyrenees-roca_d_amour-FR.html

Pour s'y rendre : rte du Gouffre (1,5 km au nord-est par D 90)

Ouverture : de fin avr. à déb. sept.

6 ha (248 empl.) en terrasses, peu incliné, plat, herbeux, pierreux

Empl. camping : (Prix 2018) 31€ ✶✶ 🚐 ▣ 🔌 (10A) - pers. suppl. 7€
Location : (Prix 2018) (de fin avr. à déb. sept.) - ♿ (2 mobile homes) - 172 ▥ - 20 🚐 - 14 tentes lodges. Nuitée 37 à 168€ - Sem. 175 à 1 176€ - frais de réservation 27€
🚐 borne artisanale
En deux parties distinctes reliées en partie par un chemin piétonnier (800 m).

Nature : 🏞 🗀 ♨		
Loisirs : 🍴✕ 🛖 salle d'animations 🏇	**G**	E : 1.74567
🛶 🏊 🎣 2 parcs aquatiques	**P**	N : 44.85125
Services : 🔌♿🛜 laverie 🔲 🐾	**S**	

*Créez votre voyage sur **voyages.michelin.fr***

PAMIERS

09100 - Carte Michelin **343** H6 - 15 383 h. - alt. 280
▶ Paris 746 - Toulouse 70 - Carcassonne 77 - Castres 105

⛰ L' Apamée 🔼🔽

📞 05 61 60 06 89, www.vap-camping.fr/fr/camping-lapamee

Pour s'y rendre : rte de St-Girons (0,8 km au nord-ouest par D119)

Ouverture : de déb. avr. à déb. nov.

2 ha (100 empl.) plat, herbeux

Empl. camping : (Prix 2018) 20€ ✶✶ 🚐 ▣ 🔌 (10A) - pers. suppl. 9€ - frais de réservation 15€
Location : (Prix 2018) (de déb. avr. à déb. nov.) - 8 ▥ - 10 🚐 - 8 bungalows toilés. Nuitée 37 à 108€ - Sem. 259 à 758€ - frais de réservation 25€
🚐 borne artisanale 5€
Pelouse ombragée avec du locatif varié. Préférer les emplacements éloignés de la route.

Nature : ♨		
Loisirs : 🍴✕ 🏇 🛶 🏊 🎣	**G**	E : 1.60205
Services : 🔌♿🛜 laverie	**P**	N : 43.1249
	S	

▵▵▵ ... ⛺
Besonders angenehme Campingplätze,
ihrer Kategorie entsprechend.

PAYRAC

46350 - Carte Michelin **337** E3 - 670 h. - alt. 320
▸ Paris 530 - Bergerac 103 - Brive-la-Gaillarde 53 - Cahors 48

🗻 Yelloh! Village Les Pins ♣♟

🕿 05 65 37 96 32, www.les-pins-camping.com

Pour s'y rendre : lieu-dit : Les Pins (sortie sud par rte de Toulouse, D 820)

Ouverture : de mi-avr. à déb. sept.

4 ha (137 empl.) en terrasses, peu incliné, plat, herbeux

Empl. camping : 40€ ♣♣ ⇔ 🗉 ⚡ (10A) - pers. suppl. 8€
Location : (de mi-avr. à déb. sept.) - 51 🛏 - 3 🏠 - 11 tentes lodges. Nuitée 35 à 162€ - Sem. 245 à 1 134€
🚰 borne artisanale 6€
En deux parties distinctes. Préférer les emplacements les plus éloignés de la route.

Nature : ♨
Loisirs : ♀ ✗ 🛋 🏕 🕭 jacuzzi 🏊 🎣 🛶
🏊 terrain multisports
Services : 🔌 🛢 🚿 ♨ 🚮 🛜 laverie 🧺

G P S E : 1.47214
N : 44.78952

PLAISANCE

32160 - Carte Michelin **336** - 1 466 h. - alt. 131
▸ Paris 765 - Auch 56 - Bordeaux 186 - Tarbes 48

⛺ L'Arros

🕿 05 62 69 30 28, www.campingdelarros.com

Pour s'y rendre : 21-37 allée des Ormeaux

2 ha (50 empl.) plat, herbeux

Location : - 3 🛏 - 10 🏠 - 4 bungalows toilés.
🚰 2 🗉
En deux parties distinctes séparées par la route. Préférer les emplacements au bord de la rivière, plus au calme.

Nature : ♨
Loisirs : 🛋 🏊 🛶
Services : 🔌 🛜 laverie
À prox. : 🏊 (plan d'eau) golf (9 trous)

G P S E : 0.05306
N : 43.6075

The Guide changes, so renew your guide every year.

PONS

12140 - Carte Michelin **338** H2 - alt. 293
▸ Paris 588 - Aurillac 34 - Entraygues-sur-Truyère 11 - Montsalvy 12

⛺ Municipal de la Rivière

🕿 05 65 66 18 16, www.camping-la-riviere.com

Pour s'y rendre : 1 km au sud-est du bourg, par D 526, rte d'Entraygues-sur-Truyère, au bord du Goul

Ouverture : de mi-juin à déb. sept.

0,9 ha (46 empl.) plat, herbeux

Empl. camping : (Prix 2018) 20€ ♣♣ ⇔ 🗉 ⚡ (10A) - pers. suppl. 4€
Location : (Prix 2018) (de mi-mai à déb. sept.) - 11 🏠. Nuitée 29 à 79€ - Sem. 203 à 553€

Nature : ♨ 🗖 🌳
Loisirs : 🛋 🏊 🎣 🛶
Services : 🔌 ♨ 🛜 🚮

G P S E : 2.56363
N : 44.71119

PONT-DE-SALARS

12290 - Carte Michelin **338** I5 - 1 606 h. - alt. 700
▸ Paris 651 - Albi 86 - Millau 47 - Rodez 25

🗻 Flower Les Terrasses du Lac ♣♟

🕿 05 65 46 88 18, www.campinglesterrasses.com

Pour s'y rendre : rte du Vibal (4 km au nord par D 523)

Ouverture : Permanent

6 ha (180 empl.) fort dénivelé, en terrasses, plat, herbeux

Empl. camping : 18€ ♣♣ ⇔ 🗉 ⚡ (6A) - pers. suppl. 3€
Location : Permanent - 50 🛏 - 4 bungalows toilés. Nuitée 60 à 110€ - Sem. 160 à 700€ - frais de réservation 15€
🚰 borne raclet 14€
Agréable situation dominant le lac.

Nature : ♨ ⋖ 🗖 ♀
Loisirs : ♀ ✗ 🛋 🕭 🏕 🏊 🎣 🛶 parc aquatique
Services : 🔌 (juil.-août) 🛢 ♨ 🚮 🛜 laverie
À prox. : ✂ 🛶 🚣 🐎

G P S E : 2.73478
N : 44.30473

PUYBRUN

46130 - Carte Michelin **337** G2 - 906 h. - alt. 146
▸ Paris 520 - Beaulieu-sur-Dordogne 12 - Brive-la-Gaillarde 39 - Cahors 86

🗻 La Sole ♣♟

🕿 05 65 38 52 37, www.la-sole.com

Pour s'y rendre : sortie est, rte de Bretenoux et chemin à dr. apr. la station-service

Ouverture : de déb. avr. à fin oct.

2,3 ha (72 empl.) plat, herbeux

Empl. camping : (Prix 2018) ♣ 14€ ⇔ 🗉 – ⚡ (6A) 5€ - frais de réservation 18€
Location : (Prix 2018) Permanent - 14 🛏 - 16 bungalows toilés - 5 gîtes. Sem. 150 à 740€ - frais de réservation 18€

Nature : ♨ 🗖 🌳
Loisirs : ✗ 🛋 🏕 jacuzzi 🏊 🛶 terrain multisports
Services : 🔌 🛢 ♨ 🚮 🛜 🖥

G P S E : 1.79432
N : 44.91457

PUY-L'ÉVÊQUE

46700 - Carte Michelin **337** C4 - 2 159 h. - alt. 130
▸ Paris 601 - Cahors 31 - Gourdon 41 - Sarlat-la-Canéda 52

🗻 L'Évasion

🕿 05 65 30 80 09, www.lotevasion.com

Pour s'y rendre : à Martignac (3 km au nord-ouest par D 28, rte de Villefranche-du-Périgord et chemin à dr.)

8 ha/2 campables (95 empl.) en terrasses, plat, herbeux, pierreux
Location : ♿ (1 chalet) - 12 🛏 - 50 🏠 - 9 bungalows toilés - 6 tentes lodges - 3 tentes sur pilotis.

Joli parc aquatique et chalets en sous-bois de confort variable.

Nature : ♨ ♨
Loisirs : ♀ ✗ 🛋 🏕 🎬 🏊 ✂ 🛶 terrain multisports
Services : 🔌 ♨ 🛜 laverie 🧺

G P S E : 1.12704
N : 44.52546

PUYSSÉGUR

31480 - Carte Michelin **343** E2 - 119 h. - alt. 265
▶ Paris 669 - Agen 83 - Auch 51 - Castelsarrasin 48

⚠ Namasté

☎ 05 61 85 77 84, www.camping-namaste.com

Pour s'y rendre : sortie nord par D 1, rte de Cox et chemin à dr.

Ouverture : de déb. mai à fin sept.

10 ha/2 campables (60 empl.) en terrasses, peu incliné, plat, herbeux, étang, bois attenant

Empl. camping : 32€ ★★ ⇐ ▣ ⍟ (16A) - pers. suppl. 8€

Location : (de mi-avr. à fin oct.) - 6 🚐 - 15 🏠 - 2 cabanes perchées - 2 cabanons. Nuitée 95 à 140€ - Sem. 320 à 720€ - frais de réservation 10€

🚱 borne artisanale 5€

Organise des expositions photos parfois en extérieur, autour des emplacements.

Nature : 🌿 ⌂ ♨		**G** E : 1.06134
Loisirs : 🛖 ⛱ 🏇 🛝 🎣 parcours de santé		**P** N : 43.75082
Services : ⚿ 🛁 🚿 ☔ 🛗 laverie 🛒	**S**

REVEL

31250 - Carte Michelin **343** K4 - 9 253 h. - alt. 210
▶ Paris 727 - Carcassonne 46 - Castelnaudary 21 - Castres 28

⚠ Municipal du Moulin du Roy

☎ 05 61 83 32 47, www.camping-lemoulinduroy.com

Pour s'y rendre : chemin de la Pergue (sortie sud-est par D 1, rte de Dourgne et à dr.)

Ouverture : de déb. avr. à déb. nov.

1,2 ha (50 empl.) plat, herbeux

Empl. camping : 21€ ★★ ⇐ ▣ ⍟ (10A) - pers. suppl. 4€ - frais de réservation 10€

Location : (de déb. avr. à déb. nov.) - 8 🚐 - 3 bungalows toilés. Nuitée 39 à 85€ - Sem. 273 à 595€ - frais de réservation 10€

🚱 borne Urbaflux - 28 ▣ 9€

Cadre verdoyant. Préférer les emplacements côté piscine municipale, les plus éloignés de la route.

Nature : ⌂ ♨		**G** E : 2.01519
Services : ⚿ 🛁 🚿 ☔ 🛗		**P** N : 43.45464
À prox. : 🍴 🎣 🛝	**S**

RIEUX-DE-PELLEPORT

09120 - Carte Michelin **343** H6 - 1 209 h. - alt. 333
▶ Paris 752 - Foix 13 - Pamiers 8 - St-Girons 47

⚠ Les Mijeannes

☎ 05 61 60 82 23, www.campinglesmijeannes.com

Pour s'y rendre : rte de Ferries (1,4 km au nord-est, accès par D 311, au bord d'un canal et près de l'Ariège)

Ouverture : Permanent

10 ha/5 campables (152 empl.) plat, herbeux, pierreux

Empl. camping : (Prix 2018) 27€ ★★ ⇐ ▣ ⍟ (10A) - pers. suppl. 6€

Location : (Prix 2018) Permanent - 17 🚐 - 2 🏠 - 6 tentes lodges - 6 cabanons. Nuitée 69 à 101€ - Sem. 483 à 707€

🚱 borne AireService 5€

Vaste domaine agréable, ombragé, près de la rivière.

Nature : 🌿 ⌂ ♨		**G** E : 1.62134
Loisirs : 🍴 ✗ 🛖 ⛱ jacuzzi 🏇 🚴 🛝 🎣		**P** N : 43.06293
Services : ⚿ 🛗 ☔ laverie	**S**

RIVIÈRE-SUR-TARN

12640 - Carte Michelin **338** K5 - 1 042 h. - alt. 380
▶ Paris 627 - Mende 70 - Millau 14 - Rodez 65

⚠ Flower Le Peyrelade ▲▲

☎ 05 65 62 62 54, www.campingpeyrelade.com

Pour s'y rendre : rte des Gorgers-du-Tarn (2 km à l'est par D 907, rte de Florac, au bord du Tarn)

Ouverture : de mi-mai à mi-sept.

4 ha (190 empl.) en terrasses, plat, herbeux

Empl. camping : 46€ ★★ ⇐ ▣ ⍟ (10A) - pers. suppl. 8€ - frais de réservation 20€

Location : (de mi-mai à mi-sept.) - 🏊 - 45 🚐 - 8 bungalows toilés. Nuitée 44 à 202€ - Sem. 264 à 1 414€ - frais de réservation 20€

🚱 borne eurorelais

Cadre et situation agréables à l'entrée des gorges du Tarn.

Nature : ⩿ ♀		**G** E : 3.15807
Loisirs : 🍴 ✗ 🛖 🏇 🚴 🛝 🎣 🛶		**P** N : 44.18929
Services : ⚿ 🛁 🚿 ☔ 🛗 🛒		
À prox. : 🚴 ✂ parcours dans les arbres	**S**

⚠ Les Peupliers

☎ 05 65 59 85 17, www.campinglespeupliers.fr

Pour s'y rendre : 11 r. de la Combe (sortie sud-ouest rte de Millau et chemin à gauche, au bord du Tarn)

Ouverture : de mi-avr. à fin sept.

1,5 ha (115 empl.) plat, herbeux

Empl. camping : (Prix 2018) 45€ ★★ ⇐ ▣ ⍟ (10A) - pers. suppl. 9€ - frais de réservation 20€

Location : (Prix 2018) (de mi-avr. à fin sept.) - 19 🚐. Nuitée 50 à 100€ - Sem. 320 à 1 090€ - frais de réservation 20€

🚱 borne AireService 5€

Nature : ⩿ ⌂ ♀		**G** E : 3.12985
Loisirs : 🍴 ✗ 🛖 🏇 🚴 🛝 🎣		**P** N : 44.18747
Services : ⚿ 🛁 🚿 ☔ 🛗 laverie	**S**

Benutzen Sie den Hotelführer des laufenden Jahres.

ROCAMADOUR

46500 - Carte Michelin **337** F3 - 689 h. - alt. 279
▶ Paris 531 - Brive-la-Gaillarde 54 - Cahors 60 - Figeac 47

⚠ Padimadour ▲▲

☎ 05 65 33 72 11, www.padimadour.fr

Pour s'y rendre : la Châtaigneraie (7,7 km au nord-est par D 36, D 840 rte de Martel et chemin à dr.)

Ouverture : de déb. avr. à fin sept.

3,5 ha (52 empl.) en terrasses, peu incliné à incliné, plat, herbeux

Empl. camping : (Prix 2018) 35€ ★★ ⇐ ▣ ⍟ (10A) - pers. suppl. 10€ - frais de réservation 14€

Location : (Prix 2018) (de déb. avr. à fin sept.) - ♿ (1 mobile home) - 33 🚐 - 10 tentes lodges. Nuitée 48 à 96€ - Sem. 336 à 672€ - frais de réservation 14€

🚱 9 ▣ 35€

Locatif et sanitaires neufs, de bon confort.

Nature : 🌿 ⌂ ♨		**G** E : 1.68617
Loisirs : ✗ 🛖 🏇 🛝 🎣		**P** N : 44.81765
Services : ⚿ 🛗 🛁 ☔ laverie 🛒	**S**

⛰ Les Cigales

🕾 05 65 33 64 44, www.camping-cigales.com

Pour s'y rendre : à l'Hospitalet (sortie est par D 36, rte de Gramat)

Ouverture : de déb. juin à déb. oct.

3 ha (100 empl.) peu incliné, plat, pierreux, herbeux

Empl. camping : (Prix 2018) 24€ ♛♛ ⇔ 回 ⒣ (10A) - pers. suppl. 9€
Location : (Prix 2018) (de déb. avr. à fin sept.) - 48 ⊡ - 12 🏠. Sem. 179 à 820€

🚐 borne artisanale 5€
Emplacements bien ombragés et locatif de bon confort.

Nature : 🐾 ♨♨
Loisirs : ♈ ✕ 🔄 🚣 🏊
Services : ⊶🕾🛁🚿♿ 🛜 laverie 🛒 réfrigérateurs
À prox. : 🏊

G P S E : 1.63221
N : 44.80549

⛰ Le Roc

🕾 05 65 33 68 50, www.camping-leroc.com

Pour s'y rendre : à Pech-Alis (3 km au nord-est par D 673, rte d'Alvignac, à 200 m de la gare)

Ouverture : de déb. avr. à déb. nov.

2 ha/0,5 (49 empl.) plat, herbeux, pierreux

Empl. camping : 18€ ♛♛ ⇔ 回 ⒣ (20A) - pers. suppl. 6€ - frais de réservation 10€
Location : (de fin mars à déb. nov.) - 4 ⊡ - 8 🏠. Sem. 190 à 700€ - frais de réservation 14€

🚐 borne artisanale - 4 回 14€
Préférer les emplacements les plus éloignés de la route.

Nature : 🔄 ♨♨
Loisirs : ✕ 🚣 🏊
Services : ⊶🕾 🛁🚿♿ 🛜 🔲 🛒
À prox. : 🏊

G P S E : 1.65379
N : 44.81947

⚠ Le Paradis du Campeur

🕾 05 65 33 63 28, www.leparadisducampeur.com

Pour s'y rendre : à l'Hospitalet (au bourg)

Ouverture : de déb. avr. à fin sept.

1,7 ha (100 empl.) peu incliné, herbeux, pierreux

Empl. camping : (Prix 2018) 22€ ♛♛ ⇔ 回 ⒣ (10A) - pers. suppl. 6€

🚐 borne artisanale 5€
Préférer les emplacements les plus éloignés de la route.

Nature : ♨♨
Loisirs : 🏊
Services : ⊶🕾 ♿ laverie
À prox. : 🏊 ♈ ✕

G P S E : 1.62763
N : 44.80442

Benutzen Sie
– zur Wahl der Fahrtroute
– zur Berechnung der Entfernungen
– zur exakten Lokalisierung eines Campingplatzes (mit Hilfe der Angaben im Ortstext) die für diesen Führer unentbehrlichen
MICHELIN-Karten.

RODEZ

12000 - Carte Michelin **338** H4 - 24 358 h. - alt. 635
▶ Paris 623 - Albi 76 - Alès 187 - Aurillac 87

⛰ Village Vacances Domaine de Combelles ♙♙

(pas d'emplacement tentes et caravanes)

🕾 04 73 34 70 94, www.revea-vacances.fr/fr/campagne/nos-destinations-campagne/sud-ouest/rodez.html

Pour s'y rendre : au Monastère, au domaine de Combelles (2 km au sud-est par D 12, rte de Ste-Radegonde, D 62, rte de Flavin à dr. et chemin à gauche)

120 ha/20 campables vallonné

Location : (de mi-mars à mi-nov.) - ♿ (2 chalets) - 8 ⊡ - 57 🏠. Nuitée 55 à 150€ - Sem. 200 à 850€ - frais de réservation 25€

Nombreuses activités pour petits et grands autour d'un important centre équestre.

Nature : 🐾 ⛰ ♨♨
Loisirs : ♈ 🔄 🎮 salle d'animations 🏇 🚣 🚴 ⛳ 🏊
Services : ⇔ 🅿 🛁🚿 laverie 🛒

G P S E : 2.59147
N : 44.33086

⚠ Municipal de Layoule

🕾 05 65 67 09 52, www.ville-rodez.com

Pour s'y rendre : r. de la Chapelle (au nord-est de la ville)

2 ha (79 empl.) en terrasses, plat, herbeux

🚐 20 回

Agréable cadre verdoyant et ombragé près de l'Aveyron.

Nature : ⛰ 🔄 ♨♨
Loisirs : 🔄 🚣
Services : ⊶🕾 🛁🚿 回
À prox. : 🥾 sentiers pédestres

G P S E : 2.58532
N : 44.35367

⛰⛰⛰ ... ⚠
Terrains particulièrement agréables dans leur ensemble et dans leur catégorie.

LA ROMIEU

32480 - Carte Michelin **336** E6 - 551 h. - alt. 188
▶ Paris 694 - Agen 32 - Auch 48 - Condom 12

⛰⛰⛰ Les Castels Le Camp de Florence ♙♙

🕾 05 62 28 15 58, www.lecampdeflorence.com

Pour s'y rendre : rte Astaffort (sortie est du bourg par D 41)

Ouverture : de déb. mai à fin sept.

10 ha/4 campables (197 empl.) en terrasses, plat, herbeux

Empl. camping : (Prix 2018) 38€ ♛♛ ⇔ 回 ⒣ (10A) - pers. suppl. 8€
Location : (Prix 2018) (de déb. mai à fin sept.) - ♿ (1 chalet) - 26 ⊡ - 10 ⛺ - 6 tentes lodges. Nuitée 50 à 172€ - Sem. 350 à 1 204€

🚐 borne artisanale 5€ - 20 回 20€
Cadre vallonné et verdoyant au milieu des champs de blé, tournesols ou maïs suivant les années.

Nature : 🐾 ⛰ 🔄 ♨♨
Loisirs : ♈ ✕ 🔄 🎮 🏇 🎣 🚣 🚴 ⛳ 🏊 mini ferme
Services : ⊶🕾 🛁🚿♿ 🛜 laverie 🛒

G P S E : 0.50155
N : 43.98303

ROQUELAURE

32810 - Carte Michelin **336** F7 - 558 h. - alt. 206
▶ Paris 711 - Agen 67 - Auch 10 - Condom 39

🏕 Yelloh! Village Le Talouch 👥

📞 05 62 65 52 43, www.camping-talouch.com

Pour s'y rendre : lieu-dit : au Cassou (3,5 km au nord par D 272, rte de Mérens puis à gauche D 148, rte d'Auch)

Ouverture : de mi-avr. à mi-sept.

9 ha/5 campables (147 empl.) terrasse, plat, herbeux

Empl. camping : 41€ ✦✦ 🚐 🗐 🛈 (6A) - pers. suppl. 8€

Location : (de mi-avr. à mi-sept.) - 21 🚐 - 37 🏠. Nuitée 35 à 179€ - Sem. 245 à 1 253€

🚐 borne artisanale 9€

Nature : 🦆 🗔 ♨♨
Loisirs : 🍹 ✕ 🛋 🎮 🏊 ⛵ hammam jacuzzi
Services : 🔥 🛆 ☎ laverie 🔻 🛒

| | E : 0.56437 |
| G P S | N : 43.71284 |

Use this year's Guide.

ST-AMANS-DES-COTS

12460 - Carte Michelin **338** H2 - 775 h. - alt. 735
▶ Paris 585 - Aurillac 54 - Entraygues-sur-Truyère 16 - Espalion 31

🏕 Tohapi Les Tours 👥

📞 05 65 44 88 10, www.tohapi.fr - alt. 600

Pour s'y rendre : lieu-dit : Les Tours (6 km au sud-est par D 97 et D 599 à gauche, au bord du lac de la Selves)

Ouverture : de mi-avr. à déb. sept.

15 ha (290 empl.) fort dénivelé, en terrasses, plat, herbeux

Empl. camping : 39€ ✦✦ 🚐 🗐 🛈 (10A) - pers. suppl. 7€ - frais de réservation 25€

Location : Permanent - 170 🚐 - 55 tentes lodges. Nuitée 20 à 194€ - Sem. 140 à 1 358€ - frais de réservation 25€

🚐 borne artisanale - 🛒 🛈 34€

Agréable terrain dominant le lac.

Nature : 🦆 🔺 🗔 ♨♨ ⛰
Loisirs : 🍹 ✕ 🛋 🎮 🏊 ⛵ 🚣 🛶 base nautique
Services : 🔥 🛆 🛒 🚿 ☎ laverie 🔻 🛒

| | E : 2.68056 |
| G P S | N : 44.66803 |

🏕 La Romiguière

📞 05 65 44 44 64, www.laromiguiere.fr - alt. 600

Pour s'y rendre : au lac de la Selves (8,5 km au sud-est par D 97 et D 599 à gauche, au bord du lac de la Selves)

Ouverture : de mi-avr. à fin sept.

2 ha (62 empl.) terrasse, plat, herbeux

Empl. camping : 31€ ✦✦ 🚐 🗐 🛈 (10A) - pers. suppl. 6€

Location : (de mi-avr. à fin sept.) - 20 🚐 - 6 bungalows toilés. Nuitée 20 à 99€ - Sem. 140 à 693€ - frais de réservation 16€

🚐 borne artisanale 2€

Au calme en bordure d'un lac.

Nature : 🦆 🔺 🗔 ♨♨ ⛰
Loisirs : 🍹 ✕ 🏊 🚣 🛶 pédalos plongée
Services : 🔥 🛆 🚿 ☎ laverie 🛒
À prox. : ⚓ ski nautique

| | E : 2.70639 |
| G P S | N : 44.65528 |

ST-ANTONIN-NOBLE-VAL

82140 - Carte Michelin **337** G7 - 1 829 h. - alt. 125
▶ Paris 624 - Cahors 55 - Caussade 18 - Caylus 11

🏕 Les Trois Cantons 👥

📞 05 63 31 98 57, www.3cantons.fr

Pour s'y rendre : 7,7 km au nord-ouest par D 19, rte de Caylus et chemin à gauche, apr. le petit pont sur la Bonnette, entre le lieu-dit Tarau et la D 926, entre Septfonds (6 km) et Caylus (9 km)

Ouverture : de déb. mai à fin sept.

15 ha/4 campables (99 empl.) plat et peu incliné, herbeux, pierreux

Empl. camping : (Prix 2018) 30€ ✦✦ 🚐 🗐 🛈 (6A) - pers. suppl. 7€

Location : (Prix 2018) (de déb. mai à fin sept.) - 15 🚐 - 2 🏠 - 4 tentes sur pilotis. Sem. 364 à 980€

Cadre naturel très agréable en sous-bois.

Nature : 🦆 🗔 ♨♨♨
Loisirs : 🍹 ✕ 🛋 🏊 🚴 ⛵ 🏊 mur d'escalade
Services : 🔥 🛆 🛒 ☎ 🖥 🛒 réfrigérateurs

| | E : 1.69612 |
| G P S | N : 44.1933 |

🏕 Flower Les Gorges de l'Aveyron 👥

📞 05 63 30 69 76, www.camping-gorges-aveyron.com

Pour s'y rendre : à Marsac-Bas

Ouverture : de déb. avr. à fin sept.

3,8 ha (80 empl.) plat, herbeux

Empl. camping : 18€ ✦✦ 🚐 🗐 🛈 (10A) - pers. suppl. 6€ - frais de réservation 5€

Location : (de déb. avr. à fin sept.) - 23 🚐 - 11 tentes lodges - 2 tentes sur pilotis - 1 gîte. Sem. 250 à 1 050€ - frais de réservation 15€

🚐 12 🗐 16€

De beaux emplacements bien ombragés au bord de l'Aveyron pour certains et du locatif varié.

Nature : 🦆 ♨♨
Loisirs : 🍹 🛋 🏊 🚴 🏊 🚣
Services : 🔥 🛆 ☎ laverie 🔻 🛒
À prox. : 🚣

| | E : 1.77256 |
| G P S | N : 44.15211 |

*To visit a town or region : use the **MICHELIN Green Guides**.*

ST-CIRGUE

81340 - Carte Michelin **338** G7 - 209 h. - alt. 422
▶ Paris 699 - Albi 27 - Rodez 67 - Toulouse 103

🏕 Village Vacances Domaine Vallée du Tarn

(pas d'emplacement tentes et caravanes)

📞 06 22 74 86 87, www.vdtarn.fr

Pour s'y rendre : lieu-dit : Roxis (1.7 km au sud par la D 94)

Ouverture : Permanent

fort dénivelé, en terrasses

Location : ♿ (1 chalet) - 2 🚐 - 30 🏠. Nuitée 55 à 95€ - Sem. 190 à 690€

🚐 borne artisanale 14€ - 2 🗐 14€

Village de chalets dominant la vallée.

Nature : 🦆 🔺 sur la vallée boisée 🌿
Loisirs : ✕ salle d'animations 🚴 🏊 🚣 mini ferme terrain multisports
Services : 🔥 🚿 ☎ laverie

| | E : 2.37012 |
| G P S | N : 43.95209 |

ST-CIRQ-LAPOPIE

46330 - Carte Michelin **337** G5 - 217 h. - alt. 320
▶ Paris 574 - Cahors 26 - Figeac 44 - Villefranche-de-Rouergue 37

⚲ La Truffière 👥👥

🔗 05 65 30 20 22, www.camping-truffiere.com

Pour s'y rendre : lieu-dit : Pradines (3 km au sud par D 42, rte de Concots)

Ouverture : de déb. avr. à fin sept.

6 ha (96 empl.) en terrasses, plat, herbeux, pierreux, sous-bois

Empl. camping : 24€ 👫 🚐 🔲 🔋 (6A) - pers. suppl. 7€

Location : (de déb. avr. à fin sept.) - 13 🏠. Nuitée 70 à 115€ - Sem. 290 à 810€ - frais de réservation 12€

� borne artisanale 5€ - 10 🔲 6€

Joli petit village de chalets en sous-bois et quelques emplacements avec vue panoramique sur le Causse.

Nature : 🌊 ⩽ 🟢🟢		**G** **E : 1.6746**
Loisirs : 🍴 ✕ 🏠 🏃 🛶 🎣		**P** **N : 44.44842**
Services : ⚬🔦 🎱 🛋 🛁 📶 laverie 🧺		**S**

⚲ La Plage 👥👥

🔗 05 65 30 29 51, www.campingplage.com

Pour s'y rendre : à Porte-Roques (1,4 km au nord-est par D 8, rte de Tour-de-Faure, à gauche av. le pont)

Ouverture : de mi-avr. à fin sept.

3 ha (120 empl.) plat, herbeux, pierreux

Empl. camping : 29€ 👫 🚐 🔲 🔋 (10A) - pers. suppl. 7€

Location : (de mi-avr. à fin sept.) - 🚲 (1 mobile home) - 10 🚐 - 12 🏠 - 1 bungalow toilé - 5 tentes lodges. Nuitée 41 à 120€ - Sem. 287 à 812€

� borne artisanale

Bordé par le Lot, au pied d'un des plus beaux villages de France.

Nature : 🌊 🗔 🟢🟢		**G** **E : 1.6812**
Loisirs : 🍴 ✕ 🏃 🛶 🏊 (plage) 🎣 🐎		**P** **N : 44.46914**
Services : ⚬🔦 🎱 🛁 🛋 🚽 📶 laverie 🧺		**S**

Utilisez le guide de l'année.

ST-GENIEZ-D'OLT

12130 - Carte Michelin **338** J4 - 2 068 h. - alt. 410
▶ Paris 612 - Espalion 28 - Florac 80 - Mende 68

⚲ Tohapi La Boissière 👥👥

🔗 04 30 63 38 60, www.tohapi.fr

Pour s'y rendre : rte de la Cascade (1,2 km au nord-est par D 988, rte de St-Laurent-d'Olt et rte de Pomayrols à gauche, au bord du Lot)

Ouverture : de mi-mai à mi-sept.

5 ha (220 empl.) en terrasses, plat, herbeux

Empl. camping : 27€ 👫 🚐 🔲 🔋 (10A) - pers. suppl. 7€ - frais de réservation 10€

Location : (de mi-mai à mi-sept.) - 🚲 (1 mobile home) - 63 🚐 - 19 🏠 - 19 tentes lodges. Sem. 154 à 920€ - frais de réservation 25€

� borne AireService - 5 🔲

Agréable cadre boisé au bord du Lot.

Nature : 🌊 🗔 🟢🟢		**G** **E : 2.98366**
Loisirs : 🍴 🏠 🎱 🏃 🛶 🚲 🎣 🏊 🐎		**P** **N : 44.47011**
Services : ⚬🔦 🛁 📶 laverie réfrigérateurs		**S**
À prox. : 🛵 🐎		

⚲ Résidence Le Colombier - L'Aveyronnais du Nord

(pas d'emplacement tentes et caravanes)

🔗 05 65 71 52 88, location-chalet-aveyron.over-blog.com

Pour s'y rendre : r. Rivié (1 km au nord-est par D 988, rte de St-Laurent-d'Olt et rte de Pomayrols à gauche, près du Lot)

Ouverture :

3 ha plat

Location : (Prix 2018) Permanent - 42 gîtes. Sem. 250 à 610€

Nature : 🌊		**G** **E : 2.97809**
Loisirs : 🏃 🚲 🎣		**P** **N : 44.46893**
Services : ⚬🔦 🛋 📶 🛁		**S**
À prox. : 🐎		

⚲ Marmotel 👥👥

🔗 05 65 70 46 51, www.marmotel.com

Pour s'y rendre : 18 pl. du Gén.-de-Gaulle

Ouverture : de mi-avr. à mi-sept.

4 ha (173 empl.) plat, herbeux

Empl. camping : 32€ 👫 🚐 🔲 🔋 (10A) - pers. suppl. 7€

Location : (Prix 2018) (de mi-avr. à mi-sept.) - 59 🚐 - 30 🏠. Nuitée 40 à 143€ - Sem. 129 à 999€ - frais de réservation 15€

Nature : 🌊 🗔 🟢🟢		**G** **E : 2.9644**
Loisirs : 🍴 ✕ 🎱 salle d'animations 🏃 🛶 🎣 🏊 🐎 terrain multisports		**P** **N : 44.462**
Services : ⚬🔦 🛁 – 42 sanitaires individuels (🚿🛁🚽 wc) 🛋 🚽 📶 laverie 🧺		**S**
À prox. : 🛒		

ST-GIRONS

09200 - Carte Michelin **343** E7 - 6 608 h. - alt. 398
▶ Paris 774 - Auch 123 - Foix 45 - St-Gaudens 43

⚲ Audinac Les Bains 👥👥

🔗 05 61 66 44 50, www.camping-audinaclesbains.com

Pour s'y rendre : à Audinac-les-Bains, au plan d'eau (4,5 km au nord-est par D 117, rte de Foix et D 627, rte de Ste-Croix-Volvestre)

Ouverture : de déb. avr. à mi-oct.

15 ha/6 campables (115 empl.) en terrasses, herbeux, plat et peu incliné, petit étang

Empl. camping : (Prix 2018) 23€ 👫 🚐 🔲 🔋 (16A) - pers. suppl. 6€

Location : (Prix 2018) (de déb. avr. à mi-oct.) - 🚲 (1 mobile home) - 34 🚐 - 12 🏠 - 19 bungalows toilés. Nuitée 40 à 120€ - Sem. 149 à 739€ - frais de réservation 12€

� borne AireService 3€

Vaste domaine avec trois petites sources, un étang et une piscine devant un ancien bâtiment des thermes du 19e s.

Nature : 🌊 🟢🟢		**G** **E : 1.18407**
Loisirs : 🍴 ✕ 🏠 🏃 🍴 🛶 🎱 🏊 🐎 terrain multisports		**P** **N : 43.00705**
Services : ⚬🔦 🛋 🛁 📶 laverie 🧺 réfrigérateurs		**S**

*La catégorie (1 à 5 tentes, **noires** ou **rouges**) que nous attribuons aux terrains sélectionnés dans ce guide est une appréciation qui nous est propre. Elle ne doit pas être confondue avec le classement (1 à 5 étoiles) établi par les services officiels.*

ST-JEAN-DU-BRUEL

12230 - Carte Michelin **338** M6 - 695 h. - alt. 520
▶ Paris 687 - Toulouse 295 - Rodez 128 - Millau 41

⚠️ La Dourbie

✆ 05 65 46 06 40, www.camping-la-dourbie.com

Pour s'y rendre : rte de Nant

Ouverture : de fin avr. à fin sept.

2,5 ha (78 empl.) plat, herbeux

Empl. camping : 25 € ✖✖ �car 🔲 🔌 (10A) - pers. suppl. 5 €
Location : (de fin avr. à fin sept.) - 19 🚐 - 2 🏠. Nuitée 40 à 75 € - Sem. 150 à 720 € - frais de réservation 12 €
🚐 borne artisanale 5 €

Magnifique vue sur les massifs boisés.

Nature : 🖵 💧	**G** E : 3.3466
Loisirs : 🍴✖ 🛶 🏊 🎿	**P** N : 44.02004
Services : 🔑 🗄 🚿 🖐 📶 📷 🗂	**S**

ST-PANTALÉON

46800 - Carte Michelin **337** D5 - 239 h. - alt. 269
▶ Paris 597 - Cahors 22 - Castelnau-Montratier 18 - Montaigu-de-Quercy 28

⚠️ Les Arcades

✆ 05 65 22 92 27, www.des-arcades.com

Pour s'y rendre : lieu-dit : Le Moulin de St-Martial (4,5 km à l'est sur D 653, rte de Cahors, au bord de la Barguelonnette)

Ouverture : de mi-avr. à mi-sept.

12 ha/2,6 campables (80 empl.) non clos, plat, herbeux, pierreux, petit étang

Empl. camping : 32 € ✖✖ 🚗 🔲 🔌 (6A) - pers. suppl. 7 € - frais de réservation 17 €
Location : (de mi-avr. à mi-sept.) - 16 🚐 - 2 tentes lodges. Nuitée 45 à 160 € - Sem. 290 à 1 500 € - frais de réservation 17 €

Salle de réunion et petit pub dans un moulin restauré. Préférer les emplacements les plus éloignés de la route.

Nature : 🖵 💧💧	**G** E : 1.30667
Loisirs : 🍴✖ 🚗 🏊 🛶 🎿	**P** N : 44.36918
Services : 🔑 🚿 📶 📷 🗂	**S**

Campeurs... N'oubliez pas que le feu est le plus terrible ennemi de la forêt. Soyez prudents !

ST-PIERRE-DE-TRIVISY

81330 - Carte Michelin **338** G8 - 634 h. - alt. 650
▶ Paris 717 - Albi 39 - Rodez 109 - Toulouse 114

⚠️ Municipal La Forêt

✆ 05 63 50 48 69, www.saint-pierre-de-trivisy.net/camping

Pour s'y rendre : 14 pl. du 19 mars 1962 (au bourg)

Ouverture : de déb. mai à fin sept.

3 ha (69 empl.) en terrasses, plat, herbeux

Empl. camping : (Prix 2018) 21 € ✖ ✖✖ 🚗 🔲 🔌 (10A) - pers. suppl. 5 € - frais de réservation 5 €

Location : (Prix 2018) Permanent♿ (1 chalet) - 14 🏠 - 10 bungalows toilés - 30 tentes lodges. Nuitée 27 à 136 € - Sem. 190 à 950 € - frais de réservation 11 €

Tout près du bourg emplacements ombragés, locatifs de qualité avec balnéo gratuite pour les chalets.

Nature : 🌊 🖵 💧💧	**G** E : 2.43654
Loisirs : ✖ 🚗 🎣 centre balnéo 🆂 hammam jacuzzi 🛶 🎿 🏊	**P** N : 43.76126
Services : 🔑 📶 laverie	**S**
À prox. : 🚴 🍴 🛶 parcours dans les arbres	

ST-PIERRE-LAFEUILLE

46090 - Carte Michelin **337** E4 - 352 h. - alt. 350
▶ Paris 566 - Cahors 10 - Catus 14 - Labastide-Murat 23

⚠️ Quercy-Vacances

✆ 05 65 36 87 15, www.quercy-vacances.com

Pour s'y rendre : lieu-dit : Mas de la Combe (1,5 km au nord-est par N 20, rte de Brive et chemin à gauche)

Ouverture : de déb. avr. à fin sept.

3 ha (80 empl.) peu incliné, plat, herbeux

Empl. camping : 20 € ✖✖ 🚗 🔲 🔌 (10A) - pers. suppl. 5 €
Location : Permanent - 20 🚐 - 6 🏠 - 2 chalets sur pilotis - 3 bungalows toilés. Nuitée 40 à 60 € - Sem. 240 à 690 €

Locatif varié et de bon confort pour certains.

Nature : 🌊 💧💧	**G** E : 1.45925
Loisirs : 🍴✖ 🚐 🆂 jacuzzi 🎿 🛶 terrain multisports	**P** N : 44.53165
Services : 🔑 🚿 📶 📷 🗂	**S**

Dans notre guide, les indications d'accès à un terrain sont généralement indiquées à partir du centre de la localité.

ST-ROME-DE-TARN

12490 - Carte Michelin **338** J6 - 853 h. - alt. 360
▶ Paris 655 - Millau 18 - Pont-de-Salars 42 - Rodez 66

⚠️ La Cascade

✆ 05 65 62 56 59, www.camping-cascade-aveyron.com - accès aux emplacements par forte pente, mise en place et sortie des caravanes à la demande

Pour s'y rendre : rte du Pont (300 m au nord par D 993, rte de Rodez, au bord du Tarn)

Ouverture : Permanent

4 ha (99 empl.) en terrasses, plat, herbeux

Empl. camping : (Prix 2018) 36 € ✖✖ 🚗 🔲 🔌 (6A) - pers. suppl. 8 € - frais de réservation 19 €
Location : (Prix 2018) Permanent - 28 🚐 - 14 🏠 - 9 bungalows toilés. Nuitée 62 à 137 € - Sem. 250 à 980 € - frais de réservation 19 €
🚐 borne flot bleu 6 €

Terrasses à flanc de colline dominant le Tarn.

Nature : 🌊 ⛰️ 💧💧 ⚓	**G** E : 2.89947
Loisirs : ✖ 🚐 🎣 🛶 🚴 🎿 🏊 🛶 terrain multisports	**P** N : 44.05336
Services : 🔑 🚿 🖐 📶 laverie 🗂	**S**
À prox. : 🛶 pédalos	

ST-SALVADOU

12200 - Carte Michelin **338** E5 - 410 h. - alt. 450
▶ Paris 619 - Toulouse 120 - Rodez 54 - Albi 63

⚠ Le Muret

🖉 05 65 81 80 69, www.campinglemuret.fr

Pour s'y rendre : 3 km au sud-est, au bord d'un plan d'eau

Ouverture : de fin mai à fin août

3 ha (44 empl.) plat, herbeux

Empl. camping : 27 € ♣♣ ⬅ 🗉 🗊 (16A) - pers. suppl. 5 €
Location : (de mi-mai à fin août) - 4 🖼 - 5 ➡ - 4 tentes lodges
- 1 gîte. Nuitée 60 à 95 € - Sem. 390 à 630 €

Sur le domaine du Muret, avec son corps de ferme datant du 18e s.

Nature : 🐾 ⬅ 🗔 🎋🎋		
Loisirs : 🍴 ✗ 🖼 🛶 🚲🏊🚣 🎣 terrain multisports	**G**	E : 2.11563
Services : 🔐🍴 ♨ 📶 🖼 🧺	**P**	N : 44.26712
À prox. : 🧺 🐎 🎯	**S**	

STE-MARIE-DE-CAMPAN

65710 - Carte Michelin **342** N5
▶ Paris 841 - Arreau 26 - Bagnères-de-Bigorre 13 - Luz-St-Sauveur 37

⚠ L'Orée des Monts

🖉 05 62 91 83 98, www.camping-oree-des-monts.com - alt. 950

Pour s'y rendre : lieu-dit : La Séoube (3 km au sud-est par D 918, rte du col d'Aspin, au bord de l'Adour de Payolle)

Ouverture : Permanent

1,8 ha (99 empl.) peu incliné, plat, herbeux

Empl. camping : (Prix 2018) 17 € ♣♣ ⬅ 🗉 🗊 (6A) - pers. suppl. 5 €
- frais de réservation 10 €
Location : (Prix 2018) Permanent - 8 🖼. Sem. 175 à 635 € - frais de réservation 10 €

🚐 borne artisanale
Terrain de montagne au bord du ruisseau.

Nature : ⬅ 🎋		
Loisirs : 🍴 ✗ 🖼 🛶 🎣 🎣	**G**	E : 0.24522
Services : 🔐🍴 📶 ♨ 📶 🖼 🧺	**P**	N : 42.96664
	S	

Ce guide n'est pas un répertoire de tous les terrains de camping mais une sélection des meilleurs campings dans chaque catégorie.

SALLES-CURAN

12410 - Carte Michelin **338** I5 - 1 067 h. - alt. 887
▶ Paris 650 - Albi 77 - Millau 39 - Rodez 40

⚠ "C'est si bon" Les Genêts 👥

🖉 05 65 46 35 34, www.camping-les-genets.fr - alt. 1 000

Pour s'y rendre : au lac de Pareloup (5 km au nord-ouest par D 993 puis à gauche par D 577, rte d'Arvieu et 2 km par chemin à dr.)

Ouverture : de fin mai à mi-sept.

3 ha (163 empl.) en terrasses, plat, herbeux

Empl. camping : 39 € ♣♣ ⬅ 🗉 🗊 (10A) - pers. suppl. 9 € - frais de réservation 30 €

Location : (de mi-mai à mi-sept.) - 50 🖼 - 11 🏠 - 2 bungalows toilés. Nuitée 38 à 155 € - Sem. 252 à 1 085 € - frais de réservation 30 €

Au bord du lac de Pareloup.

Nature : 🐾 ⬅ 🗔 🎋 ⛰		
Loisirs : 🍴 ✗ 🎪 salle d'animations 🎋🎋 ⛸ jacuzzi 🛶🚲🏊 🎣 🎣	**G**	E : 2.76776
Services : 🔐🍴 ♨ 📶 📶 🖼 laverie 🧺	**P** **S**	N : 44.18963

🏔 Sites et Paysages Beau Rivage

Camping Beau Rivage

🖉 05 65 46 33 32, www.beau-rivage.fr
- alt. 800

Pour s'y rendre : rte des Vernhes, lac de Pareloup (3,5 km au nord par D 993, rte de Pont-de-Salars et D 243 à gauche)

Ouverture : de déb. mai à fin sept.

2 ha (80 empl.) en terrasses, plat, herbeux

Empl. camping : 36 € ♣♣ ⬅ 🗉 🗊 (10A) - pers. suppl. 7 € - frais de réservation 20 €
Location : (de déb. mai à fin sept.) - 16 🖼 - 6 🏠 - 2 bungalows toilés - 2 tentes lodges. Nuitée 40 à 162 € - Sem. 162 à 996 €
🚐 borne artisanale - 🔋 🗊 14 €

Situation agréable au bord du lac de Pareloup.

Nature : ⬅ 🗔 🎋 ⛰		
Loisirs : 🍴 ✗ 🖼 🛶 🚲 🎣 🎣	**G**	E : 2.77585
Services : 🔐🍴 ♨ 📶 laverie 🧺	**P**	N : 44.20081
À prox. : 🚣 🏊 parcours dans les arbres	**S**	

⚠ Parc du Charrouzech

🖉 06 83 95 04 42, www.parcducharouzech.fr

Pour s'y rendre : 5 km au nord-ouest par D 993 puis à gauche par D 577, rte d'Arvieu et 3,4 km par chemin à dr., près du lac de Pareloup (accès direct)

Ouverture : de mi-juin à mi-sept.

3 ha (104 empl.) en terrasses, peu incliné, plat, herbeux

Empl. camping : 30 € ♣♣ ⬅ 🗉 🗊 (6A) - pers. suppl. 7 € - frais de réservation 30 €
Location : (de mi-mai à mi-sept.) - 30 🖼 - 34 bungalows toilés - 4 cabanons. Sem. 320 à 900 € - frais de réservation 30 €

Situation dominante sur le lac.

Nature : 🐾 ⬅ 🗔 🎋🎋		
Loisirs : 🖼 🎋🎋 🛶 🗔 🏊 🎣 🚣	**G**	E : 2.75659
Services : 🔐🍴 ♨ 📶 📶 laverie	**P** **S**	N : 44.1968

SALLES-ET-PRATVIEL

31110 - Carte Michelin **343** B8 - 136 h. - alt. 625
▶ Paris 814 - Toulouse 141 - Tarbes 86 - Lourdes 105

⚠ Le Pyrénéen

🖉 05 61 79 59 19, www.campinglepyreneen-luchon.com

Pour s'y rendre : lieu dit : Les Sept Molles (600 m au sud par D 27 et chemin, au bord de la Pique)

Ouverture : de déb. déc. à mi-oct.

1,1 ha (75 empl.) plat, herbeux

Empl. camping : 15 € ♣♣ ⬅ 🗉 🗊 (10A) - pers. suppl. 5 € - frais de réservation 15 €

Location : (de déb. déc. à mi-oct.) - ♿ (1 mobile home) - 28 ⌼.
Nuitée 50 à 110€ - Sem. 275 à 745€ - frais de réservation 15€
Navette gratuite pour les thermes de Bagnères-de-Luchon.

Nature : ❄ ⟋ ⟷ ♀♀
Loisirs : ♟ ✗ ⌂ ⚡ ⟍
Services : ⚷ ▥ ♨ ⌔ laverie
À prox. : 🐎

G P S E : 0.60637
N : 42.8224

SASSIS

65120 - Carte Michelin **342** L5 - 92 h. - alt. 700
▶ Paris 879 - Toulouse 206 - Tarbes 53 - Pau 72

⛺ Le Hounta

✆ 05 62 92 95 90, www.campinglehounta.com

Pour s'y rendre : 600 m au sud par D 12

Ouverture : Permanent

2 ha (125 empl.) peu incliné, plat, herbeux

Empl. camping : (Prix 2018) 21€ ✶✶ ⟷ 🅴 ⚡ (10A) - pers. suppl. 4€
- frais de réservation 5€
Location : (Prix 2018) Permanent - 17 ⌼ - 1 ⌂. Nuitée 45 à 110€
- Sem. 224 à 714€ - frais de réservation 8€
Préférer les emplacements près du petit canal, plus éloignés de la route.

Nature : ❄ ⟋ ⟷ ♀
Loisirs : ⚡⟍
Services : ⚷ ▥ ⌔ ♨ laverie
À prox. : ⟍

G P S W : 0.01491
N : 42.87252

---

*Pour choisir et suivre un itinéraire,
pour calculer un kilométrage,
pour situer exactement un terrain (en fonction des
indications fournies dans le texte) :
utilisez les **cartes MICHELIN**,
compléments indispensables de cet ouvrage.*

SEISSAN

32260 - Carte Michelin **336** F9 - 1 084 h. - alt. 182
▶ Paris 735 - Auch 19 - Tarbes 65 - Toulouse 84

⛰ Domaine Lacs de Gascogne

✆ 05 62 66 27 94, www.domainelacsdegascogne.eu - alt. 160

Pour s'y rendre : r. du Lac

Ouverture : de fin avr. à fin sept.

14 ha (80 empl.) vallonné, peu incliné, plat, herbeux, étangs

Empl. camping : 37€ ✶✶ ⟷ 🅴 ⚡ (16A) - pers. suppl. 7€
Location : (de fin avr. à fin sept.) - 21 ⌼ - 1 ⌂ - 5 ⍽ - 8 tentes
lodges. Nuitée 48 à 163€ - Sem. 336 à 1 141€
⌼ borne artisanale
*Emplacements en sous-bois avec vue sur le petit plan d'eau
ou les étangs.*

Nature : ⟋ ♀♀♀
Loisirs : ♟ ✗ ⌂ ⚡⟍ ⚲ ⟍ ⟍ ⟋
Services : ⚷ ⌔ ♨ laverie ⟍

G P S E : 0.57972
N : 43.49389

SÉNERGUES

12320 - Carte Michelin **338** G3 - 481 h. - alt. 525
▶ Paris 630 - Toulouse 197 - Rodez 50 - Aurillac 62

⛺ L'Étang du Camp

✆ 05 65 46 01 95, www.etangducamp.fr

Pour s'y rendre : lieu-dit : Le Camp (6 km au sud-ouest par D 242,
rte de St-Cyprien-sur-Dourdou, au bord d'un étang)

Ouverture : de déb. avr. à fin sept.

5 ha (40 empl.) plat et peu incliné, herbeux

Empl. camping : 23€ ✶✶ ⟷ 🅴 ⚡ (6A) - pers. suppl. 5€
Location : (de déb. avr. à fin sept.) - 2 ⌼ - 3 tipis. Nuitée 38 à 62€
- Sem. 260 à 490€
Jolie décoration florale et arbustive.

Nature : ⟋ ⟷ ♀♀
Loisirs : ♟ ✗ ⌂ ⚲ ⟍
Services : ⚷ ⌔ ♨ 🖥

G P S E : 2.46391
N : 44.55837

SÉNIERGUES

46240 - Carte Michelin **337** F3 - 136 h. - alt. 390
▶ Paris 540 - Cahors 45 - Figeac 46 - Fumel 69

⛰ Le Domaine de la Faurie

✆ 05 65 21 14 36, www.camping-lafaurie.com

Pour s'y rendre : lieu-dit : La Faurie (6 km au sud par D 10, rte de
Montfaucon puis D 2, rte de St-Germain-du-Bel-Air et chemin à dr. - A
20 sortie 56)

Ouverture : de mi-avr. à fin sept.

27 ha/5 campables (84 empl.) peu incliné, plat, herbeux, pierreux

Empl. camping : 37€ ✶✶ ⟷ 🅴 ⚡ (10A) - pers. suppl. 7€ - frais de
réservation 10€
Location : (Prix 2018) (de mi-avr. à fin sept.) - 🅿 - 13 ⌼ - 17 ⌂
- 5 bungalows toilés - 8 tentes lodges. Nuitée 51 à 139€ - Sem.
196 à 973€ - frais de réservation 10€
⌼ borne artisanale 17€
*Sur un domaine boisé de 27 ha avec une situation dominant la
vallée. Boutique de produits locaux.*

Nature : ⟋ ⟷ ♀♀
Loisirs : ♟ ✗ ⌂ ⚡⟍ ⌔ ⚲ ⟍
Services : ⚷ ⌔ ⟍ ♨ laverie ⟍

G P S E : 1.53444
N : 44.69175

SEPTFONDS

82240 - Carte Michelin **337** F6 - 2 154 h. - alt. 174
▶ Paris 616 - Toulouse 87 - Montauban 33 - Cahors 44

⛺ Bois Redon

✆ 05 63 64 92 49, www.campingdeboisredon.com

Pour s'y rendre : 10 chemin Redon (1.4 km au nord-ouest)

Ouverture : Permanent

8 ha/2,5 campables (40 empl.) incliné, peu incliné, herbeux, pierreux

Empl. camping : 21€ ✶✶ ⟷ 🅴 ⚡ (10A) - pers. suppl. 5€ - frais de
réservation 10€
Location : Permanent - 4 ⌂ - 4 tentes lodges. Nuitée 40 à 130€
- Sem. 260 à 750€ - frais de réservation 10€
En sous-bois avec du locatif varié et une ambiance familiale.

Nature : ⟋ ♀♀♀
Loisirs : ✗ ⌂ ⚡⟍ ⟍
Services : ⚷ ⟷ ▥ – 4 sanitaires individuels
(⌂⌔ wc) ♨ ⟍

G P S E : 1.60492
N : 44.18285

SERVIÈS

81220 - Carte Michelin **338** E9 - 621 h. - alt. 165
▶ Paris 708 - Albi 42 - Montauban 84 - Toulouse 64

⚠ St-Pierre-de-Rousieux

📞 05 63 50 04 43, camping81.com

Pour s'y rendre : lieu-dit : La Téoulière (3 km à l'est par la D 49)

Ouverture : de déb. juil. à fin août

3 ha (48 empl.) plat, herbeux

Empl. camping : (Prix 2018) 22 € ♣♣ ⚊ 🅴 ⚡ (16A) - pers. suppl. 5 €
Location : (de déb. juil. à fin août) - ⚿ - 15 ⛺ - 2 ⛺ - 1 🛏
- 2 tentes lodges. Nuitée 40 à 120 € - Sem. 400 à 800 €

Emplacements bien ombragés autour du four à pain et d'un magnifique pigeonnier qui abrite une chambre d'hôte.

Nature : 🐟 ☐ 🌳🌳
Loisirs : ✗ 🏠 salle d'animations 🏊 🎿 ⚲
Services : ⚬ ☐ ♨ ⚑ 🚿 📶 🖥 🧺

GPS E : 2.04686
N : 43.67109

SÉVÉRAC-L'ÉGLISE

12310 - Carte Michelin **338** J4 - 412 h. - alt. 630
▶ Paris 625 - Espalion 26 - Mende 84 - Millau 58

⚠⚠ Yelloh! Village La Grange de Monteillac 👥

📞 05 65 70 21 00, www.aveyron-location.com

Pour s'y rendre : chemin de Monteillac (sortie nord-est par D 28, rte de Laissac, face au cimetière)

Ouverture : de fin mai à mi-sept.

4,5 ha (104 empl.) en terrasses, plat, herbeux

Empl. camping : 43 € ♣♣ ⚊ 🅴 ⚡ (16A) - pers. suppl. 8 €
Location : (de mi-avr. à mi-sept.) - 🅿 - 16 ⛺ - 22 🏠
- 9 bungalows toilés - 4 tentes lodges. Nuitée 35 à 185 € - Sem.
245 à 1 295 €

Jolie décoration florale et arbustive.

Nature : ☐ ♀
Loisirs : 🍸 ✗ 🏠 ⛵ 🏊 🚴 ⚲ ⚲ terrain multisports
Services : ⚬ (juil.-août) ♨ ⚑ 🚿 📶 laverie ♨

GPS E : 2.85101
N : 44.36434

---

*Utilisez les **cartes MICHELIN**, complément indispensable de ce guide.*

SORÈZE

81540 - Carte Michelin **338** E10 - 2 564 h. - alt. 272
▶ Paris 732 - Castelnaudary 26 - Castres 27 - Puylaurens 19

⚠ St-Martin

📞 05 63 50 20 19, www.campingsaintmartin.com

Pour s'y rendre : r. du 19-Mars-1962, lieu-dit : Les Vigariés (au nord du bourg, accès par r. de la Mairie, au stade)

Ouverture : de déb. avr. à fin sept.

1 ha (54 empl.) peu incliné, plat, herbeux, gravier

Empl. camping : (Prix 2018) 24 € ♣♣ ⚊ 🅴 ⚡ (10A) - pers. suppl. 5 €
Location : (Prix 2018) Permanent - 3 ⛺ - 6 🏠. Nuitée 61 à 105 €
- Sem. 276 à 735 €

🚐 borne artisanale - 4 🅴 11 € - 🚐 ⚡ 11 €

Tout proche du bourg, agréable cadre verdoyant avec du locatif varié de bon confort.

Nature : 🐟 ☐ 🌳🌳
Loisirs : ✗ 🏊 ⚲
Services : ⚬ 🚿 laverie ♨
À prox. : ✗

GPS E : 2.06908
N : 43.4543

SORGEAT

09110 - Carte Michelin **343** J8 - 95 h. - alt. 1 050
▶ Paris 808 - Ax-les-Thermes 6 - Axat 50 - Belcaire 23

⚠ Municipal La Prade

📞 05 61 64 36 34, www.camping-ariege-sorgeat.fr - alt. 1 000 - peu d'emplacements pour tentes et caravanes

Pour s'y rendre : au-dessus du bourg (800 m au nord)

Ouverture : de déb. mai à fin oct.

2 ha (40 empl.) non clos, en terrasses, plat, herbeux

Empl. camping : (Prix 2018) 20 € ♣♣ ⚊ 🅴 ⚡ (10A) - pers. suppl. 3 €
Location : (Prix 2018) Permanent - 1 ⛺ - 6 gîtes. Nuitée
80 à 100 € - Sem. 280 à 500 €

Situation agréable face à la station de Bonascre-Ax-Trois-Domaines, au loin.

Nature : 🐟 ◁ la vallée d'Ax-les-Thermes ☐ 🌳🌳
Loisirs : 🏠
Services : ▥ ⚑ 🚿 📶 🖥

GPS E : 1.85378
N : 42.73322

---

*De categorie (1 tot 5 tenten, in **zwart** of **rood**) die wij aan de geselecteerde terreinen in deze gids toekennen, is onze eigen indeling. Niet te verwarren met de door officiële instanties gebruikte classificatie (1 tot 5 sterren).*

SOUILLAC

46200 - Carte Michelin **337** E2 - 3 864 h. - alt. 104
▶ Paris 516 - Brive-la-Gaillarde 39 - Cahors 68 - Figeac 74

⚠⚠ Les Castels Le Domaine de la Paille Basse 👥

📞 05 65 37 85 48, www.lapaillebasse.com

Pour s'y rendre : 6,5 km au nord-ouest par D 15, rte de Salignac-Eyvignes puis 2 km par chemin à dr.

Ouverture : de déb. avr. à mi-sept.

80 ha/12 campables (288 empl.) vallonné, en terrasses, plat, herbeux, pierreux

Empl. camping : 47 € ♣♣ ⚊ 🅴 ⚡ (16A) - pers. suppl. 10 € - frais de réservation 25 €
Location : (de déb. avr. à mi-sept.) - ♿ (1 mobile home) - 113 ⛺
- 4 tentes lodges. Nuitée 35 à 196 € - Sem. 245 à 1 369 € - frais de réservation 25 €

🚐 borne eurorelais

Vaste domaine en sous-bois vallonné autour d'un joli hameau restauré en pierre du pays.

Nature : 🐟 ☐ 🌳🌳
Loisirs : 🍸 ✗ 🏠 🎮 salle d'animations 🏊
🚴 ⚲ ⚲ discothèque mini ferme
Services : ⚬ ▥ ♨ ⚑ 🚿 📶 laverie ♨ ♨

GPS E : 1.44175
N : 44.94482

⛰ Flower les Ondines ♣♟

📞 05 65 37 86 44, www.camping-lesondines.com

Pour s'y rendre : lieu-dit : Les Ondines (1 km au sud-ouest par rte de Sarlat et chemin à gauche, près de la Dordogne)

Ouverture : de mi-mai à fin sept.

5 ha (219 empl.) plat, herbeux

Empl. camping : (Prix 2018) 30€ ♣♣ ⌕ 🔲 🗲 (6A) - pers. suppl. 3€ - frais de réservation 15€

Location : (Prix 2018) (de mi-mai à fin sept.) - ♿ (1 mobile home) - 52 🏠 - 8 chalets sur pilotis - 8 tentes sur pilotis - 22 cabanons. Sem. 210 à 950€ - frais de réservation 20€

Locatif varié, de bon confort sur des emplacements ombragés ou ensoleillés.

Nature : 🐟 ♈♈		
Loisirs : 🍷✗🎮🏕🏊‍🛶	**G**	E : 1.47604
Services : 🔌♨🛜 laverie 🧺	**P**	N : 44.89001
À prox. : 🚲🏇🎿🛥⛷🐴 parcours	**S**	
dans les arbres parc aquatique		

TARASCON-SUR-ARIÈGE

09400 - Carte Michelin **343** H7 - 3 515 h. - alt. 474
▶ Paris 777 - Ax-les-Thermes 27 - Foix 18 - Lavelanet 30

⛰ Yelloh! Village Le Pré Lombard ♣♟

Camping Le Pré Lombard

📞 05 61 05 61 94, www.prelombard.com

Pour s'y rendre : 1,5 km au sud-est par D 23, au bord de l'Ariège

Ouverture : de déb. avr. à mi-oct.

4 ha (210 empl.) plat, herbeux

Empl. camping : 39€ ♣♣ ⌕ 🔲 🗲 (10A) - pers. suppl. 9€

Location : (de déb. avr. à mi-oct.) - 68 🏠 - 11 🏠 - 22 tentes lodges. Nuitée 35 à 202€ - Sem. 245 à 1 414€

🚰 borne artisanale 3€

Terrain tout en longueur le long de l'Ariège, ombragé, avec du locatif varié et de qualité.

Nature : 🐟 ♈♈		
Loisirs : 🍷✗🎮🏕🏊‍🚲🛶🎣 terrain	**G**	E : 1.61227
multisports	**P**	N : 42.83984
Services : 🔌🏧♨🛜 laverie 🧺 point	**S**	
d'informations touristiques		
À prox. : 🛒		

TEILLET

81120 - Carte Michelin **338** G7 - 462 h. - alt. 475
▶ Paris 717 - Albi 23 - Castres 43 - Lacaune 49

⛰ Flower L'Entre Deux Lacs

📞 05 63 55 74 45, www.campingdutarn.com

Pour s'y rendre : 29 r. du Baron-de-Solignac (sortie sud par D 81, rte de Lacaune)

Ouverture : de mi-avr. à fin sept.

4 ha (65 empl.) en terrasses, plat, pierreux, herbeux

Empl. camping : 25€ ♣♣ ⌕ 🔲 🗲 (10A) - pers. suppl. 5€

Location : (de mi-avr. à déb. nov.) - 🅿 - 17 🏠 - 2 bungalows toilés. Nuitée 55 à 98€ - Sem. 196 à 735€

🚰 borne artisanale 5€

À la sortie du bourg emplacements et une partie des chalets anciens en sous-bois. Locatifs moins anciens sur une parcelle plus ensoleillée.

Nature : 🐟 🛏 ♈♈♈		
Loisirs : 🍷🏠🏊‍🛶	**G**	E : 2.34
Services : 🔌♨🛜 laverie 🧺	**P**	N : 43.83
	S	

THÉGRA

46500 - Carte Michelin **337** G3 - 492 h. - alt. 330
▶ Paris 535 - Brive-la-Gaillarde 58 - Cahors 64 - Rocamadour 15

⛰ Sites et Paysages Le Ventoulou ♣♟

📞 05 65 33 67 01, www.camping-leventoulou.com

Pour s'y rendre : 2,8 km au nord-est par D 14, rte de Loubressac et D 60, rte de Mayrinhac-Lentour à dr.

Ouverture : de déb. avr. à déb. nov.

2 ha (66 empl.) en terrasses, plat, herbeux

Empl. camping : 36€ ♣♣ ⌕ 🔲 🗲 (16A) - pers. suppl. 9€ - frais de réservation 14€

Location : (de déb. avr. à déb. nov.) - 22 🏠 - 4 🏠 - 4 tentes lodges. Nuitée 35 à 143€ - Sem. 129 à 1 001€ - frais de réservation 18€

🚰 borne artisanale 5€

Autour d'une jolie maison en pierre du pays avec du locatif de confort variable.

Nature : 🐟 ♈♈		
Loisirs : 🍷✗🎮🏕🏊‍🛶🎣 (découverte en	**G**	E : 1.77778
saison) terrain multisports	**P**	N : 44.82603
Services : 🔌🏧♨🛜🚐 laverie 🧺	**S**	

🛥✗🧺🎿🐴

ATTENTION...

ces prestations ne fonctionnent généralement qu'en saison, quelles que soient les dates d'ouverture du terrain.

THÉRONDELS

12600 - Carte Michelin **338** I1 - 486 h. - alt. 965
▶ Paris 565 - Toulouse 234 - Rodez 87 - Aurillac 45

⛰ Club Airotel La Source

📞 05 65 66 05 62, www.camping-la-source.com

Pour s'y rendre : presqu'île de Laussac

Ouverture : de fin mai à mi-sept.

4,5 ha (62 empl.) en terrasses, plat, herbeux

Empl. camping : (Prix 2018) 34€ ♣♣ ⌕ 🔲 🗲 (10A) - pers. suppl. 8€ - frais de réservation 20€

Location : (Prix 2018) (de fin mai à mi-sept.) - 20 🏠 - 12 🏠 - 2 chalets sur pilotis - 8 bungalows toilés - 2 tentes lodges. Nuitée 55 à 182€ - Sem. 195 à 1 274€ - frais de réservation 20€

Agréable site au bord du lac de Sarrans.

Nature : 🐟 🛏 ♈♈		
Loisirs : 🍷✗🎮🏕🏊‍🚲🎣🛶🎿	**G**	E : 2.77143
🦆 pédalos terrain multisports	**P**	N : 44.85381
Services : 🔌🛜 laverie	**S**	

THOUX

32430 - Carte Michelin **336** H7 - 223 h. - alt. 145
▶ Paris 681 - Auch 40 - Cadours 13 - Gimont 14

⚠️ Lac de Thoux - Saint Cricq

✆ 05 62 65 71 29, www.camping-lacdethoux.com

Pour s'y rendre : lieu-dit : Lannes (au nord-est par D 654, au bord du lac)

Ouverture : de déb. mai à déb. sept.

5 ha (182 empl.) peu incliné, plat, herbeux

Empl. camping : 42 € ✶✶ ⇔ 🗉 🔌 (10A) - pers. suppl. 7 €

Location : (Prix 2018) (de déb. mai à déb. sept.) - ♿ (1 mobile home) - 🚐 - 54 🛏 - 30 tentes lodges. Nuitée 35 à 130 € - Sem. 196 à 900 € - frais de réservation 15 €

🚐 5 🗉 15 €

Préférer les emplacements au bord du lac, plus éloignés des bruits de la route.

Nature : 🌢🌢⛰		E : 1.00234
Loisirs : 🏕🛶⛷	**G**	N : 43.68587
Services : ⌐🚿⛺🛜 laverie	**P**	
À prox. : 🚲🍹✕🛶 jacuzzi 🎿🛥⛵ (plage)	**S**	
🚴🛶🛶 pédalos terrain multisports		

TOUZAC

46700 - Carte Michelin **337** C5 - 352 h. - alt. 75
▶ Paris 603 - Cahors 39 - Gourdon 51 - Sarlat-la-Canéda 63

⚠️ Le Ch'Timi

✆ 05 65 36 52 36, www.campinglechtimi.com

Pour s'y rendre : lieu-dit : La Roque (accès direct au Lot (par escalier abrupt))

Ouverture : de déb. avr. à fin sept.

3,5 ha (79 empl.) peu incliné, plat, herbeux

Empl. camping : ✶ 8 € ⇔ 🗉 12 € - 🔌 (6A) 4 € - frais de réservation 10 €

Location : (de déb. avr. à fin sept.) - 1 🛏 - 6 🏠 - 1 cabanon - 5 gîtes. Nuitée 23 à 126 € - Sem. 160 à 880 € - frais de réservation 10 €

🚐 borne artisanale

Du locatif varié et de grand confort pour certains. Préférer les emplacements les plus éloignés de la route.

Nature : 🌢🌢		E : 1.06533
Loisirs : ✕ 🎿🚲🍹⛷🛶	**G**	N : 44.49889
Services : ⌐🚿⛺🛜🗄	**P**	
	S	

LE TREIN-D'USTOU

09140 - Carte Michelin **334** F8 - 351 h. - alt. 739
▶ Paris 804 - Aulus-les-Bains 13 - Foix 73 - St-Girons 31

⚠️ Le Montagnou

✆ 05 61 66 94 97, www.lemontagnou.com

Pour s'y rendre : rte de Guzet (sortie nord-ouest par D 8, rte de Seix, près de l'Alet)

Ouverture : de déb. fév. à fin oct.

1,2 ha (44 empl.) plat, herbeux

Empl. camping : (Prix 2018) 19 € ✶✶ ⇔ 🗉 🔌 (10A) - pers. suppl. 6 €

Location : (Prix 2018) (de déb. fév. à fin oct.) - 7 🛏 - 1 🏠 - 2 tentes lodges. Nuitée 45 à 90 € - Sem. 245 à 650 €

🚐 borne artisanale

Agréable pinède de montagne avec des emplacements près du ruisseau.

Nature : 🌢🌢		E : 1.25618
Loisirs : 🛶⛷ (petite piscine) 🔫	**G**	N : 42.81178
Services : ⌐🚿⛺🛜 laverie ♿	**P**	
À prox. : ✕	**S**	

LE TRUEL

12430 - Carte Michelin **338** I6 - 348 h. - alt. 290
▶ Paris 677 - Millau 40 - Pont-de-Salars 37 - Rodez 52

⚠️ Municipal La Prade

✆ 05 65 46 41 46, camping.le.truel@orange.fr

Pour s'y rendre : à l'est du bourg par D 31, à gauche apr. le pont, au bord du Tarn (plan d'eau)

Ouverture : de déb. juin à fin sept.

0,6 ha (28 empl.) plat, herbeux

Empl. camping : (Prix 2018) 18 € ✶✶ ⇔ 🗉 🔌 (3A) - pers. suppl. 5 €

Location : (Prix 2018) (de déb. juin à fin sept.) - 3 🛏 - 5 🛏 - 1 gîte d'étape (10 lits). Sem. 210 à 250 €

Sous les peupliers le long du Tarn.

Nature : 🌢🌢		E : 2.76317
Loisirs : 🛶🚲⛷	**G**	N : 44.04937
Services : 🌡⛺	**P**	
À prox. : ✕ ⛷ ⛵ pédalos	**S**	

VAYRAC

46110 - Carte Michelin **337** G2 - 1 330 h. - alt. 139
▶ Paris 512 - Beaulieu-sur-Dordogne 17 - Brive-la-Gaillarde 32 - Cahors 89

⚠️ Village Vacances Chalets Mirandol Dordogne

(pas d'emplacement tentes et caravanes)

✆ 05 65 32 57 12, www.mirandol-dordogne.com

Pour s'y rendre : à Vormes (2,3 km au sud par D 116, en dir. de la base de loisirs)

2,6 ha vallonné, non clos, plat, herbeux

Location : 🅿 - 22 🏠.

Petit village de chalets de superficie variable dans un cadre boisé.

Nature : 🌲🌢🌢		E : 1.69771
Loisirs : ⛷	**G**	N : 44.93657
Services : ⌐🗄	**P**	
À prox. : 🍹✕🛶⛵🚴🛶	**S**	

⚠️ Municipal la Palanquière

✆ 05 65 32 43 67, www.vayrac.fr

Pour s'y rendre : lieu-dit : La Palanquière (1 km au sud par D 116, en dir. de la base de loisirs)

Ouverture : de mi-juin à mi-sept.

1 ha (33 empl.) plat, herbeux

Empl. camping : ✶ 4 € ⇔ 🗉 4 € - 🔌 (10A) 4 €

Location : (de mi-juin à mi-sept.) - 8 🏠 - 8 cabanons. Nuitée 40 à 50 € - Sem. 100 à 280 €

🚐 borne AireService 5 € - 30 🗉 14 €

Belle pelouse ombragée avec un accès aux sanitaires privatisés (clé).

Nature : 🌲🌢🌢		E : 1.70389
Services : 🌡♿🛜🗄	**G**	N : 44.94464
	P	
	S	

VERS

46090 - Carte Michelin **337** F5 - 415 h. - alt. 132
▶ Paris 565 - Cahors 15 - Villefranche-de-Rouergue 55

⛰ Village Vacances Domaine du Mas de Saboth

(pas d'emplacement tentes et caravanes)

𝒫 05 65 31 41 74, www.masdesaboth.com

Pour s'y rendre : 1 km à l'ouest par D 49

20 ha en terrasses, herbeux, pierreux

Location : (Prix 2018) Permanent ⛾ (3 chalets) - 30 🏠 - 60 🏠.
Sem. 370 à 920 €

Village de chalets et mobile homes en sous-bois, dont certains avec une vue panoramique sur le Causse.

Nature : 🌊 ♨♨		G	E : 1.54407
Loisirs : 🍽 🏓 🗂 🎦 salle d'animations 🏸 🧖 ♨ hammam jacuzzi 🚵 🚲 🎯 🎱 🏊 🎣 discothèque poneys		P S	N : 44.47792
Services : 🔌 📶 laverie 🖐			

⛰ La Chêneraie

𝒫 05 65 31 40 29, www.cheneraie.com - peu d'emplacements pour tentes et caravanes

Pour s'y rendre : lieu-dit : Le Cuzoul (2,5 km au sud-ouest par D 653, rte de Cahors et chemin à dr. apr. le passage à niveau)

Ouverture : de déb. avr. à déb. oct.

2,6 ha (58 empl.) plat, herbeux

Empl. camping : (Prix 2018) 28 € ♀♀ �car 🔲 ⚡ (10A) - pers. suppl. 4 € - frais de réservation 9 €

Location : (Prix 2018) (de déb. avr. à déb. oct.) - 35 🏠 - 1 gîte.
Nuitée 55 à 200 € - Sem. 350 à 1 600 € - frais de réservation 9 €

🏠 borne artisanale 3 €

En sous-bois avec la partie haute pour les emplacements tentes et caravanes et la partie basse pour le locatif.

Nature : 🌊 🗂 ♨♨		G	E : 1.54593
Loisirs : 🍽 🏓 🗂 jacuzzi 🚵 🧖 🏊		P S	N : 44.47154
Services : 🔌 🛒 📶 🖐			

To visit a town or region : use the MICHELIN Green Guides.

VIELLE-AURE

65170 - Carte Michelin **342** N6 - 355 h. - alt. 800
▶ Paris 828 - Toulouse 155 - Tarbes 70 - Lourdes 66

⛰ Le Lustou

𝒫 05 62 39 40 64, www.lustou.com

Pour s'y rendre : lieu-dit : Agos (2 km au nord-est par D 19, près de la Neste-d'Aure et d'un étang)

Ouverture : de mi-déc. à fin sept.

2,8 ha (65 empl.) plat, herbeux

Empl. camping : (Prix 2018) ♀ 5 € 🚗 🔲 5 € – ⚡ (10A) 6 €

Location : (Prix 2018) (de mi-déc. à fin sept.) - 🚐 - 5 🏠 - 1 gîte d'étape (29 lits). Nuitée 50 à 65 € - Sem. 270 à 470 €

En deux parties distinctes de part et d'autre d'une petite route. Le propriétaire organise des randonnées.

Nature : 🌳 🌲 ♨♨		G	E : 0.33841
Loisirs : 🍽 🗂 🚵		P S	N : 42.84492
Services : 🔌 🛒 🛒 🖐 📶 laverie			
À prox. : 🚣 🏊 sports en eaux vives			

LE VIGAN

46300 - Carte Michelin **337** E3 - 1 457 h. - alt. 224
▶ Paris 537 - Cahors 43 - Gourdon 6 - Labastide-Murat 20

⛰ Le Rêve

𝒫 05 65 41 25 20, www.campinglereve.com

Pour s'y rendre : lieu-dit : Revers (3,2 km au nord par D 673, rte de Souillac puis 2,8 km par chemin à gauche)

Ouverture : de mi-avr. à fin sept.

8 ha/2,5 campables (60 empl.) peu incliné, plat, herbeux, sous-bois

Empl. camping : 25 € ♀♀ 🚗 🔲 ⚡ (10A) - pers. suppl. 6 €

Location : (de mi-avr. à fin sept.) - 4 🏠 - 2 bungalows toilés - 3 tentes lodges. Nuitée 27 à 85 € - Sem. 189 à 595 €

🏠 borne artisanale

Emplacements en sous-bois ou plus ensoleillés.

Nature : 🌊 🗂 ♨♨		G	E : 1.44183
Loisirs : 🍽 🏓 🚵 🚲 🏊		P S	N : 44.77274
Services : 🔌 🛒 📶 laverie 🖐			

VILLEFRANCHE-DE-PANAT

12430 - Carte Michelin **338** I6 - 771 h. - alt. 710
▶ Paris 676 - Toulouse 177 - Rodez 45 - Millau 46

⛰ Village Vacances Le Hameau des Lacs

(pas d'emplacement tentes et caravanes)

𝒫 05 65 67 41 82, www.le-hameau-des-lacs.fr

Pour s'y rendre : rte de Rodez

1 ha en terrasses, plat, herbeux

Location : (Prix 2018) (de déb. juin à mi-sept.) - ⛾ (1 chalet) - 🅿 - 22 🏠. Sem. 295 à 750 € - frais de réservation 30 €

Grande prairie verdoyante au bord du lac.

Nature : 🌊 ⟨ 🌿		G	E : 2.69457
Loisirs : 🗂 🏸 🚵 🏊 terrain multisports		P S	N : 44.09654
Services : 🔌 🛒 🚿 laverie			
À prox. : 🏖 (plage)			

Renouvelez votre guide chaque année.

VILLEFRANCHE-DE-ROUERGUE

12200 - Carte Michelin **338** E4 - 12 213 h. - alt. 230
▶ Paris 614 - Albi 68 - Cahors 61 - Montauban 80

⛰ Le Rouergue

𝒫 05 65 45 16 24, www.campingdurouergue.com

Pour s'y rendre : 35bis av. de Fondies (1,5 km au sud-ouest par D 47, rte de Monteils)

Ouverture : de mi-avr. à fin sept.

1,8 ha (93 empl.) plat, herbeux

Empl. camping : 20 € ♀♀ 🚗 🔲 ⚡ (16A) - pers. suppl. 4 € - frais de réservation 3 €

Location : (de mi-avr. à fin sept.) - 7 🏠 - 6 bungalows toilés. Sem. 150 à 480 € - frais de réservation 3 €

🏠 borne artisanale 2 €

Nature : 🗂 ♨♨		G	E : 2.02615
Loisirs : 🗂 🚵		P S	N : 44.3423
Services : 🔌 🛒 🚿 🖐 📶 🛒			
À prox. : 🏖 jacuzzi 🎱 🎯 🏊 🎣			

NORD-PAS-DE-CALAIS

R. Soberka/hemis.fr

Selon un dicton local, « les gens du Nord ont dans le cœur ce qu'ils n'ont pas dehors ». Comprenez que les horizons sans fin du Plat Pays, qui n'ont « que des vagues de dunes pour arrêter les vagues », ne brisent en rien leur infatigable entrain : lors des Rondes de géants, des ducasses ou des kermesses, écoutez-les chanter, les ch'timis… Regardez-les rire à cette débauche de moules-frites qui fait le sel des grandes braderies de Lille, et trinquer autour d'une bière dans l'ambiance bon enfant des estaminets. À table, pas davantage le temps de s'ennuyer : chicons braisés, carbonade, potjevleesch, tarte au maroilles… D'autres agréments ? Le joyeux concert des carillons au sommet des beffrois, la silhouette aérienne des moulins et… la possibilité de franchir le « Pas » pour saluer nos voisins britanniques.

As the local saying goes, "the hearts of the men of the north are warm enough to thaw the chilly climate". Just watch as they throw themselves body and soul into the traditional "Dance of the Giants" at countless fairs, fêtes and carnivals: several tons of chips and mussels—and countless litres of beer! — sustain a million visitors to Lille's huge annual street market. The influence of Flanders can be heard in the names of towns and people, seen in the wealth of Gothic architecture and tasted in filling dishes like beef in amber beer and potjevleesch stew. Joyful bells ringing from their slender belfries, neat rows of miners' houses and the distant outline of windmills remind visitors that they are on the border of Belgium, or, as a glance across the Channel will prove, in sight of the cliffs of Dover!

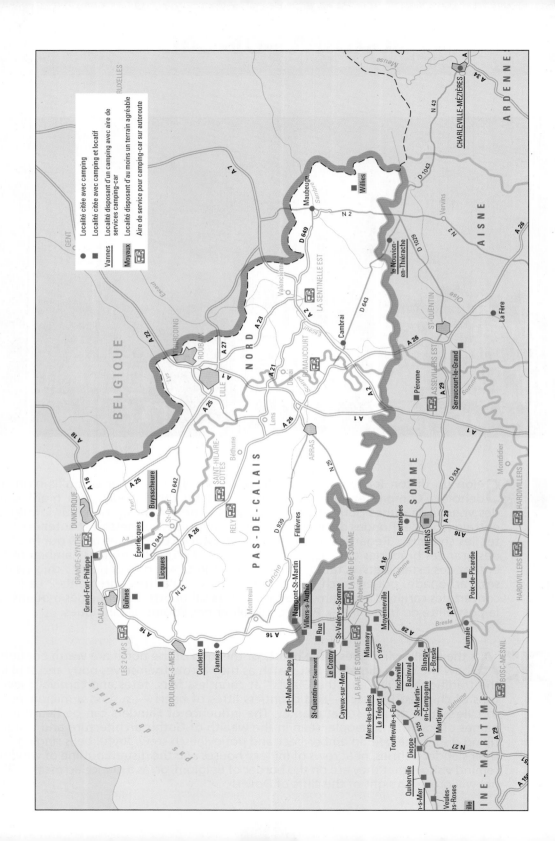

Légende

- Localité citée avec camping
- Localité citée avec camping et locatif
- Localité disposant d'un camping avec aire de services camping-car
- Localité disposant d'au moins un terrain agréable
- Aire de service pour camping-car sur autoroute

Vannes

Moyaux

BUYSSCHEURE

59285 - Carte Michelin **302** B3 - 510 h. - alt. 25
▶ Paris 269 - Béthune 44 - Calais 47 - Dunkerque 31

🏔 La Chaumière

📞 0328430357, www.campinglachaumiere.com

Pour s'y rendre : 529 Langhemast-Straete (au bourg)

Ouverture : de déb. avr. à fin oct.

1 ha (29 empl.) plat, herbeux, pierreux, petit étang

Empl. camping : (Prix 2018) 23 € 🏕 🚗 🔲 🔌 (6A) - pers. suppl. 5 €
🚐 borne artisanale - 10 🔲 23 €
Terrain pleine nature autour d'un traditionnel estaminet et à proximité du GR 128.

Nature : 🌿 🛖 ♀♀
Loisirs : 🍴 ✕ 🏖 🎣 🛝 🚣
Services : ⚡🛒🅿🛁⛱🚰 📶 🔥

GPS E : 2.33942
N : 50.80166

---

*La catégorie (1 à 5 tentes, **noires** ou **rouges**) que nous attribuons aux terrains sélectionnés dans ce guide est une appréciation qui nous est propre. Elle ne doit pas être confondue avec le classement (1 à 5 étoiles) établi par les services officiels.*

CAMBRAI

59400 - Carte Michelin **302** H6 - 32 518 h. - alt. 53
▶ Paris 183 - Lille 67 - Amiens 100 - Namur 139

🏔 Municipal Les 3 Clochers

📞 0327709164, contact@villedecambrai.com

Pour s'y rendre : 77 r. Jean-Goude

1 ha (50 empl.) plat, herbeux

Nombreuses informations touristiques sur Cambrai.

Nature : 🛖 ♀
Services : ⚡🛒 🏛 ⛱🚰 📶
À prox. : 🏖 🍴 ✕

GPS E : 3.21476
N : 50.17533

CONDETTE

62360 - Carte Michelin **301** C4 - 2 575 h. - alt. 35
▶ Paris 254 - Boulogne-sur-Mer 10 - Calais 47 - Desvres 19

🏔 Château d'Hardelot 🏕👤

📞 0321875959, www.camping-caravaning-du-chateau.com

Pour s'y rendre : 21 r. Nouvelle (sortie sud par D 119)

Ouverture : de déb. avr. à fin oct.

1,2 ha (70 empl.) plat, herbeux, gravillons

Empl. camping : 25 € 🏕 🚗 🔲 🔌 (10A) - pers. suppl. 6 €
Location : (de déb. avr. à fin oct.) - 2 🚐. Nuitée 56 à 75 € - Sem. 450 à 690 €
🚐 borne artisanale 5 €
Charmants emplacements en bordure de forêt.

Nature : 🛖 ♀♀
Loisirs : 🎯 🏖
Services : ⚡🛒 🏛 🅿 📶 laverie réfrigérateurs
À prox. : 🏖 ✕ 🎿

GPS E : 1.62557
N : 50.64649

DANNES

62187 - Carte Michelin **301** C4 - 1 303 h. - alt. 30
▶ Paris 242 - Lille 136 - Arras 133 - Amiens 114

🏔 Municipal Le Mont-St-Frieux

📞 0321332476, www.mairiededannes.fr

Pour s'y rendre : 21 r. de La Mer (au bourg)

1,5 ha (52 empl.) plat, herbeux
🚐 borne artisanale
Terrain confortable et peu ombragé, infrastructures modernes. Accueil groupes et colonies.

Nature : 🛖 ♀
Loisirs : 🏖 🎣 m
Services : 🚰 📶 laverie

GPS E : 1.60997
N : 50.58924

---

*Choisissez votre restaurant sur **restaurant.michelin.fr***

ÉPERLECQUES

62910 - Carte Michelin **301** G3 - 3 162 h. - alt. 42
▶ Paris 271 - Lille 78 - Arras 86 - St-Omer 14

🏔 Château du Gandspette

📞 0321934393, www.chateau-gandspette.com

Pour s'y rendre : 133 r. du Gandspette

Ouverture : de déb. avr. à fin sept.

11 ha/4 campables (167 empl.) peu incliné, herbeux

Empl. camping : (Prix 2018) 35 € 🏕 🚗 🔲 🔌 (10A) - pers. suppl. 7 €
Location : (Prix 2018) (de déb. avr. à fin sept.) - 🎿 - 8 🚐. Nuitée 41 à 107 € - Sem. 287 à 749 €
🚐 borne AireService - 18 🔲
Vastes emplacements dans le parc boisé du château.

Nature : 🌿 ♀
Loisirs : 🍴 ✕ 🛖 🎣 🏖 🎿 🛝 terrain multisports
Services : ⚡🛁 📶 laverie 🛒

GPS E : 2.1789
N : 50.81894

FILLIÈVRES

62770 - Carte Michelin **301** F6 - 523 h. - alt. 46
▶ Paris 206 - Arras 52 - Béthune 46 - Hesdin 13

🏔 Les Trois Tilleuls

📞 0321479415, www.camping3tilleuls.com - peu d'emplacements pour tentes et caravanes

Pour s'y rendre : 28 r. de Frévent (sortie sud-est par D 340)

Ouverture : de déb. avr. à mi-oct.

4,5 ha (132 empl.) non clos, peu incliné

Empl. camping : (Prix 2018) 🏕 6 € 🚗 3 € 🔲 4 € – 🔌 (10A) 4 €
Location : (Prix 2018) (de déb. avr. à mi-oct.) - ⛺ (1 mobile-home) - 4 🚐 - 1 cabanon - 1 tonneau. Sem. 240 à 662 €
Au cœur de la vallée de la Canche, avec quelques héberge-ments insolites.

Nature : 🛖 ♀♀
Loisirs : 🛖 salle d'animations 🎣 🏖 🎿 (découverte en saison) terrain multisports
Services : 🛁 🅿 📶 laverie
À prox. : 🎿

GPS E : 2.15952
N : 50.31417

GRAND-FORT-PHILIPPE

59153 - Carte Michelin **302** A2 - 5 491 h. - alt. 5
▶ Paris 289 - Calais 28 - Cassel 40 - Dunkerque 24

⚠ Municipal La Plage

✆ 09 62 61 12 01, www.campingdelaplage.site

Pour s'y rendre : 115 r. du Mar.-Foch (au nord-ouest)

Ouverture : Permanent

1,5 ha (82 empl.) plat, herbeux

Empl. camping : (Prix 2018) 11 € ★★ ⊖ 回 ⚡ (10A)
⊞ borne artisanale
Environnement agréable, espaces fleuris.

Nature : ♀♀	**G** E : 2.09746
Loisirs : ♣⚓	**P**
Services : ⊶ ⊪ 🛜 laverie	**S** N : 51.00264

*Créez votre voyage sur **voyages.michelin.fr***

GUÎNES

62340 - Carte Michelin **301** E2 - 5 501 h. - alt. 5
▶ Paris 282 - Arras 102 - Boulogne-sur-Mer 29 - Calais 11

⚠ Les Castels La Bien Assise ♣♟

✆ 03 21 35 20 77, www.camping-la-bien-assise.com

Pour s'y rendre : sortie sud-ouest par D 231, rte de Marquise

Ouverture : de déb. avr. à fin sept.

20 ha/12 campables (215 empl.) plat, herbeux, peu incliné, petit étang

Empl. camping : ★ 9 € ⊖ 回 18 € – ⚡ (10A) 6 € - frais de réservation 10 €

Location : (de déb. avr. à mi-sept.) - 2 🛖 - 4 🏠. Sem. 400 à 870 € - frais de réservation 10 €

Hôtel et restaurant gastronomique dans les dépendances du château.

Nature : ⌂ ♀♀	**G** E : 1.85815
Loisirs : �painX 🏠 ♣⚓ 🚲 ✂ 🎯 ▦ 🖼 (découverte en saison) 🎿	**P**
Services : ⊶ ⊪ ♨ 🛜 laverie 🔧 ⛽	**S** N : 50.86631

LICQUES

62850 - Carte Michelin **301** E3 - 1 563 h. - alt. 81
▶ Paris 276 - Arras 97 - Boulogne-sur-Mer 31 - Calais 25

⚠ Pommiers des Trois Pays

✆ 03 21 35 02 02, www.pommiers-3pays.com

Pour s'y rendre : 273 r. du Breuil

Ouverture : de fin mars à fin oct.

2 ha (58 empl.) plat, herbeux

Empl. camping : (Prix 2018) ★ 7 € ⊖ 9 € – ⚡ (16A) 5 €

Location : (Prix 2018) (de fin mars à fin oct.) - ♿ (1 chalet) - 10 🛖 - 9 🏠 - 1 gîte. Nuitée 72 à 115 € - Sem. 580 à 820 €

⊞ borne artisanale 4 € - 3 回 19 € - ⛻ 10 €
Au cœur du parc des marais d'Opale, terrain calme avec une charmante piscine.

Nature : ⌂ ⟋ ♀	**G** E : 1.94776
Loisirs : ♟X 🏠 ♣⚓ 🖼 (découverte en saison)	**P**
Services : ⊶ ♨ ♨ 🚿 🛜 laverie	**S** N : 50.77991

MAUBEUGE

59600 - Carte Michelin **302** L6 - 31 970 h. - alt. 134
▶ Paris 242 - Charleville-Mézières 95 - Mons 21 - St-Quentin 114

⚠ Municipal du Clair de Lune

✆ 03 27 62 25 48, www.ville-maubeuge.fr

Pour s'y rendre : 212 rte de Mons (1,5 km au nord par N 2)

2 ha (91 empl.) plat, herbeux

Décoration florale et arbustive.

Nature : ⌂ ♒	**G** E : 3.9766
Loisirs : ♣⚓	**P**
Services : ⊶ ⊪ 🛜	**S** N : 50.29573

WILLIES

59740 - Carte Michelin **302** M7 - 165 h. - alt. 167
▶ Paris 225 - Avesnes-sur-Helpe 16 - Cambrai 69 - Charleroi 48

⚠ Val Joly

✆ 03 27 61 83 76, www.valjoly.com

Pour s'y rendre : à Eppé-Sauvage, base nautique du Val Joly (1,5 km à l'est par D 133, à 300 m du lac)

4 ha (138 empl.) peu incliné, plat, herbeux

Location : ♿ (1 chalet) - 30 🏠 - 2 yourtes.

Vaste terrain ombragé de bouleaux et platanes, surplombant le lac du Val Joly.

Nature : ⌂ ♀♀	**G** E : 4.11518
Loisirs : 🏠 ♣⚓ ✂	**P**
Services : ⊶ ⊪ laverie 🔧	**S** N : 50.12245
À prox. : 🎣 ⟋	

NORMANDIE

J.A. Moreno/age fotostock

Muse des impressionnistes et des poètes, la Normandie vogue entre luxe, calme et volupté. Côté mer, les prestigieuses stations balnéaires, l'éblouissante baie du Mont-St-Michel, les hautes falaises crayeuses et les plages du Débarquement imposent une contemplation silencieuse. Côté terre le bocage, où paissent chevaux et vaches, et les vergers de pommiers déroulent un tapis verdoyant semé de chaumières à colombages et de fringants manoirs. Éclairée d'une lumière à nulle autre pareille, la Seine méandre paisiblement, jalonnant son cours d'une succession de trésors architecturaux : cités médiévales, châteaux, abbayes... Cette esquisse de la région serait incomplète sans l'évocation des bons produits du terroir : beurre, crème fraîche, camembert, livarot, cidre et calvados méritent à eux seuls votre visite.

Normandy, the inspiration of writers and artists, offers pure rural pleasure. Take a walk along the coast to fill your lungs with sea air and admire the elegant resorts. You will be left breathless when you first catch sight of Mont Saint-Michel rising from the sands or look down over Étretat's white cliffs, and it is impossible not to be moved by the memory of the men who gave their lives on Normandy's beaches in June 1944. Further inland, acres of neat, hedge-lined fields meet the eye. Drink in the sight and scent of apple blossom, admire the pretty, half-timbered cottages and follow the Seine past medieval cities, daunting castles and venerable abbeys. And who could forget Normandy's culinary classics: fresh seafood, creamy Camembert, cider and the famous apple brandy, Calvados.

ALDERNEY

Omonville-la-Rogue
CHERBOURG-EN-COTENTIN
Maupertus-s-M.

Les Pieux
St-Vaast-la-Hougue

Le Rozel
Surtainville
Baubigny
Barneville-Carteret
St-Sauveur-le-Vicomte
Ravenoville
Ste-Mère-Église

St-Jean-de-la-Rivière
Denneville
St-Symphorien-le-Valois
Vierville-s-M.
Isigny-s-M.
Surrain
Trévières
Port-en-Bessin
Arromanches-les-Bs.
Étréham
Bayeux
Courseulles-s-M.
St-Aubin-s-M.
Luc-s-M.
Villers-s-M.
Houlgate
Dives-s-M.
Merville-Franceville-Pl.

JERSEY

Martragny
N 13

A 13

MANCHE
St-Lô
CAEN
CALVADOS
D 613

Agon-Coutainville
Coutances
Torigny-les-Villes
N 158

Annoville
LA VALLÉE DE LA VIRE-GOUVETS
Thury-Harcourt

Îles Chausey
Bréville-s-M.
Bréhal
Donville-les-B.
Granville
Pont-Farcy
Le Vey
Falaise

le-Guildo
St-Lunaire
St-Malo
Cancale
Roz-sur-Couesnon
Genêts
Villedieu-les-Poêles
Brécey
Flers
Argentan

St-Briac-s-M.
St-Coulomb
Avranches
Courtils
St-Hilaire-du-Harcouët
ORNE

rien
ignon
St-Jouan-des-Guérets
Cherrueix
Beauvoir
Pontorson
Bagnoles-de-l'O.
LA DENTELL
D'ALENÇO

Pléven
St-Samson-s-R.
N 176
Taden
St-Marcan
Dinan
Dol-de-Bretagne
Alenço

Jugon-les-Lacs
La Chapelle-aux-Filtzméens
Ambrières-les-Vallées

drignac
Tinténiac
Feins
Fougères
N 12
Mayenne
Fresnay-s-Sarthe
Sillé-le-Guillaume

RENNES
MAYENNE
Andouillé
Le Grez
Mézières-s/s-Lavardin

Paimpont
Châteaugiron
St-Berthevin
Laval
Tennie
A 81

ILLE-ET-VILAINE
Marcillé-Robert

La Selle-Craonnaise
Villiers-Charlemagne
Bouère
Avoise
Martigné-Ferchaud

AGON-COUTAINVILLE

50230 - Carte Michelin **303** C5 - 2 826 h. - alt. 36
▶ Paris 348 - Barneville-Carteret 48 - Carentan 43 - Cherbourg 80

⚠ Municipal le Marais

🖉 02 33 47 05 20, www.agoncoutainville.fr

Pour s'y rendre : bd Lebel-Jéhenne (sortie nord-est, près de l'hippodrome)

Ouverture : de déb. juil. à fin août

2 ha (104 empl.) plat, herbeux

Empl. camping : (Prix 2018) ♣ 4€ 🚗 ▣ 6€ – (⚡) (5A) 4€
🔃 borne artisanale 5€ - 40 ▣ 8€
Emplacements délimités avec un confort sanitaire rénové.

Nature : ⌂		**G** W : 1.59283
Loisirs : 🏖️🛝		**P**
Services : 🔌⛲		**S** N : 49.04975
À prox. : 🛒🍴 golf (18 trous)		

⚠ Municipal le Martinet

🖉 02 33 47 05 20, www.agoncoutainville.fr

Pour s'y rendre : bd Lebel-Jéhenne (sortie nord-est, près de l'hippodrome)

1,5 ha (122 empl.) plat, herbeux

Empl. camping : (Prix 2018) ♣ 4€ 🚗 ▣ 6€ – (⚡) (5A) 4€
🔃 borne artisanale 5€ - 40 ▣ 8€
Mobile homes de propriétaires-résidents et un confort sanitaire ancien.

Nature : ⌂		**G** W : 1.59283
Loisirs : 🏖️🛝		**P**
Services : 🔌⛲ laverie		**S** N : 49.04958
À prox. : 🛒🍴		

*Donnez-nous votre avis
sur les terrains que nous recommandons.
Faites-nous connaître vos observations et vos découvertes
par mail à l'adresse : leguidecampingfrance@tp.michelin.com.*

ALENÇON

61000 - Carte Michelin **310** J4 - 27 325 h. - alt. 135
▶ Paris 190 - Chartres 119 - Évreux 119 - Laval 90

⚠ Municipal de Guéramé

🖉 02 33 26 34 95, camping.guerame@orange.fr

Pour s'y rendre : 65 r. de Guéramé (au sud-ouest par bd périphérique)

1,5 ha (54 empl.) en terrasses, peu incliné, plat, gravillons, herbeux
Location : - 3 bungalows toilés.
Situé au milieu d'une zone pavillonnaire, cadre verdoyant, au bord de la Sarthe.

Nature : ⌂ 🌳		**G** E : 0.0728
Loisirs : 🎯 🏖️🛝		**P**
Services : 🔌🏪⛲🚿 laverie		**S** N : 48.4259
À prox. : 🛒🍷🎳🎣🏊🚣🐎		

ANNOVILLE

50660 - Carte Michelin **303** C6 - 619 h. - alt. 28
▶ Paris 348 - Barneville-Carteret 57 - Carentan 48 - Coutances 14

⚠ Municipal les Peupliers

🖉 02 33 47 67 73, www.camping-annoville.fr

Pour s'y rendre : r. des Peupliers (3 km au sud-ouest par D 20 et chemin à dr., à 500 m de la plage)

Ouverture : de déb. avr. à fin sept.

2 ha (117 empl.) plat, herbeux, sablonneux

Empl. camping : (Prix 2018) ♣ 3€ 🚗 ▣ 4€ – (⚡) (6A) 3€
Location : (Prix 2018) (de déb. avr. à fin sept.) - ♿ (1 mobile home) - 🍴 - 7 🛖 - 3 bungalows toilés. Nuitée 50 à 60€ - Sem. 265 à 470€

Vaste prairie bordée par un petit bois, près des dunes.

Nature : 🌊		**G** W : 1.55309
Loisirs : 🏖️🛝🚴♂️		**P**
Services : 🔌⛲🚿📶 laverie		**S** N : 48.95767

*Pour une meilleure utilisation de cet ouvrage,
LISEZ ATTENTIVEMENT les premières pages du guide.*

ARGENTAN

61200 - Carte Michelin **310** I2 - 14 356 h. - alt. 160
▶ Paris 191 - Alençon 46 - Caen 59 - Dreux 115

⚠ Municipal de la Noë

🖉 02 33 36 05 69, www.argentan.fr/tourisme

Pour s'y rendre : r. de la Noë

Ouverture : de mi-avr. à déb. oct.

0,3 ha (23 empl.) plat, herbeux

Empl. camping : (Prix 2018) ♣ 2€ 🚗 2€ ▣ 3€ – (⚡) (6A) 3€
🔃 borne eurorelais 2€ - 6 ▣
Situation agréable à l'ombre d'un platane de 1789, près d'un parc, d'un étang et à côté de La Maison des Dentelles (musée).

Nature : 🌊 ⌂		**G** W : 0.01687
Loisirs : 🎣		**P**
Services : 🔌📶 laverie		**S** N : 48.73995
À prox. : 🎿🏊🎣 parcours de santé		

ARROMANCHES-LES-BAINS

14117 - Carte Michelin **303** I3 - 608 h. - alt. 15
▶ Paris 266 - Bayeux 11 - Caen 34 - St-Lô 46

⚠ Municipal

🖉 02 31 22 36 78, camping.arromanches@wanadoo.fr

Pour s'y rendre : 9 av. de Verdun

1,5 ha (126 empl.) en terrasses, peu incliné, plat, herbeux
Location : - 6 ▣
🔃 borne artisanale - 10 ▣
Emplacements en terrasses dominant la ville.

Nature : ≤ ⚓		**G** W : 0.62642
Services : 🔌📶 laverie		**P**
À prox. : 🍴 ⛳🎯 terrain multisports		**S** N : 49.3381

AUMALE

76390 - Carte Michelin **304** K3 - 2 405 h. - alt. 130
▶ Paris 136 - Amiens 48 - Beauvais 49 - Dieppe 69

⌂ Municipal le Grand Mail

✆ 02 35 93 40 50, www.aumale.com

Pour s'y rendre : 6 Le Grand-Mail

Ouverture : de mi-mars à fin sept. - **FR**

0,6 ha (40 empl.) plat, herbeux

Empl. camping : (Prix 2018) 15€ ♠♠ ⇢ 🗉 🗗 (6A) - pers. suppl. 2€
🚐 borne flot bleu 1€ - 2 🗉
À flanc de colline sur les hauteurs de la ville.

Nature : 🦊 ⵔ ♀	**G P S**	E : 1.74202
Services : 🚽 ⵔ ▥		N : 49.76566

BAGNOLES-DE-L'ORNE

61140 - Carte Michelin **310** G3 - 2 454 h. - alt. 140 - ⚕
▶ Paris 236 - Alençon 48 - Argentan 39 - Domfront 19

⌂ Municipal La Vée

✆ 02 33 37 87 45, www.campingbagnolesdelorne.com

Pour s'y rendre : av. du Prés.-Coty (1,3 km au sud-ouest, près de Tessé-la-Madeleine, à 30 m de la rivière)

Ouverture : de déb. mars à mi-nov.

2,8 ha (250 empl.) peu incliné, plat, herbeux

Empl. camping : 18€ ♠♠ ⇢ 🗉 🗗 (10A) - pers. suppl. 4€
Location : (de déb. mars à mi-nov.) - ♿ (1 mobile home) - ⵔ
- 14 🛏 - 2 bungalows toilés. Nuitée 30 à 63€ - Sem. 175 à 420€
🚐 borne flot bleu 8€ - 51 🗉 18€ - ⚡ 🗗 13€
Cadre fleuri avec de grands espaces verts pour la détente. Navette pour les Thermes et le centre-ville.

Nature : 🦊 ⵔ ♀	**G P S**	W : 0.41982
Loisirs : 🍴 ♣		N : 48.54787
Services : 🚽 ▥ ⵔ 🗗 ⵔ 🛜 laverie ⵔ		
À prox. : 🦐		

BARNEVILLE-CARTERET

50270 - Carte Michelin **303** B3 - 2 282 h. - alt. 47
▶ Paris 356 - Caen 123 - Carentan 43 - Cherbourg 39

⛰ Les Bosquets 👥

✆ 02 33 04 73 62, www.camping-lesbosquets.com

Pour s'y rendre : r. du Cap.-Quenault, à Barneville-Plage (2,5 km au sud-ouest)

Ouverture : de déb. avr. à mi-oct.

15 ha/6 campables (331 empl.) plat, herbeux, sablonneux, dunes boisées

Empl. camping : ♠ 7€ ⇢ 🗉 7€ – 🗗 (10A) 5€
Location : (de déb. avr. à mi-oct.) - 14 🛏 - 2 bungalows toilés. Sem. 200 à 740€
🚐 borne flot bleu
À 400 m de la plage parcelles entrecoupées de dunes boisées.

Nature : 🦊 ⵔ ♀	**G P S**	W : 1.76081
Loisirs : 🍴 🏠 ⵔ ♣ ♣ 🛝		N : 49.36587
Services : ⵔ 🛜 laverie		
À prox. : 🐎		

⛰ La Gerfleur

✆ 02 33 04 38 41, www.lagerfleur.fr

Pour s'y rendre : r. Guillaume-le-Conquérant (800 m à l'ouest par D 903e, rte de Carteret)

Ouverture : de déb. avr. à fin oct.

2,3 ha (93 empl.) peu incliné, plat, herbeux

Empl. camping : ♠ 6€ ⇢ 🗉 7€ – 🗗 (6A) 4€
Location : (de déb. avr. à fin oct.) - ⵔ - 10 🛏. Nuitée 55 à 100€
- Sem. 300 à 610€
🚐 borne artisanale 2€
Emplacements et locatifs autour du petit étang de pêche.

Nature : ⵔ ♀	**G P S**	W : 1.76435
Loisirs : 🍴 🏠 ♣ ♣ 🛝		N : 49.38346
Services : ⵔ 🛜 laverie		

BAUBIGNY

50270 - Carte Michelin **303** B3 - 154 h. - alt. 30
▶ Paris 361 - Barneville-Carteret 9 - Cherbourg 33 - Valognes 28

⌂ Bel Sito

✆ 06 75 80 72 80, www.bel-sito.com

Pour s'y rendre : au nord du bourg

Ouverture : de mi-avr. à mi-sept.

8 ha/4 campables (85 empl.) en terrasses, plat, herbeux, sablonneux, étang, dunes

Empl. camping : (Prix 2018) ♠ 8€ ⇢ 🗉 10€ – 🗗 (6A) 4€
Location : (Prix 2018) (de mi-avr. à mi-sept.) - 6 🏠. Sem. 410 à 950€

Cadre sauvage et naturel avec des emplacements en terrasses offrant une vue panoramique sur les dunes, la mer et les îles : Sark et Jerzey.

Nature : 🦊 ≤ îles de Sark et Jerzey ♀	**G P S**	W : 1.80513
Loisirs : 🏠 ♣		N : 49.42954
Services : ⵔ (juil.-août) 🚽 ⵔ 🛜 laverie		

*Créez votre voyage sur **voyages.michelin.fr***

BAYEUX

14400 - Carte Michelin **303** H4 - 13 348 h. - alt. 50
▶ Paris 265 - Caen 31 - Cherbourg 95 - Flers 69

⛰ Municipal Les Bords de L'Aure

✆ 02 31 92 08 43, www.camping-bayeux.fr

Pour s'y rendre : bd Eindhoven (au nord du bourg)

Ouverture : de fin mars à déb. nov.

2,5 ha (150 empl.) plat, herbeux, goudronné

Empl. camping : 22€ ♠♠ ⇢ 🗉 🗗 (6A) - pers. suppl. 6€
Location : (de fin mars à déb. nov.) - ♿ (1 mobile home) - 10 🛏.
Nuitée 75 à 120€ - Sem. 315 à 630€ - frais de réservation 15€
🚐 45 🗉 20€
Camping urbain dans un agréable parc verdoyant.

Loisirs : 🏠 ♣	**G P S**	W : 0.69774
Services : ⵔ 🛜 laverie		N : 49.28422
À prox. : 🏓 ✂ 🗺 (découverte en saison)		
terrain multisports		

BAZINVAL

76340 - Carte Michelin **304** J2 - 350 h. - alt. 120
▶ Paris 165 - Abbeville 33 - Amiens 62 - Blangy-sur-Bresle 9

⚠ Municipal de la Forêt

🏕 02 32 97 04 01, bazinval2@wanadoo.fr

Pour s'y rendre : 10 r. de Saulx (sortie sud-ouest par D 115 et rte à gauche, près de la mairie)

Ouverture : de déb. avr. à fin oct.

0,4 ha (20 empl.) non clos, peu incliné, herbeux

Empl. camping : (Prix 2018) ✦ 3€ ⟚ 3€ ⊡ 3€ – ⚡ (10A) 4€
🚐 borne artisanale 7€
Décoration arbustive des emplacements.

Nature : ⌑ ♀
Services : 🚾 ☑ ⦀
À prox. : terrain multisports

GPS E : 1.55136
N : 49.95487

BEAUVOIR

50170 - Carte Michelin **303** C8 - 419 h.
▶ Paris 358 - Caen 125 - St-Lô 91 - Rennes 63

⛰ Aux Pommiers

🏕 02 33 60 11 36, www.camping-auxpommiers.com

Pour s'y rendre : 28 rte du Mont-St-Michel

Ouverture : de déb. avr. à fin sept.

1,79 ha (106 empl.) plat, herbeux

Empl. camping : 32€ ✦✦ ⟚ ⊡ ⚡ (10A) - pers. suppl. 8€ - frais de réservation 5€
Location : (de déb. avr. à fin sept.) - 20 🚍 - 6 🏠 - 4 ⌂ - 4 bungalows toilés. Sem. 280 à 959€ - frais de réservation 5€
🚐 borne AireService
Situé dans le bourg, avec du locatif varié et de bon confort. Navettes pour le Mont-St-Michel.

Nature : 🦢 ♀
Loisirs : ▾ ✗ 🏛 🚣 🚴 🏊
Services : 🔌 ⦀ 🍴 – 2 sanitaires individuels (🚿 wc) 🛜 laverie 🧺
À prox. : 🏊

GPS W : 1.51264
N : 48.59618

LE BEC-HELLOUIN

27800 - Carte Michelin **304** E6 - 419 h. - alt. 101
▶ Paris 153 - Bernay 22 - Évreux 46 - Lisieux 46

⛰ St-Nicolas

🏕 02 32 44 83 55, www.campingsaintnicolas.fr

Pour s'y rendre : 15 r. St-Nicolas (2 km à l'est par D 39 et D 581, rte de Malleville-sur-le-Bec et chemin à gauche)

Ouverture : de fin mars à mi-oct.

3 ha (110 empl.) plat, herbeux

Empl. camping : (Prix 2018) 23€ ✦✦ ⟚ ⊡ ⚡ (10A) - pers. suppl. 6€
Location : (Prix 2018) (de fin mars à mi-oct.) - ♿ (1 mobile home) - 8 🚍. Nuitée 110 à 240€ - Sem. 240 à 600€
🚐 borne AireService 5€
Emplacements pour certains ombragés sur un site calme et fleuri.

Nature : 🦢 ♀
Loisirs : ▾ ✗ 🏛 🚣 ✗ 🏊
Services : 🔌 ⦀ 🛜 laverie

GPS E : 0.72268
N : 49.23586

BELLÊME

61130 - Carte Michelin **310** M4 - 1 547 h. - alt. 241
▶ Paris 168 - Alençon 42 - Chartres 76 - La Ferté-Bernard 23

⚠ Le Val

🏕 06 24 70 55 17, www.campingduperchebellemois.com

Pour s'y rendre : sortie ouest par D 955, rte de Mamers et chemin à gauche, près de la piscine

Ouverture : de mi-avr. à fin oct.

1,5 ha (50 empl.) en terrasses, peu incliné, plat, herbeux

Empl. camping : 20€ ✦✦ ⟚ ⊡ ⚡ (10A) - pers. suppl. 4€
Location : (de mi-avr. à fin oct.) - 8 🚍 - 1 🏠 - 1 tente lodge (avec sanitaires). Nuitée 56 à 75€ - Sem. 300 à 490€
🚐 10 ⊡ 15€
Entre le golf, la piscine et le bourg emplacements ombragés et locatif de bon confort.

Nature : 🦢 ⌑ ♀♀
Services : 🚿 ☇ 🛜 laverie
À prox. : 🛒 🏊 ✗ 🏊 ⛳ golf skate parc

GPS E : 0.555
N : 48.3747

*Pour visiter une ville ou une région :
utilisez le **Guide Vert MICHELIN**.*

BERNAY

27300 - Carte Michelin **304** D7 - 10 285 h. - alt. 105
▶ Paris 155 - Argentan 69 - Évreux 49 - Le Havre 72

⚠ Municipal

🏕 02 32 43 30 47, www.bernay-tourisme.fr

Pour s'y rendre : r. des Canadiens (2 km au sud-ouest par N 138, rte d'Alençon et r. à gauche - accès conseillé par la déviation et ZI Malouve)

1 ha (50 empl.) plat, herbeux

Location : - 2 🚍.

Emplacements bien délimités entre installations sportives municipales et quartier pavillonnaire.

Nature : ⌑ ♀
Loisirs : 🏛 🚣
Services : 🔌 ☇ ☇ 🛜 laverie
À prox. : ✗ 🏊 🏊

GPS E : 0.58683
N : 49.07879

BLANGY-LE-CHÂTEAU

14130 - Carte Michelin **303** N4 - 678 h. - alt. 60
▶ Paris 197 - Caen 56 - Deauville 22 - Lisieux 16

⛰ Les Castels Le Brévedent 👤

🏕 02 31 64 72 88, www.campinglebrevedent.com

Pour s'y rendre : rte du Pin (3 km au sud-est par D 51, au château, au bord d'un étang)

Ouverture : de fin mars à fin sept.

6 ha/3,5 campables (132 empl.) incliné, plat, herbeux

Empl. camping : (Prix 2018) 40€ ✦✦ ⟚ ⊡ ⚡ (10A) - pers. suppl. 9€
Location : (Prix 2018) (de fin mars à fin oct.) - 8 🚍 - 4 tentes lodges - 2 tentes sur pilotis - 2 tipis. Sem. 290 à 800€
🚐 borne AireService

Dans le parc d'un château du 14e s. qui accueille, en septembre le festival de musique "Rêve en Rythme".

Nature : 🏖 ⬱ ♨
Loisirs : 🍴 ✕ 🏠 🌙 nocturne 🏃 🚴 🏇 🚲 🎯
🛶 🎣
Services : 🔌 🏧 ♿ 📶 laverie ⚡ 🔧
À prox. : 🎣

G P S E : 0.3045 N : 49.2253

BLANGY-SUR-BRESLE

76340 - Carte Michelin **304** J2 - 3 000 h. - alt. 70
▶ Paris 156 - Abbeville 29 - Amiens 56 - Dieppe 55

⛺ Aux Cygnes d'Opale

🕿 02 35 94 55 65, www.auxcygnesdopale.fr

Pour s'y rendre : r. du Marais (au sud-est, entre deux étangs et à 200 m de la Bresle, accès r. du Mar.-Leclerc, près de l'église)

Ouverture : de déb. avr. à fin oct.

0,8 ha (63 empl.) plat, herbeux

Empl. camping : (Prix 2018) 23 € ✦✦ 🚗 🔲 ⚡ (10A) - pers. suppl. 4 €
Location : (Prix 2018) (de déb. avr. à fin oct.) - 10 🚐. Nuitée 85 à 95 € - Sem. 405 à 630 €
🚐 borne eurorelais 2 € - 6 🔲 4 €

Nature : ♨
Loisirs : 🔲 💧 🎣 📶
Services : 🔌 🏧 📶
À prox. : 🏇 🚣 ✕ 🎣 🎯

G P S E : 1.63638 N : 49.93096

The Guide changes, so renew your guide every year.

BOURG-ACHARD

27310 - Carte Michelin **304** E5 - 2 948 h. - alt. 124
▶ Paris 141 - Bernay 39 - Évreux 62 - Le Havre 62

⛰ Le Clos Normand

🕿 02 32 56 34 84, www.leclosnormand-camping.com

Pour s'y rendre : 235 rte de Pont-Audemer (sortie ouest)

Ouverture : de mi-mars à mi-oct.

1,4 ha (75 empl.) peu incliné, plat, herbeux, bois

Empl. camping : 26 € ✦✦ 🚗 🔲 ⚡ (6A) - pers. suppl. 8 € - frais de réservation 5 €
Location : (de mi-mars à mi-oct.) - 6 🚐. Nuitée 75 à 95 € - Sem. 300 à 470 € - frais de réservation 5 €
Cadre verdoyant et fleuri.

Nature : 🏞 ♨
Loisirs : 🍴 ✕ 🏠 🏇 🛶
Services : 🔌 🏧 📶 🔲 🔧

G P S E : 0.80765 N : 49.35371

BRÉCEY

50370 - Carte Michelin **303** F7 - 2 165 h. - alt. 75
▶ Paris 328 - Avranches 17 - Granville 42 - St-Hilaire-du-Harcouët 20

⛺ Intercommunal le Pont Roulland

🕿 02 33 48 60 60, www.camping-brecey.fr

Pour s'y rendre : 1,1 km à l'est par D 911, rte de Cuves

Ouverture : de déb. avr. à fin sept.

1 ha (52 empl.) peu incliné, plat, herbeux

Empl. camping : ✦ 3 € 🚗 🔲 4 € – ⚡ (6A) 3 €

Location : (de déb. avr. à fin sept.) - 4 🚐. Nuitée 39 à 57 € - Sem. 273 à 399 €
Préférer les emplacements près de la piscine et de l'étang plus éloignés de la route.

Nature : ♨
Loisirs : 🏇
Services : 📶 🔲
À prox. : ✕ 🛶 🏇

G P S W : 1.15235 N : 48.72184

BRÉHAL

50290 - Carte Michelin **303** C6 - 3 017 h. - alt. 69
▶ Paris 345 - Caen 113 - St-Lô 48 - St-Malo 101

⛰ Municipal La Vanlée

🕿 02 33 61 63 80, www.camping-vanlee.com

Pour s'y rendre : r. des Gabions, à St-Martin-de-Bréhal

Ouverture : de mi-avr. à mi-oct.

11 ha (466 empl.) vallonné, peu incliné, plat, herbeux, sablonneux

Empl. camping : (Prix 2018) 25 € ✦✦ 🚗 🔲 ⚡ (10A) - pers. suppl. 6 € - frais de réservation 9 €
Location : (Prix 2018) (de mi-avr. à mi-oct.) - 🚲 - 3 🚐 - 8 bungalows toilés - 2 cabanons. Sem. 180 à 850 € - frais de réservation 9 €
🚐 borne artisanale 4 €
Grande prairie vallonnée, derrière les dunes, sans emplacements délimités.

Nature : 🏖 ⛰
Loisirs : 🍴 ✕ 🏠 🎣 🏇 🛶 terrain multisports
Services : 🔌 ♿ 📶 laverie 🛒 🔧
À prox. : ⛳ Golf

G P S W : 1.56474 N : 48.90913

Gebruik de gids van het lopende jaar.

BRÉVILLE-SUR-MER

50290 - Carte Michelin **303** C6 - 803 h. - alt. 70
▶ Paris 341 - Caen 108 - St-Lô 50 - St-Malo 95

⛰ La Route Blanche 🚻

🕿 02 33 50 23 31, www.campinglarouteblanche.com

Pour s'y rendre : 6 r. de La Route-Blanche (1 km au nord-ouest par rte de la plage, près du golf)

Ouverture : de déb. avr. à mi-sept.

5,5 ha (273 empl.) plat, herbeux, sablonneux

Empl. camping : (Prix 2018) 44 € ✦✦ 🚗 🔲 ⚡ (10A) - pers. suppl. 7 € - frais de réservation 9 €
Location : (Prix 2018) (de déb. avr. à mi-sept.) - 🚲 - 40 🚐. Sem. 336 à 1 316 € - frais de réservation 9 €
🚐 borne eurorelais - 🚐 14 €
Emplacements bien ordonnés avec un bon confort sanitaire à la décoration très colorée.

Nature : 🏞 ♨
Loisirs : 🍴 ✕ 🏠 🎣 🏃 🏇 🛶 ⛸ terrain multisports
Services : 🔌 🏧 ♿ 📶 laverie 🔧
À prox. : ✕ ⛳ 🏇 golf (18 trous)

G P S W : 1.56376 N : 48.86966

CANY-BARVILLE

76450 - Carte Michelin **304** D3 - 3 080 h. - alt. 25
▶ Paris 187 - Bolbec 34 - Dieppe 45 - Fécamp 21

⚠ Municipal

📞 02 35 97 70 37, www.cany-barville.fr

Pour s'y rendre : rte de Barville (sortie sud par D 268, rte d'Yvetot, apr. le stade)

Ouverture : de déb. avr. à fin sept.

2,9 ha (100 empl.) plat, herbeux, cimenté

Empl. camping : (Prix 2018) 17 € ✦✦ ⛺ 🔲 ⚡ (10A) - pers. suppl. 4 €
Location : (Prix 2018) Permanent♿ (2 mobile homes) - ⚿ - 15 🏠. Nuitée 65 à 80 € - Sem. 300 à 400 €
🚐 62 🔲 17 €

Nombreux emplacements en partie cimentés et en pelouse.

Nature : 🏞 ♀	
Loisirs : 🏠 ♠	**E** : 0.64231
Services : ⛓ 🏛 ♨ 🚿 ☂ laverie	**N** : 49.7834

Benutzen Sie den Hotelführer des laufenden Jahres.

COURSEULLES-SUR-MER

14470 - Carte Michelin **303** J4 - 4 185 h.
▶ Paris 252 - Arromanches-les-Bains 14 - Bayeux 24 - Cabourg 41

⛰ Capfun Le Donjon de Lars 👥

📞 02 31 37 99 26, www.capfun.com/camping-france-basse_normandie-donjon_de_lars-FR.html

Pour s'y rendre : av. de la Libération (au nord)

Ouverture : de déb. avr. à fin sept.

7,5 ha (360 empl.) plat, herbeux

Empl. camping : (Prix 2018) 20 € ✦✦ ⛺ 🔲 ⚡ (16A) - pers. suppl. 5 € - frais de réservation 11 €
Location : (Prix 2018) (de déb. avr. à fin sept.) - 296 🚐 - 13 🏠 - 2 tentes lodges - 1 cabane perchée. Nuitée 40 à 144 € - Sem. 161 à 1 799 € - frais de réservation 11 €

Situation près de la plage.

Nature : 🏞 🏞 ♀	
Loisirs : 🏠 🎣 ⛹ ♠ 🎿 🛶	**W** : 0.44606
Services : ⛓ 🏛 ♨ 🚿 ☂ 📶	**N** : 49.33289
À prox. : 🚤 🛶 🐎	

COURTILS

50220 - Carte Michelin **303** D8 - 245 h. - alt. 35
▶ Paris 349 - Avranches 13 - Fougères 43 - Pontorson 15

⛰ St-Michel 👥

📞 02 33 70 96 90, www.campingsaintmichel.com

Pour s'y rendre : 35 rte du Mont-St-Michel (sortie ouest par D 43)

Ouverture : de fin mars à déb. nov.

2,5 ha (100 empl.) plat et peu incliné, herbeux

Empl. camping : 28 € ✦✦ ⛺ 🔲 ⚡ (10A) - pers. suppl. 8 € - frais de réservation 5 €
Location : (de fin mars à déb. nov.) - 50 🚐. Nuitée 50 à 115 € - Sem. 287 à 805 € - frais de réservation 5 €
🚐 borne artisanale - 5 🔲 21 € - 🚐 ⚡ 17 €

Emplacements fleuris mais préférer ceux près du petit parc animalier, plus éloignés de la route.

Nature : 🏞 ♀ ♀	
Loisirs : ✕ 🏠 ⛹ ♠ 🚲 🛶 mini ferme	**W** : 1.41611
Services : ⛓ 🏛 ♨ 🚿 laverie 🚤	**N** : 48.62829

DEAUVILLE

14800 - Carte Michelin **303** M3 - 3 775 h. - alt. 2
▶ Paris 202 - Caen 50 - Évreux 101 - Le Havre 44

⛰ La Vallée de Deauville 👥

📞 02 31 88 58 17, www.camping-deauville.com - peu d'emplacements pour tentes et caravanes

Pour s'y rendre : à St-Arnoult, av. de la Vallée (4 km au sud)

Ouverture : de déb. avr. à déb. nov.

10 ha (384 empl.) plat, herbeux

Empl. camping : 36 € ✦✦ ⛺ 🔲 ⚡ (10A) - pers. suppl. 10 € - frais de réservation 23 €
Location : (de déb. avr. à déb. nov.) - ♿ (1 mobile home) - 75 🚐. Nuitée 99 à 225 € - Sem. 370 à 1 320 € - frais de réservation 23 €
🚐 borne eurorelais 2 €

Beaucoup d'espaces verts autour d'un joli plan d'eau, idéal pour la détente. Nombreux mobile homes de propriétaires-résidents.

Nature : 🏞 🏞 ♀	
Loisirs : 🍽 ✕ 🏠 🎣 ♠ centre balnéo 🔊 hammam jacuzzi ♠ 🛶 🎿 ⛷ 🎾 terrain multisports	**E** : 0.0862
Services : ⛓ 🏛 ♨ 🚿 laverie 🚿 🚤	**N** : 49.3287

Avant de vous installer, consultez les tarifs en cours, affichés obligatoirement à l'entrée du terrain, et renseignez-vous sur les conditions particulières de séjour. Les indications portées dans le guide ont pu être modifiées depuis la mise à jour.

DENNEVILLE

50580 - Carte Michelin **303** C4 - 539 h. - alt. 5
▶ Paris 347 - Barneville-Carteret 12 - Carentan 34 - St-Lô 53

⛰ L'Espérance

📞 02 33 07 12 71, www.camping-esperance.fr - peu d'emplacements pour tentes et caravanes

Pour s'y rendre : 36 r. de la Gamburie (3,5 km à l'ouest par D 137, à 500 m de la plage)

Ouverture : de déb. avr. à fin sept.

3 ha (134 empl.) plat, herbeux, sablonneux

Empl. camping : 35 € ✦✦ ⛺ 🔲 ⚡ (10A) - pers. suppl. 8 €
Location : (de déb. avr. à fin sept.) - ♿ (1 mobile home) - 14 🚐 - 2 bungalows toilés - 2 tentes lodges. Nuitée 45 à 125 € - Sem. 205 à 875 €
🚐 borne AireService 14 € - 🚐 14 €

Nature : 🏞 ♀	
Loisirs : 🍽 ✕ ♠ 🛶 🎣 🛶 🛶	**W** : 1.68832
Services : ⛓ ♨ 🚿 laverie 🚤	**N** : 49.30332

DIEPPE

76200 - Carte Michelin **304** G2 - 32 670 h. - alt. 6
▶ Paris 197 - Abbeville 68 - Beauvais 107 - Caen 176

⁂ Vitamin'

℘ 02 35 82 11 11, www.camping-vitamin.com - peu d'emplacements pour tentes et caravanes

Pour s'y rendre : 865 chemin des Vertus (3 km au sud par N 27, rte de Rouen et à dr.)

Ouverture : de déb. avr. à déb. oct.

5,3 ha (180 empl.) plat, herbeux

Empl. camping : (Prix 2018) 28,40 € ♦♦ ⚏ 🔲 🅗 (10A) - pers. suppl. 6,50 €

Location : (Prix 2018) (de déb. avr. à déb. oct.) - ᵫ (1 mobile home) - 47 ◫⫴ - 4 ⌂ - 1 roulotte. Sem. 360 à 775 €

⫴ 13 🔲

Bel espace aquatique couvert.

Nature : ⌑
Loisirs : ♆ 🏠 ⌕ ⫷ jacuzzi ⤢ 🔲 ⍓ ⤢ terrain multisports
Services : ⊶ 🛁 ⍐ laverie
À prox. : ✗ ✗ 🔲 squash

GPS : E : 1.07481 N : 49.90054

⛰ La Source

℘ 02 35 84 27 04, www.camping-la-source.fr - peu d'emplacements pour tentes et caravanes

Pour s'y rendre : 63 r. des Tisserands (3 km au sud-ouest par D 925, rte du Havre puis D 153 à gauche, à Petit-Appeville)

Ouverture : de mi-mars à mi-oct.

2,5 ha (120 empl.) plat, herbeuxEmpl. camping : (Prix 2018) 26 € ♦♦ ⚏ 🔲 🅗 (10A) - pers. suppl. 7 € - frais de réservation 5 €

Location : (Prix 2018) (de mi-mars à mi-oct.) - 6 ◫⫴ - 2 cabanons. Nuitée 85 à 135 € - Sem. 380 à 550 € - frais de réservation 10 €

⫴ 20 🔲 18 €

Emplacements au bord de la Scie.

Loisirs : ♆ 🏠 ⤢ ⚲ 🔲 ⍉
Services : ⊶ 🛒 🛁 ⍐ laverie

GPS : E : 1.05732 N : 49.89824

*Benutzen Sie die **Grünen MICHELIN-Reiseführer**, wenn Sie eine Stadt oder Region kennenlernen wollen.*

DIVES-SUR-MER

14160 - Carte Michelin **303** L4 - 5 935 h. - alt. 3
▶ Paris 219 - Cabourg 2 - Caen 27 - Deauville 22

⛰ Du Golf

℘ 02 31 24 73 09, www.campingdugolf.com - peu d'emplacements pour tentes et caravanes

Pour s'y rendre : chemin de Trousseauville (rte de Lisieux, sortie est, D 45 sur 3,5 km)

2,8 ha (155 empl.) plat, herbeux

Location : - 16 ◫⫴ - 2 ⌂ - 1 chalet sur pilotis - 1 bungalow toilé.

⫴ borne artisanale - 1 🔲

Nature : ⌑ �
Loisirs : ♆ ⤢ ⍐
Services : ⊶ 🛁 ⍐ laverie

GPS : W : 0.0701 N : 49.2792

DONVILLE-LES-BAINS

50350 - Carte Michelin **303** C6 - 3 269 h. - alt. 40
▶ Paris 341 - Caen 112 - St-Lô 77

⛰ L'Ermitage ♁♁

℘ 02 33 50 09 01, www.camping-ermitage.com

Pour s'y rendre : r. de l'Ermitage (1 km au nord par r. du Champ de Courses)

5 ha (298 empl.) peu incliné, plat, herbeux, sablonneux

À 50 m de la plage en zone résidentielle, beaux emplacements ombragés ou plein soleil.

Nature : ⌑ QQ
Loisirs : ♆ ✗ 🔲 ⫷ ⤢
Services : ⊶ 🛁 ⍆ ⍐ ⌕ laverie ⍓ ⤢
À prox. : ✗ ⍉ ⚘

GPS : W : 1.58075 N : 48.85212

*Wilt u een stad of streek bezichtigen ?
Raadpleed de **groene Michelingidsen**.*

ÉTRÉHAM

14400 - Carte Michelin **303** H4 - 271 h. - alt. 30
▶ Paris 276 - Bayeux 11 - Caen 42 - Carentan 40

⁂ Seasonova La Reine Mathilde

℘ 02 31 21 76 55, www.camping-normandie-rm.fr

Pour s'y rendre : lieu-dit : Le Marais (1 km à l'ouest par D 123 et chemin à dr.)

6,5 ha (115 empl.) plat, herbeux

Location : - 13 ◫⫴ - 6 ⌂ - 3 tentes lodges - 2 cabanons.

⫴ borne artisanale

Grands emplacements, locatif varié, pour certains de bon confort, et de grands espaces verts idéals pour la détente ou les jeux collectifs.

Nature : ⍋ ⌑ ⍉
Loisirs : ♆ ✗ 🔲 ⤢ ⍓
Services : ⊶ 🛒 🛁 laverie ⤢

GPS : W : 0.8025 N : 49.33131

ÉTRETAT

76790 - Carte Michelin **304** B3 - 1 502 h. - alt. 8
▶ Paris 206 - Bolbec 30 - Fécamp 16 - Le Havre 29

⛰ Municipal

℘ 02 35 27 07 67, www.etretat.fr ⍒

Pour s'y rendre : 69 r. Guy-de-Maupassant (1 km au sud-est par D 39, rte de Criquetot-l'Esneval)

Ouverture : de déb. avr. à mi-oct. - ⍟

1,2 ha (73 empl.) plat, herbeux, gravier

Empl. camping : (Prix 2018) ♦ 4 € ⚏ 5 € 🔲 4 € – 🅗 (3A) 6 €

⫴ 30 🔲 8 €

Entrée fleurie et ensemble très soigné avec une aire de service pour camping-cars contiguë.

Nature : ⍉
Loisirs : 🔲 ⤢
Services : ⊶ 🛒 ⍐ laverie
À prox. : ✗ 🔲

GPS : E : 0.21557 N : 49.70063

FALAISE

14700 - Carte Michelin **303** K6 - 8 333 h. - alt. 132
▸ Paris 264 - Argentan 23 - Caen 36 - Flers 37

⚠ Municipal du Château

✆ 0231901655, camping-falaise.com

Pour s'y rendre : r. du Val-d'Ante (à l'ouest de la ville, au val d'Ante)

Ouverture : de déb. mai à fin sept.

2 ha (60 empl.) terrasse, plat, peu incliné, herbeux

Empl. camping : 👤 5€ ⟺ 🅴 10€ – ⓖ (10A) 4€ - frais de réservation 3€

Cadre verdoyant et bucolique au pied du château, bordé par un petit ruisseau.

Nature : 🔊 ≤ château ⌁ 👥	**G** W : 0.2052
Loisirs : 🏠 🚣 🎯	**P** N : 48.89563
Services : ☕ 🏢 📶 laverie	**S**
À prox. : 🧗 mur d'escalade	

Donnez-nous votre avis sur les terrains que nous recommandons. Faites-nous connaître vos observations et vos découvertes par mail à l'adresse : leguidecampingfrance@tp.michelin.com.

FIQUEFLEUR-ÉQUAINVILLE

27210 - Carte Michelin **304** B5 - 642 h. - alt. 17
▸ Paris 189 - Deauville 24 - Honfleur 7 - Lisieux 40

⛰ Sites et Paysages Domaine de La Catinière 👥

✆ 0232576351, www.camping-honfleur.com

Pour s'y rendre : 910 rte de la Morelle (1 km au sud de Fiquefleur par D 22)

Ouverture : de déb. avr. à fin oct.

3,8 ha (130 empl.) plat, herbeux

Empl. camping : 36€ 👤👤 ⟺ 🅴 ⓖ (13A) - pers. suppl. 7€

Location : (de déb. avr. à fin oct.) - ♿ (mobile home) - 26 🛖 - 3 cabanons - 1 gîte. Nuitée 45 à 110€ - Sem. 250 à 900€

🚐 borne artisanale - 🚮 ⓖ14€

Traversé par deux ruisseaux avec de grands espaces verts, idéals pour la détente ou les sports collectifs.

Nature : ⌁ 👥	**G** E : 0.30382
Loisirs : 🍽 ✕ 🏠 ⛹ 🚣 🏊 ⛷ 🎣	**P** N : 49.40161
Services : ☕ 🏢 🚿 📶 laverie	**S**

FLERS

61100 - Carte Michelin **310** F2 - 15 592 h. - alt. 270
▸ Paris 234 - Alençon 73 - Argentan 42 - Caen 60

⚠ La Fouquerie

✆ 0233653500, www.flers-agglo.fr/cadre-de-vie/hebergement/camping-de-la-fouquerie/camping-de-la-fouquerie-2

Pour s'y rendre : 145 r. de La Fouquerie (1,7 km à l'est par D 924, rte d'Argentan et chemin à gauche)

Ouverture : de mi-avr. à mi-oct.

1,5 ha (50 empl.) plat, peu incliné, herbeux

Empl. camping : (Prix 2018) 14€ 👤👤 ⟺ 🅴 ⓖ (10A) - pers. suppl. 4€

Location : (Prix 2018) Permanent♿ (1 mobile home) - 3 🛖. Nuitée 57€ - Sem. 284 à 397€

Enclavé entre les champs de culture et un petit bois, ensemble bien tenu avec un bon confort sanitaire. Arrêt de bus pour le centre-ville.

Nature : 🔊 ⌁ 👥	**G** W : 0.54311
Loisirs : 🏠 🚣 🎯	**P** N : 48.75463
Services : ☕ 🏢 🚿 🚮 📶	**S**

GENÊTS

50530 - Carte Michelin **303** D7 - 427 h. - alt. 2
▸ Paris 345 - Avranches 11 - Granville 24 - Le Mont-St-Michel 33

⛰ Les Coques d'Or

✆ 0233708257, www.campinglescoquesdor.com

Pour s'y rendre : 14 Le Bec-d'Andaine (700 m au nord-ouest par D 35e1, rte du Bec d'Andaine)

Ouverture : de déb. avr. à fin sept.

4,7 ha (225 empl.) plat, herbeux

Empl. camping : (Prix 2018) 👤 8€ ⟺ 4€ 🅴 5€ – ⓖ (10A) 6€

Location : (Prix 2018) (de déb. avr. à fin sept.) - 48 🛖 - 2 🏚 - 2 tentes lodges. Nuitée 40 à 119€ - Sem. 195 à 965€

🚐 borne artisanale 4€ - 🚮 ⓖ20€

Emplacements bien délimités avec du locatif varié.

Nature : 🔊 ⌁ 👥	**G** W : 1.48444
Loisirs : 🍽 ✕ 🏠 🎣 🎮 hammam 🚣 🚲 🏊 ⛷ terrain multisports	**P** N : 48.68778
Services : ☕ 🚿 📶 laverie 🔥	**S**
À prox. : 🐎	

To make the best possible use of this Guide, READ CAREFULLY THE EXPLANATORY NOTES.

GRANVILLE

50400 - Carte Michelin **303** C6 - 12 847 h. - alt. 10
▸ Paris 342 - Avranches 27 - Caen 109 - Cherbourg 105

⛰ Les Castels Le Château de Lez-Eaux 👥

✆ 0233516609, www.lez-eaux.com

Pour s'y rendre : à St-Aubin-des-Préaux (7 km au sud-est par D 973, rte d'Avranches)

Ouverture : de déb. avr. à mi-sept.

12 ha/8 campables (229 empl.) peu incliné, plat, herbeux

Empl. camping : 44€ 👤👤 ⟺ 🅴 ⓖ (16A) - pers. suppl. 9€ - frais de réservation 9€

Location : (de mi-avr. à mi-sept.) - ♿ (1 chalet, 1 mobile home) - 27 🛖 - 31 🏚 - 2 cabanes perchées. Sem. 427 à 1 694€ - frais de réservation 9€

Sur les terres du château avec le bar aménagé dans les dépendances, un agréable parc aquatique couvert et des locatifs variés et souvent de très grand confort.

Nature : 🔊 👥	**G** W : 1.52461
Loisirs : 🍽 🏠 🎮 ⛹ 🚣 🚲 ✕ 🏊 ⛷ 🎣	**P** N : 48.79774
Services : ☕ 🏢 🚿 🚮 📶 laverie 🔥 🔥	**S**
À prox. : 🏇	

HONFLEUR

14600 - Carte Michelin **303** N3 - 8 163 h. - alt. 5
Env. Pont de Normandie - Péage en 2018 : 5,40 € autos, 6,30 € caravanes, 6,80/13,50 € P. L.
▯ Paris 195 - Caen 69 - Le Havre 27 - Lisieux 38

⚲ La Briquerie ♠♠

℘ 02 31 89 28 32, www.campinglabriquerie.com - peu d'emplacements pour tentes et caravanes

Pour s'y rendre : à Equemauville (rte de Trouville, 3,5 km au sud-ouest par rte de Pont-l'Évêque et D 62 à dr.)

Ouverture : de déb. avr. à fin sept.

11 ha (430 empl.) plat, herbeux, gravillons

Empl. camping : (Prix 2018) 37 € ♛♛ ⇌ 🖻 🖭 (10A) - pers. suppl. 9 €
Location : (Prix 2018) (de déb. avr. à fin sept.) - 🚫 - 13 🚃 - 8 🏠. Sem. 340 à 690 €
🚱 borne artisanale

Un bon confort des installations sanitaires, mais beaucoup de mobile homes ou caravanes de propriétaires-résidents.

Nature : 🐟🌄⌂♀
Loisirs : ♈✕🏠🍴🎣 jacuzzi 🛶🎯 🏹🎱⛵terrain multisports
Services : ⚬🛒🚿⬧🚰🚽🛋laverie 🔧
À prox. : 🛒

G E : 0.20826
P N : 49.39675
S

HOULGATE

14510 - Carte Michelin **303** L4 - 1 988 h. - alt. 11
▯ Paris 214 - Caen 29 - Deauville 14 - Lisieux 33

⚲ La Vallée ♠♠

℘ 02 31 24 40 69, www.campinglavallee.com

Pour s'y rendre : 88 r. de la Vallée (1 km au sud par D 24a, rte de Lisieux et D 24 à dr.)

Ouverture : de fin mars à déb. nov.

11 ha (368 empl.) fort dénivelé, en terrasses, peu incliné, plat, herbeux

Empl. camping : (Prix 2018) 49 € ♛♛ ⇌ 🖻 🖭 (10A) - pers. suppl. 10 €
Location : (Prix 2018) (de fin mars à déb. nov.) - 100 🚃. Sem. 290 à 1 750 €
🚱 borne artisanale - 12 🖻 20 €

Cadre agréable, beaucoup d'espaces verts pour la détente autour d'anciens bâtiments de style normand. Locatif souvent de grand confort.

Nature : 🌄⌂♀
Loisirs : ♈✕🏠🎣🏹🎯🚲🎱⛵🏹🎱
Services : ⚬🚿⬧🚰🚽laverie 🧺🔧
À prox. : 🛒

G W : 0.06733
P N : 49.29422
S

INCHEVILLE

76117 - Carte Michelin **304** I1 - 1 357 h. - alt. 19
▯ Paris 169 - Abbeville 32 - Amiens 65 - Blangy-sur-Bresle 16

⚠ Municipal de l'Etang

℘ 02 35 50 30 17, campingdeletang@orange.fr - peu d'emplacements pour tentes et caravanes

Pour s'y rendre : r. Mozart (sortie nord-est, rte de Beauchamps et r. à dr.)

Ouverture : de déb. mars à fin oct. - 🅿

2 ha (190 empl.) plat, herbeux

Empl. camping : (Prix 2018) 15 € ♛♛ ⇌ 🖻 🖭 (16A) - pers. suppl. 3 €
🚱 borne AireService 10 € - 2 🖻 15 €

Près d'un étang de pêche.

Nature : ♀
Loisirs : 🏠🎣🏹
Services : ⚬🚿⬧🚰📶🛋
À prox. : ✕🎣

G E : 1.50788
P N : 50.01238
S

ISIGNY-SUR-MER

14230 - Carte Michelin **303** F4 - 2 782 h. - alt. 4
▯ Paris 298 - Bayeux 35 - Caen 64 - Carentan 14

⚲ Le Fanal

℘ 02 31 21 33 20, www.camping-normandie-fanal.fr

Pour s'y rendre : r. du Fanal (à l'ouest, accès par le centre ville, près du terrain de sports)

Ouverture : de déb. avr. à fin sept.

6,5 ha/5,5 campables (240 empl.) plat, herbeux

Empl. camping : (Prix 2018) 36 € ♛♛ ⇌ 🖻 🖭 (16A) - pers. suppl. 8 € - frais de réservation 11 €
Location : (Prix 2018) (de déb. avr. à fin sept.) - 🚿 (1 mobile home) - 110 🚃 - 4 bungalows toilés. Nuitée 29 à 150 € - Sem. 203 à 1 050 € - frais de réservation 11 €

Cadre agréable, beaucoup d'espaces verts autour d'un plan d'eau de mer.

Nature : 🐟
Loisirs : ♈✕🏠🎣🏹🎱⛵🏹🎱
Services : ⚬🛒🚿⬧🚰🚽📶laverie 🔧réfrigérateurs
À prox. : 🏃 parcours sportif

G W : 1.10872
P N : 49.31923
S

JUMIÈGES

76480 - Carte Michelin **304** E5 - 1 719 h. - alt. 25
▯ Paris 161 - Rouen 29 - Le Havre 82 - Caen 132

⚲ La Forêt

℘ 02 35 37 93 43, www.campinglaforet.com

Pour s'y rendre : r. Mainberte

Ouverture : de déb. avr. à fin oct.

2 ha (111 empl.) plat, herbeux

Empl. camping : 29 € ♛♛ ⇌ 🖻 🖭 (10A) - pers. suppl. 7 € - frais de réservation 6 €
Location : (de déb. avr. à fin oct.) - 🚫 - 15 🚃 - 5 🏠 - 2 tentes lodges. Nuitée 55 à 97 € - Sem. 330 à 679 € - frais de réservation 6 €
🚱 borne eurorelais 6 €

Dans le Parc naturel régional des Boucles de la Seine normande.

Nature : 🐟♀
Loisirs : 🏠🏹🎱⛵
Services : ⚬🚿📶laverie
À prox. : 🎣

G E : 0.82883
P N : 49.43485
S

LISIEUX

14100 - Carte Michelin **303** N5 - 21 826 h. - alt. 51
▶ Paris 169 - Caen 54 - Le Havre 66 - Hérouville-St-Clair 53

⛺ La Vallée

✆ 0231620040, www.lisieux-tourisme.com

Pour s'y rendre : 9 r. de la Vallée (sortie nord par D 48, rte de Pont-l'Évêque)

Ouverture : de déb. avr. à déb. oct.

1 ha (75 empl.) plat, herbeux, gravillons

Empl. camping : (Prix 2018) 12 € ♀♀ ⛺ 🖪 ⚡ (5A) - pers. suppl. 4 €
Location : (Prix 2018) (de mi-avr. à déb. oct.) - 5 🚐. Nuitée 43 à 63 € - Sem. 250 à 399 € - frais de réservation 6 €
🚰 10 🖪 14 €

Emplacements délimités sous un agréable ombrage.

	GPS
Nature : 🏕 ♀♀	E : 0.22068
Services : ⚬━ 🚮 ♨ laverie	N : 49.16423
À prox. : 🍴 parc aquatique	

Use this year's Guide.

LES LOGES

76790 - Carte Michelin **304** B3 - 1 155 h. - alt. 92
▶ Paris 205 - Rouen 83 - Le Havre 34 - Fécamp 10

⛰ Club Airotel L'Aiguille Creuse

✆ 0235295210, www.campingaiguillecreuse.com

Pour s'y rendre : 24 rés. de l'Aiguille-Creuse

Ouverture : de fin mars à fin sept.

3 ha (105 empl.) peu incliné, plat, herbeuxEmpl. camping : 30 € ♀♀ ⛺ 🖪 ⚡ (10A) - pers. suppl. 7 €
Location : (de fin mars à fin sept.) - 🏕 - 23 🚐. Nuitée 42 à 110 € - Sem. 294 à 770 € - frais de réservation 8 €

Agréables emplacements et locatif de bon confort.

	GPS
Nature : 🏕	E : 0.27575
Loisirs : 🍸 ♨ 🏊 (découverte en saison)	N : 49.69884
Services : ⚬━ ♨ laverie	
À prox. : 🍴	

LUC-SUR-MER

14530 - Carte Michelin **303** J4 - 3 133 h.
▶ Paris 249 - Arromanches-les-Bains 23 - Bayeux 29 - Cabourg 28

⛺ Municipal la Capricieuse

✆ 0231973443, www.campinglacapricieuse.com

Pour s'y rendre : 2 r. Brummel (à l'ouest à 300 m de la plage)

Ouverture : de déb. avr. à fin sept.

4,6 ha (220 empl.) peu incliné, plat, herbeux

Empl. camping : (Prix 2018) 25 € ♀♀ ⛺ 🖪 ⚡ (10A) - pers. suppl. 6 €
Location : (Prix 2018) (de déb. avr. à fin oct.) - ♿ (1 mobile home, 1 chalet) - 🏕 - 18 🚐 - 10 🏠. Sem. 340 à 796 €
🚰 borne artisanale 5 €

De beaux emplacements et un bon confort sanitaire.

	GPS
Nature : 🏞 🌊 🏕 ♀	W : 0.35781
Loisirs : 🎪 ♨ 🍴 terrain multisports	N : 49.3179
Services : ⚬━ ♨ 🚮 ♨ laverie	
À prox. : 🚲 ♨	

LYONS-LA-FORÊT

27480 - Carte Michelin **304** I5 - 751 h. - alt. 88
▶ Paris 104 - Les Andelys 21 - Forges-les-Eaux 30 - Gisors 30

⛺ Municipal St-Paul

✆ 0235834590, www.campingsaintpaul.fr - peu d'emplacements pour tentes et caravanes

Pour s'y rendre : 2 rte St-Paul (au nord-est par D 321, au stade, au bord de la Lieure)

Ouverture : de fin mars à fin oct.

3 ha (100 empl.) plat, herbeux

Empl. camping : (Prix 2018) 27 € ♀♀ ⛺ 🖪 ⚡ (6A) - pers. suppl. 7 € - frais de réservation 5 €
Location : (Prix 2018) (de fin mars à fin oct.) - 3 🚐 - 8 🏠 - 3 tentes lodges - 2 cabanons. Nuitée 36 à 45 € - Sem. 190 à 752 € - frais de réservation 18 €
🚰 borne artisanale 6 € - 9 🖪 16 €

Grands emplacements au bord de la Lieure et à la lisière de la forêt.

	GPS
Nature : 🏞 🏕 ♀	E : 1.47657
Loisirs : 🎪 ♨	N : 49.39869
Services : ⚬━ 🛎 ♨ ♨ 🚽 📶 🖥	
À prox. : 🍴 ♨ 🐎	

MARTIGNY

76880 - Carte Michelin **304** G2 - 481 h. - alt. 24
▶ Paris 196 - Dieppe 10 - Fontaine-le-Dun 29 - Rouen 64

⛺ Les Deux Rivières

✆ 0235856082, www.camping-2-rivieres.com - peu d'emplacements pour tentes et caravanes

Pour s'y rendre : D 154 (700 m au nord-ouest, rte de Dieppe)

Ouverture : de fin mars à mi-oct.

3 ha (110 empl.) plat, herbeux

Empl. camping : (Prix 2018) 20 € ♀♀ ⛺ 🖪 ⚡ (10A) - pers. suppl. 4 €
Location : (Prix 2018) (de fin mars à mi-oct.) - 1 🚐. Nuitée 95 € - Sem. 368 à 560 €

Situation agréable en bordure de rivière et de plans d'eau.

	GPS
Nature : ≤ plans d'eau et le château d'Arques ♀	E : 1.14417
Loisirs : 🎪 ♨ 🎣	N : 49.87059
Services : ⚬━ ♨ 📶 laverie	
À prox. : 🖥 🚲 ♨	

*To visit a town or region : use the **MICHELIN** Green Guides.*

MARTRAGNY

14740 - Carte Michelin **303** I4 - 367 h. - alt. 70
▶ Paris 257 - Bayeux 11 - Caen 23 - St-Lô 47

⛰ Les Castels Le Château de Martragny

✆ 0231802140, www.chateau-martragny.com

Pour s'y rendre : 52 hameau St-Léger (sur l'ancienne N 13, par le centre bourg)

Ouverture : de mi-mai à fin août

13 ha/4 campables (160 empl.) plat, herbeux

Empl. camping : 41 € ♀♀ ⛺ 🖪 ⚡ (16A) - pers. suppl. 10 € - frais de réservation 10 €

Location : (de mi-mai à fin août) - 5 ⛺ - 4 tentes lodges - 3 gîtes.
Nuitée 80 à 150€ - Sem. 300 à 1 450€ - frais de réservation 10€
⛽ borne artisanale 17€

Emplacements dans les différents parcs et chambres d'hôte à l'étage dans le château du 18e s. Gîtes et bar-restaurant dans les dépendances.

Nature : 🐾 ♋
Loisirs : 🍽️ ✗ 🎮 🛶 🎣 🏹 🎿
Services : 🚰 🛒 👤 ⛲ 🛜 laverie 🔧 🛁
À prox. : 🐎

G P S W : 0.60532 N : 49.24406

MAUPERTUS-SUR-MER

50330 - Carte Michelin **303** D2 - 256 h. - alt. 119
▶ Paris 359 - Barfleur 21 - Cherbourg 13 - St-Lô 80

⛰️ Les Castels l'Anse du Brick 👥

📞 02 33 54 33 57, www.anse-du-brick.com

Pour s'y rendre : 18 anse du Brick (au nord-ouest par D 116, à 200 m de la plage, accès direct par passerelle)

Ouverture : de déb. mai à mi-sept.

17 ha/7 campables (230 empl.) en terrasses, plat, herbeux, pierreux, rochers, bois

Empl. camping : 47€ ★★ ⛺ 🅿️ (10A) - pers. suppl. 9€ - frais de réservation 9€
Location : (de déb. mai à mi-sept.) - 54 🏠 - 6 🏠 - 5 tentes lodges - 3 gîtes. Nuitée 65 à 249€ - Sem. 455 à 1 743€ - frais de réservation 12€
⛽ borne artisanale

Implanté dans une ancienne carrière avec de nombreux emplacements en terrasses, bénéficiant d'une vue mer ou sur les falaises.

Nature : 🐾 ← 🏞️ ♋
Loisirs : 🍽️ ✗ 🎮 👤 🏹 🛶 🚲 🎿 🏊 🎿
Services : 🚰 🛒 👤 🛁 🔧 🛜 laverie 🔧 🛁

G P S W : 1.49 N : 49.66722

---

*Teneinde deze gids beter te kunnen gebruiken,
DIENT U DE VERKLARENDE TEKST AANDACHTIG TE LEZEN.*

MERVILLE-FRANCEVILLE-PLAGE

14810 - Carte Michelin **303** K4 - 1 991 h. - alt. 2
▶ Paris 225 - Arromanches-les-Bains 42 - Cabourg 7 - Caen 20

⛰️ Les Peupliers

📞 02 31 24 05 07, www.camping-peupliers.com

Pour s'y rendre : allée des Pins (2,5 km à l'est par rte de Cabourg et à dr., à l'entrée de Hôme)

Ouverture : de déb. avr. à mi-oct.

3,6 ha (164 empl.) plat, herbeux

Empl. camping : (Prix 2018) 38€ ★★ ⛺ 🅿️ (10A) - pers. suppl. 9€
Location : (Prix 2018) (de déb. avr. à mi-oct.) - 🏠 (3 mobile homes) - 45 🏠 - 10 🏠. Sem. 360 à 980€
⛽ borne AireService

Beaux emplacements et locatif de bon confort.

Loisirs : 🍽️ ✗ 🎮 👤 🛶 🎿 🎿 terrain multisports
Services : 🚰 🛒 👤 🛜 laverie

G P S W : 0.17011 N : 49.2829

⛰️ Seasonova Le Point du Jour 👥

📞 02 31 24 23 34, www.vacances-seasonova.com

Pour s'y rendre : rte de Cabourg (sortie est par D 514)

Ouverture : de fin mars à déb. nov.

2,7 ha (140 empl.) plat, herbeux, sablonneux

Empl. camping : 39€ ★★ ⛺ 🅿️ (10A) - pers. suppl. 9€ - frais de réservation 15€
Location : (de fin mars à déb. nov.) - 🎿 - 40 🏠. Sem. 380 à 995€ - frais de réservation 15€

Agréable situation en bordure de plage.

Nature : 🐾 🏞️ 🏔️
Loisirs : ✗ 🎮 👤 🌊 jacuzzi 🛶 🎿
Services : 🚰 🛒 👤 🛜 laverie

G P S W : 0.19392 N : 49.2833

MOYAUX

14590 - Carte Michelin **303** O4 - 1 356 h. - alt. 160
▶ Paris 173 - Caen 64 - Deauville 31 - Lisieux 13

⛰️ Le Colombier

📞 02 31 63 63 08, www.camping-normandie-lecolombier.com

Pour s'y rendre : 3 km au nord-est par D 143, rte de Lieurey

Ouverture : de mi-avr. à fin sept.

15 ha/6 campables (180 empl.) plat, herbeux

Empl. camping : 33€ ★★ ⛺ 🅿️ (10A) - pers. suppl. 8€ - frais de réservation 15€
Location : (de mi-avr. à fin sept.) - 20 tentes lodges. Nuitée 52 à 105€ - Sem. 291 à 735€ - frais de réservation 15€
⛽ borne artisanale 7€ - 🚐 31€

Splendide cadre pour la piscine au centre d'un jardin à la française entre le château et le pigeonnier qui abrite le bar et la bibliothèque.

Nature : 🐾 ♋
Loisirs : 🍽️ ✗ 🎮 👤 🛶 🚲 🎿 🎿 bibliothèque terrain multisports
Services : 🚰 🛒 👤 🛜 laverie 🔧 🛁

G P S E : 0.3897 N : 49.2097

Dans notre guide, les indications d'accès à un terrain sont généralement indiquées à partir du centre de la localité.

OMONVILLE-LA-ROGUE

50440 - Carte Michelin **303** A1 - 534 h. - alt. 25
▶ Paris 377 - Caen 144 - St-Lô 99 - Cherbourg 24

⛺ Municipal du Hable

📞 02 33 52 86 15, www.omonvillelarogue.fr

Pour s'y rendre : 4 rte de la Hague

Ouverture : de déb. avr. à fin sept. - 🏕️

1 ha (60 empl.) plat, herbeux, gravillons

Empl. camping : (Prix 2018) ★ 3€ ⛺ 🅿️ 4€ – 🅿️ (10A) 5€
Location : (Prix 2018) Permanent 🏠 (1 chalet) - 5 🏠. Sem. 276 à 432€
⛽ borne artisanale 4€

Nature : 🐾 🏞️
Services : laverie
À prox. : 🔧 ✗ 🌊

G P S W : 1.84087 N : 49.70439

ORBEC

14290 - Carte Michelin **303** O5 - 2 381 h. - alt. 110
▶ Paris 173 - L'Aigle 38 - Alençon 80 - Argentan 53

⚠ Municipal Les Capucins

✆ 06 48 64 78 56, camping.sivom@orange.fr

Pour s'y rendre : 13 av. du Bois (1,5 km au nord-est par D 4, rte de Bernay et chemin à gauche, au stade)

Ouverture : de mi-mai à déb. sept.

0,9 ha (35 empl.) plat, herbeux

Empl. camping : (Prix 2018) 13€ ✶✶ ⛟ 🗐 🛝 (3A) - pers. suppl. 3€

Cadre verdoyant très soigné au centre des installations sportives municipales.

Nature : 🐾 🌳		E : 0.40875
Loisirs : 🏛 🏇	G	N : 49.02982
Services : 🚰 🖛 🛒 🚿 📶	P S	
À prox. : 🍴 🏖 🐎		

Utilisez le guide de l'année.

LES PIEUX

50340 - Carte Michelin **303** B2 - 3 588 h. - alt. 104
▶ Paris 366 - Barneville-Carteret 18 - Cherbourg 22 - St-Lô 48

⚠ Le Grand Large

✆ 02 33 52 40 75, www.legrandlarge.com

Pour s'y rendre : 11 rte du Grand-Large (3 km au sud-ouest par D 117 et D 517 à dr. puis 1 km par chemin à gauche)

Ouverture : de mi-avr. à mi-sept.

3,7 ha (236 empl.) plat et peu incliné, herbeux, sablonneux

Empl. camping : 44€ ✶✶ ⛟ 🗐 🛝 (10A) - pers. suppl. 9€

Location : (de mi-avr. à mi-sept.) - 48 🚐. Nuitée 90 à 150€ - Sem. 410 à 1 050€

🚐 borne artisanale 10€

Agréable situation dans les dunes au bord de la plage de Sciottot.

Nature : 🐾 🏕 ⛰		W : 1.8425
Loisirs : 🍴 🏛 🏇 🍴 🗺 🏊	G	N : 49.49361
Services : 🖛 🛒 🚿 📶 laverie	P S	
À prox. : 🍴		

PONT-AUDEMER

27500 - Carte Michelin **304** D5 - 8 599 h. - alt. 15
▶ Paris 165 - Rouen 58 - Évreux 91 - Le Havre 44

⚠ Flower Risle-Seine - Les Étangs

✆ 02 32 42 46 65, www.camping-risle-seine.com

Pour s'y rendre : 19 rte des Étangs, à Toutainville (2,5 km à l'est, à gauche sous le pont de l'autoroute, près de la base nautique)

Ouverture : de déb. avr. à fin oct.

2 ha (71 empl.) plat, herbeux

Empl. camping : 24€ ✶✶ ⛟ 🗐 🛝 (10A) - pers. suppl. 5€ - frais de réservation 7€

Location : (de déb. avr. à fin oct.) - ♿ (1 mobile home) - 6 🚐 - 10 chalets sur pilotis - 2 tentes lodges - 2 tentes sur pilotis. Nuitée 45 à 94€ - Sem. 225 à 658€ - frais de réservation 18€

🚐 borne artisanale - 2 🗐 20€ - 🚐 8€

Emplacements bien délimités et petit village de chalets sur pilotis dominant les étangs.

Nature : 🏕 🌳		E : 0.48739
Loisirs : 🏛 🏇 🏊 🚴	G	N : 49.3666
Services : 🖛 🛒 🚿 📶 laverie	P S	
À prox. : 🏊 🎣 ⛳ practice de golf		

PONT-FARCY

14380 - Carte Michelin **303** F6 - 527 h. - alt. 72
▶ Paris 296 - Caen 63 - St-Lô 30 - Villedieu-les-Poêles 22

⚠ Municipal

✆ 02 31 68 32 06, www.pont.farcy.fr

Pour s'y rendre : rte de Tessy (sortie nord par D 21, rte de Tessy-sur-Vire)

1,5 ha (60 empl.) plat, herbeux

Location : - 2 🚐.

Emplacements délimités et ombragés entre la route et la Vire.

Nature : 🏕 🌳		W : 1.0349
Loisirs : 🏛 🏇 🏊	G	N : 48.93899
Services : 📶	P S	
À prox. : 🍴 🎣		

Benutzen Sie
– zur Wahl der Fahrtroute
– zur Berechnung der Entfernungen
– zur exakten Lokalisierung eines Campingplatzes (mit Hilfe der Angaben im Ortstext) die für diesen Führer unentbehrlichen **MICHELIN-Karten.**

PONTORSON

50170 - Carte Michelin **303** C8 - 4 080 h. - alt. 15
▶ Paris 359 - Avranches 23 - Dinan 50 - Fougères 39

⚠ Haliotis 👥

✆ 02 33 68 11 59, www.camping-haliotis-mont-saint-michel.com

Pour s'y rendre : bd Patton (au nord-ouest par D 19, rte de Dol-de-Bretagne, près du Couesnon)

Ouverture : de fin mars à déb. nov.

8 ha/3,5 campables (166 empl.) plat, herbeux

Empl. camping : 29€ ✶✶ ⛟ 🗐 🛝 (16A) - pers. suppl. 8€ - frais de réservation 5€

Location : (de fin mars à déb. nov.) - 🅿 - 37 🚐 - 6 bungalows toilés. Nuitée 35 à 110€ - Sem. 231 à 770€ - frais de réservation 5€

🚐 borne artisanale 5€

Beaucoup d'espaces verts pour la détente et accès direct à la Voie Verte (Pontorson-Mont-St-Michel) et au Couesnon.

Nature : 🏕		W : 1.51451
Loisirs : 🍴 🏛 diurne 🚴 🏇 🏇 🚴	G	N : 48.55806
🍴 🏊 mini ferme practice de golf terrain multisports	P S	
Services : 🖛 🛒 🚿 – 12 sanitaires individuels (🚿🚽 wc) 🛒 📶 laverie		
À prox. : 🏊 🍴 🎣		

PORT-EN-BESSIN

14520 - Carte Michelin **303** H3 - 2 141 h. - alt. 10
▸ Paris 277 - Caen 43 - Hérouville-St-Clair 45 - St-Lô 47

⛰ Port'Land ♣♦

☎ 02 31 51 07 06, www.camping-portland.fr

Pour s'y rendre : chemin du Castel (2,5 km à l'ouest par D 514, rte de Grandcamp-Maisy)

Ouverture : de fin mars à déb. nov.

8,5 ha (279 empl.) plat, herbeux, gravillons

Empl. camping : 48€ ♣ ♦ 🚐 🔲 (16A) - pers. suppl. 10€
Location : (de fin mars à déb. nov.) - ♿ (1 mobile home) - Ⓟ (mobiles-homes) - 101 🛏. Nuitée 76 à 190€ - Sem. 532 à 1 330€
🚽 borne flot bleu 5€

Jolie décoration florale et arbustive autour des différents étangs. Certains locatifs sont de grand confort.

Nature : 🌳 🏞
Loisirs : 🍴 🍽 🚣 🎣 ⛹ ⛷ 🎿 🏊 🛶 🏑
terrain multisports
Services : 🔌 🚮 🛁 🛒 🛜 🏧 laverie 🧺 🚗
À prox. : ⛳ golf (36 trous)

GPS W : 0.77044 N : 49.34716

Utilisez le guide de l'année.

QUIBERVILLE

76860 - Carte Michelin **304** F2 - 535 h. - alt. 50
▸ Paris 199 - Dieppe 18 - Fécamp 50 - Rouen 67

⛰ Municipal de la Plage

☎ 02 35 83 01 04, www.campingplagequiberville.fr - peu d'emplacements pour tentes et caravanes

Pour s'y rendre : 123 r. de la Saane (à Quiberville-Plage, accès par D 127, rte d'Ouville-la-Rivière)

Ouverture : de déb. avr. à fin oct.

2,5 ha (202 empl.) plat, herbeux

Empl. camping : (Prix 2018) ♦ 6€ 🚐 🔲 12€ – 🔌 (10A) 6€
Location : (Prix 2018) (de déb. avr. à fin oct.) - 1 🛏. Sem. 350 à 610€
🚽 borne artisanale 4€ - 8 🔲 7€

À 100 m de la mer, de l'autre côté de la route.

Nature : 🌳 ≤ 🏞
Loisirs : 🍽 🚣
Services : 🔌 🛁 🛜 laverie
À prox. : 🍴 🍽 🚗 🏑 ⛲ terrain multisports

GPS E : 0.92878 N : 49.90507

RADON

61250 - Carte Michelin **310** J3 - 1 042 h. - alt. 175
▸ Paris 200 - Caen 106 - Alençon 11 - Le Mans 67

⛰ Ecouves

☎ 06 08 70 14 63, www.ecouves.net

Pour s'y rendre : lieu-dit : Les Noyers (sur la D 26)

Ouverture : de déb. avr. à fin oct.

20 ha/3 campables (43 empl.) peu incliné, plat, herbeux

Empl. camping : ♦ 3€ 🚐 🔲 6€ – 🔌 (10A) 4€
Location : Permanent - 2 🛖 - 1 chalet sur pilotis - 1 cabanon - 1 gîte. Nuitée 75 à 110€ - Sem. 280 à 390€
🚽 borne artisanale 3€ - 🚐 11€

Lieu de départ de sentiers VTT et randonnées (GR 22) avec du locatif varié en confort.

Nature : ♀
Loisirs : 🏠 🚣 🚲 🛶
Services : 🚐 🛜 🖨
À prox. : 🍴 🛶 (étang)

GPS E : 0.0684 N : 48.4957

RAVENOVILLE

50480 - Carte Michelin **303** E3 - 261 h. - alt. 6
▸ Paris 328 - Barfleur 27 - Carentan 21 - Cherbourg 40

⛰ Le Cormoran ♣♦

☎ 02 33 41 33 94, www.lecormoran.com - peu d'emplacements pour tentes et caravanes

Pour s'y rendre : 2 r. du Cormoran, à Ravenoville-Plage (3,5 km au nord-est par D 421, rte d'Utah-Beach)

Ouverture : de déb. avr. à fin sept.

8 ha (256 empl.) plat, herbeux, sablonneux

Empl. camping : 39€ ♦ ♦ 🚐 🔲 (6A) - pers. suppl. 9€ - frais de réservation 10€
Location : (de déb. avr. à fin sept.) - ♿ (1 mobile home) - 🚫 - Ⓟ - 42 🛏 - 6 🛖. Nuitée 45 à 164€ - Sem. 315 à 1 148€ - frais de réservation 10€
🚽 borne artisanale - 12 🔲 17€

Face à la mer, de l'autre côté de la route, de beaux emplacements, de grands espaces verts idéaux pour la détente et les sports collectifs.

Nature : 🌳 🏞
Loisirs : 🍴 🍽 🚣 ⛹ 🎣 jacuzzi 🚣 🚲 🏓
🏊 🛶 mini ferme location de voitures terrain
multisports
Services : 🔌 🚮 🛁 – 14 sanitaires individuels
(🛁🚿 wc) 🚗 🛒 🛜 laverie 🧺 🚗
À prox. : 🐎

GPS W : 1.23527 N : 49.46658

Renouvelez votre guide chaque année.

LE ROZEL

50340 - Carte Michelin **303** B3 - 281 h. - alt. 21
▸ Paris 369 - Caen 135 - Cherbourg 26 - Rennes 197

⛰ Le Ranch

☎ 02 33 10 07 10, www.camping-leranch.com

Pour s'y rendre : lieu-dit : La Mielle (2 km au sud-ouest par D 117 et D 62 à dr.)

Ouverture : de déb. avr. à fin sept.

4 ha (143 empl.) vallonné, terrasse, plat, herbeux, sablonneux

Empl. camping : (Prix 2018) 44€ ♦ ♦ 🚐 🔲 🔌 (10A) - pers. suppl. 9€ - frais de réservation 5€
Location : (Prix 2018) (de déb. avr. à fin sept.) - 48 🛏. Sem. 385 à 1 850€ - frais de réservation 5€

Dans les dunes de la grande plage de Sciottot avec un bon confort sanitaire et du locatif de qualité. Vue mer pour quelques emplacements.

Nature : 🌳 🏞
Loisirs : 🍴 🍽 🛶 🚣 🏊 🛶
Services : 🔌 🚮 🛁 🚗 🛒 🛜 laverie 🚗
À prox. : ⛵ char à voile

GPS W : 1.84199 N : 49.48013

ST-AUBIN-SUR-MER

14750 - Carte Michelin **303** J4 - 2 048 h.
▶ Paris 252 - Arromanches-les-Bains 19 - Bayeux 29 - Cabourg 32

⛰ Sandaya La Côte de Nacre 👥

🌀 02 31 97 14 45, www.sandaya.fr/nos-campings/cote-de-nacre - peu d'emplacements pour tentes et caravanes

Pour s'y rendre : 17 r. du Gén.-Moulton (au sud du bourg par D 7b)

Ouverture : de déb. avr. à déb. sept.

10 ha (350 empl.) plat, herbeux

Empl. camping : 53€ 👫 👫 🚐 ▣ 🗲 (10A) - pers. suppl. 9€
Location : (de déb. avr. à déb. sept.) - 🔥 (3 mobile homes) - 354 🚐. Nuitée 35 à 322€ - Sem. 245 à 2 254€
Cadre verdoyant autour du parc aquatique en partie couvert. Sanitaires, espace bébés-enfants et locatif de bon confort.

Nature : 🦕 🚐 🞂🞂
Loisirs : 🍴 🗙 🚐 🞉 👫 🛶 hammam 🛶 🞉
🗿 🞉 terrain multisports
Services : 🔌 ▥ 🞉 🞉 laverie 🞉 🞉
À prox. : 🞉

G P S	W : 0.3946
	N : 49.3324

*Choisissez votre restaurant sur **restaurant.michelin.fr***

ST-AUBIN-SUR-MER

76740 - Carte Michelin **304** F2 - 267 h. - alt. 15
▶ Paris 191 - Dieppe 21 - Fécamp 46 - Rouen 59

⛰ Municipal le Mesnil

🌀 02 35 83 02 83, www.campinglemesnil.com

Pour s'y rendre : rte de Sotteville (2 km à l'ouest par D 68, rte de Veules-les-Roses)

2,2 ha (117 empl.) en terrasses, plat, herbeux

🚐 borne artisanale - 5 ▣
Autour d'une ancienne ferme normande et ses dépendances recouvertes de toits en chaume. Nombreux vieux mobile homes de propriétaires-résidents.

Nature : 🦕 🚐
Loisirs : 🗙 🚐 🛶
Services : 🔌 ▥ 🞉 🞉 laverie 🞉

G P S	E : 0.85204
	N : 49.88353

ST-ÉVROULT-NOTRE-DAME-DU-BOIS

61550 - Carte Michelin **310** L2 - 452 h. - alt. 355
▶ Paris 153 - L'Aigle 14 - Alençon 56 - Argentan 42

⛰ Municipal des Saints-Pères

🌀 06 78 33 04 94, www.saintevroultnotredamedubois.fr

Pour s'y rendre : au sud-est du bourg

Ouverture : de mi-avr. à fin oct.

0,6 ha (27 empl.) terrasse, plat, herbeux, gravillons, bois

Empl. camping : 👤 3€ 🚐 2€ ▣ 6€ – 🗲 (12A) 3€
Location : (de mi-avr. à fin oct.) - 2 🚐. Nuitée 60 à 80€ - Sem. 150 à 250€

🚐 borne eurorelais 2€
Agréable situation qui domine le plan d'eau et le village.

Nature : 🞉 🞂🞂
Loisirs : 🛶 🞉 🞉 pédalos
Services : 🔌 🞉 🞉
À prox. : 🞉 🗙 🞉

G P S	E : 0.4663
	N : 48.7888

ST-GEORGES-DU-VIÈVRE

27450 - Carte Michelin **304** D6 - 720 h. - alt. 138
▶ Paris 161 - Bernay 21 - Évreux 54 - Lisieux 36

⛰ Municipal du Vièvre

🌀 02 32 42 76 79, www.camping-eure-normandie.fr

Pour s'y rendre : rte de Noards (sortie sud-ouest par D 38)

1,1 ha (50 empl.) plat, herbeux

Location : - 2 🚐.
Des emplacements bien délimités avec pour certains un petit ombrage.

Nature : 🦕 🚐 🞉
Loisirs : 🚲
Services : 🞉 🞉 laverie
À prox. : 🞉 🞉

G P S	E : 0.58064
	N : 49.2427

ST-HILAIRE-DU-HARCOUËT

50600 - Carte Michelin **303** F8 - 4 036 h. - alt. 70
▶ Paris 339 - Alençon 100 - Avranches 27 - Caen 102

⛰ Municipal de la Sélune

🌀 02 33 49 43 74, www.st-hilaire.fr

Pour s'y rendre : 700 m au nord-ouest par N 176, rte d'Avranches et à dr., près de la rivière

Ouverture : de déb. avr. à fin sept.

1,9 ha (65 empl.) plat, herbeux

Empl. camping : (Prix 2018) 👤 2€ 🚐 1€ – 🗲 (12A) 2€
🚐 borne artisanale - 6 ▣ 10€ – 🞉 🗲 10€
Proche du bourg, emplacements ombragés ou ensoleillés.

Nature : 🞉
Loisirs : 🚐 🛶
Services : 🔌 🞉 laverie
À prox. : 🗙

G P S	W : 1.09765
	N : 48.58127

*Avant de prendre la route, consultez **www.viamichelin.fr** : votre meilleur itinéraire, le choix de votre hôtel, restaurant, des propositions de visites touristiques.*

ST-JEAN-DE-LA-RIVIÈRE

50270 - Carte Michelin **303** B3 - 355 h. - alt. 20
▶ Paris 351 - Caen 119 - St-Lô 63 - Cherbourg 40

⛰ Yelloh! Village Les Vikings 👥

🌀 02 33 53 84 13, www.camping-lesvikings.com

Pour s'y rendre : 4 r. des Vikings (par D 166 et chemin à dr.)

Ouverture : de déb. avr. à mi-sept.

6 ha (250 empl.) plat, herbeux, sablonneux

Empl. camping : 28€ 👫 👫 🚐 ▣ 🗲 (10A) - pers. suppl. 7€
Location : (de déb. avr. à mi-sept.) - 🔥 (1 mobile home) - 98 🚐 - 4 tentes lodges. Nuitée 35 à 241€ - Sem. 245 à 1 687€
🚐 borne AireService

Yelloh ! Village Les Vikings

Confort des installations et des sanitaires avec des locatifs de qualité.

Nature : 🖼️
Loisirs : 🍸 🍴 🏠 🎦 salle d'animations
🏃 🛷 🚲 🎿 🏊 ⛷️ mini ferme terrain multisports
Services : ⛟ 🛒 🧺 ♨️ 🧺
À prox. : 🏌️ 🐎 golf (18 trous)

G P S W : 1.75293
N : 49.36335

🏔️ Du Golf 🚻

📞 02 33 04 78 90, www.camping-du-golf.fr
Pour s'y rendre : 45 chemin de Coutances
Ouverture : de déb. avr. à fin sept.
3,2 ha (157 empl.) plat, herbeux, sablonneux
Empl. camping : (Prix 2018) 32 € ✿✿ 🚗 📺 (6A) - pers. suppl. 7 €
Location : (Prix 2018) (de déb. avr. à fin sept.) - 40 🚐. Nuitée 50 à 135 €
🏕️ borne artisanale
Implanté sur le parcours du Golf de la Côte des Iscles.

Nature : 🏖️ 🖼️
Loisirs : 🍸 🏠 🎦 🏃 ⛷️ 🚲 🎦 ⛷️
Services : ⛟ 🛒 🚿 🧺
À prox. : 🏌️ golf (18 trous)

G P S W : 1.74625
N : 49.36221

ST-MARTIN-EN-CAMPAGNE

76370 - Carte Michelin **304** H2 - 1 319 h. - alt. 118
▶ Paris 209 - Dieppe 13 - Rouen 78 - Le Tréport 18

🏔️ Municipal les Goélands

📞 02 35 83 82 90, www.camping-les-goelands.fr - peu d'emplacements pour tentes et caravanes
Pour s'y rendre : r. des Grèbes (2 km au nord-ouest, à St-Martin-Plage)
Ouverture : de déb. avr. à fin oct.
3 ha (140 empl.) en terrasses, plat et peu incliné, herbeux
Empl. camping : (Prix 2018) ✿ 5 € 🚗 📺 15 € – 🔌 (16A) 4 €
Location : (Prix 2018) (de déb. avr. à fin oct.) - 7 🚐 - 3 cabanons. Nuitée 40 à 118 € - Sem. 240 à 690 €
🏕️ borne AireService 3 € - 30 📺 18 €
Vue sur mer pour quelques emplacements autour d'un restaurant de qualité.

Nature : 🌊 🖼️
Loisirs : 🍸 🍴 🎦 ⛷️ terrain multisports
Services : ⛟ 🏪 🚿 🚾 🧺

G P S E : 1.20425
N : 49.96632

*Créez votre voyage sur **voyages.michelin.fr***

ST-SAUVEUR-LE-VICOMTE

50390 - Carte Michelin **303** C3 - 2 053 h. - alt. 30
▶ Paris 336 - Barneville-Carteret 20 - Cherbourg 37 - St-Lô 56

🏔️ Municipal du Vieux Château

📞 02 33 41 72 04, www.saintsauveurlevicomte.stationverte.com
Pour s'y rendre : av. Division-Leclerc (au bourg, au bord de la Douve)
1 ha (57 empl.) plat, herbeux

Belle prairie au pied du château médiéval, de ses remparts.

Nature : 🌳
Loisirs : 🏠
Services : ⛟ laverie
À prox. : 🍴 ⛷️ 🏌️ 🛶

G P S W : 1.52779
N : 49.38748

ST-SYMPHORIEN-LE-VALOIS

50250 - Carte Michelin **303** C4 - 822 h. - alt. 35
▶ Paris 335 - Barneville-Carteret 19 - Carentan 25 - Cherbourg 47

🏔️ Club Airotel L'Étang des Haizes 🚻

📞 02 33 46 01 16, www.campingetangdeshaizes.com
Pour s'y rendre : r. Cauticote (sortie nord par D 900, rte de Valognes et D 136 à gauche vers le bourg)
Ouverture : de déb. avr. à déb. oct.
4,5 ha (160 empl.) peu incliné, plat, herbeux
Empl. camping : ✿ 9 € 🚗 📺 16 € – 🔌 (10A) 6 €
Location : (de déb. avr. à fin sept.) - ♿ (1 mobile home) - 🏄 - 24 🚐 - 4 🏚️ - 1 bungalow toilé - 2 tentes lodges - 1 tipi - 2 cabanons. Nuitée 60 à 135 € - Sem. 378 à 945 €
Agréable cadre verdoyant autour d'un bel étang et de jolis bâtiments en pierre.

Nature : 🖼️
Loisirs : 🍸 🏠 🎦 🏃 ⛷️ 🚲 🏊 ⛷️ 🛶
Services : ⛟ 🚿 🧺 laverie point d'informations touristiques

G P S W : 1.54482
N : 49.29992

*Give us your opinion of the camping sites we recommend.
Let us know of your remarks and discoveries :
leguidecampingfrance@tp.michelin.com.*

ST-VAAST-LA-HOUGUE

50550 - Carte Michelin **303** E2 - 2 091 h. - alt. 4
▶ Paris 347 - Carentan 41 - Cherbourg 31 - St-Lô 68

🏔️ La Gallouette 🚻

Camping La Gallouette

📞 02 33 54 20 57, www.camping-lagallouette.fr
Pour s'y rendre : 10bis r. de la Gallouette (au sud du bourg)
Ouverture : de déb. avr. à fin sept.
2,3 ha (176 empl.) plat, herbeux
Empl. camping : 30 € ✿✿ 🚗 📺 (10A) - pers. suppl. 7 € - frais de réservation 4 €
Location : (Prix 2018) (de déb. avr. à fin oct.) - 19 🚐 - 10 🏠. Nuitée 62 à 116 € - Sem. 293 à 767 € - frais de réservation 4 €
🏕️ borne AireService 8 € - 15 📺 14 €
À 400 m de la plage, cadre soigné et quelques emplacements avec vue sur la Tour de La Hougue ou sur le Moulin.

Nature : 🖼️ 🌳
Loisirs : 🍸 🍴 🏃 ⛷️ 🏊 location de voitures (2CV Citroën) terrain multisports
Services : ⛟ 🚿 🧺 laverie
À prox. : 🏌️ 🚣 parcours de santé

G P S W : 1.26873
N : 49.5846

ST-VALERY-EN-CAUX

76460 - Carte Michelin **304** E2 - 4 463 h. - alt. 5
▶ Paris 190 - Bolbec 46 - Dieppe 35 - Fécamp 33

⛰ Seasonova Etennemare

✆ 02 35 97 15 79, www.seasonova.com - peu d'emplacements pour tentes et caravanes

Pour s'y rendre : 21 hameau d'Etennemare (au sud-ouest, vers le hameau du Bois d'Entennemare)

Ouverture : de déb. avr. à mi-oct.

4 ha (116 empl.) peu incliné, plat, herbeux

Empl. camping : 18€ ✚✚ ⛟ ▣ 🔌 (10A) - pers. suppl. 4€ - frais de réservation 4€

Location : (de déb. avr. à mi-oct.) - 🚐 - 37 ⨐ - 10 ⌂. Nuitée 50 à 100€ - Sem. 300 à 770€ - frais de réservation 15€

Quelques mobile homes de propriétaires-résidents et du locatif de bon confort.

Nature : 🐾 ⛺
Loisirs : 🏠 ▣ (découverte en saison) ⛷
Services : ⚬⛝ ▥ ⛟ ⛽ 🛜 laverie

E : 0.70378
N : 49.85878

STE-MÈRE-ÉGLISE

50480 - Carte Michelin **303** E3 - 1 643 h. - alt. 28
▶ Paris 321 - Bayeux 57 - Cherbourg 39 - St-Lô 42

⛰ Sainte-Mère-Église

✆ 02 33 41 35 22, www.camping-sainte-mere.fr

Pour s'y rendre : 6 r. Airborne (sortie est par D 17 et à dr., près du terrain de sports)

Ouverture : de déb. avr. à fin oct.

1,3 ha (65 empl.) plat, herbeux

Empl. camping : 20€ ✚✚ ⛟ ▣ 🔌 (10A) - pers. suppl. 5€

Location : (de déb. avr. à fin oct.) - 9 ⨐ - 2 bungalows toilés - 2 caravanes rétro. Nuitée 45 à 89€ - Sem. 250 à 590€

🚰 borne artisanale

Confort sanitaire un peu ancien. Fabrique et vente sur place de la bière artisanale de Sainte-Mère-Église.

Nature : 🐾 ⛺
Loisirs : 🏠 🚣 🚲
Services : ⚬⛝ 🛜 laverie
À prox. : 🍴 terrain multisports

W : 1.31018
N : 49.41003

SÉES

61500 - Carte Michelin **310** K3 - 4 236 h. - alt. 186
▶ Paris 186 - Alençon 24 - Caen 89 - Le Mans 82

⛰ Municipal Le Clos Normand

✆ 02 33 28 87 37, www.camping-sees.fr

Pour s'y rendre : av. 8-Mai-1945 (1.3 km au sud par la D 3)

1,5 ha (50 empl.) plat, herbeux

Location : - 5 ⨐.

🚰 borne AireService

Préférer les emplacements près du stade plus au calme.

Nature : ⛺ ♀
Loisirs : 🤸
Services : ⚬⛝ 🛜
À prox. : 🛒 🍴

E : 0.17081
N : 48.59909

SURRAIN

14710 - Carte Michelin **303** G4 - 159 h. - alt. 40
▶ Paris 278 - Cherbourg 83 - Rennes 187 - Rouen 167

⛰ La Roseraie d'Omaha

✆ 02 31 21 17 71, www.camping-calvados-normandie.fr

Pour s'y rendre : r. de l'Église (sortie sud par D 208, rte de Mandeville-en-Bessin)

Ouverture : de fin mars à fin sept.

3 ha (89 empl.) peu incliné, plat, herbeux

Empl. camping : 24€ ✚✚ ⛟ ▣ (10A) - pers. suppl. 7€

Location : (de fin mars à fin sept.) - 28 ⨐ - 6 ⌂ - 1 gîte. Nuitée 49 à 156€ - Sem. 250 à 1 090€

🚰 borne artisanale 12€

De beaux emplacements, du locatif varié de bon confort et des espaces verts pour la détente.

Nature : 🐾 ⛺ ♀
Loisirs : 🍴 🍴 🏠 🚣 🚲 ▣ ⛷
Services : ⚬⛝ ⛟ ⛽ 🛜 laverie

W : 0.86443
N : 49.32574

The Guide changes, so renew your guide every year.

SURTAINVILLE

50270 - Carte Michelin **303** B3 - 1 255 h. - alt. 12
▶ Paris 367 - Barneville-Carteret 12 - Cherbourg 29 - St-Lô 42

⛰ Municipal les Mielles

✆ 02 33 04 31 04, www.camping-municipal-normandie.com

Pour s'y rendre : 80 rte des Laguettes (1,5 km à l'ouest par D 66 et rte de la mer, à 80 m de la plage, accès direct)

25 ha (151 empl.) plat, herbeux, gravillons, sablonneux

Location : - 2 ⨐.

🚰 borne AireService - 6 ▣

Derrière les dunes de la grande plage avec beaucoup d'emplacements occupés à l'année. Bon confort sanitaires.

Nature : 🐾 ⛺
Loisirs : 🏠 🚣
Services : ⚬⛝ ▥ ⛟ ⛽ 🛜 laverie
À prox. : 🍴 char à voile

W : 1.82881
N : 49.46386

THURY-HARCOURT

14220 - Carte Michelin **303** J6 - 1 968 h. - alt. 45
▶ Paris 257 - Caen 28 - Condé-sur-Noireau 20 - Falaise 27

⛰ Le Traspy

✆ 02 31 29 90 86, www.campingdutraspy.com

Pour s'y rendre : r. du Pont-Benoît (à l'est du bourg par bd du 30-Juin-1944 et chemin à gauche)

1,5 ha (78 empl.) en terrasses, plat, herbeux

Location : - 6 ⨐ - 1 ⌂.

🚰 borne eurorelais

Au bord du Traspy et près d'un plan d'eau avec une petite base de loisirs.

Nature : ⛺ ♀
Loisirs : 🍴 🍴 🏠 🚣 terrain multisports
Services : ⚬⛝ ⛟ ⛽ 🛜 laverie 🚲
À prox. : 🚲 🍴 ▣ ⛷ ⛵ parapente parc aquatique

W : 0.46913
N : 48.98896

TORIGNY-LES-VILLES

50160 - Carte Michelin **303** G5 - 2 578 h. - alt. 89
▶ Paris 294 - Caen 62 - Rouen 187 - Saint-Lô 13

⚲ Le Lac des Charmilles

☎ 02 33 75 85 05, www.camping-lacdescharmilles.com

Pour s'y rendre : rte de Vire (1,3 km au sud par la D 974)

Ouverture : de déb. avr. à mi-nov.

3,8 ha (55 empl.) en terrasses, peu incliné, plat, herbeux

Empl. camping : 31 € ✶✶ ⇌ 回 ⵌ (12A) - pers. suppl. 5 €
Location : (Prix 2018) (de déb. avr. à mi-nov.) - 13 ⵌⵌ - 4 ⵌⵌ.
Nuitée 48 à 135 € - Sem. 240 à 945 €
ⵌⵌ borne artisanale - ⵌ ⵌ 24 €
Agréable situation au bord du lac avec des emplacements légè-rement ombragés ou plein soleil.

Nature : ⵌⵌ		**G** W : 0.97224
Loisirs : ⵌ ✗ ⵌ ⵌⵌ ⵌ terrain multisports		**P**
Services : ⵌ ⵌ ⵌ ⵌ ⵌ laverie ⵌ		**S** N : 49.02906
À prox. : ⵌ		

TOUFFREVILLE-SUR-EU

76910 - Carte Michelin **304** H2 - 201 h. - alt. 45
▶ Paris 171 - Abbeville 46 - Amiens 101 - Blangy-sur-Nesle 35

⚲ Municipal Les Acacias

☎ 02 35 50 66 33, www.camping-acacias.fr

Pour s'y rendre : lieu-dit : Les Prés du Thil (1 km au sud-est par D 226 et D 454, rte de Guilmecourt)

Ouverture : de mi-fév. à mi-nov.

1 ha (50 empl.) plat, herbeux

Empl. camping : (Prix 2018) ✶ 3 € ⇌ 1 € 回 3 € – ⵌ (10A) 6 €
À l'ancienne gare de Touffreville-Criel.

Nature : ⵌ ⵌ ⵌ		**G** E : 1.33537
Services : ⵌ ⵌ		**P**
		S N : 49.99531

LE TRÉPORT

76470 - Carte Michelin **304** I1 - 5 416 h. - alt. 12
▶ Paris 180 - Abbeville 37 - Amiens 92 - Blangy-sur-Bresle 26

⚲ Municipal les Boucaniers

☎ 02 35 86 35 47, www.ville-le-treport.fr/camping

Pour s'y rendre : r. Pierre-Mendès-France (av. des Canadiens, près du stade)

Ouverture : Permanent

5,5 ha (243 empl.) plat, herbeux

Empl. camping : 23 € ✶✶ ⇌ 回 ⵌ (10A) - pers. suppl. 5 €
Location : Permanent ⵌ (1 chalet) - 50 ⵌⵌ. Nuitée 39 à 85 € - Sem. 205 à 550 €
ⵌⵌ borne artisanale - 49 回 19 € - ⵌ ⵌ 15 €
Joli petit village de chalets. Préférer les emplacements près de l'entrée, plus éloignés de l'usine voisine.

Nature : ⵌ		**G** E : 1.38882
Loisirs : ⵌ ⵌ ⵌⵌ		**P**
Services : ⵌ ⵌ ⵌ ⵌ laverie ⵌ		**S** N : 50.0577
À prox. : ⵌ		

TRÉVIÈRES

14710 - Carte Michelin **303** G4 - 938 h. - alt. 14
▶ Paris 283 - Bayeux 19 - Caen 49 - Carentan 31

⚲ Municipal Sous les Pommiers

☎ 02 31 92 89 24, www.ville-trevieres.fr

Pour s'y rendre : r. du Pont-de-la-Barre (sortie nord par D 30, rte de Formigny, près d'un ruisseau)

Ouverture : de mi-avr. à fin sept.

1,2 ha (75 empl.) plat, herbeux

Empl. camping : 17 € ✶ ✶✶ ⇌ 回 ⵌ (10A) - pers. suppl. 4 €
Emplacements bien délimités avec un tout petit ombrage sous les pommiers.

Nature : ⵌ ⵌ		**G** W : 0.90637
Loisirs : ⵌ		**P**
Services : ⵌ ⵌ ⵌ ⵌ		**S** N : 49.3132

VEULES-LES-ROSES

76980 - Carte Michelin **304** E2 - 561 h. - alt. 15
▶ Paris 188 - Dieppe 27 - Fontaine-le-Dun 8 - Rouen 57

⚲ Seasonova Les Mouettes

☎ 02 35 97 61 98, vacances-seasonova.com/camping/camping-les-mouettes

Pour s'y rendre : av. Jean-Moulin (sortie est par D 68, rte de Sotteville-sur-Mer, à 300 m de la plage)

Ouverture : de fin mars à mi-oct.

3,6 ha (160 empl.) plat, herbeux

Empl. camping : 30 € ✶✶ ⇌ 回 ⵌ (6A) - pers. suppl. 5 € - frais de réservation 15 €
Location : (de fin mars à mi-oct.) - ⵌ - 28 ⵌⵌ - 4 tentes lodges.
Nuitée 50 à 125 € - Sem. 295 à 890 € - frais de réservation 15 €
Beaux emplacements délimités à 200 m de la falaise.

Nature : ⵌ ⵌ ⵌ		**G** E : 0.80335
Loisirs : ⵌ ⵌ ⵌ jacuzzi ⵌⵌ ⵌ ⵌ		**P**
Services : ⵌ ⵌ ⵌ ⵌ laverie		**S** N : 49.87579

LE VEY

14570 - Carte Michelin **303** J6 - 87 h. - alt. 50
▶ Paris 269 - Caen 47 - Hérouville-St-Clair 46 - Flers 23

⚲ Les Rochers des Parcs

☎ 02 31 69 70 36, www.camping-normandie-clecy.fr

Pour s'y rendre : lieu-dit : La Cour, r. du Viaduc

Ouverture : de fin mars à fin sept.

1,5 ha (90 empl.) peu incliné, plat, herbeux

Empl. camping : 23 € ✶✶ ⇌ 回 ⵌ (10A) - pers. suppl. 6 € - frais de réservation 5 €
Location : (de fin mars à fin sept.) - ⵌ (1 mobile home) - 11 ⵌⵌ - 2 ⵌⵌ - 6 bungalows toilés - 1 gîte. Nuitée 53 à 129 € - Sem. 281 à 640 € - frais de réservation 5 €
ⵌⵌ borne artisanale 3 € - 5 回 11 € - ⵌ ⵌ 15 €
Sur les bords de l'Orne, face à la petite base de loisirs, cadre verdoyant et bucolique. Vente de cidre et jus de pomme de la propriété.

Nature : ⵌ ⵌ ⵌ		**G** W : 0.47487
Loisirs : ⵌ ✗ ⵌ ⵌⵌ ⵌ ⵌ ⵌ		**P**
Services : ⵌ ⵌ ⵌ laverie ⵌ		**S** N : 48.91391
À prox. : ⵌ ⵌ parc-aventure pédalos, bateaux élec		

VIERVILLE-SUR-MER

14710 - Carte Michelin **303** G3 - 250 h. - alt. 41
▶ Paris 285 - Caen 52 - Saint-Lô 39

⚠ Omaha-Beach

🖉 02 31 22 41 73, www.camping-omaha-beach.fr

Pour s'y rendre : r. de La Hérode (1 km au nord-ouest par la D 514 et chemin à drte)

Ouverture : de déb. avr. à déb. nov.

6 ha (293 empl.) terrasse, plat, herbeux

Empl. camping : 26€ ★★ ⊕ 🔲 ⚡ (6A) - pers. suppl. 6€
Location : (de déb. avr. à déb. nov.) - 85 🚐 - 2 tentes lodges. Nuitée 48 à 141€ - Sem. 308 à 990€ - frais de réservation 20€
🚐 borne artisanale

Pour quelques emplacements, vue panoramique sur la plage d'Omaha-Beach avec accès direct par un petit sentier.

Nature : 🖾	
Loisirs : 🍸 ✕ 🖾 🕭nocturne ⚡ 🚣 🚴🔲	**G** W : 0.9086
Services : ⚡ 🛜 laverie 🐾	**P** N : 49.38044
À prox. : 🍴 🚣 parapente kite-surf	**S**

VILLEDIEU-LES-POÊLES

50800 - Carte Michelin **303** E6 - 3 882 h. - alt. 105
▶ Paris 314 - Alençon 122 - Avranches 26 - Caen 82

⚠ Les Chevaliers de Malte

🖉 02 33 59 49 04, www.camping-deschevaliers.com

Pour s'y rendre : 2 imp. du Pré-de-la-Rose

Ouverture : de déb. avr. à fin sept.

1,4 ha (78 empl.) plat, herbeux, gravillons

Empl. camping : 28€ ★★ ⊕ 🔲 ⚡ (16A) - pers. suppl. 5€
Location : (de déb. avr. à fin sept.) - 10 🚐 - 1 🏠 - 1 tipi. Nuitée 46 à 89€ - Sem. 322 à 483€
🚐 borne eurorelais

Dans une zone résidentielle proche du bourg, emplacements au bord de La Sienne.

Nature : 🐾 🖾 🌳	
Loisirs : 🍸 ✕ 🚴 🚣 🎣 terrain multisports	**G** W : 1.21694
Services : ⚡ 🏧 🐾🛜 laverie 🐾	**P** N : 48.83639
À prox. : 🔲 🚣	**S**

VILLERS-SUR-MER

14640 - Carte Michelin **303** L4 - 2 707 h. - alt. 10
▶ Paris 208 - Caen 35 - Deauville 8 - Le Havre 52

⚠ Bellevue

🖉 02 31 87 05 21, www.camping-bellevue.com - peu d'emplacements pour tentes et caravanes

Pour s'y rendre : rte de Dives (2 km au sud-ouest par D 513, rte de Cabourg)

Ouverture : de déb. avr. à fin sept.

5,5 ha (280 empl.) en terrasses, peu incliné, plat, herbeux

Empl. camping : 31€ ★★ ⊕ 🔲 ⚡ (6A) - pers. suppl. 9€ - frais de réservation 10€
Location : (de déb. avr. à fin sept.) - 🏖 - 43 🚐 - 2 tentes lodges. Nuitée 100 à 200€ - Sem. 300 à 880€ - frais de réservation 10€

Pataugeoire ludique, colorée et couverte. Très nombreux mobile homes de propriétaires-résidents.

Nature : ⪍ 🖾	
Loisirs : 🍸 ✕ 🖾 🕭nocturne 🎿 🚣 🔲 🚣	**G** W : 0.0195
Services : ⚡ 🛀 🚿 🛜 laverie 🐾	**P** N : 49.3097
	S

VIMOUTIERS

61120 - Carte Michelin **310** K1 - 3 828 h. - alt. 95
▶ Paris 185 - L'Aigle 46 - Alençon 66 - Argentan 31

⚠ Municipal la Campière

🖉 02 33 39 18 86, www.mairie-vimoutiers.fr

Pour s'y rendre : 14 bd Dentu (700 m au nord vers rte de Lisieux, au stade, au bord de la Vie)

Ouverture : de déb. avr. à fin oct.

1 ha (40 empl.) plat, herbeux

Empl. camping : (Prix 2018) 13€ ★★ ⊕ 🔲 ⚡ (12A) - pers. suppl. 4€
Location : (Prix 2018) (de déb. avr. à fin oct.) - 4 🚐.

Au centre du terrain, le bâtiment de style normand abrite un sanitaire ancien et d'un confort modeste.

Nature : 🖾 🌳🌳	
Loisirs : 🚣 ✕ ✕	**G** E : 0.1966
Services : ⚡ 🏧	**P** N : 48.9326
À prox. : 🛒	**S**

PAYS-DE-LA-LOIRE

Crobard/iStock

D'abord il y a, baigné par la Loire, le « jardin de la France », son atmosphère paisible, ses châteaux somptueux et leurs magnifiques parterres fleuris, ses vergers plantureux et ses vignobles dont le nectar rehausse d'arômes subtils la dégustation de rillettes, d'une matelote d'anguilles ou d'un fromage de chèvre. Ensuite le pays Nantais, encore imprégné des senteurs d'épices du Nouveau Monde, et qui partage aujourd'hui sa fierté entre le muguet et le muscadet. Enfin la Vendée, authentique par son bocage encore marqué par la révolte des chouans, secrète par ses marais gardiens de coutumes ancestrales, décontractée dans ses stations balnéaires, ludique lors des spectacles du Puy-du-Fou… Gourmande aussi, mais dans la simplicité d'un plat de mojettes, d'une chaudrée ou d'une brioche vendéenne.

First there is the « Garden of France », renowned for its peaceful ambience, sumptuous manor houses and castles, magnificent floral gardens and acres of orchards and vineyards. Tuck into a slab of rillettes pâté or a slice of goat's cheese while you savour a glass of light Loire wine. Continue downriver to Nantes, once steeped in the spices brought back from the New World: this is the home of the famous dry Muscadet. Further south, the Vendée still echoes to the cries of the Royalists' tragic last stand. Explore the secrets of its salt marshes, relax in its seaside resorts or head for the spectacular attractions of the Puy du Fou amusement park. Simple, country fare is not lacking, so make sure you taste a piping-hot plate of chaudrée, the local fish stew, or a mouth-watering slice of fresh brioche.

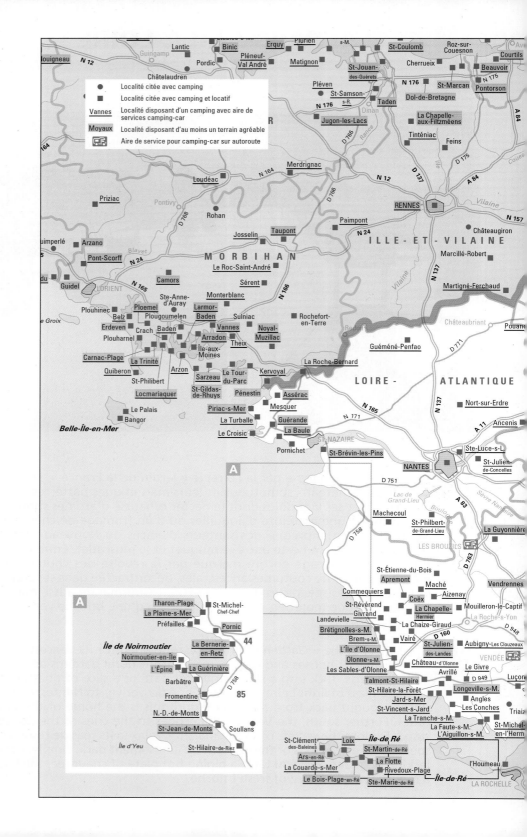

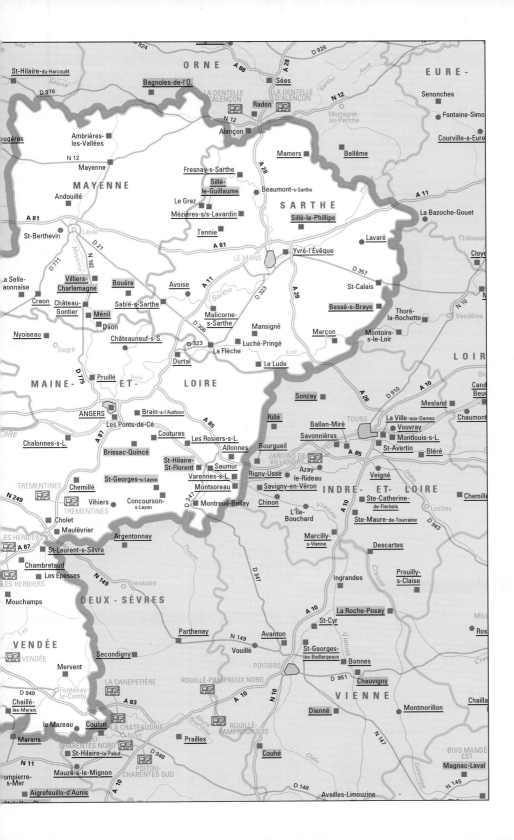

L'AIGUILLON-SUR-MER

85460 - Carte Michelin **316** I10 - 2 310 h. - alt. 4
▶ Paris 458 - Luçon 20 - Niort 83 - La Rochelle 51

⋀⋀⋀ Oléla Bel Air ♣♣

🖉 02 51 20 41 94, www.belair-camping.fr - peu d'emplacements pour tentes et caravanes

Pour s'y rendre : 2 rte de Bel-Air (1,6 km au nord-ouest par D 44)

Ouverture : de déb. avr. à fin sept.

7 ha (362 empl.) plat, herbeux

Empl. camping : 33€ ♣♣ ⇌ 🅴 ⅋ (10A) - pers. suppl. 5€
Location : (de déb. avr. à fin sept.) - ⅋ (1 chalet, 2 mobile homes) - 175 🛏 - 4 🏠. Nuitée 22 à 330€ - Sem. 154 à 2 310€

Nombreux mobile homes à la location ou de propriétaires-résidents.

Nature : ⊏ ᵔ ⌇	**G**	W : 1.31988
Loisirs : ♈ ✕ 🏠 ⌇ ☇ Ⅼᵥ centre balnéo ⛱ hammam jacuzzi ⬚ ⬚ ⬚ ᤀ ᵔ tyrolienne terrain multisports	**P** **S**	N : 46.34336
Services : ०━ ⌇ ⌇ laverie ᤩ ᤩ		

⋀⋀ La Cléroca

🖉 02 51 27 19 92, www.camping-la-cleroca.com

Pour s'y rendre : 2,2 km au nord-ouest par D 44, rte de Grues

Ouverture : de déb. avr. à fin oct.

1,5 ha (66 empl.) plat, herbeux

Empl. camping : (Prix 2018) 28€ ♣♣ ⇌ 🅴 ⅋ (10A) - pers. suppl. 6€
Location : (Prix 2018) (de déb. avr. à fin oct.) - ⅋ - 2 tentes lodges - 1 yourte - 1 gîte. Nuitée 50€ - Sem. 200 à 500€
🛏 6 🅴 28€ - 🚐 9€

Terrain verdoyant et ombragé, emplacements confortables dont certains avec vue sur les champs.

Nature : ᤩ ᤩ	**G**	W : 1.31513
Loisirs : ♈ ✕ 🏠 ⬚ ⌇ terrain multisports	**P** **S**	N : 46.35003
Services : ०━ ⌇ ⌇ laverie		

Gebruik de gids van het lopende jaar.

AIZENAY

85190 - Carte Michelin **316** G7 - 7 930 h. - alt. 62
▶ Paris 435 - Challans 26 - Nantes 60 - La Roche-sur-Yon 18

⋀ La Forêt

🖉 02 51 34 78 12, www.camping-laforet.com

Pour s'y rendre : 1 r. de la Clairière (1,5 km au sud-est par D 948, rte de la Roche-sur-Yon et chemin à gauche, derrière le centre commercial)

2,5 ha (96 empl.) plat, herbeux, bois

Location : - 14 🛏 - 1 🏠 - 2 bungalows toilés.
🚐 borne artisanale

Agréable site ombragé à la lisière d'une forêt et à proximité des commerces.

Nature : ᤩ ᤩ	**G**	W : 1.58947
Loisirs : ⬚ ⬚ ✕ ⌇	**P** **S**	N : 46.73427
Services : ०━ ⌇ ⌇ laverie		
À prox. : ⬚ ♈ ✕ ᤀ parcours de santé		

ALLONNES

49650 - Carte Michelin **317** J5 - 2 979 h. - alt. 28
▶ Paris 292 - Angers 64 - Azay-le-Rideau 43 - Chinon 28

⋀⋀ Club Airotel Le Pô Doré

🖉 02 41 38 78 80, www.camping-lepodore.com

Pour s'y rendre : 51 rte du Pô (3,2 km au nord-ouest par D 10, rte de Saumur et chemin à gauche)

Ouverture : de mi-mars à fin oct.

2 ha (90 empl.) plat, herbeux

Empl. camping : 29€ ♣♣ ⇌ 🅴 ⅋ (10A) - pers. suppl. 7€ - frais de réservation 13€
Location : (de mi-mars à fin oct.) - 20 🛏 - 2 cabanons. Sem. 299 à 800€ - frais de réservation 13€
🚐 borne artisanale

Jolie piscine naturelle avec sa plage de sable blanc.

Nature : ᤩ 🏠	**G**	W : 0.01244
Loisirs : ♈ ✕ 🏠 ⬚ ⬚ ⌇	**P** **S**	N : 47.29923
Services : ०━ ⌇ ⬚ ⌇ ⌇ 🅴 ᤩ		

Benutzen Sie den Hotelführer des laufenden Jahres.

AMBRIÈRES-LES-VALLÉES

53300 - Carte Michelin **310** F4 - 2 778 h. - alt. 144
▶ Paris 248 - Alençon 60 - Domfront 22 - Fougères 46

⋀ Le Parc de Vaux

🖉 02 43 04 90 25, www.parcdevaux.com

Pour s'y rendre : 2 km au sud-est par D 23, rte de Mayenne et à gauche, à la piscine

Ouverture : de déb. avr. à déb. nov.

3,5 ha (112 empl.) en terrasses, plat, gravillons, herbeux

Empl. camping : (Prix 2018) 12€ ♣♣ ⇌ 🅴 ⅋ (10A) - pers. suppl. 4€ - frais de réservation 10€
Location : (Prix 2018) (de déb. avr. à déb. nov.) - ⅋ (2 mobile homes) - 9 🛏 - 20 🏠 - 5 bungalows toilés. Nuitée 73 à 156€ - Sem. 152 à 742€ - frais de réservation 10€

Agréable parc boisé au bord de la Varenne (plan d'eau).

Nature : ᤩ ⊏ ᤩ ᤩ	**G**	W : 0.6171
Loisirs : 🏠 ⬚	**P** **S**	N : 48.39175
Services : ०━ ⬚ ⌇ ⌇ laverie		
À prox. : ⬚ ✕ ᤀ ᤩ ⬚ ⬚ ᤩ ᤩ		

ANCENIS

44150 - Carte Michelin **316** I3 - 7 543 h. - alt. 13
▶ Paris 347 - Angers 55 - Châteaubriant 48 - Cholet 49

⋀⋀ L'Île Mouchet

🖉 02 40 83 08 43, www.camping-estivance.com

Pour s'y rendre : impasse de l'Île-Mouchet (sortie ouest par bd Joubert et à gauche, derrière les installations sportives municipales)

Ouverture : Permanent

3,5 ha (109 empl.) plat, herbeux

Empl. camping : (Prix 2018) 23€ ♣♣ ⇌ 🅴 ⅋ (16A) - pers. suppl. 5€ - frais de réservation 6€
Location : (Prix 2018) Permanent - 7 🛏 - 2 cabanes perchées - 2 cabanons. Nuitée 50 à 250€ - Sem. 230 à 660€ - frais de réservation 15€
🚐 borne artisanale 6€

Belles prairies ombragées près de la Loire, du stade municipal et de "La Loire à Vélo". Accueil groupes et colonies.

Nature : 🌳 ♀♀ Loisirs : 🎣 🏊 🚣 ⛵ Services : ⚡(juil.-août) 🏢 🚿 🛜 laverie À prox. : ✂ 🔨 🚴 parcours sportif	**GPS** W : 1.18707 N : 47.36095

ANDOUILLÉ

53240 - Carte Michelin **310** E5 - 2 300 h. - alt. 103
▶ Paris 282 - Fougères 42 - Laval 15 - Mayenne 23

⚠ Municipal le Pont

☎ 02 43 01 18 10, www.ville-andouille.fr

Pour s'y rendre : 5 allée des Isles (par D 104, rte de St-Germain-le-Fouilloux, attenant au jardin public, au bord de l'Ernée)

Ouverture : de mi-avr. à mi-oct.

0,8 ha (30 empl.) plat, herbeux

Empl. camping : (Prix 2018) 🚶 2€ 🚗 1€ 🔲 1€ – ⚡(12A) 2€
Location : (Prix 2018) Permanent - 4 🏠. Nuitée 29 à 57€ - Sem. 201 à 398€

Nature : 🌳 ♀ Services : 🚿 🛜 📺 À prox. : 🚴 parcours de santé	**GPS** W : 0.78697 N : 48.17604

*Pour choisir et suivre un itinéraire,
pour calculer un kilométrage,
pour situer exactement un terrain (en fonction des
indications fournies dans le texte) :
utilisez les **cartes MICHELIN**,
compléments indispensables de cet ouvrage.*

ANGERS

49000 - Carte Michelin **317** F4 - 147 305 h. - alt. 41
▶ Paris 294 - Caen 249 - Laval 79 - Le Mans 97

⛰ Angers ♣♦

☎ 02 41 81 97 37, www.campingangers.com

Pour s'y rendre : av. du Lac-de-Maine (4 km au sud-ouest par D 111, rte de Pruniers, près du lac (accès direct) et à prox. de la base de loisirs)

Ouverture : de mi-avr. à déb. nov.

4 ha (165 empl.) plat, herbeux, gravillons

Empl. camping : 30€ 🚶🚶 🚗 🔲 ⚡(10A) - pers. suppl. 6€ - frais de réservation 15€
Location : (de déb. avr. à fin oct.) - 🚜 (2 mobile homes) - 30 🏠 - 15 tentes lodges. Nuitée 39 à 135€ - Sem. 280 à 945€ - frais de réservation 15€
🚐 borne artisanale 7€
À 300 m, transports en commun pour le centre-ville d'Angers.

Nature : 🌳 ♀ Loisirs : 🍴 🍽 🏛 🎯 🚴 🚣 ⛵ spa Services : ⚡🏢 🚿 🚽 🛜 📺 💧 À prox. : ✂ 🎣 🚴 💧 pédalos	**GPS** W : 0.59654 N : 47.45551

ANGLES

85750 - Carte Michelin **316** H9 - 2 329 h. - alt. 10
▶ Paris 450 - Luçon 23 - La Mothe-Achard 38 - Niort 86

⛰ L'Atlantique ♣♦

☎ 02 51 27 03 19, www.camping-vendee-atlantique.com - peu d'emplacements pour tentes et caravanes

Pour s'y rendre : 5bis r. du Chemin-de-Fer (au bourg, sortie la Tranche-sur-Mer et r. à gauche)

Ouverture : de déb. avr. à déb. sept.

6,9 ha (394 empl.) plat, herbeux, pierreux

Empl. camping : 35€ 🚶🚶 🚗 🔲 ⚡(10A) - pers. suppl. 10€ - frais de réservation 25€
Location : (de déb. avr. à déb. sept.) - 🚜 (1 mobile home) - 54 🏠 - 1 bungalow toilé - 3 tentes lodges. Nuitée 23 à 189€ - Sem. 159 à 1 329€ - frais de réservation 25€

Belle structure avec toutefois des sanitaires et certains locatifs un peu anciens. Navette gratuite pour les plages.

Nature : 🌳 ♀♀ Loisirs : 🍴 🍽 🏛 salle d'animations 🎯 🎣 jacuzzi 🚣 🚴 🛶 🚣 ⛵ Services : ⚡🚜 🚿 🚽 🛜 laverie 🏊 réfrigérateurs	**GPS** W : 1.40552 N : 46.40465

⛰ APV Moncalm ♣♦

(pas d'emplacement tentes et caravanes)

☎ 02 51 56 08 78, www.camping-apv.com

Pour s'y rendre : r. du Chemin-de-Fer (au bourg, sortie la Tranche-sur-Mer et r. à gauche)

3 ha (200 empl.) plat, herbeux, pierreux

Location : (Prix 2018) (de déb. avr. à fin sept.) - 102 🏠 - 12 🏠. Nuitée 45 à 137€ - Sem. 315 à 959€ - frais de réservation 29€

Parc de mobile homes et chalets avec une pataugeoire ludique. Navette gratuite pour les plages.

Nature : 🌳 ♀♀ Loisirs : 🍴 🍽 🏛 🎯 🎣 🚣 🚴 🛶 ⛵ terrain multisports Services : ⚡🚿 🛜 laverie 🏊 🚜	**GPS** W : 1.40548 N : 46.40467

⛰ Tohapi Clos Cottet ♣♦

☎ 02 51 28 90 72, www.camping-clos-cottet.com

Pour s'y rendre : rte de La Tranche-sur-Mer (2,2 km au sud, près de la D 747)

Ouverture : de fin avr. à déb. sept.

4,5 ha (196 empl.) plat, herbeux, petit étang

Empl. camping : (Prix 2018) 35€ 🚶🚶 🚗 🔲 ⚡(10A) - pers. suppl. 6€
Location : (Prix 2018) (de fin avr. à déb. sept.) - 160 🏠 - 3 🏠 - 5 bungalows toilés. Nuitée 30 à 177€ - Sem. 150 à 1 240€

Autour d'une ferme restaurée avec quelques animaux. Navette gratuite pour les plages.

Nature : 🌳 ♀♀ Loisirs : 🍴 🍽 🏛 salle d'animations 🎯 🎣 🚣 hammam 🚴 🛶 🚣 ⛵ terrain multisports Services : ⚡🚿 🛜 laverie	**GPS** W : 1.40345 N : 46.39248

APREMONT

85220 - Carte Michelin **316** F7 - 1 546 h. - alt. 19
▶ Paris 448 - Challans 17 - Nantes 64 - La Roche-sur-Yon 30

🏔 Les Charmes

🖉 0251544808, www.campinglescharmes.com

Pour s'y rendre : lieu-dit : Les Lilas (3,6 km au nord par D 21, rte de Challans et rte à dr., dir. la Roussière)

Ouverture : de déb. avr. à fin sept.

1 ha (55 empl.) plat, herbeux

Empl. camping : 28€ ♟♟ ⬅ 回 ⒣ (10A) - pers. suppl. 5€

Location : (de déb. avr. à fin déc.) - ⅄ (1 mobile home) - 12 🚐 - 5 🏠 - 2 tentes lodges - 3 mobile homes (sans sanitaire). Nuitée 56 à 112€ - Sem. 219 à 749€

Agréable site avec du locatif de qualité et un petit espace bien-être.

Nature : 🐿 ⌒ ♀♀
Loisirs : ⛨ 🏠 salle d'animations 🍳 jacuzzi 🛶 🏊
Services : ⚷ 🛜 laverie
G P S W : 1.73397 N : 46.77827

ASSÉRAC

44410 - Carte Michelin **316** B3 - 1 773 h. - alt. 12
▶ Paris 454 - Nantes 79 - Rennes 108 - Vannes 48

🏔 Club Airotel Le Moulin de L'Éclis 👥

🖉 0240017669, www.camping-leclis.com

Pour s'y rendre : à Pont-Mahé (4 km à l'ouest par la D 82)

Ouverture : de déb. avr. à déb. nov.

3,8 ha (180 empl.) en terrasses, peu incliné, plat, sablonneux

Empl. camping : (Prix 2018) ⬅ 回 43€ – ⒣ (10A) 5€ - frais de réservation 20€

Location : (Prix 2018) (de déb. avr. à déb. nov.) - ⅄ (1 mobile home) - 48 🚐 - 29 🏠. Nuitée 90 à 214€ - Sem. 238 à 1 498€ - frais de réservation 20€

🚐 borne artisanale 5€ – 🚐 8€

En bord de plage avec vue sur la pointe du Bile, une partie locative et un sanitaire de très grand confort.

Nature : 🐿 ⌒ ♀♀ 🏖
Loisirs : ⛨ 🍴 🏹 🍳 jacuzzi 🛶 🚲 🏊 🛝
Services : ⚷ 🗄 🛜 laverie 🚗 🛒
À prox. : skate-surf
G P S W : 2.4514 N : 47.44539

AUBIGNY-LES-CLOUZEAUX

85430 - Carte Michelin **316** H8 - 3 340 h. - alt. 80
▶ Paris 429 - Nantes 90 - Niort 99 - La Roche-sur-Yon 10

🏔 Campilo

🖉 0251316845, www.campilo.com

Pour s'y rendre : lieu-dit : L'Auroire (4,2 km au nord)

Ouverture : Permanent

16 ha/2 campables (86 empl.) peu incliné, plat, herbeux, étang

Empl. camping : 28€ ♟♟ ⬅ 回 (16A) - pers. suppl. 7€

Location : (Prix 2018) Permanent⅄ (2 mobile homes) - 53 🚐 - 3 chalets sur pilotis - 2 bungalows toilés. Nuitée 65 à 112€ - Sem. 211 à 784€ - frais de réservation 15€

🚐 2 回 20€ - 🚐 ⒣ 16€

Un camping récent installé près de 2 étangs, idéal pour la pêche.

Nature : 🐿 ⌒ ♀
Loisirs : ⛨ 🏠 🚲 🛶 🏊 pédalos terrain multisports
Services : ⚷ 🛜 laverie 🚗

G P S W : 1.45377 N : 46.62357

AVOISE

72430 - Carte Michelin **310** H7 - 539 h. - alt. 112
▶ Paris 242 - La Flèche 28 - Le Mans 41 - Sablé-sur-Sarthe 11

⛺ L'Oeil dans le Rétro

🖉 0243927612, www.campingloeildansleretro.fr

Pour s'y rendre : pl. des Deux-Fonds (au bourg, par D 57)

Ouverture : de déb. avr. à fin sept.

1,8 ha (54 empl.) plat, herbeux

Empl. camping : (Prix 2018) 16€ ♟♟ ⬅ 回 ⒣ (16A) - pers. suppl. 3€

🚐 borne artisanale 4€

Thématique rétro en bord de Sarthe.

Nature : ⌒ ♀♀
Loisirs : ⛨ 🏹 🎣
Services : ⚷ 🚗 🚽 🛜
À prox. : 🏊 🍴 ⚓

G P S W : 0.20554 N : 47.86545

*Utilisez les **cartes MICHELIN**, complément indispensable de ce guide.*

AVRILLÉ

85440 - Carte Michelin **316** H9 - 1 194 h. - alt. 45
▶ Paris 445 - Luçon 27 - La Rochelle 70 - La Roche-sur-Yon 27

🏔 Capfun Les Forges 👥

🖉 0251223885, www.campingdomainedesforges.com

Pour s'y rendre : r. des Forges (sortie nord-est par D 19, rte de Moutiers-les-Mauxfaits et à gauche, 0,7 km par r. des Forges)

Ouverture : de déb. avr. à déb. sept.

12 ha (386 empl.) plat, herbeux, étang

Empl. camping : (Prix 2018) 38€ ♟♟ ⬅ 回 ⒣ (16A) - pers. suppl. 7€ - frais de réservation 27€

Location : (Prix 2018) (de déb. avr. à déb. sept.) - ⅄ (2 mobile homes) - 323 🚐 - 2 🏠 - 11 bungalows toilés. Nuitée 40 à 98€ - Sem. 175 à 1 323€ - frais de réservation 27€

Autour d'un joli petit château et d'un étang.

Nature : 🐿 ⌒ ♀
Loisirs : ⛨ 🍴 🏠 🎣 🏹 🛝 🛶 🚲 🏊 🛝 cinéma terrain multisports
Services : ⚷ 🗄 🚽 🚗 🛜 laverie 🚗 🛒

G P S W : 1.49467 N : 46.47587

🏔 Les Mancellières

🖉 0251903597, www.lesmancellieres.com

Pour s'y rendre : 1300 rte de Longeville (1,7 km au sud par D 105)

Ouverture : de fin mars à fin sept.

2,6 ha (133 empl.) plat et peu incliné, herbeux

Empl. camping : (Prix 2018) 32€ ♟♟ ⬅ 回 ⒣ (6A) - pers. suppl. 4€ - frais de réservation 20€

Location : (Prix 2018) (de fin mars à fin sept.) - 78 ⟦⟧ - 4 ⟦⟧
- 3 tentes lodges. Nuitée 50 à 128€ - Sem. 169 à 896€ - frais de
réservation 20€

Agréable site ombragé et verdoyant.

Nature : ⟦⟧ ⟦⟧
Loisirs : ✗ ⟦⟧ jacuzzi ⟦⟧ ⟦⟧ ⟦⟧ ⟦⟧ terrain
multisports
Services : ⟦⟧ ⟦⟧ ⟦⟧ laverie

GPS W : 1.48509
N : 46.45608

LA BAULE

44500 - Carte Michelin **316** B4 - 16 235 h. - alt. 31
▶ Paris 450 - Nantes 76 - Rennes 120 - St-Nazaire 19

🏔 Club Airotel La Roseraie ≛

✆ 02 40 60 46 66, www.laroseraie.com

Pour s'y rendre : 20 av. Jean-Sohier (sortie nord-est de la Baule-Escoublac)

Ouverture : de déb. avr. à fin sept.

7 ha (316 empl.) plat, herbeux, sablonneux

Empl. camping : (Prix 2018) 47€ ✱✱ ⟦⟧ ⟦⟧ ⟦⟧ (10A) - pers. suppl. 9€
- frais de réservation 30€

Location : (Prix 2018) (de déb. avr. à fin sept.) - ⟦⟧ (1 mobile
home) - 88 ⟦⟧. Nuitée 70 à 235€ - Sem. 315 à 1 645€ - frais de
réservation 30€

⟦⟧ borne artisanale - 3 ⟦⟧ 40€

*Autour d'un parc aquatique en partie couvert avec un bon
confort sanitaire mais préférer les emplacements les plus éloignés de la route.*

Nature : ⟦⟧ ⟦⟧
Loisirs : ⟦⟧ ✗ ⟦⟧ ⟦⟧ salle d'animations ⟦⟧
⟦⟧ jacuzzi ⟦⟧ ⟦⟧ ⟦⟧ ⟦⟧ ⟦⟧ terrain
multisports
Services : ⟦⟧ ⟦⟧ ⟦⟧ ⟦⟧ laverie ⟦⟧

GPS W : 2.35776
N : 47.29828

*Om een reisroute uit te stippelen en te volgen,
om het aantal kilometers te berekenen,
om precies de ligging van een terrein te bepalen
(aan de hand van de inlichtingen in de tekst),
gebruikt u de **Michelinkaarten** ,
een onmisbare aanvulling op deze gids.*

BEAUMONT-SUR-SARTHE

72170 - Carte Michelin **310** J5 - 2 094 h. - alt. 76
▶ Paris 223 - Alençon 24 - La Ferté-Bernard 70 - Le Mans 29

🏕 Municipal du Val de Sarthe

✆ 02 43 97 01 93, www.ville-beaumont-sur-sarthe.fr

Pour s'y rendre : au sud-est du bourg

1 ha (73 empl.) plat, herbeux

Cadre et situation agréables au bord de la Sarthe.

Nature : ⟦⟧ ⟦⟧ ⟦⟧
Loisirs : ⟦⟧ ⟦⟧ ⟦⟧
Services : ⟦⟧ ⟦⟧ ⟦⟧
À prox. : ⟦⟧

GPS E : 0.13384
N : 48.2261

LA BERNERIE-EN-RETZ

44760 - Carte Michelin **316** D5 - 2 541 h. - alt. 24
▶ Paris 426 - Challans 40 - Nantes 46 - St-Nazaire 36

🏔 Chadotel Les Écureuils ≛

✆ 02 40 82 76 95, www.chadotel.com/fr/camping/loire-atlantique/la-
bernerie-en-retz/camping-les-ecureuils

Pour s'y rendre : 24 av. Gilbert-Burlot (sortie nord-est, rte de Nantes
et à gauche après le passage à niveau, à 350 m de la mer)

Ouverture : de déb. avr. à fin sept.

5,3 ha (312 empl.) plat et peu incliné, herbeux

Empl. camping : 43€ ✱✱ ⟦⟧ ⟦⟧ ⟦⟧ (10A) - pers. suppl. 6€ - frais de
réservation 25€

Location : (de déb. avr. à fin sept.) - ⟦⟧ (1 mobile home) - 140 ⟦⟧
- 8 ⟦⟧ - 6 tentes lodges. Nuitée 28 à 199€ - Sem. 196 à 1 393€
- frais de réservation 25€

⟦⟧ borne artisanale

Locatif de qualité autour de l'espace aquatique et ludique.

Nature : ⟦⟧ ⟦⟧ ⟦⟧
Loisirs : ⟦⟧ ✗ ⟦⟧ ⟦⟧ ⟦⟧ ⟦⟧ ⟦⟧ ⟦⟧ ⟦⟧ ⟦⟧
terrain multisports
Services : ⟦⟧ ⟦⟧ ⟦⟧ laverie ⟦⟧ réfrigérateurs
À prox. : ⟦⟧

GPS W : 2.03558
N : 47.08375

BESSÉ-SUR-BRAYE

72310 - Carte Michelin **310** N7 - 2 363 h. - alt. 72
▶ Paris 198 - La Ferté-Bernard 43 - Le Mans 57 - Tours 56

🏕 Val de Braye

✆ 02 43 35 31 13, www.campingduvaldebraye.com

Pour s'y rendre : sud-est par D 303, rte de Pont de Braye

2 ha (78 empl.) plat, herbeux

Location : ⟦⟧ (1 mobile home) - 9 ⟦⟧ - 1 ⟦⟧ - 1 chalet sur pilotis
- 4 tipis.

⟦⟧ borne eurorelais - 2 ⟦⟧

Belle décoration arbustive, en bordure de la Braye.

Nature : ⟦⟧
Loisirs : ⟦⟧ ⟦⟧ ⟦⟧
Services : ⟦⟧ ⟦⟧ ⟦⟧
À prox. : ✗ ⟦⟧ ⟦⟧ ⟦⟧

GPS E : 0.75427
N : 47.83119

BOUÈRE

53290 - Carte Michelin **310** G7 - 1 027 h. - alt. 81
▶ Paris 273 - Nantes 146 - Laval 39 - Angers 70

🏔 Village Vacances Nature et Jardin

(pas d'emplacement tentes et caravanes)

✆ 02 43 06 08 56, www.vacances-nature-jardin.fr

Pour s'y rendre : r. Vierge-Vacances (au sud, r. des Sencies et chemin
à gauche)

3 ha peu incliné, plat, herbeux

Location : (Prix 2018) Permanent ⟦⟧ (1 chalet) - 11 ⟦⟧. Nuitée
78 à 107€ - Sem. 222 à 433€ - frais de réservation 15€

⟦⟧ borne eurorelais 2€ - 10 ⟦⟧

Des ateliers Nature et Jardin sont proposés toute l'année.

Nature : ⟦⟧ ⟦⟧
Loisirs : ⟦⟧ ⟦⟧ jardin botanique et de
biodiversité
Services : ⟦⟧ ⟦⟧ réfrigérateurs
À prox. : ⟦⟧ ✗ ⟦⟧ ⟦⟧

GPS W : 0.47506
N : 47.86306

BRAIN-SUR-L'AUTHION

49800 - Carte Michelin **317** G4 - 3 330 h. - alt. 22
▶ Paris 291 - Angers 16 - Baugé 28 - Doué-la-Fontaine 38

⛰ Port Caroline

✆ 02 41 80 42 18, www.campingduportcaroline.fr

Pour s'y rendre : r. du Pont-Caroline (sortie sud par D 113, à 100 m de l'Authion)

Ouverture : de déb. mars à fin sept.

3,2 ha (121 empl.) plat, herbeux

Empl. camping : 23€ ♣♣ ⇌ 🗐 ⑭ (10A) - pers. suppl. 4€ - frais de réservation 10€

Location : (de déb. avr. à fin sept.) - 16 ⌨ - 2 ⌂ - 3 bungalows toilés - 3 tentes lodges. Nuitée 35 à 124€ - Sem. 235 à 868€ - frais de réservation 10€

⌨ borne artisanale

Cadre verdoyant et locatif de bon confort.

Nature : 🗔 ♀		
Loisirs : ✗ 🏠 ♣♣ 🚲 🛶	**G**	W : 0.40855
Services : ⚬⇌ ▥ 🛜 🗐 🛁	**P**	N : 47.44386
À prox. : 🛹 skate-board terrain multisports	**S**	

*En juin et septembre les campings sont plus calmes, moins fré-
quentés et pratiquent souvent des tarifs « hors saison ».*

BREM-SUR-MER

85470 - Carte Michelin **316** F8 - 2 565 h. - alt. 13
▶ Paris 454 - Aizenay 26 - Challans 29 - La Roche-sur-Yon 34

⛰ Yelloh ! Village Le Chaponnet ♣♣

✆ 02 51 90 55 56, www.le-chaponnet.com

Pour s'y rendre : 16 r. du Chaponnet (à l'ouest du bourg)

Ouverture : de mi-mai à déb. sept.

6 ha (357 empl.) plat, herbeux

Empl. camping : 51€ ♣♣ ⇌ 🗐 ⑭ (10A) - pers. suppl. 9€
Location : (de mi-mai à déb. sept.) - ♿ (1 mobile home) - 174 ⌨. Nuitée 39 à 243€ - Sem. 273 à 1 701€

Cadre verdoyant et fleuri en partie ombragé. Navette gratuite pour les plages.

Nature : 🐾 🗔 ♀		
Loisirs : 🍴 ✗ 🏠 ♣♣ 🛶 ⛵ hammam	**G**	W : 1.83225
jacuzzi ♣♣ 🚲 🎾 🏊 🏓 terrain	**P**	N : 46.6043
multisports	**S**	
Services : ⚬⇌ 🛁 🚐 🛜 laverie 🛁		

⛰ Cybele Vacances L'Océan ♣♣

✆ 02 51 90 59 16, www.campingdelocean.fr

Pour s'y rendre : r. des Gabelous (1 km à l'ouest, à 600 m de la plage)

Ouverture : de déb. avr. à déb. nov.

13 ha (566 empl.) plat, herbeux, sablonneux

Empl. camping : (Prix 2018) 23€ ♣♣ 🗐 ⑭ (6A) - pers. suppl. 3,50€ - frais de réservation 15€

Location : (Prix 2018) (de déb. avr. à déb. nov.) - ♿ (3 mobile homes) - 239 ⌨ - 6 tentes lodges. Sem. 210 à 1 570€ - frais de réservation 15€

⌨ borne artisanale

Nombreux locatifs mobile homes autour dun parc aquatique en partie couvert.

Nature : 🐾 🗔		
Loisirs : 🍴 ✗ 🏠 🚲 ♣♣ 🛶 ♣♣ 🚲 🏊 🏓	**G**	W : 1.83225
terrain multisports	**P**	N : 46.6043
Services : ⚬⇌ 🛁 🛜 laverie 🚐 🛁	**S**	

⛰ Vagues Océanes Le Brandais ♣♣

✆ 02 51 28 10 20, www.camping-vagues-oceanes.com/camping-vendee/brandais.html - peu d'emplacements pour tentes et caravanes

Pour s'y rendre : r. du Sablais (sortie nord-ouest par D 38 et rte à gauche)

Ouverture : de déb. avr. à déb. sept.

2,3 ha (165 empl.) plat et peu incliné, herbeux

Empl. camping : (Prix 2018) 42€ ♣♣ ⇌ 🗐 ⑭ (5A) - pers. suppl. 8€ - frais de réservation 10€

Location : (Prix 2018) (de déb. avr. à déb. sept.) - ♿ (1 mobile home) - 135 ⌨. Nuitée 32 à 199€ - Sem. 224 à 1 393€ - frais de réservation 26€

Dans un quartier résidentiel, avec du locatif varié et quelques emplacements pour tentes et caravanes. Navette gratuite pour les plages.

Nature : 🐾 🗔 ♀		
Loisirs : 🍴 ✗ 🏠 ♣♣ 🛶 🚲 🏊 🏓	**G**	W : 1.83949
Services : ⚬⇌ 🛁 🛜 laverie 🛁	**P**	N : 46.60486
	S	

BRÉTIGNOLLES-SUR-MER

85470 - Carte Michelin **316** E8 - 4 127 h. - alt. 14
▶ Paris 459 - Challans 30 - La Roche-sur-Yon 36 - Les Sables-d'Olonne 18

⛰ Les Vagues ♣♣

✆ 02 51 90 19 48, www.campinglesvagues.fr - peu d'emplacements pour tentes et caravanes

Pour s'y rendre : 20 bd du Nord (au nord par D 38 vers St-Gilles-Croix-de-Vie)

Ouverture : Permanent

4,5 ha (252 empl.) peu incliné, plat, herbeux

Empl. camping : 35€ ♣♣ ⇌ 🗐 ⑭ (10A) - pers. suppl. 8€ - frais de réservation 20€

Location : Permanent - 40 ⌨. Nuitée 50 à 150€ - Sem. 250 à 900€ - frais de réservation 20€

⌨ 20 🗐 15€

*Ensemble agréable, ombragé et toujours quelques emplace-
ments pour tentes et caravanes.*

Nature : 🗔 ♀♀		
Loisirs : 🍴 ✗ 🏠 ♣♣ 🛶 🏊 🏓 terrain	**G**	W : 1.85935
multisports	**P**	N : 46.63012
Services : ⚬⇌ 🛁 🛜 🗐	**S**	

Guide Michelin (hôtels et restaurants),
Guide Vert (sites et circuits touristiques) et
cartes routières Michelin sont complémentaires.
Utilisez-les ensemble.

⛰ Chadotel La Trevillière

📞 02 51 90 09 65, www.chadotel.com/fr/camping/vendee/bretignolles-sur-mer/camping-la-trevilliere

Pour s'y rendre : r. de Bellevue (sortie nord par la rte du stade et à gauche)

Ouverture : de déb. avr. à fin sept.

3 ha (204 empl.) peu incliné, plat, herbeux

Empl. camping : 36€ ⚭⚭ �car 🔲 🔌 (10A) - pers. suppl. 6€ - frais de réservation 25€

Location : (de déb. avr. à fin sept.) - ♿ (1 mobile home) - 107 🚐 - 2 tentes lodges. Nuitée 22 à 168€ - Sem. 154 à 1 176€ - frais de réservation 25€

🚐 borne artisanale

Cadre verdoyant, parfois ombragé.

Nature : 🌿 🗘 ♀
Loisirs : 🍸 🍽 🏊 🚲 🌊 🎣 ⛵
Services : 🔌 🚗 🚻 ♨ 🚿 🛜 laverie 🚽

W : 1.85821
N : 46.63627
GPS

⛺ Le Marina

📞 02 51 33 83 17, www.le-marina.com

Pour s'y rendre : r. de La Martinière (sortie nord-ouest par D 38, rte de St-Gilles-Croix-de-Vie puis à gauche 1 km par r. de la Martignière)

2,7 ha (131 empl.) plat, herbeux

Location : - 6 🚐.

Dans un quartier résidentiel, cadre verdoyant mais préférer les emplacements éloignés de la route.

Nature : 🗘 ♀♀
Loisirs : 🏊 🌊
Services : 🔌 🚻 ♨ 🚿 🛜 🚽

W : 1.87185
N : 46.63582
GPS

⛺ La Motine

📞 02 51 90 04 42, www.lamotine.com

Pour s'y rendre : 4 r. des Morinières (par av. de la Plage et à dr.)

Ouverture : de déb. avr. à fin sept.

1,8 ha (90 empl.) peu incliné, herbeux

Empl. camping : 28€ ⚭⚭ 🚗 🔲 🔌 (10A) - pers. suppl. 6€ - frais de réservation 15€

Location : (de déb. avr. à fin sept.) - 7 🚐. Sem. 380 à 670€ - frais de réservation 15€

🚐 borne AireService 10€

Au milieu d'un quartier pavillonnaire, belle décoration arbustive autour des emplacements.

Nature : 🗘 ♀
Loisirs : 🌊
Services : 🔌 🚻 ♨ 🚿 🛜 laverie
À prox. : ⛳

W : 1.8644
N : 46.62745
GPS

⛺ Cabestan

📞 02 51 90 15 92, www.campingcabestan.com

Pour s'y rendre : 24 rte de St-Gilles (1,2 km au nord-ouest par D 38)

Ouverture : de déb. avr. à fin sept.

3 ha (154 empl.) peu incliné, plat, herbeux

Empl. camping : 28€ ⚭⚭ 🚗 🔲 🔌 (16A) - pers. suppl. 6€ - frais de réservation 20€

Location : (de déb. avr. à fin sept.) - ♿ (1 mobile home) - 47 🚐. Nuitée 56 à 102€ - Sem. 280 à 714€ - frais de réservation 20€

🚐 borne artisanale 15€

Peu de locatif, un confort sanitaire ancien mais bien entretenu.

Nature : ♀♀
Loisirs : 🍸 🏊 🌊
Services : 🔌 🚿 🛜 ♨ 🚽

W : 1.86605
N : 46.63625
GPS

BRISSAC-QUINCÉ

49320 - Carte Michelin **317** G4 - 2 898 h. - alt. 65
▶ Paris 307 - Angers 18 - Cholet 62 - Doué-la-Fontaine 23

⛰ Sites et Paysages Domaine de l'Étang

CHRISTOPHE GAGNEUX/Domaine de l'Étang

📞 02 41 91 70 61, www.campingetang.com

Pour s'y rendre : rte de St-Mathurin (2 km au nord-est par D 55, et chemin à dr., au bord de l'Aubance et près d'un étang)

Ouverture : de mi-avr. à mi-sept.

3,5 ha (150 empl.) plat, herbeux, petit étang

Empl. camping : 35€ ⚭⚭ 🚗 🔲 🔌 (16A) - pers. suppl. 7€ - frais de réservation 15€

Location : (de mi-avr. à mi-sept.) - 20 🚐 - 5 chalets sur pilotis - 4 tentes lodges - 5 tentes sur pilotis - 4 cabanons - 3 gîtes. Nuitée 75 à 365€ - Sem. 237 à 1 260€ - frais de réservation 15€

Emplacements spacieux et confortables, sur les terres d'une ancienne ferme. Chalets aménagés pour les pêcheurs.

Nature : 🌿 🗘 ♀
Loisirs : 🍽 🏠 🚲 🌊 (découverte en saison) 🏊
Services : 🔌 🏛 ♨ 🛜 laverie ♨
À prox. : 🛒 ♨ parc de loisirs

W : 0.43529
N : 47.36082
GPS

Deze gids is geen overzicht van alle kampeerterreinen maar een selektie van de beste terreinen in iedere categorie.

CHAILLÉ-LES-MARAIS

85450 - Carte Michelin **316** J9 - 1 902 h. - alt. 16
▶ Paris 446 - Fontenay-le-Comte 23 - Niort 57 - La Rochelle 34

⛰ L'Île Cariot

📞 02 51 56 75 27, www.camping-chaille-les-marais.com

Pour s'y rendre : r. du 8-Mai (au sud du bourg, au bord de petits ruisseaux et près du stade)

Ouverture : de déb. avr. à fin sept.

1,2 ha (50 empl.) plat, herbeux

Empl. camping : 19€ ⚭⚭ 🚗 🔲 🔌 (16A) - pers. suppl. 5€ - frais de réservation 8€

Location : (de déb. avr. à fin sept.) - 5 🚐 - 5 🏠 - 1 bungalow toilé. Nuitée 30 à 75€ - Sem. 150 à 555€ - frais de réservation 8€

🚐 borne artisanale 3€ - 🚐 8€

Cadre très verdoyant au bord de canaux, idéal pour des promenades en canoë.

Nature : 🗘 ♀♀
Loisirs : 🏠 🏊 🌊 🚣
Services : 🔌 🛜 laverie
À prox. : 🏊 🍽

W : 1.0209
N : 46.3927
GPS

LA CHAIZE-GIRAUD

85220 - Carte Michelin **316** F8 - 878 h. - alt. 15
▶ Paris 453 - Challans 24 - La Roche-sur-Yon 32 - Les Sables-d'Olonne 21

⛰ Les Alouettes

📞 0251229621, www.lesalouettes.com - peu d'emplacements pour tentes et caravanes

Pour s'y rendre : rte de St-Gilles (1 km à l'ouest par D 12, rte de St-Gilles-Croix-de-Vie)

Ouverture : de déb. avr. à fin oct.

3 ha (130 empl.) en terrasses, peu incliné, plat, herbeux

Empl. camping : (Prix 2018) 37 € ✶✶ 🚗 📵 (4) (6A) - pers. suppl. 5 € - frais de réservation 15 €

Location : (Prix 2018) (de déb. avr. à fin sept.) - ♿ (1 mobile home) - 49 🛏 - 18 🏠 - 5 bungalows toilés. Nuitée 135 à 230 € - Sem. 460 à 720 € - frais de réservation 15 €

Parc de mobile homes et chalets avec quelques emplacements pour tentes et caravanes.

Nature : 🏞 ♀	
Loisirs : ♈ ✗ 🛋 🍴 jacuzzi 🚣 🖼 ⛷	**GPS** W : 1.83342
Services : ⚡ 🚮 🚿 📶 laverie	N : 46.64832

De gids wordt jaarlijks bijgewerkt.
Doe als wij, vervang hem, dan blijf je bij.

CHALONNES-SUR-LOIRE

49290 - Carte Michelin **317** E4 - 6 421 h. - alt. 25
▶ Paris 322 - Nantes 82 - Angers 26 - Cholet 40

⛺ Onlycamp Les Portes de La Loire

📞 0241780227, portesdelaloire.onlycamp.fr

Pour s'y rendre : rte de Rochefort (1 km à l'est par D 751, rte des Ponts-de-Cé, au bord de la Loire et près d'un plan d'eau)

3 ha (125 empl.) plat, herbeux

Location : - 5 tipis.
🚐 borne flot bleu

Nature : ♀	
Loisirs : 🛋 🛶	**GPS** W : 0.74813
Services : ⚡ 📶 🖼	N : 47.35132
À prox. : 🛒 ✗ 🚲 🎾 ⛷ ⛷ 🛶 🐕	

CHAMBRETAUD

85500 - Carte Michelin **316** K6 - 1 460 h. - alt. 214
▶ Paris 377 - Nantes 83 - La Roche-sur-Yon 56 - Cholet 21

⛰ Au Bois du Cé

📞 0251915432, www.camping-auboisduce.com 🌱

Pour s'y rendre : rte du Puy-du-Fou (1 km au sud, sur D 27)

Ouverture : de déb. avr. à fin oct.

5 ha (116 empl.) en terrasses, plat, herbeux

Empl. camping : 35 € ✶✶ 🚗 📵 (4) (16A) - pers. suppl. 6 € - frais de réservation 12 €

Location : (de déb. avr. à fin oct.) - ♿ (1 mobile home) - 🌱 - 40 🛏 - 20 🏠 - 2 studios. Nuitée 46 à 161 € - Sem. 250 à 1 025 € - frais de réservation 12 €

🚐 borne artisanale

Cadre verdoyant autour d'une ancienne gare, mini parc aqualudique couvert.

Nature : ⛰ 🏞	
Loisirs : ♈ ✗ 🛋 jacuzzi 🖼 ⛷ terrain multisports parc aquatique	**GPS** W : 0.95
Services : ⚡ 🖼 📶 laverie	N : 46.915
À prox. : 🐎	

LA CHAPELLE-HERMIER

85220 - Carte Michelin **316** F7 - 796 h. - alt. 58
▶ Paris 447 - Aizenay 13 - Challans 25 - La Roche-sur-Yon 29

⛰ Yelloh! Village Le Pin Parasol 👥

📞 0251346472, www.campingpinparasol.fr

Pour s'y rendre : à Châteaulong (3,3 km au sud-ouest par D 42, rte de l'Aiguillon-sur-Vie puis 1 km par rte à gauche)

Ouverture : de mi-mai à mi-sept.

21 ha (530 empl.) en terrasses, peu incliné, plat, herbeux

Empl. camping : 55 € ✶✶ 🚗 📵 (4) (16A) - pers. suppl. 9 €

Location : Permanent ♿ (1 chalet et 1 mobile home) - 🌱 (de mi-mai à mi-sept.) - 161 🛏 - 21 🏠. Nuitée 39 à 272 € - Sem. 273 à 630 €

🚐 borne AireService 12 €

Bel espace aquatique avec pataugeoire ludique et colorée près du lac de Jaunay (accès direct).

Nature : 🦢 ⛰ 🏞 ♀	
Loisirs : 🦢 🛋 🌞 diurne 🚣 🏋 hammam 🚴 🚲 🎾 🖼 ⛷ terrain multisports	**GPS** W : 1.75502
Services : ⚡ 🖼 🚿 📶 laverie 🚿 🐕	N : 46.66647
À prox. : 🛶 🐕 pédalos	

⛰ Village Vacances Le Domaine du Pré 👥

(pas d'emplacement tentes et caravanes)

📞 0251080707, www.domainedupre.com

Pour s'y rendre : lieu-dit : Bellevue (5 km au sud-ouest par D 42, rte de l'Aiguillon-sur-Vie puis par rte à gauche)

11 ha en terrasses, plat, peu incliné

Location : ♿ (4 chalets) - 130 🏠 - 14 tentes lodges - 12 studios.

Village de chalets autour d'un important centre de balnéo et de bien-être.

Nature : 🦢 ⛰	
Loisirs : ♈ ✗ 🛋 🏋 centre balnéo 🛋 jacuzzi 🚣 🚲 🖼 (petite piscine) ⛷ terrain multisports	**GPS** W : 1.76769
Services : ⚡ 🚿 📶 laverie 🚿 🐕	N : 46.66485
À prox. : 🛶 🐕 pédalos	

CHÂTEAU-D'OLONNE

85180 - Carte Michelin **316** F8 - 13 221 h. - alt. 20
▶ Paris 458 - Nantes 103 - La Roche-sur-Yon 36

⚘ Cybele Vacances Le Bel Air ♣▪

𝄢 02 51 22 09 67, www.campingdubelair.com

Pour s'y rendre : 6 chemin du Bel-Air (5,4 km au sud)

Ouverture : de déb. avr. à déb. nov.

5,5 ha (327 empl.) plat, herbeux

Empl. camping : 43€ ✹✹ ⇔ 🔲 ⚡ (16A) - pers. suppl. 6€

Location : (de déb. avr. à déb. nov.) - ⚫ (2 mobile homes)
- 142 🚐 - 41 studios. Nuitée 55 à 193€ - Sem. 269 à 1 549€ - frais
de réservation 30€

🚐 6 🔲 43€

Cadre agréable avec le village de gîtes de l'autre côté de la route.

Nature : ⚲ ♀
Loisirs : ♈ ✕ 🎬 🎲 salle d'animations 🏃
� 🎯 jacuzzi ⚒ 🚲 🎱 🏊 ⛷ terrain
multisports
Services : ⚬ 🏢 ♨ 📶 laverie 🧺 🛒

GPS : W : 1.72603
N : 46.47146

⚘ Les Pirons Aloa Vacances ♣▪

𝄢 02 51 95 26 75, www.camping-les-pirons.com - peu
d'emplacements pour tentes et caravanes

Pour s'y rendre : 27 r. des Marchais (4,1 km au sud)

Ouverture : de déb. avr. à fin sept.

7 ha (480 empl.) plat, herbeux

Empl. camping : 44€ ✹✹ ⇔ 🔲 ⚡ (10A) - pers. suppl. 8€ - frais de
réservation 36€

Location : (de déb. avr. à fin sept.) - 380 🚐 - 8 🏠 - 18 bungalows
toilés - 6 tentes sur pilotis - 1 gîte. Sem. 189 à 1 660€ - frais de
réservation 36€

Cadre agréable autour d'un parc aquatique en partie couvert.

Nature : ⚲ ⚲ ♀
Loisirs : ♈ ✕ 🎬 🎲 🏃 � ⚒ 🚲 🏊 ⛷
terrain multisports
Services : ⚬ 🏢 ♨ 📶 laverie 🧺 🛒

GPS : W : 1.74084
N : 46.47438

CHÂTEAU-GONTIER

53200 - Carte Michelin **310** E8 - 11 532 h. - alt. 33
▶ Paris 288 - Angers 50 - Châteaubriant 56 - Laval 30

⚘ Le Parc

𝄢 02 43 07 35 60, www.camping.parc@chateaugontier.fr

Pour s'y rendre : 15 rte de Laval (800 m au nord par N 162 rte de
Laval, près du complexe sportif)

2 ha (51 empl.) plat et peu incliné, herbeux

Location : ⚫ (1 chalet) - 12 🏠.

🚐 borne AireService

Emplacements ombragés d'une grande variété d'arbres et bordés par la Mayenne.

Loisirs : 🎬 🚲 🛶
Services : ⚬ 🏢 📶
À prox. : 🎱 ⛷ 🚣 mur d'escalade

GPS : W : 0.6995
N : 47.83866

CHÂTEAUNEUF-SUR-SARTHE

49330 - Carte Michelin **317** G2 - 2 972 h. - alt. 20
▶ Paris 278 - Angers 31 - Château-Gontier 25 - La Flèche 33

⚘ Municipal du Port

𝄢 02 41 69 82 02, www.chateauneufsursarthe.fr

Pour s'y rendre : 14 pl. R.-Le-Fort (sortie sud-est par D 859, rte de
Durtal et 2ème chemin à dr. apr. le pont, au bord de la Sarthe (halte
nautique))

1 ha (60 empl.) plat, herbeux

🚐 borne artisanale - 8 🔲

Nature : ⚲ ♀
Services : 🏢

GPS : W : 0.48695
N : 47.67749

Utilisez le guide de l'année.

CHEMILLÉ

49120 - Carte Michelin **317** E5 - 6 967 h. - alt. 84
▶ Paris 331 - Angers 43 - Cholet 22 - Saumur 60

⚘ Coulvée

𝄢 02 41 30 39 97, www.camping-coulvee-chemille.com

Pour s'y rendre : rte de Cholet (sortie sud par N 160, rte de Cholet,
près d'un plan d'eau)

Ouverture : de déb. mai à mi-sept.

2 ha (40 empl.) plat, herbeux

Empl. camping : 12€ ✹✹ ⇔ 🔲 ⚡ (10A) - pers. suppl. 4€

Location : (de déb. mai à fin oct.) - ⚫ (2 chalets) - 12 🏠. Nuitée
80 à 95€ - Sem. 185 à 475€

🚐 borne eurorelais 2€ - 🚌 ⚡8€

Terrain plat et herbeux au bord d'un plan d'eau.

Nature : ⚲ ⚲ ⚲
Loisirs : 🚲 🎯
Services : ⚬ ♨ ♨ 📶 📶 🖥
À prox. : 🚣 🏊

GPS : W : 0.7359
N : 47.20308

CHOLET

49300 - Carte Michelin **317** D6 - 54 121 h. - alt. 91
▶ Paris 353 - Ancenis 49 - Angers 64 - Nantes 60

⚘ Capfun Lac de Ribou ♣▪

𝄢 02 41 49 74 30, www.capfun.com

Pour s'y rendre : 5 km au sud-est par D 20, rte de Maulevrier et
D 600 à dr.

Ouverture : de fin mars à fin sept.

10 ha (199 empl.) peu incliné, plat, herbeux

Empl. camping : (Prix 2018) 30€ ✹✹ ⇔ 🔲 ⚡ (10A) - pers. suppl. 7€
- frais de réservation 27€

Location : (Prix 2018) (de fin mars à fin sept.) - 201 🚐. Sem.
170 à 1 040€ - frais de réservation 27€

À 100 m du lac, parc de locatif bardé de bois.

Nature : ⚲ ⚲
Loisirs : ♈ ✕ 🎬 🎲 nocturne 🏃 ⚒ ✂ 🏊
🏊 ⛷ terrain multisports
Services : ⚬ 🏢 ♨ ♨ 📶 📶 laverie 🛒
À prox. : 🎣 🛶 🏇

GPS : W : 0.84017
N : 47.03621

COËX

85220 - Carte Michelin **316** F7 - 3 025 h. - alt. 50
▶ Paris 451 - Nantes 85 - La Roche-sur-Yon 30

⚠ RCN La Ferme du Latois 👥

✆ 02 51 54 67 30, www.rcn.fr

Pour s'y rendre : lieu-dit : Le Latois (2.7 km au sud-est par D 40 rte de Brétignolles)

Ouverture : de déb. avr. à fin sept.

13 ha (199 empl.) plat, herbeux

Empl. camping : (Prix 2018) 42 € ✶✶ ⬅ 🔲 🔌 (6A) - pers. suppl. 7 € - frais de réservation 20 €

Location : (Prix 2018) (de déb. avr. à fin sept.) - 35 🚐 - 4 bungalows toilés - 3 tentes lodges. Sem. 210 à 1 260 € - frais de réservation 20 €

Agréable cadre verdoyant entre 2 étangs autour d'une ancienne ferme restaurée.

Nature : 🦆 🖼 ♨ Loisirs : 🍴 🍽 🏛 ⛹ 🚴 ⛸ 🛶 Services : 🔌 🏪 👕 📶 laverie 🧺 🚿	**GPS** W : 1.76877 N : 46.67752

Jährlich eine neue Ausgabe.
Aktuellste Informationen, jährlich für Sie.

COMMEQUIERS

85220 - Carte Michelin **316** E7 - 2 910 h. - alt. 19
▶ Paris 441 - Challans 13 - Nantes 63 - La Roche-sur-Yon 38

⚠ La Vie

✆ 02 51 54 90 04, www.campinglavie.com

Pour s'y rendre : lieu-dit : Le Motteau (1,3 km au sud-est par D 82, rte de Coëx et chemin à gauche)

Ouverture : de déb. avr. à fin sept.

6 ha (122 empl.) plat, herbeux, petit étang

Empl. camping : (Prix 2018) 16 € ✶✶ ⬅ 🔲 🔌 (6A) - pers. suppl. 4 € - frais de réservation 10 €

Location : (Prix 2018) Permanent - 20 🚐 - 1 🏠. Nuitée 21 € - Sem. 310 à 580 € - frais de réservation 10 €

🚐 15 🔲 16 €

En campagne, au calme, peut accueillir groupes et colonies de vacances.

Nature : 🦆 ♨ Loisirs : 🍴 🍽 🏛 🛶 parcours sportif Services : 🔌 🚿 📶 laverie	**GPS** W : 1.824 N : 46.75902

⚠ Le Trèfle à 4 feuilles

✆ 02 51 54 87 54, www.campingletreflea4feuilles.com

Pour s'y rendre : lieu-dit : La Jouère (3,3 km au sud-est par D 82, rte de Coëx et 1,4 km par chemin à gauche)

1,8 ha (50 empl.) terrasse, herbeux, plat

Location : - 16 🚐.

Camping à la ferme sur les terres d'une exploitation agricole céréalière avec poules, moutons, chèvres, âne...

Nature : 🦆 ♨ Loisirs : 🍴 🏛 🛶 🔲 Services : 🔌 📶 laverie	**GPS** W : 1.78507 N : 46.75935

LES CONCHES

85560 - Carte Michelin **316** H9 - alt. 5
▶ Paris 465 - Nantes 109 - La Roche 37 - La Rochelle 63

⚠ Odalys Les Dunes

✆ 02 51 33 32 93, www.camping-lesdunes.com

Pour s'y rendre : av. du Dr Joussemet

Ouverture : de mi-avr. à fin sept.

5 ha (260 empl.) plat, herbeux, sablonneux

Empl. camping : (Prix 2018) ✶ 7 € ⬅ 🔲 29 € – 🔌 (10A) 3 € - frais de réservation 5 €

Location : (Prix 2018) (de mi-avr. à fin sept.) - ♿ (2 mobile homes) - 137 🚐. Sem. 225 à 1 250 € - frais de réservation 22 €

Cadre paisible sous la pinède.

Nature : 🦆 ♨ Loisirs : 🍴 🍽 🏛 ♨ ⛹ 🛷 🚴 🔲 ⛸ terrain multisports Services : 🔌 🚿 👕 📶 laverie 🧺	**GPS** W : 1.48278 N : 46.38834

⚠ Le Clos des Pins

✆ 02 51 90 31 69, www.campingclosdespins.com

Pour s'y rendre : 1336 av. du Dr Joussemet

1,6 ha (94 empl.) vallonné, sablonneux, plat

Location : - 56 🚐 - 7 🏠.

Quelques locatifs un peu anciens mais aussi des mobile homes grand confort.

Nature : 🖼 ♨ Loisirs : 🍴 🍽 🏛 🛷 🚴 🔲 ⛸ Services : 🔌 🚿 📶 laverie	**GPS** W : 1.48842 N : 46.38856

⚠ Le Sous-Bois

✆ 02 51 33 36 90, www.lesousbois85.com

Pour s'y rendre : lieu-dit : La Haute-Saligotière

1,7 ha (135 empl.) plat, sablonneux

Location : - 4 🚐.

🚐 borne AireService - 4 🔲

Simple, ombragé avec des installations bien tenues mais anciennes.

Nature : 🦆 🖼 ♨ Loisirs : 🏛 🛷 🍴 ✂ Services : 🔌 🚿 👕 📶 📷	**GPS** W : 1.48727 N : 46.3956

Geef ons uw mening over de kampeerterreinen die wij
aanbevelen. Schrijf ons over uw ervaringen en ontdekkingen.

CONCOURSON-SUR-LAYON

49700 - Carte Michelin **317** G5 - 544 h. - alt. 55
▶ Paris 332 - Angers 44 - Cholet 45 - Saumur 25

⚠ La Vallée des Vignes 👥

✆ 02 41 59 86 35, www.camping-vdv.com

Pour s'y rendre : lieu-dit : La Croix Patron (900 m à l'ouest par D 960, rte de Vihiers et rte à dr. apr. le pont, au bord du Layon)

Ouverture : de déb. avr. à fin sept.

3,5 ha (63 empl.) plat, herbeux

Empl. camping : 25 € ✶✶ ⬅ 🔲 🔌 (10A) - pers. suppl. 4 € - frais de réservation 10 €

Location : Permanent - 5 🛏 - 3 tentes lodges. Nuitée 30 à 51€ - Sem. 210 à 610€ - frais de réservation 10€

Cadre fleuri, plan d'eau pour la pêche à 50 m.

Nature : 🏞
Loisirs : 🍸 ⛹ 🏊 🚴 🎣 🎱 🛶
Services : 🛒 🚻 ♿ 🛁 🚮 📶 📱 🧺

G P S W : 0.34766
N : 47.17394

COUTURES

49320 - Carte Michelin **317** G4 - 530 h. - alt. 81
▶ Paris 303 - Angers 25 - Baugé 35 - Doué-la-Fontaine 23

⛰ Yelloh! Village Parc de Montsabert

📞 02 41 57 91 63, www.camping-saumur-loire.com

Pour s'y rendre : rte de Montsabert (1,5 km au nord-est, près du château de Montsabert)

Ouverture : de déb. avr. à déb. sept.

5 ha (157 empl.) plat et peu incliné, herbeux, pierreux, bois

Empl. camping : 15€ ✶✶ 🚐 🔲 ⚡ (10A) - pers. suppl. 6€
Location : (de déb. avr. à déb. sept.) - 55 🛏 - 14 🏠 - 7 bungalows toilés. Nuitée 28 à 169€ - Sem. 168 à 1 014€
🚐 borne artisanale

Agréable parc boisé et jeux pour enfants de qualité.

Nature : 🏞 🏖 ♨
Loisirs : 🍴 🏛 🏊 🎣 🎱 🛶 🔲 (découverte en saison) ⛵
Services : 🛒 🏧 🚮 🗑 📶 laverie

G P S W : 0.34679
N : 47.37448

CRAON

53400 - Carte Michelin **310** D7 - 4 590 h. - alt. 75
▶ Paris 309 - Fougères 70 - Laval 29 - Mayenne 60

⛰ Municipal du Mûrier

📞 02 43 06 96 33, www.campindecraon53.fr

Pour s'y rendre : r. Alain-Gerbault (800 m à l'est, rte de Château-Gontier et chemin à gauche)

Ouverture : de déb. avr. à fin oct.

1 ha (45 empl.) plat, herbeux

Empl. camping : ✶ 4€ 🚐 2€ 🔲 7€ – ⚡ (10A) 4€
Location : (de déb. avr. à fin oct.) - 9 🏠 - 9 cabanons. Sem. 369 à 469€ - frais de réservation 20€
🚐 borne AireService - 10 🔲 17€ – 🔋⚡15€

Cadre agréable près d'un plan d'eau.

Nature : 🏞 ♨
Loisirs : 🏛 🏊
Services : 🛒 📶 📱
À prox. : 🍽 🍸 🍴 🎱 🔲 🛶 🐎

G P S W : 0.94398
N : 47.84837

LE CROISIC

44490 - Carte Michelin **316** A4 - 4 024 h. - alt. 6
▶ Paris 466 - Nantes 90 - Rennes 154 - Vannes 85

⛰⛰ L'Océan 👥

📞 02 40 23 07 69, www.camping-ocean.com - peu d'emplacements pour tentes et caravanes

Pour s'y rendre : 15 rte de la Maison Rouge (2.4 km à l'ouest)

Ouverture : Permanent

7,5 ha (383 empl.) plat, herbeux, sablonneux

Empl. camping : (Prix 2018) 55€ ✶✶ 🚐 🔲 ⚡ (6A) - pers. suppl. 11€ - frais de réservation 25€
Location : Permanent♿ (1 mobile home) - 310 🛏 - 8 appartements - 4 tentes lodges (avec sanitaires) - 2 villas. Nuitée 72 à 262€ - Sem. 420 à 1 800€ - frais de réservation 25€
🚐 15 🔲 27€

À 200 m de la plage avec du locatif souvent de grand confort, un espace balnéo de qualité et le parc aquatique en partie couvert.

Nature : 🏖 🏞 ♨♨
Loisirs : 🍸 🍴 🏛 🏊 ⛹ 🎿 centre balnéo 🎳 hammam jacuzzi 🏊 🚴 🔲 🛶 ⛵ terrain multisports
Services : 🛒 🏧 🚮 🗑 📶 laverie 🚮 réfrigérateurs
À prox. : 🐎

G P S W : 2.5355
N : 47.2986

DAON

53200 - Carte Michelin **310** F8 - 486 h. - alt. 42
▶ Paris 292 - Angers 46 - Château-Gontier 11 - Châteauneuf-sur-Sarthe 15

⛰⛰ Les Rivières

📞 02 43 06 94 78, www.campingdaon.fr

Pour s'y rendre : 1 r. du Port (sortie ouest par D 213, rte de la Ricoullière et à dr. avant le pont, près de la Mayenne)

Ouverture : de déb. avr. à fin sept.

1,8 ha (98 empl.) plat, herbeux

Empl. camping : (Prix 2018) 14€ ✶✶ 🚐 🔲 ⚡ (10A) - pers. suppl. 4€
Location : (Prix 2018) Permanent♿ (1 chalet) - 10 🏠. Nuitée 81 à 121€ - Sem. 177 à 374€

Nature : 🏖 🏞 ♨
Loisirs : 🏛 🛶
Services : 🛒 📶 📱
À prox. : 🍸 🍴 🏊 🚴 🔲 🎱 🛶 ⚓ pédalos

G P S W : 0.64059
N : 47.74996

DURTAL

49430 - Carte Michelin **317** H2 - 3 337 h. - alt. 39
▶ Paris 261 - Angers 38 - La Flèche 14 - Laval 66

⚠ Les Portes de l'Anjou

℘ 02 41 76 31 80, www.lesportesdelanjou.com

Pour s'y rendre : 9 r. du Camping (sortie nord-est par rte de la Flèche et r. à dr.)

Ouverture : de fin mars à déb. oct.

3,5 ha (114 empl.) plat, herbeux

Empl. camping : 18€ ✦✦ ⇌ 🄴 🄶 (10A) - pers. suppl. 4€
Location : (de fin mars à déb. oct.) - 11 🄲 - 7 bungalows toilés. Nuitée 28 à 94€ - Sem. 195 à 658€ - frais de réservation 10€
🄶 borne artisanale
Situation et cadre agréables en bordure du Loir.

Nature : 🐟 � 🌳		
Loisirs : 🍸 ✗ ❌ 🏛 ✦✦ 🚴 🏊		G
Services : ⚬┅ ✗ 🛜 🅿		P
À prox. : 🛶		S

W : 0.23518
N : 47.67136

LES ÉPESSES

85590 - Carte Michelin **316** K6 - 2 575 h. - alt. 214
▶ Paris 375 - Bressuire 38 - Chantonnay 29 - Cholet 24

⚠ Oléla La Bretèche

℘ 02 51 20 41 94, www.campinglabreteche.com

Pour s'y rendre : à la base de loisirs (sortie nord par D 752, rte de Cholet et chemin à dr.)

Ouverture : de déb. avr. à déb. nov.

3 ha (164 empl.) peu incliné, plat, herbeuxEmpl. camping : 31€ ✦✦ ⇌ 🄴 🄶 (10A) - pers. suppl. 5€
Location : (de déb. avr. à déb. nov.) - ♿ (2 chalets) - 66 🄲 - 19 🄲 - 13 tentes lodges - 2 gîtes. Nuitée 30 à 297€ - Sem. 210 à 2 079€

Belle décoration arbustive sur une base de loisirs de 10 ha, à 3 km du Puy du Fou.

Nature : 🐟 🚶 🌳🌳		
Loisirs : 🍸 ✗ 🏛 ✦✦ 🚴 🏊 🛶		G
Services : ⚬┅ 🛜 laverie		P
À prox. : parc d'attractions		S

W : 0.89925
N : 46.88986

LA FAUTE-SUR-MER

85460 - Carte Michelin **316** I9 - 916 h. - alt. 4
▶ Paris 465 - Luçon 37 - Niort 106 - La Rochelle 71

⚠ Les Flots Bleus Aloa Vacances

℘ 02 51 27 11 11, www.camping-lesflotsbleus.com - peu d'emplacements pour tentes et caravanes

Pour s'y rendre : av. des Chardons (1 km au sud-est par rte de la pointe d'Arçay)

Ouverture : de déb. avr. à fin sept.

1,5 ha (104 empl.) plat, herbeux, sablonneux

Empl. camping : 39€ ✦✦ ⇌ 🄴 🄶 (16A) - pers. suppl. 8€ - frais de réservation 36€
Location : (de déb. avr. à fin sept.) - 81 🄲 - 2 tentes lodges. Sem. 196 à 1 204€ - frais de réservation 36€

Dans un quartier résidentiel à 200 m de la plage.

Nature : 🚶 🌳		
Loisirs : ✦✦ 🄲 (découverte en saison)		G
Services : ⚬┅ 🛜 laverie		P
À prox. : 🍸 ✗		S

W : 1.31842
N : 46.32508

LA FLÈCHE

72200 - Carte Michelin **310** I8 - 15 228 h. - alt. 33
▶ Paris 244 - Angers 52 - Châteaubriant 106 - Laval 70

⚠ La Route d'Or

℘ 02 43 94 55 90, www.camping-lafleche.com

Pour s'y rendre : allée du Camping (sortie sud vers rte de Saumur et à dr., au bord du Loir)

Ouverture : de mi-mars à déb. nov.

4 ha (190 empl.) plat, herbeux

Empl. camping : (Prix 2018) 10€ ✦✦ ⇌ 🄴 🄶 (10A) - pers. suppl. 4€ - frais de réservation 2€
Location : (Prix 2018) (de mi-mars à déb. nov.) - ♿ (1 mobile home) - 🐾 - 12 🄲 - 2 bungalows toilés - 2 cabanons - 1 bulle. Nuitée 54 à 115€ - Sem. 149 à 585€

Nature : 🚶 🌳		
Loisirs : 🏛 🚴 ✗ 🏊		G
Services : ⚬┅ ▦ 🛜 🅿		P
À prox. : 🛶		S

W : 0.07779
N : 47.69509

*Choisissez votre restaurant sur **restaurant.michelin.fr***

FRESNAY-SUR-SARTHE

72130 - Carte Michelin **310** J5 - 2 198 h. - alt. 95
▶ Paris 235 - Alençon 22 - Laval 73 - Mamers 30

⚠ Municipal Sans Souci 👥

℘ 02 43 97 32 87, www.fresnaysursarthe.fr/-Camping-du-Sans-souci-.html

Pour s'y rendre : r. du Haut-Ary (1 km à l'ouest par D 310, rte de Sillé-le-Guillaume)

Ouverture : de déb. avr. à fin oct.

2 ha (85 empl.) en terrasses, plat, herbeux

Empl. camping : (Prix 2018) 12€ ✦✦ ⇌ 🄴 🄶 (10A) - pers. suppl. 2€
Location : (Prix 2018) Permanent 🐾 - 6 🄲 - 2 tentes lodges. Nuitée 40 à 75€ - Sem. 290 à 510€
🄶 borne artisanale 3€
Beaux emplacements délimités en bordure de la Sarthe.

Nature : 🚶 🌳		
Loisirs : 🏛 🚶 🛶 jacuzzi ✦✦		G
Services : ⚬┅ 🛜 🅿		P
À prox. : 🎣 🛶		S

E : 0.01589
N : 48.28252

FROMENTINE

85550 - Carte Michelin **316** D6 - alt. 4
▶ Paris 455 - Nantes 69 - La Roche 72 - St-Nazaire 70

⚠ Campéole La Grande Côte 👥

℘ 02 51 68 51 89, www.campeole.com/camping/post/la-grande-cote-la-barre-de-monts

Pour s'y rendre : rte de la Grande-Côte (2 km par D 38b)

Ouverture : de fin mars à mi-sept.

21 ha (810 empl.) en terrasses, plat, sablonneux

Empl. camping : (Prix 2018) 34€ ✦✦ ⇌ 🄴 🄶 (10A) - pers. suppl. 8€
Location : (Prix 2018) (de fin mars à mi-sept.) - ♿ (1 mobile home) - 95 🄲 - 36 🄲 - 101 bungalows toilés - 22 tentes sur pilotis. Nuitée 35 à 189€ - Sem. 245 à 1 323€
🄶 borne AireService

Dans la forêt des Pays de Monts, au pied du pont de l'île de Noirmoutier, au bord de la plage.

Nature : ♡♡ ▲		G P S	W : 2.14732
Loisirs : ♈ 🏠 ⛸🏃🏌🚴 🏊 terrain multisports			N : 46.88553
Services : ⊸ ♨ 🛜 laverie ⚒ ♒			
À prox. : ✂ ⚗			

GIVRAND

85800 - Carte Michelin **316** E7 - 1 946 h. - alt. 10
▶ Paris 460 - Nantes 79 - La Roche-sur-Yon 39

🏔 Capfun Village Vacances Les Dauphins Bleus 👥

(pas d'emplacement tentes et caravanes)

𝒫 02 51 55 59 34, www.capfun.com - peu d'emplacements pour tentes et caravanes

Pour s'y rendre : 16 r. du Rocher

7 ha plat, herbeux

Location : (Prix 2018) (de déb. avr. à mi-sept.) - ♿ (2 mobile homes) - 319 🚐 - 2 🏠. Nuitée 46 à 189€ - Sem. 161 à 1 323€ - frais de réservation 27€

Village de mobile homes et chalets autour du parc aquatique.

Nature : ♨♀		G P S	W : 1.89497
Loisirs : ♈ ✗ 🏠 ⛸🏃🏌🚴🎣 🏹 🏊 ⚓ cinéma terrain multisports			N : 46.67292
Services : ⊸ 🏧 ♨ 🛜 laverie ⚒ ♒			

🏔 Chadotel Le Domaine de Beaulieu

𝒫 02 51 55 59 46, www.chadotel.com/fr/camping/vendee/saint-gilles-croix-de-vie/campi - peu d'emplacements pour tentes et caravanes ✂

Pour s'y rendre : r. du Parc (au lieu-dit : Les Temples)

Ouverture : de déb. avr. à fin sept.

8 ha (340 empl.) plat, herbeux

Empl. camping : 36€ ✶✶ ⇔ 🔲 🔌 (10A) - pers. suppl. 6€ - frais de réservation 25€

Location : (de déb. avr. à fin sept.) - ♿ (1 mobile home) - 130 🚐 - 2 🏠. Nuitée 28 à 182€ - Sem. 196 à 1 274€ - frais de réservation 25€

🚐 borne artisanale

Cadre en partie ombragé, piste cyclable à 50m.

Nature : ⬜ ♀♀		G P S	W : 1.90389
Loisirs : ♈ ✗ 🏠 ⛸ nocturne salle d'animations jacuzzi 🏌🚴🎣 🏹 🏊 terrain multisports			N : 46.67056
Services : ⊸ ♨ 🛜 🔲 ⚒ ♒			

*Créez votre voyage sur **voyages.michelin.fr***

LE GIVRE

85540 - Carte Michelin **316** H9 - 424 h. - alt. 20
▶ Paris 446 - Luçon 20 - La Mothe-Achard 33 - Niort 88

⛺ La Grisse

𝒫 02 51 30 83 03, www.campinglagrisse.com

Pour s'y rendre : 2,5 km au sud en direction de La Jonchère, par D 85

Ouverture : Permanent

1 ha (79 empl.) plat, herbeux

Empl. camping : (Prix 2018) ✶ 8€ ⇔ 🔲 9€ – 🔌 (16A) 4€

Location : (Prix 2018) Permanent - 6 🚐. Sem. 159 à 594€
🚐 borne artisanale

Sur les terres d'une exploitation agricole (visite possible), avec une partie bien ombragée.

Nature : ♨♀		G P S	W : 1.39815
Loisirs : 🏌			N : 46.44484
Services : ⊸ ♨ 🛜 laverie			

LE GREZ

72140 - Carte Michelin **310** I5 - 390 h. - alt. 220
▶ Paris 235 - Caen 154 - Laval 57 - Le Mans 37

⛺ La Via Natura Les Tournesols

𝒫 02 43 20 12 69, www.campinglestournesols.com

Pour s'y rendre : rte de Mayenne, Le Landereau

Ouverture : de déb. mai à fin sept.

2,5 ha (75 empl.) plat, herbeux

Empl. camping : 23€ ✶✶ ⇔ 🔲 🔌 (6A) - pers. suppl. 5€ - frais de réservation 10€

Location : (de déb. mai à mi-sept.) - ✂ - 7 🚐 - 8 bungalows toilés - 3 tentes lodges - 1 tente sur pilotis - 1 tipi. Nuitée 35 à 99€ - Sem. 199 à 699€ - frais de réservation 20€

Cadre verdoyant au calme.

Nature : ♨♀		G P S	W : 0.1418
Loisirs : ♈ 🏠 🏌🎣 🏹 🏊 (petite piscine)			N : 48.1893
Services : ⊸ 🏧 ♒ 🛜 laverie			

Ne prenez pas la route au hasard !
***MICHELIN** vous apporte à domicile ses conseils routiers, touristiques, hôteliers : **viamichelin.fr** !*

GUÉMENÉ-PENFAO

44290 - Carte Michelin **316** F2 - 4 951 h. - alt. 37
▶ Paris 408 - Bain-de-Bretagne 35 - Châteaubriant 39 - Nantes 59

🏔 Flower L'Hermitage

𝒫 02 40 79 23 48, www.campinglhermitage.com

Pour s'y rendre : 46 av. du Paradis (1,2 km à l'est par rte de Châteaubriant et chemin à dr., près de la piscine municipale)

Ouverture : de déb. avr. à fin oct.

2,5 ha (90 empl.) peu incliné, plat, herbeux, pierreux

Empl. camping : 23€ ✶✶ ⇔ 🔲 🔌 (6A) - pers. suppl. 5€ - frais de réservation 14€

Location : (de déb. avr. à fin oct.) - 20 🚐 - 2 🏠 - 3 bungalows toilés - 2 tentes lodges - 1 gîte. Nuitée 46 à 99€ - Sem. 322 à 693€ - frais de réservation 15€

🚐 borne artisanale 17€

Emplacements ombragés mais locatif parfois ancien et confort sanitaire faible.

Nature : ⬜ ♀♀		G P S	W : 1.81838
Loisirs : 🏠 🏌 🏊 (petite piscine) ⚓			N : 47.62572
Services : ⊸ ♨ 🛜 🔲			
À prox. : ✂ 🏹 🎿 terrain multisports			

GUÉRANDE

44350 - Carte Michelin **316** B4 - 15 446 h. - alt. 54
▶ Paris 450 - La Baule 6 - Nantes 77 - St-Nazaire 20

▲▲▲ Domaine de Léveno ♛♜

📞 02 40 24 79 30, www.camping-leveno.com - peu d'emplacements pour tentes et caravanes

Pour s'y rendre : rte de Sandun (3.4 km à l'est)

Ouverture : de déb. avr. à fin sept.

21 ha (700 empl.) plat, herbeux, pierreux

Empl. camping : (Prix 2018) 43 € ♟♟ ⚊ ▣ 🔌 (10A) - pers. suppl. 10 € - frais de réservation 25 €

Location : (Prix 2018) (de déb. avr. à mi-sept.) - ♿ (1 mobile home) - 230 🛏 - 1 🏠 - 12 tipis - 5 cabanes perchées. Nuitée 66 à 270 € - Sem. 245 à 1 890 € - frais de réservation 25 €

🚐 2 ☒ 22 €

Emplacements ombragés ou plein soleil, locatif souvent haut de gamme et un parc aquatique avec des toboggans impressionnants (19m.).

Nature : 🦢 ⌂ ♀♀
Loisirs : ♟ ✕ 🏠 salle d'animations 🏃 🎿 ♒🚴 ✂ 🎣 🔲 🏓 parcours de santé mini ferme petit train terrain multisports
Services : ⚡ 🏛 🛏 ☂ laverie ⚒🚿
GPS W : 2.39057
N : 47.33322

▲▲▲ Domaine de Bréhadour ♛♜

📞 02 40 17 65 15, www.domainedebrehadour.com

Pour s'y rendre : rte de Bréhadour (3 km au nord-est par la D 51)

Ouverture : de déb. avr. à fin sept.

5 ha (281 empl.) vallonné, peu incliné, plat, herbeux

Empl. camping : (Prix 2018) 17 € ♟♟ ⚊ ▣ 🔌 (10A) - pers. suppl. 5 € - frais de réservation 5 €

Location : (Prix 2018) (de déb. avr. à fin sept.) - 100 🛏 - 6 bungalows toilés. Nuitée 25 à 187 € - Sem. 144 à 1 309 € - frais de réservation 15 €

🚐 borne artisanale

Cadre vallonné au calme, en partie en sous-bois avec du locatif de bon confort et dans la mini ferme : cochons, paon, chèvres mais aussi serpents, python...

Nature : 🦢 ♀♀
Loisirs : ♟ ✕ 🏠 nocturne 🏃 ♒🚴 ✂ 🔲 mini ferme
Services : ⚡ 🛏 ☂ laverie ⚒
GPS W : 2.41732
N : 47.34167

LA GUYONNIÈRE

85600 - Carte Michelin **316** I6 - 2 674 h. - alt. 63
▶ Paris 395 - Nantes 47 - La Roche-sur-Yon 48 - Angers 105

▲▲▲ Flower La Chausselière

📞 02 51 41 98 40, www.chausseliere.fr

Pour s'y rendre : rte des Herbiers (1,2 km au sud, au bord du Lac de La Chausselière)

Ouverture : de mi-avr. à fin sept.

1 ha (51 empl.) plat, herbeux

Empl. camping : 26 € ♟♟ ⚊ ▣ 🔌 (16A) - pers. suppl. 6 € - frais de réservation 3 €

Location : Permanent♿ (1 chalet et 1 mobile home) - 🎿 - 23 🛏 - 10 🏠 - 1 bungalow toilé - 5 tentes sur pilotis - 1 tipi. Nuitée 46 à 134 € - Sem. 188 à 938 € - frais de réservation 10 €

🚐 borne AireService 3 €

Un bel ensemble de locatifs bardés de bois dans un cadre verdoyant au bord d'un lac.

Nature : 🦢 ⌂ ♀♀
Loisirs : ♟ ✕ ♒🚴 🔲 (découverte en saison) terrain multisports
Services : ⚡ ⚒ 🚿 ☂ ▣ 🚿
À prox. : 🚴 🎣 🍴
GPS W : 1.2457
N : 46.95735

ÎLE DE NOIRMOUTIER

85 - Carte Michelin **316** - alt. 8
par le pont routier de Fromentine : gratuit - par le passage du Gois à basse mer (4,5 km)

Barbâtre 85630 - Carte Michelin **316** C6 - 1 802 h. - alt. 5
▶ Paris 453 - Challans 32 - Nantes 70 - Noirmoutier-en-l'île 11

▲▲▲ Sandaya Domaine Le Midi ♛♜

📞 02 51 39 63 74, www.sandaya.fr/nos-campings/domaine-le-midi

Pour s'y rendre : r. du Camping (1 km au nord-ouest par D 948 et chemin à gauche)

Ouverture : de mi-avr. à mi-sept.

13 ha (419 empl.) vallonné, plat et peu incliné, herbeux, sablonneux

Empl. camping : 37 € ♟♟ ⚊ ▣ 🔌 (10A) - pers. suppl. 9 €

Location : (de fin avr. à mi-sept.) - 199 🛏 - 105 tentes lodges - 8 tipis. Nuitée 30 à 279 € - Sem. 210 à 1 953 €

Au bord de la plage, locatif varié avec un côté naturel bien intégré au site.

Nature : 🦢 ♀ ⛰
Loisirs : ✕ 🏠 salle d'animations 🏃 🎿 ♒🚴 ✂ 🔲 🏓 🎣 terrain multisports
Services : ⚡ 🛏 ☂ laverie ⚒
À prox. : 🏊 🚴
GPS W : 2.18447
N : 46.94531

L'Épine 85740 - Carte Michelin **316** C6 - 1 727 h. - alt. 2
▶ Paris 466 - Nantes 79 - La Roche-sur-Yon 81

▲ Original Camping La Bosse

📞 02 53 46 97 47, www.camping-de-la-bosse.com

Pour s'y rendre : r. du Port

Ouverture : de déb. avr. à fin sept.

10 ha (350 empl.) vallonné, herbeux, sablonneux

Empl. camping : (Prix 2018) 25 € ♟♟ ⚊ ▣ 🔌 (4A) - pers. suppl. 9 €

Location : (Prix 2018) (de déb. avr. à fin sept.) - 13 tentes lodges - 8 tipis. Sem. 245 à 644 €

En bord de plage, cadre naturel et vallonné.

Nature : 🦢 ≤ Le port de Morin ♀ ⛰
Loisirs : ♒🚴
Services : ⚡ 🛏 ☂ laverie
À prox. : ♟ ✕
GPS W : 2.2833
N : 46.98523

Avant de vous installer, consultez les tarifs en cours, affichés obligatoirement à l'entrée du terrain, et renseignez-vous sur les conditions particulières de séjour. Les indications portées dans le guide ont pu être modifiées depuis la mise à jour.

La Guérinière 85680 - Carte Michelin **316** C6 - 1 488 h. - alt. 5
▶ Paris 460 - Challans 39 - Nantes 77 - Noirmoutier-en-l'Île 5

⚠ Le Caravan'Île ♣♣

✆ 02 51 39 50 29, www.caravanile.com

Pour s'y rendre : 1 r. de la Tresson (sortie est par D 948 et à dr. av. le rond-point)

Ouverture : de mi-mars à mi-nov.

8,5 ha (397 empl.) peu incliné, plat, herbeux, sablonneux

Empl. camping : (Prix 2018) 22€ ♣♣ ⟷ 回 (8A) - pers. suppl. 6€ - frais de réservation 20€

Location : (Prix 2018) (de déb. avr. à déb. nov.) - ♿ (1 mobile home) - 105 ⬛ - 5 tentes lodges. Nuitée 49 à 165€ - Sem. 266 à 1 155€ - frais de réservation 20€

⛽ borne AireService - 49 回 9€ - ⛽ 13€

Au bord de la plage (accès direct par escalier dans les dunes).

Nature : 🏖 ▲	
Loisirs : ♟ ✕ 🏠 🎣 👫 🎚 jacuzzi 🛶 🎯 🏇 terrain multisports	**GPS** W : 2.21674 N : 46.96569
Services : 🚿 👶 laverie 🧺 🚗	

⚠ Municipal de La Court ♣♣

✆ 02 51 39 51 38, www.campingdelacourt.fr

Pour s'y rendre : 54 r. des Moulins

Ouverture : de déb. avr. à mi-oct.

5,5 ha (175 empl.) plat et peu incliné, sablonneux, herbeux, dunes

Empl. camping : (Prix 2018) 37€ ♣♣ ⟷ 回 (16A) - pers. suppl. 8€

⛽ borne eurorelais - 44 回

Terrain idéalement placé au bord de la plage, bel ensemble terrasse piscine.

Nature : 🏖 ⌂ ▲	
Loisirs : ♟ ✕ 🏠 🎣 diurne salle d'animations 👫 🎚 hammam jacuzzi 🛶 🏇 🎚 terrain multisports	**GPS** W : 2.217 N : 46.96675
Services : 🚿 🅿 🛏 👶 🛜 laverie 🚗	
À prox. : 🛶	

Noirmoutier-en-l'Île 85330 - Carte Michelin **316** C5 - 4 661 h. - alt. 8
▶ Paris 468 - Nantes 80 - St-Nazaire 82 - Vannes 160

⚠ Huttopia Noirmoutier

✆ 02 51 39 06 24, europe.huttopia.com/site/camping-noirmoutier/

Pour s'y rendre : 23 allée des Sableaux, Bois de la Chaize

Ouverture : de déb. avr. à fin sept.

12 ha (530 empl.) plat, herbeux, sablonneux

Empl. camping : 22€ ♣♣ ⟷ 回 (10A) - pers. suppl. 6€ - frais de réservation 15€

Location : (de déb. avr. à fin sept.) - 100 tentes lodges. Nuitée 55 à 145€ - Sem. 308 à 1 015€ - frais de réservation 15€

⛽ borne AireService 7€ - ⛽ 19€

En bordure de la plage des Sableaux.

Nature : 🏖 ◄ 🌳 ▲	
Loisirs : ♟ 🏠 🛶 🚲	**GPS** W : 2.2205 N : 46.9966
Services : 🚿 👶 🛜 laverie 🚗	
À prox. : 🏇	

⚠ Municipal le Clair Matin

✆ 02 51 39 05 56, www.noirmoutier-campings.fr

Pour s'y rendre : lieu-dit : Les Sableaux (aux Bois de la Chaize)

Ouverture : de déb. avr. à fin sept.

6,5 ha (276 empl.) plat, herbeux, sablonneux

Empl. camping : (Prix 2018) 25€ ♣♣ ⟷ 回 (10A) - pers. suppl. 5€ - frais de réservation 9€

Terrain avec beaucoup d'espaces naturels laissés libres d'accès.

Nature : 🏖 🌳	
Loisirs : 🛶 🚲	**GPS** W : 2.2205 N : 46.99567
Services : 🚿 (été) 🛜 🛏	
À prox. : ♟ ✕ 🏇	

L'ÎLE-D'OLONNE

85340 - Carte Michelin **316** F8 - 2 668 h. - alt. 5
▶ Paris 455 - Nantes 100 - La Roche-sur-Yon 35 - Challans 37

⚠ Île aux Oiseaux ♣♣

✆ 02 51 90 89 96, www.ile-aux-oiseaux.fr - peu d'emplacements pour tentes et caravanes

Pour s'y rendre : r. du Pré-Neuf (800 m au nord-est par D 87)

Ouverture : de déb. avr. à fin oct.

5 ha (215 empl.) plat, herbeux

Empl. camping : (Prix 2018) 34€ ♣♣ ⟷ 回 (10A) - pers. suppl. 6€ - frais de réservation 18€

Location : (Prix 2018) (de déb. avr. à fin oct.) - 37 ⬛. Nuitée 52 à 163€ - Sem. 235 à 1 140€ - frais de réservation 18€

Cadre agréable avec très peu de places pour tentes ou caravanes.

Nature : 🏖 ⌂ 🌳	
Loisirs : 🏠 👫 🛶 🎚 🎚 terrain multisports	**GPS** W : 1.77813 N : 46.56624
Services : (juil.août) 👶 🚗 🛜 laverie	

JARD-SUR-MER

85520 - Carte Michelin **316** G9 - 2 497 h. - alt. 14
▶ Paris 453 - Challans 62 - Luçon 36 - La Roche-sur-Yon 35

⚠ Chadotel L'Océano d'Or ♣♣

✆ 02 51 33 65 08, www.chadotel.com/fr/camping/vendee/jard-sur-mer/camping-loceano-dor

Pour s'y rendre : 58 r. Georges-Clemenceau (au nord-est de la station, par D 21)

Ouverture : de déb. avr. à fin sept.

8 ha (450 empl.) plat, herbeux

Empl. camping : 40€ ♣♣ ⟷ 回 (10A) - pers. suppl. 6€ - frais de réservation 25€

Location : (de déb. avr. à fin sept.) - ♿ (2 chalets) - 80 ⬛ - 15 🏠 - 4 gîtes. Nuitée 34 à 225€ - Sem. 238 à 1 575€ - frais de réservation 25€

⛽ borne artisanale

Bel ensemble avec du locatif classique mais aussi du grand confort en mobile homes et gîtes.

Nature : ⌂ 🌳	
Loisirs : ♟ 🏠 🎣 salle d'animations 👫 🎚 🛶 🚲 🏇 🎚 🎚 terrain multisports	**GPS** W : 1.57195 N : 46.42032
Services : 🚿 🛏 👶 🚗 🛜 laverie 🧺 🚗	

▲ Capfun Le Curty's ▲▲

(pas d'emplacement tentes et caravanes)

☎ 02 51 33 06 55, www.campinglecurtys.com

Pour s'y rendre : r. de la Perpoise (au nord de la station)

8 ha (360 empl.) plat, herbeux

Location : (Prix 2018) (de déb. avr. à mi-sept.) - 300 🚐 - 20 🏠.
Nuitée 46 à 175€ - Sem. 182 à 2 359€ - frais de réservation 27€

Parc de mobile homes pour la location ou de propriétaires-résidents.

Nature : 🏕 ♀
Loisirs : 🍸 ✕ 🏛 🎪 salle d'animations 🏃
🏇 🚴 🎿 🏊 ⛷ terrain multisports
Services : 🔌 ♿ 🚿 laverie 🔖 🧺
À prox. : 🛒 ⛵

GPS W : 1.57825
N : 46.42032

▲ La Pomme de Pin

Camping la Pomme de Pin

☎ 02 51 33 43 85, www.pommedepin.
net - peu d'emplacements pour tentes
et caravanes

Pour s'y rendre : r. Vincent-Auriol
(au sud-est, à 150 m de la plage de
Boisvinet)

Ouverture : de déb. avr. à fin sept.

2 ha (150 empl.) plat, sablonneux

Empl. camping : (Prix 2018)
36€ 🚶🚶 🚐 🔲 🔌 (16A) - pers. suppl. 7€
- frais de réservation 25€

Location : (Prix 2018) (de déb. avr. à fin sept.) - 86 🚐 - 10 🏠.
Nuitée 54 à 97€ - Sem. 335 à 920€ - frais de réservation 25€

*Près de la plage, nombreux mobile homes autour d'un petit
parc aquatique en partie couvert.*

Nature : 🏕 ♀
Loisirs : 🍸 ✕ 🏛 🏇 🚴 🏊 ⛷ terrain
multisports
Services : 🔌 ♿ 🚿 laverie 🔖 🧺

GPS W : 1.57264
N : 46.41084

▲ La Ventouse ▲▲

☎ 02 51 33 58 65, www.campinglaventouse.com

Pour s'y rendre : 18bis r. Pierre Curie (1.1 km au sud)

Ouverture : de déb. avr. à fin sept.

6,9 ha (118 empl.) vallonné, plat, herbeux

Empl. camping : (Prix 2018) 33€ 🚶🚶 🚐 🔲 🔌 (10A) - pers. suppl. 8€
- frais de réservation 13€

Location : (Prix 2018) (de déb. avr. à fin sept.) - ♿ (1 tente lodge)
- 50 🚐 - 8 tentes lodges. Nuitée 35 à 148€ - Sem. 245 à 1 036€
- frais de réservation 13€

🏕 borne artisanale

Terrain familial, plaisant avec de beaux emplacements ombragés.

Nature : 🏞 🏕 ♀♀
Loisirs : 🏛 🏃 🏇 🚴 🎿 terrain
multisports
Services : 🔌 ♿ 🚿 🚽 🚿 laverie 🧺
À prox. : 🚴 ⛵ (plage)

GPS W : 1.58105
N : 46.41235

▲ La Mouette Cendrée

☎ 02 51 33 59 04, www.mouettecendree.com 🚫

Pour s'y rendre : chemin du Faux-Prieur, lieu-dit : Les Malecots
(sortie nord-est par D 19, rte de St-Hilaire-la-Forêt)

Ouverture : Permanent

1,8 ha (101 empl.) plat, herbeux

Empl. camping : 32€ 🚶🚶 🚐 🔲 🔌 (10A) - pers. suppl. 5€ - frais de
réservation 20€

Location : Permanent♿ (1 mobile home) - 🚫 - 24 🚐
- 11 bungalows toilés. Nuitée 50 à 119€ - Sem. 299 à 899€ - frais
de réservation 20€

*Cadre verdoyant avec du locatif mobile homes plus ou moins
récent.*

Nature : 🏕 ♀♀
Loisirs : 🏇 🏊 ⛷
Services : 🔌 🚿 🔲

GPS W : 1.56702
N : 46.42767

LANDEVIEILLE

85220 - Carte Michelin **316** F8 - 1 185 h. - alt. 37

▶ Paris 452 - Challans 25 - Nantes 83 - La Roche-sur-Yon 32

▲ L'Orée de l'Océan ▲▲

☎ 02 51 22 96 36, www.camping-oreedelocean.com

Pour s'y rendre : r. du Cap.-de-Mazenod (sortie ouest, rte de
Brétignolles-sur-Mer)

Ouverture : de déb. avr. à fin sept.

2,8 ha (240 empl.) plat et peu incliné, herbeux

Empl. camping : (Prix 2018) 35€ 🚶🚶 🚐 🔲 🔌 (10A) - pers. suppl. 6€
- frais de réservation 25€

Location : (Prix 2018) (de déb. avr. à fin sept.) - ♿ (1 mobile
home) - 90 🚐 - 23 bungalows toilés. Sem. 215 à 1 160€ - frais
de réservation 25€

Pour les enfants, une jolie pataugeoire ludique et colorée.

Nature : 🐟 🏕 ♀♀
Loisirs : 🍸 ✕ 🏛 🎪 salle d'animations 🏃 🎿
🏇 🏊 ⛷ terrain multisports
Services : 🔌 ♿ 🚿 laverie
À prox. : 🍴

GPS W : 1.80635
N : 46.64087

▲ L'Évasion ▲▲

☎ 02 51 22 90 14, www.camping-levasion.fr - peu d'emplacements
pour tentes et caravanes

Pour s'y rendre : 87 rte des Sables (750 m au sud est par D 32)

Ouverture : de déb. avr. à mi-sept.

5 ha (325 empl.) peu incliné, plat, herbeux

Empl. camping : (Prix 2018) 29€ 🚶🚶 🚐 🔲 🔌 (10A) - pers. suppl. 4€

Location : (Prix 2018) (de déb. avr. à mi-sept.) - ♿ (1 mobile home)
- 125 🚐 - 5 tentes lodges - 3 tentes sur pilotis - 3 cabanes
perchées. Nuitée 70 à 150€ - Sem. 220 à 1 180€

*Emplacements autour d'un joli plan d'eau écologique avec du
locatif de bon confort et beaucoup de mobile homes de propriétaires-résidents.*

Nature : 🏕 ♀
Loisirs : 🍸 ✕ 🏛 🎪 salle d'animations 🏃
🏇 🚴 🏊 ⛷ (plan d'eau) ⛷ terrain
multisports
Services : 🔌 ♿ – 12 sanitaires individuels
(🚿 🚽 wc) 🚿 laverie 🧺

GPS W : 1.79733
N : 46.6352

LAVARÉ

72390 - Carte Michelin **310** M6 - 838 h. - alt. 122
▶ Paris 173 - Bonnétable 26 - Bouloire 14 - La Ferté-Bernard 19

⚠ Le Val de Braye

☎ 02 43 71 96 44, www.basedeloisirs-lavare.fr

Pour s'y rendre : rte de Vibraye (sortie est par D 302, à la Base de Loisirs)

Ouverture : de déb. avr. à fin oct.

0,3 ha (20 empl.) plat, herbeux

Empl. camping : (Prix 2018) ♣ 2€ ⟶ 1€ – ⚡ (10A) 2€
⟐ 2 ▣ 3€

Agréable situation près d'un plan d'eau.

| Nature : ≤ ⟷ ⚲ ⚲ |
| Loisirs : ⛵ ⟍ |
| Services : ⟐ ⟳ ⛺ 🛜 |
| À prox. : ✕ ✕ ⛵ ⚰ ⚲ bi-cross skate parc |

GPS E : 0.64522
N : 48.05326

Gebruik de gids van het lopende jaar.

LONGEVILLE-SUR-MER

85560 - Carte Michelin **316** H9 - 2 356 h. - alt. 10
▶ Paris 448 - Challans 74 - Luçon 29 - La Roche-sur-Yon 31

⚠ MS Vacances Les Brunelles ♣♣

☎ 02 53 81 70 00, www.ms-vacances.com - peu d'emplacements pour tentes et caravanes

Pour s'y rendre : r. de La Parée (au lieu-dit : Le Bouil, 1 km au sud)

Ouverture : de déb. avr. à mi-sept.

13 ha (600 empl.) peu incliné, plat, herbeux

Empl. camping : 55€ ♣♣ ⟶ ▣ ⚡ (10A) - pers. suppl. 15€ - frais de réservation 30€

Location : (de déb. avr. à mi-sept.) - ♿ (1 mobile home) - 501 ⟐⟐
Nuitée 35 à 307€ - Sem. 245 à 2 149€ - frais de réservation 30€
⟐ borne AireService

Cadre naturel préservé, bel espace aquatique pour enfants.

| Nature : ⚲ ⟷ ⚲ |
| Loisirs : ⛾ ✕ ⟐ ⟳ ♣ ↙ ⟰ hammam jacuzzi ⛵ ⚲ ⟍ ⛵ ⛱ trottinettes électriques terrain multisports |
| Services : ⟐ ⚿ ⛺ ⟳ 🛜 laverie ⚰ ⚲ |

GPS W : 1.52191
N : 46.41326

⚠ Oléla Le Petit Rocher ♣♣

☎ 02 51 20 41 94, www.campinglepetitrocher.com

Pour s'y rendre : 1250 av. du Dr-Mathevet

Ouverture : de déb. avr. à fin sept.

5 ha (211 empl.) vallonné, en terrasses, peu incliné, plat, herbeux

Empl. camping : 38€ ♣♣ ⟶ ▣ ⚡ (10A) - pers. suppl. 5€
Location : (de déb. avr. à fin sept.) - ♿ (1 mobile home) - 134 ⟐⟐
- 8 tentes lodges - 5 tentes sur pilotis. Nuitée 24 à 230€ - Sem. 168 à 1 610€

Terrain vallonné, bien ombragé à 250 m de la plage par une rue piétonne.

| Nature : ⟷ ⚲⚲ |
| Loisirs : ⛾ ✕ ⟳ ♣ hammam jacuzzi ⛵ ⚲ ⛱ ⛱ terrain multisports |
| Services : ⟐ ⚿ ⛺ 🛜 laverie |
| À prox. : ⚰ ⛺ 🛜 |

GPS W : 1.50727
N : 46.40344

LUCHÉ-PRINGÉ

72800 - Carte Michelin **310** J8 - 1 658 h. - alt. 34
▶ Paris 242 - Château-du-Loir 31 - Écommoy 24 - La Flèche 14

⚠ Municipal la Chabotière

☎ 06 74 78 39 97, www.lachabotiere.com

Pour s'y rendre : pl. des Tilleuls (à l'ouest du bourg)

Ouverture : Permanent

3 ha (75 empl.) en terrasses, plat, herbeux

Empl. camping : (Prix 2018) 14€ ♣♣ ⟶ ▣ ⚡ (10A) - pers. suppl. 3€
Location : (Prix 2018) Permanent♿ (1 chalet) - ⛵ - 10 ⟐⟐
- 9 bungalows toilés - 1 tente lodge (avec sanitaires). Nuitée 56 à 93€ - Sem. 275 à 550€

À la base de loisirs, au bord du Loir.

| Nature : ⚲ ⟷ ⚲ |
| Loisirs : ⟐ ⛵ ⚲ |
| Services : ⟐ (juil.-août) ⚿ ⛺ 🛜 laverie |
| À prox. : ⚰ ✕ ✕ ⟰ ⚲ ⟍ ⛺ barques |

GPS E : 0.07364
N : 47.70252

Benutzen Sie den Hotelführer des laufenden Jahres.

LE LUDE

72800 - Carte Michelin **310** J9 - 4 049 h. - alt. 48
▶ Paris 244 - Angers 63 - Chinon 63 - La Flèche 20

⚠ Municipal au Bord du Loir

☎ 02 43 94 67 70, www.camping-lelude.com

Pour s'y rendre : rte du Mans (0,8 km au nord-ouest par D 307, rte du Mans)

Ouverture : de déb. avr. à fin sept.

2,5 ha (113 empl.) plat, herbeux

Empl. camping : (Prix 2018) 13€ ♣♣ ⟶ ▣ ⚡ (10A) - pers. suppl. 4€
Location : (Prix 2018) (de déb. avr. à fin sept.) - 8 ⟐⟐ - 1 ⟐⟐
- 8 tentes lodges. Nuitée 35 à 78€ - Sem. 140 à 550€
⟐ borne AireService 2€

Cadre champêtre au bord du Loir.

| Nature : ⚲ |
| Loisirs : ⟐ ⛵ ⚲ ⟍ ⛵ |
| Services : ⟐ ⚿ ⛺ ⟳ 🛜 ▣ |
| À prox. : ⚰ ✕ ✕ ⛱ ⛱ ⚲ pédalos skate parc |

GPS E : 0.16247
N : 47.65119

LUÇON

85400 - Carte Michelin **316** I9 - 9 311 h. - alt. 8
▶ Paris 442 - Nantes 102 - Niort 63 - La Roche-sur-Yon 33

▲▲▲ APV Les Guifettes

✆ 02 51 56 17 16, www.camping-apv.com - peu d'emplacements pour tentes et caravanes

Pour s'y rendre : r. de la Clairaye (4,5 km au sud, près de l'Hippodrome et du lac)

Ouverture : de déb. avr. à fin sept.

7 ha (195 empl.) non clos, plat, herbeux

Empl. camping : (Prix 2018) 14€ ✹✹ ⇌ 🅱 ⊞ (6A) - pers. suppl. 7€ - frais de réservation 29€

Location : (Prix 2018) (de déb. avr. à fin sept.) - 11 🚐 - 27 🏠 - 30 gîtes. Nuitée 40 à 110€ - Sem. 280 à 770€ - frais de réservation 29€

🚐 borne AireService - 26 🅱 10€

Emplacements ombragés ou plein soleil, tout proche d'un lac avec du locatif neuf et très ancien.

Nature : 🐟 ⌂ 🌳
Loisirs : 🍷 ✗ 🍴 🎲 salle d'animations 🏃 🎯 🐎 🚲 ⛳ 🎣 🔲 ⛰ terrain multisports
Services : 🔌 🏧 🛜 laverie 🧺
À prox. : 🎣 🛶 🐎

GPS — W : 1.18223 — N : 46.43314

MACHÉ

85190 - Carte Michelin **316** F7 - 1 337 h. - alt. 42
▶ Paris 443 - Challans 22 - Nantes 59 - La Roche-sur-Yon 26

▲▲ Le Val de Vie

Camping Val de Vie

✆ 02 51 93 19 69, www.campingvaldevie.fr

Pour s'y rendre : 5 r. du Stade (sortie rte d'Apremont et chemin à gauche, à 400 m du lac)

Ouverture : de déb. avr. à mi-nov.

2,5 ha (93 empl.) peu incliné, plat, herbeux

Empl. camping : (Prix 2018) 21€ ✹✹ ⇌ 🅱 ⊞ (10A) - pers. suppl. 5€

- frais de réservation 5€

Location : (Prix 2018) (de déb. avr. à mi-nov.) - 🚫 - 5 🚐 - 2 🏠. Nuitée 35€ - Sem. 149 à 730€ - frais de réservation 5€

🚐 borne artisanale 3€ - 10 🅱 9€

Beau cadre paysager sur un terrain en pente douce.

Nature : 🐟 ⌂
Loisirs : 🍷 ✗ 🍴 🚲 ⛳ 🎣 terrain multisports
Services : 🔌 🛒 🍽 🛜 🎣
À prox. : ✗ 🔲

GPS — W : 1.68595 — N : 46.75305

MACHECOUL

44270 - Carte Michelin **316** F6 - 5 872 h. - alt. 5
▶ Paris 420 - Beauvoir-sur-Mer 23 - Nantes 39 - La Roche-sur-Yon 56

▲ La Rabine

✆ 02 40 02 30 48, www.camping-la-rabine.com

Pour s'y rendre : allée de la Rabine (sortie sud par D 95, rte de Challans, au bord du Falleron)

Ouverture : de déb. avr. à fin sept.

2,8 ha (131 empl.) plat, herbeux

Empl. camping : (Prix 2018) 15€ ✹✹ ⇌ 🅱 ⊞ (13A) - pers. suppl. 4€

Location : (Prix 2018) (de déb. avr. à fin sept.) - 4 🚐 - 2 🏠 - 1 tonneau. Nuitée 40 à 70€ - Sem. 260 à 500€ - frais de réservation 15€

🚐 borne artisanale 4€ - 4 🅱 11€

Une sorte de presqu'île avec du locatif varié à deux pas du bourg.

Nature : ≤ flèches de l'église 🌳
Loisirs : 🍷 🐎 🚲
Services : 🔌 🛜 🍽
À prox. : ✗ 🔲

GPS — W : 1.81555 — N : 46.9887

▲▲▲ ... ▲
*Besonders angenehme Campingplätze,
ihrer Kategorie entsprechend.*

---

*Benutzen Sie
– zur Wahl der Fahrtroute
– zur Berechnung der Entfernungen
– zur exakten Lokalisierung eines Campingplatzes (mit Hilfe der
Angaben im Ortstext) die für diesen Führer unentbehrlichen
MICHELIN-Karten.*

MALICORNE-SUR-SARTHE

72270 - Carte Michelin **310** I8 - 1 962 h. - alt. 39
▶ Paris 236 - Château-Gontier 52 - La Flèche 16 - Le Mans 32

▲ Municipal Port Ste Marie

✆ 02 43 94 80 14, www.ville-malicorne.fr

Pour s'y rendre : à l'ouest du bourg par D 41

1 ha (65 empl.) plat, herbeux

Location : - 4 🚐 - 6 bungalows toilés.

🚐 borne eurorelais

Cadre et situation agréables, près de la Sarthe.

Nature : 🌳
Loisirs : 🍴 🐎
Services : 🔌 🍽 🛜 laverie
À prox. : 🚙 ✗ 🚲 🎣 🏀 🏊 🛶 🎣 🐎 pédalos terrain multisports

GPS — W : 0.0893 — N : 47.81763

MAMERS

72600 - Carte Michelin **310** L4 - 5 545 h. - alt. 128
▶ Paris 185 - Alençon 25 - Le Mans 51 - Mortagne-au-Perche 25

▲▲ Municipal du Saosnois

✆ 02 43 97 68 30, www.camping-mamers.fr

Pour s'y rendre : 1 km au nord par rte de Mortagne-au-Perche et D 113 à gauche, rte de Contilly, près de deux plans d'eau

Ouverture : de mi-avr. à fin sept.

1,5 ha (40 empl.) en terrasses, peu incliné, plat, herbeux

Empl. camping : 16€ ✹✹ ⇌ 🅱 ⊞ (10A) - pers. suppl. 3€

Location : (de mi-avr. à fin sept.) - 3 🚐 - 5 bungalows toilés. Nuitée 26 à 42€ - Sem. 157 à 305€

🚐 8 🅱 7€

Cadre verdoyant au bord d'un plan d'eau.

Nature : 🏕 ۹۹
Loisirs : 🍴 🏖 (plage)
Services : ⚬━ 🏛 👶 🛒 🍴
À prox. : 🏇 ⚔ ✂ 🎣 🛶 🏇

G P S E : 0.37303
N : 48.35809

MANSIGNÉ

72510 - Carte Michelin **310** J8 - 1 579 h. - alt. 80
▶ Paris 235 - Château-du-Loir 28 - La Flèche 21 - Le Lude 17

⛰ La Plage - Base de Loisirs

📞 02 43 46 14 17, www.basedeloisirsmansigne.fr

Pour s'y rendre : r. du Plessis (sortie nord par D 31, rte de la Suze-sur-Sarthe, à 100 m d'un plan d'eau)

Ouverture : de déb. avr. à fin oct.

3 ha (115 empl.) plat, herbeux

Empl. camping : (Prix 2018) 17€ 👫 🚗 🅿 ⚡ (10A) - pers. suppl. 4€ - frais de réservation 30€

Location : (Prix 2018) (de déb. avr. à fin oct.) - ♿ (1 chalet) - 8 🛖 - 20 🏠 - 8 bungalows toilés - 1 gîte. Nuitée 55 à 80€ - Sem. 260 à 395€ - frais de réservation 20€

Cadre verdoyant près de la base de loisirs. Piscine couverte pour les chalets uniquement.

Nature : ۹
Loisirs : 🍴 🏕 🚲 ✂ 🎣 🏊
Services : ⚬━ (14 Juil.-16 août) 📶 laverie point d'informations touristiques
À prox. : ✂ 🏇 ⛵ (plage) 🛶 🎣 💧 pédalos tyrolienne

G P S E : 0.13284
N : 47.75078

Ce guide n'est pas un répertoire de tous les terrains de camping mais une sélection des meilleurs campings dans chaque catégorie.

MARÇON

72340 - Carte Michelin **310** M8 - 1 028 h. - alt. 59
▶ Paris 245 - Château-du-Loir 10 - Le Grand-Lucé 51 - Le Mans 52

⛰ Le Lac des Varennes

📞 02 43 44 13 72, www.lacdesvarennes.camp

Pour s'y rendre : rte de Port-Gauthier (1 km à l'ouest par D 61, près de l'espace de loisirs)

Ouverture : de déb. avr. à fin oct.

5,5 ha (250 empl.) plat, herbeux

Empl. camping : 20€ 👫 🚗 🅿 ⚡ (10A) - pers. suppl. 6€ - frais de réservation 5€

Location : (de déb. avr. à fin oct.) - ♿ (mobile-home) - 19 🛖 - 1 🏠 - 5 bungalows toilés - 1 tente lodge. Nuitée 90 à 108€ - Sem. 210 à 752€ - frais de réservation 10€

🚐 borne artisanale 4€ - 🚐 8€

Situation agréable autour d'un lac aménagé en base de loisirs.

Nature : ۹
Loisirs : 🍴 ✂ 🏕 🏇 🚲 🏊 ⛵ (plage) 🎣
Services : ⚬━ 👶 📶 🛒 🚿
À prox. : ✂ 🏇 🛶 🏇 pédalos terrain multisports

G P S E : 0.4993
N : 47.7125

MAULÉVRIER

49360 - Carte Michelin **317** E6 - 2 855 h. - alt. 130
▶ Paris 366 - Angers 75 - Nantes 76 - La Roche-sur-Yon 80

⛰ Les Logis de L'Oumois

📞 06 26 93 93 45, www.logisdeloumois.com

Pour s'y rendre : 3 km au sud par D 157 et D 28

Ouverture : Permanent

30 ha/2 campables (40 empl.) plat, herbeux, étang

Empl. camping : (Prix 2018) 14€ 👫 🚗 🅿 ⚡ (10A) - pers. suppl. 5€
Location : (Prix 2018) Permanent 🚗 - 10 🛖 - 2 🛏 - 2 gîtes. Nuitée 60 à 140€ - Sem. 340 à 485€

Cadre boisé autour des emplacements et au bord de trois étangs.

Nature : 🏕 ۹
Loisirs : 🏕 🏇 🎣 🛶 pédalos, barques
Services : ⚬━ 🛒 🏛 👶 📶 laverie

G P S W : 0.7592
N : 46.9987

Use this year's Guide.

MAYENNE

53100 - Carte Michelin **310** F5 - 13 350 h. - alt. 124
▶ Paris 283 - Alençon 61 - Flers 56 - Fougères 47

⛰ Du Gué St-Léonard

📞 02 43 04 57 14, www.campingduguesaintleonard.fr

Pour s'y rendre : r. du Gué-St-Léonard (au nord de la ville, par av. de Loré et r. à dr.)

Ouverture : de mi-mars à fin sept.

1,8 ha (70 empl.) plat, herbeux

Empl. camping : (Prix 2018) 9€ 👫 🚗 🅿 ⚡ (10A) - pers. suppl. 3€
Location : (Prix 2018) (de déb. mars à fin sept.) - 6 🛖 - 1 bungalow toilé - 3 tentes sur pilotis. Sem. 144 à 498€

Situation plaisante au bord de la Mayenne.

Nature : ۹۹
Loisirs : ✂ 🏕 🏊 🎣
Services : 🏛 👶 📶 laverie
À prox. : 🛒 ✂ 🛶

G P S W : 0.61387
N : 48.3142

LE MAZEAU

85420 - Carte Michelin **316** L9 - 427 h. - alt. 8
▶ Paris 435 - Fontenay-le-Comte 22 - Niort 21 - La Rochelle 53

⛰ Le Relais du Pêcheur

📞 02 51 52 93 23, www.relaisdupecheur.fr

Pour s'y rendre : rte de la Sèvre (700 m au sud du bourg, près de canaux)

Ouverture : de fin mars à mi-oct.

1 ha (54 empl.) plat, herbeux

Empl. camping : (Prix 2018) 19€ 👫 🚗 🅿 ⚡ (10A) - pers. suppl. 5€

Cadre et situation agréables au cœur de la Venise Verte.

Nature : 🦆 🏕 ۹۹
Loisirs : ✂ 🏕 🏇 🏇 🏊 (petite piscine)
Services : ⚬━ 🛒 📶 🚿
À prox. : 🛶

G P S W : 0.67535
N : 46.33052

MÉNIL

53200 - Carte Michelin **310** E8 - 965 h. - alt. 32
◗ Paris 297 - Angers 45 - Château-Gontier 7 - Châteauneuf-sur-Sarthe 21

△ Municipal du Bac

🖉 02 43 70 24 54, www.camping.menil53.fr
Pour s'y rendre : r. du Port (à l'est du bourg)
Ouverture : de mi-avr. à mi-sept.
0,5 ha (34 empl.) plat, herbeux
Empl. camping : (Prix 2018) 12€ ♣♣ ⚌ 🔳 🛁 (10A) - pers. suppl. 4€
Location : (Prix 2018) Permanent - 5 🏠. Nuitée 42 à 88€ - Sem. 165 à 350€
🚰 borne artisanale 2€
Cadre et situation agréables, près de la Mayenne.

Nature : 🐾 ⌂ 🌳	**G**	W : 0.67319
Loisirs : ✗ 🏓 🚲 🛶 ⚓	**P**	N : 47.77494
Services : ⚬ 📶	**S**	
À prox. : pédalos		

MERVENT

85200 - Carte Michelin **316** L8 - 1 077 h. - alt. 85
◗ Paris 426 - Bressuire 52 - Fontenay-le-Comte 12 - Parthenay 50

🏔 La Joletière

🖉 02 51 00 26 87, www.campinglajoletiere.fr
Pour s'y rendre : 700 m à l'ouest par D 99
Ouverture : de déb. avr. à mi-oct.
1,3 ha (73 empl.) peu incliné, herbeux
Empl. camping : 21€ ♣♣ ⚌ 🔳 🛁 (16A) - pers. suppl. 6€
Location : (de déb. avr. à mi-oct.) - 20 🛖 - 4 🏠 - 3 bungalows toilés. Nuitée 54 à 91€ - Sem. 220 à 660€ - frais de réservation 2€
Espace verdoyant, en pente douce avec du locatif varié.

Nature : 🐾 ⌂ 🌳	**G**	W : 0.7691
Loisirs : ✗ (3j/sem) 🎱 🏓 🖼 ⚓	**P**	N : 46.5214
Services : ⚬ 🚿 📶 🖼	**S**	
À prox. : 🍷		

MESQUER

44420 - Carte Michelin **316** B3 - 1 710 h. - alt. 6
◗ Paris 460 - La Baule 16 - Muzillac 32 - Pontchâteau 35

🏔 Soir d'Été 🔅

🖉 02 40 42 57 26, www.camping-soirdete.com
Pour s'y rendre : 401 r. de Bel-Air (2 km au nord-ouest par D 352 et rte à gauche)
Ouverture : de déb. avr. à fin sept.
1,5 ha (92 empl.) plat et peu incliné, sablonneux, herbeux
Empl. camping : 38€ ♣♣ ⚌ 🔳 🛁 (6A) - pers. suppl. 7€
Location : (de déb. avr. à fin sept.) - 20 🛖 - 4 🏠 - 1 tente sur pilotis. Nuitée 55 à 95€ - Sem. 269 à 699€
🚰 borne artisanale
Cadre ombragé au bord des marais salants avec des services et loisirs de qualité.

Nature : 🐾 ⌂ 🌳	**G**	W : 2.47575
Loisirs : 🍷 ✗ 🎱 🏃 🏓 🚲 🖼 terrain multisports	**P**	N : 47.4064
Services : ⚬ 🛁 📶 laverie 🧊 réfrigérateurs	**S**	
À prox. : ✗ 🎿		

△ Le Praderoi

🖉 02 40 42 66 72, www.camping-praderoi.com
Pour s'y rendre : à Quimiac, 14 allée des Barges (2,5 km au nord-ouest)
Ouverture : de déb. avr. à fin sept.
0,4 ha (32 empl.) plat, herbeux, sablonneux
Empl. camping : 26€ ♣♣ ⚌ 🔳 🛁 (10A) - pers. suppl. 5€
Location : de déb. avr. à fin sept.) - 🚫 - 5 🛖. Nuitée 70 à 100€ - Sem. 200 à 620€
En zone pavillonnaire, petite structure ombragée, très calme et très familiale à 100 m de la plage.

Nature : 🐾 🌳	**G**	W : 2.48895
Loisirs : 🏓	**P**	N : 47.40572
Services : ⚬ 🚿 📶 🖼	**S**	

MÉZIÈRES-SOUS-LAVARDIN

72240 - Carte Michelin **310** J6 - 634 h. - alt. 75
◗ Paris 221 - Alençon 38 - La Ferté-Bernard 69 - Le Mans 25

△ Smile et Braudières

🖉 02 43 20 81 48, www.campingsmileetbraudieres.com - peu d'emplacements pour tentes et caravanes
Pour s'y rendre : lieu-dit : Les Braudières (4,5 km à l'est par rte secondaire de St-Jean)
Ouverture : Permanent
1,7 ha (52 empl.) plat et peu incliné, herbeux
Empl. camping : (Prix 2018) 20€ ♣♣ ⚌ 🔳 🛁 (5A) - pers. suppl. 5€
Location : (Prix 2018) Permanent - 7 🛖 - 2 🏠 - 3 bungalows toilés - 1 cabanon. Nuitée 40 à 87€ - Sem. 250 à 609€
🚰 3 🔳 16€ - 🚐 14€
En bordure d'un petit étang de pêche.

Nature : 🐾 ⌂ 🌳	**G**	E : 0.06328
Loisirs : ✗ jacuzzi 🏓 ⚓ 🛶	**P**	N : 48.15758
Services : ⚬	**S**	

*To visit a town or region : use the **MICHELIN** Green Guides.*

MONTREUIL-BELLAY

49260 - Carte Michelin **317** I6 - 4 041 h. - alt. 50
◗ Paris 335 - Angers 54 - Châtellerault 70 - Chinon 39

🏔 Flower Les Nobis d'Anjou 🔅

🖉 02 41 52 33 66, www.campinglesnobis.com
Pour s'y rendre : r. Georges-Girouy (sortie nord-ouest, rte d'Angers et chemin à gauche av. le pont)
Ouverture : de déb. avr. à fin sept.
3 ha (123 empl.) en terrasses, plat, herbeux
Empl. camping : 30€ ♣♣ ⚌ 🔳 🛁 (10A) - pers. suppl. 6€
Location : (de déb. avr. à fin sept.) - 24 🛖 - 4 chalets sur pilotis - 4 bungalows toilés. Nuitée 52 à 107€ - Sem. 196 à 763€
Situation agréable sur les rives du Thouet et au pied des remparts du château.

Nature : ⌂ 🌳	**G**	W : 0.15897
Loisirs : 🍷 ✗ 🎱 🌙 diurne 🏃 🏓 🖼 (découverte en saison) 🛶	**P**	N : 47.13204
Services : ⚬ 🏛 🛁 📶 laverie	**S**	
À prox. : 🚣 pédalos		

MONTSOREAU

49730 - Carte Michelin **317** J5 - 485 h. - alt. 77
▶ Paris 292 - Angers 75 - Châtellerault 65 - Chinon 18

⛰ "C'est si bon" L'Isle Verte

☎ 02 41 51 76 60, www.campingisleverte.com

Pour s'y rendre : av. de la Loire (sortie nord-ouest par D 947, rte de Saumur)

Ouverture : de déb. avr. à mi-oct.

2,5 ha (105 empl.) plat, herbeux

Empl. camping : 29€ ✝✝ ⛺ 🚗 ▤ ⚡ (10A) - pers. suppl. 7€ - frais de réservation 10€

Location : (de déb. avr. à mi-oct.) - ⛫ - 18 🚐 - 3 bungalows toilés - 2 tentes lodges - 4 tentes sur pilotis - 2 cabanons. Nuitée 45 à 115€ - Sem. 200 à 805€ - frais de réservation 15€

🚐 borne artisanale

Locatif varié en modèles et en confort au bord de la Loire.

Nature : ⩽ la Loire ♉♉		
Loisirs : ✗ 🖼 ⚕ 🚲 ✂ 🛝	**G P S**	E : 0.05165
Services : ⚷ 🍴 🛜 ▦ ⚑		N : 47.21861

MOUCHAMPS

85640 - Carte Michelin **316** J7 - 2 600 h. - alt. 81
▶ Paris 394 - Cholet 40 - Fontenay-le-Comte 52 - Nantes 68

⛰ Oléla Le Hameau du Petit Lay

☎ 02 51 20 41 94, www.lehameaudupetitlay.com

Pour s'y rendre : lieu-dit : Chauvin (600 m au sud par D 113, rte de St-Prouant)

Ouverture : de déb. avr. à déb. sept.

0,4 ha (39 empl.) plat, herbeux

Empl. camping : 20€ ✝✝ ⛺ 🚗 ▤ ⚡ (16A) - pers. suppl. 5€

Location : (de déb. avr. à déb. sept.) - ⛫ (1 chalet) - 6 🚐 - 15 🏠 - 4 cabanes (avec sanitaires). Nuitée 42 à 129€ - Sem. 294 à 903€

Camping et chalets de part et d'autre du petit pont de bois qui traverse le ruisseau le Lay.

Nature : ▭ ♉♉		
Loisirs : 🖼 ⚕ ⚕ 🛝 (petite piscine)	**G P S**	W : 1.05483
Services : ⚷ 🛜 ▦		N : 46.77585
À prox. : ⚓		

Utilisez le guide de l'année.

MOUILLERON-LE-CAPTIF

85000 - Carte Michelin **316** h7 - 4 511 h. - alt. 70
▶ Paris 421 - Challans 40 - La Mothe-Achard 22 - Nantes 63

⛰ L'Ambois

☎ 02 51 37 29 15, www.campingambois.com - peu d'emplacements pour tentes et caravanes

Pour s'y rendre : sortie sud-est par D 2, rte de la Roche-sur-Yon, puis 2,6 km par chemin à dr.

Ouverture : Permanent

1,75 ha (70 empl.) peu incliné, plat, herbeux

Empl. camping : (Prix 2018) 22€ ✝✝ ⛺ 🚗 ▤ ⚡ (10A) - pers. suppl. 5€ - frais de réservation 16€

Location : (Prix 2018) Permanent ⛫ - 42 🚐 - 18 🏠 - 1 gîte. Sem. 189 à 718€ - frais de réservation 16€

Cadre champêtre avec très peu de places pour tentes et caravanes.

Nature : 🌿 ▭ ♉		
Loisirs : 🍴 ✗ 🖼 jacuzzi ⚕ 🚲 🛝 🛝 mini ferme patinoire synthétique	**G P S**	W : 1.46092
Services : ⚷ ▦ 🛜 laverie ⚑		N : 46.69647

NANTES

44000 - Carte Michelin **316** G4 - 282 047 h. - alt. 8
▶ Paris 381 - Angers 88 - Bordeaux 325 - Lyon 660

⛰ Nantes Camping - Le Petit Port

☎ 02 40 74 47 94, www.nantes-camping.fr

Pour s'y rendre : 21 bd du Petit-Port (au bord du Cens)

Ouverture : Permanent

8 ha (151 empl.) peu incliné, plat, herbeux, gravier

Empl. camping : 41€ ✝✝ ⛺ 🚗 ▤ ⚡ (16A) - pers. suppl. 7€ - frais de réservation 15€

Location : Permanent ⛫ (1 chalet, 1 mobile home) - 56 🚐 - 6 🏠 - 8 tentes lodges - 1 cabane perchée. Nuitée 49 à 235€ - Sem. 294 à 1 410€ - frais de réservation 25€

🚐 15 ▤ 12€

Locatif varié et souvent de bon confort avec accès gratuit à la piscine et arrêt du tramway pour le centre-ville.

Nature : 🌿 ▭ ♉♉		
Loisirs : 🍴 ✗ ⚕ 🚲 🛝	**G P S**	W : 1.5567
Services : ⚷ ▦ 🛜 ⚑ laverie		N : 47.24346
À prox. : centre balnéo 🧖 hammam jacuzzi 🛝 ⚕ patinoire		

Deze gids is geen overzicht van alle kampeerterreinen maar een selektie van de beste terreinen in iedere categorie.

NORT-SUR-ERDRE

44390 - Carte Michelin **316** G3 - 5 885 h. - alt. 13
▶ Paris 372 - Ancenis 27 - Châteaubriant 37 - Nantes 32

⛰ Seasonova du Port-Mulon

☎ 02 40 72 23 57, www.vacances-seasonova.com/les-destinations-seasonova/camping-port

Pour s'y rendre : r. des Mares Noires (1,5 km au sud par rte de l'hippodrome et à gauche)

Ouverture : de fin mars à fin oct.

2,2 ha (114 empl.) plat, herbeux

Empl. camping : (Prix 2018) 17€ ✝✝ ⛺ 🚗 ▤ ⚡ (10A) - pers. suppl. 5€

Location : (Prix 2018) (de fin mars à fin oct.) - ⛫ - 12 🚐 - 4 chalets sur pilotis - 4 tentes lodges - 2 cabanons. Nuitée 70 à 130€ - Sem. 170 à 610€ - frais de réservation 15€

🚐 borne eurorelais 3€

Sous une agréable chênaie, à 100 m de l'Erdre avec du locatif varié et un bon confort sanitaire.

Nature : 🌿 ▭ ♉♉♉		
Loisirs : 🖼 ⚕ 🛝 (petite piscine)	**G P S**	W : 1.49965
Services : ⚷ 🛜 ⚑ laverie ⚑		N : 47.42895
À prox. : 🛒 ✂ ⚓ halte fluviale		

NOTRE-DAME-DE-MONTS

85690 - Carte Michelin **316** D6 - 1 866 h. - alt. 6
▶ Paris 459 - Nantes 74 - La Roche-sur-Yon 72

⚏ L'Albizia

✆ 02 28 11 28 50, www.campinglalbizia.com - peu d'emplacements pour tentes et caravanes

Pour s'y rendre : 52 r. de la Rive (1,9 km au nord)

Ouverture : de fin juin à fin août

3,6 ha (153 empl.) plat, herbeux, sablonneux

Empl. camping : (Prix 2018) 32 € ★★ ⟿ 回 🔌 (16A) - pers. suppl. 7 € - frais de réservation 15 €

Location : (Prix 2018) (de fin mars à mi-nov.) - 36 🚐. Sem. 290 à 880 € - frais de réservation 15 €

Site agréable mais avec de nombreux mobile homes de propriétaires-résidents.

Nature : ▱
Loisirs : 🍸 ✗ 🎣 nocturne ★ ⛷ 🚴 🎯 🏊 🛝 terrain multisports
Services : ⚷ 🔌 🛜 laverie
G P S W : 2.12755 N : 46.8503

⚏ Municipal de l'Orgatte

✆ 02 51 58 84 31, www.notre-dame-de-monts.fr

Pour s'y rendre : av. Abbé-Thibaud (1,2 km au nord par D 38 et à gauche, à 300 m de la plage)

Ouverture : de déb. avr. à fin sept.

4,5 ha (315 empl.) vallonné, sablonneux

Empl. camping : (Prix 2018) 20 € ★★ ⟿ 回 🔌 (10A) - pers. suppl. 6 € - frais de réservation 10 €

🚐 borne artisanale

Site agréable et vallonné, sous une pinède.

Nature : ▱ 🌳
Loisirs : 🍸 ⛷ terrain multisports
Services : ⚷ 🛜 🗄
G P S W : 2.13882 N : 46.83972

⚏ Le Pont d'Yeu

✆ 02 51 58 83 76, www.camping-pontdyeu.com - peu d'emplacements pour tentes et caravanes

Pour s'y rendre : r. du Pont-d'Yeu (1 km au sud par D 38 rte de St-Jean-de-Monts et rte à gauche)

Ouverture : de déb. avr. à fin sept.

1,3 ha (90 empl.) plat, sablonneux

Empl. camping : 24 € ★★ ⟿ 回 🔌 (10A) - pers. suppl. 5 € - frais de réservation 11 €

Location : (de déb. avr. à fin sept.) - ♿ (1 mobile home) - 29 🚐 - 2 🏠. Nuitée 70 à 120 € - Sem. 70 à 120 € - frais de réservation 11 €

Calme et familial avec la moitié des emplacements pour les mobile homes de propriétaires-résidents.

Nature : ▱ 🌳
Loisirs : ⛷ 🛝 (découverte en saison)
Services : ⚷ 🛜 laverie
G P S W : 2.13585 N : 46.82052

NYOISEAU

49500 - Carte Michelin **317** D2 - 1 305 h. - alt. 40
▶ Paris 316 - Ancenis 50 - Angers 47 - Châteaubriant 39

⚏ La Rivière

✆ 02 41 92 26 77, www.campinglariviere.fr

Pour s'y rendre : 1,2 km au sud-est par D 71, rte de Segré et rte à gauche, au bord de l'Oudon

1 ha (25 empl.) plat, herbeux

Location : - 1 🚐.

🚐 borne Sanistation

Nature : 🏞 🌳
Loisirs : 🎣 ⛷ 🐎
Services : ⚷ 🛜
À prox. : ⛷ bi-cross
G P S W : 0.90981 N : 47.71216

Renouvelez votre guide chaque année.

OLONNE-SUR-MER

85340 - Carte Michelin **316** F8 - 13 279 h. - alt. 40
▶ Paris 458 - Nantes 102 - La Roche-sur-Yon 36 - La Rochelle 96

⚏ Sunêlia La Loubine 👤👥

✆ 02 51 33 12 92, www.la-loubine.fr - peu d'emplacements pour tentes et caravanes

Pour s'y rendre : 1 rte de la Mer (3 km à l'ouest)

Ouverture : de déb. avr. à mi-sept.

8 ha (401 empl.) plat, herbeux

Empl. camping : (Prix 2018) 44 € ★★ ⟿ 回 🔌 (6A) - pers. suppl. 8 € - frais de réservation 28 €

Location : (Prix 2018) (de déb. avr. à mi-sept.) - ♿ (1 mobile home) - 170 🚐 - 2 🏠 - 6 tentes lodges. Nuitée 30 à 240 € - Sem. 210 à 1 680 € - frais de réservation 28 €

Autour d'une ferme vendéenne du 16ᵉ s. et d'un beau complexe aquatique paysagé et ludique.

Nature : ▱ 🌳
Loisirs : 🍸 ✗ 🎣 🎣 nocturne ★ 🛝 ⛵ jacuzzi ⛷ 🚴 🎯 🏊 🛝 🏊 terrain multisports
Services : ⚷ 🛝 🛜 laverie 🗄 🛝
À prox. : 🐎
G P S W : 1.80647 N : 46.54595

⚏ MS Vacances Le Trianon 👤👥

✆ 02 53 81 70 00, www.ms-vacances.com - peu d'emplacements pour tentes et caravanes

Pour s'y rendre : 95 r. du Mar.-Joffre (1 km à l'est)

Ouverture : de déb. avr. à mi-sept.

12 ha (515 empl.) plat, herbeux, petit étang

Empl. camping : 55 € ★★ ⟿ 回 🔌 (10A) - pers. suppl. 15 € - frais de réservation 30 €

Location : (de déb. avr. à mi-sept.) - ♿ (2 mobile homes) - 459 🚐. Nuitée 34 à 267 € - Sem. 238 à 1 869 € - frais de réservation 30 €

Agréable cadre verdoyant et ombragé.

Nature : ▱ 🌳
Loisirs : 🍸 ✗ 🎣 🎣 ★ 🛝 ⛷ 🚴 🎯 🏊 🛝 🛝 🛝 terrain multisports
Services : ⚷ 🎰 🛝 🛝 🛜 laverie 🗄 🛝
G P S W : 1.75502 N : 46.53118

⚏ ... ⚏
Terrains particulièrement agréables dans leur ensemble et dans leur catégorie.

Dans notre guide, les indications d'accès à un terrain sont généralement indiquées à partir du centre de la localité.

Le Moulin de la Salle ♨

📞 02 51 95 99 10, www.moulindelasalle.com - peu d'emplacements pour tentes et caravanes

Pour s'y rendre : r. du Moulin-de-la-Salle (2,7 km à l'ouest)

Ouverture : de fin avr. à mi-sept.

2,7 ha (216 empl.) plat, herbeux

Empl. camping : 34€ ♨♨ 🚐 🅴 🔲 (10A) - pers. suppl. 5€ - frais de réservation 30€

Location : (de mi-avr. à mi-sept.) - 100 🚐. Sem. 220 à 895€ - frais de réservation 30€

Nombreux mobile homes autour d'un joli moulin mais très peu d'emplacements pour tentes et caravanes.

Nature : 🔲 ♨
Loisirs : 🍴 ✕ 🖼 salle d'animations 🏃 🏊
🛶 🔲 🛝 terrain multisports
Services : ⚬ 🛁 🚿 📶 laverie 🔧

W : 1.79217
N : 46.53183

Domaine de l'Orée ♨

📞 02 51 33 10 59, www.l-oree.com

Pour s'y rendre : 13 rte des Amis-de-la-Nature

Ouverture : de mi-avr. à mi-sept.

6 ha (320 empl.) plat, herbeux

Empl. camping : (Prix 2018) 46€ ♨♨ 🚐 🅴 🔲 (16A) - pers. suppl. 8€ - frais de réservation 26€

Location : (Prix 2018) (de mi-avr. à mi-sept.) - ♿ (1 mobile home) - 188 🚐. Nuitée 105 à 120€ - Sem. 260 à 840€ - frais de réservation 26€

Terrain en deux parties distinctes avec quelques emplacements équipés de sanitaires individuels.

Nature : 🔲 ♨
Loisirs : 🍴 ✕ 🖼 ◉nocturne 🏃 🏊 🏊‍♂️
✕ 🔲 🛝 terrain multisports
Services : ⚬ 🛁 – 10 sanitaires individuels
(🚿 🛁 wc) 🚿 📶 laverie 🔧 🔧
À prox. : 🐎

W : 1.80827
N : 46.5494

Nid d'Été

📞 02 51 95 34 38, www.leniddete.com

Pour s'y rendre : 2 r. de la Vigne-Verte (2,5 km à l'ouest)

2 ha (150 empl.) plat, herbeux

Location : - 45 🚐 - 1 🏠.

Terrain en deux parties distinctes avec un bon confort sanitaire.

Nature : 🌾 🔲 ♨
Loisirs : 🍴 ✕ 🖼 jacuzzi 🏊 🔲 (découverte en saison)
Services : ⚬ 🛁 📶 laverie 🔧

W : 1.79393
N : 46.53326

Flower Le Petit Paris ♨

📞 02 51 22 04 44, www.campingpetitparis.com

Pour s'y rendre : 41 r. du Petit-Versailles (5,5 km au sud-est)

Ouverture : de déb. avr. à fin sept.

3 ha (154 empl.) plat, herbeux

Empl. camping : (Prix 2018) 32€ ♨♨ 🚐 🅴 🔲 (10A) - pers. suppl. 6€

Location : (Prix 2018) (de déb. avr. à fin oct.) - 40 🚐 - 2 🏠
- 4 bungalows toilés - 4 tentes lodges. Sem. 280 à 1 043€

Cadre verdoyant avec du locatif varié et de bon confort avec baignade dans un joli lagon.

Nature : 🌾 🔲 ♨
Loisirs : 🍴 🖼 🏃 🏊 🔲 🛝 🏊 (plan d'eau)
🛶 terrain multisports
Services : ⚬ 🛁 🚿 📶 laverie 🔧
À prox. : parachutisme

W : 1.72041
N : 46.47359

Les Fosses Rouges

📞 02 51 95 17 95, www.campingfossesrougessablesdolonnevendee.com

Pour s'y rendre : 8 r. des Fosses-Rouges, lieu-dit : la Pironnière (3 km au sud-est)

Ouverture : de déb. avr. à fin sept.

3,5 ha (248 empl.) plat, herbeux

Empl. camping : (Prix 2018) 26€ ♨♨ 🚐 🅴 🔲 (10A) - pers. suppl. 4€ - frais de réservation 15€

Location : (Prix 2018) (de déb. avr. à fin sept.) - 21 🚐. Nuitée 42 à 100€ - Sem. 175 à 690€

🚐 borne artisanale

Dans un quartier pavillonnaire. Préférer les emplacements éloignés de la route.

Nature : 🔲 ♨♨
Loisirs : 🍴 🏊 ✕ 🏓 🔲 (découverte en saison)
Services : ⚬ 🛁 📶 laverie 🔧 🔧

W : 1.74124
N : 46.47956

La Gachère

📞 02 51 22 65 82, www.camping-gachere.com

Pour s'y rendre : r. des Amis-de-la-Nature, Les Granges (8,5 km au nord ouest)

Ouverture : de déb. avr. à fin sept.

3,5 ha (161 empl.) vallonné, peu incliné, plat, sablonneux, herbeux

Empl. camping : 32€ ♨♨ 🚐 🅴 🔲 (10A) - pers. suppl. 6€ - frais de réservation 16€

Location : (Prix 2018) Permanent – ♿ (1 mobile home) - 28 🚐
- 9 bungalows toilés - 3 tentes sur pilotis. Nuitée 88 à 150€ - Sem. 220 à 954€ - frais de réservation 20€

Cadre naturel, vallonné et bien ombragé. Préférer les emplacements les plus éloignés de la route.

Nature : ♨♨
Loisirs : 🍴 ✕ 🖼 🏊 🏊 🚲 🔲 🛝
Services : ⚬ 🛁 📶 laverie 🔧

W : 1.83305
N : 46.59153

PIRIAC-SUR-MER

44420 - Carte Michelin **316** A3 - 2 245 h. - alt. 7
▶ Paris 462 - La Baule 17 - Nantes 88 - La Roche-Bernard 33

⚞ Capfun Armor Héol ♣♣

☏ 02 40 23 57 80, www.camping-armor-heol.com

Pour s'y rendre : à Kervin, rte de Guérande (1 km au sud-est par D 333)

Ouverture : de déb. avr. à mi-sept.

4,5 ha (270 empl.) plat, herbeux, petit étang

Empl. camping : (Prix 2018) 35€ ♣♣ ⇔ 🔲 🗲 (6A) - pers. suppl. 8€ - frais de réservation 24€

Location : (Prix 2018) (de déb. avr. à mi-sept.) - 58 ⛺ - 19 ⌂ - 1 roulotte. Sem. 290 à 880€ - frais de réservation 24€

Locatif varié, bon confort des sanitaires individuels, plus faible et ancien pour les collectifs.

Nature : ⬡ ♀♀
Loisirs : 🍸 🗙 🎮 🛝 🎣 🛶 🥢 🖳 🏊 ⛷ terrain multisports
Services : ⛽🚿⚘- 20 sanitaires individuels (🚿⚘ wc) 🛜 laverie
GPS : W : 2.53563 N : 47.3748

⚞ Mon Calme

☏ 02 40 23 60 77, www.campingmoncalme.com

Pour s'y rendre : r. de Norvoret (1 km au sud par rte de la Turballe et à gauche)

Ouverture : de déb. avr. à fin sept.

1,2 ha (88 empl.) plat, herbeux

Empl. camping : (Prix 2018) 20€ ♣♣ ⇔ 🔲 🗲 (10A) - pers. suppl. 4€ - frais de réservation 18€

Location : (Prix 2018) (de déb. avr. à fin sept.) - 20 ⛺ - 12 appartements. Nuitée 95 à 120€ - Sem. 260 à 800€ - frais de réservation 18€

⛽ borne artisanale

À 400 m de la plage en zone pavillonnaire, mobile homes classiques, appart'hotels de qualité et très agréable salle de restaurant avec terrasse au bord de la piscine.

Nature : ⬡ ♀♀
Loisirs : 🍸 🗙 🛶 🚴 🏊
Services : ⛽ (juil-août) ⚘ 🛜 laverie ⚘
À prox. : 🛒
GPS : W : 2.54882 N : 47.37208

LA PLAINE-SUR-MER

44770 - Carte Michelin **316** C5 - 3 815 h. - alt. 26
▶ Paris 438 - Nantes 58 - Pornic 9 - St-Michel-Chef-Chef 7

⚞ Le Ranch

☏ 02 40 21 52 62, www.camping-le-ranch.com

Pour s'y rendre : chemin des Hautes-Raillères (3 km au nord-est par D 96)

Ouverture : de déb. avr. à fin sept.

3 ha (189 empl.) plat, herbeux

Empl. camping : 45€ ♣♣ ⇔ 🔲 🗲 (10A) - pers. suppl. 8€

Location : (de déb. avr. à fin sept.) - 🥢 - 23 ⛺ - 21 ⌂. Nuitée 29 à 177€ - Sem. 203 à 1 239€

⛽ borne artisanale

Locatif de bon confort autour d'un bel espace aquatique.

Nature : 🦆 ♀♀
Loisirs : 🍸 🗙 🎮 salle d'animations 🛶 🖳 🏊 ⛷ terrain multisports
Services : ⛽🚿 🛜 laverie ⚘
GPS : W : 2.16292 N : 47.15412

⚞ La Tabardière ♣♣

☏ 02 40 21 58 83, www.camping-la-tabardiere.com

Pour s'y rendre : 2 rte de la Tabardière (3,5 km à l'est par D 13, rte de Pornic et rte à gauche)

Ouverture : de mi-avr. à mi-sept.

6 ha (264 empl.) en terrasses, plat, herbeux, étang

Empl. camping : 42€ ♣♣ ⇔ 🔲 🗲 (10A) - pers. suppl. 9€ - frais de réservation 25€

Location : (de mi-avr. à mi-sept.) - ♿ (1 mobile home) - 🥢 - 21 ⛺ - 13 ⌂. Nuitée 29 à 147€ - Sem. 203 à 1 029€ - frais de réservation 25€

⛺ borne raclet 15€ - 5 🔲 15€ - 🚐 15€

Emplacements en terrasses, locatif classique et un confort sanitaire propre mais très ancien.

Nature : 🦆 ⬡ ♀♀
Loisirs : 🍸 🎮 🛝 🛶 🧗 🖳 (découverte en saison) ⛷ 🥢 terrain multisports
Services : ⛽⚘ 🛜 laverie 🏊 ⚘
GPS : W : 2.15313 N : 47.14087

LES PONTS-DE-CÉ

49130 - Carte Michelin **317** F4 - 11 575 h. - alt. 25
▶ Paris 302 - Nantes 92 - Angers 7 - Cholet 57

⚞ Île du Château ♣♣

☏ 06 59 08 15 09, www.camping-ileduchateau.fr

Pour s'y rendre : av. de la Boire-Salée (sur l'Île du Château)

2,3 ha (135 empl.) plat, herbeux

Location : - 2 ⛺ - 7 bungalows toilés - 1 gîte.

Cadre arboré, près de la Loire et d'un jardin public.

Nature : ⬡ ♀♀
Loisirs : 🗙 🎮 🛝 🛶 🚲 🧗
Services : ⛽⚘ 🏊 🚽 🛜 📶
À prox. : 🥢 🏊 ⚘🚣
GPS : W : 0.53055 N : 47.4244

Wilt u een stad of streek bezichtigen ?
*Raadpleed de **groene Michelingidsen**.*

PORNIC

44210 - Carte Michelin **316** D5 - 14 052 h. - alt. 20
▶ Paris 429 - Nantes 49 - La Roche-sur-Yon 89 - Les Sables-d'Olonne 93

⚞ Club Airotel La Boutinardière ♣♣

☏ 02 40 82 05 68, www.camping-boutinardiere.com

Pour s'y rendre : 23 r. de la Plage-de-la-Boutinardière (5 km au sud-est par D 13 et rte à dr.)

Ouverture : de déb. avr. à fin sept.

7,5 ha (400 empl.) peu incliné, plat, herbeux

Empl. camping : (Prix 2018) 53€ ♣♣ ⇔ 🔲 🗲 (10A) - pers. suppl. 9€ - frais de réservation 25€

Location : (de déb. avr. à fin sept.) - 217  - 37 🏠 - 4 tentes lodges - 4 gîtes - 15 appartements. Nuitée 60 à 150€ - Sem. 290 à 1 550€ - frais de réservation 25€

À 200 m de la plage, en deux parties distinctes, installations de qualité très adaptées aux familles avec enfants et locatif souvent de grand confort.

Nature : 🐾 ⌂ ♀
Loisirs : 🍴 ✕ 🏛 ▣ 🎣 🏸 ♿ centre balnéo 🛁 hammam jacuzzi 🏊 🚴 🏓 🎿 mini ferme jeux enfants couverts terrain multisports
Services : ⚡ 🏧 ♨ 🚿 ⚐ 🛜 laverie 🧺 🚮

G P S W : 2.05222 N : 47.09747

🏕 Yelloh! Village La Chênaie 👥

📞 02 40 82 07 31, www.campinglachenaie.com

Pour s'y rendre : 36bis r. du Pâtisseau (à l'est par D 751, rte de Nantes et rte à gauche)

Ouverture : de fin avr. à déb. sept.

8 ha (305 empl.) en terrasses, peu incliné, plat, herbeux

Empl. camping : 50€ ⚤ ⚤ 🚗 ▣ ⚡ (10A) - pers. suppl. 9€

Location : (de déb. avr. à déb. sept.) - 🚐 - 142  - 3 bungalows toilés. Nuitée 30 à 242€ - Sem. 210 à 1 694€

🚮 borne artisanale

Beaucoup d'espaces verts propices à la détente, un parc aquatique avec plusieurs toboggans et 2 piscines couvertes.

Nature : 🐾 ⌂ ♀♀
Loisirs : 🍴 ✕ 🎬 salle d'animations 🏸 centre balnéo 🛁 hammam jacuzzi 🏊 🚴 🎿 🏓 mini ferme terrain multisports
Services : ⚡ ♨ 🛜 laverie 🧺 🚮

G P S W : 2.07196 N : 47.1187

PORNICHET

44380 - Carte Michelin **316** B4 - 10 466 h. - alt. 12
▶ Paris 449 - Nantes 74 - Vannes 84 - La Roche-sur-Yon 143

⚠ Les Forges

📞 02 40 61 18 84, www.campinglesforges.com - peu d'emplacements pour tentes et caravanes

Pour s'y rendre : 98 rte de la Villès-Blais, quartier Les Forges

Ouverture : de déb. juil. à fin août

2 ha (140 empl.) en terrasses, plat, herbeux

Empl. camping : (Prix 2018) 28€ ⚤ ⚤ 🚗 ▣ ⚡ (10A) - pers. suppl. 7€ - frais de réservation 30€

Location : (Prix 2018) (de déb. juil. à fin août) - ♿ (1 mobile home) - 33 . Nuitée 70 à 105€ - Sem. 280 à 735€ - frais de réservation 30€

En zone pavillonnaire, avec beaucoup de mobile homes de propriétaires-résidents. Arrêt de bus pour le centre-ville.

Nature : 🐾 ⌂ ♀
Loisirs : 🎬 🏊 🎿 (découverte en saison) terrain multisports
Services : ⚡ ♨ 🛜 laverie

G P S W : 2.29379 N : 47.26917

POUANCÉ

49420 - Carte Michelin **317** B2 - 3 046 h. - alt. 56
▶ Paris 335 - Angers 67 - Laval 51 - Rennes 62

🏕 Municipal la Roche Martin

📞 02 41 61 98 79, www.naturoloisirs.com

Pour s'y rendre : 23 r. des Étangs (à 1 km au nord par D 6 et D 72 à gauche rte de la Guerche-de-Bretagne, près d'un étang)

Ouverture : de déb. mai à mi-oct.

1,5 ha (40 empl.) en terrasses, plat, herbeux

Empl. camping : 14€ ⚤ ⚤ 🚗 ▣ ⚡ (10A) - pers. suppl. 4€

🚮 borne artisanale 5€ - 6 ▣ 5€ - 🚽 5€

Cadre verdoyant au bord d'un étang avec la base nautique et la plage.

Loisirs : 🎬 🏊 🚣
Services : ⚡ ♨ 🛜 laverie
À prox. : 🍴 ✕ 🚢 (plage) pédalos

G P S W : 1.179 N : 47.7487

PRÉFAILLES

44770 - Carte Michelin **316** C5 - 1 255 h. - alt. 10
▶ Paris 440 - Challans 56 - Machecoul 38 - Nantes 60

🏕 Éléovic

📞 02 40 21 61 60, www.camping-eleovic.com

Pour s'y rendre : rte de la Pointe-St-Gildas (1 km à l'ouest par D 75)

Ouverture : de déb. avr. à fin sept.

3 ha (153 empl.) peu incliné, plat, herbeux, pierreux

Empl. camping : 41€ ⚤ ⚤ 🚗 ▣ ⚡ (10A) - pers. suppl. 7€ - frais de réservation 20€

Location : (de déb. avr. à fin sept.) - 60  - 3 chalets sur pilotis - 2 tentes lodges. Nuitée 50 à 95€ - Sem. 231 à 1 250€ - frais de réservation 20€

Situation dominant l'océan et l'île de Noirmoutier avec du locatif de bon confort.

Nature : 🐾 ← l'océan et l'Île de Noirmoutier ⌂ ♀
Loisirs : 🍴 ✕ 🎬 🎣 🏸 🏊 🚴 🎿 (découverte en saison) terrain multisports
Services : ⚡ 🛜 laverie 🚮

G P S W : 2.23151 N : 47.13292

PRUILLÉ

49220 - Carte Michelin **317** F3 - 630 h. - alt. 30
▶ Paris 308 - Angers 22 - Candé 34 - Château-Gontier 33

⚠ Bac

📞 02 41 27 14 08, www.longuenee-en-anjou.fr/camping-du-bac-de-pruille/

Pour s'y rendre : r. du Bac (au nord du bourg, au bord de la Mayenne -halte nautique-)

Ouverture : de mi-avr. à fin sept.

1,2 ha (45 empl.) plat, herbeux

Empl. camping : (Prix 2018) 12€ ⚤ ⚤ 🚗 ▣ ⚡ (10A) - pers. suppl. 4€

Location : (Prix 2018) (de mi-avr. à fin oct.) - 5 . Nuitée 50 à 80€ - Sem. 180 à 300€

🚮 borne AireService 3€

Nature : 🐾 ♀
Loisirs : ✂
Services : ⚡ 🛜
À prox. : 🍴 ✕ 🛥 pédalos

G P S W : 0.66474 N : 47.57897

LES ROSIERS-SUR-LOIRE

49350 - Carte Michelin **317** H4 - 2 348 h. - alt. 22
▶ Paris 304 - Angers 32 - Baugé 27 - Bressuire 66

🗻 Yelloh Village Les Voiles d'Anjou

🕿 02 41 51 94 33, www.camping-voilesdanjou.com

Pour s'y rendre : 6 r. Ste-Baudruche (sortie nord par D 59, rte de Beaufort-en-Vallée, près du carr. avec la D 79)

Ouverture : de déb. avr. à fin sept.

3,5 ha (110 empl.) plat, herbeux

Empl. camping : 35€ ★★ 🚗 🗐 🕭 (10A) - pers. suppl. 8€

Location : (de déb. avr. à fin sept.) - 36 🛖 - 4 tentes lodges - 2 cabanons. Nuitée 32 à 158€ - Sem. 224 à 1 092€

🔄 borne artisanale - 🛒 14€

Agréable cadre verdoyant.

Nature : 🖵 🌳		
Loisirs : ✗ 🏠 ⚡ ☕ jacuzzi 🚲 🏊 🛶		**G** W : 0.22599
Services : 🔌 🛁 🚿 ⚡ 🛜 🖨		**P** N : 47.35821
À prox. : ✗ 🎿		**S**

LES SABLES-D'OLONNE

85100 - Carte Michelin **316** F8 - 14 572 h. - alt. 4
▶ Paris 456 - Cholet 107 - Nantes 102 - Niort 115

🗻 Chadotel La Dune des Sables 🏕👤

🕿 02 51 32 31 21, www.chadotel.com/fr/camping/vendee/les-sables-dolonne/camping-la-d - peu d'emplacements pour tentes et caravanes

Pour s'y rendre : lieu-dit : Le Paracou, chemin de la Bernardière (4 km au nord-ouest, rte de l'Aubraie)

Ouverture : de déb. avr. à déb. nov.

7,5 ha (290 empl.) vallonné, en terrasses, plat, herbeux, sablonneux

Empl. camping : 45€ ★★ 🚗 🗐 🕭 (10A) - pers. suppl. 6€ - frais de réservation 25€

Location : (de déb. avr. à déb. nov.) - 72 🛖 - 2 tentes lodges. Nuitée 28 à 220€ - Sem. 196 à 1 540€ - frais de réservation 25€

🔄 borne artisanale

Parc de mobile homes près de la plage, dominant l'océan, mais très peu d'emplacements tentes ou caravanes.

Nature : 🐾 ≤ 🖵		
Loisirs : 🍴 ✗ 🏠 ☕ 🏄 🏊 🚲 ✗ 🛶 🛶		**G** W : 1.81395
Services : 🔌 🛁 🚿 ⚡ 🛜 laverie 🧺 🚿		**P** N : 46.51207
		S

SABLÉ-SUR-SARTHE

72300 - Carte Michelin **310** G7 - 12 399 h. - alt. 29
▶ Paris 252 - Angers 64 - La Flèche 27 - Laval 44

🗻 Municipal de l'Hippodrome 🏕👤

🕿 02 43 95 42 61, www.tourisme.sablesursarthe.fr

Pour s'y rendre : allée du Québec (sortie sud en dir. d'Angers et à gauche, attenant à l'hippodrome)

Ouverture : de mi-avr. à mi-oct.

3 ha (74 empl.) plat, herbeux

Empl. camping : (Prix 2018) ★ 4€ 🚗 🗐 5€ – 🕭 (16A) 3€

Location : (Prix 2018) (de mi-avr. à mi-oct.) - ⚿ (1 chalet) - ⚡ - 2 🛖 - 5 🛖. Nuitée 70 à 95€ - Sem. 290 à 485€ - frais de réservation 2€

🔄 borne flot bleu 2€

Belle décoration arbustive, au bord de la Sarthe.

Nature : 🐾 🖵 🌳		
Loisirs : 🏠 🏄 🏄 🛶 🏊 🛶		**G** W : 0.33193
Services : 🔌 🛁 🚿 ⚡ 🛜 laverie		**P** N : 47.83136
À prox. : ✗ 🎿 🛶 🐎		**S**

ST-BERTHEVIN

53940 - Carte Michelin **310** E6 - 7 097 h. - alt. 108
▶ Paris 289 - Nantes 128 - Laval 10 - Rennes 66

⛰ Municipal de Coupeau

🕿 02 43 68 30 70, www.laval-tourisme.com

Pour s'y rendre : à la base de loisirs (au sud du bourg, à 150 m du Vicoin)

Ouverture : de mi-avr. à fin sept.

0,4 ha (32 empl.) en terrasses, plat, herbeux

Empl. camping : (Prix 2018) ★ 4€ 🚗 3€ 🗐 3€ – 🕭 (30A) 3€

Situation dominante sur une vallée verdoyante et reposante.

Nature : 🐾 🖵		
Loisirs : 🏠		**G** W : 0.83235
Services : 🔌 🛜		**P** N : 48.06431
À prox. : ✗ 🎿 🛶 parcours de santé		**S**

ST-BRÉVIN-LES-PINS

44250 - Carte Michelin **316** C4 - 12 133 h. - alt. 9
Pont de St-Nazaire : 3 km
▶ Paris 438 - Challans 62 - Nantes 64 - Noirmoutier-en-l'Île 70

🗻 Sunêlia Le Fief 🏕👤

🕿 02 40 27 23 86, www.lefief.com

Pour s'y rendre : 57 chemin du Fief (2,4 km au sud par rte de St-Brévin-l'Océan et à gauche)

Ouverture : de déb. avr. à fin sept.

7 ha (397 empl.) plat, herbeux

Empl. camping : 54€ ★★ 🚗 🗐 🕭 (8A) - pers. suppl. 13€ - frais de réservation 35€

Location : (de déb. avr. à fin sept.) - ⚿ (1 mobile home) - 🅿 (mobile homes) - 207 🛖. Nuitée 54 à 266€ - Sem. 378 à 1 862€ - frais de réservation 35€

En deux parties distinctes dont une avec le village de mobile homes grand confort. Bel espace aquatique avec une pataugeoire ludique couverte et une balnéo de qualité.

Nature : 🐾 🖵 🌳		
Loisirs : 🍴 ✗ 🏠 ☕ salle d'animations 🏄 centre balnéo ⚡ hammam jacuzzi 🏊 🚲 ✗ 🛶 🛶 tir à l'arc terrain multisports		**G** W : 2.16768
		P N : 47.23465
Services : 🔌 🛁 🚿 ⚡ 🛜 laverie 🧺 🚿		**S**

⛰ Le Mindin

🕿 02 40 27 46 41, www.camping-de-mindin.com - peu d'emplacements pour tentes et caravanes

Pour s'y rendre : 32 av. du Bois (2 km au nord, près de l'estuaire (accès direct))

Ouverture : Permanent

1,7 ha (87 empl.) plat, herbeux, sablonneux

Empl. camping : (Prix 2018) 36€ ★★ 🚗 🗐 🕭 (16A) - pers. suppl. 7€ - frais de réservation 25€

Location : (Prix 2018) Permanent - 46 🛖 - 3 bungalows toilés. Nuitée 55 à 102€ - Sem. 212 à 888€ - frais de réservation 25€

🔄 borne artisanale 3€ - 🛒 11€

Petite pinède au bord de l'estuaire avec vue sur le port de St-Nazaire. Locatif de qualité et bon confort sanitaire.

Nature : 🦅 ♨️		**G** W : 2.16915
Loisirs : ▼ ✕ 🏠 🎣 🏊		**P** N : 47.2648
Services : ☎ ▥ 🛜 laverie 🧺		**S**
À prox. : 🏄 🚴		

🏔 La Courance

☎ 02 40 27 22 91, www.campinglacourance.fr - peu d'emplacements pour tentes et caravanes

Pour s'y rendre : 110 av. du Mar.-Foch

Ouverture : Permanent

2,4 ha (156 empl.) vallonné, en terrasses, plat, sablonneux

Empl. camping : (Prix 2018) 31€ ♦♦ 🚗 🔲 (10A) - pers. suppl. 7€ - frais de réservation 25€

Location : (Prix 2018) Permanent🦽 (1 mobile home) - 52 🛖. Nuitée 83 à 112€ - Sem. 285 à 1 020€ - frais de réservation 25€

🛖 borne artisanale 3€ - 🚿 15€

Vue dominant l'océan avec plage et baignade à 900 m. Accueil groupes et colonies.

Nature : 🏕 ♨️		**G** W : 2.1703
Loisirs : ▼ ✕ 🍴 🎣 (petite piscine) 🏊 ⛷		**P** N : 47.23786
Services : ☎ ▥ 🧺 🛜 laverie		**S**
À prox. : ✂ skate-parc		

ST-CALAIS

72120 - Carte Michelin **310** N7 - 3 482 h. - alt. 155

▶ Paris 188 - Blois 65 - Chartres 102 - Châteaudun 58

🏔 Le Lac

☎ 02 43 35 04 81, www.saint-calais.fr

Pour s'y rendre : r. du Lac (sortie nord par D 249, rte de Montaillé)

Ouverture : de déb. avr. à mi-oct.

2 ha (85 empl.) plat, herbeux

Empl. camping : (Prix 2018) 15€ ♦♦ 🚗 🔲 (10A) - pers. suppl. 4€

Location : (Prix 2018) (de déb. avr. à mi-oct.) - 4 🛖. Nuitée 45 à 55€ - Sem. 230 à 350€ - frais de réservation 50€

Près d'un plan d'eau.

Nature : 🏞		**G** E : 0.74426
Loisirs : 🍴		**P** N : 47.92688
Services : ☎ ⚡ 🛜 📺		**S**
À prox. : 🛒 ✂ 🎣 🏊		

ST-ÉTIENNE-DU-BOIS

85670 - Carte Michelin **316** G7 - 1 901 h. - alt. 38

▶ Paris 427 - Aizenay 13 - Challans 26 - Nantes 49

🏔 Municipal la Petite Boulogne

☎ 02 51 34 54 51, www.stetiennedubois-vendee.fr

Pour s'y rendre : r. du Stade (au sud du bourg par D 81, rte de Poiré-sur-Vie et chemin à dr., près de la rivière et d'un étang)

Ouverture : de déb. mai à fin oct.

1,5 ha (35 empl.) terrasse, plat et peu incliné, herbeux

Empl. camping : (Prix 2018) 19€ ♦♦ 🚗 🔲 🔌 (10A) - pers. suppl. 4€

Location : (Prix 2018) Permanent - 3 🛖 - 6 🏠. Nuitée 65€ - Sem. 269 à 392€

Chemin piétonnier reliant le bourg et petit village de chalets en sous-bois.

Nature : 🦅 🏞 ♨️		**G** W : 1.59293
Loisirs : 🏊 (petite piscine)		**P** N : 46.82925
Services : (juil.-août) 🧺 ⚡ 🛜 laverie		**S**
À prox. : 🏇 🚴 ✂ 🎣 terrain multisports		

Ne pas confondre :
🏔 ... à ... 🏔🏔🏔 : *appréciation* **MICHELIN**
et
★ ... à ... ★★★★★ : *classement officiel*

ST-GEORGES-SUR-LAYON

49700 - Carte Michelin **317** G5 - 769 h. - alt. 65
▶ Paris 328 - Angers 39 - Cholet 45 - Saumur 27

⚠ Les Grésillons

📞 02 41 50 02 32, camping.gresillon@wanadoo.fr

Pour s'y rendre : chemin des Grésillons (800 m au sud par D 178, rte de Concourson-sur-Layon et chemin à dr., à prox. de la rivière)

1,5 ha (40 empl.) en terrasses, peu incliné, herbeux

Cadre champêtre et calme.

Nature : 🐚 ⛵	**GPS**	W : 0.37032
Loisirs : 🚴 🛷 (petite piscine) 🏊		N : 47.19324
Services : 🔑 📶 🏧		

The Guide changes, so renew your guide every year.

ST-HILAIRE-DE-RIEZ

85270 - Carte Michelin **316** E7 - 10 504 h. - alt. 8
▶ Paris 453 - Challans 18 - Noirmoutier-en-l'Ile 48 - La Roche-sur-Yon 48

Le Pissot (4 km au nord)

⛰ Les Biches 👫

📞 02 51 54 38 82, www.campingdesbiches.com - peu d'emplacements pour tentes et caravanes

Pour s'y rendre : chemin de Petite-Baisse (2 km au nord)

Ouverture : de déb. avr. à fin sept.

13 ha/9 campables (434 empl.) plat, herbeux, sablonneux

Empl. camping : (Prix 2018) 48€ 👫👫 🚐 📮 🔌 (10A) - pers. suppl. 9,50€

Location : (Prix 2018) (de déb. avr. à fin sept.) - 200 🚐 - 60 🏠 - 2 bungalows toilés - 7 studios. Sem. 180 à 1 500€ - frais de réservation 21€

Agréable pinède avec du locatif varié mais très peu de places pour tentes et caravanes.

Nature : 🐚 🏕 🎣	**GPS**	W : 1.94445
Loisirs : 🍽 ✕ 🏛 📷 🧗 🎯 🚴 🏊 terrain multisports		N : 46.74052
Services : 🔑 🏧 🧺 laverie 🍴 réfrigérateurs		

Les Demoiselles (10 km au nord-ouest)

⛰ Odalys Les Demoiselles

📞 02 51 58 10 71, www.odalys-vacances.com

Pour s'y rendre : av. des Becs (9,5 km au nord-ouest, par D 123 et à 300 m de la plage)

Ouverture : de déb. avr. à fin sept.

13,7 ha (180 empl.) vallonné, plat et peu incliné, herbeux, sablonneux

Empl. camping : (Prix 2018) 33€ 👫👫 🚐 📮 🔌 (9A) - pers. suppl. 6€ - frais de réservation 22€

Location : (Prix 2018) (de déb. avr. à fin sept.) - ♿ (4 mobile homes) - 154 🚐. Sem. 220 à 1 200€ - frais de réservation 22€

Parc de mobile homes bien ombragé avec emplacements pour tentes et caravanes également.

Nature : 🐚 🎣	**GPS**	W : 2.04086
Loisirs : 🍽 ✕ 🧗 🎯 🏊 terrain multisports		N : 46.76815
Services : 🔑 📶 laverie		
À prox. : 🛒		

La Fradinière (7 km au nord-ouest)

⛰ La Puerta del Sol 👫

📞 02 51 49 10 10, www.campinglapuertadelsol.com

Pour s'y rendre : 7 chemin des Hommeaux (4,5 km au nord)

Ouverture : de déb. avr. à fin sept.

4 ha (207 empl.) plat, herbeux

Empl. camping : (Prix 2018) 37€ 👫👫 🚐 📮 🔌 (10A) - pers. suppl. 7€ - frais de réservation 22€

Location : (Prix 2018) (de déb. avr. à fin sept.) - ♿ (1 chalet) - 115 🚐 - 40 🏠. Sem. 180 à 1 200€ - frais de réservation 22€

Cadre verdoyant avec peu d'emplacements pour tentes et caravanes et un parc locatif d'un confort assez varié.

Nature : 🐚 🏕 🎣	**GPS**	W : 1.95887
Loisirs : 🍽 ✕ 🏛 📷 nocturne salle d'animations 🧗 🏊 🎯 jacuzzi 🚣 🚴 🏊 ⛷ terrain multisports		N : 46.76452
Services : 🔑 🏧 🚿 🌀 📶 laverie 🍴 réfrigérateurs		

La Pège (6 km au nord-ouest)

⛰ Les Écureuils 👫

📞 02 51 54 33 71, www.camping-aux-ecureuils.com - peu d'emplacements pour tentes et caravanes

Pour s'y rendre : 98 av. de la Pège (5,5 km au nord-ouest, à 200 m de la plage)

Ouverture : de déb. mai à déb. sept.

4 ha (215 empl.) plat, herbeux, sablonneux

Empl. camping : (Prix 2018) 44€ 👫👫 🚐 📮 🔌 (10A) - pers. suppl. 8€ - frais de réservation 25€

Location : (Prix 2018) (de déb. mai à déb. sept.) - 18 🚐 - 2 🏠. Sem. 350 à 1 200€ - frais de réservation 25€

En deux parties distinctes, agréable terrain avec quelques places pour tentes et caravanes.

Nature : 🐚 🏕 🎣	**GPS**	W : 2.00897
Loisirs : 🍽 ✕ 🏛 📷 nocturne 🧗 🏊 🎯 hammam 🚣 🏊 ⛷ laverie 🍴		N : 46.74478
Services : 🔑 🚿 🌀 📶 laverie 🍴		
À prox. : 🛒		

⛰ Yelloh! Village La Pomme de Pin 👫

📞 02 51 58 21 26, www.campingpommedepin.fr

Pour s'y rendre : 6 av. des Becs (quartier les Mouettes)

Ouverture : de déb. avr. à mi-sept.

5,3 ha (280 empl.) plat, herbeux, sablonneux

Empl. camping : (Prix 2018) 18€ 👫👫 🚐 📮 🔌 (10A) - pers. suppl. 7€

Location : (de déb. avr. à mi-sept.) - ♿ (1 mobile home) - 169 🚐 - 2 tentes lodges - 3 tentes sur pilotis. Nuitée 28 à 179€ - Sem. 196 à 1 918€

En deux parties distinctes traversées par une route fréquentée, dont une face aux dunes de sable avec accès direct à la plage (400 m).

Nature : 🏕 🎣	**GPS**	W : 2.01801
Loisirs : 🍽 ✕ 🏛 📷 🧗 🏊 centre balnéo 🏊 hammam jacuzzi 🚣 🚴 🏊 ⛷ terrain multisports		N : 46.75251
Services : 🔑 🚿 📶 laverie 🍴		
À prox. : 🛒		

⚲ Riez à la Vie Aloa Vacances ♠♣

📞 02 51 54 30 49, www.riezalavie.com - peu d'emplacements pour tentes et caravanes

Pour s'y rendre : 9 av. de La Parée-Préneau (4,5 km au nord ouest)

Ouverture : de fin mars à fin sept.

5 ha (236 empl.) vallonné, plat, sablonneux, herbeux

Empl. camping : (Prix 2018) 38 € ♣♣ ⇔ 🗐 (16A) - pers. suppl. 7 € - frais de réservation 35 €

Location : (Prix 2018) (de fin mars à fin sept.) - ♿ (1 mobile home) - 192 🚐 - 11 ⌂ - 11 tentes lodges - 3 gîtes. Sem. 160 à 1 100 € - frais de réservation 35 €

Cadre vallonné, agréable mais locatif souvent ancien ou très ancien (chalets).

Nature : 🏞 🏕 ⚲
Loisirs : 🍴 🍽 🏠 ⛳ 🏃 🎯 ⛵ 🚴 🏊
(petite piscine) 🛶 terrain multisports
Services : 🔌 ♨ 🚿 laverie 🐾

GPS W : 1.98245 N : 46.73947

⚲ Village Vacances Le Domaine des Pins

(pas d'emplacement tentes et caravanes)

📞 02 51 58 23 33, www.ledomainedespins.com

Pour s'y rendre : 151 av. de La Faye (3 km au nord-ouest)

(140 empl.)

Location : (Prix 2018) Permanent - 110 🚐 - 30 ⌂ - 19 appartements. Nuitée 69 à 149 € - Sem. 299 à 1 630 € - frais de réservation 25 €

Terrain paisible avec grands emplacements sous la pinède. Location exclusive de mobile home et chalets.

Nature : 🏞 ⚲
Loisirs : 🍴 🍽 jacuzzi 🚴 ⛵ (découverte en saison)
Services : 🔌 🚿 🚽 laverie

GPS W : 1.97531 N : 46.73584

⚲ Village Vacances Atlantique Vacances

(pas d'emplacement tentes et caravanes)

📞 02 51 55 30 40, atlantique-vacances.fr

Pour s'y rendre : 30 chemin de La Conge (7.2 km au sud par la D 123)

2 ha (83 empl.) plat, herbeux

Location : (Prix 2018) (de déb. avr. à fin sept.) - ♿ (2 mobile homes) - 63 ⌂ - 20 gîtes. Sem. 297 à 995 € - frais de réservation 15 €

Petit village de chalets et de gîtes sous une agréable pinède.

Nature : 🏞 ⚲
Loisirs : 🍴 🏃 🏋 🚌 jacuzzi ⛳ ✂ ⛵ 🛶
Services : 🔌 laverie

GPS W : 2.00066 N : 46.74503

⚲ La Ningle

📞 02 51 54 07 11, www.campinglaningle.com

Pour s'y rendre : 66 chemin des Roselières (5,7 km au nord-ouest)

Ouverture : de déb. mai à mi-sept.

3,2 ha (146 empl.) plat, herbeux, petit étang

Empl. camping : (Prix 2018) 37 € ♣♣ ⇔ 🗐 (10A) - pers. suppl. 6 € - frais de réservation 20 €

Location : (Prix 2018) (de déb. mai à mi-sept.) - ♿ (1 mobile home) - 25 🚐. Nuitée 45 à 124 € - Sem. 265 à 870 €

Agréable cadre verdoyant et soigné.

Nature : 🏞 🏕 ⚲
Loisirs : 🍴 🏠 ⛳ 🏃 🎯 🚴 ✂ ⛵ 🛶 🏊
Services : 🔌 ♨ 🚿 🚽 🛜 laverie 🐾
À prox. : 🛒 🍽 🐴

GPS W : 2.00473 N : 46.7446

⚲ La Parée Préneau

📞 02 51 54 33 84, www.campinglapareepreneau.com

Pour s'y rendre : 23 av. de La Parée-Préneau (3,5 km au nord-ouest)

Ouverture : de déb. avr. à mi-sept.

3,6 ha (217 empl.) plat, herbeux, sablonneux

Empl. camping : (Prix 2018) 33 € ♣♣ ⇔ 🗐 (10A) - pers. suppl. 6 €

Location : (Prix 2018) (de déb. avr. à mi-sept.) - ♿ (1 mobile home) - 50 🚐 - 7 ⌂ - 5 bungalows toilés - 3 tentes lodges. Nuitée 33 à 133 € - Sem. 227 à 931 €

🚐 borne artisanale

Cadre agréable avec emplacements ombragés.

Nature : 🏕 ⚲⚲
Loisirs : 🍴 🍽 🏠 🏃 nocturne ⛵ 🚴 ⛵ 🛶 terrain multisports
Services : 🔌 ♨ 🚿 🚽 🛜 laverie

GPS W : 1.98488 N : 46.74034

⚲ Le Bosquet

📞 02 51 54 34 61, www.lebosquet.fr

Pour s'y rendre : 62 av. de la Pège (5 km au nord-ouest)

Ouverture : de déb. avr. à fin sept.

2 ha (115 empl.) plat, herbeux, sablonneux

Empl. camping : (Prix 2018) 30 € ♣♣ ⇔ 🗐 (10A) - pers. suppl. 5 € - frais de réservation 12 €

Location : (Prix 2018) (de déb. avr. à fin sept.) - 41 🚐 - 1 gîte - 3 appartements. Sem. 210 à 888 €

🚐 borne artisanale

Relativement proche de la plage (250 m).

Nature : ⚲⚲
Loisirs : 🍴 🍽 🏠 ⛵ 🛶 🏊
Services : 🔌 🚿 laverie 🐾
À prox. : 🛒 🐴

GPS W : 2.00326 N : 46.74073

⚲ La Pège

📞 02 51 54 34 52, www.campinglapege.com

Pour s'y rendre : 67 av. de la Pège (5 km au nord-ouest)

Ouverture : de déb. avr. à fin sept.

1,8 ha (100 empl.) plat, herbeux, sablonneux

Empl. camping : (Prix 2018) 32 € ♣♣ ⇔ 🗐 (10A) - pers. suppl. 6 € - frais de réservation 15 €

Location : (Prix 2018) (de déb. avr. à fin sept.) - 31 🚐 - 1 ⌂ - 10 bungalows toilés - 4 cabanons. Nuitée 65 à 120 € - Sem. 190 à 910 € - frais de réservation 22 €

🚐 borne artisanale 4 €

Accès à la plage par un petit chemin (100 m), direct sur le poste de secours. Préférer les emplacements éloignés de la route.

Nature : 🏕 ⚲
Loisirs : 🍴 🍽 ⛵ 🚴 ⛵
Services : 🔌 ♨ 🚿 🛜 🏧 🐾
À prox. : 🛒 🐴

GPS W : 2.00545 N : 46.7411

Sion-sur-l'Océan (3 km à l'ouest)

🏔 Municipal de la Plage de Riez

✆ 02 51 54 36 59, www.campingsainthilairederiez.com

Pour s'y rendre : av. des Mimosas (3 km à l'ouest, à 200 m de la plage)

Ouverture : de fin mars à fin oct.

9 ha (560 empl.) plat, sablonneux

Empl. camping : (Prix 2018) 30€ ♠♠ ⇔ 🔲 🔌 (10A) - pers. suppl. 6,50€

Location : (Prix 2018) (de fin mars à fin oct.) - 🦽 (1 mobile home) - 66 🚐 - 1 🏠 - 10 bungalows toilés. Sem. 185 à 925€

🚐 borne - 9 🔲

Sous une belle pinède avec accès direct à la plage.

Nature : 🐾 ⌂ ♨♨ Loisirs : 🍹 ✕ 🎪 🏐 🚶 🚣 🚴 ⛷ terrain multisports Services : ⊶ 🛠 🚿 📶 laverie 🏧 🛒	G P S	W : 1.97941 N : 46.72298

⛺ La Padrelle

✆ 02 51 55 32 03, www.camping-la-padrelle.fr

Pour s'y rendre : 1 r. Prévôt (3 km au sud-ouest)

Ouverture : de mi-avr. à fin sept.

1 ha (80 empl.) plat, pierreux, sablonneux, herbeux

Empl. camping : 25€ ♠♠ ⇔ 🔲 🔌 (10A) - pers. suppl. 6€
Location : (de mi-avr. à fin sept.) - 4 🚐 - 3 tentes lodges - 2 gîtes. Nuitée 58 à 110€ - Sem. 255 à 750€

🚐 borne flot bleu 2€ - 🕳 8€

Terrain familial ombragé à 100m de la plage.

Nature : ♨ Loisirs : 🚣 Services : ⊶ 📶 laverie À prox. : ✕	G P S	W : 1.97258 N : 46.70046

⛺ Municipal de Sion

✆ 02 51 54 34 23, www.campingsainthilairederiez.com

Pour s'y rendre : av. de la Forêt (sortie nord)

3 ha (155 empl.) vallonné, peu incliné, plat, herbeux, sablonneux, gravier

Location : 🦽 (2 mobile home) - 22 🚐 - 3 bungalows toilés.
🚐 borne artisanale - 7 🔲

À 300 m de la plage (accès direct), bordé par la forêt.

Nature : 🐾 ⌂ ♨ Loisirs : 🎪 🚣 🚴 Services : ⊶ 🛠 🚿 📶 laverie	G P S	W : 1.97246 N : 46.71695

Si vous recherchez :

🐾   un terrain très tranquille,

P   un terrain ouvert toute l'année,

👪   des équipements et des loisirs adaptés aux enfants,

⛲   un parc aquatique,

B   un centre balnéo,

🎭   des animations sportives, culturelles ou de détente,

consultez la liste thématique des campings.

85440 - Carte Michelin **316** G9 - 611 h. - alt. 23
▶ Paris 449 - Challans 66 - Luçon 31 - La Roche-sur-Yon 31

🏔 La Grand' Métairie

✆ 02 51 33 32 38, www.la-grand-metairie.com - peu d'emplacements pour tentes et caravanes

Pour s'y rendre : 8 r. de La Vineuse-en-Plaine (au nord du bourg par D 70)

Ouverture : de mi-avr. à fin sept.

3,8 ha (172 empl.) plat, herbeux

Empl. camping : (Prix 2018) 29€ ♠♠ ⇔ 🔲 🔌 (10A) - pers. suppl. 7€ - frais de réservation 25€

Location : (Prix 2018) (de mi-avr. à fin sept.) - 112 🚐 - 11 🏠 - 3 tentes lodges. Sem. 170 à 980€ - frais de réservation 25€

🚐 borne artisanale

Nombreux mobile homes bien implantés dans un espace verdoyant et fleuri, ambiance ranch de l'Ouest américain

Nature : 🐾 ⌂ ♨♨ Loisirs : 🍹 ✕ 🎪 🌙 nocturne 🎯 🎱 🚣 🚴 ✂ 🎳 ⛺ mini ferme Services : ⊶ 🛠 🚿 📶 laverie 🛒	G P S	W : 1.52545 N : 46.44776

Use this year's Guide.

49400 - Carte Michelin **317** I5
▶ Paris 324 - Nantes 131 - Angers 45 - Tours 72

🏔 Huttopia Saumur 👪

✆ 02 41 67 95 34, www.huttopia.com

Pour s'y rendre : rte de Chantepie (5,5 km au nord-ouest par D 751, rte de Gennes et chemin à gauche, à la Mimerolle)

Ouverture : de déb. avr. à mi-oct.

10 ha/5 campables (160 empl.) plat, herbeux

Empl. camping : (Prix 2018) 41€ ♠♠ ⇔ 🔲 🔌 (10A) - pers. suppl. 7€ - frais de réservation 15€

Location : (Prix 2018) (de déb. avr. à mi-oct.) - 8 🚐 - 24 🏠 - 32 tentes lodges. Nuitée 42 à 150€ - Sem. 294 à 1 050€ - frais de réservation 15€

Cadre verdoyant en surplomb de la Loire, animaux de la ferme.

Nature : 🐾 ⪝ vallée de la Loire ⌂ ♨♨ Loisirs : 🍹 ✕ 🎪 🏐 🚣 🚴 🎳 🎱 Services : ⊶ 🛠 📶 laverie 🏧 🛒	G P S	W : 0.14305 N : 47.2937

85160 - Carte Michelin **316** D7 - 8 037 h. - alt. 16
▶ Paris 451 - Cholet 123 - Nantes 73 - Noirmoutier-en-l'Île 34

Centre

🏔 Aux Coeurs Vendéens 👪

✆ 02 51 58 84 91, www.coeursvendeens.com

Pour s'y rendre : 251 rte de Notre-Dame-de-Monts (4 km au nord-ouest sur D 38)

Ouverture : de déb. avr. à mi-sept.

2 ha (115 empl.) plat, herbeux, sablonneux

Empl. camping : 35€ ♠♠ ⇔ 🔲 🔌 (10A) - pers. suppl. 5€ - frais de réservation 20€

Location : (de déb. avr. à mi-sept.) - 40 🚐 - 1 ⌂ - 3 appartements. Nuitée 30 à 174€ - Sem. 210 à 1 134€ - frais de réservation 20€

Camping familial, préférer les emplacements les plus éloignés de la route, avec de belles piscines et un accrobranche.

Nature : 🏕 ♀♀
Loisirs : 🍴 ✕ 🎪 ✖ centre balnéo ♨ hammam jacuzzi ✖ 🚲 🏊 🎿 mini accrobranche
Services : 🔑 🛁 ♿ 🚿 📶 laverie 🧺

À prox. : 🚲

GPS
W : 2.11008
N : 46.80988

Nord

▲▲▲ Les Amiaux 🎁👤

📞 02 51 58 22 22, www.amiaux.fr

Pour s'y rendre : 223 rte de Notre-Dame-de-Monts (3,5 km au nord-ouest, sur D 38)

Ouverture : de déb. mai à fin sept.

17 ha (543 empl.) plat, herbeux, sablonneux

Empl. camping : 🚶 6€ 🚐 📧 29€ 🔌 (10A) - frais de réservation 16€
Location : (Prix 2018) (de déb. mai à fin sept.) - 🏕 - 39 🚐 - 4 appartements. Sem. 270 à 1 050€ - frais de réservation 16€

En deux parties distinctes reliées par un tunnel : au nord la lisière de la forêt, au sud piscine et toboggan.

Nature : 🏕 ♀
Loisirs : 🍴 ✕ 🎪 ✖ ✖ 🚲 ✖ 🏊 🎿 terrain multisports
Services : 🔑 🛁 ♿ 🚿 📶 laverie 🧺 réfrigérateurs

GPS
W : 2.11517
N : 46.81107

▲▲▲ Le Bois Joly 🎁👤

📞 02 51 59 11 63, www.camping-lebois-joly.com

Pour s'y rendre : 46 rte de Notre-Dame-de-Monts (1 km au nord-ouest, au bord d'un étier)

Ouverture : de déb. avr. à mi-sept.

7,5 ha (356 empl.) plat, herbeux, sablonneux

Empl. camping : (Prix 2018) 21€ 🚶🚶 🚐 📧 🔌 (10A) - pers. suppl. 7€

Location : (Prix 2018) (de déb. avr. à mi-sept.) - ♿ (1 mobile home) - 97 🚐 - 23 ⌂ - 20 tentes lodges - 2 roulottes. Sem. 310 à 1 080€

🚰 borne artisanale - 4 📧

Bel espace aquatique avec un lagon et une rivière à contre courant.

Nature : 🏕 ♀
Loisirs : 🍴 ✕ 🎪 ✖ ✖ 🛶 ♨ jacuzzi ✖ 🎿 🏊 terrain multisports
Services : 🔑 📖 🛁 ♿ 🚿 📶 laverie 🧺

À prox. : 🏇

GPS
W : 2.07417
N : 46.79918

▲▲▲ Club Airotel Les Places Dorées 🎁👤

📞 02 51 59 02 93, www.placesdorees.com - peu d'emplacements pour tentes et caravanes

Pour s'y rendre : rte de Notre-Dame-de-Monts (4 km au nord-ouest sur D 38)

Ouverture : de mi-avr. à mi-sept.

5 ha (288 empl.) plat, herbeux, sablonneux

Empl. camping : (Prix 2018) 36€ 🚶🚶 🚐 📧 🔌 (10A) - pers. suppl. 7€ - frais de réservation 25€
Location : (Prix 2018) (de mi-avr. à mi-sept.) - 🏕 - 81 🚐. Nuitée 36 à 155€ - Sem. 263 à 1 086€ - frais de réservation 25€

En lisière de la forêt, à proximité de la piste cyclable. Bel espace aquatique.

Nature : 🏕 ♀♀
Loisirs : 🍴 ✕ ✖ 🛶 ♨ hammam jacuzzi ✖ 🎿 🏊 terrain multisports
Services : 🔑 🛁 📶 laverie 🧺

À prox. : 🚲

GPS
W : 2.10997
N : 46.8097

▲▲▲ ... ⌂
Terrains particulièrement agréables dans leur ensemble et dans leur catégorie.

Campéole La Plage des Tonnelles ♠⁂

☎ 02 51 58 81 16, www.campeole.com/camping/post/plage-des-tonnelles-st-jean-de-monts

Pour s'y rendre : 18 rte de La Tonnelle (5.2 km au nord-ouest par D 38)

Ouverture : de mi-avr. à mi-sept.

26 ha (491 empl.) vallonné, peu incliné, plat, sablonneux

Empl. camping : (Prix 2018) 34€ ♣♣ ⇔ 🅴 ⚡ (10A) - pers. suppl. 8€
Location : (Prix 2018) (de mi-avr. à mi-sept.) - 🚻 (1 mobile home) - 76 🏠 - 15 🏠 - 139 bungalows toilés - 30 tentes lodges. Nuitée 35 à 181€ - Sem. 245 à 1 267€

🚐 borne artisanale
Emplacements sous les pins, dans les dunes et en deux parties distinctes séparées par la route de la plage à 400 m.

	GPS
Nature : 🌲 🌿🌿 Loisirs : 🎬 🎭salle d'animations 🏃 🎿 ⛵ jacuzzi 🚣 🎣 🏊 terrain multisports Services : 🔑 🚿 📶 laverie À prox. : 🏊 🍹 🍴 🚿 🚲	W : 2.11993 N : 46.81005

APV Les Aventuriers de la Calypso ♠⁂

☎ 02 51 56 08 78, www.camping-apv.com - peu d'emplacements pour tentes et caravanes

Pour s'y rendre : rte de Notre-Dame-de-Monts (4,6 km au nord-ouest)

Ouverture : de déb. avr. à fin sept.

4 ha (284 empl.) plat, herbeux, sablonneux

Empl. camping : (Prix 2018) 20€ ♣♣ ⇔ 🅴 ⚡ (6A) - pers. suppl. 10€ - frais de réservation 29€
Location : (Prix 2018) (de déb. avr. à fin sept.) - 186 🏠 - 25 🏠. Nuitée 52 à 155€ - Sem. 364 à 1 085€ - frais de réservation 29€

Peu d'emplacements pour tentes ou caravanes et locatif parfois très ancien.

	GPS
Nature : 🌲 🌱🌿 Loisirs : 🍹 🍴 🎬 🎭nocturne 🏃 ⛵ jacuzzi 🚣 🚲 🏊 🏊 terrain multisports Services : 🔑 🚿 📶 laverie 🚿	W : 2.11533 N : 46.81232

🏔 Club Airotel l'Abri des Pins ♠⁂

☎ 02 51 58 83 86, www.abridespins.com - peu d'emplacements pour tentes et caravanes

Pour s'y rendre : rte de Notre-Dame-de-Monts (4 km au nord-ouest sur D 38)

Ouverture : de déb. avr. à mi-sept.

3 ha (209 empl.) plat, herbeux, sablonneux

Empl. camping : (Prix 2018) 35€ ♣♣ ⇔ 🅴 ⚡ (10A) - pers. suppl. 7€ - frais de réservation 25€
Location : (Prix 2018) (de mi-avr. à mi-sept.) - 🚻 - 71 🏠 - 23 🏠 - 6 bungalows toilés. Nuitée 36 à 153€ - Sem. 252 à 1 075€ - frais de réservation 25€

Jolie pataugeoire ludique. Préférer les emplacements éloignés de la route.

	GPS
Nature : 🌱🌿🌿 Loisirs : 🍹 🍴 🎬 🏃 ⛵ hammam jacuzzi 🚣 🏊 🏊 🏊 Services : 🔑 🚿 📶 laverie 🚿 À prox. : 🏊	W : 2.10997 N : 46.8097

🏔 Côté Plage

☎ 02 51 58 86 58, www.campingcoteplage.com

Pour s'y rendre : chemin de la Parée-du-Jonc (4,3 km au nord-ouest)

Ouverture : de déb. avr. à mi-sept.

5 ha (242 empl.) vallonné, plat, herbeux, sablonneux

Empl. camping : (Prix 2018) 34€ ♣♣ ⇔ 🅴 ⚡ (10A) - pers. suppl. 7€ - frais de réservation 10€
Location : (Prix 2018) (de déb. avr. à mi-sept.) - 🚻 - 29 🏠 - 8 🏠 - 3 bungalows toilés. Nuitée 56 à 131€ - Sem. 199 à 917€ - frais de réservation 20€

🚐 borne artisanale - 🚰 ⚡15€
Agréable situation légèrement vallonnée, à 200 m de la plage.

	GPS
Nature : 🌲 🌿 🌿 Loisirs : 🍹 🍴 🎬 salle d'animations 🏊 🚣 🚲 🎣 🏊 Services : 🔑 🚿 🚿 📶 laverie 🚿 À prox. : 🚿	W : 2.11351 N : 46.80717

🏔 Plein Sud ♠⁂

☎ 02 51 59 10 40, www.campingpleinsud.com

Pour s'y rendre : 246 rte de Notre-Dame-de-Monts (4 km au nord-ouest, sur D 38)

Ouverture : de fin avr. à mi-sept.

2 ha (110 empl.) plat, herbeux, sablonneux

Empl. camping : (Prix 2018) 32€ ♣♣ ⇔ 🅴 ⚡ (10A) - pers. suppl. 5€ - frais de réservation 20€
Location : (Prix 2018) (de mi-avr. à mi-sept.) - 30 🏠 - 2 bungalows toilés - 2 tentes lodges - 1 cabanon. Nuitée 26 à 127€ - Sem. 182 à 889€ - frais de réservation 20€

Terrain tout en longueur avec des emplacements bien délimités.

	GPS
Nature : 🌱 🌿 Loisirs : 🍹 🏃 🚣 🚲 🏊 terrain multisports Services : 🔑 🚿 🚿 📶 laverie	W : 2.11093 N : 46.8103

🏔 La Forêt

Camping de la Forêt

☎ 02 51 58 84 63, www.hpa-laforet.com

Pour s'y rendre : 190 chemin de la Rive (5,5 km au nord-ouest, rte de Notre-Dame-de-Monts et à rte à gauche)

Ouverture : de mi-avr. à mi-sept.

1 ha (61 empl.) plat, herbeux, sablonneux

Empl. camping : 38€ ♣♣ ⇔ 🅴 ⚡ (10A) - pers. suppl. 6€ - frais de réservation 30€
Location : (de déb. avr. à mi-sept.) - 16 🏠. Sem. 289 à 819€ - frais de réservation 30€

🚐 borne artisanale
Belle décoration arbustive et camping qui se tourne vers l'écologie.

	GPS
Nature : 🌱 🌿🌿 Loisirs : 🎬 🚣 🚲 🏊 Services : 🔑 🚿 🚿 📶 🎞 🚿	W : 2.12993 N : 46.81828

To visit a town or region :
use the **MICHELIN Green Guides**.

🏕 La Davière-Plage

📞 02 51 58 27 99, www.camping-daviereplage.com

Pour s'y rendre : 197 rte de Notre-Dame-de-Monts (3 km au nord-ouest, sur D 38)

Ouverture : de déb. mai à mi-sept.

3 ha (171 empl.) plat, herbeux, sablonneux

Empl. camping : (Prix 2018) 31€ ✶✶ ⛺ 🅿 (10A) - pers. suppl. 6€ - frais de réservation 20€

Location : (Prix 2018) (de mi-mai à fin sept.) - 30 🛖 - 6 bungalows toilés. Nuitée 53 à 122€ - Sem. 250 à 850€ - frais de réservation 20€

🚐 borne artisanale 15€ - 20 🅿 15€

En deux parties distinctes. Préférer les emplacements éloignés de la route.

Nature : 🌳 ♀♀
Loisirs : 🍴 ✗ 🏠 jacuzzi ⚽ 🚲 🎣 terrain multisports
Services : ⚡ (juil.-août) ♨ 🛜 laverie ⚒

GPS W : 2.10085 N : 46.8054

Sud

🏕 Les Samaras

📞 02 51 59 51 01, www.camping-lessamaras.fr

Pour s'y rendre : 53 chemin du Champ de Bataille (8.7 km au sud par la D 38)

1 ha (73 empl.) plat, herbeux, sablonneux

Location : - 35 🛖 - 16 tentes lodges.

Terrain familial au calme à l'ombre des pins.

Nature : 🐿 ♀♀
Loisirs : 🍴 ✗ 🏠 🚲 🎣 terrain multisports
Services : ⚡ 🛜 laverie ⚒

GPS W : 1.98189 N : 46.75496

🏕 La Yole 👥

📞 02 51 58 67 17, www.vendee-camping.eu - peu d'emplacements pour tentes et caravanes

Pour s'y rendre : chemin des Bosses, à Orouet (7 km au sud-est)

Ouverture : de déb. avr. à fin sept.

5 ha (369 empl.) plat, herbeux, sablonneux

Empl. camping : 46€ ✶✶ ⛺ 🅿 (10A) - pers. suppl. 7€ - frais de réservation 29€

Location : (de déb. avr. à fin sept.) - ♿ (1 mobile home) - 🚫 - 67 🛖. Nuitée 39 à 215€ - Sem. 275 à 1 505€ - frais de réservation 29€

Cadre verdoyant, soigné, fleuri et ombragé avec une belle pinède attenante.

Nature : 🐿 🌳 ♀♀
Loisirs : 🍴 ✗ 🏠 🎯 🎪 jacuzzi ⚽ 🚲 ✂ 🏊 🎣 ⛱
Services : ⚡ ♨ 🛜 laverie ⚒

GPS W : 2.00728 N : 46.75664

🏕 Les Jardins de l'Atlantique

📞 02 51 58 05 74, www.camping-jardins-atlantique.com - peu d'emplacements pour tentes et caravanes

Pour s'y rendre : 100 r. de la Caillauderie (5,5 km au sud-est)

Ouverture : de déb. avr. à fin sept.

5 ha (318 empl.) vallonné, peu incliné, plat, sablonneux

Empl. camping : (Prix 2018) 27€ ✶✶ ⛺ 🅿 (6A) - pers. suppl. 7€ - frais de réservation 20€

Location : (Prix 2018) (de mi-avr. à fin sept.) - 50 🛖. Nuitée 40 à 110€ - Sem. 220 à 760€ - frais de réservation 20€

En deux parties distinctes de part et d'autre de la route avec une jolie pataugeoire couverte idéale pour les enfants.

Nature : 🌳 ♀♀
Loisirs : 🍴 ✗ 🏠 🎯 🎪 hammam jacuzzi ⚽ 🚲 🎣 ⛱ terrain multisports
Services : ⚡ ♨ 🛜 laverie ⚒

GPS W : 2.02751 N : 46.76972

🏕 Le Both d'Orouet

📞 02 51 58 60 37, www.camping-lebothdorouet.com

Pour s'y rendre : 77 av. d'Orouet (6,7 km au sud-est sur D 38, rte de St-Hilaire-de-Riez, au bord d'un ruisseau)

Ouverture : de déb. avr. à fin sept.

4,4 ha (200 empl.) plat, herbeux, sablonneux

Empl. camping : (Prix 2018) 28€ ✶✶ ⛺ 🅿 (10A) - pers. suppl. 6€ - frais de réservation 16€

Location : (Prix 2018) Permanent - 34 🛖 - 14 🏠 - 9 tentes lodges. Nuitée 58 à 120€ - Sem. 168 à 798€ - frais de réservation 16€

Cadre verdoyant et salle de jeux dans une ancienne grange de la ferme datée de 1875.

Nature : 🌳 ♀♀
Loisirs : 🏠 jacuzzi ⚽ 🏊 🎣 terrain multisports
Services : ⚡ ♨ ⛱ 🚿 🛜 laverie
À prox. : 🍴 ✗

GPS W : 1.99759 N : 46.76495

🏕 Campéole les Sirènes

📞 02 51 58 01 31, www.campeole.com/camping/post/les-sirenes-st-jean-de-monts

Pour s'y rendre : 71 av. des Demoiselles (au sud-est, à 500 m de la plage)

Ouverture : de fin mars à fin sept.

15 ha/5 campables (470 empl.) vallonné, plat, sablonneux

Empl. camping : (Prix 2018) 34€ ✶✶ ⛺ 🅿 (10A) - pers. suppl. 8€

Location : (Prix 2018) (de fin mars à fin sept.) - ♿ (2 mobile homes) - 52 🛖 - 80 bungalows toilés. Nuitée 37 à 152€ - Sem. 259 à 1 064€

🚐 borne AireService

Cadre naturel et agréable dans la forêt domaniale des Pays de Monts (pinède), avec encore certains sanitaires bien vieillissants.

Nature : 🐿 ♀♀
Loisirs : 🍴 🎯 🚲 🎣 terrain multisports
Services : ⚡ 🛜 laverie
À prox. : ✗

GPS W : 2.0548 N : 46.7799

En juillet et août, beaucoup de terrains affichent complets et leurs emplacements retenus longtemps à l'avance. N'attendez pas le dernier moment pour réserver.

⚠ Le Logis

✆ 0251586067, www.camping-saintjeandemonts.com - peu d'emplacements pour tentes et caravanes ✖

Pour s'y rendre : 4 chemin du Logis (4,3 km au sud-est sur D 38, rte de St-Gilles-Croix-de-Vie)

Ouverture : Permanent

0,8 ha (44 empl.) en terrasses, plat, herbeux

Empl. camping : 29€ ✶✶ ⚌ 🔲 🔌 (10A) - pers. suppl. 5€ - frais de réservation 16€

Location : Permanent ♿ (1 mobile home) - ✖ - 18 🚐 - 2 gîtes. Nuitée 85 à 115€ - Sem. 200 à 700€ - frais de réservation 16€

Préférer les emplacements les plus éloignés de la route.

Nature : 🗒
Loisirs : 🏠 🚗 ⛱ (petite piscine)
Services : ⛽ 📶 🖥
À prox. : 🍽 ✗ 🍴

GPS W : 2.01308
N : 46.77953

ST-JULIEN-DE-CONCELLES

44450 - Carte Michelin **316** H4 - 6 839 h. - alt. 24
▶ Paris 384 - Nantes 19 - Angers 89 - La Roche-sur-Yon 80

⚠ Le Chêne

✆ 0240541200, www.campingduchene.fr

Pour s'y rendre : 1 rte du Lac (1,5 km à l'est par D 37 (déviation), près du plan d'eau)

Ouverture : de déb. avr. à mi-oct.

2 ha (100 empl.) plat, herbeux

Empl. camping : (Prix 2018) ✶ 5€ ⚌ 3€ 🔲 6€ – 🔌 (16A) 5€
Location : (Prix 2018) Permanent - 26 🚐. Nuitée 60 à 99€ - Sem. 378 à 624€
🚐 borne artisanale

Agréable situation verdoyante, en partie ombragée mais préférer les emplacements côté lac, plus éloignés de la route.

Nature : 🗒 🌳🌳
Loisirs : 🍽 ✗ 🏠 🚗 🚲 ✗ 🔲 (découverte en saison) ✎ 🚣 pédalos
Services : ⛽ 🛒 📶 laverie 🧺
À prox. : 🛒 🎣

GPS W : 1.37098
N : 47.2492

🏔🏔 ... ⚠

Sites which are particularly pleasant in their own right and outstanding in their class.

ST-JULIEN-DES-LANDES

85150 - Carte Michelin **316** F8 - 1 331 h. - alt. 59
▶ Paris 445 - Aizenay 17 - Challans 32 - La Roche-sur-Yon 24

🏔🏔 Les Castels La Garangeoire ♣♦

✆ 0251466539, www.camping-la-garangeoire.com
Pour s'y rendre : 2,8 km au nord par D 21
Ouverture : de déb. mai à fin sept.
200 ha/10 campables (356 empl.) vallonné, en terrasses, plat, herbeux
Empl. camping : 46€ ✶✶ ⚌ 🔲 🔌 (16A) - pers. suppl. 10€ - frais de réservation 25€

Location : (de déb. mai à fin sept.) ♿ (1 mobile home) - 33 🚐 - 25 🏠 - 2 cabanons - 4 gîtes. Nuitée 40 à 270€ - Sem. 280 à 1 890€

Agréable et important domaine autour du château avec prairies, étangs et bois.

Nature : 🐾 🗒 🌳🌳
Loisirs : 🍽 ✗ 🏠 🚗 🚣 jacuzzi 🚗 🚲 ✗ 🍴 🔲 ⛱ ✎ 🐎 🚣 pédalos terrain multisports
Services : ⛽ – 4 sanitaires individuels (🚿🚽 wc) 🧺 🌡 📶 laverie 🧺 ❄ réfrigérateurs

GPS W : 1.71359
N : 46.66229

🏔🏔 "C'est si bon" Village de La Guyonnière ♣♦

✆ 0251466259, www.camping-guyonniere.com

Pour s'y rendre : 2,4 km au nord-ouest par D 12, rte de Landevieille puis 1,2 km par chemin à dr. à prox. du lac du Jaunay

Ouverture : de fin mai à mi-sept.

30 ha (294 empl.) peu incliné, plat, herbeux, étang

Empl. camping : 45€ ✶✶ ⚌ 🔲 🔌 (10A) - pers. suppl. 10€ - frais de réservation 20€

Location : (de fin mai à mi-sept.) ♿ (2 mobile home) - ✖ - 102 🚐 - 17 🏠 - 17 tentes lodges. Nuitée 45 à 299€ - Sem. 315 à 2 093€ - frais de réservation 20€

🚐 borne eurorelais 22€ - 5 🔲 22€

Cadre verdoyant en plusieurs îlots autour d'animaux de la ferme.

Nature : 🐾 ♀
Loisirs : 🍽 ✗ 🏠 🚗 🚲 centre balnéo 🚣 hammam jacuzzi 🚗 🚲 ✗ 🔲 ⛱ ✎ 🐎 mini ferme terrain multisports
Services : ⛽ 🛒 🧺 📶 laverie 🧺

GPS W : 1.74963
N : 46.65258

🏔🏔 Yelloh! Village Château La Forêt ♣♦

✆ 0251466211, www.chateaulaforet.com

Pour s'y rendre : 0,5 km au nord-est par D 55, rte de Martinet

Ouverture : de fin avr. à déb. sept.

50 ha/5 campables (209 empl.) plat, herbeux, bois, étang

Empl. camping : 42€ ✶✶ ⚌ 🔲 🔌 (10A) - pers. suppl. 8€

Location : (de fin avr. à déb. sept.) - 39 🚐 - 10 🏠 - 20 🛏 - 2 bungalows toilés - 5 tentes lodges - 1 cabane perchée. Nuitée 31 à 199€ - Sem. 217 à 1 393€

Cadre boisé au pied du château et de ses dépendances.

Nature : 🐾 🗒 🌳🌳
Loisirs : 🍽 ✗ 🏠 🚣 diurne 🚗 🚗 🚲 ✗ 🍴 🔲 ⛱ ✎ accrobranche et tyrolienne tyrolienne terrain multisports
Services : ⛽ 🧺 🌡 📶 laverie 🧺 🧺

GPS W : 1.71135
N : 46.64182

🏔 Flower La Bretonnière

✆ 0251466244, www.la-bretonniere.com

Pour s'y rendre : lieu-dit : La Bretonnière (2 km à l'ouest par D 12)

Ouverture : de déb. avr. à fin sept.

6 ha (165 empl.) plat, herbeux

Empl. camping : 37€ ✶✶ ⚌ 🔲 🔌 (12A) - pers. suppl. 6€ - frais de réservation 10€

Location : (de mi-avr. à fin sept.) - 🐕 (2 chalets) - 20 🛖 - 17 🏠 - 10 bungalows toilés - 8 tentes lodges. Nuitée 39 à 166€ - Sem. 196 à 1 000€ - frais de réservation 15€

Cadre verdoyant sur les terres d'une ancienne ferme avec de grands espaces verts idéal pour la détente.

Nature : 🌳 🗺 ᴑᴑ
Loisirs : 🍽 ✗ 🏠 ⌕ 🚴 ✗ 🖼 (découverte en saison) 🎣
Services : ⊶ ☰ 🚿 🗑 ☂ 🛜 laverie 🚗

G P S W : 1.73376 N : 46.64384

ST-LAURENT-SUR-SÈVRE

85290 - Carte Michelin **316** K6 - 3 442 h. - alt. 121
▶ Paris 365 - Angers 76 - Bressuire 36 - Cholet 14

🏔 Le Rouge Gorge

𝒫 02 51 67 86 39, www.camping-lerougegorge-vendee.com

Pour s'y rendre : rte de La Verrie (1 km à l'ouest par D 111)

Ouverture : de déb. avr. à déb. nov.

2 ha (93 empl.) peu incliné, plat, herbeux

Empl. camping : 27€ ✶✶ 🚐 🖼 🔌 (8A) - pers. suppl. 5€ - frais de réservation 8€

Location : (de déb. avr. à déb. nov.) - 🎣 - 19 🛖 - 13 🏠 - 2 bungalows toilés - 4 tentes lodges. Nuitée 66 à 166€ - Sem. 245 à 995€ - frais de réservation 10€

🚐 borne artisanale - 5 🔲 10€

Cadre agréable, verdoyant et ombragé.

Nature : 🗺 ᴑᴑ
Loisirs : 🍽 ✗ 🏠 jacuzzi ⛹ 🖼 tyrolienne
Services : ⊶ 🚿 ☂ 🛜 laverie 🚗
À prox. : 🎣

G P S W : 0.90307 N : 46.95788

*La catégorie (1 à 5 tentes, **noires** ou **rouges**) que nous attribuons aux terrains sélectionnés dans ce guide est une appréciation qui nous est propre. Elle ne doit pas être confondue avec le classement (1 à 5 étoiles) établi par les services officiels.*

ST-MICHEL-CHEF-CHEF

44730 - Carte Michelin **316** D4 - 3 177 h. - alt. 32
▶ Paris 445 - Challans 54 - Nantes 58 - Pornic 10

🏔 Le Haut Village

𝒫 02 40 39 93 45, www.camping-hautvillage.fr

Pour s'y rendre : 4 rte de l'Étang

Ouverture : de mi-avr. à fin sept.

3,3 ha (162 empl.) peu incliné, plat, herbeux, pierreux, étang

Empl. camping : 26€ ✶✶ 🚐 🖼 🔌 (6A) - pers. suppl. 6€

Location : (Prix 2018) (de déb. avr. à déb. nov.) - 10 🛖 - 2 roulottes - 1 gîte - 2 avions - 2 wagons - 1 bus - 1 tramway nantais. Sem. 169 à 1 689€

Locatif très insolite, original, de standing variable et un confort sanitaire faible pour les emplacements tentes et caravanes.

Nature : 🌳 ᴑ
Loisirs : 🍽 ✗ 🏠 ☗ ⛹ ⛰ 🖼 🎣
Services : ⊶ 🚿 🛜 laverie 🚗

G P S W : 2.1354 N : 47.17051

ST-MICHEL-EN-L'HERM

85580 - Carte Michelin **316** I9 - 2 129 h. - alt. 9
▶ Paris 453 - Luçon 15 - La Rochelle 46 - La Roche-sur-Yon 47

🏔 Les Mizottes

𝒫 02 51 30 23 63, www.campinglesmizottes.fr

Pour s'y rendre : 41 r. des Anciens-Quais (800 m au sud-ouest par D 746, rte de l'Aiguillon-sur-Mer)

Ouverture : de déb. avr. à fin sept. - 🅿

3 ha (150 empl.) plat, herbeux

Empl. camping : (Prix 2018) 32€ ✶✶ 🚐 🖼 🔌 (6A) - pers. suppl. 7€

Location : (Prix 2018) (de déb. avr. à fin sept.) - 🐕 (1 mobile home) - 30 🛖 - 3 bungalows toilés - 2 tentes lodges. Nuitée 32 à 90€ - Sem. 170 à 990€

🚐 borne artisanale - 2 🔲 32€

Terrain sous les peupliers, platanes, bouleaux, érables ; services et loisirs de qualité.

Nature : 🌳 🗺 ᴑ
Loisirs : 🍽 ✗ 🏠 salle d'animations 🚴 🖼 ⛹ terrain multisports
Services : ⊶ 🚿 🛜 laverie 🚗

G P S W : 1.25482 N : 46.34943

ST-PHILBERT-DE-GRAND-LIEU

44310 - Carte Michelin **316** G5 - 8 434 h. - alt. 10
▶ Paris 407 - Nantes 27 - La Roche-sur-Yon 57 - Angers 112

🏔 Village Naturel Les Rives de Grand Lieu

𝒫 02 40 78 88 79, www.camping-lesrivesdegrandlieu.com

Pour s'y rendre : 1 av. de Nantes

Ouverture : de déb. avr. à fin oct.

4,5 ha (180 empl.) plat, herbeux

Empl. camping : (Prix 2018) 19€ ✶✶ 🚐 🖼 🔌 (10A) - pers. suppl. 3€ - frais de réservation 20€

Location : (Prix 2018) (de déb. avr. à fin oct.) - 16 🛖 - 10 🏠 - 10 bungalows toilés - 10 tentes lodges - 7 tipis. Nuitée 39 à 89€ - Sem. 174 à 525€ - frais de réservation 20€

🚐 borne artisanale 14€

Petits villages à thème avec cuisines équipées communes à disposition. Attention week-end évènementiels (mariages, communions...) sauf très haute saison.

Nature : ᴑᴑ
Loisirs : 🍽 ✗ 🏠 ⛹ 🚴 🎣
Services : ⊶ 🚿 🛜 laverie
À prox. : jacuzzi 🖼 ⛵ ⛷ ♨ parc aquatique

G P S W : 1.64027 N : 47.0419

ST-RÉVÉREND

85220 - Carte Michelin **316** F7 - 1 323 h. - alt. 19
▶ Paris 453 - Aizenay 20 - Challans 19 - La Roche-sur-Yon 36

🏔 Le Pont Rouge

𝒫 02 51 54 68 50, www.camping-lepontrouge.com

Pour s'y rendre : r. Georges-Clemenceau (sortie sud-ouest par D 94 et chemin à dr., au bord d'un ruisseau)

2,2 ha (73 empl.) peu incliné, plat, herbeux

Location : - 16 🛖 - 10 bungalows toilés.

Cadre verdoyant au bord d'un ruisseau, soigné, avec du locatif varié.

Nature : 🌳 🗺 ᴑ
Loisirs : 🍽 ✗ nocturne ⛹ 🖼
Services : ⊶ 🚿 🛜 laverie 🚗

G P S W : 1.83448 N : 46.69366

ST-VINCENT-SUR-JARD

85520 - Carte Michelin **316** G9 - 1 205 h. - alt. 10
▶ Paris 454 - Challans 64 - Luçon 34 - La Rochelle 70

⚠ Chadotel La Bolée d'Air

✆ 02 51 90 36 05, www.chadotel.com/fr/camping/vendee/saint-vincent-sur-jard/camping-la-bolee-dair

Pour s'y rendre : rte du Bouil (2 km à l'est par D 21 rte de Longeville et à dr.)

Ouverture : de déb. avr. à fin sept.

5,7 ha (280 empl.) plat, herbeux

Empl. camping : 36 € ✦✦ ⇔ 🔲 🔌 (10A) - pers. suppl. 6 € - frais de réservation 25 €

Location : (de déb. avr. à fin sept.) - 🚷 (1 mobile home) - 70 🛏 - 6 🏠 - 3 tentes lodges. Nuitée 22 à 168 € - Sem. 154 à 1 176 € - frais de réservation 25 €

🚐 borne artisanale

Terrain avec ambiance familiale à proximité d'une piste cyclable. Préférer les emplacements les plus éloignés de la route.

Nature : 🔲 🌳🌳	
Loisirs : 🍸 🍴 🏓 🐟 🈺 🚣 🚴 🏹 🎣 🔲 🎱 🛷 terrain multisports	**G P S** W : 1.52622 N : 46.41978
Services : 🔑 🐕 🛒 💧 🛜 laverie 🛁	

STE-LUCE-SUR-LOIRE

44980 - Carte Michelin **316** H4 - 11 679 h. - alt. 9
▶ Paris 378 - Nantes 7 - Angers 82 - Cholet 58

⚠ Belle Rivière

✆ 02 40 25 85 81, www.camping-belleriviere.com

Pour s'y rendre : rte des Perrières (2 km au nord-est par D 68, rte de Thouaré puis, au lieu-dit la Gicquelière, 1 km par rte à dr., accès direct à un bras de la Loire)

Ouverture : Permanent

3 ha (110 empl.) plat, herbeux

Empl. camping : (Prix 2018) 23 € ✦✦ ⇔ 🔲 🔌 (10A) - pers. suppl. 5 €
Location : (Prix 2018) Permanent 🚷 - 8 🛏. Nuitée 58 à 92 € - Sem. 307 à 506 € - frais de réservation 15 €

🚐 borne artisanale 10 €

Agréable cadre verdoyant bordé par "La Loire à Vélo". Arrêt de bus pour le tram via Nantes.

Nature : 🐟 🔲 🌳🌳	
Loisirs : 🚣 🎣	**G P S** W : 1.45574 N : 47.254
Services : 🛒 🚿 🛜 laverie	
À prox. : 🐎	

*Choisissez votre restaurant sur **restaurant.michelin.fr***

SAUMUR

49400 - Carte Michelin **317** I5 - 28 070 h. - alt. 30
▶ Paris 300 - Angers 67 - Châtellerault 76 - Cholet 70

⚠ Flower L'Île d'Offard 👥

✆ 02 41 40 30 00, www.saumur-camping.com

Pour s'y rendre : bd de Verden (accès par centre-ville, dans une île de la Loire)

Ouverture : de mi-mars à fin oct.

4,5 ha (160 empl.) plat, herbeux

Empl. camping : 40 € ✦✦ ⇔ 🔲 🔌 (10A) - pers. suppl. 5 €

Location : (de mi-mars à fin oct.) - 🚷 (1 mobile home) - 55 🛏 - 20 tentes lodges - 9 tentes sur pilotis. Nuitée 33 à 137 € - Sem. 165 à 1 190 €

🚐 borne AireService

Situation agréable à la pointe de l'île avec vue sur le château.

Nature : 🔭 château de Saumur 🔲 🌳	
Loisirs : 🍸 🍴 🏓 🈺 diurne 🏹 🈺 hammam jacuzzi	**G P S** W : 0.0656 N : 47.26022
Services : 🔑 🏪 🐕 🛒 💧 🛜 laverie 🛁	
À prox. : 🍴 🐎	

LA SELLE-CRAONNAISE

53800 - Carte Michelin **310** C7 - 931 h. - alt. 71
▶ Paris 316 - Angers 68 - Châteaubriant 32 - Château-Gontier 29

⚠ Base de Loisirs de la Rincerie

✆ 02 43 06 17 52, www.la-rincerie.com

Pour s'y rendre : 3,5 km au nord-ouest par D 111, D 150, rte de Ballots et rte à gauche

Ouverture : de déb. mars à déb. nov.

120 ha/5 campables (50 empl.) peu incliné, plat, herbeux

Empl. camping : (Prix 2018) 15 € ✦✦ ⇔ 🔲 🔌 (10A) - pers. suppl. 4 €
Location : (Prix 2018) (de déb. mars à déb. nov.) - 🚷 - 1 🛏 - 1 🏠 - 4 bungalows toilés. Sem. 290 à 400 €

Près d'un plan d'eau, nombreuses activités nautiques.

Nature : 🐟 🔭	
Loisirs : 🈺 diurne 🎣 🈷 (plan d'eau) 🐎 télé-ski nautique	**G P S** W : 1.06528 N : 47.86631
Services : 🔑 🛒 🚿 💧 🛜 🔲	
à la base de loisirs : 🚣 🚴 🏹 🏄 🛶	

🗻 ... ⚠
*Besonders angenehme Campingplätze,
ihrer Kategorie entsprechend.*

SILLÉ-LE-GUILLAUME

72140 - Carte Michelin **310** I5 - 2 361 h. - alt. 161
▶ Paris 230 - Alençon 39 - Laval 55 - Le Mans 35

⚠ Huttopia Lac de Sillé

✆ 02 43 20 16 12, www.huttopia.com

Pour s'y rendre : à Sillé-Plage (2,5 km au nord par D 5, D 105, D 203 et chemin à dr.)

Ouverture : de mi-avr. à mi-sept.

3,5 ha (163 empl.) plat, herbeux

Empl. camping : (Prix 2018) 29 € ✦✦ ⇔ 🔲 🔌 (10A) - pers. suppl. 6 € - frais de réservation 15 €

Location : (de mi-avr. à mi-sept.) - 12 🛏 - 25 tentes lodges. Nuitée 42 à 119 € - frais de réservation 15 €

🚐 borne artisanale 7 €

Dans la forêt, près d'un plan d'eau et de deux étangs.

Nature : 🐟 🌳🌳	
Loisirs : 🍸 🔲 🏹 🏄 🚴 🛷 🐟	**G P S** W : 0.12917 N : 48.18333
Services : 🔌 🛜 🛁	
À prox. : 🍴 🛶 🐎 pédalos	

SILLÉ-LE-PHILIPPE

72460 - Carte Michelin **310** L6 - 1 091 h. - alt. 35

▷ Paris 195 - Beaumont-sur-Sarthe 25 - Bonnétable 11 - Connerré 15

▲▲▲ Les Castels Le Château de Chanteloup ▲▪

𝒫 02 43 27 51 07, www.chateau-de-chanteloup.com

Pour s'y rendre : lieu-dit : Chanteloup (2 km au sud-ouest par D 301, rte du Mans)

Ouverture : de déb. juin à fin août

21 ha (110 empl.) peu incliné, plat, herbeux, sablonneux, étang, sous-bois

Empl. camping : 47 € ✦✦ ⇔ 🄴 🄷 (10A) - pers. suppl. 11 €

Location : (de déb. juin à fin mai) - 5 tentes lodges - 2 gîtes - 3 appartements. Nuitée 100 à 150 € - Sem. 500 à 1 050 €

🅿 borne AireService

Emplacements spacieux au bord de l'étang et près du château familial.

Nature : 🕊 ♐♐	
Loisirs : 🍴 🗙 📷 🎮 🕴 🛝 jacuzzi 🚣 🚴 🛶 🏊	**G** E : 0.34012
Services : 🔑 🍽 🛁 🛜 laverie 🚿	**P** N : 48.10461
À prox. : 🐎	**S**

---

*Utilisez les **cartes MICHELIN**, complément indispensable de ce guide.*

SOULLANS

85300 - Carte Michelin **316** E7 - 4 058 h. - alt. 12

▷ Paris 443 - Challans 7 - Noirmoutier-en-l'Île 46 - La Roche-sur-Yon 48

⚠ Municipal le Moulin Neuf

𝒫 02 51 68 00 24, soullans.fr

Pour s'y rendre : r. St-Christophe (sortie nord par D 69, rte de Challans et r. à dr.)

Ouverture : de mi-juin à mi-sept.

1,2 ha (80 empl.) plat, herbeux

Empl. camping : (Prix 2018) 10 € ✦✦ ⇔ 🄴 🄷 (10A) - pers. suppl. 3 €

Proche du bourg, petit terrain calme sous les tilleuls avec des emplacements bien délimités

Nature : 🕊 ☁ ♐	**G** W : 1.89566
Services : 🔑 🛜 🍽	**P** N : 46.79817
À prox. : 🍴	**S**

TALMONT-ST-HILAIRE

85440 - Carte Michelin **316** G9 - 6 829 h. - alt. 35

▷ Paris 448 - Challans 55 - Luçon 38 - La Roche-sur-Yon 30

▲▲▲ Sandaya Le Littoral ▲▪

𝒫 02 51 22 04 64, www.sandaya.fr/nos-campings/le-littoral

Pour s'y rendre : lieu-dit : Le Porteau (9,5 km au sud-ouest par D 949, D 4a et apr. Querry-Pigeon, à dr. par D 129, rte côtière des Sables-d'Olonne, à 100 m de l'océan)

Ouverture : de déb. avr. à déb. sept.

9 ha (433 empl.) peu incliné, plat, herbeux, sablonneux

Empl. camping : 52 € ✦✦ ⇔ 🄴 🄷 (10A) - pers. suppl. 9 €

Location : (de déb. avr. à déb. sept.) - 🦽 (1 mobile home) - 🅿

- 368 🛖 - 65 🏠. Nuitée 39 à 293 € - Sem. 273 à 2 051 €

Bel ensemble avec du locatif de qualité et un quartier piétonnier. Navettes gratuites pour les plages.

Nature : ☁ ♐	
Loisirs : 🍴 🗙 📷 🎮 🕴 🛝 jacuzzi 🚣 🚴 🛶 🏊 🏄 terrain multisports	**G** W : 1.70222
Services : 🔑 🍽 🛁 🚿 🛜 laverie 🚿 🛒	**P** N : 46.45195
	S

▲▲▲ Tohapi Loyada ▲▪

𝒫 02 51 21 28 10, www.camping-loyada.fr

Pour s'y rendre : 111 r. de La Source (av. de L'Atlantique, 4 km à l'ouest par D 949 et D 4)

Ouverture : de déb. avr. à fin sept.

5 ha (229 empl.) plat, herbeux

Empl. camping : (Prix 2018) 40 € ✦✦ ⇔ 🄴 🄷 (10A) - pers. suppl. 8 €
- frais de réservation 15 €

Location : (Prix 2018) (de déb. avr. à fin sept.) - 🦽 (1 mobile home)
- 90 🛖 - 10 tentes lodges. Nuitée 40 à 120 € - Sem. 150 à 1 200 €
- frais de réservation 15 €

Emplacements au milieu d'un cadre fleuri avec une végétation luxuriante et certains mobile homes de grand confort.

Nature : 🕊 ☁ ♐	
Loisirs : 🍴 🗙 📷 🎮 🕴 🛝 centre balnéo 🛁 hammam jacuzzi 🚣 🚴 🏄 terrain multisports	**G** W : 1.65224
Services : 🔑 🍽 🛁 🛜 laverie 🚿 🛒	**P** N : 46.466
	S

▲▲▲ Les Dinosaures ▲▪

(pas d'emplacement tentes et caravanes)

𝒫 02 51 22 20 10, www.campinglesdinosaures.com

Pour s'y rendre : 330 av. de la Plage (6,5 km au sud-ouest)

2 ha (134 empl.) plat, herbeux

Location : 🦽 (1 chalet) - 53 🛖 - 3 🏠.

Bel espace commercial à l'entrée et très peu d'emplacements tentes ou caravanes.

Nature : ♐	
Loisirs : 🍴 🗙 🕴 🚣 🎣 🏊 🏄 terrain multisports	**G** W : 1.66607
Services : 🔑 🛁 🚿 🛜 laverie 🚿	**P** N : 46.44243
	S

▲▲▲ Sea Green Le Paradis ▲▪

𝒫 02 51 22 22 36, www.camping-leparadis85.com

Pour s'y rendre : r. de la Source (3,7 km à l'ouest par D 949, rte des Sables-d'Olonne, D 4a à gauche, rte de Querry-Pigeon et chemin à dr.)

4,9 ha (148 empl.) en terrasses, peu incliné, plat, herbeux, sablonneux

Location : - 90 🛖 - 9 🏠 - 4 bungalows toilés - 4 tentes lodges.

Terrain en pente, en partie bien ombragé avec du locatif varié.

Nature : 🕊 ☁ ♐♐	
Loisirs : 🍴 🗙 nocturne 🕴 🚣 🚴 🏄 (découverte en saison) terrain multisports	**G** W : 1.65491
Services : 🔑 🛜 laverie 🚿	**P** N : 46.46462
	S

En juin et septembre les campings sont plus calmes, moins fréquentés et pratiquent souvent des tarifs « hors saison ».

THARON-PLAGE

44730 - Carte Michelin **316** C5
▶ Paris 444 - Nantes 59 - St-Nazaire 25 - Vannes 94

⛰ La Riviera

📞 02 28 53 54 88, www.campinglariviera.com - peu d'emplacements pour tentes et caravanes

Pour s'y rendre : r. des Gâtineaux (à l'est de la station, par D 96, rte de St-Michel-Chef-Chef)

Ouverture : de déb. avr. à fin sept.

6 ha (250 empl.) en terrasses, plat, herbeux, pierreux

Empl. camping : (Prix 2018) 30€ ✦✦ ⇌ 🅴 🔌 (10A) - pers. suppl. 5€ - frais de réservation 15€

Location : (Prix 2018) (de déb. avr. à fin sept.) - 7 🚐 - 5 🏠. Sem. 370 à 800€ - frais de réservation 15€

Quelques places pour tentes et caravanes au milieu d'un grand nombre de mobile homes de propriétaires-résidents.

Nature : 🏞
Loisirs : 🍷 ✕ 🛋 jacuzzi 🏊 terrain multisports
Services : 🔌 🚽 🛒 ✿ 🚰 🛜 🔥 🚿

G	W : 2.15087
P	N : 47.16492
S	

*Créez votre voyage sur **voyages.michelin.fr***

TENNIE

72240 - Carte Michelin **310** I6 - 1 023 h. - alt. 100
▶ Paris 224 - Alençon 49 - Laval 69 - Le Mans 26

⛰ Municipal de la Vègre

📞 02 43 20 59 44, www.camping-tennie.com - peu d'emplacements pour tentes et caravanes

Pour s'y rendre : r. Andrée-Le-Grou (sortie ouest par D 38, rte de Ste-Suzanne)

Ouverture : de déb. avr. à fin sept.

2 ha (80 empl.) plat, herbeux

Empl. camping : (Prix 2018) 13€ ✦✦ ⇌ 🅴 🔌 (6A) - pers. suppl. 3€
Location : (Prix 2018) Permanent🦽 (1 chalet) - 4 🚐 - 5 🏠. Nuitée 56 à 88€ - Sem. 247 à 440€

🚐 borne AireService 4€ - 🔋 8€

Cadre agréable au bord d'une rivière et d'un étang.

Nature : 🏞 🌳🌳
Loisirs : 🍷 🛋 🏊 ✕ 🚣
Services : 🛒 🛜 🔥
À prox. : ✕ 🚲

G	W : 0.07874
P	N : 48.10705
S	

LA TRANCHE-SUR-MER

85360 - Carte Michelin **316** H9 - 2 715 h. - alt. 4
▶ Paris 459 - Luçon 31 - Niort 100 - La Rochelle 64

⛰ Le Jard 🚹

📞 02 51 27 43 79, www.campingdujard.fr

Pour s'y rendre : 123 bd de Lattre-de-Tassigny (au lieu-dit : La Grière-Plage, 3,8 km rte de l'Aiguillon)

Ouverture : de fin mai à mi-sept.

6 ha (350 empl.) plat, herbeux

Empl. camping : (Prix 2018) 37€ ✦✦ ⇌ 🅴 🔌 (10A) - pers. suppl. 6€

Location : (Prix 2018) (de fin mai à mi-sept.) - 140 🚐. Sem. 190 à 1 015€

Agréable terrain avec un bon confort sanitaire.

Nature : 🏞 🌳🌳
Loisirs : 🍷 ✕ 🛋 🎣 🏹 🚣 jacuzzi 🏊 🚲 ✕ 🚿 🏊 🏊
Services : 🔌 🚽 🛒 ✿ 🚰 🛜 laverie 🔥 🚿

G	W : 1.38694
P	N : 46.34788
S	

⛰ Les Préveils 🚹

📞 02 51 30 30 52, www.camping-les-preveils.com

Pour s'y rendre : av. Ste-Anne (au lieu-dit : La Grière-Plage, 4,2 km rte de l'Aiguillon)

Ouverture : de déb. avr. à fin sept.

4 ha (180 empl.) vallonné, plat, herbeux, sablonneux

Empl. camping : 23€ ✦✦ ⇌ 🅴 🔌 (10A) - pers. suppl. 8€ - frais de réservation 30€

Location : (de déb. avr. à fin sept.) - 🦽 (2 mobile home) - 56 🚐 - 5 🏠 - 6 🛏 - 5 tentes lodges. Nuitée 55 à 140€ - Sem. 290 à 979€ - frais de réservation 30€

Agréable site à 200 m de la plage.

Nature : 🏞 🌳🌳
Loisirs : ✕ 🛋 salle d'animations 🏹 ⛳ 🎣 jacuzzi 🚲 🏊 terrain multisports
Services : 🔌 🚽 ✿ 🚰 🛜 laverie 🚿

G	W : 1.3936
P	N : 46.34398
S	

⛰ Vagues Océanes Les Blancs Chênes 🚹

📞 02 51 28 10 20, www.vagues-oceanes.com - peu d'emplacements pour tentes et caravanes

Pour s'y rendre : rte de la Roche-sur-Yon (2,6 km au nord-est par D 747)

Ouverture : de déb. avr. à mi-sept.

7 ha (370 empl.) plat, herbeux

Empl. camping : (Prix 2018) 45€ ✦✦ ⇌ 🅴 🔌 (5A) - pers. suppl. 8€ - frais de réservation 10€

Location : (Prix 2018) Permanent🦽 (1 mobile home) - 297 🚐 - 35 🏠. Nuitée 34 à 185€ - Sem. 238 à 1 295€ - frais de réservation 26€

Locatifs parfois aménagés en quartiers paysagés sans véhicule avec une végétation luxuriante.

Nature : 🏞 🌳
Loisirs : 🍷 ✕ 🛋 🎣 salle d'animations 🏹 ⛳ 🎣 🏊 🚲 🏊 ✕ 🏊 terrain multisports
Services : 🔌 ✿ 🛜 laverie 🔥 🚿

G	W : 1.41958
P	N : 46.36323
S	

⛰ Tohapi Les Almadies 🚹

📞 06 08 93 50 18, www.lesalmadies.com

Pour s'y rendre : rte de La-Roche-sur-Yon (4.3 km au nord par D 747)

Ouverture : de mi-avr. à mi-sept.

10 ha (519 empl.) plat, herbeux

Empl. camping : (Prix 2018) 32€ ✦✦ ⇌ 🅴 🔌 (10A) - pers. suppl. 6€ - frais de réservation 20€

Location : (Prix 2018) Permanent - 250 🚐 - 20 tentes lodges. Sem. 250 à 1 600€ - frais de réservation 20€

Ensemble rectiligne avec des locatifs parfois simples en confort autour d'un beau parc aquatique.

Nature : 🌳
Loisirs : 🍷 ✕ 🛋 🎣 salle d'animations 🏹 🎣 🚲 ✕ 🏊 🏊 ⚽
Services : 🔌 ✿ 🛜 laverie 🔥 🚿

G	W : 1.41367
P	N : 46.37206
S	

⛰ Baie d'Aunis

📞 02 51 27 47 36, www.camping-baiedaunis.com ⚲ (de déb. juil. à fin août)

Pour s'y rendre : 10 r. du Pertuis-Breton (sortie est, rte de l'Aiguillon)

Ouverture : de fin avr. à mi-sept.

2,5 ha (149 empl.) plat, sablonneux

Empl. camping : (Prix 2018) 37€ ♚♚ ⇔ 🅴 🅷 (10A) - pers. suppl. 9€ - frais de réservation 30€

Location : (Prix 2018) (de fin avr. à mi-sept.) - ♿ (1 mobile home) - ⚲ - 10 🛏 - 9 🏠. Sem. 365 à 895€ - frais de réservation 30€

🛗 borne artisanale

À 50 m de la plage. Préférer les emplacements éloignés des routes.

Nature : 🌳 ♨♨
Loisirs : 🍽 ✕ 🏛 🛶 ⛵ terrain multisports
Services : ⚷ 🏢 ♿ 📶 laverie 🧺
À prox. : ⚽ 🎿 🏊 (plage) 🚣

GPS W : 1.4321
N : 46.34602

⛰ Campéole La Belle Anse

(pas d'emplacement tentes et caravanes)

📞 02 51 97 02 84, www.campeole.com/camping/post/la-belle-anse-la-tranche-sur-mer

Pour s'y rendre : 161 bd du Mar.-de-Lattre-de-Tassigny (7 km à l'est par D 46 rte de La Faute-sur-Mer)

0,5 ha (55 empl.) plat, herbeux

Location : (Prix 2018) (de déb. mai à fin sept.) - ♿ (2 bungalows toilés) - 55 bungalows toilés. Nuitée 42 à 121€ - Sem. 294 à 847€

Face à l'Anse de Maupas, village de bungalows toilés de bon confort.

Loisirs : 🏛 salle d'animations 🏃 🛶 🚴 ✂
Services : ⚷ laverie

GPS W : 1.36657
N : 46.34951

⛰ Campéole La Grière

📞 02 51 30 40 07, www.campeole.com/etablissement/post/la-griere-la-tranche-sur-mer

Pour s'y rendre : 62 - 64 bd du Mar.-de-Lattre-de-Tassigny (5,5 km par D 46 rte de La Faute-sur-Mer)

Ouverture : de fin mars à fin sept.

2 ha (136 empl.) plat, sablonneux, herbeux

Empl. camping : (Prix 2018) 26€ ♚♚ ⇔ 🅴 🅷 (16A) - pers. suppl. 7€

Location : (Prix 2018) (de fin mars à fin sept.) - ♿ (2 chalets) - 77 🏠. Nuitée 34 à 108€ - Sem. 238 à 756€

🛗 borne AireService

Jolis chalets et emplacements tentes sous la pinède, accès direct à la plage.

Nature : 🌳 🚣
Loisirs : 🍽 ✕ 🏛 🎮 🏃 🚴 ⚽ ⛳ terrain multisports
Services : ⚷ ♿ 📶 laverie

GPS W : 1.39133
N : 46.34722

TRIAIZE

85580 - Carte Michelin **316** I9 - 1 011 h. - alt. 3
▶ Paris 446 - Fontenay-le-Comte 38 - Luçon 9 - Niort 71

⛰ Municipal Les Iris

📞 07 86 72 91 30, www.triaize.fr

Pour s'y rendre : r. du Stade (au bourg)

Ouverture : de déb. juil. à fin août

2,7 ha (70 empl.) plat, herbeux, pierreux, étang

Empl. camping : (Prix 2018) 15€ ♚♚ ⇔ 🅴 🅷 (10A) - pers. suppl. 3€

Autour d'un grand étang idéal pour la pêche, les canoës et les pédalos.

Nature : 🚣 🐟
Loisirs : 🛶 ⛵ 🦢
Services : 🛗 📷 🖥
À prox. : 🎣 🍽 ⚽ barques pédalos

GPS W : 1.20152
N : 46.39515

LA TURBALLE

44420 - Carte Michelin **316** A3 - 4 515 h. - alt. 6
▶ Paris 457 - La Baule 13 - Guérande 7 - Nantes 84

⛰ Parc Ste-Brigitte

Camping Sainte Brigitte

📞 02 40 24 88 91, www. campingsaintebrigitte.com

Pour s'y rendre : chemin des Routes (3 km au sud-est, rte de Guérande)

Ouverture : de déb. avr. à fin sept.

10 ha/4 campables (150 empl.) peu incliné, plat, herbeux, étang

Empl. camping : 32€ ♚♚ ⇔ 🅴 🅷 (10A) - pers. suppl. 7€ - frais de réservation 15€

Location : (de déb. avr. à fin sept.) - 18 🛏. Nuitée 83 à 200€ - Sem. 390 à 750€ - frais de réservation 15€

🛗 borne artisanale

Près du manoir, magnifique parc avec ses arbres centenaires, ses fleurs, ses roses, mais aussi des installations vieillissantes, des locatifs démodés, heureusement bien entretenus.

Nature : 🚣 ♨♨♨
Loisirs : ✕ 🏛 🛶 🚴 🏊 (découverte en saison) 🦢
Services : ⚷ 🚐 ♿ 📶 laverie 🧺

GPS W : 2.4717
N : 47.34254

VAIRÉ

85150 - Carte Michelin **316** F8 - 1 474 h. - alt. 49
▶ Paris 448 - Challans 31 - La Mothe-Achard 9 - La Roche-sur-Yon 27

⛰ Le Roc

✆ 02 51 33 71 89, www.campingleroc.com

Pour s'y rendre : rte de Brem-sur-Mer (1,5 km au nord-ouest par D 32, rte de Landevieille et rte de Brem-sur-Mer à gauche)

Ouverture : de mi-mars à mi-nov.

1,4 ha (100 empl.) peu incliné, herbeux

Empl. camping : (Prix 2018) 29€ ✶✶ 🚗 🔲 ⚡ (16A) - pers. suppl. 5€ - frais de réservation 10€

Location : (Prix 2018) (de mi-mars à mi-nov.) - 26 🚐 - 7 🏠 - 2 bungalows toilés. Nuitée 50 à 85€ - Sem. 180 à 920€ - frais de réservation 20€

🚐 borne eurorelais 10€ - 3 🔲 10€

Cadre ombragé mais préférer les emplacements éloignés de la route.

Nature : 🏕 ♨ ♀
Loisirs : ♈ ✕ 🎣 🏊 🔲 (petite piscine) 🏊
Services : ⚬━ (juil.-août) 🏛 ♨ 🌳 laverie
G P S W : 1.76785 N : 46.60815

The Guide changes, so renew your guide every year.

VARENNES-SUR-LOIRE

49730 - Carte Michelin **317** J5 - 1 898 h. - alt. 27
▶ Paris 292 - Bourgueil 15 - Chinon 22 - Loudun 30

⛰ Sunêlia Domaine de la Brèche 🛆👥

✆ 02 41 51 22 92, www.domainedelabreche.com

Pour s'y rendre : 5 impasse de la Brèche (6 km à l'ouest par D 85, RD 952, rte de Saumur, et chemin à dr., au bord de l' étang)

Ouverture : de mi-avr. à mi-sept.

14 ha/7 campables (201 empl.) plat, herbeux, sablonneux

Empl. camping : 47€ ✶✶ 🚗 🔲 ⚡ (16A) - pers. suppl. 9€ - frais de réservation 10€

Location : (Prix 2018) (de mi-avr. à mi-sept.) - 54 🚐 - 2 bungalows toilés. Nuitée 50 à 269€ - Sem. 350 à 1 885€ - frais de réservation 10€

🚐 borne AireService

Cadre et situation agréables au bord d'un étang.

Nature : 🏕 ♨ ♀
Loisirs : ♈ 🍴 🎣 ⚽ 🏊 🚴 🎾 🎣 🔲 🏊 ✦ 🐴 mini ferme pich and putt (18 trous) terrain multisports
Services : ⚬━ 🌳 ♨ 🌳 🌐 🔲 🍴 ⚿
À prox. : ✕
G P S E : 0.00213 N : 47.24837

VENDRENNES

85250 - Carte Michelin **316** J7 - 1 447 h. - alt. 97
▶ Paris 392 - Nantes 65 - La Roche-sur-Yon 30 - Niort 95

⛰ La Motte

✆ 02 51 63 59 67, www.camping-vendee-lamotte.com

Pour s'y rendre : lieu-dit : La Motte (0,4, km au nord-est)

Ouverture : de déb. avr. à déb. nov.

3,5 ha (83 empl.) plat, herbeux

Empl. camping : (Prix 2018) 28€ ✶✶ 🚗 🔲 ⚡ (16A) - pers. suppl. 4€ - frais de réservation 5€

Location : (Prix 2018) (de déb. avr. à déb. nov.) - 🌊 - 42 🚐 - 3 🏠. Nuitée 56 à 180€ - Sem. 235 à 1 050€ - frais de réservation 5€

Cadre verdoyant et fleuri autour d'un petit étang décoratif.

Nature : 🏕 🗐
Loisirs : ♈ ✕ 🎣 ⏱diurne 🏊 🔲 🏊 🏊 🏊 spa bowling terrain multisports
Services : ⚬━ 🏛 🌳 🌳 laverie 🌳
G P S W : 1.11854 N : 46.82587

VIHIERS

49310 - Carte Michelin **317** F6 - 4 275 h. - alt. 100
▶ Paris 334 - Angers 45 - Cholet 29 - Saumur 40

⛰ Municipal de la Vallée du Lys

✆ 02 41 75 00 14, www.lyshautlayon.fr

Pour s'y rendre : rte du Voide (sortie ouest par D 960, rte de Cholet puis D 54 à dr., rte de Valanjou, au bord du Lys)

0,3 ha (30 empl.) plat, herbeux

Cadre champêtre au bord de l'étang du Lys.

Nature : 🏕 ♀
Loisirs : 🎣 🏊 🎣
G P S W : 0.54034 N : 47.1471

VILLIERS-CHARLEMAGNE

53170 - Carte Michelin **310** E7 - 1 052 h. - alt. 105
▶ Paris 277 - Angers 61 - Châteaubriant 61 - Château-Gontier 12

⛰ Village Vacances et Pêche

✆ 02 43 07 71 68, www.vacancesetpeche.fr

Pour s'y rendre : Village des Haies (sortie ouest par D 4, rte de Cossé-le-Vivien et chemin à gauche près du stade)

Ouverture : Permanent

9 ha/1 campable (20 empl.) plat, herbeux

Empl. camping : (Prix 2018) 19€ ✶✶ 🚗 🔲 ⚡ (16A) - pers. suppl. 7€

Location : (Prix 2018) Permanent - 12 🏠 - 2 tentes lodges - 2 tentes sur pilotis. Nuitée 40 à 55€ - Sem. 185 à 275€

🚐 borne artisanale 5€ - 3 🔲 10€

Agréable site pour la pêche avec des chalets les pieds dans l'eau.

Nature : 🏕 ≺ 🗐 ♀
Loisirs : 🎣 ⏱diurne 🏊 🚴 🎣
Services : ⚬━ – 20 sanitaires individuels (🏠🌳 wc) 🌳 🌳 🌳 réfrigérateurs
À prox. : ✕ 🎣
G P S W : 0.68233 N : 47.9208

YVRÉ-L'ÉVÊQUE

72530 - Carte Michelin **310** K6 - 4 412 h. - alt. 57
▶ Paris 204 - Nantes 194 - Le Mans 8 - Alençon 66

⛰ Onlycamp Le Pont Romain

✆ 02 43 82 25 39, www.onlycamp.fr

Pour s'y rendre : lieu-dit : La Châtaigneraie (sortie village par le pont romain, puis rte à gauche, à 200 m.)

Ouverture : de mi-mars à mi-nov.

2,5 ha (70 empl.) plat, herbeux

Empl. camping : (Prix 2018) 29€ ✶✶ 🚗 🔲 ⚡ (16A) - pers. suppl. 6€

Location : (Prix 2018) (de mi-mars à mi-nov.) - 🅿 - 9 🏠 - 5 tentes sur pilotis. Nuitée 75 à 149€ - frais de réservation 8€

🚐 borne AireService 5€ - 14 🔲 25€

Nature : ♀
Loisirs : 🎣 🏊 🏊
Services : ⚬━ 🅿 🏛 🌳 🌳 🌳 laverie
À prox. : 🏊 ♈ ✕
G P S E : 0.27972 N : 48.01944

isogood/iStock

Une escapade en Picardie vous fera parcourir un livre d'histoire grandeur nature, peuplé d'abbayes cisterciennes, de splendides cathédrales, d'hôtels de ville flamboyants, d'imposants châteaux et d'émouvants témoignages des deux guerres mondiales… Vous préférez la campagne ? À vous les hautes futaies des forêts de Compiègne ou de Saint-Gobain qui bruissent encore du tumulte des chasses royales, les fermes cernées de champs de céréales ou de betteraves et la contemplation du ballet des oiseaux au-dessus du Marquenterre. L'aventure n'est pas votre fort ? Adoptez la devise de Lafleur, illustre marionnette amiénoise : « bien boire, bien manger, ne rien faire »… Soupe des hortillonnages, pâté de canard et gâteau battu vous prouveront qu'en Picardie, la gastronomie n'est pas affaire de dilettante.

Ready for an action-packed ride over Picardy's fair and historic lands? The region that gave France her first king, Clovis, is renowned for its wealthy Cistercian abbeys, splendid Gothic cathedrals and flamboyant town halls, as well as its poignant reminders of the two World Wars. If you prefer the countryside, take a boat trip through the floating gardens of Amiens, explore the botanical reserve of Marais de Cessière or go birdwatching on the Somme estuary and at Marquenterre bird sanctuary: acres of unspoilt hills and heath, woods, pastures and vineyards welcome you with open arms. Picardy's rich culinary talents have been refined over centuries, and where better to try the famous pré-salé lamb, fattened on the salt marshes, some smoked eel or duck pâté, or a dessert laced with Chantilly cream.

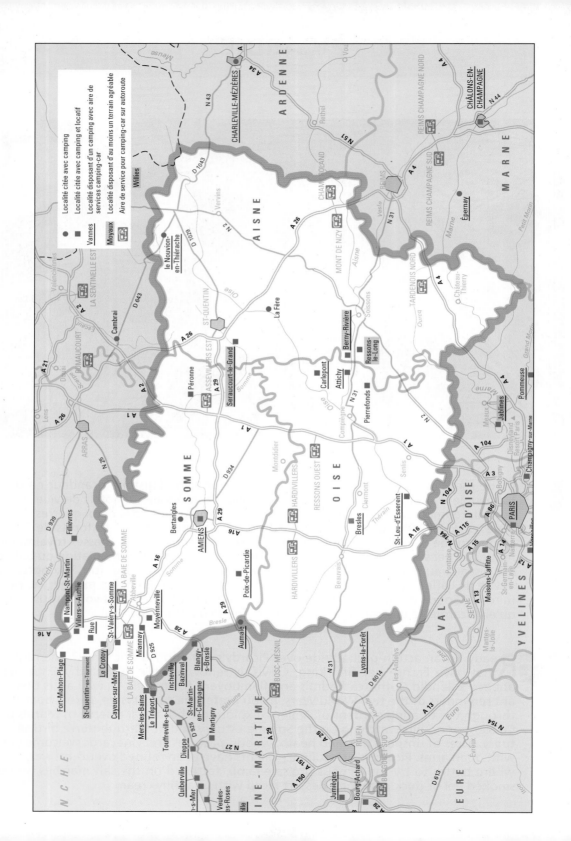

AMIENS

80000 - Carte Michelin **301** G8 - 133 998 h. - alt. 34
▶ Paris 135 - Lille 122 - Beauvais 62 - Arras 74

⛰ Sites et Paysages Le Parc des Cygnes

𝒫 03 22 43 29 28, www.parcdescygnes.com

Pour s'y rendre : 111 av. des Cygnes (au nord-est, r. du Grand-Marais - par rocade : sortie 40 : Amiens Longpré)

Ouverture : de déb. avr. à mi-oct.

3,2 ha (145 empl.) plat, herbeux, étang

Empl. camping : (Prix 2018) 25 € ✦✦ 🚗 🔲 🔌 (10A) - pers. suppl. 8 € - frais de réservation 14 €

Location : (Prix 2018) (de déb. avr. à mi-oct.) - 🚫 - 9 🏠. Nuitée 56 à 106 € - Sem. 336 à 627 € - frais de réservation 14 €

🚐 borne artisanale 4 € - 5 🔲 12 €
Bus pour le centre-ville.

Nature : ♀	
Loisirs : �$\top$ ✗ 🍴 🎿 🚲	**G** E : 2.25918
Services : ⚫ 🏢 🛁 🚮 🚰 ☂ laverie	**P** N : 49.92118
À prox. : 🚤 🎣	**S**

Use this year's Guide.

ATTICHY

60350 - Carte Michelin **305** J4 - 1 887 h. - alt. 73
▶ Paris 109 - Amiens 103 - Beauvais 80 - Laon 59

⚠ L' Aigrette

𝒫 03 44 42 15 97, www.campingdelaigrette.com

Pour s'y rendre : 22 r. Fontaine-Aubier

Ouverture : de déb. mars à fin nov.

1,3 ha (51 empl.) plat, herbeux

Empl. camping : (Prix 2018) 19 € ✦✦ 🚗 🔲 🔌 (10A) - pers. suppl. 4 €
Location : (Prix 2018) Permanent 🚫 - 2 🏠 - 1 tente lodge - 4 tipis - 2 yourtes. Nuitée 20 à 160 € - Sem. 65 à 640 €

🚐 borne eurorelais
Au bord d'un grand lac avec cygnes et canards.

Nature : 🦢 � ♀♀	
Services : ⚫ 🏢 🛁 🚰 ☂ laverie	**G** E : 3.05295
À prox. : ✗ 🍴 🎿 terrain multisports	**P** N : 49.40667 **S**

BERNY-RIVIÈRE

02290 - Carte Michelin **306** A6 - 604 h. - alt. 49
▶ Paris 100 - Compiègne 24 - Laon 55 - Noyon 28

⚠⚠ La Croix du Vieux Pont 👪

𝒫 03 23 55 50 02, www.la-croix-du-vieux-pont.com - peu d'emplacements pour tentes et caravanes

Pour s'y rendre : r. de la Fabrique (1,5 km au sud sur D 91, à l'entrée de Vic-sur-Aisne)

Ouverture : Permanent

34 ha (660 empl.) plat, herbeux, étang

Empl. camping : (Prix 2018) 45 € ✦✦ 🚗 🔲 🔌 (6A) - pers. suppl. 10 €
Location : (Prix 2018) (de déb. avr. à fin oct.) - ♿ (mobile homes et chalets) - 🚫 - 1 cabane perchée - 11 appartements. Nuitée 130 € - Sem. 500 à 580 €

🚐 borne artisanale

Un vrai village vacances avec de nombreuses activités en partie couvertes, sur un site agréable au bord de l'Aisne.

Nature : 🦢 � ♀	
Loisirs : �$\top$ ✗ 🍴 🎿 🏸 🎿 centre balnéo 🈴 hammam jacuzzi 🎿 🚲 🎾 🔲 🎿 🏊 (plan d'eau) 🎿 🐎 bowling laser game pédalos terrain multisports parc aquatique	**G** E : 3.1284
Services : ⚫ 🏢 🛁 🚮 🚰 ☂ laverie 🎿 🎿	**P** N : 49.40495 **S**

BERTANGLES

80260 - Carte Michelin **301** G8 - 591 h. - alt. 95
▶ Paris 154 - Abbeville 44 - Amiens 11 - Bapaume 49

⚠ Le Château

𝒫 09 51 66 32 60, www.camping-bertangles.fr

Pour s'y rendre : r. du Château (au bourg)

Ouverture : de fin avr. à déb. sept.

0,7 ha (33 empl.) plat, herbeux

Empl. camping : 22 € ✦✦ 🚗 🔲 🔌 (10A) - pers. suppl. 5 €
Dans un verger, près du château.

Nature : 🦢 � ♀	
Loisirs : 🎿	**G** E : 2.30131
Services : 🔲 ☂	**P** N : 49.97167 **S**

Si vous recherchez :

🦢   un terrain très tranquille,

P   un terrain ouvert toute l'année,

👪   des équipements et des loisirs adaptés aux enfants,

🏊   un parc aquatique,

B   un centre balnéo,

🎭   des animations sportives, culturelles ou de détente,
consultez la liste thématique des campings.

BRESLES

60510 - Carte Michelin **305** E4 - 4 260 h. - alt. 62
▶ Paris 73 - Amiens 69 - Beauvais 15 - Rouen 95

⚠ De la Trye

𝒫 03 44 07 80 95, www.camping-de-la-trye.com

Pour s'y rendre : 1 r. de Trye (au bourg)

Ouverture : Permanent

2,6 ha (111 empl.) en terrasses, plat, herbeux

Empl. camping : 21 € ✦✦ 🚗 🔲 🔌 (10A) - pers. suppl. 5 €
Location : Permanent - 42 🏠 - 4 🏡 - 2 bungalows toilés - 1 tente sur pilotis - 3 tipis - 1 roulotte. Nuitée 40 à 100 € - Sem. 280 à 550 €

🚐 borne artisanale 2 €
Très beaux emplacements délimités en contrebas du terrain, cadre champêtre.

Nature : 🦢 � ♀	
Loisirs : �$\top$ ✗ 🎿 🚲 🐎 promenade avec ânes et poneys	**G** E : 2.25462
Services : ⚫ 🏢 🛁 🚮 🚰 ☂ laverie	**P** N : 49.40827
À prox. : ✗ 🍴	**S**

CARLEPONT

60170 - Carte Michelin **305** J3 - 1 416 h. - alt. 59
▶ Paris 103 - Compiègne 19 - Ham 30 - Pierrefonds 21

⚠ Les Araucarias

𝄞 03 44 75 27 39, www.camping-les-araucarias.com - peu d'emplacements pour tentes et caravanes

Pour s'y rendre : 870 r. du Gén.-Leclerc (sortie sud-ouest par D 130, rte de Compiègne)

Ouverture : Permanent

1,2 ha (60 empl.) plat et peu incliné, herbeux

Empl. camping : (Prix 2018) ⚑ 3€ ⇌ ▣ 7€ – ⚡ (16A) 16€
Location : (Prix 2018) Permanent - 5 🚐 - 2 🏠. Nuitée 90 à 120€ - Sem. 280 à 300€
🚰 borne artisanale 8€ - 3 ▣ 8€
Une grande diversité de plantations orne la partie campable.

Nature : 🦆 ⌂ ೦೦
Loisirs : 🛶
Services : ⚬⌐ 𝄞 ⚲ laverie

GPS E : 3.01836
N : 49.50728

To visit a town or region : use the MICHELIN Green Guides.

CAYEUX-SUR-MER

80410 - Carte Michelin **301** B6 - 2 813 h. - alt. 2
▶ Paris 217 - Abbeville 29 - Amiens 82 - Le Crotoy 26

⚠ Les Galets de la Mollière 🧑‍🤝‍🧑

𝄞 03 22 26 61 85, www.campinglesgaletsdelamolliere.com

Pour s'y rendre : à Mollière, r. Faidherbe (3,3 km au nord-est par D 102, rte du littoral)

Ouverture : de déb. avr. à fin oct.

6 ha (195 empl.) plat et peu incliné, herbeux, sablonneux

Empl. camping : 37€ ⚑⚑ ⇌ ▣ ⚡ (10A) - pers. suppl. 7€ - frais de réservation 12€
Location : (de déb. avr. à fin oct.) - ♿ (1 mobile home) - 68 🚐. Nuitée 77 à 122€ - Sem. 308 à 840€ - frais de réservation 12€
🚰 borne eurorelais 3€ - 40 ▣ 10€
À 100 m de la plage et des dunes.

Nature : 🦆 ⌂ ೦
Loisirs : 🍴 ✕ 🎣 ⛶ ⛵ 🛶
Services : ⚬⌐ 𝄞 ⚲ laverie 🧴

GPS E : 1.52608
N : 50.20275

⚠ Le Bois de Pins

𝄞 03 22 26 71 04, www.campingleboisdepins.com - peu d'emplacements pour tentes et caravanes

Pour s'y rendre : à Brighton, av. Guillaume-le-Conquérant (2 km au nord-est par D 102, rte du littoral)

Ouverture : de déb. avr. à fin oct.

4 ha (163 empl.) plat, herbeux

Empl. camping : 31€ ⚑⚑ ⇌ ▣ ⚡ (10A) - pers. suppl. 7€ - frais de réservation 10€
À 400 m de la plage et des dunes avec de nombreux mobile homes de propriétaires-résidents.

Nature : 🦆 ⌂ ೦
Loisirs : 🎣
Services : ⚬⌐ 𝄞 ⚲ laverie

GPS E : 1.5169
N : 50.1974

LE CROTOY

80550 - Carte Michelin **301** C6 - 2 265 h. - alt. 1
▶ Paris 210 - Abbeville 22 - Amiens 75 - Berck-sur-Mer 29

🏕 Yelloh! Village Le Ridin

𝄞 03 22 27 03 22, www.campingleridin.com - peu d'emplacements pour tentes et caravanes

Pour s'y rendre : lieu-dit : Mayocq (3 km au nord par rte de St-Quentin-en-Tourmont et chemin à dr.)

Ouverture : de déb. avr. à fin sept.

4,5 ha (162 empl.) plat, herbeux

Empl. camping : 42€ ⚑⚑ ⇌ ▣ ⚡ (10A) - pers. suppl. 8€
Location : (de déb. avr. à fin sept.) - ♿ (1 mobile home) - 62 🚐 - 2 bungalows toilés - 1 tente lodge - 1 gîte. Nuitée 29 à 200€ - Sem. 203 à 1 400€
Piscine et restaurant sont de l'autre côté de la petite route.

Nature : 🦆 ⌂ ೦
Loisirs : 🍴 ✕ 🎣 ⌂ 🛁 jacuzzi ⛶ 🚲 🛶
Services : ⚬⌐ 𝄞 🧴 ⚲ laverie 🧺

GPS E : 1.63182
N : 50.23905

🏕 Flower Les Aubépines

𝄞 03 22 27 01 34, www.camping-lesaubepines.com - peu d'emplacements pour tentes et caravanes

Pour s'y rendre : à St-Firmin, 800 r. de la Maye (4 km au nord, rte de St-Quentin-en-Tourmont et chemin à gauche)

Ouverture : de déb. avr. à déb. nov.

2,5 ha (196 empl.) plat, herbeux, sablonneux

Empl. camping : 38€ ⚑⚑ ⇌ ▣ ⚡ (10A) - pers. suppl. 8€ - frais de réservation 6€
Location : (de déb. avr. à déb. nov.) - 62 🚐. Nuitée 64 à 171€ - Sem. 320 à 1 197€ - frais de réservation 15€
🚰 borne AireService
Une partie du village locatif grand confort est sans véhicule.

Nature : 🦆 ⌂ ೦
Loisirs : 🎣 ⛶ 🚲 ⛵ 🛶
Services : ⚬⌐ 𝄞 🧴 🧺 ⚲ laverie

GPS E : 1.61139
N : 50.24955

🏕 Les Trois Sablières

𝄞 03 22 27 01 33, www.camping-les-trois-sablieres.com - peu d'emplacements pour tentes et caravanes

Pour s'y rendre : 1850 r. de la Maye (4 km au nord-ouest, rte de St-Quentin-en-Tourmont et chemin à gauche, à 400 m de la plage)

Ouverture : de déb. avr. à fin oct.

1,5 ha (97 empl.) plat, herbeux, sablonneux

Empl. camping : (Prix 2018) 30€ ⚑⚑ ⇌ ▣ ⚡ (10A) - pers. suppl. 7€
Location : (de déb. avr. à fin oct.) - ♿ (1 mobile home) - 22 🚐 - 2 🏠 - 1 gîte. Nuitée 68 à 120€ - Sem. 310 à 742€
🚰 borne artisanale 5€ - 🚽 ⚡18€
Cadre verdoyant et fleuri.

Nature : 🦆 ⌂ ೦
Loisirs : 🍴 🎣 🛁 ♨ ⛶ 🛶
Services : ⚬⌐ 🧴 𝄞 ⚲ laverie

GPS E : 1.59883
N : 50.24825

En juin et septembre les campings sont plus calmes, moins fréquentés et pratiquent souvent des tarifs « hors saison ».

LA FÈRE

02800 - Carte Michelin **306** C5 - 3 012 h. - alt. 54
▶ Paris 137 - Compiègne 59 - Laon 24 - Noyon 31

▲ Municipal du Marais de la Fontaine

℘ 03 23 56 82 94

Pour s'y rendre : r. Vauban (par centre-ville vers Tergnier et à dr. au complexe sportif, près d'un bras de l'Oise)

0,7 ha (26 empl.) plat, herbeux

Au calme, au bord du stade de la ville.

Nature : 🏕 ♀	**G**	E : 3.36353
Services : ⊶🚐	**P** **S**	N : 49.6654
À prox. : ✗		

FORT-MAHON-PLAGE

80120 - Carte Michelin **301** C5 - 1 311 h. - alt. 2
▶ Paris 225 - Abbeville 41 - Amiens 90 - Berck-sur-Mer 19

▲▲▲ Club Airotel Le Royon 👫

℘ 03 22 23 40 30, www.campingleroyon.com - peu d'emplacements pour tentes et caravanes

Pour s'y rendre : 1271 rte de Quend (1 km au sud)

Ouverture : de fin mars à déb. nov.

4 ha (376 empl.) plat, herbeux, sablonneux

Empl. camping : (Prix 2018) 39 € ✶✶ 🚗 回 ⚡ (6A) - pers. suppl. 7 €
Location : (Prix 2018) (de fin mars à déb. nov.) - 93 🏠. Sem. 245 à 861 €
🏠 borne flot bleu - 8 回

Agréable terrain mais avec de nombreux mobile homes de propriétaires-résidents.

Nature : 🏕 ♀	**G**	E : 1.57963
Loisirs : 🍸 salle d'animations 🏌 🏊 ✗ 🎯	**P** **S**	N : 50.33263
🖭 🎿 mini ferme		
Services : ⊶🚐 ⫼ 🚿 ♨ 🛁 ⏚ laverie		

▲▲ Le Vert Gazon

℘ 03 22 23 37 69, www.camping-levertgazon.com - peu d'emplacements pour tentes et caravanes

Pour s'y rendre : 741 rte de Quend

Ouverture : de déb. avr. à déb. oct.

2,5 ha (130 empl.) plat, herbeux

Empl. camping : (Prix 2018) 28 € ✶✶ 🚗 回 ⚡ (6A) - pers. suppl. 7 €
Location : (Prix 2018) (de déb. avr. à déb. oct.) - 🚃 (1 mobile-home) - 17 🏠 - 6 🏠 - 6 gîtes. Nuitée 70 à 89 € - Sem. 299 à 669 € - frais de réservation 10 €
🏠 borne AireService 5 €

Locatif varié et de bon confort.

Nature : 🏕	**G**	E : 1.57374
Loisirs : 🍸 🖭 🎿 🚲	**P** **S**	N : 50.33438
Services : ⊶🚐 🏪 ⏚ laverie		

MERS-LES-BAINS

80350 - Carte Michelin **301** B7 - 3 124 h. - alt. 3
▶ Paris 217 - Amiens 89 - Rouen 99 - Arras 130

▲▲ Flower Le Domaine du Rompval

℘ 02 35 84 43 21, www.camping-lerompval.com

Pour s'y rendre : lieu-dit : Blengues (2 km au nord-est)

Ouverture : de déb. avr. à déb. nov.

3 ha (132 empl.) plat, herbeux

Empl. camping : (Prix 2018) 22 € ✶✶ 🚗 回 ⚡ (8A) - pers. suppl. 6 €

Location : (Prix 2018) (de déb. avr. à déb. nov.) - 30 🏠 - 6 studios. Nuitée 45 à 115 € - Sem. 196 à 850 € - frais de réservation 15 €
🏠 borne AireService

Décoration architecturale originale et colorée. Préférer les emplacements les plus éloignés de la route.

Nature : 🏕 ♀	**G**	E : 1.4154
Loisirs : 🍸 🖭 🏊 🚲 🖼 (découverte en saison)	**P** **S**	N : 50.0773
Services : ⊶🚐 ⫼ 🛁 ⏚ laverie		

MIANNAY

80132 - Carte Michelin **301** D7 - 568 h. - alt. 15
▶ Paris 191 - Amiens 63 - Arras 104 - Rouen 109

▲▲▲ Sites et Paysages Le Clos Cacheleux

℘ 03 22 19 17 47, www.camping-lecloscacheleux.fr

Pour s'y rendre : rte de Bouillancourt-sous-Miannay

Ouverture : de mi-mars à mi-oct.

8 ha (119 empl.) peu incliné, plat, herbeux

Empl. camping : 29 € ✶✶ 🚗 回 ⚡ (10A) - pers. suppl. 6 € - frais de réservation 12 €
Location : (de déb. avr. à mi-oct.) - 🍽 - 3 🏠 - 2 chalets sur pilotis - 4 tentes lodges - 3 tentes sur pilotis - 2 tipis - 5 cabanes perchées - 1 cabanon - 1 gîte - 1 Bulle. Nuitée 50 à 150 € - Sem. 299 à 860 € - frais de réservation 12 €
🏠 10 回 29 €

Sur les terres d'une ferme en activité (culture et élevage bovin). Locatif varié et parfois insolite.

Nature : 🐾 🏕 ♀	**G**	E : 1.71536
Loisirs : 🎣 ⭐ jacuzzi 🎿 terrain multisports	**P** **S**	N : 50.08646
Services : ⊶🚐 🛁 ⏚ laverie		
À prox. : 🍸 ✗ 🖭 🏌 🖼 (découverte en saison) activités au camping Le Val de Trie (en face)		

Deze gids is geen overzicht van alle kampeerterreinen maar een selektie van de beste terreinen in iedere categorie.

MOYENNEVILLE

80870 - Carte Michelin **301** D7 - 667 h. - alt. 92
▶ Paris 194 - Abbeville 9 - Amiens 59 - Blangy-sur-Bresle 22

▲▲▲ Le Val de Trie 👫

℘ 03 22 31 48 88, www.camping-levaldetrie.fr

Pour s'y rendre : 1 r. des Sources, à Bouillancourt-sous-Miannay (3 km au nord-ouest par D 86, au bord d'un ruisseau)

Ouverture : de déb. avr. à fin sept.

2 ha (100 empl.) plat, herbeux, petit étang

Empl. camping : 29 € ✶✶ 🚗 回 ⚡ (10A) - pers. suppl. 6 € - frais de réservation 12 €
Location : (de déb. avr. à fin sept.) - 🦽 (1 chalet) - 30 🏠 - 5 🏠 - 1 gîte. Nuitée 49 à 157 € - Sem. 299 à 997 € - frais de réservation 12 €
🏠 10 回 29 €

Nature : 🐾 🏕 ♀♀	**G**	E : 1.71508
Loisirs : 🍸 ✗ 🖭 🏌 🎿 🖼 (découverte en saison)	**P** **S**	N : 50.08552
Services : ⊶🚐 ⫼ 🛁 ⏚ laverie		

NAMPONT-ST-MARTIN

80120 - Carte Michelin **301** D5 - 260 h. - alt. 10
▶ Paris 214 - Abbeville 30 - Amiens 79 - Boulogne-sur-Mer 52

⚑ La Ferme des Aulnes

🕿 03 22 29 22 69, www.fermedesaulnes.com - peu d'emplacements pour tentes et caravanes

Pour s'y rendre : à Fresne, 1 r. du Marais (3 km au sud-ouest par D 85e, rte de Villier-sur-Authie)

Ouverture : de déb. avr. à déb. nov.

4 ha (120 empl.) peu incliné, plat, herbeux

Empl. camping : 37€ ✶✶ ⇔ 🗉 (10A) - pers. suppl. 7€
Location : (de déb. avr. à déb. nov.) - 17 🏚 - 1 🏠. Nuitée 60 à 124€ - Sem. 420 à 868€ - frais de réservation 6€
🚐 borne artisanale - 14 🗉 27€
Dans les dépendances d'une ancienne ferme picarde.

Nature : 🌿 🗔 ♀ Loisirs : ♈ ✗ 🏠 👣 📻(piano bar) salle d'animations 👣 🌊 jacuzzi 🚴 🏊 (découverte en saison) Services : ⚡ 🎖 ♨ 🚰 📶 laverie 🧺	**GPS** E : 1.71201 N : 50.33631

De gids wordt jaarlijks bijgewerkt.
Doe als wij, vervang hem, dan blijf je bij.

LE NOUVION-EN-THIÉRACHE

02170 - Carte Michelin **306** E2 - 2 809 h. - alt. 185
▶ Paris 198 - Avesnes-sur-Helpe 20 - Le Cateau-Cambrésis 19 - Guise 21

⚑ Municipal du Lac de Condé

🕿 03 23 98 98 58, www.camping-thierache.com

Pour s'y rendre : promenade Henri-d'Orléans (2 km au sud par D 26 et chemin à gauche)

Ouverture : de déb. avr. à fin sept.

1,3 ha (56 empl.) plat et peu incliné

Empl. camping : 16€ ✶✶ ⇔ 🗉 (8A) - pers. suppl. 5€
🚐 borne eurorelais 2€ - 🚐 8€
À la lisière de la forêt, près d'un lac et d'un parc de loisirs.

Nature : 🌿 🗔 Loisirs : 🏠 Services : ⚡ 🚻 À prox. : 🚅 ♈ ✗ 🚴 🏊 🌊 🐟 bowling, bi-cross	**GPS** E : 3.78271 N : 50.00561

PÉRONNE

80200 - Carte Michelin **301** K8 - 7 981 h. - alt. 52
▶ Paris 141 - Amiens 58 - Arras 48 - Doullens 54

⚑ Port de Plaisance

🕿 03 22 84 19 31, www.camping-plaisance.com

Pour s'y rendre : sortie sud, rte de Paris, entre le port de plaisance et le port de commerce, au bord du canal de la Somme

Ouverture : de déb. mars à fin oct.

2 ha (90 empl.) plat, herbeux, gravillons

Empl. camping : (Prix 2018) 30€ ✶✶ ⇔ 🗉 (10A) - pers. suppl. 4€

Location : (Prix 2018) (de déb. mars à fin oct.) - 4 🏠. Nuitée 40 à 80€ - Sem. 250 à 450€

Nature : 🗔 ♀♀ Loisirs : ♈ 🏠 🚴 🏊 Services : ⚡ 🎖 🚰 📶 laverie À prox. : 🐟 ⚓	**GPS** E : 2.93237 N : 49.91786

PIERREFONDS

60350 - Carte Michelin **305** I4 - 1 969 h. - alt. 81
▶ Paris 82 - Beauvais 78 - Compiègne 15 - Crépy-en-Valois 17

⚑ Le Coeur de la forêt

🕿 06 45 31 64 21, www.lecoeurdelaforet.fr

Pour s'y rendre : r. de l'Armistice (sortie nord-ouest par D 973, rte de Compiègne)

Ouverture : de mi-mars à mi-oct.

1 ha (60 empl.) en terrasses, plat, herbeux

Empl. camping : (Prix 2018) 19€ ✶✶ ⇔ 🗉 (16A) - pers. suppl. 5€
Location : (Prix 2018) Permanent♿ (1 chalet) - 🚲 - 4 🏠 - 2 caravanes rétro. Nuitée 40 à 240€ - Sem. 280 à 1 560€
À la lisière de la forêt domaniale, avec du locatif insolite : maison de hobbit et caravanes "vintage".

Nature : 🗔 ♀♀ Loisirs : 🚴 🏊 Services : 🎖 🚰 📶 laverie À prox. : 🍴 ⛵ pédalos	**GPS** E : 2.97962 N : 49.35194

POIX-DE-PICARDIE

80290 - Carte Michelin **301** E9 - 2 388 h. - alt. 106
▶ Paris 133 - Abbeville 45 - Amiens 31 - Beauvais 46

⚑ Municipal le Bois des Pêcheurs

🕿 03 22 90 11 71, www.ville-poix-de-picardie.fr

Pour s'y rendre : rte de Verdun (sortie ouest par D 919, rte de Formerie, au bord d'un ruisseau)

Ouverture : de déb. avr. à fin sept.

2 ha (88 empl.) plat, herbeux

Empl. camping : (Prix 2018) 20€ ✶✶ ⇔ 🗉 (10A) - pers. suppl. 2€
Location : (Prix 2018) (de déb. avr. à fin sept.) - 2 🏚. Nuitée 130 à 150€ - Sem. 250 à 320€
🚐 borne eurorelais 1€ - 4 🗉 10€
De beaux emplacements bien délimités.

Nature : 🗔 ♀ Loisirs : 🏠 🚴 🚲 Services : ⚡ 🚻 🚰 📶 laverie À prox. : 🍴 🌊	**GPS** E : 1.9743 N : 49.75

RESSONS-LE-LONG

02290 - Carte Michelin **306** A6 - 756 h. - alt. 72
▶ Paris 97 - Compiègne 26 - Laon 53 - Noyon 31

⚑ La Halte de Mainville

🕿 03 23 74 26 69, www.lahaltedemainville.com - peu d'emplacements pour tentes et caravanes

Pour s'y rendre : 18 r. du Routy (sortie nord-est)

5 ha (150 empl.) plat, herbeux, petit étang

Location : - 2 🚐 - 2 🏠.

Au bord d'un étang de pêche avec canards et cygnes.

Nature : 🏕 ♀
Loisirs : 🎯 🛶 🏓 🛶
Services : 🚰 ⛶ ⚿ 📶 laverie

G P S : E : 3.15186 N : 49.39277

RUE

80120 - Carte Michelin **301** D6 - 3 095 h. - alt. 9
▶ Paris 212 - Abbeville 28 - Amiens 77 - Berck-Plage 22

⛺ Les Oiseaux

☎ 03 22 25 73 44, www.campingbaiesomme.com - peu d'emplacements pour tentes et caravanes

Pour s'y rendre : 3,2 km au sud par D 940, rte du Crotoy et chemin de Favières à gauche, près d'un ruisseau

Ouverture : de déb. fév. à fin nov.

1,2 ha (71 empl.) plat, herbeux

Empl. camping : 🚶 6€ 🚗 3€ 🔲 6€ – 🔌 (16A) 6€
Location : (de déb. mars à fin oct.) - 5 🚐. Nuitée 70 à 100€ - Sem. 400 à 700€
🚰 borne artisanale 10€ - 2 🔲 20€

Nature : 🏕 ♀
Loisirs : 🎯
Services : 🚰 📶 ⚿ 📷

G P S : E : 1.66872 N : 50.25264

ST-LEU-D'ESSERENT

60340 - Carte Michelin **305** F5 - 4 708 h. - alt. 50
▶ Paris 57 - Beauvais 38 - Chantilly 7 - Creil 9

⛰ Campix

☎ 03 44 56 08 48, www.campingcampix.com

Pour s'y rendre : r. Pasteur (sortie nord par D 12, rte de Cramoisy puis 1,5 km par r. à dr. et chemin)

Ouverture : de déb. mars à fin nov.

6 ha (160 empl.) vallonné, en terrasses, plat, herbeux, pierreux

Empl. camping : 🚶 7€ 🚗 8€ – 🔌 (6A) 4€
Location : (de déb. mars à fin nov.) - 7 🚐 - 7 🏠. Nuitée 45 à 115€ - Sem. 315 à 805€
🚰 borne eurorelais 6€

Dans une ancienne carrière ombragée d'acacias et de bouleaux

Nature : 🌳 🏕 〰
Loisirs : ✕ 🎯 🛶
Services : 🚰 📶 ⛶ ⚿ laverie 🚿

G P S : E : 2.42722 N : 49.22492

ST-QUENTIN-EN-TOURMONT

80120 - Carte Michelin **301** C6 - 305 h.
▶ Paris 218 - Abbeville 29 - Amiens 83 - Berck-sur-Mer 24

⛰ Le Champ Neuf

☎ 03 22 25 07 94, www.camping-lechampneuf.com - peu d'emplacements pour tentes et caravanes

Pour s'y rendre : 8 r. du Champ-Neuf

Ouverture : de déb. avr. à fin oct.

8 ha/4,5 campables (161 empl.) plat, herbeux, bois

Empl. camping : (Prix 2018) 34€ 🚶🚶 🚗 🔲 🔌 (10A) - pers. suppl. 7€ - frais de réservation 10€

Location : (Prix 2018) (de déb. avr. à fin oct.) - 🎿 - 40 🚐 - 2 🏠 - 5 gîtes. Nuitée 58 à 198€ - Sem. 260 à 1 420€ - frais de réservation 10€

Autour d'un bel espace aquatique couvert.

Nature : 🌳 🏕 ♀
Loisirs : 🍸 🎯 salle d'animations 🎬 🎮 jacuzzi 🛶 🚲 🔲 🛶 parcours de santé terrain multisports
Services : 🚰 📶 ⛶ ⚿ laverie
À prox. : ✕

G P S : E : 1.60153 N : 50.26978

ST-VALERY-SUR-SOMME

80230 - Carte Michelin **301** C6 - 2 873 h. - alt. 27
▶ Paris 206 - Abbeville 18 - Amiens 71 - Blangy-sur-Bresle 45

⛰ Club Airotel Le Walric

☎ 03 22 26 81 97, www.campinglewalric.com - peu d'emplacements pour tentes et caravanes

Pour s'y rendre : rte d'Eu (à l'ouest par D 3)

Ouverture : de déb. avr. à fin oct.

5,8 ha (263 empl.) plat, herbeux, bois

Empl. camping : 22€ 🚶🚶 🚗 🔲 🔌 (6A) - pers. suppl. 7€ - frais de réservation 12€

Location : Permanent - 85 🚐. Nuitée 115 à 125€ - Sem. 420 à 868€ - frais de réservation 12€
🚰 borne AireService

Agréable terrain avec toutefois beaucoup de mobile homes et caravanes de propriétaires-résidents.

Nature : 🌳 🏕 ♀
Loisirs : 🍸 🎯 🎮 🛶 ✕ 🔲 (découverte en saison)
Services : 🚰 📶 ⛶ ⚿ laverie
À prox. : 🛶

G P S : E : 1.61791 N : 50.1839

⛰ Les Castels Le Domaine de Drancourt 👥

☎ 03 22 26 93 45, www.chateau-drancourt.fr

Pour s'y rendre : à Estréboeuf, lieu-dit : Drancourt (3,5 km au sud par D 48 et rte à gauche apr. avoir traversé le CD 940)

Ouverture : de mi-avr. à fin sept.

5 ha (326 empl.) plat et peu incliné, herbeux

Empl. camping : (Prix 2018) 34,50€ 🚶🚶 🚗 🔲 🔌 (10A) - pers. suppl. 8,50€

Location : (Prix 2018) (de mi-avr. à fin sept.) - 42 🚐 - 5 🏠. Sem. 295 à 1 255€ - frais de réservation 25€

Dans l'agréable domaine du château avec un petit parc aquatique en partie couvert.

Nature : 🌳 🏕 ♀
Loisirs : 🍸 ✕ 🎯 🛶 🏊 🚲 🔲 🛶 🛶
Services : 🚰 📶 ⛶ ⚿ laverie 🚿 🚿

G P S : E : 1.63598 N : 50.15277

*The classification (1 to 5 tents, **black** or red) that we award to selected sites in this Guide is a system that is our own. It should not be confused with the classification (1 to 5 stars) of official organisations.*

SERAUCOURT-LE-GRAND

02790 - Carte Michelin **306** B4 - 787 h. - alt. 102
▶ Paris 148 - Chauny 26 - Ham 16 - Péronne 28

⚠ Le Vivier aux Carpes

🖉 03 23 60 50 10, www.camping-picardie.com

Pour s'y rendre : 10 r. Charles-Voyeux (au nord par D 321, près de la poste, à 200 m de la Somme)

Ouverture : de mi-mars à mi-oct.

2 ha (60 empl.) plat, herbeux

Empl. camping : (Prix 2018) 22€ 🏃🏃 🚗 ▣ (ⁿ) (10A) - pers. suppl. 5€
Location : (Prix 2018) (de mi-mars à mi-oct.) - 1 🚐 - 4 🏠.
Nuitée 47 à 90€ - Sem. 282 à 540€
🚐 borne artisanale 4€

Pour les amoureux de la pêche et de la nature, quiétude assurée au bord d'un étang.

Nature : 🐟 ⌕ 🌳
Loisirs : 🏠 🎣
Services : ⚬🔑 ⌑ ▥ 🛜 laverie
À prox. : 🏊 🛶

GPS E : 3.21435
N : 49.78272

VILLERS-SUR-AUTHIE

80120 - Carte Michelin **301** D6 - 411 h. - alt. 5
▶ Paris 215 - Abbeville 31 - Amiens 80 - Berck-sur-Mer 16

🏔 Sites et paysages Le Val d'Authie 👥

Camping le Val d'Authie

🖉 03 22 29 92 47, www.valdauthie.fr
- peu d'emplacements pour tentes et caravanes

Pour s'y rendre : 20 rte de Vercourt (sortie sud du bourg)

Ouverture : de déb. avr. à fin sept.

7 ha/4 campables (170 empl.) peu incliné, plat, herbeux

Empl. camping : 34€ 🏃🏃 🚗 ▣
(ⁿ) (10A) - pers. suppl. 7€

Location : (de déb. avr. à fin sept.) - 24 🚐. Nuitée 60 à 122€
- Sem. 399 à 854€
🚐 8 ▣ 21€

Agréables plantations arbustives.

Nature : 🐟 ⌕ 🌳
Loisirs : 🍷 ✕ 🏠 🎬 salle d'animations 🏃
🏋 🚣 hammam jacuzzi 🛶 🚴 🎯 🎣
(découverte en saison) parcours de santé
terrain multisports
Services : ⚬🔑 ▥ 🚿 ♨ 🚽 🛜 laverie

GPS E : 1.69486
N : 50.31356

POITOU-CHARENTES

nevskyphoto/iStock

Avec l'eau pour compagnon de voyage, les délices de la région Poitou- Charentes se consomment sans modération. Commencez par paresser sur une des plages de sable fin bordant la Côte de Beauté : vous y ferez provision d'air pur mêlé d'iode et d'essences de pins. Puis offrez-vous une cure de remise en forme dans la station balnéaire de votre choix, suivie d'une cure d'huîtres de Marennes-Oléron accompagnées de tartines au beurre de Surgères. Requinqué ? Alors, parcourez à vélo les îles, havres de paix aux maisons fleuries de glycines et de roses trémières, et explorez à bord d'une barque manœuvrée à la « pigouille » les mille et une conches de la « Venise verte ». Puis, après une mini-dégustation de cognac, cette eau… de-vie aux reflets ambrés, cap sur le Futuroscope et ses images à couper le souffle !

Names such as Cognac, Angoulême or La Rochelle all echo through France's history, but there's just as much to appreciate in the here and now. Visit a thalassotherapy resort to revive your spirits, or just laze on the sandy beaches, where the scent of pine trees mingles with the fresh sea air. A bicycle is the best way to discover the region's coastal islands, their country lanes lined with tiny blue and white cottages and multicoloured hollyhocks. Back on the mainland, explore the canals of the marshy, and mercifully mosquito-free, « Green Venice ». You will have earned yourself a drop of Cognac or a glass of the local apéritif, the fruity, ice-cold Pineau. If this seems just too restful, head for Futuroscope, a theme park of the moving image, and enjoy an action-packed day of life in the future.

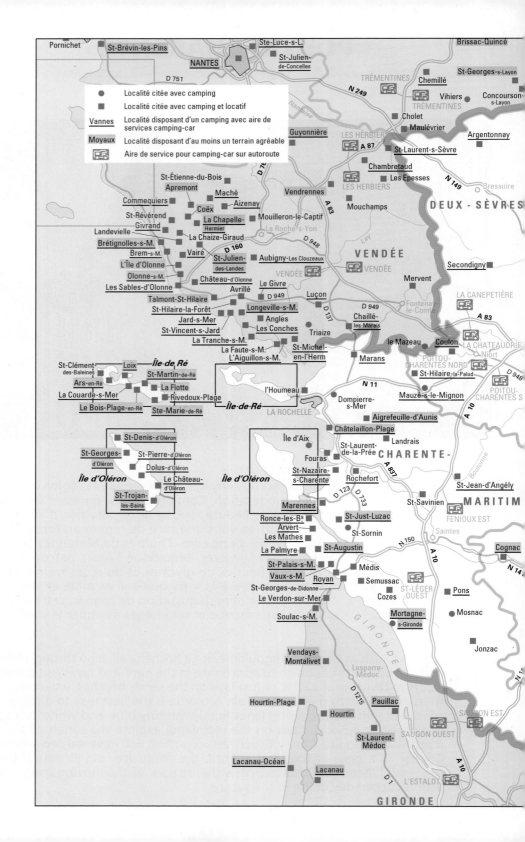

Légende:

- Localité citée avec camping
- Localité citée avec camping et locatif
- Vannes — Localité disposant d'un camping avec aire de services camping-car
- Moyaux — Localité disposant d'au moins un terrain agréable
- Aire de service pour camping-car sur autoroute

Pornichet — St-Brévin-les-Pins — Ste-Luce-s-L. — Brissac-Quincé

NANTES — St-Julien-de-Concelles

D 751

TRÉMENTINES — Chemillé — St-Georges-s-Layon — Vihiers — Concourson-s-Layon

N 249 — TRÉMENTINES — Cholet — Maulévrier

Guyonnière — Argentonnay

LES HERBIERS — A 87 — St-Laurent-s-Sèvre

St-Étienne-du-Bois — Chambretaud — Bressure

Apremont — Maché — Vendrennes — LES HERBIERS — Les Epesses — N 149

Commequiers — Aizenay — Mouilleron-le-Captif — Mouchamps — DEUX-SÈVRES

Coëx — St-Révérend — La Chapelle-Hermier — La Roche-s-Yon

Givrand — La Chaize-Giraud — VENDÉE — Secondigny

Landevielle — VENDÉE — Mervent

Brétignolles-s-M. — D 160 — D 948

Brem-s-M. — Vairé — St-Julien-des-Landes — Aubigny-Les Clouzeaux — VENDÉE

L'Île d'Olonne — VENDÉE

Olonne-s-M. — Château-d'Olonne — Le Givre — LA CANEPETIÈRE

Les Sables-d'Olonne — Avrillé — D 949 — Luçon

Talmont-St-Hilaire — Longeville-s-M. — Chaillé-les-Marais — D 949 — A 83

St-Hilaire-la-Forêt — Angles — Fontenay-le-Comte

Jard-s-Mer — Les Conches — Triaize — le Mazeau — Coulon — LA CHÂTEAUDRIE

St-Vincent-s-Jard — La Faute-s-M. — St-Michel-en-l'Herm — POITOU-CHARENTES NORD — Niort

La Tranche-s-M. — L'Aiguillon-s-M. — Marans — St-Hilaire-la-Palud — D 948

St-Clément-des-Baleines — Loix — Île de Ré — l'Houmeau — N 11 — Mauzé-s-le-Mignon — POITOU-CHARENTES S

Ars-en-Ré — St-Martin-de-Ré — Dompierre-s-Mer — A 10

La Couarde-s-Mer — La Flotte — Rivedoux-Plage — Île-de-Ré — LA ROCHELLE — Aigrefeuille-d'Aunis — Boutonne

Le Bois-Plage-en-Ré — Ste-Marie-de-Ré — Châtelaillon-Plage — Landrais

St-Denis-d'Oléron — Île d'Aix — St-Laurent-de-la-Prée — CHARENTE-

St-Georges-d'Oléron — St-Pierre-d'Oléron — Fouras — A 837

Dolus-d'Oléron — St-Nazaire-s-Charente — Rochefort — St-Jean-d'Angély

Île d'Oléron — Le Château-d'Oléron — Île d'Oléron — D 123 — D 733 — St-Savinien — MARITIM

St-Trojan-les-Bains — Marennes — FENIOUX EST — Saintes

Ronce-les-Bs — St-Just-Luzac — N 150 — Cognac

Arvert — St-Sornin — A 10

Les Mathes — St-Augustin — N 14

La Palmyre — St-Palais-s-M. — Médis

Vaux-s-M. — Royan — Semussac — ST-LÉGER OUEST — Pons

St-Georges-de-Didonne — Cozes — Mosnac

Le Verdon-sur-Mer — Mortagne-s-Gironde — Jonzac

Soulac-s-M. — GIRONDE

Vendays-Montalivet — Lesparre-Médoc

Hourtin-Plage — Hourtin — D 1215 — Pauillac — SAUGON EST

St-Laurent-Médoc — SAUGON OUEST

Lacanau-Océan — Lacanau — D 1 — L'ESTALOT — A 10

GIRONDE

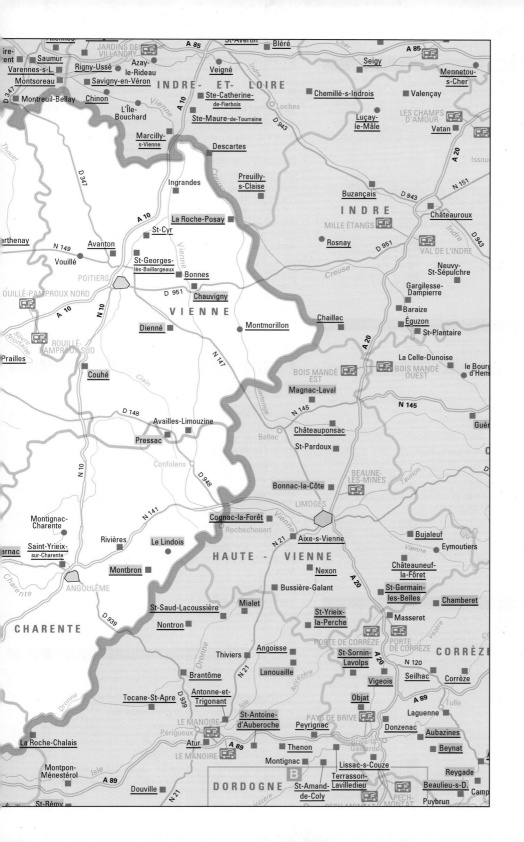

AIGREFEUILLE-D'AUNIS

17290 - Carte Michelin **324** E3 - 3 682 h. - alt. 20
▶ Paris 457 - Niort 50 - Rochefort 22 - La Rochelle 25

⛰ La Taillée

✆ 05 46 35 50 88, www.lataillee.com

Pour s'y rendre : 3 r. du Bois-Gaillard (à l'est du bourg, près de la piscine)

Ouverture : de fin mars à fin sept.

2 ha (82 empl.) plat, herbeux

Empl. camping : 22,90€ ♣♣ ⬛ 🔲 🔌 (10A) - pers. suppl. 5€
Location : (de fin mars à fin sept.) - 🅿 - 30 🔲 - 3 bungalows toilés - 2 tentes sur pilotis. Sem. 260 à 755€
🚐 borne artisanale
Agréable cadre ombragé de platanes et frênes centenaires.

Nature : 🌿 ▱ ♀♀ Loisirs : 🍴 ✕ 🎱 🚣 ⌂ Services : ⚿ 🏛 🛁 🛜 laverie 🚿 À prox. : 🏊	**G P S** W : 0.92682 N : 46.11514

ARGENTONNAY

79150 - Carte Michelin **322** D3 - 1 588 h.
▶ Paris 367 - Poitiers 100 - Niort 89 - Nantes 102

⛰ Municipal Le Lac d'Hautibus

✆ 06 16 10 10 96, www.argentonnay.fr

Pour s'y rendre : r. de la Sablière (à l'ouest du bourg - accès près du rond-point de la D 748 et D 759)

Ouverture : de déb. avr. à fin sept.

1,5 ha (64 empl.) en terrasses, peu incliné, herbeux

Empl. camping : (Prix 2018) 16€ ♣♣ ⬛ 🔲 🔌 (6A) - pers. suppl. 4€
Location : (Prix 2018) Permanent - 6 ⌂. Nuitée 50 à 70€ - Sem. 290 à 450€
🚐 borne artisanale 5€ - 🚐 10€
Beaux emplacements délimités et un peu ombragés, à 150 m du lac avec accès direct (site pittoresque).

Nature : ⬕ ▱ ♀ Loisirs : 🎱 Services : 🛜 laverie À prox. : ✕ 🏊 🚤 🛶 barques	**G P S** W : 0.45164 N : 46.98764

ARVERT

17530 - Carte Michelin **324** D5 - 3 100 h. - alt. 20
▶ Paris 513 - Marennes 16 - Rochefort 37 - La Rochelle 74

⛰ Le Presqu'Île

✆ 05 46 36 81 76, www.campinglepresquile.com

Pour s'y rendre : 7 r. des Aigrettes (au nord du bourg, à 150 m de la D 14)

0,8 ha (62 empl.) plat, herbeux

Location : - 3 🔲 - 1 ⌂.
🚐 borne artisanale
Bel ombrage mais beaucoup de mobile homes de propriétaires-résidents.

Nature : ♀♀ Loisirs : 🎱 🚣 Services : ⚿ 🛜 🔲 À prox. : ✕	**G P S** W : 1.12725 N : 45.74526

AVAILLES-LIMOUZINE

86460 - Carte Michelin **322** J8 - 1 314 h. - alt. 142
▶ Paris 410 - Confolens 14 - L'Isle-Jourdain 15 - Niort 100

⛰ le Parc

✆ 05 49 48 51 22, www.camping-le-parc-availles.fr

Pour s'y rendre : lieu-dit : Les Places (sortie est par D 34, à gauche apr. le pont, au bord de la Vienne)

Ouverture : de déb. avr. à fin sept.

2,7 ha (102 empl.) plat, herbeux

Empl. camping : (Prix 2018) 17€ ♣♣ ⬛ 🔲 🔌 (10A) - pers. suppl. 4€
Location : (Prix 2018) (de déb. avr. à fin sept.) - 👤 (2 chalets) - 6 🔲 - 3 ⌂ - 2 cabanons - 2 kota. Nuitée 46 à 68€ - Sem. 300 à 460€
Cadre agréable au bord de la Vienne avec des locatifs anciens à très anciens.

Nature : 🌿 ♀♀ Loisirs : 🍴 ✕ 🎱 🚣 🚴 🎣 pédalos Services : ⚿ 🏛 🛁 🛜 🔲 À prox. : ✂ 🛶 🏊 🚤 pédalos , bateaux électriques	**G P S** E : 0.65829 N : 46.12401

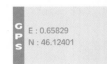

AVANTON

86170 - Carte Michelin **322** H5 - 1 819 h. - alt. 110
▶ Paris 337 - Poitiers 12 - Niort 84 - Châtellerault 37

⛰ Du Futur

✆ 05 49 54 09 67, www.camping-du-futur.com

Pour s'y rendre : 9 r. des Bois (1,3 km au sud-ouest par D 757, rte de Poitiers et rte à dr. apr. le passage à niveau)

Ouverture : de déb. avr. à déb. nov.

4 ha/1,5 (68 empl.) plat, herbeux

Empl. camping : 20€ ♣♣ ⬛ 🔲 🔌 (10A) - pers. suppl. 4€ - frais de réservation 10€
Location : (de déb. avr. à déb. nov.) - ✂ - 14 🔲 - 7 bungalows toilés - 5 tentes lodges. Nuitée 55 à 180€ - Sem. 280 à 1 134€ - frais de réservation 15€
🚐 borne artisanale 5€ - 3 🔲 20€
Beaucoup d'espaces verts dédiés à la détente, aux sports, aux jeux.

Nature : 🌿 ▱ ♀ Loisirs : 🍴 🚣 ⌂ 🏊 Services : ⚿ 🛁 🛜 laverie	**G P S** E : 0.30192 N : 46.65096

BONNES

86300 - Carte Michelin **322** J5 - 1 688 h. - alt. 70
▶ Paris 331 - Châtellerault 25 - Chauvigny 7 - Poitiers 25

⛰ Municipal

✆ 05 49 56 44 34, www.campingbonnes86.fr

Pour s'y rendre : r. de La Varenne

Ouverture : de mi-juin à fin août - 🚻

1,2 ha (56 empl.) non clos, plat, herbeux

Empl. camping : (Prix 2018) ♣ 3€ ⬛ 2€ 🔲 2€ – 🔌 (10A) 3€
Location : (Prix 2018) Permanent👤 (1 mobile home) - 6 gîtes. Nuitée 41 à 64€ - Sem. 182 à 315€
🚐 borne artisanale 3€

Emplacements ombragés au bord de la Vienne et contigus aux installations sportives municipales.

Nature : 🦆 ⌂ 00
Loisirs : 🎱 ⛵
Services : ♨ 📶 laverie
À prox. : 🎾 🚣 ⛷ terrain multisports

G P S
E : 0.59856
N : 46.60182

CHÂTELAILLON-PLAGE

17340 - Carte Michelin **324** D3 - 6 081 h. - alt. 3
▶ Paris 482 - Niort 74 - Rochefort 22 - La Rochelle 19

▲▲▲ Port Punay ♁♁

🖉 05 17 81 00 00, www.camping-port-punay.com

Ouverture : de déb. mai à fin sept.

3 ha (157 empl.) plat, herbeux

Empl. camping : (Prix 2018) 38€ ♛♛ 🚗 ▣ ⚡ (10A) - pers. suppl. 8€ - frais de réservation 18€

Location : (Prix 2018) (de déb. mai à fin sept.) - ♿ (1 mobile home) - 🚐 - 36 🚐 - 4 tentes lodges. Sem. 299 à 1 020€ - frais de réservation 18€

🅿 borne AireService

Emplacements ombragés ou plus ensoleillés à 200 m de la plage et du port.

Nature : 🦆 ⌂ 00
Loisirs : 🍷 🍴 🎱 🎮 🏃 ⛵ 🚲 ⛵
Services : ♨ 🔥 ♨ 📶 laverie 🚿 🚮

G P S
W : 1.0846
N : 46.05352

▲▲ Club Airotel Village Corsaire des 2 Plages

🖉 05 46 56 27 53, www.2plages.com

Ouverture : de déb. avr. à fin sept.

4,5 ha (265 empl.) plat, herbeux

Empl. camping : (Prix 2018) 35€ ♛♛ 🚗 ▣ ⚡ (10A) - pers. suppl. 7€ - frais de réservation 18€

Location : (Prix 2018) (de déb. avr. à fin sept.) - ♿ (1 mobile home) - 115 🚐. Nuitée 50 à 146€ - Sem. 300 à 1 022€ - frais de réservation 18€

🅿 borne artisanale

Préférer les emplacements éloignés de la route et de la voie ferrée.

Nature : ⌂ 00
Loisirs : 🍷 🍴 🎮 ⛵ ⛷ terrain multisports
Services : ♨ 🔥 ♨ 📶 laverie 🚿 🚮
À prox. : 🚲 📺

G P S
W : 1.09344
N : 46.08441

CHAUVIGNY

86300 - Carte Michelin **322** J5 - 6 848 h. - alt. 65
▶ Paris 333 - Bellac 64 - Le Blanc 36 - Châtellerault 30

▲ Municipal de la Fontaine

🖉 05 49 46 31 94, www.chauvigny.fr

Pour s'y rendre : r. de la Fontaine (sortie nord par D 2, rte de la Puye et rte à dr., au bord d'un ruisseau)

Ouverture : de déb. avr. à fin sept.

2,8 ha (104 empl.) plat, herbeux, gravillons

Empl. camping : (Prix 2018) ♛ 3€ 🚗 2€ ▣ 2€ – ⚡ (16A) 4€

Location : (Prix 2018) Permanent ♿ (1 chalet) - 4 🏠 - 6 studios. Nuitée 24 à 85€ - Sem. 168 à 450€

🅿 borne artisanale - 5 ▣ 9€

Emplacements soignés et fleuris avec un jardin public attenant agrémenté d'une pièce d'eau.

Nature : ≼ Ville haute et château 00
Loisirs : 🎱 ⛵
Services : ♨ 🏧 🔥 ♨ 📶 laverie

G P S
E : 0.65349
N : 46.57095

COGNAC

16100 - Carte Michelin **324** I5 - 18 729 h. - alt. 25
▶ Paris 478 - Angoulême 45 - Bordeaux 120 - Libourne 116

▲ Municipal

🖉 05 45 32 13 32, www.campingdecognac.com

Pour s'y rendre : bd de Châtenay (2,3 km au nord par D 24, rte de Boutiers)

Ouverture : de fin avr. à déb. sept.

2 ha (142 empl.) plat, herbeux

Empl. camping : (Prix 2018) ♛ 6€ 🚗 3€ ▣ 6€ – ⚡ (6A) 4€

Location : (Prix 2018) (de fin avr. à déb. sept.) - ♿ (1 mobile home) - 4 🚐 - 2 bungalows toilés. Nuitée 35 à 70€ - Sem. 178 à 509€

🅿 borne AireService

Emplacements bien ombragés entre la Charente et le Solençon. Préférer les plus éloignés de la route.

Nature : ⌂ 00
Loisirs : ⛵ ⛷ ⛵
Services : ♨ (juil.-août) 🔥 📶 ▣
À prox. : 🍷 🍴

G P S
W : 0.30726
N : 45.70926

Avant de vous installer, consultez les tarifs en cours, affichés obligatoirement à l'entrée du terrain, et renseignez-vous sur les conditions particulières de séjour. Les indications portées dans le guide ont pu être modifiées depuis la mise à jour.

COUHÉ

86700 - Carte Michelin **322** H7 - 1 885 h. - alt. 140
▶ Paris 370 - Confolens 58 - Montmorillon 61 - Niort 65

▲▲▲ Oléla La Rivière ♁♁

🖉 02 51 20 41 94, www.lespeupliers.fr

Pour s'y rendre : av. de Paris (1 km au nord rte de Poitiers, à Valence)

Ouverture : de déb. avr. à déb. nov.

16 ha/6 campables (187 empl.) en terrasses, plat, herbeux, étang, bois

Empl. camping : (Prix 2018) ♛ 9€ 🚗 ▣ 14€ – ⚡ (10A) 6€

Location : (Prix 2018) (de déb. avr. à déb. nov.) - ♿ (1 chalet) - 25 🚐 - 18 🏠. Nuitée 115 à 190€ - Sem. 255 à 1 275€

🅿 borne artisanale 19€

Joli cadre verdoyant, fleuri et en partie boisé, traversé par une rivière pittoresque.

Nature : 🦆 ⌂ 00
Loisirs : 🍷 🍴 🎱 🎮 🏃 jacuzzi ⛵ 🎣 ⛷ ⛵
Services : ♨ 🏧 🔥 – 4 sanitaires individuels (🚿🚽 wc) ♨ 📶 laverie 🚿 🚮

G P S
E : 0.18222
N : 46.31222

COULON

79510 - Carte Michelin **322** C7 - 2 211 h. - alt. 6
▶ Paris 418 - Fontenay-le-Comte 25 - Niort 11 - La Rochelle 63

Flower La Venise Verte 👥

🖉 05 49 35 90 36, www.camping-laveniseverte.fr

Pour s'y rendre : 178 rte des Bords-de-Sèvre (2,2 km au sud-ouest par D 123, rte de Vanneau)

Ouverture : de déb. avr. à mi-oct.

2,2 ha (120 empl.) plat, herbeuxEmpl. camping : 31€ 👥 🚐 🔲 🚰 (10A) - pers. suppl. 7€

Location : (de déb. avr. à mi-oct.) - 👤 (2 chalets) - 1 🏠 - 19 🏠 - 2 tentes lodges. Nuitée 53 à 128€ - Sem. 196 à 896€

🚐 borne artisanale

Locatif de bon confort tout près du canal et de la Sèvre Niortaise.

Nature : 🏞 ♀♀
Loisirs : 🍴 🍽 🏠 👫 🚵 🎣 🚴 🏊 ✈
Services : 🔧 🏛 🚿 ♿ 🚮 🚰 laverie 🐾
À prox. : 🎣

GPS : W : 0.60889
N : 46.31444

COZES

17120 - Carte Michelin **324** E6 - 1 973 h. - alt. 43
▶ Paris 494 - Marennes 41 - Mirambeau 35 - Pons 26

Le Sorlut

🖉 06 45 46 07 90, camping-charente-maritime-cozes.com/

Pour s'y rendre : r. des Chênes (au nord, près de l'ancienne gare, derrière le supermarché)

Ouverture : de déb. mars à fin déc.

1,4 ha (120 empl.) plat, herbeux

Empl. camping : 19€ 👥 🚐 🔲 🚰 (10A) - pers. suppl. 4€

Location : (de déb. fév. à fin déc.) - 👤 (1 chalet) - 8 🏠. Nuitée 55 à 100€ - Sem. 300 à 600€

Bel ombrage des emplacements, chalets de bon confort et piscine municipale contiguë au camping.

Nature : 🏞 ♀♀
Loisirs : 🏠 🚵
Services : 🔧 🚰 laverie
À prox. : 🍴 🛝 🏊 🛹 skate-parc

GPS : W : 0.83728
N : 45.58649

Gebruik de gids van het lopende jaar.

DIENNÉ

86410 - Carte Michelin **322** J6 - 508 h. - alt. 112
▶ Paris 362 - Poitiers 26 - Niort 107 - Limoges 107

DéfiPlanet à Dienné

DéfiPlanet

🖉 05 49 45 87 63, www.defiplanet.com - peu d'emplacements pour tentes et caravanes

Pour s'y rendre : lieu-dit : La Boquerie (RN 147)

Ouverture : de déb. fév. à fin déc.

47 ha (100 empl.) vallonné, plat, herbeux, lac, forêt

Empl. camping : 39€ 👥 🚐 🔲 🚰 (16A) - pers. suppl. 8€

Location : (de déb. fév. à fin déc.) - 👤 (1 gîte, 1 chalet, 1 yourte) - 6 🏠 - 17 yourtes - 21 cabanes perchées - 3 gîtes - 5 maisons champignons - 1 château perché - 24 chambres (hôtel) - 5 maisons des farfadets. Nuitée 70 à 329€ - Sem. 350 à 1 645€

🚐 borne eurorelais 21€

Vaste domaine boisé qui propose de nombreuses animations. Près d'une centaine d'hébergements des plus insolites et une dizaine d'emplacements pour tentes, caravanes et camping-cars.

Nature : 🏞 ♀♀
Loisirs : 🍴 🍽 🏠 🎣 salle d'animations 👫 centre balnéo 🏊 hammam jacuzzi 🚵 🚴 🎣 🏊 🐎 🎣 parc-aventure centre équestre, tyrolienne, tir à l'arc
Services : 🔧 🅿 🏛 🚰 laverie 🐾

GPS : E : 0.56024
N : 46.44614

DOMPIERRE-SUR-MER

17139 - Carte Michelin **324** H5 - 5 337 h. - alt. 30
▶ Paris 465 - Poitiers 132 - La Rochelle 9 - La Roche-sur-Yon 84

Le Verger

🖉 05 46 34 91 00, www.campingleverger17.com

Pour s'y rendre : 27 r. Jean-Pierre Pigot (2 km au nord-ouest par D 107)

Ouverture : de fin juin à fin août

1,5 ha (60 empl.) plat, herbeux

Empl. camping : 👤 7€ 🚐 🔲 7€ – 🚰 (5A) 5€ - frais de réservation 10€

Emplacements à l'ombre de jeunes abricotiers, cerisiers, pommiers...

Nature : 🏞 ♀
Loisirs : 🚴
Services : 🔧 🚰

GPS : W : 1.05428
N : 46.17787

Benutzen Sie den Hotelführer des laufenden Jahres.

FOURAS

17450 - Carte Michelin **324** D4 - 4 092 h. - alt. 5
▶ Paris 485 - Châtelaillon-Plage 18 - Rochefort 15 - La Rochelle 34

Municipal le Cadoret 👥

🖉 05 46 82 19 19, www.campings-fouras.com

Pour s'y rendre : bd de Chaterny (côte Nord, au bord de l'Anse de Fouras, à 100 m de la plage)

Ouverture : Permanent

7,5 ha (498 empl.) plat, herbeux, sablonneux

Empl. camping : (Prix 2018) 30€ 👥 🚐 🔲 🚰 (10A) - pers. suppl. 6€ - frais de réservation 25€

Location : (Prix 2018) (de déb. avr. à fin oct.) - 👤 (2 mobile homes) - 24 🏠. Sem. 285 à 690€ - frais de réservation 25€

Au bord de l'eau, bordé par les carrelets des pêcheurs. La belle et grande plage est à 50 m.

Nature : 🏞 🏕 ♀♀
Loisirs : 🍴 🍽 🏠 🎣 salle d'animations 👫 🚵 🚴 🏊 terrain multisports
Services : 🔧 🏛 ♿ 🚮 🚰 laverie 🐾
À prox. : 🍴 🎣 ⚓

GPS : W : 1.08714
N : 45.99296

L'HOUMEAU

17137 - Carte Michelin **324** C2 - 2 073 h. - alt. 19
▶ Paris 478 - Poitiers 145 - La Rochelle 6 - Niort 83

⛰ Au Petit Port de l'Houmeau

🕿 05 46 50 90 82, www.aupetitport.com

Pour s'y rendre : r. des Sartières (sortie nord-est par D 106, rte de Nieul-sur-Mer, par le périphérique, dir. Île-de-Ré et sortie Lagord-l'Houmeau)

2 ha (176 empl.) peu incliné, plat, herbeux

Location : ⅙ (2 mobile homes) - 149 ⎗ - 1 roulotte.

Nombreux locatifs en mobile homes, parfois avec une forte promiscuité.

Nature : ⌂ ♎♎	G
Loisirs : 🍸 ✗ 🛋 🏋🚲	P	W : 1.1883
Services : ⚬▥ ♨ 🛜 laverie 🐕	S	N : 46.19566

Dieser Führer stellt kein vollständiges Verzeichnis aller Campingplätze dar, sondern nur eine Auswahl der besten Plätze jeder Kategorie.

ÎLE D'AIX

17123 - Carte Michelin **324** C3 - 227 h. - alt. 10
▶ Paris 486 - Poitiers 152 - La Rochelle 31 - Niort 78

⛺ Le Fort de la Rade

🕿 05 46 84 28 28, www.iledaix.fr/-Office-de-tourisme

Pour s'y rendre : à la Pointe Ste-Catherine, à 300 m de la plage de l'Anse de la Croix

3 ha (73 empl.) plat, herbeux

Dans le parc du Fort de la Rade, entouré d'une enceinte fortifiée. Réservé aux tentes.

Nature : ♎	G
Loisirs : ✗ 🛋 ⌱ ◊	P	W : 1.17657
Services : ⚬▥ 🐕 pas de branchement électrique	S	N : 46.00935
À prox. : 🍷 🚲		

ÎLE DE RÉ

17 - Carte Michelin **324**
Pont de l'Île de Ré : péage en 2018 : 8/16 € autos (AR),
8/16 € caravanes (AR), 18/40 € P. L., 3 € motos, gratuit pour vélos et piétons - Renseignements par Régie d'Exploitation des Ponts 🕿 05 46 00 51 10

Ars-en-Ré 17590 - Carte Michelin **324** A2 - 1 321 h. - alt. 4
▶ Paris 506 - Fontenay-le-Comte 85 - Luçon 75 - La Rochelle 34

⛰ Le Cormoran ♟♙

🕿 05 46 29 46 04, www.cormoran.com

Pour s'y rendre : rte de Radia (1 km à l'ouest)

Ouverture : de déb. avr. à fin sept.

3 ha (142 empl.) plat, herbeux

Empl. camping : (Prix 2018) 54 € 🏕🏕 🚐 🖵 🔌 (10A) - pers. suppl. 13 € - frais de réservation 25 €

Location : (Prix 2018) (de déb. avr. à fin sept.) - ⅙ (1 mobile home) - 87 ⎗ - 5 tentes lodges. Nuitée 85 à 261 € - Sem. 242 à 1 827 € - frais de réservation 35 €

🚐 borne artisanale 4 €

Cadre fleuri entre vignes, forêt et marais salants.

Nature : ♎ ⌂ ♀	G
Loisirs : 🍸 ✗ 🛋 ♀ 🏋🏃 🏄 ≋ hammam 🏋	P	W : 1.53026
🚲 🎯 ⌱ terrain multisports	S	N : 46.21136
Services : ⚬▥ ▥ ♨ 🐾 🛜 🛜 laverie 🐕		

Le Bois-Plage-en-Ré 17580 - Carte Michelin **324** B2 - 2 364 h. - alt. 5
▶ Paris 494 - Fontenay-le-Comte 74 - Luçon 64 - La Rochelle 23

⛰ Sunêlia Interlude ♟♙

🕿 05 46 09 18 22, www.interlude.fr

Ouverture : de déb. avr. à fin sept.

7,5 ha (345 empl.) vallonné, plat, herbeux, sablonneux

Empl. camping : 55 € 🏕🏕 🚐 🖵 🔌 (6A) - pers. suppl. 10 € - frais de réservation 30 €

Location : (de déb. avr. à fin sept.) - ⅙ (1 mobile home) - 210 ⎗. Nuitée 75 à 380 € - Sem. 525 à 2 660 € - frais de réservation 30 €

À 150 m de la plage avec du locatif de bon et très bon confort.

Nature : ♎ ⌂ ♀	G
Loisirs : 🍸 ✗ ♀ 🏋🏃 🏄 centre balnéo	P	W : 1.3793
≋ hammam jacuzzi 🏋 🚲 🎯 ⌱ terrain	S	N : 46.17472
multisports		
Services : ⚬▥ ♨ 🐾 🛜 🛜 laverie ♨ 🐕		
À prox. : ✗ ◊ surf		

⛰ Les Varennes ♟♙

🕿 05 46 09 15 43, www.les-varennes.com

Pour s'y rendre : lieu-dit : Raise Maritaise (1,7 km au sud-est, à 300 m de la plage)

Ouverture : de déb. avr. à fin sept.

2,5 ha (141 empl.) plat, herbeux, sablonneux

Empl. camping : (Prix 2018) 43 € 🏕🏕 🚐 🖵 🔌 (10A) - pers. suppl. 8 € - frais de réservation 20 €

Location : (Prix 2018) (de déb. avr. à fin sept.) - 85 ⎗. Nuitée 82 à 110 € - Sem. 371 à 1 316 € - frais de réservation 20 €

Emplacements et mobile homes à l'ombre d'une jolie pinède.

Nature : ♎ ♎♎	G
Loisirs : 🍸 🏃 🏋🚲 🎯⌱	P	W : 1.38306
Services : ⚬▥ ▥ 🐾 🛜 laverie 🐕	S	N : 46.17829
À prox. : ✗ 🎯		

⛰ Campéole Les Amis de la Plage ♟♙

🕿 05 46 09 24 01, www.campeole.com/camping/post/les-amis-de-la-plage-le-bois

Pour s'y rendre : 68 av. du Passage des Boeufs (1.7 km au sud-est)

Ouverture : de fin mars à fin sept.

4,7 ha (257 empl.) vallonné, plat, herbeux, sablonneux

Empl. camping : (Prix 2018) 31 € 🏕🏕 🚐 🖵 🔌 (10A) - pers. suppl. 7 €

Location : (Prix 2018) (de fin mars à fin sept.) - ⅙ (1 mobile home) - 41 ⎗ - 12 bungalows toilés - 5 tentes lodges. Nuitée 36 à 178 € - Sem. 252 à 1 246 €

🚐 borne AireService

Emplacements et locatifs en partie dans les dunes, au bord de l'océan.

Nature : ♎ ♎♎	G
Loisirs : 🛋 🎣 🏃 🏋🚲	P	W : 1.38675
Services : ⚬▥ 🐾 🛜 laverie	S	N : 46.17731
À prox. : 🍸 ✗ 🐕		

La Couarde-sur-Mer 17670 - Carte Michelin **324** B2 - 1 248 h.
- alt. 1
▶ Paris 497 - Fontenay-le-Comte 76 - Luçon 66 - La Rochelle 26

▲▲ L'Océan ▲▲

℘ 05 46 29 87 70, www.campingocean.com

Pour s'y rendre : 50 r. d'Ars (au lieu-dit : la Passe)

Ouverture : de déb. avr. à fin sept.

9 ha (338 empl.) plat, herbeux

Empl. camping : (Prix 2018) 26€ ♦♦ ⚲ 🗐 ⚡ (10A) - pers. suppl. 5€
- frais de réservation 5€

Location : (de déb. avr. à fin sept.) - ♿ (1 mobile home) - ⚬
- 150 🏠 - 12 tentes lodges (avec sanitaires). Nuitée 50 à 185€
- Sem. 305 à 1 507€ - frais de réservation 32€

🛢 borne eurorelais 8€

Agréable centre balnéo et au fond du terrain, deux plans d'eau salée, naturels, idéals pour la pêche.

Nature : ⚲ 🗔 ♈♈
Loisirs : 🍴 ✕ 🎦 🗓 salle d'animations 🛶
centre balnéo 🈂 hammam jacuzzi ⚒ 🚲
🦐 ♒ 🎱 terrain multisports
Services : ⚬ 🗲 ♨ 🛒 🚰 🛜 laverie ⚖ 🖎

G P S W : 1.46737
N : 46.20447

▲ La Tour des Prises

℘ 05 46 29 84 82, www.lesprises.com

Pour s'y rendre : chemin de la Griffonerie (1,8 km au nord-ouest par D 735 et chemin à dr.)

Ouverture : de déb. avr. à fin sept.

2,5 ha (140 empl.) plat, herbeux

Empl. camping : 45€ ♦♦ ⚲ 🗐 ⚡ (16A) - pers. suppl. 8€ - frais de réservation 15€

Location : (de déb. avr. à fin sept.) - 60 🏠 - 3 bungalows toilés
- 3 tentes lodges. Nuitée 60 à 112€ - Sem. 320 à 895€ - frais de réservation 20€

🛢 borne AireService 10€ - ⚡ ⚡12€

Au milieu des vignes et entouré d'un joli mur en pierre du pays.

Nature : ⚲ 🗔 ♈♈
Loisirs : 🎦 ⚒ 🚲 🗔 (découverte en saison)
Services : ⚬ 🗲 🚰 🛜 laverie ⚖ 🖎

G P S W : 1.4447
N : 46.20473

La Flotte 17630 - Carte Michelin **324** C2 - 2 918 h. - alt. 4
▶ Paris 489 - Fontenay-le-Comte 68 - Luçon 58 - La Rochelle 17

▲▲ La Grainetière ▲▲

℘ 05 46 09 68 86, www.la-grainetiere.com

Pour s'y rendre : chemin des Essards (à l'ouest du bourg, rte de St-Martin-de-Ré - accès conseillé par D 735)

Ouverture : de déb. avr. à fin sept.

2,3 ha (140 empl.) plat, sablonneux

Empl. camping : 43€ ♦♦ ⚲ 🗐 ⚡ (10A) - pers. suppl. 10€ - frais de réservation 15€

Location : (de déb. avr. à fin sept.) - ♿ (1 mobile home) - 82 🏠. Nuitée 40 à 170€ - Sem. 280 à 1 200€ - frais de réservation 15€

Préférer les emplacements les plus éloignés de la route.

Nature : ♈♈
Loisirs : ✕ 🎦 🛶 jacuzzi ⚒ 🚲 🗔
(découverte en saison) terrain multisports
Services : ⚬ 🗲 🛜 laverie ⚖ 🖎

G P S W : 1.34412
N : 46.18747

▲▲ Oléla Les Peupliers ▲▲

℘ 02 51 20 41 94, www.les-peupliers.com - peu d'emplacements pour tentes et caravanes

Pour s'y rendre : RD 735, rte de Rivedoux (1,3 km au sud-est)

Ouverture : de déb. avr. à déb. nov.

4,5 ha (220 empl.) plat, herbeux

Empl. camping : 44€ ♦♦ ⚲ 🗐 ⚡ (10A) - pers. suppl. 5€

Location : (de déb. avr. à déb. nov.) - ♿ (2 mobile homes)
- 141 🏠. Nuitée 45 à 291€ - Sem. 315 à 2 037€

À l'entrée du village de La Flotte, avec beaucoup de mobile homes, des propriétaires-résidents et peu d'emplacements tentes ou caravanes.

Nature : ⚲ 🗔 ♈♈
Loisirs : 🍴 ✕ 🎦 salle d'animations 🛶
🏐 🈂 hammam jacuzzi ⚒ 🚲 ♒ jeux
enfants couverts terrain multisports
Services : ⚬ 🗲 🛜 laverie ⚖

G P S W : 1.308
N : 46.1846

Loix 17111 - Carte Michelin **324** B2 - 731 h. - alt. 4
▶ Paris 505 - Fontenay-le-Comte 84 - Luçon 74 - La Rochelle 33

▲ Flower Les Ilates ▲▲

℘ 05 46 29 05 43, www.camping-loix.com

Pour s'y rendre : lieu-dit : le Petit Boucheau, rte du Grouin (sortie est, à 500 m de l'océan)

Ouverture : de fin mars à fin sept.

4,5 ha (228 empl.) plat, herbeux

Empl. camping : (Prix 2018) 46€ ♦♦ ⚲ 🗐 ⚡ (10A) - pers. suppl. 10€ - frais de réservation 15€

Location : (Prix 2018) (de fin mars à fin sept.) - ♿ (2 chalets)
- 78 🏠 - 34 🏡 - 11 bungalows toilés - 14 tentes lodges. Nuitée 44 à 179€ - Sem. 220 à 1 253€ - frais de réservation 20€

🛢 borne eurorelais 4€ - ⚡ ⚡20€

Locatif varié en confort et en conception, parfois original et adapté aux grandes familles.

Nature : ⚲ 🗔 ♈
Loisirs : 🍴 ✕ 🛶 jacuzzi ⚒ 🚲 🦐 ♒
Services : ⚬ 🗲 🚰 🛜 laverie 🖎

G P S W : 1.42608
N : 46.22756

Rivedoux-Plage 17940 - Carte Michelin **324** C3 - 2 292 h. - alt. 2
▶ Paris 483 - Niort 75 - Poitiers 150 - La Rochelle 14

▲▲ Campéole Le Platin - La Redoute ▲▲

℘ 05 46 09 84 10, www.campeole.com/camping/post/le-platin-rivedoux-plage

Pour s'y rendre : 125 av. Gustave Perreau

Ouverture : de fin mars à fin sept.

2,5 ha (224 empl.) plat, sablonneux, herbeux

Empl. camping : (Prix 2018) 31€ ♦♦ ⚲ 🗐 ⚡ (10A) - pers. suppl. 7€

Location : (Prix 2018) (de fin mars à fin sept.) - 56 🏠
- 9 bungalows toilés - 36 tentes lodges (avec sanitaires). Nuitée 36 à 183€ - Sem. 252 à 1 281€

🛢 borne flot bleu 3€ - 20 🗐 14€

Au bord de l'océan, en deux parties distinctes séparées par la route départementale 735.

Nature : ♈♈ ⛰
Loisirs : 🍴 🎦 🗓 🛶 ⚒ ♒
Services : ⚬ 🗲 🛜 laverie
À prox. : ⚖ ✕ 🖎 🚲

G P S W : 1.27077
N : 46.15882

St-Martin-de-Ré 17410 - Carte Michelin **324** B2 - 2 585 h. - alt. 14
▶ Paris 493 - Fontenay-le-Comte 72 - Luçon 62 - La Rochelle 22

⚠ Municipal

℘ 05 46 09 21 96, www.saint-martin-de-re.fr

3 ha (137 empl.) en terrasses, plat, herbeux

Location : ⚹ (1 mobile home) - 22 ⬜.

🚐 borne eurorelais

Idéalement situé sur les remparts tout proches du bourg.

Nature : ▱ ♤♤	**G**	W : 1.36758
Loisirs : ✗ ▱ ⚓	**P**	N : 46.19921
Services : ⊶ ▥ �📶 laverie	**S**	

Ste-Marie-de-Ré 17740 - Carte Michelin **324** C3 - 3 235 h. - alt. 9
▶ Paris 487 - Niort 79 - Poitiers 154 - La Rochelle 18

⚞ Huttopia Île de Ré - Chardon Bleu ♣

℘ 05 46 30 23 75, www.huttopia.com

Pour s'y rendre : rte de La Flotte

Ouverture : de déb. avr. à mi-oct.

5 ha (235 empl.) plat, herbeux

Empl. camping : 44€ ⚹⚹ ⚓ ▣ ⚡ (10A) - pers. suppl. 7€ - frais de réservation 15€

Location : (de déb. avr. à mi-oct.) - 23 ⌂ - 10 tentes lodges - 28 tentes lodges (avec sanitaires). Nuitée 64 à 169€ - Sem. 448 à 1 183€ - frais de réservation 15€

🚐 borne artisanale 7€

Agréable sous-bois avec du locatif varié. Préférer les emplacements les plus éloignés de la route.

Nature : ♤♤	**G**	W : 1.33378
Loisirs : ♈ ✗ ▱ ⚓ ⚹⚹ ⚓ ⚲ ⚞	**P**	N : 46.16464
Services : ⊶ ♨ ⚖ laverie ♒	**S**	

⚞ Sea Green Les Grenettes ♣

℘ 05 46 30 22 47, contact@hotel-les-grenettes.com

Pour s'y rendre : 1 rue de L'Hermitage (4.4 km à l'ouest par la D 201)

7 ha (218 empl.) sous-bois

🚐 borne artisanale

Bel ensemble hôtelier complet proposant diverses offres de logements.

Nature : ♨ ▱ ♀	**G**	W : 1.35269
Loisirs : ♈ ✗ ▱ ⚞ salle d'animations ⚹⚞ ⚓ ⚞ ⚲ ⚞	**P**	N : 46.15973
Services : ♨ laverie ♒	**S**	

⚞ Huttopia Côte Sauvage ♣

℘ 05 46 30 21 74, europe.huttopia.com/

Pour s'y rendre : plage de La Basse Benaie

Ouverture : de fin avr. à fin sept.

2,2 ha (145 empl.) plat et peu incliné, herbeux, sablonneux

Empl. camping : (Prix 2018) 28€ ⚹⚹ ⚓ ▣ ⚡ (10A) - pers. suppl. 8€

Location : (Prix 2018) (de fin avr. à fin sept.) - 22 tentes lodges. Nuitée 42 à 100€

🚐 borne artisanale 7€

Emplacements au calme derrière la dune qui protège de l'océan.

Nature : ♨ ♀ ⚠	**G**	W : 1.31586
Loisirs : ♈ ✗ ▱ ⚞ ⚹⚞ ⚓ ⚞	**P**	N : 46.14474
Services : ⊶ ♨ ⚖ laverie ♒	**S**	

ÎLE D'OLÉRON

17 - Carte Michelin **324**
par le pont viaduc : passage gratuit

Le Château-d'Oléron 17480 - Carte Michelin **324** C4 - 3 930 h. - alt. 9
▶ Paris 507 - Marennes 12 - Rochefort 33 - La Rochelle 70

⚞ La Brande ♣

℘ 05 46 47 62 37, www.camping-labrande.com

Pour s'y rendre : rte des Huîtres (2,5 km au nord-ouest, à 250 m de la mer)

Ouverture : de déb. avr. à déb. nov.

4 ha (199 empl.) plat, herbeux

Empl. camping : 49€ ⚹⚹ ⚓ ▣ ⚡ (10A) - pers. suppl. 10€ - frais de réservation 25€

Location : (de déb. avr. à déb. nov.) - ⚹ (4 chalets) - ♒ - 40 ⬜ - 40 ⌂ - 2 tentes lodges. Nuitée 60 à 280€ - Sem. 300 à 1 400€ - frais de réservation 25€

🚐 borne artisanale 8€ - 20 ▣ 17€

Emplacements ombragés ou très ensoleillés.

Nature : ▱ ♤♤	**G**	W : 1.21607
Loisirs : ♈ ✗ ▱ ⚞ ⚹⚞ ⚞ hammam jacuzzi ⚹⚞ ⚞ ⚲ ⚞ ▣ (découverte en saison) ⚞ ⚞ terrain multisports	**P**	N : 45.90464
Services : ⊶ ♨ – 6 sanitaires individuels (▱⚞ wc) ⚞ ♒ ⚖ laverie ♒ ♒	**S**	

⚞ Fief-Melin

℘ 05 46 47 60 85, www.campingfiefmelin.com

Pour s'y rendre : r. des Alizés (1,7 km à l'ouest par rte de St-Pierre-d'Oléron puis 600 m à dr.)

Ouverture : de déb. mai à fin sept.

2,2 ha (144 empl.) plat, herbeux

Empl. camping : (Prix 2018) 37€ ⚹⚹ ⚓ ▣ ⚡ (10A) - pers. suppl. 5€

Location : (Prix 2018) (de déb. avr. à fin oct.) - 30 ⬜. Nuitée 120 à 180€ - Sem. 265 à 770€

Emplacements et locatif ombragés et au calme.

Nature : ♨ ▱ ♀	**G**	W : 1.21408
Loisirs : ▱ ⚹⚞ ⚞ ▣ (découverte en saison) terrain multisports	**P**	N : 45.89371
Services : ⊶ ⚞ ▣	**S**	

Dolus-d'Oléron 17550 - Carte Michelin **324** C4 - 3 176 h. - alt. 7
▶ Paris 511 - Marennes 17 - Rochefort 39 - La Rochelle 75

⚞ Ostréa

℘ 05 46 47 62 36, www.camping-ostrea.com

Pour s'y rendre : rte des Huîtres (Côte Est, 3,5 km à l'est)

Ouverture : de fin mars à déb. oct.

2 ha (110 empl.) plat, herbeux

Empl. camping : 34€ ⚹⚹ ⚓ ▣ ⚡ (6A) - pers. suppl. 10€ - frais de réservation 20€

Location : (de fin mars à déb. oct.) - 26 ⬜. Sem. 338 à 772€ - frais de réservation 20€

🚐 borne flot bleu 7€

Sur la côte est, tout proche de l'océan. Préférer les emplacements éloignés de la route.

Nature : ♨ ♤♤	**G**	W : 1.22402
Loisirs : ▱ ⚹⚞ ▣ (découverte en saison)	**P**	N : 45.91299
Services : ⊶ ♨ ⚞ laverie ♒ ♒	**S**	

⛰ La Perroche Plage

🞰 05 46 75 37 33, www.oleron-camping.eu

Pour s'y rendre : 18 r. du Renclos-de-la-Perroche (Côte Ouest, 4 km au sud-ouest à la Perroche)

Ouverture : de fin mars à fin sept.

1,5 ha (100 empl.) plat, sablonneux, herbeux

Empl. camping : 31€ 🞰🞰 ⬅ 🔲 ⚡ (10A) - pers. suppl. 8€
Location : (de fin mars à fin sept.) - 30 🏚 - 4 bungalows toilés - 3 tentes sur pilotis. Nuitée 50 à 132€ - Sem. 196 à 920€ - frais de réservation 15€

Sur la côte ouest, au bord de l'océan, avec du locatif varié et des emplacements ombragés ou ensoleillés.

Nature : 🌳 ♨♨
Loisirs : 🛶 jacuzzi 🚣 🚴
Services : 🔑 🛁 📶 laverie
À prox. : 🍷 🍴

GPS : W : 1.3031 N : 45.9016

⛰ Huttopia Oléron Les Chênes Verts 🞰🞰

🞰 05 46 75 32 88, www.huttopia.com

Pour s'y rendre : 9 Passe de l'Écuissière (Côte Ouest, 3,2 km au sud-ouest par D 126)

Ouverture : de fin mai à mi-sept.

3 ha (100 empl.) vallonné, plat, herbeux, sablonneux

Empl. camping : 35€ 🞰🞰 ⬅ 🔲 ⚡ (10A) - pers. suppl. 7€ - frais de réservation 15€
Location : (de fin mai à mi-sept.) - 45 tentes lodges. Nuitée 50 à 120€ - Sem. 350 à 840€ - frais de réservation 15€
🏚 borne artisanale 7€

Sur la côte ouest, tout proche de l'océan et de la plage, emplacements en sous-bois très au calme.

Nature : 🌳 ♨♨♨
Loisirs : 🍷 🍴 🍸 nocturne 🚣 🚴 tir à l'arc
Services : 🔑 🛁 📶 laverie 🚿

GPS : W : 1.27575 N : 45.88727

St-Denis-d'Oléron 17650 - Carte Michelin **324** B3 - 1 336 h. - alt. 9
▶ Paris 527 - Marennes 33 - Rochefort 55 - La Rochelle 92

⛰ Village Vacances Les Hameaux des Marines

(pas d'emplacement tentes et caravanes)

🞰 05 55 84 34 48, www.terresdefrance.com

Pour s'y rendre : r. de Seulières (Côte Ouest, à 300 m de la plage)

2,5 ha plat

Location : Permanent ♿ (1 chalet) - 46 🏚. Nuitée 59 à 169€ - Sem. 199 à 995€

Agréable petit village de chalets tous équipés de belles et grandes terrasses couvertes.

Nature : 🌳 ♨
Loisirs : 🏠 🚣 🚴 🏐
Services : 🔑 🎱 📶 laverie

GPS : W : 1.39169 N : 46.01354

△ Les Seulières

🞰 05 46 47 90 51, www.campinglesseulieres.com

Pour s'y rendre : 1371 rte des Seulières, Les Huttes (Côte Ouest, 3,5 km au sud-ouest, rte de Chaucre, à 400 m de la plage)

Ouverture : de déb. avr. à fin oct.

2,4 ha (120 empl.) plat, herbeux

Empl. camping : 24€ 🞰🞰 ⬅ 🔲 ⚡ (10A) - pers. suppl. 4€ - frais de réservation 15€

Location : Permanent - 14 🚐 - 8 🏚. Sem. 250 à 625€ - frais de réservation 15€
🏚 borne artisanale

Emplacements ombragés ou plein soleil sur un terrain calme et familial.

Nature : 🌳 ♨♨
Loisirs : 🍷 🏠
Services : 🔑 🛁 📶 laverie
À prox. : 🍴

GPS : W : 1.38512 N : 46.0034

St-Georges-d'Oléron 17190 - Carte Michelin **324** C4 - 3 497 h. - alt. 10
▶ Paris 527 - Marennes 27 - Rochefort 49 - La Rochelle 85

⛰ Camping-Club Verébleu 🞰🞰

Verébleu

🞰 05 46 76 57 70, www.campingverebleu.com 📵

Pour s'y rendre : lieu-dit : La Jousselinière (1,7 km au sud-est par D 273 et rte de Sauzelle à gauche)

Ouverture : de mi-juin à mi-sept.

7,5 ha (324 empl.) plat, herbeux

Empl. camping : (Prix 2018) 49€ 🞰🞰 ⬅ 🔲 ⚡ (13A) - pers. suppl. 12€ - frais de réservation 25€

Location : (Prix 2018) (de mi-juin à mi-sept.) - ♿ (1 chalet) - 84 🚐 - 46 🏚. Sem. 410 à 1 470€ - frais de réservation 25€
🏚 borne artisanale - 160 🔲 49€

En deux parties distinctes avec tentes et caravanes ou locatif autour d'un espace aquatique et ludique reprenant le thème de Fort Boyard.

Nature : 🌳 🛶 ♨♨
Loisirs : 🎮 🚣 🚴 🎱 ⛳ 🎢 🛝 terrain multisports
Services : 🔑 🛁 🚮 📶 laverie 🚿 🚿

GPS : W : 1.31759 N : 45.97111

⛰ Club Airotel Les Gros Joncs 🞰🞰

🞰 05 46 76 52 29, www.camping-les-gros-joncs.com - peu d'emplacements pour tentes et caravanes

Pour s'y rendre : 850 rte de Ponthezière, Les Sables Vignier, Côte Ouest (5 km au sud-ouest, à 300 m de la mer)

Ouverture : de déb. fév. à fin déc.

5 ha (253 empl.) en terrasses, plat, sablonneux

Empl. camping : 51€ 🞰🞰 ⬅ 🔲 ⚡ (10A) - pers. suppl. 13€ - frais de réservation 8€

Location : (Prix 2018) (de déb. fév. à fin déc.) - ♿ (5 chalets) - 153 🚐 - 50 🏚. Nuitée 64 à 218€ - Sem. 452 à 1 528€ - frais de réservation 8€
🏚 borne AireService

Espace aquatique en partie couvert, locatif de qualité et encore quelques emplacements pour tentes et caravanes avec un confort sanitaire ancien.

Nature : 🌳 🛶 ♨♨
Loisirs : 🍷 🍴 🏠 🎮 salle d'animations 🚣 🧖 centre balnéo hammam jacuzzi 🚣 🚴 🏐 🎢 🛝
Services : 🔑 🛁 🚮 🚽 📶 laverie 🚿 🚿

GPS : W : 1.379 N : 45.95342

▲▲▲ Domaine des 4 Vents

☎ 05 46 76 65 47, www.camping-oleron-4vents.com

Pour s'y rendre : lieu-dit : La Jousselinière (2 km au sud-est par D 273 et rte de Sauzelle à gauche)

Ouverture : de déb. mai à mi-sept.

7 ha (300 empl.) plat, herbeux

Empl. camping : (Prix 2018) ★ 7€ ⇔ 3€ 国 21€ (⚡) (10A) - frais de réservation 25€

Location : (Prix 2018) (de déb. mai à mi-sept.) - ♿ (1 mobile home) - 80 🚐. Nuitée 45 à 150€ - Sem. 280 à 990€ - frais de réservation 25€

🚐 borne artisanale 4€ - 10 国 25€

Emplacements ombragés ou plein soleil. Beaucoup de mobile homes de propriétaires-résidents.

Nature : 🏞 🖵 ♀
Loisirs : ✗ 🍴 🏓 jacuzzi ⚿ ⛱ ♨ ⛷
terrain multisports
Services : 🔑 🛒 🚿 📶 laverie 🧺

GPS W : 1.31995
N : 45.96973

▲▲▲ Oléron Loisirs Aloa Vacances ♣

☎ 05 46 76 50 20, www.oleron-loisirs.com - peu d'emplacements pour tentes et caravanes

Pour s'y rendre : au lieu-dit : La Jousselinière (1,9 km au sud-est par D 273 et rte de Sauzelle à gauche)

Ouverture : de déb. avr. à mi-sept.

8 ha (319 empl.) plat, herbeux

Empl. camping : 38€ ★★ ⇔ 国 (⚡) (6A) - pers. suppl. 8€ - frais de réservation 36€

Location : (de déb. avr. à mi-sept.) - ♿ (1 mobile home) - 253 🚐 - 2 🏠 - 8 bungalows toilés. Nuitée 24 à 202€ - Sem. 168 à 1 414€ - frais de réservation 36€

Beaucoup de mobile homes pour la location ou appartement à des propriétaires-résidents.

Nature : 🏞 🖵 ♀♀
Loisirs : 🍷 ✗ 🍴 🎪 salle d'animations 🏓
♨ hammam ⚿ ⛱ ❀ ♨ ⛷ terrain multisports
Services : 🔑 🛒 🚿 📶 laverie 🧺 🧺

GPS W : 1.31435
N : 45.97062

▲▲ La Campière ♣

☎ 05 46 76 72 25, www.la-campiere.com

Pour s'y rendre : chemin de l'Achenau (5,4 km au sud-ouest par rte de Chaucre et chemin à gauche)

Ouverture : de déb. avr. à fin sept.

1,7 ha (66 empl.) plat, herbeux

Empl. camping : (Prix 2018) 41€ ★★ ⇔ 国 (⚡) (10A) - pers. suppl. 9€ - frais de réservation 17€

Location : (Prix 2018) (de déb. avr. à fin sept.) - 1 🚐 - 12 🏠 - 6 tentes lodges. Nuitée 35 à 150€ - Sem. 250 à 1 050€ - frais de réservation 19€

🚐 borne artisanale

Agréable cadre boisé et petit bar à vin pour découvrir les produits locaux.

Nature : 🏞 ♀♀♀
Loisirs : 🍷 🍴 🏓 ⚿ ♨ (petite piscine)
Services : 🔑 🛒 🚿 📶 laverie

GPS W : 1.38198
N : 45.99108

St-Pierre-d'Oléron 17310 - Carte Michelin **324** C4 - 6 532 h. - alt. 8
🚊 Paris 522 - Marennes 22 - Rochefort 44 - La Rochelle 80

▲▲ Aqua 3 Masses

☎ 05 46 47 23 96, www.campingles3masses.com - peu d'emplacements pour tentes et caravanes

Pour s'y rendre : lieu-dit : Le Marais-Doux (4,3 km au sud-est)

Ouverture : de déb. avr. à fin sept.

3 ha (135 empl.) plat, herbeux

Empl. camping : 40€ ★★ ⇔ 国 (⚡) (16A) - pers. suppl. 6€ - frais de réservation 23€

Location : (de déb. avr. à fin sept.) - ♿ (1 chalet) - 25 🚐 - 17 🏠 - 2 bungalows toilés - 3 tentes sur pilotis. Nuitée 49 à 130€ - Sem. 195 à 1 060€ - frais de réservation 23€

🚐 borne artisanale - 🚐 (⚡)18€

Cadre agréable et fleuri avec du locatif de bon confort.

Nature : 🏞 🖵 ♀♀
Loisirs : 🍷 ✗ 🍴 ⚿ 🚲 ♨ (découverte en saison) ⛱ mini ferme
Services : 🔑 🛒 📶 laverie 🧺

GPS W : 1.29226
N : 45.91815

St-Trojan-les-Bains 17370 - Carte Michelin **324** C4 - 1 471 h. - alt. 5
🚊 Paris 509 - Marennes 16 - Rochefort 38 - La Rochelle 74

▲▲▲ Flower St-Trop'Park ♣

☎ 05 46 76 00 47, www.st-tro-park.com

Pour s'y rendre : 36 av. des Bris (1,5 km au sud-ouest)

Ouverture : de mi-avr. à fin sept.

4 ha (208 empl.) vallonné, plat, herbeux, sablonneux

Empl. camping : (Prix 2018) 36€ ★★ ⇔ 国 (⚡) (10A) - pers. suppl. 10€ - frais de réservation 20€

Location : (Prix 2018) (de déb. avr. à mi-oct.) - 🚲 - 45 🚐 - 16 🏠 - 4 tentes lodges - 9 studios. Nuitée 28 à 165€ - Sem. 196 à 1 150€ - frais de réservation 20€

🚐 borne AireService 18€

Terrain vallonné, ombragé avec des services de qualité.

Nature : 🏞 🖵 ♀♀
Loisirs : 🍷 ✗ 🍴 🏓 🏋 centre balnéo
♨ hammam jacuzzi ⚿ 🚲 ♨ terrain multisports
Services : 🔑 🛒 🚿 🚐 📶 laverie 🧺 🧺
À prox. : ❀ 🍴

GPS W : 1.2159
N : 45.82958

▲▲▲ Huttopia Oléron Les Pins ♣

☎ 05 46 76 02 39, www.huttopia.com

Pour s'y rendre : 11 av. des Bris (au sud-ouest)

5 ha (160 empl.) vallonné, plat, herbeux, sablonneux

Location : - 46 tentes lodges - 16 Tentes Lodges (avec sanitaires).

Cadre naturel. Préférer les emplacements éloignés de la route.

Nature : ♀♀
Loisirs : 🍴 🎪 nocturne 🏓 ⚿ 🚲 ♨
Services : 🔑 🛒 📶 laverie 🧺
À prox. : ❀ 🍴

GPS W : 1.21413
N : 45.83128

INGRANDES

86220 - Carte Michelin **322** J3 - 1 784 h. - alt. 50
▶ Paris 305 - Châtellerault 7 - Descartes 18 - Poitiers 41

ᨮ Les Castels Le Petit Trianon de Saint Ustre

📞 05 49 02 61 47, www.domaine-petit-trianon.com

Pour s'y rendre : 1 r. du Moulin-de-St-Ustre (3 km au nord-est, à St-Ustre)

Ouverture : de mi-avr. à mi-sept.

4 ha (116 empl.) plat et peu incliné, herbeux

Empl. camping : 24 € 🏕🏕 ⛟ 🔲 (10A) - pers. suppl. 7 €
Location : (de mi-avr. à mi-sept.) - 31 ⛺ - 2 🏠 - 6 tentes lodges - 6 tipis - 2 cabanes perchées - 2 cabanons - 4 gîtes - 1 studio. Nuitée 50 à 135 € - Sem. 350 à 945 € - frais de réservation 15 €

Cadre agréable autour d'un petit château avec du locatif varié simple en confort, emplacements ombragés ou plein soleil.

Nature : 🌿 ⬅ 🏕 🌳		G
Loisirs : 🍽 🏠 jacuzzi ⛵ 🎣 ⛸		E : 0.58653
Services : ⚬➝ 🛁 ☂ laverie 🧹		N : 46.88779
À prox. : ✕		P S

Renouvelez votre guide chaque année.

JARNAC

16200 - Carte Michelin **324** I5 - 4 448 h. - alt. 26
▶ Paris 476 - Angoulême 31 - Bordeaux 112 - La Rochelle 117

⚠ Municipal Ile Madame

📞 06 26 91 40 92, camping-jarnac.jimdo.com/

Pour s'y rendre : 1 quai Île Madame (1.2 km au sud, après le pont sur la Charente, rte à gauche)

Ouverture : de mi-avr. à fin sept.

2 ha (118 empl.) plat, herbeux

Empl. camping : (Prix 2018) 🏕 6 € ⛟ 🔲 6 € – (10A) 4 €
Location : (Prix 2018) (de mi-avr. à fin sept.) - 12 ⛺ - 5 chalets sur pilotis. Nuitée 50 à 98 € - Sem. 305 à 555 €
🚐 borne artisanale 10 € - 13 🔲 10 €

Bordés par la rivière, emplacements bénéficiant d'un bon confort sanitaire.

Nature : 🌿 🏕 🌳		G
Loisirs : ⛵ 🎿		W : 0.1729
Services : ⚬➝ ☂ laverie		N : 45.67633
À prox. : 🍽 ✕ 🛶 🏊		P S

JONZAC

17500 - Carte Michelin **324** H7 - 3 488 h. - alt. 40 - ♨
▶ Paris 512 - Angoulême 59 - Bordeaux 84 - Cognac 36

ᨮ Les Castors 👥

📞 05 46 48 25 65, www.campingcastors.com

Pour s'y rendre : à St-Simon-de-Bordes, 8 r. de Clavelaud (1,5 km au sud-ouest par D 19, rte de Montendre et chemin à dr.)

Ouverture : de mi-mars à fin nov.

3 ha (120 empl.) peu incliné, plat, herbeux

Empl. camping : (Prix 2018) 🏕 6 € ⛟ 6 € – (10A) 6 € - frais de réservation 9 €

Location : (Prix 2018) (de mi-mars à fin nov.) - ♿ (1 mobile home) - 68 ⛺ - 4 🏠 - 1 bungalow toilé. Nuitée 49 à 123 € - Sem. 280 à 673 € - frais de réservation 10 €

Une partie bien ombragée près des piscines et une autre plus ensoleillée avec des mobile homes de bon confort.

Nature : 🏕 🌳		G
Loisirs : 🍽 ✕ 🏠 🎣 ⛸ ⛵ 🏊 🎿 terrain multisports		W : 0.44712
Services : ⚬➝ 🏛 🛁 ☂ laverie 🧹		N : 45.43009
		P S

LANDRAIS

17290 - Carte Michelin **324** E3 - 680 h. - alt. 12
▶ Paris 455 - Niort 48 - Rochefort 23 - La Rochelle 32

⚠ le Pré Maréchat

📞 05 46 27 73 69, landrais.e-monsite.com

Pour s'y rendre : sortie nord-ouest par D 112, rte d'Aigrefeuille-d'Aunis et chemin à gauche, à 120 m d'un étang

Ouverture : de déb. juil. à fin août

0,6 ha (37 empl.) plat, herbeux

Empl. camping : 🏕 3 € ⛟ 2 € 🔲 3 € – (30A) 3 €
Location : (de déb. juil. à fin août) - 🛖 - 1 yourte. Nuitée 80 à 90 € - Sem. 400 à 450 €

Nature : 🌿 🏕 🌳		G
Loisirs : ⛵		W : 0.86536
Services : 🧹		N : 46.06963
À prox. : 🚣		P S

Choisissez votre restaurant sur restaurant.michelin.fr

LE LINDOIS

16310 - Carte Michelin **324** N5 - 343 h. - alt. 270
▶ Paris 453 - Angoulême 41 - Confolens 34 - Montbron 12

⚠ L'Étang

📞 05 45 65 02 67, www.campingdeletang.com

Pour s'y rendre : rte de Rouzède (500 m au sud-ouest par D 112)

Ouverture : de déb. avr. à fin oct.

10 ha/1,5 (33 empl.) peu incliné, herbeux, étang

Empl. camping : 🏕 5 € ⛟ 3 € 🔲 6 € – (16A) 5 €

Agréable cadre naturel, sauvage et boisé, au bord d'un étang.

Nature : 🌿 🏕 🌳		G
Loisirs : 🍽 ✕ 🏊 (plage) 🛶 barques		E : 0.58555
Services : ⚬➝ 🔲 🏛 🍴		N : 45.73974
		P S

MARANS

17230 - Carte Michelin **324** E2 - 4 623 h. - alt. 1
▶ Paris 461 - Fontenay-le-Comte 28 - Niort 56 - La Rochelle 24

⚠ Municipal du Bois Dinot

📞 05 46 01 10 51, www.camping-marans.fr

Pour s'y rendre : rte de Nantes (500 m au nord par N 137, à 80 m du canal de Marans à la Rochelle)

Ouverture : de mi-mars à déb. oct.

7 ha/3 campables (170 empl.) plat, herbeux

Empl. camping : (Prix 2018) 18 € 🏕🏕 ⛟ 🔲 (10A) - pers. suppl. 4 €

Location : (Prix 2018) (de mi-mars à déb. oct.) - ♿ (1 chalet) - 12 🏠 - 5 tentes lodges. Nuitée 40 à 70€ - Sem. 220 à 570€
🚐 10 回 18€

Au cœur d'un parc boisé avec un ancien vélodrome pour les amateurs de deux-roues.

Nature : 🗆 ♤♤	G	W : 0.98945
Loisirs : 🛶	P	N : 46.31583
Services : ⚬━ 🛁 🛜 laverie	S	
À prox. : 🚣 🐟 pédalos		

MARENNES

17320 - Carte Michelin **324** D5 - 5 608 h. - alt. 10
▶ Paris 494 - Pons 61 - Rochefort 22 - Royan 31

⛰ Au Bon Air

🖊 05 46 85 02 40, www.aubonair.com

Pour s'y rendre : 9 av. Pierre-Voyer (2,5 km à l'ouest, à Marennes-Plage)

Ouverture : de déb. avr. à fin sept.

2,4 ha (126 empl.) plat, herbeux, sablonneux

Empl. camping : 31€ ✴✴ 🚗 回 🔌 (16A) - pers. suppl. 6€ - frais de réservation 18€

Location : (de déb. avr. à fin sept.) - ♿ (1 mobile home) - 25 🚃 - 5 🏠 - 4 cabanons. Nuitée 40 à 79€ - Sem. 205 à 845€ - frais de réservation 18€

🚐 borne artisanale 2€ - 🛒17€

À 200 m de la plage, emplacements ombragés avec quelques mobile homes de propriétaires-résidents et des locatifs variés et colorés.

Nature : 🗆 ♤♤	G	W : 1.13442
Loisirs : 🍴 🗶 🍽 🛶 🏊	P	N : 45.81882
Services : ⚬━ 🛁 🛜 laverie 🧺	S	

LES MATHES

17570 - Carte Michelin **324** D5 - 1 719 h. - alt. 10
▶ Paris 514 - Marennes 18 - Rochefort 40 - La Rochelle 76

⛰ L'Orée du Bois 🏕

🖊 05 46 22 42 43, www.camping-oree-du-bois.fr - peu d'emplacements pour tentes et caravanes

Pour s'y rendre : 225 rte de la Bouverie (3,5 km au nord-ouest, à la Fouasse)

Ouverture : de déb. mai à mi-sept.

6 ha (420 empl.) plat, herbeux

Empl. camping : 49€ ✴✴ 🚗 回 🔌 (12A) - pers. suppl. 13€ - frais de réservation 25€

Location : (de déb. mai à mi-sept.) - 200 🚃 - 7 tentes lodges. Sem. 250 à 1 450€ - frais de réservation 25€

🚐 borne artisanale

Emplacements tentes et caravanes avec des sanitaires individuels rénovés et quelques mobile homes très grand confort.

Nature : 🗆 ♤♤	G	W : 1.17905
Loisirs : 🍴 🗶 🍽 🛶 🏊 centre balnéo 🌊 hammam jacuzzi 🏋 🚴 🏊 🏐 terrain multisports	P	N : 45.72998
Services : ⚬━ 🛁 – 40 sanitaires individuels (🛁🚿 wc) 🛜 laverie 🧺 🧺	S	
À prox. : 🎡 parc d'attractions		

⛰ AMAC - La Pinède 🏕

🖊 05 35 37 14 12, www.campinglapinede.com - peu d'emplacements pour tentes et caravanes 🦽

Pour s'y rendre : 2103 rte de la Fouasse (3 km au nord-ouest)

Ouverture : de déb. avr. à fin sept.

10 ha (501 empl.) plat et peu incliné, herbeux

Empl. camping : (Prix 2018) 54€ ✴✴ 🚗 回 🔌 (10A) - pers. suppl. 9€ - frais de réservation 30€

Location : (Prix 2018) (de déb. avr. à fin sept.) - ♿ (1 chalet) - 🦽 - 296 🚃 - 12 🏠 - 6 tentes lodges - 4 tentes lodges (avec sanitaires). Nuitée 29 à 322€ - Sem. 203 à 2 254€ - frais de réservation 30€

🚐 borne artisanale - 10 回 54€

Grand espace aquatique en partie couvert complété d'un bel espace balnéo. Encore quelques emplacements tentes ou caravanes.

Nature : 🌿 🗆 ♤♤	G	W : 1.17568
Loisirs : 🍴 🗶 🍽 🎮 🛶 🛝 centre balnéo 🌊 hammam jacuzzi 🏋 🚴 🏊 🏐 mini ferme tir à l'arc terrain multisports	P	N : 45.72784
Services : ⚬━ 🛁 🛒 🛜 laverie	S	
À prox. : parc d'attractions		

⛰ L'Estanquet 🏕

🖊 05 46 22 47 32, www.campinglestanquet.com

Pour s'y rendre : rte de la Fouasse (3,5 km au nord-ouest)

Ouverture : de déb. avr. à fin sept.

6 ha (387 empl.) plat, sablonneux

Empl. camping : (Prix 2018) 44€ ✴✴ 🚗 回 🔌 (10A) - pers. suppl. 7€ - frais de réservation 20€

Location : (Prix 2018) (de déb. avr. à fin sept.) - ♿ (1 mobile home) - 136 🚃 - 10 🏠 - 20 bungalows toilés. Nuitée 88 à 165€ - Sem. 191 à 1 155€ - frais de réservation 20€

Beaucoup de mobile homes autour du parc aquatique et un accès libre à la piscine couverte et ludique du camping Les Sables de Cordouan, à 200 m.

Nature : 🗆 ♤♤	G	W : 1.17661
Loisirs : 🍴 🗶 🍽 🛶 🛝 🚴 🏊 🏐 terrain multisports	P	N : 45.73214
Services : ⚬━ 🛜 laverie 🧺 🧺	S	
À prox. : 🏊 parc d'attractions		

⛰ Les Sables de Cordouan

🖊 05 32 09 04 08, www.campingsablesdecordouan.com - peu d'emplacements pour tentes et caravanes

Pour s'y rendre : rte de la Fouasse (3,6 km au nord-ouest)

Ouverture : de déb. juil. à fin août

3 ha (165 empl.) plat, herbeux

Empl. camping : (Prix 2018) 43€ ✴✴ 🚗 回 🔌 (10A) - pers. suppl. 4€ - frais de réservation 20€

Location : (Prix 2018) (de déb. avr. à fin sept.) - 57 🚃. Nuitée 32 à 190€ - Sem. 191 à 1 330€ - frais de réservation 20€

Accès libre au camping L'Estanquet à 200 m pour tous les services et animations. Peu de places pour tentes et caravanes.

Nature : 🗆 ♤♤	G	W : 1.17563
Loisirs : 🛶 🛝 🚴 🏊 🏐	P	N : 45.73022
Services : ⚬━ 🛜 laverie	S	
À prox. : 🏊 🍴 🗶 🎡 parc d'attractions terrain multisports		

⛺ Monplaisir

📞 05 46 22 50 31, www.campingmonplaisirlesmathes.fr

Ouverture : de déb. avr. à fin sept.

2 ha (114 empl.) plat, herbeux

Empl. camping : (Prix 2018) 27 € ♟♟ ⇔ ▣ ⚡ (10A) - pers. suppl. 8 €
🚐 borne artisanale 4 €

Emplacements sur une belle pelouse ombragée.

Nature : 🌊🌊	**GPS** W : 1.15563
Loisirs : 🎪 🛝🏊 🛷	N : 45.71541
Services : 🔌 🛁 🛜 laverie	
À prox. : 🛒 🍷 🗙 🚲 ♞ 🎣	

MAUZÉ-SUR-LE-MIGNON

79210 - Carte Michelin **322** B7 - 2 758 h. - alt. 30
◻ Paris 430 - Niort 23 - Rochefort 40 - La Rochelle 43

⛺ Municipal le Gué de la Rivière

📞 05 49 26 30 35, www.ville-mauze-mignon.fr

Pour s'y rendre : r. du Port (1 km au nord-ouest par D 101, rte de
St-Hilaire-la-Palud et à gauche)

1,5 ha (75 empl.) plat, herbeux
🚐 borne flot bleu - 10 ▣

Cadre verdoyant entre le canal et le Mignon.

Nature : 🌊 🗔 🌊🌊	**GPS** W : 0.67959
Loisirs : 🎪	N : 46.19968
Services : 🛜 🖳	

*Avant de vous installer, consultez les tarifs en cours,
affichés obligatoirement à l'entrée du terrain,
et renseignez-vous sur les conditions particulières de séjour.
Les indications portées dans le guide ont pu être modifiées
depuis la mise à jour.*

MÉDIS

17600 - Carte Michelin **324** E6 - 2 698 h. - alt. 29
◻ Paris 498 - Marennes 28 - Mirambeau 48 - Pons 39

⛰ Sites et Paysages Le Clos Fleuri

📞 05 46 05 62 17, www.le-clos-fleuri.com

Pour s'y rendre : 8 impasse du Clos-Fleuri (2 km au sud-est par
D 117e 3)

Ouverture : de déb. juin à fin sept.

3 ha (80 empl.) plat et peu incliné, herbeux

Empl. camping : 42 € ♟♟ ⇔ ▣ ⚡ (10A) - pers. suppl. 10 € - frais de
réservation 20 €
Location : (de déb. juin à fin sept.) - 4 🚐 - 10 🏠 - 3 cabanons.
Sem. 230 à 860 € - frais de réservation 20 €

*Agréable cadre champêtre et bel ombrage d'une grande varié-
té d'arbres.*

Nature : 🌊 🗔 🌊🌊	**GPS** W : 0.94633
Loisirs : 🍷 🗙 🎪 🛁 🛝🏊 🛷	N : 45.63003
Services : 🔌 🛁 🛜 laverie 🛒 🖳	

MONTBRON

16220 - Carte Michelin **324** N5 - 2 161 h. - alt. 141
◻ Paris 460 - Angoulême 29 - Nontron 25 - Rochechouart 38

⛰ Yelloh! Village Les Gorges du Chambon 👥

📞 05 45 70 71 70, www.camping-gorgesduchambon.com

Pour s'y rendre : lieu-dit : Le Chambon (4,4 km à l'est par D 6, rte
de Piégut-Pluviers, puis à gauche 3,2 km par D 163, rte d'Ecuras et
chemin à dr., à 80 m de la Tardoir (accès direct))

Ouverture : de déb. mai à mi-sept.

28 ha/7 campables (132 empl.) vallonné, peu incliné à incliné, plat,
herbeux

Empl. camping : 47 € ♟♟ ⇔ ▣ ⚡ (10A) - pers. suppl. 8 €
Location : Permanent⚡ (1 mobile home) - 🚫 (de déb. mai à
mi-sept.) - 23 🚐 - 4 🏠 - 5 bungalows toilés - 4 tentes lodges
- 1 gîte. Nuitée 31 à 152 € - Sem. 217 à 1 064 €
🚐 borne artisanale

*Joli cadre vallonné, verdoyant et boisé autour d'une ancienne
ferme restaurée.*

Nature : 🌊 ≤ 🌊🌊	**GPS** E : 0.5593
Loisirs : 🍷 🗙 🎪 🗔 🎣 🏊 🛝 🚲 ♞ 🛷 🏊 🛷 🚣	N : 45.65945
terrain multisports	
Services : 🔌 🏧 🛁 🛜 laverie 🛒 🖳	
À prox. : 🚣 ♞	

MONTIGNAC-CHARENTE

16330 - Carte Michelin **324** K5 - 731 h. - alt. 50
◻ Paris 432 - Angoulême 17 - Cognac 42 - Rochechouart 66

⛺ Municipal les Platanes

📞 05 45 39 70 09, www.montignac-charente.fr

Pour s'y rendre : 25 av. de la Boixe (200 m au nord-ouest par D 115,
rte d'Aigré)

Ouverture : de déb. juin à fin août

1,5 ha (80 empl.) plat, herbeux

Empl. camping : (Prix 2018) ♟ 6 € ⇔ – ⚡ (12A) 7 €

*Préférer les emplacements ombragés les plus éloignés de la
route.*

Nature : 🌊🌊	**GPS** E : 0.11797
Loisirs : 🎪	N : 45.78189
Services : 🛁 🛜 laverie	
À prox. : 🚣 🎣	

*Give use your opinion of the camping sites we recommend.
Let us know of your remarks and discoveries :
leguidecampingfrance@tp.michelin.com.*

MONTMORILLON

86500 - Carte Michelin **322** L6 - 6 410 h. - alt. 100
◻ Paris 354 - Bellac 43 - Le Blanc 32 - Chauvigny 27

⛺ Municipal de l'Allochon

📞 05 49 91 02 33, www.ville-montmorillon.fr

Pour s'y rendre : 31 av. Fernand-Tribot (sortie sud-est par D 54, rte
du Dorat)

2 ha (75 empl.) non clos, plat, herbeux
🚐 borne artisanale

Beaux emplacements à 50 m de la Gartempe et au bord d'un ruisseau.

Nature : ♤♤
Loisirs : 🍴 🏊
Services : ⊙ 🏧 🛖 ♨ 🛜 🔋
À prox. : 🏓 ⛷ 🛶

G P S E : 0.87526
N : 46.42038

MORTAGNE-SUR-GIRONDE

17120 - Carte Michelin **324** F7 - 1 027 h. - alt. 51
▶ Paris 509 - Blaye 59 - Jonzac 30 - Pons 26

⚠ Municipal Bel Air

📞 05 46 91 48 84, www.mortagne-sur-gironde.fr

Pour s'y rendre : dir. le Port

Ouverture : de déb. mai à fin sept.

1 ha (22 empl.) en terrasses, plat, herbeux

Empl. camping : (Prix 2018) 13 € ✶✶ ⇔ 🅴 (10A) - pers. suppl. 4 €
🚐 borne artisanale 13 €

Quelques emplacements ont une vue panoramique sur l'estuaire et le port de plaisance.

Nature : ♨ ⟨ 🏠 ♤♤
Loisirs : 🏊
Services : ⊠ ♨ 🚾 🛜 laverie

G P S W : 0.79147
N : 45.47974

*Créez votre voyage sur **voyages.michelin.fr***

MOSNAC

17240 - Carte Michelin **324** G6 - 476 h. - alt. 23
▶ Paris 501 - Cognac 34 - Gémozac 20 - Jonzac 11

⚠ Municipal les Bords de la Seugne

📞 05 46 70 48 45, mosnac@mairie17.com

Pour s'y rendre : 34 r. de la Seugne (au bourg, au bord de la rivière)

0,9 ha (33 empl.) plat, herbeux

Au bourg, agréable terrain au pied de la petite église.

Nature : ♨ ⟨ l'église 🏠 ♤♤
Loisirs : 🏊
Services : 🏧 🗑

G P S W : 0.52293
N : 45.5058

LA PALMYRE

17570 - Carte Michelin **324** C5
▶ Paris 524 - Poitiers 191 - La Rochelle 77 - Rochefort 46

⚠⚠⚠ Palmyre Loisirs ♙

📞 05 46 23 67 66, www.palmyreloisirs.com - peu d'emplacements pour tentes et caravanes

Pour s'y rendre : 28 av. des Mathes

Ouverture : de mi-avr. à mi-sept.

22 ha (650 empl.) vallonné, plat, herbeux, sablonneux

Empl. camping : (Prix 2018) 19 € ✶✶ ⇔ 🅴 (10A) - pers. suppl. 6 €
- frais de réservation 5 €

Location : (Prix 2018) (de mi-avr. à mi-sept.) - ♿ (1 mobile home)
- 300 🚍 - 10 tentes lodges (avec sanitaires). Nuitée 32 à 184 €
- Sem. 164 à 1 284 € - frais de réservation 15 €
🚐 borne artisanale

Nombreux mobile homes autour d'un agréable parc aquatique. Animations sur le thème du cirque.

Nature : ♨ 🏠 ♤♤
Loisirs : 🍴 🍴 🏠 🎯 🏃 🚴 🏊 🚴 ✂ ♨ 🎱 ⛷ ⛷
école du cirque terrain multisports
Services : ⊙ ♨ 🛜 laverie 🗑 🛒

G P S W : 1.15855
N : 45.70276

⚠⚠⚠ Siblu Villages Bonne Anse Plage

(pas d'emplacement tentes et caravanes)

📞 05 46 22 40 90, www.siblu.fr/bonneanse

18 ha (613 empl.) vallonné, plat, herbeux

Location : (Prix 2018) (de mi-mai à mi-sept.) - 200 🚍. Sem.
420 à 650 €

Parc de mobile homes dont la majorité appartient à des propriétaires-résidents.

Nature : 🏠 ♤♤
Loisirs : 🍴 🍴 🎯 🏃 🏄 🏊 🚴 ♨ ⛷ ⛷ mur
d'escalade terrain multisports
Services : ⊙ 🛜 laverie 🗑 🛒

G P S W : 1.19983
N : 45.69843

⚠⚠ Yelloh! Village Parc de la Côte Sauvage ♙

📞 05 46 22 40 18, www.yellohvillage-parcdelacotesauvage.com 🐾

Pour s'y rendre : Lieu-dit : la Coubre (3 km à l'ouest par D 25)

Ouverture : Permanent

14 ha (400 empl.) vallonné, plat, peu incliné, herbeux, sablonneux

Empl. camping : 56 € ✶✶ ⇔ 🅴 (10A) - pers. suppl. 9 €

Location : Permanent♿ (1 mobile home) - 🐾 - 144 🚍. Nuitée
42 à 257 €
🚐 borne AireService - 🛒 🔋20 €

Cadre boisé tout près de la plage (200 m) et du phare de la Coubre. Espace jeux pour enfants, en partie couvert.

Nature : ♨ 🏠 ♤♤
Loisirs : 🍴 🍴 🏠 🎯 🏃 🏄 🏊 🚴 ♨ ⛷ ⛷
terrain multisports
Services : ⊙ 🏧 ♨ 🛜 laverie 🗑 🛒 cases
réfrigérées réfrigérateurs

G P S W : 1.22769
N : 45.69584

⚠⚠ Beausoleil

📞 05 46 22 30 03, www.campingbeausoleil.com

Ouverture : de déb. mai à déb. sept.

4 ha (244 empl.) vallonné, plat, herbeux, sablonneux

Empl. camping : (Prix 2018) 37 € ✶✶ ⇔ 🅴 (10A) - pers. suppl. 6 €
- frais de réservation 19 €

Location : (Prix 2018) (de déb. avr. à mi-sept.) - 21 🚍
- 4 bungalows toilés. Sem. 225 à 850 € - frais de réservation 19 €
🚐 borne artisanale

Adresse familiale, calme, avec des propriétaires-résidents et encore plus d'une centaine d'emplacements tentes ou caravanes.

Nature : 🏠 ♤♤
Loisirs : 🍴 🏊 ⛷ (petite piscine)
Services : ⊙ ♨ 🛜 laverie 🗑 🛒

G P S W : 1.18301
N : 45.69242

En juillet et août, beaucoup de terrains affichent complets et leurs emplacements retenus longtemps à l'avance. N'attendez pas le dernier moment pour réserver.

PARTHENAY

79200 - Carte Michelin **322** E5 - 10 338 h. - alt. 175
▣ Paris 377 - Bressuire 32 - Châtellerault 79 - Fontenay-le-Comte 69

⛰ Flower Le Bois Vert

☏ 05 49 64 78 43, www.camping-boisvert.com

Pour s'y rendre : 14 r. Boisseau (sortie sud-ouest rte de la Roche-sur-Yon et à droite après le pont sur le Thouet, près d'un plan d'eau)

2 ha (90 empl.) plat, herbeux, gravier

Location : ♿ (1 mobile home) - 10 - 4 ⛺ - 4 bungalows toilés.

🚐 borne artisanale - 4 ▣

Cadre verdoyant avec un bon confort sanitaire.

Nature : 🐚 🗭 ♀♀ Loisirs : 🍴 ✕ 🎦 🚴 🚲 ⚓ Services : 🔑 🏢 🚿 🚾 🛜 laverie 🧺 À prox. : 🛷 🍴 ✕ 🛥	**GPS** W : 0.2675 N : 46.64194

The Guide changes, so renew your guide every year.

PONS

17800 - Carte Michelin **324** G6 - 4 446 h. - alt. 39
▣ Paris 493 - Blaye 64 - Bordeaux 97 - Cognac 24

⛺ Municipal le Paradis

☏ 05 46 91 36 72, www.pons-ville.fr/vie-municipale/camping-municipale-le-paradis

Pour s'y rendre : av. du Paradis (à l'ouest près de la piscine)

Ouverture : Permanent

1 ha (60 empl.) plat, herbeux

Empl. camping : (Prix 2018) 22€ ✹✹ ⇐ ▣ ⚡ (10A) - pers. suppl. 5€
🚐 borne eurorelais 4€ - 3 ▣

Belle pelouse, bon ombrage pour un terrain simple mais très agréable.

Nature : ♀♀ Loisirs : 🎦 Services : 🔑 🚿 🚾 🛜 📺 À prox. : 🛥 ⛱	**GPS** W : 0.5553 N : 45.57793

PRAILLES

79370 - Carte Michelin **322** E7 - 666 h. - alt. 150
▣ Paris 394 - Melle 15 - Niort 23 - St-Maixent-l'École 13

⛺ Municipal Le Lambon

☏ 05 49 32 85 11, www.lelambon.com

Pour s'y rendre : au plan d'eau du Lambon (2,8 km au sud-est)

Ouverture : de mi-mars à fin oct.

1 ha (50 empl.) en terrasses, incliné, peu incliné, herbeux

Empl. camping : (Prix 2018) 13€ ✹✹ ⇐ ▣ ⚡ (4A) - pers. suppl. 4€
Location : (Prix 2018) Permanent - 7 - 39 gîtes. Sem. 190 à 475€
🚐 borne AireService

À 200 m de la base nautique aux nombreuses activités.

Nature : 🐚 ♀♀ Services : 🔑 🛜 laverie À prox. : 🍴 ✕ 🎦 🚤 🍽 🎿 🚣 (plage) 🛶 🛥 parcours sportif	**GPS** W : 0.20753 N : 46.30055

PRESSAC

86460 - Carte Michelin **322** J8 - 644 h. - alt. 162
▣ Paris 402 - Angoulême 76 - Limoges 73 - Poitiers 60

⛰ Le Village Flottant

(pas d'emplacement tentes et caravanes)

☏ 05 86 16 02 25, www.village-flottant-pressac.com

Pour s'y rendre : Étang du Ponteil (3 km au nord-ouest par D 741 et chemin à drte)

12 ha (21 empl.)

Location : Permanent ♿ (2 cabanes) - 5 ⛺ - 22 cabanons. Nuitée 79 à 195€ - Sem. 549 à 759€

Hébergements insolites en partie sur le lac de 7 ha avec restaurant ou paniers repas.

Loisirs : 🍴 ✕ 🚲 🎿 barques Services : 🔑 🏢 🛜 🧺	**GPS** E : 0.55299 N : 46.12406

RIVIÈRES

16110 - Carte Michelin **324** M5 - 1 833 h. - alt. 75
▣ Paris 445 - Poitiers 108 - Angoulême 26 - Limoges 84

⛺ des Flots

☏ 06 48 51 18 90, www.campinglesflots.16.hebergratuit.com

Pour s'y rendre : 714 r. des Flots

1 ha (25 empl.) plat, herbeux, pierreux

Location : - 2 .
🚐 borne eurorelais - 5 ▣

Au bord de la rivière et tout près du château de La Rochefoucauld.

Nature : 🐚 🗭 ♀ Loisirs : 🎿 Services : 🛜 À prox. : 🎿	**GPS** E : 0.3809 N : 45.74507

ROCHEFORT

17300 - Carte Michelin **324** E4 - 25 317 h. - alt. 12 - ⚓
Pont de Martrou : gratuit
▣ Paris 475 - Limoges 221 - Niort 62 - La Rochelle 38

⛰ Le Bateau

☏ 05 46 99 41 00, www.campinglebateau.com

Pour s'y rendre : r. des Pêcheurs-d'Islande (près de la Charente, par rocade ouest (bd Bignon) et rte du Port Neuf, près du centre nautique)

Ouverture : de fin mars à déb. nov.

5 ha/1,5 (86 empl.) plat, herbeux, pierreux

Empl. camping : (Prix 2018) 16€ ✹✹ ⇐ ▣ ⚡ (10A) - pers. suppl. 5€ - frais de réservation 15€

Location : (Prix 2018) (de fin mars à déb. nov.) - 39 . Sem. 299 à 649€ - frais de réservation 15€

🚐 borne artisanale - 39 ▣ 16€

Nombreux curistes qui recherchent le calme sur ce camping entouré d'eau.

Nature : 🐚 ⇐ 🗭 ♀ Loisirs : 🍴 ✕ 🎦 🚤 🚲 🎿 ⛱ 🛥 Services : 🔑 🏢 🚿 🚾 🛜 laverie À prox. : 🛶 🦪	**GPS** W : 0.9962 N : 45.94834

⚐ Municipal Le Rayonnement

✆ 05 46 82 67 70, www.ville-rochefort.fr/decouvrir/camping-le-rayonnement

Pour s'y rendre : 3 av. de la Fosse-aux-Mâts (proche du centre ville)

Ouverture : de déb. mars à déb. déc.

2 ha (138 empl.) plat, gravillons, herbeux

Empl. camping : (Prix 2018) 18€ ✿✿ ⇌ 🄴 (16A) - pers. suppl. 3€

Location : (Prix 2018) (de déb. mars à fin nov.) - ⚹ (1 mobile home) - 19 🚐. Sem. 275 à 380€

Emplacements ombragés proche du centre-ville. Borne camping-car à proximité immédiate.

Nature : 🏞 ΩΩ
Loisirs : 🏠 🚴 🚲
Services : 🏢 🛃 📶 laverie

G P S W : 0.95835
N : 45.93

LA ROCHE-POSAY

86270 - Carte Michelin **322** K4 - 1 556 h. - alt. 112 - ♨

▶ Paris 325 - Le Blanc 29 - Châteauroux 76 - Châtellerault 23

⚑ Club Airotel La Roche-Posay Vacances ♟♙

✆ 05 49 86 21 23, www.larocheposay-vacances.com

Pour s'y rendre : rte de Lésigny (1,5 km au nord par D 5, près de l'hippodrome)

Ouverture : de déb. avr. à fin sept.

7 ha (200 empl.) plat et peu incliné, herbeux

Empl. camping : 30€ ✿✿ ⇌ 🄴 (10A) - pers. suppl. 4€

Location : (de déb. avr. à fin sept.) - 80 🚐. Nuitée 46 à 134€ - Sem. 294 à 920€

🚐 borne artisanale

Belle délimitation des emplacements autour d'un parc aquatique en partie couvert au bord de la Creuse.

Nature : 🏞 🏠 ΩΩ
Loisirs : 🍴🍽 🏠 🖤 🚴 🚲 🎣 🏊 🏓
🏄
Services : 🛂 🏢 🛃 📶 laverie 🚿
À prox. : 🐎 hippodrome

G P S E : 0.80963
N : 46.7991

RONCE-LES-BAINS

17390 - Carte Michelin **324** D5

▶ Paris 505 - Marennes 9 - Rochefort 31 - La Rochelle 68

⚑ La Clairière ♟♙

✆ 05 46 36 36 63, www.camping-la-clairiere.com - peu d'emplacements pour tentes et caravanes

Pour s'y rendre : r. du Bois-de-la-Pesse (3,6 km au sud par D 25, rte d'Arvert et rte à dr.)

Ouverture : de fin avr. à mi-sept.

12 ha/4 campables (300 empl.) vallonné, plat, herbeux, sablonneux

Empl. camping : 44€ ✿✿ ⇌ 🄴 (10A) - pers. suppl. 9€ - frais de réservation 22€

Location : ⚹ (1 mobile home) - 50 🚐 - 6 🏠 - 7 bungalows toilés - 6 tentes lodges. Sem. 220 à 960€ - frais de réservation 22€

🚐 borne artisanale

Beaucoup de mobile homes à la location ou de propriétaires-résidents autour du joli lagon filtré naturellement.

Nature : 🏞 ΩΩ
Loisirs : 🍴🍽 🏠 🌙 nocturne 🖤 🚴 🚲 🎣
🏊 🏊 (bassin) 🏄 terrain multisports
Services : 🛂 🏢 🛃 - 11 sanitaires individuels
(🚿🛁 wc) 📶 laverie 🏊 🚿
À prox. : 🐎

G P S W : 1.16844
N : 45.77502

⚑ Activ'Loisirs Les Pins ♟♙

✆ 05 46 36 07 75, www.activ-loisirs.com - peu d'emplacements pour tentes et caravanes

Pour s'y rendre : 16 av. Côte-de-Beauté (1 km au sud)

Ouverture : de déb. avr. à fin sept.

1,5 ha (86 empl.) plat, sablonneux

Empl. camping : 31€ ✿✿ ⇌ 🄴 (16A) - pers. suppl. 7€ - frais de réservation 20€

Location : (de déb. avr. à fin sept.) - 33 🚐 - 18 🏠 - 2 tipis - 1 cabanon. Nuitée 99 à 171€ - Sem. 294 à 1 029€ - frais de réservation 20€

Locatif divers et varié en confort et en prix.

Nature : ΩΩ
Loisirs : 🏠 salle d'animations 🖤 🚴 🚲 🏄
(découverte en saison)
Services : 🛂 🛃 📶 laverie 🚿
À prox. : 🍽

G P S W : 1.15862
N : 45.78875

ROYAN

17200 - Carte Michelin **324** D6 - 18 259 h. - alt. 20

▶ Paris 504 - Bordeaux 121 - Périgueux 183 - Rochefort 40

⚑ Campéole Clairefontaine ♟♙

✆ 05 46 39 08 11, www.campeole.com/camping/post/clairefontaine-royan

Pour s'y rendre : à Pontaillac, r. du Col.-Lachaux (à 400 m de la plage)

Ouverture : de fin mars à fin sept.

5 ha (246 empl.) plat, herbeux

Empl. camping : (Prix 2018) 41€ ✿✿ ⇌ 🄴 (10A) - pers. suppl. 11€

Location : (Prix 2018) (de fin mars à fin sept.) - ⚹ (1 mobile home) - 33 🚐 - 40 🏠 - 30 bungalows toilés - 10 tentes lodges. Nuitée 42 à 194€ - Sem. 294 à 1 358€

🚐 borne artisanale

Agréable site verdoyant avec des locatifs équipés de sanitaires individuels. Proximité des commerces (300 m).

Nature : 🏞 ΩΩ
Loisirs : 🍴🍽 🏠 🖤 🚴 🚲 🏄 🍽 🏊 terrain multisports
Services : 🛂 🛃 📶 laverie 🚿
À prox. : casino

G P S W : 1.04977
N : 45.63094

⚑ Le Royan ♟♙

✆ 05 46 39 09 06, www.le-royan.com

Pour s'y rendre : 10 r. des Bleuets

Ouverture : de mi-avr. à déb. oct.

3,5 ha (194 empl.) peu incliné, herbeux

Empl. camping : 37€ ✿✿ ⇌ 🄴 (10A) - pers. suppl. 8€ - frais de réservation 20€

Location : (de mi-avr. à déb. oct.) - 30 🚐 - 13 🏠 - 8 Mobile Homes (sans sanitaire). Sem. 220 à 1 455€ - frais de réservation 20€

Locatif divers et varié en confort, emplacements bien délimités mais préférer les plus éloignés de la route.

Nature : 🏞 ΩΩ
Loisirs : 🍴🍽 🏠 🖤 🚴 🚲 🏊 🏄
Services : 🛂 🛃 🚿 📶 laverie 🏊 🚿
réfrigérateurs

G P S W : 1.04207
N : 45.64456

⛺ Le Chant des Oiseaux

📞 05 46 39 47 47, www.camping-royan-chantdesoiseaux.com

Pour s'y rendre : 19 r. des Sansonnets (2,3 km au nord-ouest)

Ouverture : de déb. avr. à fin sept.

2,5 ha (150 empl.) plat, herbeux, bois

Empl. camping : (Prix 2018) 33 € ✹✹ ⇔ 🔲 [½] (10A) - pers. suppl. 7 €
Location : (Prix 2018) Permanent - 32 🛏. Sem. 209 à 910 € - frais de réservation 16 €
🛏 5 🔲 21 € - 🔌[½]21 €

Quelques locatifs mobile homes grand confort avec pour certains la possibilité d'une formule hôtelière.

	GPS
Nature : 🌿 👓👓	W : 1.02872
Loisirs : ✗ 🍴 🎲 nocturne 🚣 🛶	N : 45.6466
Services : 🔑 🛁 ☎ laverie 🧺	

ST-AUGUSTIN-SUR-MER

17570 - Carte Michelin **324** D5 - 1 219 h. - alt. 10
▶ Paris 512 - Marennes 23 - Rochefort 44 - La Rochelle 81

⛺ Le Logis du Breuil

📞 05 46 23 23 45, www.logis-du-breuil.com

Pour s'y rendre : 36 r. du Centre (au sud-est par D 145, rte de Royan)

Ouverture : de déb. mai à fin sept.

30 ha/8,5 campables (390 empl.) vallonné, plat, herbeux, bois

Empl. camping : 39 € ✹✹ ⇔ 🔲 [½] (10A) - pers. suppl. 9 € - frais de réservation 13 €
Location : (Prix 2018) (de fin avr. à fin sept.) - 14 🛏 - 1 🏠. Nuitée 50 à 177 € - Sem. 310 à 1 240 € - frais de réservation 20 €
🛏 borne eurorelais

À l'orée de la forêt de St-Augustin, avec d'immenses espaces verts en prairies. Idéal pour la détente ou les jeux de ballon.

	GPS
Nature : ! 👓👓	W : 1.09612
Loisirs : 🍸 ✗ 🍴 jacuzzi 🚣 🚲 ✂ 🏊 🛶 🛶 terrain multisports	N : 45.67445
Services : 🔑 🛁 – 4 sanitaires individuels (🚿 wc) 🔑 🚲 ☎ laverie 🧺 🛁	

ST-CYR

86130 - Carte Michelin **322** I4 - 1 024 h. - alt. 62
▶ Paris 321 - Poitiers 18 - Tours 85 - Joué 82

⛺ Lac de St-Cyr 👥

📞 05 49 62 57 22, www.campinglacdesaintcyr.fr

Pour s'y rendre : parc de St-Cyr (1,5 km au nord-est par D 4 et D 82 rte de Bonneuil-Matour)

Ouverture : de déb. avr. à fin sept.

5,4 ha (198 empl.) plat, herbeux

Empl. camping : (Prix 2018) 32 € ✹✹ ⇔ 🔲 [½] (10A) - pers. suppl. 7 €
Location : (Prix 2018) (de déb. avr. à fin sept.) - ♿ (1 mobile home) - 36 🛏 - 3 bungalows toilés - 4 yourtes. Sem. 230 à 950 €
🛏 borne AireService

Cadre verdoyant et bien ombragé au bord du lac et tout proche de la base de loisirs.

	GPS
Nature : 🌿 ⬛ 👓👓 🏔	E : 0.44782
Loisirs : ✗ 🍴 🎲 🏃 🏂 🚣 🚲 🏓 🛶 🛶	N : 46.72056
Services : 🔑 ⬛ 🛁 ☎ laverie 🧺 🛁	
À prox. : 🍸 ⛱ 🎣 🐠 pédalos , réserve ornithologique, golf (9 et 18 trous)	

Gebruik de gids van het lopende jaar.

ST-GEORGES-DE-DIDONNE

17110 - Carte Michelin **324** D6 - 5 055 h. - alt. 7
▶ Paris 505 - Blaye 84 - Bordeaux 117 - Jonzac 56

⛺ Bois-Soleil 👥

📞 05 46 05 05 94, www.bois-soleil.com

Pour s'y rendre : 2 av. de Suzac (au sud par D 25, rte de Meschers-sur-Gironde)

Ouverture : de déb. avr. à fin sept.

10 ha (451 empl.) vallonné, en terrasses, plat, herbeux

Empl. camping : (Prix 2018) 52 € ✹✹ ⇔ 🔲 [½] (16A) - pers. suppl. 10 €

Location : (Prix 2018) (de déb. avr. à fin sept.) - 100 🛏 - 8 🏠 - 7 studios. Sem. 230 à 1 530€

En trois parties, une avec 200 mobile homes de propriétaires-résidents, une bien ombragée avec quelques emplacements près de la route, et une au calme, équipée de locatif avec terrasse et vue panoramique sur l'océan.

Nature : 🔲 ♤♤ ⛰
Loisirs : 🍸 ✕ 🏠 🎣🏃🚴 🎪 hammam jacuzzi 🏄🎯 🎾 🏊 terrain multisports
Services : 🔑 🏧 🛁 6 sanitaires individuels (🚿🚽 wc) 🚮 ♨ 🛜 laverie 🏪 🚲
À prox. : 🐎

GPS W : 0.98629
N : 45.58371

ST-GEORGES-LÈS-BAILLARGEAUX

86130 - Carte Michelin **322** I4 - 3 888 h. - alt. 100
▶ Paris 329 - Poitiers 12 - Joué 89 - Châtellerault 23

🏕 Le Futuriste

📞 05 49 52 47 52, www.camping-le-futuriste.fr

Pour s'y rendre : r. du Château (au sud du bourg, accès par D 20)

Ouverture : Permanent

2 ha (112 empl.) plat, peu incliné, herbeux, pierreux, petit étang

Empl. camping : (Prix 2018) 26€ 🚶🚶 🚐 🔲 🔌 (6A) - pers. suppl. 3€ - frais de réservation 15€

Location : (Prix 2018) Permanent ✂ - 10 🛏 - 6 🏠. Nuitée 65 à 155€ - Sem. 460 à 1 000€ - frais de réservation 15€

🛁 borne artisanale 6€ - 🚐 14€

Très agréable cadre verdoyant. De la piscine, vue panoramique sur le Futuroscope.

Nature : ≼ Futuroscope 🔲 ♤♤
Loisirs : 🍸 ✕ 🏠 🎣🏃 🖼 (découverte en saison) 🏊 🎾 terrain multisports
Services : 🔑 🏧 🛁 🚮 🛜 laverie 🚲

GPS E : 0.39543
N : 46.66468

ST-HILAIRE-LA-PALUD

79210 - Carte Michelin **322** B7 - 1 603 h. - alt. 15
▶ Paris 436 - Poitiers 104 - Niort 24 - La Rochelle 41

🏕 Le Lidon

📞 05 49 35 33 64, www.camping-le-lidon.com/

Pour s'y rendre : lieu-dit : Lidon (3 km à l'ouest par D 3 rte de Courçon et chemin à gauche, à la base de canoë)

Ouverture : de déb. avr. à fin sept.

3 ha (140 empl.) plat, herbeux

Empl. camping : 🚐🔲 24€ – 🔌 (10A) 5€ - frais de réservation 10€

Location : (de déb. avr. à fin sept.) - 8 🛏 - 3 🏠 - 4 bungalows toilés - 9 tentes lodges. Nuitée 44 à 109€ - Sem. 158 à 707€ - frais de réservation 10€

🛁 borne artisanale 5€

Accueil, bar et restaurant au bord du petit ruisseau, près de l'embarcadère.

Nature : 🔲 ♤♤
Loisirs : 🍸 ✕ 🏠 🚴 🏊 🐟 🚣 barques
Services : 🔑 🏧 🛜 laverie 🚲

GPS W : 0.74324
N : 46.28379

ST-JEAN-D'ANGÉLY

17400 - Carte Michelin **324** G4 - 7 581 h. - alt. 25
▶ Paris 444 - Angoulême 70 - Cognac 35 - Niort 48

🏕 Val de Boutonne

📞 05 46 32 26 16, www.camping-charente-martime-17.com

Pour s'y rendre : 56 quai de Bernouet (sortie nord-ouest, rte de la Rochelle, puis à gauche av. du Port, D 18)

Ouverture : de déb. avr. à fin sept.

1,8 ha (99 empl.) plat, herbeux

Empl. camping : 23€ 🚶🚶 🚐 🔲 🔌 (10A) - pers. suppl. 5€ - frais de réservation 5€

Location : (de déb. avr. à fin sept.) - 12 🛏 - 2 bungalows toilés - 2 tentes lodges. Nuitée 60 à 90€ - Sem. 250 à 650€ - frais de réservation 10€

🛁 borne AireService

Agréable structure simple, avec un bon confort sanitaire et proche d'une base nautique bien équipée.

Nature : 🏞 ♤♤
Loisirs : 🏠 🎣🏃 🚴 🚣
Services : 🔑 🛜 laverie
À prox. : 🍸 ✕ 🎣 🚣 🏊 base nautique

GPS W : 0.53638
N : 45.94877

ST-JUST-LUZAC

17320 - Carte Michelin **324** D5 - 1 838 h. - alt. 5
▶ Paris 502 - Rochefort 23 - La Rochelle 59 - Royan 26

🏕 Le Séquoia Parc 🏊

📞 05 46 85 55 55, www.sequoiaparc.com

Pour s'y rendre : lieu-dit : la Josephtrie (2,7 km au nord-ouest par D 728, rte de Marennes et chemin à dr.)

Ouverture : de mi-mai à déb. sept.

45 ha/28 campables (460 empl.) plat, herbeux

Empl. camping : 61€ 🚶🚶 🚐 🔲 🔌 (6A) - pers. suppl. 12€ - frais de réservation 30€

Location : (de mi-mai à déb. sept.) - ♿ (1 mobile home) - ✂ - 360 🛏 - 40 🏠 - 2 tentes lodges. Nuitée 46 à 174€ - Sem. 322 à 1 218€

🛁 borne artisanale

Bel espace aquatique avec balnéo autour des dépendances d'un château, dans un parc agrémenté de nombreuses variétés d'arbres et de fleurs.

Nature : 🏞 🔲 ♤♤
Loisirs : 🍸 ✕ 🏠 🎣🏃 🎪 centre balnéo 🏊 hammam jacuzzi 🏄🎯 🚲 🎾 🖼 🏊 🐎 mini ferme point d'informations touristiques terrain multisports
Services : 🔑 🛁 🚮 🛜 laverie 🚲

GPS W : 1.06046
N : 45.81173

ST-LAURENT-DE-LA-PRÉE

17450 - Carte Michelin **324** D4 - 1 814 h. - alt. 7
▶ Paris 483 - Rochefort 10 - La Rochelle 31

Club Airotel Domaine des Charmilles ▲▴

📞 05 46 84 00 05, www.domainelescharmilles.com

Pour s'y rendre : à Fouras, 1541 rte de l'Océan (2,2 km au nord-ouest par D 214e1 et D 937 à dr., rte de la Rochelle)

Ouverture : Permanent

5 ha (270 empl.) plat, herbeux

Empl. camping : 35€ ★★ ⬅ 🅴 💧 (10A) - pers. suppl. 8€ - frais de réservation 25€

Location : Permanent🚹 (4 chalets) - 100 🛏 - 20 🏠 - 6 bungalows toilés - 1 gîte. Nuitée 60 à 100€ - Sem. 195 à 1 195€ - frais de réservation 25€

Encore quelques emplacements pour tentes ou caravanes.

Nature : 🏕 ♤♤
Loisirs : 🍽 ✕ 🎬 🎮 🏓 🏊 🚴 🏐 🎱 🏖
mini ferme
Services : ⚓ 🚿 ☎ laverie 🍴 ⛽

GPS W : 1.05034 N : 45.99052

Le Lagon de La Pré by Le Pré Vert ▲▴

(pas d'emplacement tentes et caravanes)

📞 05 46 84 89 40, www.camping-prevert.com

Pour s'y rendre : r. du Petit-Loir (2,3 km au nord-est par D 214, rte de la Rochelle, au lieu-dit St-Pierre - par voie rapide : sortie Fouras)

3 ha (199 empl.) en terrasses, plat, herbeux

Location : Permanent🚹 (1 mobile home) - 186 🛏 - 13 🏠. Nuitée 90 à 100€ - Sem. 250 à 990€ - frais de réservation 20€

Mobile homes autour d'un lagon filtré naturellement et d'un bel espace aquatique.

Nature : 🏕 ♤♤
Loisirs : 🍽 ✕ 🎬 🎮 🏓 🏊 🚴 🏐 🎱 🏖
(bassin) ⛲ terrain multisports
Services : ⚓ 🚿 ☎ laverie ⛽
À prox. : golf

GPS W : 1.01917 N : 45.99046

ST-NAZAIRE-SUR-CHARENTE

17780 - Carte Michelin **324** D4 - 1 124 h. - alt. 14
▶ Paris 491 - Fouras 27 - Rochefort 13 - La Rochelle 49

Flower L'Abri-Cotier

📞 05 46 84 81 65, www.camping-la-rochelle.net

Pour s'y rendre : 26 La Bernardière (1 km au sud-ouest par D 125e1)

Ouverture : de déb. avr. à fin sept.

1,8 ha (100 empl.) peu incliné, plat, herbeux

Empl. camping : 34€ ★★ ⬅ 🅴 💧 (16A) - pers. suppl. 7€ - frais de réservation 20€

Location : (de déb. avr. à fin sept.) - 🚹 (1 mobile home) - 45 🛏 - 5 🏠 - 5 bungalows toilés. Nuitée 38 à 130€ - Sem. 140 à 910€ - frais de réservation 20€

🚰 borne artisanale 13€

Ombrage, emplacements délimités et locatif varié.

Nature : 🐟 🏕 ♤♤
Loisirs : 🍽 ✕ 🎬 🏓 🚴 🏖
Services : ⚓ 🚿 ☎ laverie ⛽ réfrigérateurs

GPS W : 1.05856 N : 45.93349

ST-PALAIS-SUR-MER

17420 - Carte Michelin **324** D6 - 3 926 h. - alt. 5
▶ Paris 512 - La Rochelle 82 - Royan 6

⛺ Côte de Beauté

📞 05 46 23 20 59, www.camping-cote-de-beaute.com

Pour s'y rendre : 157 av. de la Grande-Côte (2,5 km au nord-ouest, à 50 m de la mer)

Ouverture : de mi-avr. à déb. oct.

1,7 ha (115 empl.) plat, herbeux

Empl. camping : (Prix 2018) 29€ ★★ ⬅ 🅴 💧 (6A) - pers. suppl. 5€ - frais de réservation 25€

Location : (Prix 2018) (de déb. avr. à déb. oct.) - 🚹 (1 appartement) - 16 🛏 - 4 bungalows toilés - 4 appartements. Nuitée 50 à 124€ - Sem. 300 à 870€ - frais de réservation 25€

🚰 borne artisanale

Quelques emplacements au-dessus de la route ont une vue panoramique sur l'océan. Navette pour le centre-ville.

Nature :
Loisirs : 🏠 ⛱ 🚴
Services : 🚿 🚽 ♿ 🛜 📺
À prox. : 🏊 🍽 ✕ 🚣

G
P
S
W : 1.1191
N : 45.64973

Proche du centre-ville avec arrêt de bus pour Angoulême.

Nature : 🌳 🌲 ♨
Loisirs : 🍽 ✕ 🏠 ⛱ 🚴 🛴 ⚽ terrain multisports
Services : 🚿 🏧 ♿ 🛜 laverie
À prox. : 🏊 hammam jacuzzi 🎣 🏖 (plage)
⛵ 🚴 🎣 🚣 base nautique

G
P
S
E : 0.13808
N : 45.67652

ST-SAVINIEN

17350 - Carte Michelin **324** F4 - 2 413 h. - alt. 18
▶ Paris 457 - Rochefort 28 - La Rochelle 62 - St-Jean-d'Angély 15

⛺ L'Île aux Loisirs

✆ 05 46 90 35 11, www.ilesauxloirs.com

Pour s'y rendre : à Le Mung, 102 r. de St-Savinien (500 m à l'ouest par D 18, rte de Pont-l'Abbé-d'Arnoult, entre la Charente et le canal, à 200 m d'un plan d'eau)

1,8 ha (82 empl.) plat, herbeux

Location : - 16 🚐 - 1 🏠 - 2 tentes lodges - 4 cabanons.

Camping tout simple à proximité d'une piscine et d'une important espace de jeux pour les enfants.

Nature : 🌳 ♨♨
Loisirs : 🍽 ✕ ⛱ 🚴 🛴
Services : 🚿 ♿ 🛜 laverie 🛒
À prox. : ✕ 🏃 🎣 🚣 ♣ parcours sportif

G
P
S
W : 0.68427
N : 45.87786

ST-SORNIN

17600 - Carte Michelin **324** E5 - 303 h. - alt. 16
▶ Paris 495 - Marennes 13 - Rochefort 24 - La Rochelle 60

⛺ Le Valerick

✆ 05 46 85 15 95, www.camping-le-valerick.fr

Pour s'y rendre : 1 La Mauvinière (1,3 km au nord-est par D 118, rte de Pont-l'Abbé)

Ouverture : de déb. avr. à fin sept.

1,5 ha (50 empl.) peu incliné, plat, herbeux, bois

Empl. camping : 24€ ✶✶ 🚐 📺 🔌 (6A) - pers. suppl. 5€
Location : (de déb. avr. à fin sept.) - 🚲 - 5 🚐. Sem. 330 à 650€

Terrain vallonné, très bien tenu, avec un confort sanitaire simple.

Nature : ♨♨
Loisirs : ⛱ 🚴
Services : 🚿 🚽 🛜 📺

G
P
S
W : 0.96521
N : 45.77446

ST-YRIEIX-SUR-CHARENTE

16710 - Carte Michelin **324** K5 - 7 025 h. - alt. 53
▶ Paris 451 - Poitiers 114 - Angoulême 7 - La Rochelle 142

⛺ du Plan d'Eau

✆ 05 45 92 14 64, www.camping-angouleme.fr

Pour s'y rendre : 1 r. du Camping

Ouverture : de déb. avr. à fin oct.

6 ha (148 empl.) plat, herbeux, pierreux

Empl. camping : (Prix 2018) 19€ ✶✶ 🚐 📺 🔌 (10A) - pers. suppl. 4€
Location : (Prix 2018) (de déb. avr. à fin oct.) - ♿ (1 mobile home) - 17 🚐 - 2 cabanons. Nuitée 39 à 105€ - Sem. 239 à 679€
🚐 14 📺 10€

SECONDIGNY

79130 - Carte Michelin **322** D5 - 1 773 h. - alt. 177
▶ Paris 391 - Bressuire 27 - Champdeniers 15 - Coulonges-sur-l'Autize 22

⛺ Le Moulin des Effres

✆ 05 49 95 61 97, www.camping-lemoulindeseffres.com

Pour s'y rendre : sortie sud par D 748, rte de Niort et chemin à gauche, près d'un plan d'eau

2 ha (90 empl.) peu incliné, plat, herbeux

Location : - 30 🚐 - 5 🏠 - 2 tentes lodges - 3 tipis.
🚐 borne AireService - 5 📺

Emplacements bien délimités et ombragés.

Nature : 🌲 🌳 ♨♨
Loisirs : 🏠 ⛱ 🚴 🎣 🏊
Services : 🚿 🏧 🛜 laverie
À prox. : ✕ ✕ 🏃 🚣 pédalos

G
P
S
W : 0.41418
N : 46.60421

*To visit a town or region : use the **MICHELIN Green Guides.***

SEMUSSAC

17120 - Carte Michelin **324** E6 - 1 998 h. - alt. 36
▶ Paris 520 - Poitiers 187 - La Rochelle 85 - Angoulême 111

⛺ Le 2 B

✆ 05 46 05 95 16, www.camping-2b.com

Pour s'y rendre : 9 chemin des Bardonneries (3,8 km à l'est par D 730, rte de St-Georges-de-Didonne)

Ouverture : de déb. avr. à fin sept.

1,8 ha (93 empl.) peu incliné, plat, herbeux

Empl. camping : (Prix 2018) 26€ ✶✶ 🚐 📺 🔌 (6A) - pers. suppl. 6€ - frais de réservation 14€
Location : (Prix 2018) (de déb. avr. à fin sept.) - 21 🚐 - 10 tentes lodges. Nuitée 39 à 105€ - Sem. 219 à 695€ - frais de réservation 14€

Préférer les emplacements les plus éloignés de la route.

Nature : ♨♨
Loisirs : 🍽 ✕ 🏠 ⛱ 🏃 🎣 🏊 🏄
Services : 🚿 ♿ 🛜 laverie

G
P
S
W : 0.94793
N : 45.6041

VAUX-SUR-MER

17640 - Carte Michelin **324** D6 - 3 835 h. - alt. 12
▶ Paris 514 - Poitiers 181 - La Rochelle 75 - Rochefort 44

Flower Le Nauzan-Plage

℘ 05 46 38 29 13, www.campinglenauzanplage.com

Ouverture : de déb. avr. à fin sept.

3,9 ha (237 empl.) plat, herbeux

Empl. camping : 45€ ♥♥ ⇔ 回 ⑭ (10A) - pers. suppl. 10€ - frais de réservation 20€
Location : (de déb. avr. à fin sept.) - 73 ⏢ - 4 chalets sur pilotis - 2 tentes lodges - 5 tentes sur pilotis. Nuitée 35 à 168€ - Sem. 245 à 1 176€ - frais de réservation 20€
⛽ borne Urbaflux 3€ - 6 回 10€

En bordure d'un joli parc et traversé par un petit ruisseau ruisseau.

Nature : ⌂ ♀		
Loisirs : ♈ ✕ 🎳 🎦 diurne 🏌 🖼 🎣 🎣	**G**	W : 1.07196
Services : ⚷ 🏛 ♨ �📶 laverie 🖳 🍴	**P**	N : 45.64295
À prox. : 🎾 🖼	**S**	

Le Val-Vert

℘ 05 46 38 25 51, www.val-vert.com

Pour s'y rendre : 108 av. Frédéric-Garnier (au sud-ouest du bourg)

Ouverture : de fin avr. à mi-sept.

3 ha (181 empl.) en terrasses, peu incliné, plat, herbeux, pierreux

Empl. camping : ⇔ ⑭ (10A) - pers. suppl. 8€ - frais de réservation 16€

Location : (de fin avr. à mi-sept.) - 27 ⏢ - 36 🏠. Nuitée 94 à 135€ - Sem. 250 à 823€ - frais de réservation 16€

En bordure d'un joli parc, d'un étang et d'un ruisseau.

Nature : ⌂ ♀♀		
Loisirs : ✕ 🎦 🏌 🚲 🎣	**G**	W : 1.06299
Services : ⚷ ♨ �📶 laverie 🖳	**P**	N : 45.64357
À prox. : 🎾 🖼 🎣	**S**	

VOUILLÉ

86190 - Carte Michelin **322** G5 - 3 498 h. - alt. 118
▶ Paris 345 - Châtellerault 46 - Parthenay 34 - Poitiers 18

⚠ Municipal

℘ 05 49 51 90 10, www.vouille86.fr

Pour s'y rendre : chemin de la Piscine (au bourg, au bord de l'Auxance)

Ouverture : de déb. juin à déb. sept.

0,5 ha (48 empl.) plat, herbeux

Empl. camping : (Prix 2018) 18€ ♥♥ ⇔ 回 ⑭ (10A) - pers. suppl. 4€

Emplacements délimités et ombragés au pied d'un imposant bâtiment d'accueil, tout proche du bourg et des commerces.

Nature : 🐟 ⌂ ♀♀		
Loisirs : 🏌 🎣 🎣	**G**	E : 0.16417
Services : ♨ 📦	**P**	N : 46.64016
À prox. : ✕	**S**	

PROVENCE-ALPES-CÔTE D'AZUR

StevanZZ/iStock

Le jour se lève en Provence. Sur les marchés colorés les « partisanes » vantent avec une faconde proverbiale la fraîcheur de leur étal. Tsitt… tsitt, face à la « grande bleue », les cigales entament leur chant obsédant, et les sonnailles des moutons transhumants tintent du côté de l'Ubaye. Le soleil darde ses rayons sur les villages perchés, exalte la senteur des lavandes et confine à l'ombre des platanes les gourmands qui dégustent un aïoli ou une bouillabaisse… Puis vient l'heure de la sieste, pratiquée dans les bastides de l'arrière-pays comme dans les cabanons nichés au creux des calanques. À la fraîche entrent en scène les joueurs de pétanque : après force querelles, ils rivaliseront jusqu'à la nuit de galéjades devant une tournée de pastis, « avec l'accent qui se promène et qui n'en finit pas ».

As the fishmongers joke, chat, and cry their wares under clear blue skies, you cannot help but fall in love with the happy-go-lucky spirit of Marseilles. Elsewhere, the sun is climbing higher above the ochre walls of a hilltop village and its fields of lavender below; the steady chirring of the cicadas is interrupted only by the sheepbells ringing in the hills. Slow down to the gentle pace of the villagers and join them as they gather by the refreshingly cool walls of the café. However, come 2pm, you may begin to wonder where everyone is. On hot afternoons, everyone exercises their God-given right to a nap, from the fashionable Saint Tropez beaches to the seaside cabins of the Camargue, but soon it's time to wake up and get ready for a hotly-disputed game of pétanque and a cool glass of pastis!

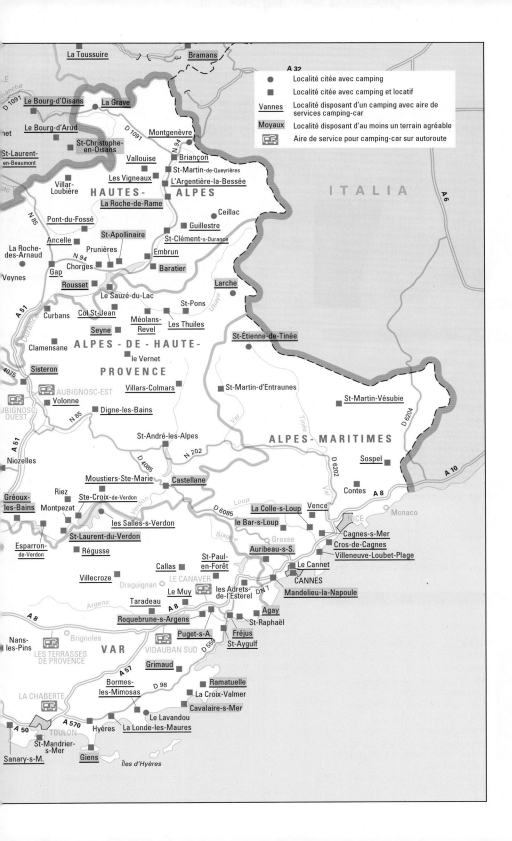

La Toussuire
Bramans

A 32

● Localité citée avec camping
■ Localité citée avec camping et locatif
Vannes Localité disposant d'un camping avec aire de services camping-car
Moyaux Localité disposant d'au moins un terrain agréable
🚐 Aire de service pour camping-car sur autoroute

Le Bourg-d'Oisans   La Grave
Le Bourg-d'Arud
St-Christophe-en-Oisans   Montgenèvre
St-Laurent-en-Beaumont   Vallouise   Briançon
Villar-Loubière   Les Vigneaux   St-Martin-de-Queyrières
HAUTES-   ALPES   L'Argentière-la-Bessée
La Roche-de-Rame
Pont-du-Fossé   Ceillac
Ancelle   St-Apollinaire   Guillestre
Prunières   St-Clément-s-Durance
La Roche-des-Arnaud   Chorges   Embrun
Veynes   Gap   Baratier
Rousset   Larche
Le Sauzé-du-Lac
Curbans   Col St-Jean   St-Pons
Méolans-Revel   Les Thuiles
Seyne
Clamensane   ALPES - DE - HAUTE -   St-Étienne-de-Tinée
le Vernet   PROVENCE
Sisteron
AUBIGNOSC-EST   Villars-Colmars   St-Martin-d'Entraunes
🚐 Volonne   St-Martin-Vésubie
UBIGNOSC-OUEST   Digne-les-Bains
Niozelles   St-André-les-Alpes   ALPES - MARITIMES
Sospel
Moustiers-Ste-Marie   Castellane   Contes
Riez   Ste-Croix-de-Verdon   Vence
Gréoux-les-Bains   Montpezat   La Colle-s-Loup   NICE   Monaco
les Salles-s-Verdon   le Bar-s-Loup   Cagnes-s-Mer
St-Laurent-du-Verdon   Grasse   Cros-de-Cagnes
Esparron-de-Verdon   Régusse   Auribeau-s-S.   Villeneuve-Loubet-Plage
Callas   St-Paul-en-Forêt   Le Cannet
Villecroze   Draguignan   LE CANAVER   CANNES
Le Muy   les Adrets-de-l'Esterel   Mandelieu-la-Napoule
Taradeau   DN 7
Nans-les-Pins   Brignoles   Roquebrune-s-Argens   Agay
LES TERRASSES DE PROVENCE   VIDAUBAN SUD   Puget-s-A.   St-Raphaël
VAR   Fréjus
Grimaud   St-Aygulf
LA CHABERTE   Bormes-les-Mimosas   Ramatuelle
🚐   La Croix-Valmer
Cavalaire-s-Mer
Hyères   Le Lavandou
St-Mandrier-s-Mer   La Londe-les-Maures
Sanary-s-M.   Giens   Îles d'Hyères
TOULON

ITALIA

Campéole — NOS CAMPINGS EN MÉDITERRANÉE — campeole.com

LE DRAMONT ★ ★ ★

Face à l'Île d'Or, la plage en accès direct

Emplacements, mobil-homes, centre international de plongée sur site. Endroit naturel idéal pour de longues balades le long d'un littoral ponctué de criques.

986 boulevard de la 36ᵉ division du Texas - 83530 Agay-Saint-Raphaël
+33 (0)4 94 82 07 68 - dramont@campeole.com

EUROSURF ★ ★ ★ ★

Sur la Presqu'île de Giens, accès direct au sable fin

Mobil-homes, restaurant et épicerie, base natique et centre de plongée sur site. Escapades en bateau vers les "Îles d'Hyères" et découverte de la Côte d'Azur.

2947 Route de Giens - 83400 Hyères
+33 (0)4 94 58 00 20 - eurosurf@campeole.com

LES ADRETS-DE-L'ESTEREL

83600 - Carte Michelin **340** P4 - 2 063 h. - alt. 295
▶ Paris 881 - Cannes 26 - Draguignan 44 - Fréjus 17

🏕 Les Philippons

📞 04 94 40 90 67, www.lesphilippons.com

Pour s'y rendre : 378 rte de l'Argentière (3 km à l'est par D 237)

Ouverture : de déb. avr. à fin sept.

5 ha (120 empl.) fort dénivelé, en terrasses, plat, herbeux, pierreux

Empl. camping : 38€ ★★ 🚐 📧 🚿 (10A) - pers. suppl. 7€

Location : (de déb. avr. à fin sept.) - 18 🏠 - 2 cabanons. Nuitée 30 à 138€ - Sem. 175 à 966€

En deux parties distinctes dans un cadre méditerranéen sous les oliviers, eucalyptus, chênes-lièges et mimosas.

Nature : 🌳 ⛰ 🌲
Loisirs : 🍴 ✗ 🛶 🏊
Services : 🔑 🔥 🏪 ⏰ 📶 laverie 🧺 réfrigérateurs

E : 6.84002
N : 43.52876

To visit a town or region : use the MICHELIN Green Guides.

AGAY

83530 - Carte Michelin **340** Q5 - alt. 20
▶ Paris 880 - Cannes 34 - Draguignan 43 - Fréjus 12

🏔 Esterel Caravaning 👥

Esterel Caravaning

📞 04 94 82 03 28, www.esterel-caravaning.fr

Pour s'y rendre : av. des Golfs (4 km au nord-ouest)

Ouverture : de déb. avr. à fin sept.

15 ha (495 empl.) en terrasses, peu incliné, plat, herbeux, pierreux

Empl. camping : 67€ ★★ 🚐 📧 🚿 (16A) - pers. suppl. 13€ - frais de réservation 40€

Location : (de déb. avr. à fin sept.) - 331 🚐. Nuitée 30 à 570€ - Sem. 210 à 3 990€ - frais de réservation 40€

🚐 borne artisanale - 🔌 🚿14€

Piscine ludique couverte pour les enfants, nurserie et quelques emplacements très grand confort (jacuzzi, cuisinette ou sanitaires privés).

Nature : 🌳 🏕 🌲
Loisirs : 🍴 ✗ 🏠 🎣 🏃 🎿 centre balnéo 🧖 hammam 🎣 🏊 🎯 🕺 discothèque squash terrain multisports skate parc
Services : 🔑 🔥 🏪 🚿 - 18 sanitaires individuels (🚿 wc) 🧺 📶 laverie 🧺 🛒

E : 6.83256
N : 43.45419

🏔 Campéole Le Dramont 👥

📞 04 94 82 07 68, www.campeole.com/camping/post/le-dramont-agay-st-raphael

Pour s'y rendre : 986 bd de la 36e-Division-du-Texas

Ouverture : de fin mars à mi-oct.

6,5 ha (374 empl.) vallonné, plat, sablonneux, pierreux

Empl. camping : (Prix 2018) 54€ ★★ 🚐 📧 🚿 (10A) - pers. suppl. 11€

Location : (Prix 2018) (de fin mars à mi-oct.) - 103 🚐 - 21 🏠 - 35 bungalows toilés - 11 tentes lodges. Nuitée 42 à 184€ - Sem. 294 à 1 288€

🚐 borne eurorelais 8€

Agréable pinède avec des emplacements face à la mer et du locatif varié en confort.

Nature : 🌳 🌲 ⛰
Loisirs : 🍴 ✗ 🏠 🎣 🏃 🎣 🏊 plongée terrain multisports
Services : 🔑 🏪 🚿 📶 laverie 🧺 🛒
À prox. : 🛶

E : 6.84835
N : 43.41782

Ne pas confondre :
△ ... à ... 🏔 : *appréciation* **MICHELIN**
et
★ ... à ... ★★★★★ : *classement officiel*

🏔 Sud Est Vacances La Vallée du Paradis ♁♁

🕽 04 94 82 16 00, www.camping-vallee-du-paradis.fr - peu d'emplacements pour tentes et caravanes

Pour s'y rendre : av. du Gratadis (1 km au nord-ouest, au bord de l'Agay)

Ouverture : de déb. avr. à mi-nov.

3 ha (184 empl.) plat

Empl. camping : 66€ ♦♦ ⇔ 🗉 ♨ (16A) - pers. suppl. 10€ - frais de réservation 5€

Location : Permanent✈ - 168 🚐. Nuitée 45 à 228€ - Sem. 315 à 1 596€ - frais de réservation 5€

Village de mobile homes bordé par la rivière avec pontons d'amarrage.

Nature : ⇐ ⌂ ♀	
Loisirs : 🍸 ✕ 🎠 ⬚ 🛝 ✶ ⇔ ♒ 🛶 ⛱	**G P S** E : 6.85285 N : 43.43546
Services : ⚬━ ⬛ ♨ 🌳 ⚶ laverie ♨ ♨	
À prox. : ⚓	

🏔 Les Rives de l'Agay

🕽 04 94 82 02 74, www.lesrivesdelagay.com

Pour s'y rendre : 575 av. du Gratadis (700 m au nord-ouest, au bord de l'Agay et à 500 m de la plage)

Ouverture : de mi-mars à déb. nov.

2 ha (171 empl.) plat, herbeux, sablonneux

Empl. camping : (Prix 2018) 49€ ♦♦ ⇔ 🗉 ♨ (6A) - pers. suppl. 8€ - frais de réservation 20€

Location : (Prix 2018) (de mi-mars à déb. nov.) - 48 🚐. Nuitée 39 à 145€ - Sem. 273 à 1 015€ - frais de réservation 20€

Bordé par la rivière avec ponton d'amarrage et mise à l'eau des bateaux.

Nature : ⌂ ⌂ ♀♀	
Loisirs : ✕ 🎠 🛝 ⚓ plongée	**G P S** E : 6.85263 N : 43.43408
Services : ⚬━ ⬛ ♨ 🌳 ⚶ 🌳 ⚶ laverie ♨ ♨	
À prox. : ⚓	

🏕 Agay-Soleil

🕽 04 94 82 00 79, www.agay-soleil.com ✄ (de déb. mars à fin juin)

Pour s'y rendre : 1152 bd de la Plage (700 m à l'est sur la D 559, rte de Cannes)

Ouverture : de mi-mars à déb. nov.

0,7 ha (53 empl.) en terrasses, peu incliné, plat, sablonneux

Empl. camping : (Prix 2018) 34€ ♦♦ ⇔ 🗉 ♨ (10A) - pers. suppl. 7€

Location : (Prix 2018) Permanent✈ - 5 🚐 - 2 🏠 - 1 appartement - 1 maison (mitoyenne). Sem. 330 à 800€

🚐 borne AireService - 6 🗉 29€

Nature : ⇐ ⌂ ♀♀ ⚠	
Loisirs : 🍸 ✕ 🎠	**G P S** E : 6.86822 N : 43.43333
Services : ⚬━ ⌧ ⬛ ♨ 🌳 📶 🖼 ♨	
À prox. : ✄ base nautique	

🏕 Royal-Camping

🕽 04 94 82 00 20, www.royalcamping.net

Pour s'y rendre : r. Louise-Robinson (1,5 km à l'ouest par D 559, rte de St-Raphael et r. à gauche)

Ouverture : de mi-fév. à déb. nov.

0,6 ha (45 empl.) plat, herbeux, gravier

Empl. camping : 35€ ♦♦ ⇔ 🗉 ♨ (6A) - pers. suppl. 4€ - frais de réservation 20€

Location : (de mi-mars à déb. nov.) - 9 🚐. Nuitée 50 à 117€ - Sem. 350 à 820€ - frais de réservation 20€

Nature : ♀♀ ⚠	
Loisirs : 🎠	**G P S** E : 6.85707 N : 43.42027
Services : ⚬━ 🌳 📶	
À prox. : 🖼 ♨ 🍸 ✕ ⚶ ♨	

AIX-EN-PROVENCE

13100 - Carte Michelin **340** H4 - 141 895 h. - alt. 206

▣ Paris 752 - Aubagne 39 - Avignon 82 - Manosque 57

🏔 Chantecler ♁♁

🕽 04 42 26 12 98, www.campingchantecler.com

Pour s'y rendre : 41 av. du Val-St-André (2,5 km au sud-est, accès par cours Gambetta - par A8 : sortie 31, Aix - Val-St-André)

Ouverture : Permanent

8 ha (240 empl.) fort dénivelé, vallonné, en terrasses, plat, herbeux, pierreux

Empl. camping : ♦ 8€ ⇔ 🗉 9€ – ♨ (10A) 5€

Location : Permanent✈ - 39 🚐 - 13 🏠. Nuitée 150 à 250€ - Sem. 589 à 704€

🚐 borne AireService 5€

Préférer les emplacements les plus éloignés de la nuisance sonore de l'autoroute.

Nature : 🍸 ✕ 🎠♠	
Loisirs : 🍸 ✕ 🎠 🛝 ✶ ⇔	**G P S** E : 5.47416 N : 43.51522
Services : ⚬━ ⬛ ♨ 🌳 laverie ♨	

---

*La catégorie (1 à 5 tentes, **noires** ou **rouges**) que nous attribuons aux terrains sélectionnés dans ce guide est une appréciation qui nous est propre. Elle ne doit pas être confondue avec le classement (1 à 5 étoiles) établi par les services officiels.*

ANCELLE

05260 - Carte Michelin **334** F5 - 854 h. - alt. 1 340 - Sports d'hiver : 1 350/1 807 m

▣ Paris 665 - Gap 17 - Grenoble 103 - Orcières 18

🏔 Les Auches ♁♁

🕽 04 92 50 80 28, www.lesauches.com

Pour s'y rendre : Lieu-dit : Les Auches (sortie nord par rte de Pont du Fossé et à dr.)

Ouverture : de mi-avr. à fin sept.

2 ha (100 empl.) non clos, en terrasses, peu incliné, herbeux

Empl. camping : 26€ ♦♦ ⇔ 🗉 ♨ (6A) - pers. suppl. 6€

Location : Permanent♿ (1 chalet) - ✄ - 12 🚐 - 11 🏠 - 2 cabanons - 2 gîtes - 1 appartement - 2 studios. Sem. 210 à 700€ - frais de réservation 15€

🚐 borne artisanale 5€

Emplacements en terrasses avec vue sur la montagne, les pistes de ski et les remontées mécaniques.

Nature : 🏔 ⇐ ♀♀	
Loisirs : ✕ 🎠 ✶ jacuzzi ⚶ 🛝	**G P S** E : 6.21075 N : 44.62435
Services : ⚬━ ⬛ ♨ 🌳 📶 laverie	

PROVENCE-ALPES-CÔTE D'AZUR

APT

84400 - Carte Michelin **332** F10 - 11 405 h. - alt. 250
▶ Paris 728 - Aix-en-Provence 56 - Avignon 54 - Carpentras 49

⛰ Le Lubéron

🖉 04 90 04 85 40, www.campingleluberon.com

Pour s'y rendre : av. de Saignon (2 km au sud-est par D 48)

Ouverture : de fin mars à fin sept.

5 ha (110 empl.) en terrasses, plat et peu incliné, herbeux, gravillons

Empl. camping : (Prix 2018) 37 € ✴✴ ⛽ 🔲 🔌 (6A) - pers. suppl. 10 €
- frais de réservation 18 €

Location : (Prix 2018) (de fin mars à fin sept.) - 9 🚐 - 17 🏠
- 6 tentes lodges - 2 gîtes. Nuitée 50 à 149 € - Sem. 245 à 1 043 €
- frais de réservation 18 €

🚰 borne artisanale 2 €

Nature : 🦆 ⚓ 🌳	G	
Loisirs : 🍸 ✕ ⛵ 🏊	P	E : 5.41327
Services : 🔧 🏢 ♨ 🛎 laverie réfrigérateurs	S	N : 43.86632

⛰ Les Cèdres

🖉 04 90 74 14 61, www.camping-les-cedres.eu

Pour s'y rendre : 63 imp. de La Fantaisie (sortie nord-ouest par D 22, rte de Rustrel)

Ouverture : de déb. mars à fin oct.

1,8 ha (110 empl.) plat, herbeux, pierreux

Empl. camping : ✴ 4 € ⛽ 2 € – 🔌 (10A) 4 €

🚰 borne raclet 4 €

Un petit chemin aménagé mène à la rivière.

Nature : 🦆 🌳	G	
Loisirs : 🏠 ⛵ mur d'escalade	P	E : 5.4013
Services : 🔧 🏢 🛎 🗄 🛎 🛎 réfrigérateurs	S	N : 43.87765
À prox. : ⛵		

L'ARGENTIÈRE-LA-BESSÉE

05120 - Carte Michelin **334** H4 - 2 328 h. - alt. 1 024
▶ Paris 696 - Briançon 17 - Embrun 33 - Gap 74

⛰ Les Écrins

🖉 04 92 23 03 38, www.camping-les-ecrins.com

Pour s'y rendre : av. Pierre-Ste (2,3 km au sud par N 94, rte de Gap, et D 104 à dr.)

Ouverture : de mi-avr. à mi-sept.

3 ha (71 empl.) plat, herbeux, pierreux

Empl. camping : (Prix 2018) 21 € ✴✴ ⛽ 🔲 🔌 (10A) - pers. suppl. 6 €
- frais de réservation 5 €

🚰 borne artisanale 2 € - 🔋 12 €

Clientèle jeune et sportive (groupes et colonies), attirée par les nombreuses activités d'eaux vives.

Nature : ⚓ 🏞 🌳	G	
Loisirs : 🏠 ⛵ 🦢	P	E : 6.55823
Services : 🔧 🏢 ♨ 🛎 🗄	S	N : 44.77687
À prox. : ✂ 🏖 🛶 🚣 (plan d'eau) 🏃 sports en eaux vives		

ARLES

13200 - Carte Michelin **340** C3 - 52 439 h. - alt. 13
▶ Paris 719 - Aix-en-Provence 77 - Avignon 37 - Cavaillon 44
Ouest : 14 km par N 572 rte de St-Gilles et D 37 à gauche

⛰ Crin Blanc 👥

🖉 04 66 87 48 78, www.campingcrinblanc.com

Pour s'y rendre : au hameau des Saliers (au sud-ouest de Saliers par D 37)

Ouverture : de déb. avr. à fin sept.

4,5 ha (170 empl.) plat, herbeux, pierreux

Empl. camping : 27 € ✴✴ ⛽ 🔲 🔌 (10A) - pers. suppl. 7 € - frais de réservation 10 €

Location : (de déb. avr. à fin sept.) - 100 🚐 - 1 🏠 - 5 tentes lodges. Nuitée 38 à 90 € - Sem. 160 à 1 000 € - frais de réservation 20 €

🚰 borne artisanale

Quelques emplacements ombragés par un préau entouré de rizières et d'une manade.

Nature : 🦢 🔲
Loisirs : 🍹 🍴 🎣 🎱 🏃 ⛷ 🎿
Services : 🔌 🛁 🚿 🚻 🛗 📶 laverie 🧺 🧹
À prox. : 🐎

G P S
E : 4.47392
N : 43.66149

AUBIGNAN

84810 - Carte Michelin **332** D9 - 4 861 h. - alt. 65
▶ Paris 675 - Avignon 31 - Carpentras 7 - Orange 21

⛺ Le Brégoux

📞 04 90 62 62 50, www.camping-lebregoux.fr

Pour s'y rendre : 410 chemin du Vas (800 m au sud-est par D 55, rte de Caromb et chemin à dr.)

Ouverture : de mi-mars à fin oct.

3,5 ha (160 empl.) plat, herbeux, gravillons

Empl. camping : (Prix 2018) 🚶 6€ 🚗 🔲 6€ – 🔌 (10A) 5€
Location : (Prix 2018) (de mi-mars à fin oct.) - 5 🛖. Sem. 340 à 750€

Cadre agéable et confort sanitaires très satisfaisant.

Nature : 🦢 🔲 🌳
Loisirs : 🎣 ⛷ 🎿 🎱
Services : 🔌 🍽 🛁 – 3 sanitaires individuels (🚿 wc) 🚿 📶 laverie

G P S
E : 5.03609
N : 44.09808

AURIBEAU-SUR-SIAGNE

06810 - Carte Michelin **341** C6 - 2 945 h. - alt. 85
▶ Paris 900 - Cannes 15 - Draguignan 62 - Grasse 9

⛰ Le Parc des Monges

📞 04 93 60 91 71, www.parcdesmonges.com

Pour s'y rendre : 635 chemin du Gabre (1,4 km au nord-ouest par D 509, rte de Tanneron)

Ouverture : de déb. avr. à fin sept.

1,3 ha (55 empl.) en terrasses, plat, herbeux, pierreux

Empl. camping : 45€ 🚶🚶 🚗 🔲 (6A) - pers. suppl. 6€
Location : (de déb. avr. à fin sept.) - 35 🛖 - 5 🏠. Nuitée 30 à 160€ - Sem. 210 à 1 120€
🚰 borne artisanale 10€

Emplacements délimités par les lauriers roses, au bord de la Siagne.

Nature : 🦢 🔲 🌳
Loisirs : jacuzzi
Services : 🔌 🛁 🚿 🛗 📶 🛒
À prox. : 🍹 🍴 🚣 🚤

G P S
E : 6.90252
N : 43.60659

AVIGNON

84000 - Carte Michelin **332** B10 - 89 592 h. - alt. 21
▶ Paris 682 - Aix-en-Provence 82 - Arles 37 - Marseille 98

⛰ Aquadis Loisirs Le Pont d'Avignon 🅰🧑

📞 04 90 80 63 50, www.aquadis-loisirs.com/camping-du-pont-d-avignon

Pour s'y rendre : île-de-la-Barthelasse, 10 chemin de la Barthelasse (au nord-ouest, rte de Villeneuve-lès-Avignon par le pont Édouard-Daladier et à dr.,)

Ouverture : de déb. mars à fin nov.

8 ha (300 empl.) plat, herbeux, gravillons

Empl. camping : 39€ 🚶🚶 🚗 🔲 🔌 (10A) - pers. suppl. 8€ - frais de réservation 10€
Location : (de déb. mars à fin nov.) - 30 🛖 - 9 bungalows toilés. Nuitée 35 à 74€ - Sem. 200 à 989€ - frais de réservation 10€
🚰 borne artisanale

Sur l'île de la Barthelasse avec vue sur le Pont et à la Cité pour quelques emplacements.

Nature : 🔲 🌳
Loisirs : 🍹 🍴 🎣 🏃 ⛷ 🎿 🎱
Services : 🔌 🛁 📶 laverie 🧺 🧹

G P S
E : 4.7971
N : 43.95331

Utilisez le guide de l'année.

BARATIER

05200 - Carte Michelin **334** G6 - 520 h. - alt. 855
▶ Paris 704 - Marseille 214 - Gap 39 - Digne 90

⛰ Les Airelles 🅰🧑

📞 04 92 43 11 57, www.lesairelles.com

Pour s'y rendre : rte des Orres (1,2 km au sud-est par D 40, rte des Orres et rte à dr.)

Ouverture : de mi-juin à mi-sept.

5 ha/4 campables (143 empl.) en terrasses, plat et peu incliné, herbeux, pierreux

Empl. camping : (Prix 2018) 🚶 8€ 🚗 🔲 9€ – 🔌 (10A) 6€
Location : (Prix 2018) (de mi-juin à mi-sept.) - 22 🛖 - 32 🏠 - 5 tentes lodges. Nuitée 65 à 145€ - Sem. 296 à 1 000€

Cadre soigné avec du locatif varié souvent de grand confort et équipé de grandes terrasses en partie couvertes.

Nature : 🦢 ≤ 🌳
Loisirs : 🍹 🍴 🎣 🎡 diurne 🏃 ⛷ 🎿 piste de skate terrain multisports
Services : 🔌 🛁 📶 🛒

G P S
E : 6.50164
N : 44.5291

⛰ Les Deux Bois

📞 04 92 43 54 14, www.camping-les2bois.com

Pour s'y rendre : rte de Pra-Fouran (accès au bourg par D 204)

2,5 ha (100 empl.) en terrasses, incliné, plat, herbeux, pierreux
Location : 🅿 - 4 🛖.

Petit village de mobile homes grand confort ouvert à l'année.

Nature : 🦢 🌳
Loisirs : 🍹 🍴 ⛷ 🎿
Services : 🔌 🍽 🛁 📶 laverie 🧹
À prox. : 🍴 🏇

G P S
E : 6.49207
N : 44.53837

BARRET-SUR-MÉOUGE

05300 - Carte Michelin **334** C7 - 220 h. - alt. 640
▶ Paris 700 - Laragne-Montéglin 14 - Sault 46 - Séderon 21

⚠ Les Gorges de la Méouge

✆ 04 92 65 08 47, www.camping-meouge.com

Pour s'y rendre : lieu-dit : Le Serre (sortie est par D 942, rte de Laragne-Montéglin et chemin à dr., près de la Méouge)

Ouverture : de déb. mai à fin sept.

3 ha (115 empl.) plat, herbeux

Empl. camping : 21€ ★★ ⌖ 回 ⚡ (10A) - pers. suppl. 6€
Location : (de déb. mai à fin sept.) - 13 🚐. Nuitée 55 à 96€
- Sem. 385 à 672€

🚐 borne artisanale - ⚡🚾21€

Cadre ombragé avec des gîtes sur le haut du terrain.

Nature : 🌿 ᎧᎧ		**G** E : 5.73822
Loisirs : 🚲🛷		**P** N : 44.26078
Services : 🚐♨🛁🚿📶 laverie		**S**

Utilisez le guide de l'année.

LE BAR-SUR-LOUP

06620 - Carte Michelin **341** C5 - 2 805 h. - alt. 320
▶ Paris 916 - Cannes 22 - Grasse 10 - Nice 31

⛰ Les Gorges du Loup

✆ 04 93 42 45 06, www.lesgorgesduloup.com

Pour s'y rendre : 965 chemin des Vergers (1 km au nord-est par D 2210)

Ouverture : de mi-avr. à fin sept.

1,6 ha (70 empl.) fort dénivelé, en terrasses, plat, herbeux, pierreux

Empl. camping : (Prix 2018) 33€ ★★ ⌖ 回 ⚡ (10A) - pers. suppl. 7€
- frais de réservation 15€
Location : (Prix 2018) (de mi-avr. à fin sept.) - 5 🚐 - 10 🏠
- 1 appartement. Sem. 340 à 785€ - frais de réservation 15€

Petites terrasses souvent à l'ombre d'oliviers centenaires avec pour certaines une vue sur les gorges du Loup.

Nature : 🌿 ᎧᎧ		**G** E : 6.99527
Loisirs : 🛏🛷🛷		**P** N : 43.70183
Services : 🚐🅿📶📶🛁		**S**

BEAUMES-DE-VENISE

84190 - Carte Michelin **332** D9 - 2 283 h. - alt. 100
▶ Paris 666 - Avignon 34 - Nyons 39 - Orange 23

⚠ Municipal de Roquefiguier

✆ 04 90 62 95 07, www.mairie-de-beaumes-de-venise

Pour s'y rendre : rte de Lafare (sortie nord par D 90, rte de Malaucène et à dr., au bord de la Salette)

Ouverture : de déb. mars à fin oct. - 🍴

1,5 ha (63 empl.) en terrasses, peu incliné, herbeux, pierreux

Empl. camping : (Prix 2018) ★ 3€ ⌖ 2€ 回 4€ – ⚡ (16A) 4€
🚐 borne artisanale

Nature : 🌿 ᎧᎧ		**G** E : 5.03448
Loisirs : 🛷 �		**P** N : 44.12244
Services : 🚐🛁📶🛁 réfrigérateurs		**S**
À prox. : 🍴		

BEAUMONT-DU-VENTOUX

84340 - Carte Michelin **332** E8 - 317 h. - alt. 360
▶ Paris 676 - Avignon 48 - Carpentras 21 - Nyons 28

⛰ Mont-Serein

✆ 04 90 60 49 16, www.camping-ventoux.com - alt. 1 400

Pour s'y rendre : à la station de ski du Mont-Serein (20 km à l'est par D 974 et D 164a, r. du Mont-Ventoux par Malaucène)

Ouverture : de mi-déc. à fin oct.

1,2 ha (60 empl.) plat, pierreux, herbeux

Empl. camping : ★ 12€ ⌖ 回 ⚡ (10A) 5€
Location : Permanent🚫 - 7 🏠 - 3 chalets sur pilotis
- 2 cabanons - 10 gîtes. Nuitée 16 à 65€ - Sem. 390 à 620€
🚐 20 回 12€

Agréable situation dominante au pied des pistes, avec une petite piscine hors sol.

Nature : 🌿 ≤ Mont-Ventoux et chaîne des Alpes ⌂		**G** E : 5.25898
Loisirs : ♈🍴 🛏 🛷 jacuzzi		**P** N : 44.1811
Services : 🚐🎨🛁📶🛁🛁		**S**

Renouvelez votre guide chaque année.

BÉDOIN

84410 - Carte Michelin **332** E9 - 3 132 h. - alt. 295
▶ Paris 692 - Avignon 43 - Carpentras 16 - Vaison-la-Romaine 21

⚠ Municipal la Pinède

✆ 04 90 65 61 03, camping.municipal@bedoin.fr

Pour s'y rendre : chemin des Sablières (sortie ouest par rte de Crillon-le-Brave et chemin à dr., à côté de la piscine municipale)

Ouverture : de mi-mars à fin oct.

6 ha (117 empl.) fort dénivelé, en terrasses, pierreux, herbeux

Empl. camping : (Prix 2018) 19€ ★★ ⌖ 回 ⚡ (10A) - pers. suppl. 4€
Location : (Prix 2018) (de mi-mars à fin oct.) - 1 🚐 - 3 🏠. Sem. 360 à 650€
🚐 10 回 15€

Végétation très méditerranéenne pour ce terrain au très fort dénivelé.

Nature : 🌿 ᎧᎧ		**G** E : 5.17261
Services : 🚐🛁📶🛁		**P** N : 44.12486
À prox. : 🍴🛷		**S**

BOLLÈNE

84500 - Carte Michelin **332** B8 - 13 885 h. - alt. 40
▶ Paris 634 - Avignon 53 - Montélimar 34 - Nyons 35

⛰ La Simioune

✆ 04 90 63 17 91, www.la-simioune.fr

Pour s'y rendre : quartier de Guffiage (5 km au nord-est par rte de Lambisque (accès sur D 8 par ancienne rte de Suze-la-Rousse longeant le Lez) et chemin à gauche)

Ouverture : de déb. mars à fin oct.

3 ha (80 empl.) vallonné, en terrasses, plat, sablonneux

Empl. camping : 25€ ★★ ⌖ 回 ⚡ (10A) - pers. suppl. 5€
Location : (de déb. mars à fin oct.) - 10 🚐 - 3 🏠 - 4 tentes lodges - 1 tente sur pilotis - 2 tipis. Nuitée 30 à 100€ - Sem. 200 à 700€
🚐 10 回 18€

Agréable pinède vallonnée perdue au millieu des vignes.

Nature : 🌳 ♀♀
Loisirs : 🍹 ✕ 🚣 🛶 mini ferme terrain multisports
Services : 🚰 🗄 👤 🛒 🍴 🚿 🔧
À prox. : parcours dans les arbres

G P S — E : 4.74848 — N : 44.28203

BORMES-LES-MIMOSAS

83230 - Carte Michelin **340** N7 - 7 321 h. - alt. 180
Paris 871 - Fréjus 57 - Hyères 21 - Le Lavandou 4

🏕️ Le Camp du Domaine 🏕️

📞 04 94 71 03 12, www.campdudomaine.com ✂ (de mi-juil. à mi-août)
Pour s'y rendre : à La Favière, 2581 rte de Bénat (2 km au sud près du port)
Ouverture : de mi-mars à fin oct.
38 ha (1300 empl.) fort dénivelé, en terrasses, plat, pierreux, rochers
Empl. camping : (Prix 2018) 58 € 🚶🚶 🚗 🔲 (16A) - pers. suppl. 13 € - frais de réservation 27 €
Location : (Prix 2018) (de mi-mars à fin oct.) - ✂ - 111 🏠 - 80 🏠 - 4 tentes lodges. Nuitée 70 à 286 € - Sem. 490 à 2 350 € - frais de réservation 27 €
🚐 borne artisanale - 100 🔲 35 €
Site privilégié sur une presqu'île vallonnée et boisée au bord de la plage. Hors saison, excursions organisées avec chauffeur.

Nature : 🌳 🏞️ ♀♀ 🌿
Loisirs : 🍹 ✕ 🍴 👤 🏊 🚣 🛶 💆 🚴 terrain multisports
Services : 🚰 👤 🗄 🚿 🍴 laverie 🧺 🔧 cases réfrigérées
À prox. : 🛶 ⚓ pédalos ski nautique

G P S — E : 6.35129 — N : 43.11788

🏔️ Manjastre

📞 04 94 71 03 28, www.campingmanjastre.com ✂ (de déb. sept. à fin juin)
Pour s'y rendre : 150 chemin des Girolles (5 km au nord-ouest sur N 98, rte de Cogolin)
Ouverture : Permanent
3,5 ha (120 empl.) en terrasses, plat et peu incliné, pierreux
Empl. camping : (Prix 2018) 41 € 🚶🚶 🚗 🔲 (10A) - pers. suppl. 7 € - frais de réservation 16 €
Location : (Prix 2018) Permanent ✂ - 1 🏠. Nuitée 50 à 95 € - Sem. 325 à 656 € - frais de réservation 16 €
🚐 borne artisanale 6 € - 8 🔲 19 €
Bel ensemble de terrasses parmi les mimosas et les chênes-lièges.

Nature : 🌳 🏞️ ♀♀
Loisirs : 🍹 ✕ 🚣 🛶
Services : 🚰🛒 🗄 🏛️ 👤 🍴 🚿 🔧 laverie 🔧

G P S — E : 6.32153 — N : 43.16258

BRIANÇON

05100 - Carte Michelin **334** H2 - 11 574 h. - alt. 1 321 - Sports d'hiver : 1 200/2 800 m
Paris 681 - Digne-les-Bains 145 - Embrun 48 - Grenoble 89

🏔️ Les 5 Vallées

📞 04 92 21 06 27, www.camping5vallees.com
Pour s'y rendre : lieu-dit : St-Blaise (2 km au sud par N 94)
Ouverture : Permanent
5 ha (210 empl.) plat, herbeux, pierreux
Empl. camping : 🚶 8 € 🚗 3 € 🔲 5 € – 🔌 (16A) 5 €
Location : Permanent ✂ - 31 🏠. Nuitée 66 à 92 € - Sem. 460 à 644 €
🚐 borne eurorelais 5 €
Emplacements en sous-bois avec un joli village de mobile homes, proche de la Durance.

Nature : ♀♀♀
Loisirs : 🍴 🚣 🛶
Services : 🚰 👤 🚿 laverie 🧺 🔧
À prox. : 🚴

G P S — E : 6.61655 — N : 44.87748

*The classification (1 to 5 tents, **black** or red) that we award to selected sites in this Guide is a system that is our own. It should not be confused with the classification (1 to 5 stars) of official organisations.*

CADENET

84160 - Carte Michelin **332** F11 - 4 061 h. - alt. 170
Paris 734 - Aix-en-Provence 33 - Apt 23 - Avignon 63

🏕️ Homair Vacances Val de Durance

📞 04 90 68 37 75, www.homair.com - peu d'emplacements pour tentes et caravanes
Pour s'y rendre : 570 av. du Club-Hippique (2,7 km au sud-ouest par D 943, rte d'Aix, D 59 à dr. et chemin à gauche)
Ouverture : de déb. avr. à fin sept.
10 ha/2,4 campables (244 empl.) plat, herbeux, pierreux
Empl. camping : (Prix 2018) 38 € 🚶🚶 🚗 🔲 🔌 (10A) - pers. suppl. 8 € - frais de réservation 10 €
Location : (Prix 2018) (de déb. avr. à fin sept.) - 185 🏠 - 2 cabanes flottantes. Sem. 150 à 1 400 € - frais de réservation 10 €
Beaucoup de mobile homes de bon confort au bord du plan d'eau.

Nature : 🌳 🏞️ ♀♀♀
Loisirs : 🍹 ✕ 🍴 👤 🏊 🚣 🛶 🛶 🏊 🛶 🚴 terrain multisports
Services : 🚰🛒 🗄 🚿 🍴 🔧 🧺 🔧

G P S — E : 5.35515 — N : 43.71957

Des vacances réussies sont des vacances bien préparées !
Ce guide est fait pour vous y aider... mais :
– n'attendez pas le dernier moment pour réserver
– évitez la période critique du 14 juillet au 15 août.
Pensez aux ressources de l'arrière-pays,
à l'écart des lieux de grande fréquentation.

CAGNES-SUR-MER

06800 - Carte Michelin **341** D6 - 48 024 h. - alt. 20
▶ Paris 915 - Antibes 11 - Cannes 21 - Grasse 25

⚠ La Rivière

📞 04 93 20 62 27, www.campinglariviere06.fr

Pour s'y rendre : 168 chemin des Salles (3,5 km au nord, au bord de la Cagne)

Ouverture : de déb. avr. à fin sept.

1,2 ha (90 empl.) plat, herbeux, gravier

Empl. camping : (Prix 2018) 29€ ★★ 🚗 🔲 🔌 (6A) - pers. suppl. 4€
Location : (Prix 2018) (de déb. avr. à fin sept.) - 🚫 - 4 🚐. Sem. 240 à 430€

Terrain avec peu de mobile homes.

Nature : 🐟 ☁ 🎋
Loisirs : ✕ 🎡 ⚓ 🛶
Services : ⚡ 🛁 🔥 🧺 🔲 🧹

GPS E : 7.14283
N : 43.69581

⚠ Le Colombier

📞 04 93 73 12 77, www.campinglecolombier.com

Pour s'y rendre : 35 chemin Ste-Colombe (2 km au nord en dir. des collines de la rte de Vence)

Ouverture : de déb. avr. à fin sept.

0,5 ha (33 empl.) plat et peu incliné, herbeux, gravier

Empl. camping : ★ 6€ 🚗 4€ 🔲 28€ – 🔌 (10A) 8€ - frais de réservation 12€
Location : Permanent 🚫 - 1 studio. Sem. 270 à 550€ - frais de réservation 12€

🚐 borne artisanale

Confort sanitaire faible et ancien. Piscine de l'autre côté de la route.

Nature : 🐟 ☁ 🎋
Loisirs : 🎡 🛶 (petite piscine)
Services : ⚡ 🛁 🔥 laverie réfrigérateurs

GPS E : 7.13893
N : 43.67107

*Choisissez votre restaurant sur **restaurant.michelin.fr***

CALLAS

83830 - Carte Michelin **340** O4 - 1 813 h. - alt. 398
▶ Paris 872 - Castellane 51 - Draguignan 14 - Toulon 94

⚠ Les Blimouses

📞 04 94 47 83 41, www.campinglesblimouses.com

Pour s'y rendre : 3 km au sud par D 25 et D 225, rte de Draguignan

Ouverture : de mi-mars à déb. oct.

6 ha (170 empl.) en terrasses, plat et peu incliné, herbeux, pierreux

Empl. camping : 27€ ★★ 🚗 🔲 🔌 (6A) - pers. suppl. 4€ - frais de réservation 20€
Location : Permanent - 32 🚐 - 7 🏠 - 5 tentes lodges. Sem. 260 à 900€ - frais de réservation 25€

🚐 borne AireService 10€

Emplacements ombragés dont beaucoup sont occupés par des mobile homes de propriétaires-résidents.

Nature : 🐟 ☁ 🎋
Loisirs : ✕ ⚓ 🛶
Services : ⚡ 🛁 🔥 🔲 🧹

GPS E : 6.53242
N : 43.57456

CANNES

06400 - Carte Michelin **341** D6 - 73 372 h. - alt. 2
▶ Paris 898 - Aix-en-Provence 149 - Marseille 160 - Nice 33

⚠ Le Parc Bellevue

📞 04 93 47 28 97, www.parcbellevue.com

Pour s'y rendre : à la Bocca, 67 av. Maurice-Chevalier (au nord, derrière le stade municipal)

Ouverture : de déb. avr. à fin sept.

5 ha (250 empl.) fort dénivelé, en terrasses, plat, herbeux, gravier

Empl. camping : 33€ ★★ 🚗 🔲 🔌 (6A) - pers. suppl. 4€
Location : (de déb. avr. à fin sept.) - 🚫 - 60 🚐. Nuitée 20 à 70€ - Sem. 240 à 840€

Cadre ombragé. Préférer les emplacements éloignés de la route.

Nature : ☁ 🎋
Loisirs : ✕ 🎡 ⚓ 🛶
Services : ⚡ 🛁 🛜 🔲 🧹

GPS E : 6.96042
N : 43.55617

Ce guide n'est pas un répertoire de tous les terrains de camping mais une sélection des meilleurs campings dans chaque catégorie.

LE CANNET

06110 - Carte Michelin **341** C6 - 41 725 h. - alt. 80
▶ Paris 909 - Marseille 180 - Nice 39 - Monaco 54

⚠ Le Ranch

📞 04 93 46 00 11, leranch-de-laubarede.fr

Pour s'y rendre : lieu-dit : Aubarède, chemin St-Joseph (1,5 km au nord-ouest par D 9 puis bd de l'Esterel à dr.)

Ouverture : de mi-avr. à mi-oct.

2 ha (128 empl.) en terrasses, peu incliné, plat, herbeux, pierreux

Empl. camping : ★ 8€ 🚗 4€ 🔲 22€ 🔌 (6A)
Location : (Prix 2018) (de déb. avr. à déb. nov.) - 29 🚐 - 5 🏠 - 2 ⛺ - 1 appartement. Nuitée 50 à 140€ - Sem. 300 à 780€ - frais de réservation 15€

🚐 borne artisanale 5€

En zone urbaine. Préférer les emplacements éloignés de la route.

Nature : ☁ 🎋
Loisirs : 🎡 ⚓ 🛶 (découverte en saison)
Services : ⚡ 🔲 🛁 🛜 laverie 🧹

GPS E : 6.97698
N : 43.56508

CARPENTRAS

84200 - Carte Michelin **332** D9 - 29 271 h. - alt. 102
▶ Paris 679 - Avignon 30 - Cavaillon 28 - Orange 24

⚠ Aloé Lou Comtadou 👥

📞 04 90 67 03 16, www.camping-loucomtadou.fr

Pour s'y rendre : 881 av. Pierre-de-Coubertin (1,5 km au sud-est par D 4, rte de St-Didier et rte à dr., près du complexe sportif)

Ouverture : de fin mars à fin oct.

1 ha (97 empl.) plat, herbeux, pierreux, petit plan d'eau

Empl. camping : 19€ ★★ 🚗 🔲 🔌 (10A) - pers. suppl. 6€

Location : (de fin mars à fin oct.) - 25 🚐 - 3 bungalows toilés - 3 tentes lodges. Nuitée 33 à 76€ - Sem. 120 à 995€

Bel ombrage sous les platanes avec des emplacements bien délimités.

Nature : 🏞 ♋♋
Loisirs : ☂ ✗ 🏠 🏕 🚣 🏊
Services : ⊶ 👤 🛁 📶 📺 🛒
À prox. : ✗ 🚴 🛶

	GPS
	E : 5.05429
	N : 44.04417

CARRO

13500 - Carte Michelin **340** F6
▶ Paris 787 - Marseille 44 - Aix-en-Provence 51 - Martigues 13

⛰ Village Vacances Les Chalets de la Mer

(pas d'emplacement tentes et caravanes)
📞 04 42 80 73 46, www.semovim-martigues.com

Pour s'y rendre : r. de la Tramontane

3 ha plat

Location : (Prix 2018) (de déb. avr. à fin sept.) - 🦽 (8 chalets) - 78 🏠. Sem. 390 à 1 450€

Sous une jolie pinède.

Nature : 🐾 🏞 ♋♋
Loisirs : ☂ ✗ 🏠 🕯nocturne 🏕 🎣 🎿
🏄 🛶
Services : ⊶ 📶 laverie 🛁 point
d'informations touristiques

	GPS
	E : 5.04117
	N : 43.33291

*Die Klassifizierung (1 bis 5 Zelte, **schwarz** oder rot),
mit der wir die Campingplätze auszeichnen, ist eine Michelin-
eigene Klassifizierung. Sie darf nicht mit der staatlich-offiziellen
Klassifizierung (1 bis 5 Sterne) verwechselt werden.*

CASTELLANE

04120 - Carte Michelin **334** H9 - 1 553 h. - alt. 730
▶ Paris 797 - Digne-les-Bains 54 - Draguignan 59 - Grasse 64

⛰ Sandaya Le Domaine du Verdon 👥

📞 04 92 83 61 29, www.sandaya.fr/nos-campings/domaine-du-verdon

Pour s'y rendre : lieu-dit : Domaine de la Salaou (2 km au sud-ouest par D 952, rte de Moustier-Ste-Marie)

Ouverture : de fin mai à mi-sept.

9 ha (500 empl.) plat, herbeux

Empl. camping : 47€ 👫 🚗 📺 🅿 (10A) - pers. suppl. 9€
Location : (de fin mai à mi-sept.) - 🦽 (1 mobile home) - 286 🚐.
Nuitée 35 à 239€ - Sem. 245 à 1 673€

*Belle structure côté locatif mais qui propose pour les tentes et
caravanes des sanitaires sans réel confort, limite vétustes.*

Nature : 🏞 ♋♋
Loisirs : ☂ ✗ 🏠 🕯salle d'animations 🏕
🏄 🚴 🎿 🛶 🛶
Services : ⊶ 👤 📶 laverie 🛒 cases
réfrigérées
À prox. : 🚣 sports en eaux vives

	GPS
	E : 6.49402
	N : 43.83895

⛰ RCN Les Collines de Castellane 👥

📞 06 25 88 78 01, www.rcn.fr/collinesdecastellane - accès aux
emplacements par forte pente, mise en place et sortie des caravanes
à la demande - alt. 1 000

Pour s'y rendre : rte de Grasse (7 km au sud-est par N 85, à La Garde)

Ouverture : de fin avr. à fin sept.

7 ha (200 empl.) en terrasses, peu incliné, pierreux, plat, herbeux, bois

Empl. camping : (Prix 2018) 52€ 👫 🚗 📺 🅿 (16A) - pers. suppl. 8€
- frais de réservation 20€
Location : (Prix 2018) (de fin avr. à fin sept.) - 36 🚐 - 4 🏠
- 6 tentes lodges. Sem. 375 à 1 400€ - frais de réservation 20€

Nature : 🐾 ≤ 🏞 ♋♋
Loisirs : ☂ ✗ 🏠 🏕 🚣 🎿 🛶parcours
dans les arbres
Services : ⊶ 👤 🛁 🚰 📶 laverie 🛒 🛁
réfrigérateurs

	GPS
	E : 6.56994
	N : 43.8244

⛰ Calme et Nature La Colle

📞 04 92 83 61 57, www.campingcastellane.com

Pour s'y rendre : 2,5 km au sud-ouest par D 952, rte de Moustiers-
Ste-Marie et rte à drte (GR 4)

Ouverture : de déb. avr. à fin sept.

3 ha/1,5 (41 empl.) fort dénivelé, en terrasses, plat et peu incliné,
herbeux, pierreux

Empl. camping : 24€ 👫 🚗 📺 🅿 (10A) - pers. suppl. 6€
Location : (de déb. avr. à fin sept.) - 12 🚐 - 2 🏠 - 1 bungalow
toilé - 4 tentes lodges. Nuitée 50 à 95€ - Sem. 350 à 600€

En terrasses, traversé par un petit ruisseau.

Nature : 🐾 🏞 ♋♋
Loisirs : ☂ ✗ 🚴petite ferme animalière
Services : ⊶ 🛁 🚰 📶 📺
À prox. : 🚣

	GPS
	E : 6.49312
	N : 43.83864

⛺ Notre-Dame

📞 04 92 83 63 02, www.camping-notredame.com

Pour s'y rendre : rte des Gorges-du-Verdon (500 m au sud-ouest par
D 952, rte de Moustiers-Ste-Marie, au bord d'un ruisseau)

Ouverture : de déb. avr. à mi-oct.

0,6 ha (44 empl.) plat, herbeux

Empl. camping : 25€ 👫 🚗 📺 🅿 (6A) - pers. suppl. 6€ - frais de
réservation 9€
Location : (de déb. avr. à mi-oct.) - 🦽 - 13 🚐. Nuitée 45 à 95€
- Sem. 315 à 637€

🚐 borne artisanale 6€ - 🔋11€

À l'entrée du village et au bord de la route.

Nature : ♋♋
Loisirs : ☂
Services : ⊶ 📶 laverie
À prox. : 🚣 parc-aventure

	GPS
	E : 6.50425
	N : 43.84545

*De categorie (1 tot 5 tenten, in **zwart** of rood) die wij aan de
geselekteerde terreinen in deze gids toekennen, is onze eigen
indeling. Niet te verwarren met de door officiële instanties
gebruikte classificatie (1 tot 5 sterren).*

CAVALAIRE-SUR-MER

83240 - Carte Michelin **340** O6 - 6 731 h. - alt. 2
▶ Paris 880 - Draguignan 55 - Fréjus 41 - Le Lavandou 21

⚠ Cros de Mouton

✆ 04 94 64 10 87, www.crosdemouton.com - accès aux emplacements par forte pente, mise en place et sortie des caravanes à la demande

Pour s'y rendre : chemin du Cros-de-Mouton (1,5 km au nord-ouest)

Ouverture : de fin mars à fin oct.

5 ha (199 empl.) fort dénivelé, en terrasses, plat, pierreux

Empl. camping : (Prix 2018) ★ 11€ ⇔ 🔲 10€ – 🔌 (10A) 6€ - frais de réservation 20€

Location : (Prix 2018) (de fin mars à fin oct.) - 77 🛖 - 9 🏠. Nuitée 59 à 164€ - Sem. 410 à 1 150€ - frais de réservation 20€

Emplacements sur une colline avec vue panoramique sur la mer pour certains et de la terrasse du restaurant.

Nature : 🏖 ≤ la baie de Cavalaire 🖵 ♉♉
Loisirs : 🍴 ✗ 🏠 jacuzzi 🔺🚣🗲
Services : 🔌🏔🛁🚾 🛜 🔲 🚮🌿

G P S E : 6.51662
N : 43.18243

*Créez votre voyage sur **voyages.michelin.fr***

CEILLAC

05600 - Carte Michelin **334** I4 - 307 h. - alt. 1 640 - Sports d'hiver : 1 700/2 500 m
▶ Paris 729 - Briançon 50 - Gap 75 - Guillestre 14

⛺ Les Mélèzes

✆ 04 92 45 21 93, www.campingdeceillac.com

Pour s'y rendre : lieu-dit : La Rua des Reynauds (1,8 km au sud-est)

Ouverture : de déb. juin à déb. sept.

3 ha (100 empl.) en terrasses, peu incliné, pierreux, herbeux

Empl. camping : (Prix 2018) ★ 7€ ⇔ 🔲 7€ – 🔌 (16A) 5€

Site et cadre agréables avec les emplacements le long du torrent Le Mélezet.

Nature : 🏖 ≤ ♀
Loisirs : 🚣
Services : 🔌🏔🛁🛜 laverie

G P S E : 6.78843
N : 44.65389

CEYRESTE

13600 - Carte Michelin **340** I6 - 4 139 h. - alt. 60
▶ Paris 804 - Aubagne 18 - Bandol 18 - La Ciotat 5

⚠ Ceyreste

✆ 04 42 83 07 68, www.campingceyreste.com

Pour s'y rendre : av. Eugène-Julien (1 km au nord)

2,7 ha (160 empl.) en terrasses, peu incliné, plat, gravillons, rochers

Location : - 91 🛖.

Emplacements en terrasses sous les pins avec vue sur la mer pour quelques uns.

Nature : 🏖 🖵 ♉♉
Loisirs : 🍴 ✗ 🔺🗲
Services : 🔌🏔🛁🚾 🛜 laverie 🚮
À prox. : ✗ parcours de santé terrain multisports

G P S E : 5.62846
N : 43.22044

CHARLEVAL

13350 - Carte Michelin **340** G3 - 2 080 h. - alt. 136
▶ Paris 729 - Avignon 51 - Digne-les-Bains 117 - Marseille 63

⚠ Yelloh! Village Le Luberon Parc 👥

✆ 04 42 96 60 60, www.campingluberonparc.fr

Pour s'y rendre : av. des Bois

Ouverture : de mi-mai à mi-sept.

6 ha (180 empl.) peu incliné, plat, pierreux, gravillons

Empl. camping : (Prix 2018) 52€ ★★ ⇔ 🔲 🔌 (16A) - pers. suppl. 9€

Location : (Prix 2018) (de mi-mai à mi-sept.) - ♿ (1 mobile home) - 139 🛖. Sem. 280 à 1 900€

🚐 borne artisanale

Emplacements agréablement ombragés entre le canal de Marseille et le canal de Provence.

Nature : 🏖 🖵 ♉♉
Loisirs : 🍴 ✗ 🏠 🎱🏃🚣 parcours dans les arbres paintball terrain multisports
Services : 🔌🏔🛁🚾 🛜 laverie 🚮🌿
À prox. : ✗

G P S E : 5.24555
N : 43.7139

The Guide changes, so renew your guide every year.

CHÂTEAUNEUF-DE-GADAGNE

84470 - Carte Michelin **332** C10 - 3 249 h. - alt. 90
▶ Paris 701 - Marseille 95 - Avignon 14 - Nîmes 58

⚠ Le Fontisson

✆ 04 90 22 59 77, www.campingfontisson.com

Pour s'y rendre : 1125 rte d'Avignon (à la sortie du bourg par rte d'Avignon et chemin à drte)

Ouverture : de fin mars à déb. nov.

2 ha (55 empl.) peu incliné, pierreux, herbeux

Empl. camping : 30€ ★★ ⇔ 🔲 🔌 (10A) - pers. suppl. 8€ - frais de réservation 10€

Location : (de fin mars à déb. nov.) - 28 🛖 - 1 tente lodge - 1 cabanon. Nuitée 45 à 140€ - Sem. 200 à 960€ - frais de réservation 15€

🚐 borne artisanale 5€

Emplacements éloignés de la piscine pour plus de calme.

Nature : 🏖 🖵 ♉♉
Loisirs : 🏠 🚣 ✗ 🏃🗲 terrain multisports
Services : 🔌🛁🛜 🔲

G P S E : 4.93297
N : 43.92846

CHÂTEAURENARD

13160 - Carte Michelin **340** E2 - 14 971 h. - alt. 37
▶ Paris 692 - Avignon 10 - Carpentras 37 - Cavaillon 23

⚠ La Roquette

✆ 04 90 94 46 81, www.camping-la-roquette.com

Pour s'y rendre : 745 av. Jean-Mermoz (1,5 km à l'est par D 28, rte de Noves et à dr., près de la piscine - par A 7 sortie Avignon-Sud)

Ouverture : de déb. avr. à fin oct.

2 ha (74 empl.) plat, herbeux

Empl. camping : 26€ ★★ ⇔ 🔲 🔌 (10A) - pers. suppl. 6€

Location : (Prix 2018) (de déb. avr. à fin oct.) - ♿ (1 mobile home) - 17 🛖. Nuitée 39 à 120€ - Sem. 267 à 845€

🚐 borne artisanale 4€

Préférer les emplacements les plus éloignés de la route.

Nature : 🏕 〇〇
Loisirs : 🍸 ✕ 🛶 🏊 🎿
Services : ⚬━ 🚿 🛒 📶 🎦

G P S E : 4.87013
N : 43.88398

Terrain en terrasses ombragées avec du locatif de bon confort.

Nature : 🏕 〇〇
Loisirs : 🍸 ✕ 🏛 🏊 🎿 terrain multisports
Services : ⚬━ 🍴 🛁 🚿 📶 laverie 🏪 cases réfrigérées
À prox. : 🎿 🐎 parc de loisirs

G P S E : 7.08337
N : 43.68177

CHORGES

05230 - Carte Michelin **334** F5 - 2 567 h. - alt. 864
▶ Paris 676 - Embrun 23 - Gap 18 - Savines-le-Lac 12

⛺ Municipal

🖉 04 92 50 67 72, www.baiestmichel.com

Pour s'y rendre : baie St-Michel (4,5 km au sud-est par N 94, rte de Briançon, à 200 m du lac de Serre-Ponçon)

2 ha (110 empl.) fort dénivelé, en terrasses, plat, herbeux, pierreux, bois

Location : ♿ (2 chalets) - 10 🏠.

Emplacements en terrasses avec vue sur le lac de Serre-Ponçon pour certains. À 200 m de la plage et de la base nautique.

Nature : 🏖 〈 ♀
Loisirs : 🛶 🏊 🏊
Services : ⚬━ 📶
À prox. : 🍷 ✕ 🚿 🚲 🎣 🛥 🛶 pédalos

G P S E : 6.32379
N : 44.5283

⛰ Le Vallon Rouge

🖉 04 93 32 86 12, www.auvallonrouge.com - peu d'emplacements pour tentes et caravanes 🚐

Pour s'y rendre : rte de Gréolières (3,5 km à l'ouest par D 6, rte de Grasse)

Ouverture : de déb. avr. à fin sept.

3 ha (103 empl.) en terrasses, plat, herbeux, sablonneux, gravillons

Empl. camping : (Prix 2018) 17 € 🏃🏃 🚐 📧 ⚡ (10A) - pers. suppl. 3 € - frais de réservation 20€

Location : (Prix 2018) (de déb. avr. à fin sept.) - 🚐 - 45 🛖 - 19 🏠 - 7 bungalows toilés - 7 tentes lodges - 7 cabanons. Nuitée 50 à 120€ - Sem. 179 à 1 250€ - frais de réservation 20€

🚐 borne eurorelais 4 €

Préférer les emplacements au bord du Loup, plus éloignés de la route.

Nature : 🏖 🏕 〇〇
Loisirs : ✕ 🏛 🏊 🎿 🚣 terrain multisports
Services : ⚬━ 🛁 🚿 📶 laverie 🏪

G P S E : 7.07324
N : 43.68452

CLAMENSANE

04250 - Carte Michelin **334** E7 - 166 h. - alt. 694
▶ Paris 720 - Avignon 180 - Grenoble 158 - Marseille 152

⛰ Flower Le Clot du Jay en Provence 👥

🖉 04 92 68 35 32, www.clotdujay.com

Pour s'y rendre : rte de Bayons (1 km à l'est par D 1, rte de Bayons, près du Sasse)

6 ha/3 campables (50 empl.) fort dénivelé, en terrasses, plat, herbeux, pierreux

Location : - 10 🛖 - 12 🏠.

Préférer les emplacements à l'orée de la forêt domaniale du Grand Vallon, plus éloignés de la route.

Nature : 🏕 〇〇
Loisirs : 🍸 ✕ 🏊 🛶 🎿 🏊
Services : ⚬━ 🛁 📶 🎦 🏪

G P S E : 6.0845
N : 44.3226

COL-ST-JEAN

04340 - Carte Michelin **334** G6 - alt. 1 333 - Sports d'hiver : 1 300/2 500 m
▶ Paris 709 - Barcelonnette 34 - Savines-le-Lac 31 - Seyne 10

⛰ Yelloh! Village L'Étoile des Neiges 👥

🖉 04 92 35 07 08, www.etoile-des-neiges.com - alt. 1 300

Pour s'y rendre : à la station de ski du Col St-Jean (800 m au sud par D 207 et D 307 à dr.)

Ouverture : de fin mai à déb. sept.

3 ha (150 empl.) en terrasses, plat, herbeux, pierreux

Empl. camping : 19 € 🏃🏃 🚐 📧 ⚡ (6A) - pers. suppl. 7 €

Location : (de fin mai à déb. sept.) - 🚐 - 🅿 - 70 🛖 - 25 🏠 - 1 🛏. Nuitée 43 à 220€ - Sem. 300 à 1 540€

🚐 borne artisanale 8 €

Locatif varié avec certains chalets de grand confort.

Nature : 🏖 〈 🏕 〇〇
Loisirs : 🍸 ✕ 🏛 🎣 🏊 🚴 centre balnéo 🧖 hammam jacuzzi 🎿 🏓 ✕ 🎿 🚣 terrain multisports
Services : ⚬━ 🍴 🛁 🚿 🚐 📶 laverie 🏪
À prox. : 🎿 🚴 parc-aventure

G P S E : 6.348
N : 44.40927

LA COLLE-SUR-LOUP

06480 - Carte Michelin **341** D5 - 7 640 h. - alt. 90
▶ Paris 919 - Antibes 15 - Cagnes-sur-Mer 7 - Cannes 26

⛰ Sites et Paysages Les Pinèdes 👥

🖉 04 93 32 98 94, www.lespinedes.com

Pour s'y rendre : rte du Pont-de-Pierre (1,5 km à l'ouest par D 6, rte de Grasse, à 50 m du Loup)

Ouverture : de déb. avr. à fin sept.

3,8 ha (149 empl.) fort dénivelé, en terrasses, plat, herbeux, gravillons

Empl. camping : 48 € 🏃🏃 🚐 📧 ⚡ (6A) - pers. suppl. 7 € - frais de réservation 20€

Location : (de déb. avr. à fin sept.) - 35 🛖 - 5 🏠 - 2 bungalows toilés. Nuitée 50 à 210€ - Sem. 350 à 1 450€ - frais de réservation 20€

🚐 borne artisanale 8 € - 🚐 15 €

🛶 ✕ 🚿 🎿 🐎
ATTENTION...
ces prestations ne fonctionnent généralement qu'en saison, quelles que soient les dates d'ouverture du terrain.

CONTES

06390 - Carte Michelin **341** E5 - 7 095 h. - alt. 250
▶ Paris 954 - Marseille 208 - Monaco 30 - Nice 19

🏔 La Ferme Riola

✆ 04 93 79 03 02, www.campinglafermeriola.com
Pour s'y rendre : 5309 rte de Sclos
Ouverture : de déb. avr. à fin sept.
3 ha (25 empl.) en terrasses, plat, herbeux, pierreux
Empl. camping : 25€ ✖✖ 🚗 🔲 🔌 (6A) - pers. suppl. 11€
Location : Permanent 🚫 - 2 🏡 - 3 gîtes - 2 studios. Sem. 250 à 660€

Petit musée des outils agricoles et vente d'huile d'olive de l'exploitation.

Nature : 🏞 ♨♨
Loisirs : 🛶 🚤 🛥
Services : ⚡ 🚮 🛜 🖥

G P S E : 7.34379
N : 43.8152

Gebruik de gids van het lopende jaar.

LA COURONNE

13500 - Carte Michelin **340** F5
▶ Paris 786 - Marseille 42 - Aix-en-Provence 49 - Martigues 11

🏔🏔 Le Mas ♨♨

✆ 04 42 80 70 34, www.camping-le-mas.com - peu d'emplacements pour tentes et caravanes
Pour s'y rendre : chemin de Ste-Croix (4 km au sud-est par D 49, rte de Sausset-les-Pins et à dr., près de la plage de Ste-Croix)
Ouverture : de mi-mars à fin oct.
5,5 ha (300 empl.) en terrasses, plat, herbeux, pierreux
Empl. camping : (Prix 2018) 48€ ✖✖ 🚗 🔲 🔌 (6A) - pers. suppl. 9€ - frais de réservation 20€
Location : (Prix 2018) (de mi-mars à fin oct.) - 🚫 - 152 🚐 - 45 🏡. Sem. 224 à 1 512€ - frais de réservation 20€
🅿 borne raclet

Vue sur mer pour quelques emplacements et du locatif de bon confort.

Nature : 🏞 ♨♨
Loisirs : 🍴✖ 🛶 🎲🏃 🚤 🛥 terrain multisports
Services : ⚡ 🏧 🛜 laverie 🛒
À prox. : 🏖

G P S E : 5.07349
N : 43.33168

🏔🏔 L'Arquet - Côte Bleue ♨♨

✆ 04 42 42 81 00, www.larquet.fr
Pour s'y rendre : chemin de la Batterie (accès direct à la plage par sentier(400 m))
Ouverture : de déb. avr. à fin sept.
6 ha (190 empl.) en terrasses, plat, pierreux, sablonneux
Empl. camping : (Prix 2018) 43€ ✖✖ 🚗 🔲 🔌 (10A) - pers. suppl. 8€
Location : (Prix 2018) (de déb. avr. à fin sept.) - ♿ (1 mobile home) - 🚫 - 80 🚐. Nuitée 45 à 250€ - Sem. 315 à 1 750€
🅿 borne artisanale 13€

Lieu de tournage de la série "Camping Paradis" en avant et après saison.

Nature : 🏞 ♨♨
Loisirs : 🍴✖ 🛶 🎲🏃 🚤 🛥
Services : ⚡ 🛜 laverie 🛒

G P S E : 5.05639
N : 43.33067

🏔 Le Marius

Camping Marius

✆ 04 42 80 70 29, www.camping-marius.com
Pour s'y rendre : plage de la Saulce (3 km au sud-est par D 49)
Ouverture : de déb. avr. à mi-oct.
2 ha (100 empl.) plat, herbeux, gravier
Empl. camping : 43€ ✖✖ 🚗 🔲 🔌 (6A) - pers. suppl. 9€
Location : (de déb. avr. à mi-oct.) - ♿ (2 chalets) - 14 🚐 - 36 🏡 - 16 bungalows toilés. Nuitée 37 à 227€ - Sem. 259 à 1 589€

Ensemble soigné avec du locatif grand confort pour certains.

Nature : 🏞 🗒 ♨♨
Loisirs : 🍴✖ 🍽 hammam 🚤 🚴 🛶
Services : ⚡ 🛒 🛜 laverie 🛒

G P S E : 5.06744
N : 43.33512

🏔 Les Mouettes

✆ 04 42 80 70 01, www.campinglesmouettes.com - peu d'emplacements pour tentes et caravanes
Pour s'y rendre : 16 chemin de la Quiétude (4 km au sud-est par D 49, rte de Sausset, par r. du Tamaris, près de la plage de Ste-Croix)
2 ha (131 empl.) terrasse, plat, pierreux
Location : - 47 🚐 - 9 🏡.

Vue sur mer pour quelques emplacements.

Nature : 🏞 ♨♨
Loisirs : 🍴✖
Services : ⚡ 🏧 🛶 🚮 🛜 laverie
À prox. : 🏖

G P S E : 5.07618
N : 43.33024

LA CROIX-VALMER

83420 - Carte Michelin **340** 06 - 3 351 h. - alt. 120
▶ Paris 873 - Brignoles 70 - Draguignan 48 - Fréjus 35

🏔🏔 Sélection Camping ♨♨

✆ 04 94 55 10 30, www.selectioncamping.com 🚫 (de mi-mars à fin juin)
Pour s'y rendre : 12 bd de la Mer (2,5 km au sud-ouest par D 559, rte de Cavalaire et au rd-pt. chemin à dr.)
Ouverture : de mi-mars à mi-oct.
4 ha (185 empl.) en terrasses, plat, herbeux, pierreux
Empl. camping : 26€ ✖✖ 🚗 🔲 🔌 (10A) - frais de réservation 33€
Location : (de mi-mars à mi-oct.) - 🚫 - 53 🚐 - 2 bungalows toilés - 15 gîtes. Nuitée 55 à 198€ - Sem. 392 à 1 392€ - frais de réservation 33€

En terrasses ombragées sous les eucalyptus, mimosas et autres végétaux méditerranéens.

Nature : 🏞 🗒 ♨♨
Loisirs : 🍴✖ 🎲diurne salle d'animations 🏃 🚤 🛥 terrain multisports
Services : ⚡ 🏧 🛶 🛜 laverie 🏖 🛒

G P S E : 6.55501
N : 43.19439

CROS-DE-CAGNES

06800 - Carte Michelin **341** D6 - 13 041 h. - alt. 11
▶ Paris 923 - Marseille 194 - Nice 12 - Antibes 11

⛰ Homair Vacances Green Park 👥

✆ 04 93 07 09 96, www.homair.com - peu d'emplacements pour tentes et caravanes

Pour s'y rendre : 159bis chemin du Vallon-de- Vaux (3,8 km au nord)

Ouverture : de déb. avr. à fin sept.

5 ha (156 empl.) fort dénivelé, en terrasses, plat, herbeux, gravillons

Empl. camping : (Prix 2018) 40 € 👫 🚐 🅴 🔌 (16A) - pers. suppl. 10 €

Location : (Prix 2018) (de déb. avr. à fin sept.) - ♿ (2 chalets) - 92 🛏 - 20 🏠. Sem. 180 à 1 400 €

Village de mobile homes et chalets avec quelques places pour tentes mais pas pour caravanes. Bus pour les plages.

Nature : 🐟 🖵 ♀		**G** E : 7.1569
Loisirs : 🍸 🍴 🎬 🎲 🎯 🛶 ⛵ 🚴 🏊 terrain multisports		**P** N : 43.68904
Services : ⚡ 🛒 🧺 laverie 🚿 🔧		**S**
À prox. : 🎣 ⛳ practice de golf		

⛰ Le Val Fleuri

✆ 04 93 31 21 74, www.campingvalfleuri.fr

Pour s'y rendre : 139 chemin du Vallon-de- Vaux (3,5 km au nord)

Ouverture : de déb. avr. à fin sept.

1,5 ha (87 empl.) fort dénivelé, en terrasses, plat, herbeux, pierreux

Empl. camping : (Prix 2018) 34 € 👫 🚐 🅴 🔌 (10A) - pers. suppl. 4 €

Location : (Prix 2018) (de déb. avr. à fin sept.) - 13 🛏 - 1 appartement - 1 studio. Sem. 350 à 700 €

🚐 borne artisanale

En deux parties distinctes. Bus pour la plage.

Nature : 🐟 🖵 ♀♀		**G** E : 7.15577
Loisirs : 🍸 🛶 ⛵		**P** N : 43.68745
Services : ⚡ 🛒 🎬 🛜 📷		**S**
À prox. : 🎣 ⛳ practice de golf		

CUCURON

84160 - Carte Michelin **332** F11 - 1 844 h. - alt. 350
▶ Paris 739 - Aix-en-Provence 34 - Apt 25 - Cadenet 9

⚠ Le Moulin à Vent

✆ 04 90 77 25 77, www.le-moulin-a-vent.com

Pour s'y rendre : chemin de Gastoule (1,5 km au sud par D 182, rte de Villelaure puis 800 m par rte à gauche)

Ouverture : de déb. avr. à déb. oct.

2,2 ha (80 empl.) en terrasses, peu incliné, plat, pierreux

Empl. camping : 21 € 👫 🚐 🅴 🔌 (10A) - pers. suppl. 6 €

Location : (Prix 2018) (de déb. avr. à déb. oct.) - 3 🛏 - 2 🏠 - 3 cabanons. Nuitée 50 à 79 € - Sem. 305 à 546 €

🚐 borne eurorelais 5 €

Entouré par les vignes et les cerisiers.

Nature : 🐟 🖵 ♀♀		**G** E : 5.44484
Loisirs : 🎬 🛶 ⛵		**P** N : 43.75641
Services : ⚡ 🎬 🛜 📷 🔧 réfrigérateurs		**S**

CURBANS

05110 - Carte Michelin **334** E6 - 418 h. - alt. 650
▶ Paris 717 - Marseille 171 - Digne-les-Bains 78 - Gap 20

⛰ Le Lac

✆ 04 92 54 23 10, www.au-camping-du-lac.com - peu d'emplacements pour tentes et caravanes

Pour s'y rendre : lieu-dit : Le Fangeas

Ouverture : de déb. avr. à fin oct.

5,2 ha (180 empl.) peu incliné, plat, herbeux

Empl. camping : (Prix 2018) 31 € 👫 🚐 🅴 🔌 (10A) - pers. suppl. 7 € - frais de réservation 16 €

Location : (Prix 2018) Permanent - 83 🛏 - 7 🏠. Nuitée 50 à 172 € - Sem. 290 à 1 204 € - frais de réservation 16 €

Administrativement rattaché aux Hautes-Alpes (05), mais terrain situé dans les Alpes-de-Haute-Provence (04). Bel espace aquatique.

Nature : 🐟 ≤ ♀		**G** E : 6.0299
Loisirs : 🍸 🍴 🎬 🖵 nocturne 🏃 jacuzzi 🛶 ⛵ 🔫 🛶 ⛵ terrain multisports		**P** N : 44.42452
Services : ⚡ 🛜 laverie 🚿		**S**

DIGNE-LES-BAINS

04000 - Carte Michelin **334** F8 - 17 172 h. - alt. 608 - ⚓
▶ Paris 744 - Aix-en-Provence 109 - Antibes 140 - Avignon 167

⛰ Les Eaux Chaudes

✆ 04 92 32 31 04, www.campingleseauxchaudes.com

Pour s'y rendre : 32 av. des Thermes (1.5 km au sud-est par D 20)

3,7 ha (90 empl.) plat et peu incliné, herbeux

Empl. camping : (Prix 2018) 29 € 👫 🚐 🅴 🔌 (10A) - pers. suppl. 8 € - frais de réservation 15 €

Location : (Prix 2018) (de déb. avr. à fin oct.) - 59 🛏 - 4 🏠 - 3 tentes lodges. Nuitée 49 à 133 € - Sem. 343 à 931 € - frais de réservation 18 €

🚐 borne eurorelais 5 €

Au bord d'un ruisseau avec du locatif neuf ou plus ancien, de confort variable.

Nature : ♀♀		**G** E : 6.2507
Loisirs : 🎬 🛶 ⛵		**P** N : 44.08656
Services : ⚡ 🎬 🚿 🚾 🛜 laverie		**S**

Benutzen Sie den Hotelführer des laufenden Jahres.

EMBRUN

05200 - Carte Michelin **334** G5 - 6 188 h. - alt. 871
▶ Paris 706 - Barcelonnette 55 - Briançon 48 - Digne-les-Bains 97

🏔 Les Grillons

✆ 06 38 58 92 43, www.lesgrillons.com

Pour s'y rendre : rte de la Madeleine (4.3 km au sud sur la D 340 et chemin à droite.)

Ouverture : de déb. mai à mi-sept.

1,5 ha (86 empl.) peu incliné, herbeux, pierreux

Empl. camping : (Prix 2018) 24€ ✚✚ ⇔ 🅴 (16A) - pers. suppl. 6€ - frais de réservation 10€
Location : (Prix 2018) (de déb. mai à mi-sept.) - 16 🚐 - 5 tentes lodges. Nuitée 59 à 89€ - Sem. 264 à 760€ - frais de réservation 13€
Emplacements bien ombragés avec un confort sanitaire ancien et du locatif varié.

Nature : 🌿 🎋	**G** E : 6.49643
Loisirs : 🍴 🛷	**P** N : 44.54812
Services : ⊶ �̇ 🛜 laverie	**S**

🏔 Municipal de la Clapière 🔱

✆ 04 92 43 01 83, www.camping-embrun-clapiere.com

Pour s'y rendre : av. du Lac (2,5 km au sud-ouest par N 94, rte de Gap et à dr., à la base de loisirs)

Ouverture : de fin avr. à fin sept.

6,5 ha (291 empl.) en terrasses, plat, herbeux, gravillons

Empl. camping : (Prix 2018) 25€ ✚✚ ⇔ 🅴 (10A) - pers. suppl. 7€
Location : (Prix 2018) Permanent🦽 (1 chalet) - 6 🚐 - 14 🏠. Nuitée 94 à 118€ - Sem. 360 à 830€
🚐 borne artisanale
Tout proche de la base de loisirs avec accès direct au plan d'eau en saison (rue piétonne).

Nature : 🎋	**G** E : 6.47875
Loisirs : 📺 🌙nocturne 🏃 🚣	**P** N : 44.55075
Services : ⊶ �̇ 🛜 laverie	**S**
À prox. : 🎣 🍹 🍴 🧺 🎿 ⛵ (plan d'eau) 🛶 ⚓ 🛥 pédalos	

ESPARRON-DU-VERDON

04800 - Carte Michelin **334** D10 - 433 h. - alt. 397
▶ Paris 795 - Barjols 31 - Digne-les-Bains 58 - Gréoux-les-Bains 13

🏔 Le Soleil

✆ 04 92 77 13 78, www.camping-esparron-verdon.fr 🚫

Pour s'y rendre : 1000 chemin de La Tuilerie

Ouverture : de mi-avr. à déb. oct.

2 ha (100 empl.) fort dénivelé, en terrasses, pierreux, gravillons

Empl. camping : ✚ 8€ ⇔ 🅴 11€ – (6A) 4€ - frais de réservation 15€
Location : (de mi-avr. à déb. oct.) - 🚫 - 12 🚐 - 2 bungalows toilés - 3 tentes lodges. Nuitée 25 à 100€ - Sem. 165 à 700€ - frais de réservation 20€
🚐 borne artisanale 8€
Cadre agréable au bord d'un lac.

Nature : 🎋 🎋🎋	**G** E : 5.97062
Loisirs : 🍹 🍴 📺 🚣 🛥	**P** N : 43.73439
Services : 🅿 �̇ 🛜 🖼 🧺 🚿	**S**
À prox. : 🛶 pédalos	

FAUCON

84110 - Carte Michelin **332** D8 - 414 h. - alt. 350
▶ Paris 677 - Marseille 152 - Avignon 59 - Montélimar 68

🏔 L'Ayguette

Camping de l'Ayguette

✆ 04 90 46 40 35, www.ayguette.com

Pour s'y rendre : sortie est par D 938, rte de Nyons et 4,1 km par D 71 à dr., rte de St-Romains-Viennois puis D 86

Ouverture : de mi-avr. à fin sept.

2,8 ha (99 empl.) non clos, en terrasses, plat, herbeux, pierreux

Empl. camping : 34€ ✚✚ ⇔ 🅴 (10A) - pers. suppl. 7€
Location : (de mi-avr. à fin sept.) - 🦽 (1 mobile home) - 24 🚐. Nuitée 39 à 104€ - Sem. 273 à 728€
🚐 borne artisanale
Entre vignes et oliviers, emplacements bien ombragés traversés par un chemin communal qui mène au village.

Nature : 🎋 🏕 🎋🎋	**G** E : 5.12933
Loisirs : 🍹 🍴 🚣 🛷	**P** N : 44.26215
Services : ⊶ 🎰 🚿 🛜 🖼 🚽	**S**

*To visit a town or region : use the **MICHELIN Green Guides**.*

FORCALQUIER

04300 - Carte Michelin **334** C9 - 4 640 h. - alt. 550
▶ Paris 747 - Aix-en-Provence 80 - Apt 42 - Digne-les-Bains 50

🏔 Forcalquier

✆ 04 92 75 27 94, camping-forcalquier.com

Pour s'y rendre : rte de Sigonce (sortie est sur D 16)

Ouverture : de déb. avr. à déb. oct.

2,9 ha (130 empl.) en terrasses, peu incliné, plat, herbeux, pierreux

Empl. camping : (Prix 2018) 22€ ✚✚ ⇔ 🅴 (10A) - pers. suppl. 6€ - frais de réservation 15€
Location : (Prix 2018) (de déb. avr. à déb. oct.) - 🅿 - 25 🚐 - 4 🏠 - 25 tentes lodges. - frais de réservation 15€
Locatifs nombreux et variés.

Nature : 🏕 🎋🎋	**G** E : 5.78723
Loisirs : 🍴 📺 🏃 🚣 🚲 🛷	**P** N : 43.96218
Services : ⊶ 🚣 🚿 🛜 🖼	**S**
À prox. : 🎿	

FRÉJUS

83600 - Carte Michelin **340** P5 - 52 203 h. - alt. 20
▶ Paris 868 - Brignoles 64 - Cannes 40 - Draguignan 31

🏔🏔 La Baume - La Palmeraie 🔱

✆ 04 94 19 88 88, www.labaume-lapalmeraie.com - peu d'emplacements pour tentes et caravanes

Pour s'y rendre : 3775 r. des Combattants-d'Afrique-du-Nord (4,5 km au nord par D 4, rte de Bagnols-en-Forêt)

Ouverture : de déb. avr. à fin sept.

26 ha/20 campables (780 empl.) peu incliné, plat, pierreux, sablonneux

Empl. camping : 58€ ✚✚ ⇔ 🅴 (10A) - pers. suppl. 16€ - frais de réservation 25€

Location : (de déb. avr. à fin sept.) - ♿ (11 gîtes) - 180 ⛺
- 182 appartements - 21 villas. Nuitée 46 à 417 € - Sem. 322 à 2 920 €
- frais de réservation 25 €

Deux espaces aquatiques dont un en partie couvert et du locatif varié parfois de très grand confort. Préférer les emplacements les plus éloignés des routes.

Nature : 🏕 ♤♤
Loisirs : 🍹 ✕ 🎱 📺 (théâtre de plein air) 🏃
🔥 hammam jacuzzi ⛵ 🚲 ⚽ 🏓 ❄ ♨
discothèque skate parc
Services : 🔌 ▥ ⛽ 🚿 📶 laverie 🧺 🚙

GPS E : 6.72319 N : 43.46655

🏔 Yelloh! Village Domaine du Colombier ♤♤

📞 0494515601, www.domaine-du-colombier.com - peu d'emplacements pour tentes et caravanes

Pour s'y rendre : 1052 r. des Combattants-d'Afrique-du-Nord (2 km au nord par D 4, rte de Bagnols-en-Forêt)

Ouverture : de déb. avr. à fin sept.

10 ha (400 empl.) fort dénivelé, en terrasses, vallonné, plat, herbeux

Empl. camping : 67 € ★★ 🚗 🔲 🔌 (16A) - pers. suppl. 9 €
Location : (de déb. avr. à fin sept.) - 355 ⛺. Nuitée 39 à 438 €
- Sem. 273 à 3 066 €
⛺ borne artisanale

Villages de mobile homes à thèmes dont certains de grand confort avec un espace balnéo en partie couvert. Préférer les emplacements les plus éloignés de la route.

Nature : 🏞 ⛰ ♤♤
Loisirs : 🍹 ✕ 🎱 📺 salle d'animations 🏃 🔥
centre balnéo hammam jacuzzi ⛵ 🚲 ♨ ❄
discothèque
Services : 🔌 ▥ ⛽ 🚿 📶 laverie 🧺 🚙

GPS E : 6.72688 N : 43.44588

🏔 Sunêlia Holiday Green

📞 0494198830, www.holidaygreen.com - peu d'emplacements pour tentes et caravanes

Pour s'y rendre : 1900 rte départementale D 4 (rte de Bagnols-en-Forêt)

Ouverture : de déb. avr. à fin sept.

15 ha (640 empl.) fort dénivelé, en terrasses, plat, herbeux, pierreux

Empl. camping : 72 € ★★ 🚗 🔲 🔌 (16A) - pers. suppl. 12 € - frais de réservation 40 €
Location : (de déb. avr. à fin sept.) - ♿ (1 mobile home) - 325 ⛺
- 25 🏡. Nuitée 57 à 385 € - Sem. 345 à 2 695 € - frais de réservation 40 €

Bel espace aquatique en partie couvert. Préférer les emplacements les plus éloignés de la route.

Nature : 🏞 🏕 ♤♤
Loisirs : 🍹 ✕ 🎱 📺 🏃 centre balnéo
hammam jacuzzi 🚲 🏐 ❄ ♨ 🎿 discothèque
terrain multisports
Services : 🔌 ⛽ 📶 laverie 🧺 🚙

GPS E : 6.71683 N : 43.48481

🎱 ✕ 🚙 🏊 🐴
LET OP :
deze gegevens gelden in het algemeen alleen in het seizoen,
wat de openingstijden van het terrein ook zijn.

🏔 La Pierre Verte ♤♤

📞 0494408830, www.campinglapierreverte.com

Pour s'y rendre : 1880 rte départementale D 4 (6,5 km au nord, rte de Bagnols-en-Forêt et chemin à dr.)

Ouverture : de déb. avr. à fin sept.

28 ha/15 campables (450 empl.) fort dénivelé, en terrasses, plat, herbeux, pierreux, rochers

Empl. camping : 59 € ★★ 🚗 🔲 🔌 (10A) - pers. suppl. 11 € - frais de réservation 25 €
Location : (de déb. avr. à fin sept.) - 150 ⛺ - 12 chalets sur pilotis - 4 tentes lodges - 3 cabanons. Nuitée 49 à 239 € - Sem. 299 à 1 650 € - frais de réservation 25 €
⛺ 6 🔲 59 €

Sur deux petites collines avec beaucoup d'espace et des emplacements au calme autour d'un agréable lagon.

Nature : 🏞 🏕 ♤♤
Loisirs : 🍹 ✕ 🎱 📺 🏃 🔥 🐴 ⚽ ♨ 🎿 terrain
multisports
Services : 🔌 ⛽ 🚿 📶 laverie 🧺 🚙

GPS E : 6.72054 N : 43.48382

🏔 AMAC - La Plage d'Argens

📞 0482751041, www.laplagedargens.fr

Pour s'y rendre : 541 RD 559 (3 km au sud par N 98, accès direct à la plage)

Ouverture : de déb. avr. à mi-oct.

7 ha (436 empl.) plat, herbeux, sablonneux

Empl. camping : (Prix 2018) 54 € ★★ 🚗 🔲 🔌 (6A) - pers. suppl. 10 €
- frais de réservation 30 €
Location : (Prix 2018) (de mi-avr. à mi-oct.) - 239 ⛺ - 2 chalets sur pilotis - 8 tentes sur pilotis - 8 cabanons. Nuitée 35 à 300 €
- Sem. 231 à 2 093 € - frais de réservation 35 €
⛺ borne artisanale - 🚐 🔌 20 €

Au bord de l'Argens avec accès direct à la plage. Préférer les emplacements éloignés de la route.

Nature : ♤♤
Loisirs : 🍹 ✕ 🎱 🔥 🚲 🎿 plongée terrain
multisports
Services : 🔌 ⛽ 📶 laverie 🧺 🚙
réfrigérateurs
À prox. : parc aquatique

GPS E : 6.72489 N : 43.4087

🏔 Les Pins Parasols

📞 0494408843, www.camping-les-pins-parasols.com

Pour s'y rendre : 3360 r. des Combattants-d'Afrique-du-Nord (4 km au nord par D 4, rte de Bagnols-en-Forêt)

Ouverture : de fin avr. à fin sept.

4,5 ha (200 empl.) en terrasses, vallonné, plat, herbeux, pierreux

Empl. camping : 34 € ★★ 🚗 🔲 🔌 (10A) - pers. suppl. 7 €
Location : (de déb. avr. à fin sept.) - 🐕 - 15 ⛺. Sem. 239 à 789 €

Des emplacements équipés de sanitaires individuels au milieu des pins parasols avec beaucoup d'espace.

Nature : 🏕 ♤♤
Loisirs : ✕ 🎱 🔥 🎿 ❄
Services : 🔌 ⛽ ▥ ⛽ - 48 sanitaires
individuels (🚿 🚽 wc) 📶 🧺 🚙

GPS E : 6.7253 N : 43.464

GAP

05000 - Carte Michelin **334** E5 - 39 243 h. - alt. 735
▶ Paris 665 - Avignon 209 - Grenoble 103 - Sisteron 52

🗻 Alpes-Dauphiné 👥

🖉 04 92 51 29 95, www.alpesdauphine.com - alt. 850

Pour s'y rendre : rte Napoleon (3 km au nord par N 85, rte de Grenoble)

Ouverture : de mi-avr. à déb. nov.

10 ha/6 campables (185 empl.) fort dénivelé, en terrasses, herbeux, incliné, peu incliné

Empl. camping : 29€ 👫 🚗 🗐 🚰 (6A) - pers. suppl. 8€ - frais de réservation 20€

Location : (de déb. mai à fin sept.) - 48 🛖 - 17 🏠 - 4 appartements. Nuitée 50 à 85€ - Sem. 290 à 820€ - frais de réservation 20€

🚐 borne artisanale

Préférer les nombreux emplacements éloignés de la route.

		G E : 6.08255
Nature : 🌳🌳		**P** N : 44.58022
Loisirs : 🍽️ 🎬 🎣 jacuzzi 🏊 🎿		**S**
Services : 🔌 🏧 � 🚰 🛗 🛜 laverie 🍽️		

Utilisez le guide de l'année.

GIENS

83400 - Carte Michelin **340** L7 - alt. 34
▶ Paris 869 - Marseille 93 - Toulon 29 - La Seyne-sur-Mer 37

🗻 La Presqu'île de Giens 👥

🖉 04 94 58 22 86, www.camping-giens.com

Pour s'y rendre : 153 rte de la Madrague

Ouverture : de fin mars à déb. oct.

7 ha (427 empl.) fort dénivelé, en terrasses, plat, herbeux, pierreux

Empl. camping : (Prix 2018) 38€ 👫 🚗 🗐 🚰 (15A) - pers. suppl. 10€ - frais de réservation 20€

Location : (Prix 2018) (de fin mars à déb. oct.) - 95 🛖 - 30 🏠 - 7 tentes lodges. Nuitée 50 à 191€ - Sem. 224 à 1 337€ - frais de réservation 20€

Nombreuses petites terrasses et un bon confort sanitaire.

		G E : 6.14332
Nature : 🌳🌳		**P** N : 43.04084
Loisirs : 🍽️ 🎬 diurne 🏊 🎣		**S**
Services : 🔌 🏧 � 🛜 laverie 🍽️		

🗻 La Tour Fondue

🖉 04 94 58 22 86, www.camping-latourfondue.com

Pour s'y rendre : à La Tour Fondue, av. des Arbanais

Ouverture : de mi-mars à déb. nov. - 🏘️

2 ha (146 empl.) en terrasses, peu incliné, plat, herbeux

Empl. camping : 36€ 👫 🚗 🗐 🚰 (15A) - pers. suppl. 10€

Location : (Prix 2018) (de mi-mars à déb. nov.) - 21 🛖. Nuitée 79 à 138€ - Sem. 322 à 966€

Emplacements à la pointe de la presqu'île, face à l'île de Porquerolles.

		G E : 6.15569
Nature : 🏞️ 🌳🌳		**P** N : 43.02971
Loisirs : 🍽️		**S**
Services : 🔌 � 🛜 laverie 🍽️		
À prox. : plongée		

🛖 Olbia

🖉 04 94 58 21 96, www.camping-olbia.com

Pour s'y rendre : 545 av. René-de-Knyff (rte du port de La Madrague)

Ouverture : de déb. avr. à déb. oct.

1,5 ha (100 empl.) en terrasses, peu incliné, plat, pierreux, gravillons

Empl. camping : (Prix 2018) 37€ 👫 🚗 🗐 🚰 (15A) - pers. suppl. 8€ - frais de réservation 20€

Location : (Prix 2018) (de déb. avr. à déb. oct.) - 🚫 - 1 appartement. Nuitée 65 à 149€ - Sem. 455 à 1 043€ - frais de réservation 20€

🚐 borne artisanale - 🛢️ 🚰 33€

Emplacements sous les eucalyptus, pins maritimes et palmiers.

		G E : 6.10325
Nature : 🏞️ 🌳🌳		**P** N : 43.03966
Loisirs : 🍽️ 🏊		**S**
Services : 🔌 � 🛜 🛗 🍽️ 🍽️		

LA GRAVE

05320 - Carte Michelin **334** F2 - 493 h. - alt. 1 526 - Sports d'hiver : 1 450/3 250 m
▶ Paris 642 - Briançon 38 - Gap 126 - Grenoble 80

🛖 La Meije

🖉 06 08 54 30 84, www.camping-delameije.com

Pour s'y rendre : à l'est, dir. Briançon par D 1091, au bord de la Romanche

Ouverture : de mi-mai à mi-sept.

2,5 ha (50 empl.) terrasse, plat et peu incliné, herbeux

Empl. camping : 22€ 👫 🚗 🗐 🚰 (4A) - pers. suppl. 4€

Magnifique panorama sur les glaciers de la Meije et du Tabuchet, au bord du torrent La Romanche.

		G E : 6.30911
Nature : 🏔️ ⛰️ les glaciers 🌳🌳		**P** N : 45.04526
Loisirs : 🎮 🎣 🎿		**S**
Services : 🔌 � 🛜 🛗		
À prox. : 🎿 sports en eaux vives		

🛖 Le Gravelotte

🖉 04 76 79 93 14, www.camping-le-gravelotte.com

Pour s'y rendre : 1,2 km à l'ouest par D 1091, rte de Grenoble et chemin à gauche, au bord de la Meije

Ouverture : de mi-juin à mi-sept.

4 ha (75 empl.) plat, herbeux

Empl. camping : (Prix 2018) 19€ 👫 🚗 🗐 🚰 (10A) - pers. suppl. 4€

🚐 borne artisanale

Agréable situation au pied du glacier La Meije et au bord du torrent la Romanche.

		G E : 6.29697
Nature : 🏔️ ⛰️ 🌳		**P** N : 45.04328
Loisirs : 🍽️ 🎿 🎣		**S**
Services : 🔌 🛜 🛗		

*Donnez-nous votre avis
sur les terrains que nous recommandons.
Faites-nous connaître vos observations et vos découvertes
par mail à l'adresse : leguidecampingfrance@tp.michelin.com.*

GRAVESON

13690 - Carte Michelin **340** D2 - 3 875 h. - alt. 14
▶ Paris 696 - Arles 25 - Avignon 14 - Cavaillon 30

⚠ Les Micocouliers

✆ 04 90 95 81 49, www.lesmicocouliers.fr

Pour s'y rendre : 445 rte de Cassoulen (1,2 km au sud-est par D 28, rte de Châteaurenard et D 5 à dr., rte de Maillane)

Ouverture : de mi-mars à mi-oct.

3,5 ha (118 empl.) plat, herbeux

Empl. camping : 32€ ✦✦ ⬅ 🄴 🄷 (6A) - pers. suppl. 9€ - frais de réservation 5€

Location : (de mi-mars à mi-oct.) - � (de mi-mars à fin juin) - 6 🛏. Nuitée 66 à 110€ - Sem. 460 à 790€ - frais de réservation 10€

🅿 borne artisanale 5€ - 🚰 11€

Emplacements entre ombre et soleil autour d'espaces verts dédiés à la détente.

Nature : 🖵 ♤♤
Loisirs : 🎪 🚴 🏊
Services : ⚡ 📶 laverie

G P S E : 4.78111
N : 43.84389

GRÉOUX-LES-BAINS

04800 - Carte Michelin **334** D10 - 2 510 h. - alt. 386 - ♨
▶ Paris 783 - Aix-en-Provence 55 - Brignoles 52 - Digne-les-Bains 69

⚠⚠ AMAC - Le Verdon Parc ♣♣

✆ 04 82 75 10 43, www.campingverdonparc.fr

Pour s'y rendre : domaine de la Paludette (600 m au sud par D 8, rte de St-Pierre et à gauche apr. le pont, au bord du Verdon)

Ouverture : de déb. avr. à fin oct.

8 ha (324 empl.) en terrasses, plat, herbeux, pierreux, gravier

Empl. camping : (Prix 2018) 51€ ✦✦ ⬅ 🄴 🄷 (16A) - pers. suppl. 9€ - frais de réservation 30€

Location : (Prix 2018) (de déb. avr. à fin oct.) - ⚿ (2 mobile homes) - 244 🛏 - 1 🏠 - 3 tentes lodges - 8 tentes sur pilotis. Nuitée 33 à 280€ - Sem. 231 à 1 960€ - frais de réservation 30€

🅿 borne AireService

Le long du Verdon avec une petite plage aménagée et certains locatifs de grand confort.

Nature : 🖼 🖵 ♤♤
Loisirs : 🍴 🍽 🎪 🎡 🚴 🏊 🎣 🎾 🖼 🏊 terrain multisports
Services : ⚡ 📶 🐕 - 4 sanitaires individuels (🚿 wc) 🗑 📶 laverie 🖼 🐕 réfrigérateurs

G P S E : 5.89407
N : 43.75188

⚠ La Pinède

✆ 04 92 78 05 47, www.camping-lapinede-04.com

Pour s'y rendre : rte de St-Pierre (1,5 km au sud par D 8, à 200 m du Verdon)

Ouverture : de déb. mars à fin nov.

3 ha (166 empl.) en terrasses, plat et peu incliné, pierreux, gravillons

Empl. camping : 33€ ✦✦ ⬅ 🄴 🄷 (10A) - pers. suppl. 8€

Location : (de déb. mars à fin nov.) - 80 🛏 - 10 🏠. Nuitée 45 à 142€ - Sem. 315 à 994€

🅿 borne AireService

Belles terrasses ombragées et bon confort sanitaire.

Nature : 🖼 🖵 ♤♤
Loisirs : 🍴 🍽 🎪 🚴 🏊 terrain multisports
Services : ⚡ 📶 📶 laverie
À prox. : 🎣

G P S E : 5.88294
N : 43.74848

⛰ Verseau

✆ 04 92 77 67 10, www.camping-le-verseau.com

Pour s'y rendre : 113 chemin Gaspard-de-Besse (1,2 km au sud par D 8, rte de St-Pierre et chemin à dr., près du Verdon)

2,5 ha (120 empl.) plat et peu incliné, herbeux, pierreux

Location : ⚿ (1 chalet) - 51 🛏 - 14 🏠 - 3 chalets sur pilotis - 2 cabanons.

Tout près du Verdon et du barrage.

Nature : 🖼 🖵 ♤♤
Loisirs : 🍴 🎪 salle d'animations 🚴 🏊
Services : ⚡ 📶 🐕 🗑 📶 📶 🖼 réfrigérateurs
À prox. : 🚣

G P S E : 5.88199
N : 43.75152

GRILLON

84600 - 1 705 h. - alt. 190
▶ Paris 642 - Marseille 159 - Avignon 71 - Valence 82

⛰ Garrigon ♣♣

✆ 04 90 28 72 94, www.camping-garrigon.com

Pour s'y rendre : chemin de Visan (1.6 km au sud par D 20)

Ouverture : de mi-mars à mi-nov.

1 ha (151 empl.) plat, herbeux, pierreux

Empl. camping : 30€ ✦✦ ⬅ 🄴 🄷 (16A) - pers. suppl. 8€ - frais de réservation 20€

Location : (de mi-mars à mi-nov.) - 52 🛏. Nuitée 50 à 142€ - Sem. 200 à 994€ - frais de réservation 20€

🅿 borne artisanale - 🚰 🄷 16€

Situé dans "l'Enclave des Papes", au beau milieu des vignes.

Nature : 🖼 🖵 ♤♤
Loisirs : 🍽 🎪 🎡 🚴 🚲 🏊
Services : ⚡ 📶 🐕 📶 🖼
À prox. : 🍴

G P S E : 4.93043
N : 44.38322

Renouvelez votre guide chaque année.

GRIMAUD

83310 - Carte Michelin **340** O6 - 4 309 h. - alt. 105
▶ Paris 861 - Brignoles 58 - Fréjus 32 - Le Lavandou 32

⚠⚠ Les Prairies de la Mer ♣♣

✆ 04 94 79 09 09, www.riviera-villages.com

Pour s'y rendre : à St-Pons-les-Mûres (RN 98)

Ouverture : de déb. avr. à mi-oct.

30 ha (1400 empl.) non clos, plat, sablonneux

Empl. camping : (Prix 2018) 64€ ✦✦ ⬅ 🄴 🄷 (6A) - pers. suppl. 6€

Location : (Prix 2018) (de déb. avr. à mi-oct.) - 🅿 - 150 🛏 - 150 🏠. Sem. 370 à 3 100€

🅿 borne artisanale

Immense domaine divisé en plusieurs villages : tentes et caravanes, propriétaires-résidents, mobile homes classiques et locatifs de très grand confort face à la plage pour certains.

Nature : 🖼 🖵 St-Tropez et son golfe 🖵 ♤♤ 🖼
Loisirs : 🍴 🍽 🎪 🎡 🎣 🖾 centre balnéo 🈁 hammam jacuzzi 🚴 🚲 🎾 🎤 discothèque conciergerie plongée terrain multisports
Services : ⚡ 📶 🐕 🗑 📶 📶 laverie 🖼 🐕

G P S E : 6.58241
N : 43.28086

⛰ Domaine des Naïades 👥

(pas d'emplacement tentes et caravanes)

📞 04 94 55 67 80, www.lesnaiades.com

Pour s'y rendre : à St-Pons-les-Mûres, chemin des Mûres (RN 98 et chemin à gauche)

27 ha/14 campables (470 empl.) fort dénivelé, en terrasses, plat, herbeux, sablonneux

Location : (Prix 2018) (de déb. avr. à fin sept.) - 167 🚐. Nuitée 62 à 299€ - Sem. 434 à 2 093€ - frais de réservation 25€

Terrain tout en longueur avec une partie très au calme et du locatif de grand confort.

Nature : 🌳 ⬅ 🚤 ⁓
Loisirs : 🍸 ✕ 🏖 🚣 🐎 🛶 ⛷
Services : 🚿 🗑 🍴 📶 laverie 🛒 ⚒
GPS E : 6.57937
N : 43.28517

GUILLESTRE

05600 - Carte Michelin **334** H5 - 2 308 h. - alt. 1 000
▶ Paris 715 - Barcelonnette 51 - Briançon 36 - Digne-les-Bains 114

⛰ St-James-les-Pins

📞 04 92 45 08 24, www.lesaintjames.com

Pour s'y rendre : rte des Campings (1,5 km à l'ouest par rte de Risoul et rte à dr.)

Ouverture : Permanent

2,5 ha (100 empl.) terrasse, peu incliné, plat, herbeux, pierreux, bois

Empl. camping : 20€ ✶✶ ⬅ 📧 ⚡ (10A) - pers. suppl. 4€
Location : Permanent - 10 🚐 - 13 🏠 - 10 ⛺. Nuitée 74 à 120€ - Sem. 330 à 700€
🛗 borne artisanale 5€

Traversé par le torrent le Chagne. Agréable espace bar-restaurant.

Nature : ❄ 〰
Loisirs : 🍸 ✕ 🏖 🚣 ⁓ terrain multisports
Services : 🚿 🗑 🍴 📶 laverie
À prox. : ✂ ⛷
GPS E : 6.63293
N : 44.65685

⛰ Parc Le Villard

📞 04 92 45 06 54, www.camping-levillard.com

Pour s'y rendre : rte des Campings, lieu-dit : Le Villard (2 km à l'ouest par D 902a, rte de Gap, au bord du Chagne)

Ouverture : Permanent

3,2 ha (90 empl.) plat et peu incliné, herbeux, pierreux

Empl. camping : (Prix 2018) 22€ ✶✶ ⬅ 📧 ⚡ (10A) - pers. suppl. 6€
Location : (Prix 2018) Permanent - 16 🚐 - 6 🏠 - 4 tentes lodges. Nuitée 50 à 90€ - Sem. 310 à 790€

En deux parties distinctes traversées par une petite route.

Nature : 〰
Loisirs : 🍸 ✕ 🏖 🚣 ✂ ⛰ ⁓ ⛷
Services : 🚿 🍴 📶 laverie ⚒ réfrigérateurs
GPS E : 6.62687
N : 44.65895

⛺ La Rochette

La Rochette

📞 04 92 45 02 15, www.campingguillestre.com

Pour s'y rendre : rte des Campings (1 km à l'ouest par rte de Risoul et rte à dr.)

Ouverture : de mi-mai à fin sept.

4 ha (185 empl.) plat et peu incliné, pierreux, herbeux

Empl. camping : 16€ ✶✶ ⬅ 📧 ⚡ (6A) - pers. suppl. 4€ - frais de réservation 9€

Location : (de fin avr. à mi-sept.) - 5 tentes lodges. Nuitée 40 à 67€ - Sem. 280 à 469€ - frais de réservation 9€
🛗 borne artisanale

Emplacements autour des installations sportives municipales (piscine, tennis).

Nature : 〰
Loisirs : 🏖 🚣 ⁓
Services : 🚿 🚤 📶 laverie ⚒
À prox. : ✕ ⚒ ✂ ⛷
GPS E : 6.63845
N : 44.65895

HYÈRES

83400 - Carte Michelin **340** L7 - 54 686 h. - alt. 40
▶ Paris 851 - Aix-en-Provence 102 - Cannes 123 - Draguignan 78

⛰ Sud Est Vacances Les Palmiers 👥

(pas d'emplacement tentes et caravanes)

📞 04 94 66 39 66, www.camping-les-palmiers.fr

Pour s'y rendre : r. du Ceinturon, lieu-dit : L'Ayguade

5,5 ha plat, herbeux, pierreux

Location : (de fin mars à déb. nov.) - 348 🚐. Nuitée 53 à 262€ - Sem. 371 à 1 834€ - frais de réservation 5€

Bel alignement des nombreux mobile homes autour du parc aquatique.

Nature : 🌳 🚤 〰
Loisirs : 🍸 ✕ 🏖 🎦 nocturne 🚣 ⛷ 🏸 hammam 🚣 🐎 ✂ ⛰ ⛷ 🛶
Services : 🚿 🚤 📶 laverie ⚒ ⚒
GPS E : 6.16725
N : 43.10344

⛰ Le Ceinturon 3

📞 04 94 66 32 65, www.ceinturon3.fr

Pour s'y rendre : à Ayguade-Ceinturon, 2 r. des Saraniers (5 km au sud-est, à 100 m de la mer)

Ouverture : de fin mars à fin sept.

2,5 ha (200 empl.) plat, herbeux, sablonneux

Empl. camping : (Prix 2018) ✶ 7€ ⬅ 6€ – ⚡ (10A) 4€ - frais de réservation 16€
Location : (Prix 2018) (de fin mars à fin sept.) - ♿ (1 mobile home) - 1 🚐 - 40 🏠. Sem. 325 à 980€ - frais de réservation 16€

Emplacements ombragés et un bon confort sanitaire.

Nature : 🌳 〰
Loisirs : 🍸 ✕ 🚣 ⛷ terrain multisports
Services : 🚿 🍴 🚤 📶 laverie ⚒ ⚒
À prox. : ✂
GPS E : 6.16962
N : 43.10109

L'ISLE-SUR-LA-SORGUE

84800 - Carte Michelin **332** D10 - 18 936 h. - alt. 57
▶ Paris 693 - Apt 34 - Avignon 23 - Carpentras 18

🏔 Club Airotel La Sorguette

℘ 04 90 38 05 71, www.camping-sorguette.com

Pour s'y rendre : 871 rte d'Apt (1,5 km au sud-est par N 100, près de la Sorgue)

Ouverture : de mi-mars à fin oct.

2,5 ha (164 empl.) plat, herbeux, pierreux

Empl. camping : (Prix 2018) 31 € ✲✲ 🚐 🖪 🗐 (10A) - pers. suppl. 10 € - frais de réservation 20 €

Location : (de mi-mars à fin oct.) - 🚲 (1 mobile home) - 30 🛖 - 2 bungalows toilés - 3 tentes lodges - 3 yourtes - 2 cabanes perchées - 3 cabanons. Nuitée 49 à 130 € - Sem. 245 à 910 € - frais de réservation 20 €

🚐 borne flot bleu 7 €

Quelques hébergements insolites, au bord de la Sorgue, idéal pour le canoë.

Nature : ♀		
Loisirs : ✗ 🏠 🏖 🚴 🎣 🛶		**G** E : 5.07192
Services : 🔑 🛎 🛜 laverie 🌊 🚿 cases réfrigérées		**P** **S** N : 43.9146

*Créez votre voyage sur **voyages.michelin.fr***

LARCHE

04530 - Carte Michelin **334** J6 - 74 h. - alt. 1 691
▶ Paris 760 - Barcelonnette 28 - Briançon 81 - Cuneo 70

🏔 Domaine des Marmottes

℘ 09 88 18 46 40, www.camping-marmottes.fr

Pour s'y rendre : lieu-dit : Malboisset (800 m au sud-est par rte à dr., au bord de l'Ubayette)

Ouverture : de déb. juin à fin sept.

2 ha (52 empl.) non clos, plat, herbeux

Empl. camping : 🕴 9 € 🚐 2 € – 🗐 (10A) 4 €

Location : (de déb. juin à fin sept.) - 2 cabanons. Nuitée 30 € - Sem. 210 €

🚐 borne artisanale

Au pied d'une jolie cascade, terrain aménagé pour accueillir les randonneurs.

Nature : 🏔 ⇐ ♀♀		
Loisirs : ✗		**G** E : 6.85257
Services : 🔑 🛜 laverie point d'informations touristiques		**P** **S** N : 44.44615
À prox. : 🍸		

LE LAVANDOU

83980 - Carte Michelin **340** N7 - 5 747 h. - alt. 1
▶ Paris 873 - Cannes 102 - Draguignan 75 - Fréjus 61

🏔 Beau Séjour

℘ 04 94 71 25 30, caravaning-beau-sejour.jimdo.com

Pour s'y rendre : lieu-dit : la Grande Bastide (1,5 km au sud-ouest)

Ouverture : de mi-avr. à fin sept.

1,5 ha (135 empl.) plat, gravier

Empl. camping : (Prix 2018) 🕴 7 € 🚐 3 € 🖪 6 € – 🗐 (10A) 9 €

Beaux emplacements délimités et ombragés. Préférer les plus éloignés de la route.

Nature : 🏕 ♀♀		
Loisirs : 🍸 ✗		**G** E : 6.35165
Services : 🔑 🚐 🛜 🖪 🚿		**P** **S** N : 43.13497
À prox. : 🌊		

LA LONDE-LES-MAURES

83250 - Carte Michelin **340** M7 - 9 910 h. - alt. 24
▶ Paris 861 - Bormes-les-Mimosas 11 - Cuers 31 - Hyères 10

🏔 Les Moulières

℘ 04 94 01 53 21, www.campinglesmoulieres.com

Pour s'y rendre : 15 chemin de la Garenne, lieu-dit : Le Puits de Magne (2,5 km au sud-est par rte de Port-de-Miramar et rte à droite)

Ouverture : de déb. juin à mi-sept.

3 ha (250 empl.) plat, herbeux

Empl. camping : 39 € ✲✲ 🚐 🖪 🗐 (6A) - pers. suppl. 9 € - frais de réservation 10 €

Location : (de déb. juin à mi-sept.) - 🛖 - 7 tentes lodges. Sem. 360 à 650 € - frais de réservation 15 €

🚐 borne flot bleu - 6 🖪 32 €

Nature : 🏞 ♀		
Loisirs : 🍸 ✗ 🏖 🏄 🎾 parcours de santé terrain multisports		**G** E : 6.23526
Services : 🔑 🛎 🛜 🖪 🚿		**P** **S** N : 43.12236

Si vous recherchez :

🛶	un terrain très tranquille,
P	un terrain ouvert toute l'année,
👥	des équipements et des loisirs adaptés aux enfants,
🏊	un parc aquatique,
B	un centre balnéo,
🎭	des animations sportives, culturelles ou de détente,

consultez la liste thématique des campings.

LOURMARIN

84160 - Carte Michelin **332** F11 - 1 000 h. - alt. 224
▶ Paris 732 - Aix-en-Provence 37 - Apt 19 - Cavaillon 73

🏔 Campasun Les Hautes Prairies 👥

℘ 04 90 68 02 89, www.campasun-lourmarin.eu

Pour s'y rendre : rte de Vaugines (700 m à l'est par D 56)

Ouverture : de déb. avr. à fin sept.

3,6 ha (160 empl.) plat et peu incliné, herbeux, pierreux

Empl. camping : 25 € ✲✲ 🚐 🖪 🗐 (10A) - pers. suppl. 6 € - frais de réservation 25 €

Location : (de déb. avr. à fin sept.) - 40 🛖 - 18 🏠 - 6 🛏. Nuitée 70 à 245 € - Sem. 270 à 1 450 € - frais de réservation 25 €

🚐 borne eurorelais 5 €

Locatif varié avec quelques chalets de grand confort.

Nature : 🏕 ♀		
Loisirs : 🍸 ✗ 🏊 jacuzzi 🏖 🌊 🎣		**G** E : 5.37291
Services : 🔑 🛎 🛜 🖪		**P** **S** N : 43.76784

MALEMORT-DU-COMTAT

84570 - Carte Michelin **332** D9 - 1 461 h. - alt. 208
▶ Paris 688 - Avignon 33 - Carpentras 11 - Malaucène 22

⚏ Font Neuve

✆ 04 90 69 90 00, www.campingfontneuve.com

Pour s'y rendre : quartier Font-Neuve (1,6 km au sud-est par D 5, rte de Méthanis et chemin à gauche)

Ouverture : de mi-avr. à fin sept.

2 ha (65 empl.) en terrasses, peu incliné, plat, herbeux, pierreux

Empl. camping : 23 € ★★ ⬛ 🔲 (6A) - pers. suppl. 5 € - frais de réservation 10 €

Location : (de mi-avr. à fin sept.) - 4 🚐 - 5 🏠. Nuitée 80 à 100 € - Sem. 200 à 700 € - frais de réservation 10 €

Dans un nouveau quartier résidentiel, au calme.

Nature : 🐾 ⩤ 🗔 ♊♊
Loisirs : 🍴 🗙 🚗 🎿 🏊
Services : ⚎ 👕 🛒 🚿 🛉 ☂ 🖥 🚗

G P S E : 5.17098 N : 44.0142

MALLEMORT

13370 - Carte Michelin **340** G3 - 5 925 h. - alt. 120
▶ Paris 716 - Aix-en-Provence 34 - Apt 38 - Cavaillon 20

⚏ Durance Luberon

✆ 04 90 59 13 36, www.campingduranceluberon.com - pour les caravanes, l'accès par le centre ville est déconseillé, accès par N 7 et D 561, rte de Charleval

Pour s'y rendre : au Domaine du Vergon (2,8 km au sud-est par D 23, à 200 m du canal, vers la centrale E.D.F. - par A 7 sortie 26 et 7)

Ouverture : de déb. avr. à fin sept.

4 ha (135 empl.) plat, herbeux

Empl. camping : (Prix 2018) 25 € ★★ ⬛ 🔲 (10A) - pers. suppl. 7 € - frais de réservation 15 €

Location : (Prix 2018) (de déb. avr. à fin sept.) - 8 🚐. Nuitée 74 à 103 € - Sem. 520 à 720 € - frais de réservation 15 €

🚽 borne artisanale 5 €

Beaux emplacements bien délimités et ombragés.

Nature : 🐾 🗔 ♊♊
Loisirs : 🚗 🏊 terrain multisports
Services : ⚎ 🚗 👕 🛒 🚿 ☂ 🖥
À prox. : 🐎

G P S E : 5.20492 N : 43.72091

The Guide changes, so renew your guide every year.

MANDELIEU-LA-NAPOULE

06210 - Carte Michelin **341** C6 - 21 764 h. - alt. 4
▶ Paris 890 - Brignoles 86 - Cannes 9 - Draguignan 53

⚏ Les Cigales

✆ 04 93 49 23 53, www.lescigales.com

Pour s'y rendre : 505 av. de la Mer (à Mandelieu)

Ouverture : de déb. janv. à mi-nov.

1 ha (62 empl.) plat, herbeux, gravier

Empl. camping : (Prix 2018) 35 € ★★ ⬛ 🔲 (10A) - pers. suppl. 9 € - frais de réservation 25 €

Location : (Prix 2018) (de déb. avr. à mi-nov.) - 22 🚐 - 7 studios. Nuitée 60 à 181 € - Sem. 418 à 1 085 € - frais de réservation 25 €

🚽 borne artisanale

Îlot de verdure en ville, au bord de la Siagne.

Nature : 🐾 🗔 ♊♊
Loisirs : 🚗 🏊
Services : ⚎ 👕 🛒 🚿 ☂ 🖥 laverie
À prox. : 🍴 🗙 🚗 🚲 🛉 ⚓

G P S E : 6.9424 N : 43.53883

⚏ Les Pruniers - Les Bungalows du Golfe

✆ 04 93 49 99 23, www.bungalow-camping.com

Pour s'y rendre : 118 r. de la Pinéa (par av. de la Mer)

Ouverture : de mi-janv. à mi-déc.

0,8 ha (64 empl.) plat, herbeux, gravier

Empl. camping : (Prix 2018) ★ 5 € ⬛ 4 € 🔲 22 € - 🔌 (10A) 4 €

Location : (Prix 2018) (de mi-janv. à mi-déc.) - 36 🚐 - 2 appartements. Sem. 290 à 700 €

🚽 borne artisanale 5 €

Avec piscine au bord de la Siagne.

Nature : 🐾 🗔 ♊♊
Loisirs : 🏠 🚗 🏊
Services : ⚎ ☂ 🖥 🚗
À prox. : 🍴 🗙 🛉 ⚓

G P S E : 6.94349 N : 43.53503

MAUBEC

84660 - Carte Michelin **332** D10 - 1 877 h. - alt. 120
▶ Paris 706 - Aix-en-Provence 68 - Apt 25 - Avignon 32

⚏ Municipal Les Royères du Prieuré

✆ 04 90 76 50 34, www.campingmaubec-luberon.com

Pour s'y rendre : 52 chemin de la Combe-St-Pierre (au sud du bourg)

Ouverture : de déb. avr. à mi-oct.

1 ha (93 empl.) en terrasses, plat, herbeux, pierreux

Empl. camping : (Prix 2018) ★ 4 € ⬛ 🔲 5 € - 🔌 (10A) 5 €

Location : (Prix 2018) (de déb. avr. à mi-oct.) - 🎿 - 3 🚐 - 1 gîte. Nuitée 60 à 80 € - Sem. 300 à 550 €

Espace, nature et calme pour tous les emplacements.

Nature : 🐾 ⩤ ♊♊
Services : ⚎ 👕 🛒 ☂ 🖥

G P S E : 5.1326 N : 43.84032

Gebruik de gids van het lopende jaar.

MAUSSANE-LES-ALPILLES

13520 - Carte Michelin **340** D3 - 2 076 h. - alt. 32
▶ Paris 712 - Arles 20 - Avignon 30 - Marseille 81

⚏ Municipal les Romarins

✆ 04 90 54 33 60, www.campinglesromarins.fr

Pour s'y rendre : av. des Alpilles (sortie nord par D 5, rte de St-Rémy)

Ouverture : de mi-mars à déb. nov.

3 ha (145 empl.) plat, herbeux, pierreux

Empl. camping : (Prix 2018) 30 € ★★ ⬛ 🔲 (10A) - pers. suppl. 5 €

Beaux emplacements autour de sanitaires de vrai bon confort.

Nature : 🐾 🗔 ♊♊
Loisirs : 🏠 🚗 🗙
Services : ⚎ 👕 🛒 🚿 ☂ 🖥 laverie
À prox. : 🏊

G P S E : 4.8093 N : 43.72104

MAZAN

84380 - Carte Michelin **332** D9 - 5 641 h. - alt. 100
▶ Paris 684 - Avignon 35 - Carpentras 9 - Cavaillon 30

⛰ Le Ventoux

✆ 04 90 69 70 94, www.camping-le-ventoux.com

Pour s'y rendre : 1348 chemin de la Combe (3 km au nord par D 70, rte de Caromb puis chemin à gauche, de Carpentras, itinéraire conseillé par D 974)

Ouverture : de mi-mars à fin oct.

1,4 ha (62 empl.) plat, herbeux, gravillons

Empl. camping : (Prix 2018) 26€ ★★ ⇔ 🗉 🏠 (10A) - pers. suppl. 6€ - frais de réservation 10€

Location : (Prix 2018) (de mi-mars à fin oct.) - 20 🛖. Nuitée 75 à 100€ - Sem. 450 à 835€ - frais de réservation 10€

Au milieu des vignes, beaucoup d'emplacements bénéficient d'une vue imprenable sur le Mont-Ventoux.

Nature : 🌄 ⩽ Le Mont Ventoux 🌳🌳
Loisirs : 🍴 ✕ 🏖 🏊
Services : ⚬🔑 🏢 🖫 🚿 laverie 🖫

G P S | E : 5.11378
N : 44.0805

MÉOLANS-REVEL

04340 - Carte Michelin **334** H6 - 333 h. - alt. 1 080
▶ Paris 787 - Marseille 216 - Digne-les-Bains 74 - Gap 64

⛰ Le Rioclar ♣♨

✆ 04 92 81 10 32, www.rioclar.fr - alt. 1 073

Pour s'y rendre : D 900 (1,5 km à l'est, rte de Barcelonnette, près de l'Ubaye et d'un petit plan d'eau)

Ouverture : de fin avr. à mi-sept.

8 ha (200 empl.) en terrasses, plat, herbeux, pierreux

Empl. camping : 28€ ★★ ⇔ 🗉 🏠 (10A) - pers. suppl. 8€ - frais de réservation 18€

Location : (de fin avr. à mi-sept.) - 26 🛖 - 3 🏠. Nuitée 39 à 112€ - Sem. 273 à 784€ - frais de réservation 18€

Cadre très nature et mobile homes équipés de très grandes terrasses.

Nature : 🌄 🌅 🌳🌳
Loisirs : 🍴 ✕ 🏖 🎣 🏊 🚴 🏊 sports en eaux vives terrain multisports
Services : ⚬🔑 🚿 laverie 🖫 🖫
À prox. : 🏊 (plan d'eau)

G P S | E : 6.53172
N : 44.39928

⛰ Domaine Loisirs de l'Ubaye

✆ 04 92 81 01 96, www.domaineubaye.com - alt. 1 073

Pour s'y rendre : D 900 (3 km à l'est, rte de Barcelonnette, au bord de l'Ubaye)

Ouverture : de mi-mai à fin sept.

9,5 ha (267 empl.) en terrasses, plat, pierreux, herbeux

Empl. camping : (Prix 2018) 24€ ★★ ⇔ 🗉 🏠 (10A) - pers. suppl. 7€

Location : (Prix 2018) (de mi-mai à fin sept.) - 29 🛖 - 19 🏠 - 2 tentes lodges - 2 tentes sur pilotis - 2 cabanons. Sem. 370 à 950€ - frais de réservation 15€

🖭 borne artisanale

Préférer les emplacements qui dominent ou près de la rivière.

Nature : 🌄 🌅 🌳🌳
Loisirs : ✕ 🏖 🎬 diurne 🏊 🚴 🎣 🏊
Services : ⚬🔑 🏢 🖫 🚿 laverie 🖫 🖫
À prox. : sports en eaux vives

G P S | E : 6.54638
N : 44.39645

MONDRAGON

84430 - Carte Michelin **332** B8 - 3 363 h. - alt. 40
▶ Paris 640 - Avignon 45 - Montélimar 40 - Nyons 41

⛰ La Pinède en Provence ♣♨

✆ 04 90 40 82 98, www.camping-pinede-provence.com

Pour s'y rendre : quartier Rieu de Colin, Les Massanes Ouest (1,5 km au nord-est par D 26, rte de Bollène et deux fois à droite)

Ouverture : Permanent

4 ha (134 empl.) en terrasses, peu incliné, plat, herbeux, gravier

Empl. camping : (Prix 2018) 28€ ★★ ⇔ 🗉 🏠 (10A) - pers. suppl. 6€ - frais de réservation 9€

Location : (Prix 2018) Permanent - 24 🛖 - 3 bungalows toilés. Sem. 260 à 750€ - frais de réservation 18€

🖭 borne artisanale 4€

Agréable pinède et un camping qui s'améliore.

Nature : 🌳🌳
Loisirs : 🍴 ✕ 🏖 🏊 🎣 🏊 🎿 terrain multisports
Services : ⚬🔑 🖫 🖫 🚿 🚐 🚿 laverie 🖫

G P S | E : 4.72898
N : 44.24346

Benutzen Sie den Hotelführer des laufenden Jahres.

MONTGENÈVRE

05100 - Carte Michelin **334** I3 - 530 h. - alt. 1 850
▶ Paris 716 - Chambéry 150 - Gap 99 - Marseille 274

⛰ Municipal Le Bois des Alberts

✆ 04 92 21 16 11, www.montgenevre.com

Pour s'y rendre : lieu-dit : Les Alberts (8 km au sud-ouest, par N 94 et D 201, rte de Briançon, au bas de la station)

Ouverture : Permanent

7 ha (200 empl.) plat, herbeux, étang

Empl. camping : (Prix 2018) ★ 4€ ⇔ 3€ 🗉 5€ – 🏠 (10A) 5€

🖭 borne artisanale

Sous une agréable pinède et avec un petit étang pour la pêche.

Nature : ❄ 🌅 🌳🌳
Loisirs : 🍴 ✕ 🏖 🏊 🎣
Services : 🏢 🖫 🚿 🖫
À prox. : 🍴

G P S | E : 6.68248
N : 44.9302

MONTPEZAT

04500 - Carte Michelin **334** E10
▶ Paris 806 - Digne-les-Bains 54 - Gréoux-les-Bains 23 - Manosque 37

⛰ Tohapi Côteau de la Marine ♣♨

✆ 08 25 00 20 30, www.tohapi.fr/126

Pour s'y rendre : à Vauvert, rte de Baudinard (2 km au sud-est)

Ouverture : de fin avr. à mi-sept.

12 ha (251 empl.) fort dénivelé, en terrasses, gravier, pierreux

Empl. camping : (Prix 2018) 50€ ★★ ⇔ 🗉 🏠 (6A) - pers. suppl. 4€

Location : (Prix 2018) (de fin avr. à mi-sept.) - 177 🛖 - 54 tentes lodges. Sem. 135 à 1 790€

Quelques emplacements bénéficient d'une vue sur le Verdon.

Nature : 🌄 ⩽ 🌅 🌳🌳
Loisirs : 🍴 ✕ 🏖 🏊 🎣 🏊 🎿 🛶 pédalos bateaux électriques
Services : ⚬🔑 🚿 laverie 🖫 🖫

G P S | E : 6.09818
N : 43.74765

MORNAS

84550 - Carte Michelin **332** B8 - 2 374 h. - alt. 37
▶ Paris 652 - Avignon 40 - Marseille 125 - Nîmes 64

⚠ Capfun Domaine de Beauregard 👥

📞 04 90 37 02 08, www.campings-franceloc.fr

Pour s'y rendre : 1685 rte d'Uchaux (2,3 km à l'est sur D74)

Ouverture : de fin mars à mi-sept.

14 ha (276 empl.) vallonné, en terrasses, plat, pierreux

Empl. camping : (Prix 2018) 36€ 👫 🚐 🗉 🔌 (10A) - pers. suppl. 7€
- frais de réservation 27€

Location : (Prix 2018) (de fin mars à mi-sept.) - ♿ (2 mobile homes) - 176 🛖 - 17 🏠 - 2 cabanes perchées - 1 studio. Nuitée 39 à 162€ - Sem. 154 à 1 974€ - frais de réservation 27€

Agréable sous-bois en partie sous des pins et nombreux toboggans aquatiques pour tous les âges.

Nature : 🐾 🏕 〰️
Loisirs : 🍸 🍴 🏠 👋 🎣 ⛹ 🎯 ✂ m 🔲 🛝
cinéma terrain multisports
Services : ⚙ 🏧 🛁 - 3 sanitaires individuels
🌐 laverie 🏧 🌀

GPS
E : 4.74535
N : 44.21511

MOUSTIERS-STE-MARIE

04360 - Carte Michelin **334** F9 - 718 h. - alt. 631
▶ Paris 783 - Aix-en-Provence 90 - Castellane 45 - Digne-les-Bains 47

⚠ St-Jean

📞 04 92 74 66 85, www.camping-st-jean.fr

Pour s'y rendre : quartier St-Jean (1 km au sud-ouest par D 952, rte de Riez, au bord de la Maïre)

Ouverture : de fin mars à mi-oct.

1,6 ha (125 empl.) peu incliné, plat, herbeux

Empl. camping : (Prix 2018) 24€ 👫 🚐 🗉 🔌 (10A) - pers. suppl. 6€
- frais de réservation 10€

Location : (Prix 2018) (de fin mars à mi-oct.) - 10 🛖 - 4 bungalows toilés. Nuitée 52 à 90€ - Sem. 301 à 637€ - frais de réservation 10€
🚰 borne artisanale 4€

Bordé par un ruisseau et proposant un bon confort sanitaire.

Nature : 🐾 〰️
Loisirs : 🍸 ⛹ m
Services : ⚙ 🛁 🌀 🚿 🌐 🔲 cases réfrigérées

GPS
E : 6.21496
N : 43.84366

⚠ Le Vieux Colombier

📞 04 92 74 61 89, campinglevieuxcolombier.com

Pour s'y rendre : quartier St-Michel (800 m au sud)

Ouverture : de mi-avr. à mi-sept.

2,7 ha (70 empl.) fort dénivelé, en terrasses, peu incliné, herbeux, pierreux

Empl. camping : 24€ 👫 🚐 🗉 🔌 (6A) - pers. suppl. 7€ - frais de réservation 9€

Location : (de mi-avr. à fin sept.) - 14 🛖 - 2 🏠. Nuitée 58 à 99€ - Sem. 308 à 693€ - frais de réservation 9€
🚰 borne artisanale 7€

En terrasses, au calme, avec quelques emplacements bien délimités.

Nature : 🐾 〰️
Loisirs : 🔲
Services : ⚙ 🌐 laverie 🌀
À prox. : ✖ ✂

GPS
E : 6.22166
N : 43.83956

⚠ Manaysse

📞 04 92 74 66 71, www.camping-manaysse.com

Pour s'y rendre : quartier Manaysse (900 m au sud-ouest par D 952, rte de Riez)

Ouverture : de déb. avr. à fin oct.

1,6 ha (97 empl.) en terrasses, incliné, plat, herbeux, gravier

Empl. camping : 19€ 👫 🚐 🗉 🔌 (10A) - pers. suppl. 5€

Location : (de mi-juin à mi-sept.) - 4 🛖. Nuitée 40€ - Sem. 270€
🚰 borne artisanale - 40 🗉 14€

Quelques emplacements ont une vue sur le village.

Nature : 🐾 〰️
Loisirs : 🔲 m
Services : ⚙ 🌀 🛁 🌐 🔲

GPS
E : 6.21494
N : 43.84452

LE MUY

83490 - Carte Michelin **340** O5 - 8 983 h. - alt. 27
▶ Paris 853 - Les Arcs 9 - Draguignan 14 - Fréjus 17

⚠ Sud Est Vacances Les Cigales 👥

📞 04 94 45 12 08, www.camping-les-cigales-sud.fr

Pour s'y rendre : 4 chemin de Jas-de-la-Paro (3 km au sud-ouest, accès par l'échangeur de l'A 8 et chemin à dr. av. le péage)

Ouverture : de déb. avr. à déb. nov.

22 ha (437 empl.) fort dénivelé, en terrasses, plat, herbeux, pierreux, rochers

Empl. camping : 46€ 👫 🚐 🗉 🔌 (10A) - pers. suppl. 10€ - frais de réservation 5€

Location : Permanent 🌀 - 450 🛖 - 50 🏠. Nuitée 44 à 126€ - Sem. 301 à 2 135€ - frais de réservation 5€

Cadre vallonné avec des emplacements ombragés ou plein soleil.

Nature : 🏕 〰️
Loisirs : 🍸 🍴 👋 jacuzzi ⛹ ✂ 🔲 🛝
parcours dans les arbres terrain multisports
Services : ⚙ 🛁 🌐 laverie 🏧 🌀
réfrigérateurs

GPS
E : 6.54355
N : 43.46225

⚠ RCN Le Domaine de la Noguière 👥

📞 09 70 73 10 38, www.rcn.nl/fr

Pour s'y rendre : 1617 rte de Fréjus

Ouverture : de mi-avr. à fin sept.

11 ha (350 empl.) vallonné, plat, pierreux, herbeux

Empl. camping : 58€ 👫 🚐 🗉 🔌 (10A) - pers. suppl. 9€

Location : (de mi-avr. à fin sept.) - 37 🛖 - 4 tentes lodges. Nuitée 48 à 247€ - Sem. 302 à 1 156€
🚰 borne artisanale

Emplacements ombragés ou ensoleillés et locatif de bon confort avec un petit lac pour la détente.

Nature : 🌊 🏕 〰️
Loisirs : 🍸 🍴 🏠 👋 ⛹ 🎯 ✂ 🔲 🛝 🛶
terrain multisports
Services : ⚙ 🛁 🌐 laverie 🏧 🌀

GPS
E : 6.59222
N : 43.46828

Pour une meilleure utilisation de cet ouvrage, LISEZ ATTENTIVEMENT les premières pages du guide.

NANS-LES-PINS

83860 - Carte Michelin 340 J5 - 4 123 h. - alt. 380
▶ Paris 794 - Aix-en-Provence 44 - Brignoles 26 - Marseille 42

🏔 Tohapi Domaine de La Sainte Baume 🛏👤

📞 04 94 78 92 68, www.saintebaume.com - peu d'emplacements pour tentes et caravanes

Pour s'y rendre : quartier Delvieux Sud (900 m au nord par D 80 et à dr., par A 8 : sortie St-Maximin-la-Ste-Baume)

Ouverture : de déb. avr. à fin sept.

8 ha (250 empl.) peu incliné, plat, herbeux, pierreux

Location : (de déb. avr. à fin sept.) - 261 🛖. Nuitée 34 à 192€ - Sem. 240 à 1 348€

Emplacements bien ombragés autour du parc aquatique.

Nature : 🐿 🦌 🗖 ♨♨		G
Loisirs : 🍽 ✗ 🏠 🎦 salle d'animations 🏃		P
jacuzzi 🎣 🚲 🎿 🛝 🗠 terrain multisports		S
Services : ⚷ 🛒 ♨ 🛁 🛜 laverie 🧺 🖪	E : 5.78808
À prox. : 🐎	N : 43.37664

*Pour visiter une ville ou une région :
utilisez le Guide Vert MICHELIN.*

NIOZELLES

04300 - Carte Michelin 334 D9 - 237 h. - alt. 450
▶ Paris 745 - Digne-les-Bains 49 - Forcalquier 7 - Gréoux-les-Bains 33

🏔 L'Oasis de Provence 🛏👤

📞 04 92 78 63 31, www.oasis-de-provence.com

Pour s'y rendre : 2,5 km à l'est par N 100, rte de la Brillanne

Ouverture : de fin mars à déb. oct.

28 ha/3 campables (124 empl.) en terrasses, plat et peu incliné, herbeux

Empl. camping : 34€ 🚹🚹 ⇔ 🗐 🖉 (6A) - pers. suppl. 7€ - frais de réservation 8€

Location : (de mi-fév. à mi-nov.) - 25 🛖 - 3 🏠 - 1 tente lodge - 2 appartements. Nuitée 50 à 79€ - Sem. 350 à 800€ - frais de réservation 12€

Au bord du Lauzon et d'un petit lac.

Nature : 🐿 🗖 ♨♨		G
Loisirs : 🍽 ✗ 🏠 🎦 diurne 🏃 🎣 🛝 🗠		P
pédalos		S
Services : ⚷ 🎦 🛁 🛜 laverie 🧺	E : 5.86798
	N : 43.9333

ORGON

13660 - Carte Michelin 340 F3 - 3 055 h. - alt. 90
▶ Paris 709 - Marseille 72 - Avignon 29 - Nîmes 98

🏔 La Vallée Heureuse

📞 04 84 80 01 71, www.valleeheureuse.com

Pour s'y rendre : quartier Lavau (2 km au sud, rte de Sénas puis à gauche par la D 73D)

Ouverture : de déb. avr. à fin oct.

8 ha (192 empl.) en terrasses, plat, pierreux, herbeux

Empl. camping : (Prix 2018) 31€ 🚹🚹 ⇔ 🗐 🖉 (10A) - pers. suppl. 7€ - frais de réservation 20€

Location : (Prix 2018) (de déb. avr. à fin oct.) - 16 🛖 - 2 tentes sur pilotis - 2 gîtes. Sem. 360 à 1 050€ - frais de réservation 20€

Dans un site remarquable au milieu du Parc naturel régional des Alpilles.

Nature : 🐿 🦌 🗖 ♨♨		G
Loisirs : 🍽 ✗ 🏠 🎣 🚲 🛝		P
Services : ⚷ 🛁 🛜 laverie cases réfrigérées		S
À prox. : 🛶 (plan d'eau) 🎿 télé-ski, paddle	E : 5.03956
	N : 43.7817

ORPIERRE

05700 - Carte Michelin 334 C7 - 326 h. - alt. 682
▶ Paris 689 - Château-Arnoux 47 - Digne-les-Bains 72 - Gap 55

🏔 Les Castels Les Princes d'Orange

📞 04 92 66 22 53, www.campingorpierre.com

Pour s'y rendre : lieu-dit : Le Flonsaine (300 m au sud du bourg, à 150 m du Céans)

Ouverture : de déb. avr. à fin oct.

20 ha/4 campables (124 empl.) fort dénivelé, en terrasses, plat, herbeux, pierreux

Empl. camping : (Prix 2018) 37€ 🚹🚹 ⇔ 🗐 🖉 (10A) - pers. suppl. 9€ - frais de réservation 10€

Location : (Prix 2018) (de déb. avr. à fin oct.) - 58 🛖 - 1 🏠 - 4 tentes lodges - 1 tente sur pilotis. Nuitée 50 à 200€ - Sem. 300 à 2 200€ - frais de réservation 12€

🚐 borne artisanale 4€ - 🔋 🖉 12€

Emplacements en terrasses et pour beaucoup une vue panoramique sur le village et les montagnes.

Nature : 🐿 🦌 Orpierre et les montagnes ♨♨		G
Loisirs : 🍽 ✗ 🏠 🎣 🛝 🗠 mur d'escalade		P
en salle		S
Services : ⚷ 🛒 🎦 🛁 🛜 laverie	E : 5.69652
À prox. : 🗠	N : 44.31077

🏔 🏔🏔 ... 🏔
Sites which are particularly pleasant in their own right and outstanding in their class.

PERNES-LES-FONTAINES

84210 - Carte Michelin 332 D10 - 10 454 h. - alt. 75
▶ Paris 685 - Apt 43 - Avignon 23 - Carpentras 6

🏔 Municipal de la Coucourelle

📞 04 90 66 45 55, camping@perneslesfontaines.fr

Pour s'y rendre : 391 av. René-Char (1 km à l'est par D 28, rte de St-Didier, au complexe sportif)

Ouverture : de déb. avr. à fin sept.

1 ha (40 empl.) plat, herbeux

Empl. camping : (Prix 2018) 16€ 🚹🚹 ⇔ 🗐 🖉 (10A) - pers. suppl. 4€

Emplacements ombragés ou plein soleil avec un accès gratuit à la piscine municipale toute proche.

Nature : 🐿 🗖 ♨♨		G
Loisirs : 🎣		P
Services : ⚷ 🛁 🛜 🖪		S
À prox. : ✂ 🛝	E : 5.0677
	N : 43.99967

PERTUIS

84120 - Carte Michelin **332** G11 - 18 706 h. - alt. 246
▶ Paris 747 - Aix-en-Provence 23 - Apt 36 - Avignon 76

▵▵▵ Capfun Domaine les Pinèdes du Luberon ♣♠

⌖ 04 90 79 10 98, www.campings-franceloc.fr/accueil-camping-les_pinedes_du_luberon

Pour s'y rendre : av. Pierre-Augier (2 km à l'est par D 973)

Ouverture : de mi-mars à mi-oct.

5 ha (220 empl.) en terrasses, plat, herbeux, pierreux

Empl. camping : (Prix 2018) 25 € ♣♣ ⇔ ▤ ⚡ (10A) - pers. suppl. 6 €
- frais de réservation 27 €
Location : (Prix 2018) (de mi-mars à mi-oct.) - ♿ (2 mobile homes)
- 169 ⌂ - 8 tentes lodges. Nuitée 33 à 137 € - Sem. 133 à 1 911 €
- frais de réservation 27 €
⌂ borne AireService 6 €

Situation dominante sous une belle pinède avec jolie vue pour quelques emplacements.

Nature : 🐾 🗔 ♈♈
Loisirs : ♈✕ 🖼 ☺♈ 🏇 ⚓ 🛶 🏊 ⛷ terrain multisports
Services : ⊶ ▥ ♨ 🚿 📶 laverie
À prox. : ✂

| | G P S | E : 5.5253 N : 43.68979 |

PONT-DU-FOSSÉ

05260 - Carte Michelin **334** F4 - 980 h.
▶ Paris 673 - Marseille 204 - Gap 24 - Grenoble 102

▵ Le Diamant

⌖ 04 92 55 91 25, www.campingdiamant.com

Pour s'y rendre : à Pont du Fossé (800 m au sud-ouest par D 944, rte de Gap)

Ouverture : de déb. mai à fin sept.

4 ha (100 empl.) plat, herbeux

Empl. camping : 26 € ♣♣ ⇔ ▤ ⚡ (20A) - pers. suppl. 5 €
Location : (de déb. mai à fin sept.) - ♿ (1 mobile home) - 16 ⌂.
Nuitée 70 à 90 € - Sem. 236 à 585 €
⌂ borne artisanale 21 €

Au bord du Drac, avec un bassin à truites et des emplacements en sous-bois ou en prairie.

Nature : ♈♈
Loisirs : 🖼 salle d'animations 🏇 🛶 mur d'escalade
Services : ⊶ ♨ 🚿 📶 laverie ♨

| | G P S | E : 6.2197 N : 44.66535 |

LE PONTET

84130 - Carte Michelin **332** C10 - 16 891 h. - alt. 40
▶ Paris 688 - Marseille 100 - Avignon 5 - Aix 83

▵ Le Grand Bois

⌖ 04 90 31 37 44, www.campinglegrandbois.fr

Pour s'y rendre : 1340 chemin du Grand-Bois (3 km au nord-est par D 62, rte de Vedène et rte à gauche, au lieu-dit le Tapy - par A 7 : sortie Avignon-Nord)

Ouverture : de mi-mai à mi-sept.

1,5 ha (100 empl.) plat, herbeux

Empl. camping : 26 € ♣♣ ⇔ ▤ ⚡ (5A) - pers. suppl. 6 €
⌂ borne artisanale 4 €

Emplacements ombragés d'arbres centenaires dans une structure bien sécurisée.

Nature : 🗔 ♈♈
Loisirs : 🖼 🛶
Services : ⊶ ♨ ⚓ 🚿 📶 🖥

| | G P S | E : 4.8836 N : 43.97455 |

PRUNIÈRES

05230 - Carte Michelin **334** F5 - 287 h. - alt. 1 018
▶ Paris 681 - Briançon 68 - Gap 23 - Grenoble 119

▵▵▵ Le Roustou

⌖ 04 92 50 62 63, www.campingleroustou.com

Pour s'y rendre : 4 km au sud par N 94

Ouverture : de mi-mai à mi-sept. - ♨

11 ha/6 campables (227 empl.) fort dénivelé, en terrasses, vallonné, incliné, peu incliné, plat, herbeux, gravillons

Empl. camping : 28 € ♣♣ ⇔ ▤ ⚡ (6A) - pers. suppl. 8 €
Location : (de mi-mai à mi-sept.) - 26 ⌂ - 4 cabanons - 1 gîte
- 1 studio. Nuitée 38 à 147 € - Sem. 194 à 957 €
⌂ borne artisanale

Sur un site exceptionnel, avec certains emplacements et la piscine qui offrent une vue panoramique sur le lac de Serre-Ponçon.

Nature : 🐾 ≼ 🗔 ♈♈ ⛰
Loisirs : ♈✕ 🖼 🏇 ✂ 🛶 🏊
Services : ⊶ ♨ 📶 🖥 ♨
À prox. : ⚓

| | G P S | E : 6.34111 N : 44.5225 |

PUGET-SUR-ARGENS

83480 - Carte Michelin **340** P5 - 6 722 h. - alt. 17
▶ Paris 863 - Les Arcs 21 - Cannes 41 - Draguignan 26

▵▵▵ Yelloh! Village La Bastiane ♣♠

⌖ 04 94 55 55 94, www.labastiane.com

Pour s'y rendre : 1056 chemin de Suvière (2,50 km au nord)

Ouverture : de mi-avr. à fin sept.

4 ha (180 empl.) en terrasses, plat, herbeux, pierreux

Empl. camping : 56 € ♣♣ ⇔ ▤ ⚡ (10A) - pers. suppl. 8 €
Location : (de mi-avr. à fin sept.) - 94 ⌂ - 6 ⌂ - 10 cabanons.
Nuitée 33 à 334 € - Sem. 231 à 2 338 €
⌂ borne artisanale 8 € - 1 ▤ 15 €

Agréable ombrage sous les pins.

Nature : 🐾 ♈♈
Loisirs : ♈✕ 🖼 🏇 🛶 🚴 ✂ 🏊 discothèque terrain multisports
Services : ⊶ ▥ ♨ 📶 laverie ♨
À prox. : 🐎

| | G P S | E : 6.67837 N : 43.46975 |

RAMATUELLE

83350 - Carte Michelin **340** O6 - 2 240 h. - alt. 136
▶ Paris 873 - Fréjus 35 - Hyères 52 - Le Lavandou 34

▵▵▵▵ Yelloh! Village les Tournels ♣♠

⌖ 04 94 55 90 90, www.tournels.com

Pour s'y rendre : rte de Camarat

Ouverture : de mi-avr. à fin oct.

20 ha (890 empl.) fort dénivelé, en terrasses, plat, herbeux, pierreuxEmpl. camping : 72 € ♣♣ ⇔ ▤ ⚡ (6A) - pers. suppl. 7 €

Location : (de mi-avr. à fin oct.) - 🦽 (2 mobile homes) - 356 ⛺ - 22 🏠. Nuitée 59 à 599€

🚐 borne flot bleu 5€

Sur une colline ombragée avec un espace forme aquatique couvert de qualité et vue panoramique sur la plage de Pampelonne pour quelques uns. Quelques locatifs de très grand confort.

Nature : 🐟 ≤ 🏠 ♨️
Loisirs : 🍴 ✕ 🏠 ⊙ (amphithéâtre) 🏃 🎠 centre balnéo ♨️ hammam jacuzzi 🚣 🚴 ✂️ 🎣 🎿 discothèque terrain multisports
Services : 🚰 ⧄ 🚿 ♨️ 🚻 🛜 laverie 🔧 cases réfrigérées

	GPS
	E : 6.65112
	N : 43.20537

⛰️ Village Vacances La Toison d'Or 🧍‍♂️

(pas d'emplacement tentes et caravanes)

📞 0494798354, www.riviera-villages.com

Pour s'y rendre : rte des Tamaris (plage de Pampelonne)

5 ha (500 empl.) non clos, plat, herbeux, sablonneux

Location : - 220 ⛺.

Plusieurs villages de mobile homes avec une décoration à thème, très réussie.

Nature : 🐟 ♨️ ⛰️
Loisirs : 🍴 ✕ 🏠 ⊙ 🏃 🎠 centre balnéo ♨️ hammam jacuzzi 🚣 🎿 conciergerie
Services : 🚰 ⧄ 🛜 laverie 🔧 🔧
À prox. : ⚓

	GPS
	E : 6.66007
	N : 43.23884

⛰️ La Croix du Sud 🧍‍♂️

📞 0494555123- peu d'emplacements pour tentes et caravanes

Pour s'y rendre : rte des Plages (3.1 km à l'est par la D 61 et D 93)

Ouverture : de fin mars à déb. oct.

3 ha (120 empl.) en terrasses, plat, herbeux, pierreux, sablonneux

Empl. camping : (Prix 2018) 48€ 👫 🚗 🔲 🔌 (10A) - pers. suppl. 9€
Location : (Prix 2018) (de fin mars à déb. oct.) - 17 ⛺ - 11 🏠. Nuitée 40 à 154€

Au milieu des vignes, emplacements à l'ombre des pins.

Nature : 🐟 ♨️
Loisirs : 🍴 ✕ 🏃 🚣 🚴 🎿
Services : 🚰 ⧄ 🚿 🛜 🚻

	GPS
	E : 6.64104
	N : 43.21426

RÉGUSSE

83630 - Carte Michelin **340** L4 - 2 067 h. - alt. 545
▶ Paris 838 - Marseille 113 - Toulon 94 - Digne-les-Bains 75

⛰️ Homair Vacances Les Lacs du Verdon

📞 0494701795, www.homair.com - peu d'emplacements pour tentes et caravanes

Pour s'y rendre : domaine de Roquelande

17 ha (444 empl.) plat, herbeux, pierreux

Location : - 428 ⛺ - 10 tentes lodges.
🚐 borne artisanale - 8 🔲

En deux parties distinctes de part et d'autre d'une petite route.

Nature : 🐟 🏠 ♨️
Loisirs : 🍴 ✕ 🏠 ⊙ 🏃 🚣 🚴 ✂️ 🎣 🎿 🔧 terrain multisports
Services : 🚰 🛜 laverie 🔧 🔧
À prox. : 🐎

	GPS
	E : 6.15073
	N : 43.66041

RIEZ

04500 - Carte Michelin **334** E10 - 1 783 h. - alt. 520
▶ Paris 792 - Marseille 105 - Digne-les-Bains 41 - Draguignan 64

⛺ Rose de Provence

📞 0492777545, www.rose-de-provence.com

Pour s'y rendre : r. Edouard-Dauphin

Ouverture : de mi-avr. à déb. oct.

1 ha (81 empl.) terrasse, plat, herbeux, gravier

Empl. camping : (Prix 2018) 29€ 👫 🚗 🔲 🔌 (10A) - pers. suppl. 7€ - frais de réservation 10€
Location : (Prix 2018) (de déb. avr. à mi-oct.) - 12 ⛺ - 5 🏠 - 2 🏕️ - 2 bungalows toilés - 1 roulotte - 1 gîte. Nuitée 43 à 120€ - Sem. 245 à 795€ - frais de réservation 15€

Locatif varié et de bon confort.

Nature : 🐟 🏠 ♨️
Loisirs : 🚣 🎿
Services : 🚰 ⧄ 🛜 🚻 cases réfrigérées
À prox. : 🛒 ✕

	GPS
	E : 6.09922
	N : 43.81307

Use this year's Guide.

LA ROCHE-DE-RAME

05310 - Carte Michelin **334** H4 - 830 h. - alt. 1 000
▶ Paris 701 - Briançon 22 - Embrun 27 - Gap 68

⛺ Le Verger

📞 0492209223, www.campingleverger.com

Pour s'y rendre : lieu-dit : Les Gillis (1,2 km au nord-ouest par N 94, rte de Briançon)

Ouverture : Permanent

1,6 ha (50 empl.) en terrasses, peu incliné, herbeux

Empl. camping : (Prix 2018) 21€ 👫 🚗 🔲 🔌 (10A) - pers. suppl. 6€ - frais de réservation 30€
Location : (Prix 2018) (de déb. janv. à fin déc.) - 6 ⛺ - 1 🏠 - 1 cabanon - 1 gîte - 1 appartement. Nuitée 35 à 75€ - Sem. 250 à 530€ - frais de réservation 90€
🚐 borne artisanale 5€ - 🔌15€

Emplacements à l'ombre des arbres fruitiers : cerisiers, abricotiers, pommiers, arrosés par le système très ancien des canaux. Locatif parfois très ancien.

Nature : 🐟 ≤ ♨️
Loisirs : 🏠 🚣
Services : 🚰 🚿 🚻 🔧 🛜 laverie

	GPS
	E : 6.57959
	N : 44.75747

⛺ Municipal du Lac

📞 0492209031, www.camping-du-lac-05.fr

Pour s'y rendre : RN 94 (sortie sud)

Ouverture : de déb. mai à fin sept.

1 ha (81 empl.) peu incliné, plat, herbeux

Empl. camping : (Prix 2018) 👤 6€ 🚗 3€ 🔲 6€ – 🔌 (10A) 5€
Location : (Prix 2018) (de déb. mai à fin sept.) - 3 🏠 - 1 tente lodge. Nuitée 45 à 105€ - Sem. 300 à 675€

Au bord du joli plan d'eau et de sa petite base de loisirs.

Nature : ≤ ♨️
Services : 🚰 🚿 🛜 🚻
À prox. : 🍴 ✕ 🔧 🛶 (plan d'eau) 🚣 🚴 pédalos , paddle

	GPS
	E : 6.58145
	N : 44.74673

LA ROCHE-DES-ARNAUDS

05400 - Carte Michelin **334** D5 - 1 372 h. - alt. 945
▶ Paris 672 - Corps 49 - Gap 15 - St-Étienne-en-Dévoluy 33

⛺ Au Blanc Manteau

✆ 04 92 57 82 56, www.campingaublancmanteau.fr - alt. 900

Pour s'y rendre : rte de Ceuze (1,3 km au sud-ouest par D 18, au bord d'un torrent)

Ouverture : Permanent

4 ha (40 empl.) plat, herbeux, pierreux

Empl. camping : (Prix 2018) 20€ ★★ ⟋ 回 ⒝ (10A) - pers. suppl. 5€

Beaucoup d'espaces pour chaque emplacement dans un cadre un peu naturel et sauvage.

Nature : ❄ ⌾ ≤ ⚡⚡
Loisirs : ♈ ⚱ ⛷ ⚲ ⅗ ☙
Services : ⌾ ⚋ 🏊 🛍 ⚗ ☙

G P S E : 5.95085
N : 44.54962

ROQUEBRUNE-SUR-ARGENS

83520 - Carte Michelin **340** O5 - 12 708 h. - alt. 13
▶ Paris 862 - Les Arcs 18 - Cannes 49 - Draguignan 23

⛺⛺ Les Castels Domaine de la Bergerie ♣⚊

✆ 04 98 11 45 45, www.domainelabergerie.com

Pour s'y rendre : Vallée du Fournel, rte du Col-de-Bougnon (8 km au sud-est par D 7, rte de St-Aygulf et D 8 à dr., au bord d'étangs)

Ouverture : de fin avr. à déb. nov.

60 ha (700 empl.) fort dénivelé, en terrasses, plat, herbeux, pierreux

Empl. camping : (Prix 2018) 61€ ★★ ⟋ 回 ⒝ (10A) - pers. suppl. 13€ - frais de réservation 25€

Location : (Prix 2018) (de déb. mars à déb. nov.) - 500 🛖. Nuitée 69 à 226€ - Sem. 483 à 1 582€

⟋ borne artisanale

Beaux emplacements en partie sur une colline boisée.

Nature : ⌾ ⌺ ⚡⚡
Loisirs : ♈ ✕ ⌺ ⚗(théâtre de plein air) salle d'animations ⚱ ⛷ ⚲ centre balnéo ⚗ hammam jacuzzi ⚲ ⅗ ☙ discothèque paintball ferme animalière poneys terrain multisports
Services : ⌾ 🏊 ⚗ ⚗ laverie 🛍 ☙

G P S E : 6.67535
N : 43.39879

⛰ Les Pêcheurs ♣⚊

✆ 04 94 45 71 25, www.camping-les-pecheurs.com

Pour s'y rendre : 700 m au nord-ouest par D 7

Ouverture : de déb. avr. à fin sept.

3,3 ha (190 empl.) plat, herbeux

Empl. camping : (Prix 2018) 58€ ★★ ⟋ 回 ⒝ (10A) - pers. suppl. 10€ - frais de réservation 25€

Location : (Prix 2018) (de déb. avr. à fin sept.) - 47 🛖 - 20 chalets sur pilotis. Nuitée 55 à 226€ - Sem. 330 à 1 582€ - frais de réservation 25€

Espace balnéo découvert et accès par tunnel à la petite base nautique de l'autre côté de la route.

Nature : ⌾ ⌺ ⚡⚡
Loisirs : ♈ ✕ ⌺ ⚗diurne ⚱ ⚗ jacuzzi ⛷ ⚲ ☙ ☙ terrain multisports
Services : ⌾ 🏊 ⚗ laverie 🛍 ☙
À prox. : ⚓ base nautique pédalos

G P S E : 6.63354
N : 43.45094

*Benutzen Sie die **Grünen MICHELIN-Reiseführer**, wenn Sie eine Stadt oder Region kennenlernen wollen.*

⛰⛰ Lei Suves

✆ 04 94 45 43 95, www.lei-suves.com - peu d'emplacements pour tentes et caravanes

Pour s'y rendre : quartier du Blavet (4 km au nord par D 7 et passage sous A 8)

Ouverture : de déb. avr. à mi-oct.

7 ha (309 empl.) en terrasses, plat, herbeux, pierreux

Empl. camping : 57€ ★★ ⟋ 回 ⒝ (6A) - pers. suppl. 12€ - frais de réservation 25€

Location : (de mi-avr. à mi-oct.) - ⚲ - 25 🛖. Nuitée 87 à 173€ - Sem. 395 à 1 210€ - frais de réservation 25€

Agréable cadre boisé sous les pins et chênes-lièges.

Nature : ⌾ ⌺ ⚡⚡
Loisirs : ♈ ✕ ⚗(théâtre de plein air) ⚱ ⛷ ☙ ☙ terrain multisports
Services : ⌾ ⚗ ⚗ ⚗ laverie 🛍 ☙

G P S E : 6.63882
N : 43.47821

⛺ Moulin des Iscles

✆ 04 94 45 70 74, www.campingdesiscles.com

Pour s'y rendre : chemin du Moulin-des-Iscles (1,8 km à l'est par D 7, rte de St-Aygulf et chemin à gauche)

Ouverture : de fin mars à fin oct.

1,5 ha (90 empl.) plat, herbeux

Empl. camping : 45€ ★★ ⟋ 回 ⒝ (10A) - pers. suppl. 8€ - frais de réservation 15€

Location : (de fin mars à fin oct.) - ♿ (1 mobile home) - 6 🛖 - 1 ⊨ - 20 tentes lodges - 1 cabanon - 5 appartements. Nuitée 30 à 180€ - Sem. 200 à 1 100€ - frais de réservation 15€

Au bord de l'Argens et au calme.

Nature : ⌾ ⚡⚡
Loisirs : ✕ ⌺ ⚲ ⅗ ☙ ☙ ☙
Services : ⌾ 🏊 🏊 ⚗ ⚗ ⚗ laverie 🛍 ☙

G P S E : 6.65784
N : 43.44497

LA ROQUE-D'ANTHÉRON

13640 - Carte Michelin **340** G3 - 5 143 h. - alt. 183
▶ Paris 726 - Aix-en-Provence 29 - Cavaillon 34 - Manosque 60

⛰⛰ Tohapi Les Iscles

(pas d'emplacement tentes et caravanes)

✆ 04 42 50 44 25, www.tohapi.fr

Pour s'y rendre : lieu-dit : la Durance (3 km au sud par D 23)

10 ha (264 empl.) plat, herbeux, pierreux

Location : (Prix 2018) (de déb. avr. à mi-sept.) - 200 🛖. Nuitée 35 à 65€ - Sem. 300 à 800€ - frais de réservation 10€

Nombreux mobile homes de propriétaires-résidents, proche de la Durance.

Nature : ⌾ ⚡⚡
Loisirs : ♈ ✕ ⚗ ⚱ ⛷ ⚲ ⅗ ☙ ⚓ (plan d'eau) ⚲ ☙
Services : ⌾ ⚗ laverie 🛍 ☙
À prox. : terrain multisports

G P S E : 5.32099
N : 43.72819

ROUSSET

05190 - Carte Michelin **334** F6 - 155 h. - alt. 1 025
▶ Paris 702 - Digne-les-Bains 80 - Gap 32 - Marseille 193

🏔 La Viste

📞 0492544339, www.laviste.fr - alt. 900

Pour s'y rendre : le Belvédère de Serre-Ponçon (1,5 km à l'est par D 103)

Ouverture : de mi-mai à mi-sept.

4,5 ha/2,5 campables (170 empl.) en terrasses, vallonné, plat, herbeux, pierreux

Empl. camping : (Prix 2018) 🚶 8€ ⟹ 🅴 9€ – [⚡] (10A) 5€ - frais de réservation 15€
Location : (Prix 2018) (de mi-juin à mi-sept.) - 10 🛏 - 30 🏠. Nuitée 62 à 154€ - Sem. 419 à 1 078€ - frais de réservation 15€
🚐 borne eurorelais

Belle situation dominant le barrage et le lac de Serre-Ponçon avec vue panoramique pour quelques chalets et depuis la piscine.

Nature : 🌿 ♀♀		
Loisirs : 🍽 ✕ 🎦diurne 🛶 🏊 ⛷ terrain multisports	**G P S**	E : 6.26832
Services : ⟿ 🛁 🛒 ☎ 🛜 laverie 🧺 🚿		N : 44.47613
À prox. : 🏊 (plan d'eau) 🚤 🎿 ski nautique		

*To visit a town or region : use the **MICHELIN Green Guides**.*

ST-ANDRÉ-LES-ALPES

04170 - Carte Michelin **334** H9 - 930 h. - alt. 914
▶ Paris 786 - Castellane 20 - Colmars 28 - Digne-les-Bains 43

🏔 Municipal les Iscles

📞 0492890229, www.camping-les-iscles.com - alt. 894

Pour s'y rendre : chemin des Iscles (1 km au sud par N 202, rte d'Annot et à gauche, à 300 m du Verdon)

Ouverture : de déb. avr. à mi-oct.

2,5 ha (200 empl.) plat, herbeux, pierreux

Empl. camping : (Prix 2018) 🚶 5€ ⟹ 2€ 🅴 2€ – [⚡] (10A) 3€
Location : (Prix 2018) (de déb. avr. à fin oct.) - ♿ (1 mobile home) - 🍽 - 16 🛏. Sem. 224 à 560€ - frais de réservation 10€

Agréable pinède.

Nature : 🌿 ♀♀		
Loisirs : 🏛 🛶	**G P S**	E : 6.50844
Services : ⟿ 🛁 ☎ 🛜 laverie		N : 43.9612
À prox. : 🏊 🚶 parcours sportif		

ST-APOLLINAIRE

05160 - Carte Michelin **334** G5 - 117 h. - alt. 1 285
▶ Paris 684 - Embrun 19 - Gap 27 - Mont-Dauphin 37

🏔 Campéole Le Clos du Lac

📞 0492442743, www.campeole.com/camping/post/le-clos-du-lac-saint-apollinaire - croisement difficile pour caravanes et camping-cars - alt. 1 450

Pour s'y rendre : rte des Lacs (2,3 km au nord-ouest par D 509, à 50 m du petit lac de St-Apollinaire)

Ouverture : de déb. juin à mi-sept.

2 ha (65 empl.) en terrasses, peu incliné, herbeux

Empl. camping : (Prix 2018) 23€ 🚶🚶 ⟹ 🅴 [⚡] (10A) - pers. suppl. 6€

Location : (Prix 2018) (de déb. juin à mi-sept.) - 18 🛏. Nuitée 47 à 102€ - Sem. 329 à 714€

Belle situation dominant le lac de Serre-Ponçon au loin.

Nature : 🌿 ≤ lac de Serre-Ponçon et montagnes ♀		
Loisirs : 🛶🏊	**G P S**	E : 6.34642
Services : ⟿ 🛁 ☎ 🛜 🖥		N : 44.56127
À prox. : 🏆 ✕ 🛶 🚶 🏊 (plan d'eau) 🎣		

ST-AYGULF

83370 - Carte Michelin **340** P5
▶ Paris 872 - Brignoles 69 - Draguignan 35 - Fréjus 6

🏔 L'Étoile d'Argens ♣♣

📞 0494810141, www.etoiledargens.com

Pour s'y rendre : chemin des Étangs (5 km au nord-ouest par D 7, rte de Roquebrune-sur-Argens et D 8 à dr., au bord de l'Argens)

Ouverture : de déb. avr. à mi-oct.

11 ha (493 empl.) plat, herbeux

Empl. camping : (Prix 2018) 60€ 🚶🚶 ⟹ 🅴 [⚡] (16A) - pers. suppl. 9€ - frais de réservation 24€
Location : (Prix 2018) (de déb. fév. à déb. janv.) - 148 🛏 - 17 chalets sur pilotis. Nuitée 39 à 342€ - Sem. 273 à 2 394€ - frais de réservation 24€
🚐 borne Sanistation

Beaux emplacements spacieux et ombragés. Navette fluviale pour les plages (durée : 30 mn).

Nature : 🌿 ▱ ♀♀		
Loisirs : 🍽 ✕ 🎦 🏃 jacuzzi 🛶 🏊 🚴 🚶 🏊⛷ discothèque terrain multisports	**G P S**	E : 6.70562
Services : ⟿ 🛁 🛒 ☎ 🛜 laverie 🧺 🚿		N : 43.41596
À prox. : ⚓ plongée		

🏔 Sandaya Riviera d'Azur

📞 0494810159, www.sandaya.fr/nos-campings/riviera-d-azur

Pour s'y rendre : 189 Les Grands Châteaux-de-Villepey (3 km au nord-ouest par D 7, rte de Roquebrune-sur-Argens)

Ouverture : de mi-avr. à mi-oct.

10 ha (451 empl.) plat, gravier

Empl. camping : 63€ 🚶🚶 ⟹ 🅴 [⚡] (10A) - pers. suppl. 9€
Location : (de mi-avr. à mi-oct.) - 371 🛏 - 20 tentes sur pilotis. Nuitée 44 à 297€ - Sem. 308 à 2 079€

Locatif varié, de bon confort et sanitaires individuels sur chaque emplacement.

Nature : 🌿 ▱ ♀♀		
Loisirs : 🍽 ✕ 🏛 🎦 🏃 🛶 🚴 🚶 🏊⛷ terrain multisports	**G P S**	E : 6.70875
Services : ⟿ – 451 sanitaires individuels (🚿🚽 wc) 🛁 ☎ 🛜 laverie 🚿🚿		N : 43.40867

Avant de vous installer, consultez les tarifs en cours, affichés obligatoirement à l'entrée du terrain, et renseignez-vous sur les conditions particulières de séjour. Les indications portées dans le guide ont pu être modifiées depuis la mise à jour.

⚠ Au Paradis des Campeurs

☎ 06 27 30 52 68, www.paradis-des-campeurs.com

Pour s'y rendre : lieu-dit : La Gaillarde-Plage (2,5 km au sud par N 98, rte de Ste-Maxime)

Ouverture : de déb. mai à mi-sept.

6 ha/3,5 campables (180 empl.) terrasse, plat, herbeux

Empl. camping : (Prix 2018) 30€ ✹✹ ⇔ 🔲 ⓗ (6A) - pers. suppl. 7€

Location : (Prix 2018) (de fin mars à fin sept.) - ♿ (1 mobile home) - 17 ⛺. Sem. 290 à 800€

🚐 borne AireService

Vue sur mer pour quelques emplacements et accès direct à la plage par tunnel. Préférer les places les plus éloignées de la route.

Nature : ⌂ 🛢🛢	GPS
Loisirs : ♟ ✗ 🏠 🚣	E : 6.71235
Services : ⌖ 🛒 🛒 🧺 laverie 🛢 🚿	N : 43.366
À prox. : discothèque	

ST-CLÉMENT-SUR-DURANCE

05600 - Carte Michelin **334** H5 - 285 h. - alt. 872

▶ Paris 715 - L'Argentière-la-Bessée 21 - Embrun 13 - Gap 54

⚠ Les Mille Vents

☎ 04 92 45 10 90, www.camping-les-mille-vents.com

Pour s'y rendre : rte de St-André (1 km à l'est par N 94, rte de Briançon et D 994d à dr. apr. le pont et la base de sports en eaux vives)

Ouverture : de mi-juin à déb. sept.

3,5 ha (100 empl.) terrasse, plat, herbeux

Empl. camping : (Prix 2018) 16€ ✹✹ ⇔ 🔲 ⓗ (5A) - pers. suppl. 3€

Location : (Prix 2018) (de mi-juin à déb. sept.) - 3 ⛺. Sem. 370 à 470€

🚐 borne artisanale 8€

Emplacements bien ombragés dans un cadre qui garde un côté nature, à proximité d'une base de loisirs en eaux vives.

Nature : ◁ 🛢🛢	GPS
Loisirs : 🚣 🛝	E : 6.6618
Services : ⌖ 🚐 🛒 🛒	N : 44.66362
À prox. : ✗ sports en eaux vives	

Utilisez le guide de l'année.

ST-CYR-SUR-MER

83270 - Carte Michelin **340** J6 - 11 865 h. - alt. 10

▶ Paris 810 - Bandol 8 - Brignoles 70 - La Ciotat 10

⚠ Le Clos Ste-Thérèse

☎ 04 94 32 12 21, www.clos-therese.com - accès aux emplacements par forte pente, mise en place et sortie des caravanes à la demande - peu d'emplacements pour tentes et caravanes

Pour s'y rendre : 3,5 km au sud-est par D 559

Ouverture : de déb. avr. à fin sept.

4 ha (123 empl.) fort dénivelé, en terrasses, plat, herbeux, pierreux

Empl. camping : (Prix 2018) 38€ ✹✹ ⇔ 🔲 ⓗ (10A) - pers. suppl. 7€ - frais de réservation 25€

Location : (Prix 2018) (de déb. avr. à fin sept.) - 3 ⛺ - 20 ⛺ - 5 bungalows toilés - 2 tentes lodges. Sem. 260 à 1 295€

🚐 borne artisanale

Préférer les emplacements les plus éloignés de la route.

Nature : ⌂ 🛢🛢	GPS
Loisirs : ♟ 🚣 🚣 🛝 terrain multisports	E : 5.72951
Services : ⌖ 🛒 🛒 🛒 🛒 🛒	N : 43.15955

ST-ÉTIENNE-DE-TINÉE

06660 - Carte Michelin **341** C2 - 1 311 h. - alt. 1 147

▶ Paris 788 - Grenoble 226 - Marseille 262 - Nice 90

⚠ Municipal du Plan d'Eau

☎ 04 93 02 46 26, www.campingduplandeau.com

Pour s'y rendre : rte du Col-de-la-Bonette (500 m au nord du bourg)

Ouverture : de déb. juin à fin sept.

0,5 ha (23 empl.) en terrasses, plat, pierreux

Empl. camping : (Prix 2018) ✹ 4€ ⇔ 🔲 8€ - ⓗ (13A) 3€

🚐 borne artisanale 3€ - 6 🔲 15€

Dominant un joli petit plan d'eau, emplacements réservés aux tentes. À l'entrée du camping, au bord de la Tinée, branchements électriques uniquement pour les camping-cars.

Nature : 🏞 ◁ ⌂	GPS
Loisirs : 🏠 🏖 (plage) 🎣 🚣	E : 6.92299
Services : ⌖ 🅿 📶	N : 44.25858
À prox. : parcours de santé	

Renouvelez votre guide chaque année.

ST-LAURENT-DU-VERDON

04500 - Carte Michelin **334** E10 - 92 h. - alt. 468

▶ Paris 797 - Marseille 118 - Digne-les-Bains 59 - Avignon 166

⚠ La Farigoulette ♣♣

☎ 04 92 74 41 62, www.lafarigoulette.cielavillage.fr

Pour s'y rendre : lac de St-Laurent (1 km au nord rte par C 1 de Montpezat)

Ouverture : de mi-avr. à déb. oct.

14 ha (219 empl.) peu incliné, herbeux, pierreux

Empl. camping : 55€ ✹✹ ⇔ 🔲 ⓗ (10A) - pers. suppl. 11€ - frais de réservation 18€

Location : (de mi-avr. à déb. oct.) - 150 ⛺ - 10 tentes lodges. Nuitée 41 à 244€ - Sem. 287 à 1 708€ - frais de réservation 26€

🚐 borne artisanale

Agréable pinède qui descend jusqu'au bord du lac.

Nature : 🏞 ⌂ 🛢🛢	GPS
Loisirs : ✗ 🍴diurne 🏃 🚣 🛝 🏖 🚣 pédalos bateaux électriques terrain multisports	E : 6.0777
Services : ⌖ 🛒 laverie 🛢 🚿	N : 43.73407

ST-MANDRIER-SUR-MER

83430 - Carte Michelin **340** K7 - 5 773 h. - alt. 1

▶ Paris 836 - Bandol 20 - Le Beausset 22 - Hyères 30

⚠ Homair Vacances La Presqu'île

(pas d'emplacement tentes et caravanes)

☎ 04 94 30 74 70, www.homair.com

Pour s'y rendre : quartier Pin Rolland (2,5 km à l'ouest, carr. D 18 et rte de la Pointe de Marégau, près du port de plaisance)

2,5 ha fort dénivelé, en terrasses

Location : - 125 ⌂.

Préférer les terrasses ombragées d'eucalyptus et plus éloignées de la route.

Nature : 💧💧
Loisirs : 🍹 ✖ 🎣 🏊 🚴 ⛷
Services : ⚡ 🛜 📷 ♿
À prox. : ✖

GPS E : 5.90577
N : 43.07655

ST-MARTIN-DE-QUEYRIERES

05120 - Carte Michelin 334 H3 - 1 073 h. - alt. 1 169
▶ Paris 694 - Chambéry 171 - Gap 78 - Marseille 253

🏔 L'Iscle de Prelles 👥

🖋 04 92 20 28 66, www.camping-iscledeprelles.com

Pour s'y rendre : hameau de Prelles (3 km au nord par N 94, rte de Briançon)

Ouverture : de mi-déc. à fin sept.

4 ha (100 empl.) plat, herbeux, pierreux

Empl. camping : (Prix 2018) 17 € ✚✚ 🚗 📵 ⚡ (10A) - pers. suppl. 5 €
Location : (Prix 2018) (de mi-déc. à fin sept.) - 22 ⌂ - 7 🏠
- 7 cabanons. Nuitée 39 à 132 € - Sem. 234 à 749 €

Emplacements bien ombragés avec du locatif varié. Espace bien-être avec kota et bain nordique traditionnel.

Nature : 💧💧
Loisirs : 🍹 ✖ 🏠 🏊 🚴 ✖ 🎣 ⛷
Services : ⚡ 🏪 ♿ 🛜 📷
À prox. : 🐎

GPS E : 6.59018
N : 44.85716

Benutzen Sie
– zur Wahl der Fahrtroute
– zur Berechnung der Entfernungen
– zur exakten Lokalisierung eines Campingplatzes (mit Hilfe der Angaben im Ortstext) die für diesen Führer unentbehrlichen
MICHELIN-Karten.

ST-MARTIN-D'ENTRAUNES

06470 - Carte Michelin 341 B3 - 83 h. - alt. 1 050
▶ Paris 778 - Annot 39 - Barcelonnette 50 - Puget-Théniers 44

🏔 Le Prieuré

🖋 04 93 05 54 99, www.le-prieure.com - alt. 1 070 🚫

Pour s'y rendre : rte des Blancs (1 km à l'est par D 2202, rte de Guillaumes puis 1,8 km par chemin à gauche, apr. le pont du Var)

Ouverture : de déb. mai à déb. oct.

12 ha/1,5 (35 empl.) en terrasses, peu incliné, plat, herbeux

Empl. camping : 🚶 5 € 🚗 📵 8 € – ⚡ (6A) 4 €
Location : Permanent🚫 - 5 🏠 - 4 bungalows toilés - 2 tentes lodges - 2 tentes sur pilotis - 9 gîtes. Nuitée 33 à 150 € - Sem. 198 à 890 €

Terrain de montagne avec du locatif simple mais varié.

Nature : 💧 ⛰ 💧💧
Loisirs : ✖ 🏠 🏊 ⛷ (petite piscine)
Services : ⚡ 🏪 🛜 📷 ♿

GPS E : 6.76283
N : 44.14895

ST-MARTIN-VESUBIE

06450 - Carte Michelin 341 E3 - 1 325 h. - alt. 1 000
▶ Paris 899 - Marseille 235 - Nice 65 - Cuneo 140

🏕 À la Ferme St-Joseph

🖋 06 70 51 90 14, www.camping-alafermestjoseph.com

Pour s'y rendre : au sud-est du bourg par la D 2565 rte de Roquebillière, près de la Vésubie

Ouverture : de fin avr. à fin sept.

0,6 ha (50 empl.) incliné, plat, herbeux

Empl. camping : (Prix 2018) 26 € ✚✚ 🚗 📵 ⚡ (6A) - pers. suppl. 5 €
- frais de réservation 10 €
Location : (Prix 2018) (de fin avr. à fin sept.) - 🚫 - 3 🛏
- 3 cabanons. Nuitée 53 à 59 € - Sem. 363 à 401 €
🅿 borne artisanale

En terrasses ombragées le plus souvent sous les poiriers.

Nature : 💧 ⛰ 🌿
Services : ⚡ (juil.-août) 🚮 🛜 📷
À prox. : ✖ ⛷

GPS E : 7.25711
N : 44.06469

ST-PAUL-EN-FORÊT

83440 - Carte Michelin 340 P4 - 1 616 h. - alt. 310
▶ Paris 884 - Cannes 46 - Draguignan 27 - Fayence 10

🏔 Le Parc 👥

🖋 04 94 76 15 35, www.campingleparc.com

Pour s'y rendre : 408 quartier Trestaure (3 km au nord par D 4, rte de Fayence puis chemin à dr.)

Ouverture : de déb. avr. à fin sept.

3 ha (110 empl.) en terrasses, plat, herbeux, pierreux

Empl. camping : (Prix 2018) 32 € ✚✚ 🚗 📵 ⚡ (10A) - pers. suppl. 7 €
Location : (de fin mars à déb. nov.) - 22 ⌂ - 4 🏠 - 4 tentes lodges. Nuitée 35 à 65 € - Sem. 195 à 940 € - frais de réservation 10 €
🅿 borne AireService

Emplacements au calme, bien ombragés.

Nature : 💧 💧💧
Loisirs : ✖ 🏠 🏊 🚴 ✖ 🎣 ⛷
Services : ⚡ 🏪 ♿ 🛜 laverie 🚮

GPS E : 6.68979
N : 43.58445

ST-PONS

04400 - Carte Michelin 334 H6 - 742 h. - alt. 1 157
▶ Paris 797 - Marseille 227 - Digne-les-Bains 84 - Gap 74

🏔 Village Vacances Le Loup Blanc du Riou

(pas d'emplacement tentes et caravanes)

🖋 04 92 81 44 97, www.leloupblanc.com

Pour s'y rendre : 1 km au sud-ouest, derrière l'aérodrome de l'Ubaye

2 ha en terrasses, plat

Location : ♿ (1 chalet) - 9 🏠.

Sous une pinède, village de chalets à la location ou de proprié-taires-résidents.

Nature : 💧 ⛰ 💧💧
Loisirs : 🏠 🏊 ⛷
Services : ⚡ 🅿 🏪 🛜 laverie
À prox. : ✖ 🎣 🐎 parc-aventure

GPS E : 6.6122
N : 44.39107

ST-RAPHAËL

83700 - Carte Michelin **340** P5 - 34 269 h.
▶ Paris 870 - Aix-en-Provence 121 - Cannes 42 - Fréjus 4

⚠ Sandaya Douce Quiétude ⚌

𝒫 04 94 44 30 00, www.sandaya.fr/nos-campings/douce-quietude
- peu d'emplacements pour tentes et caravanes

Pour s'y rendre : 3435 bd Jacques-Baudino (sortie nord-est vers Valescure puis 3 km - par A8 sortie 38)

Ouverture : de mi-avr. à mi-sept.

10 ha (440 empl.) en terrasses, vallonné, plat, herbeux, pierreux

Empl. camping : 59€ ✦✦ ⇌ 🔲 ⚡ (10A) - pers. suppl. 9€

Location : (de mi-avr. à mi-sept.) - 357 ⟦⟧ - 2 bungalows toilés.
Nuitée 31 à 371€ - Sem. 217 à 2 597€

Quelques emplacements et locatifs grand confort. Navettes pour les plages.

Nature : 🦐 ⟷ 00
Loisirs : 🍷 ✕ 🎱 ♣ ⚓ 🏹 🐎 ♨ ≋ hammam jacuzzi 🚴 ⛳ 🎣 ⛵ discothèque pateaugeoire couverte terrain multisports
Services : 🔑 ♨ - 6 sanitaires individuels (🚿🚽 wc) 🌊 ♨ 🛜 laverie 🔌 🚿

| | G P S | E : 6.80587 N : 43.44734 |

*Choisissez votre restaurant sur **restaurant.michelin.fr***

ST-RÉMY-DE-PROVENCE

13210 - Carte Michelin **340** D3 - 10 458 h. - alt. 59
▶ Paris 702 - Arles 25 - Avignon 20 - Marseille 89

⚠ Monplaisir

𝒫 04 90 92 22 70, www.camping-monplaisir.fr

Pour s'y rendre : chemin de Monplaisir (800 m au nord-ouest par D 5, rte de Maillane et chemin à gauche)

Ouverture : de mi-mars à fin oct.

2,8 ha (140 empl.) plat, herbeux, pierreux

Empl. camping : (Prix 2018) 40€ ✦✦ ⇌ 🔲 ⚡ (10A) - pers. suppl. 9€
- frais de réservation 18€

Location : (Prix 2018) Permanent 🍽 - 19 ⟦⟧. Nuitée 56 à 129€
- Sem. 392 à 903€ - frais de réservation 10€
🚰 borne eurorelais

Agréable cadre fleuri, très bon entretien, sanitaires de qualité autour d'un mas provençal.

Nature : 🦐 ⟷ 00
Loisirs : 🍷 ✕ 🎱 ♣ ⚓ 🚴 ⛵
Services : 🔑 🎰 ♨ 🛜 laverie 🔌 🚿
À prox. : 🛒

| | G P S | E : 4.82428 N : 43.7972 |

⚠ Pégomas

𝒫 04 90 92 01 21, www.campingpegomas.com

Pour s'y rendre : 3 av. Jean-Moulin (sortie est par D 99a, rte de Cavaillon et à gauche, à l'intersection du chemin de Pégomas et av. Jean-Moulin (vers D 30, rte de Noves))

Ouverture : de mi-mars à mi-oct.

2 ha (110 empl.) plat, herbeux

Empl. camping : 34€ ✦✦ ⇌ 🔲 ⚡ (6A) - pers. suppl. 9€ - frais de réservation 17€

Location : (de mi-mars à mi-oct.) - 🍽 - 16 ⟦⟧. Nuitée 39 à 170€
- Sem. 273 à 1 190€ - frais de réservation 10€
🚰 borne artisanale 34€

De beaux emplacements bien délimités avec un bon confort sanitaire.

Nature : ⟷ 00
Loisirs : 🍷 ⚓ 🏹 ⛵
Services : 🔑 🎰 🎱 ♨ 🛜 laverie cases réfrigérées
À prox. : 🍽

| | G P S | E : 4.84099 N : 43.78838 |

⚠ Parc de la Bastide

𝒫 04 32 61 94 86, www.parcdelabastide.com

Pour s'y rendre : 12 av. Jean-Moulin (sortie est par D 99a, rte de Cavaillon)

Ouverture : de déb. mars à mi-nov.

3 ha (70 empl.) plat, herbeux

Empl. camping : (Prix 2018) ✦ 9€ ⇌ 🔲 8€ – ⚡ (10A) 4€

Location : (Prix 2018) (de déb. mars à mi-nov.) - 5 ⟦⟧ - 1 gîte
- 1 studio. Nuitée 70€ - Sem. 350 à 750€
🚰 borne artisanale

Des espaces verts pour la détente.

Nature : ⟷ 0
Loisirs : ⛵
Services : 🔑 🎰 🎱 ♨ 🛜 laverie

| | G P S | E : 4.84533 N : 43.78926 |

STE-CROIX-DU-VERDON

04500 - Carte Michelin **334** E10 - 124 h. - alt. 530
▶ Paris 780 - Brignoles 59 - Castellane 59 - Digne-les-Bains 51

⚠ Municipal les Roches

𝒫 04 92 77 78 99, www.campingmunipallesroches.blog4ever.com

Pour s'y rendre : rte du Lac (1 km au nord-est du bourg, à 50 m du lac de Ste-Croix - pour les caravanes, le passage par le village est interdit)

6 ha (199 empl.) en terrasses, vallonné, plat, herbeux, gravillons
Location : - 6 ⟦⟧.
🚰 borne artisanale

Bel ombrage sous les oliviers et amandiers avec, pour certains emplacements, vue sur le lac ou le village.

Nature : 🦐 ≤ 00
Services : 🔑 ♨ 🛜 laverie cases réfrigérées
À prox. : 🍽 🚤 🚣 ⬮ pédalos terrain multisports

| | G P S | E : 6.15381 N : 43.76043 |

STES-MARIES-DE-LA-MER

13460 - Carte Michelin **340** B5 - 2 308 h. - alt. 1
▶ Paris 761 - Aigues-Mortes 31 - Arles 40 - Marseille 131

⚠ Sunêlia Le Clos du Rhône ⚌

𝒫 04 90 97 85 99, www.camping-leclos.fr

Pour s'y rendre : rte d'Aigues-Mortes (2 km à l'ouest par D 38 et à gauche)

Ouverture : de déb. avr. à déb. nov.

7 ha (376 empl.) plat, sablonneux, pierreux

Empl. camping : 37€ ✦✦ ⇌ 🔲 ⚡ (16A) - pers. suppl. 10€ - frais de réservation 23€

Location : (de déb. avr. à déb. nov.) - ♿ (1 mobile home) - 110 ⟦⟧
- 8 chalets sur pilotis - 12 tentes lodges. Sem. 305 à 1 750€ - frais de réservation 23€
🚰 borne AireService - 🔋 ⚡32€

Près du petit Rhône avec accès direct à la plage.

Nature : 🐾 🏊 ⛱️
Loisirs : 🍷 ✗ 🎮 🏓 🏀 🎿 hammam jacuzzi 🛶 🎿 🏊 terrain multisports
Services : 🚐 🛁 🚿 🚽 📶 laverie 🧺 🚿 cases réfrigérées
À prox. : 🐎 bateau promenade sur le Rhône

GPS E : 4.40231 N : 43.44996

LES SALLES-SUR-VERDON

83630 - Carte Michelin **340** M3 - 231 h. - alt. 440
▶ Paris 790 - Brignoles 57 - Digne-les-Bains 60 - Draguignan 49

🏔 Les Pins

📞 04 98 10 23 80, www.campinglespins.com

Pour s'y rendre : sortie sud par D 71 puis 1,2 km par chemin à dr., à 100 m du lac de Ste-Croix

Ouverture : de mi-avr. à mi-oct.

3 ha/2 campables (104 empl.) en terrasses, fort dénivelé, plat, herbeux, pierreux

Empl. camping : (Prix 2018) 29€ ♦♦ 🚗 🔲 🔌 (6A) - pers. suppl. 8€ - frais de réservation 25€

🚰 borne artisanale

Agréable cadre ombragé, petite pinède attenante avec accès direct au bourg.

Nature : 🐾 🌳 🌿🌿
Loisirs : 🎮 🎿
Services : 🚐 🛁 🎿 🚿 📶 laverie cases réfrigérées
À prox. : 🏊 🚣 🎣 ⛵ parcours de santé

GPS E : 6.2084 N : 43.77603

🏔 La Source

📞 04 94 70 20 40, www.camping-la-source.eu

Pour s'y rendre : chemin du Lac (sortie Sud par D 71 puis 1 km par chemin à dr., à 100 m du lac de Ste-Croix, accès direct pour piétons du centre bourg)

Ouverture : de fin avr. à déb. oct.

2 ha (89 empl.) en terrasses, fort dénivelé, peu incliné, plat, pierreux, gravillons

Empl. camping : (Prix 2018) 30€ ♦♦ 🚗 🔲 🔌 (10A) - pers. suppl. 8€

🚰 borne artisanale

Tout près du lac et du bourg.

Nature : 🐾 🌳 🌿🌿
Loisirs : ✗ 🎮 🎿
Services : 🚐 🛁 🎿 🚿 📶 laverie 🚿
À prox. : 🏊 🚣 🎣 ⛵ paddle, parcours de santé

GPS E : 6.20737 N : 43.77547

SALON-DE-PROVENCE

13300 - Carte Michelin **340** F4 - 42 440 h. - alt. 80
▶ Paris 720 - Aix-en-Provence 37 - Arles 46 - Avignon 50

🏔 Nostradamus

📞 04 90 56 08 36, www.camping-nostradamus.com

Pour s'y rendre : rte d'Eyguières (5,8 km au nord-ouest par D 17 et D 72D à gauche)

2,7 ha (83 empl.) plat, herbeux

Location : - 20 🚐 - 3 gîtes.

🚰 borne artisanale

Sur les terres de la ferme, au bord d'un petit canal.

Nature : 🐾 🚐 〰️
Loisirs : 🍷 ✗ 🎮 🎿 🎿
Services : 🚐 🎿 🚿 📶 laverie 🚿

GPS E : 5.0645 N : 43.6777

SANARY-SUR-MER

83110 - Carte Michelin **340** J7 - 16 806 h. - alt. 1
▶ Paris 824 - Aix-en-Provence 75 - La Ciotat 23 - Marseille 55

🏔 Campasun Parc Mogador 👥

📞 04 94 74 53 16, www.campasun.eu

Pour s'y rendre : 167 chemin de Beaucours

Ouverture : de mi-fév. à fin déc.

3 ha (160 empl.) en terrasses, plat, herbeux, pierreux

Empl. camping : 23€ ♦♦ 🚗 🔲 🔌 (10A) - pers. suppl. 7€ - frais de réservation 25€

Location : (de mi-fév. à fin déc.) - 85 🚐. Nuitée 60 à 205€ - Sem. 295 à 1 230€ - frais de réservation 25€

🚰 borne eurorelais 5€

Au calme en zone pavillonnaire avec du locatif et des sanitaires de bon confort.

Nature : 🐾 🚐 🌿🌿
Loisirs : 🍷 ✗ 🎮 🏓 jacuzzi 🎿 🎿 bowling
Services : 🚐 🛁 🎿 🚿 📶 laverie 🚿

GPS E : 5.78777 N : 43.12367

🏔 Campasun Mas de Pierredon 👥

📞 04 94 74 25 02, www.campasun.eu

Pour s'y rendre : 652 chemin Raoul-Coletta (3 km au nord, rte d'Ollioules et à gauche apr. le pont de l'autoroute)

Ouverture : de déb. avr. à fin sept.

6 ha/2,5 campables (120 empl.) fort dénivelé, en terrasses, plat, herbeux, pierreux

Empl. camping : 25€ ♦♦ 🚗 🔲 🔌 (10A) - pers. suppl. 7€ - frais de réservation 25€

Location : (de déb. avr. à fin sept.) - ♿ (1 chalet) - 60 🚐 - 23 🏠. Nuitée 55 à 306€ - Sem. 377 à 1 800€ - frais de réservation 25€

🚰 borne eurorelais 5€

Les emplacements sur le haut du terrain sont plus impactés par le bruit de l'autoroute.

Nature : 🚐 🌿🌿
Loisirs : 🍷 ✗ 🎮 🏓 🎿 🏐 🎱 🎿 🎿 terrain multisports
Services : 🚐 🛁 – 12 sanitaires individuels (🚿👕 wc) 🎿 🚿 🚽 📦 🚿

GPS E : 5.81452 N : 43.13159

LE SAUZÉ-DU-LAC

05160 - Carte Michelin **334** F6 - 129 h. - alt. 1 052
▶ Paris 697 - Barcelonette 35 - Digne-les-Bains 74 - Gap 40

⛰ La Palatrière

✆ 04 92 44 20 98, www.lapalatriere.com

Pour s'y rendre : site des Demoiselles Coiffées (4,6 km au sud par D 954, rte de Savines-Lac)

Ouverture : de déb. mai à mi-sept.

3 ha (50 empl.) fort dénivelé, en terrasses, plat, herbeux, pierreux

Empl. camping : (Prix 2018) 28€ ✷✷ ⇦ 🗐 ⚡ (6A) - pers. suppl. 8€ - frais de réservation 8€

Location : (Prix 2018) (de mi-avr. à fin sept.) - 8 🛖 - 10 🏠. Nuitée 55 à 127€ - Sem. 290 à 890€ - frais de réservation 8€

Belle situation dominant le lac de Serre-Ponçon. Préférer les emplacements les plus éloignés de la route.

Nature : ≼ lac de Serre-Ponçon et les montagnes 🦆🦆	
Loisirs : 🍴 ✕ 🎮 jacuzzi 🏊 🛶	**G P S** E : 6.34543 N : 44.49909
Services : 🔑 📶 🗑	

SERRES

05700 - Carte Michelin **334** C6 - 1 308 h. - alt. 670
▶ Paris 670 - Die 68 - Gap 41 - Manosque 89

⛰ Flower Domaine des Deux Soleils 👥

✆ 04 92 67 01 33, www.domaine-2soleils.com - alt. 800

Pour s'y rendre : av. des Pins, La Flamenche (800 m au sud-est par N 75, rte de Sisteron puis 1 km par rte à gauche, à Super-Serres)

Ouverture : de déb. avr. à déb. oct.

18 ha/10 campables (98 empl.) fort dénivelé, en terrasses, plat, herbeux, pierreux

Empl. camping : 34€ ✷✷ ⇦ 🗐 ⚡ (10A) - pers. suppl. 5€ - frais de réservation 15€

Location : (Prix 2018) (de déb. avr. à déb. oct.) - 5 🛖 - 18 🏠 - 4 tentes lodges. Nuitée 53 à 87€ - Sem. 265 à 798€ - frais de réservation 15€

Emplacements souvent en sous-bois, dans un cadre naturel et sauvage.

Nature : 🦆 🗁 🦆	
Loisirs : ✕ 🏃 🛶 🏊 terrain multisports	**G P S** E : 5.72767 N : 44.4203
Services : 🔑 ⛽ 📶 🗑 🚿	

SEYNE

04140 - Carte Michelin **334** G6 - 1 434 h. - alt. 1 200
▶ Paris 719 - Barcelonette 43 - Digne-les-Bains 43 - Gap 54

⛰ Sites et Paysages Les Prairies

✆ 04 92 35 10 21, www.campinglesprairies.com

Pour s'y rendre : à Haute Gréyère, chemin Charcherie (1 km au sud par D 7, rte d'Auzet et chemin à gauche, au bord de la Blanche)

Ouverture : de mi-mai à déb. sept.

3,6 ha (100 empl.) non clos, plat, herbeux, pierreux

Empl. camping : 26€ ✷✷ ⇦ 🗐 ⚡ (10A) - pers. suppl. 6€ - frais de réservation 16€

Location : (de mi-mai à déb. sept.) - 10 🛖 - 8 🏠. Sem. 225 à 750€ - frais de réservation 16€

🚐 borne artisanale

Cadre agréable en partie boisé, bordé par le ruisseau.

Nature : 🦆 ≼ 🗁 🦆🦆	
Loisirs : 🍴 ✕ 🎮 🏊 🛶	**G P S** E : 6.35972 N : 44.34262
Services : 🔑 🚿 ⛽ 📶 laverie 🚐	
À prox. : ✕ 🗐	

SISTERON

04200 - Carte Michelin **334** D7 - 7 427 h. - alt. 490
▶ Paris 704 - Barcelonnette 100 - Digne-les-Bains 40 - Gap 52

⛰ Municipal des Prés-Hauts

✆ 04 92 61 19 69, www.sisteron.fr

Pour s'y rendre : 44 chemin des Prés-Hauts (3 km au nord par rte de Gap et D 951 à dr., rte de la Motte-du-Caire, près de la Durance)

4 ha (145 empl.) plat et peu incliné, herbeux

Location : - 10 🛖.

🚐 24 🗐

Navette bus pour le centre-ville.

Nature : 🦆 ≼ 🦆	
Loisirs : 🎮 🛶 🏊	**G P S** E : 5.93645 N : 44.21432
Services : 🔑 🚿 📶 ⛽ 🚿 📶 🗑	

SORGUES

84700 - Carte Michelin **332** C9 - 18 473 h. - alt. 24
▶ Paris 680 - Avignon 13 - Marseille 102 - Nîmes 56

⛰ La Montagne

✆ 04 90 83 36 66, www.campinglamontagne.com

Pour s'y rendre : 944 chemin de La Montagne

Ouverture : Permanent

1,8 ha (50 empl.) plat, herbeux

Empl. camping : (Prix 2018) 25€ ✷✷ ⇦ 🗐 ⚡ (15A) - pers. suppl. 8€ - frais de réservation 15€

Location : (Prix 2018) Permanent ✗ (de déb. juil. à fin août) - 19 🛖 - 6 🏠. Nuitée 35 à 120€ - Sem. 150 à 990€ - frais de réservation 15€

🚐 borne artisanale - 🚐 ⚡ 15€

Ensemble agréable, bien entretenu avec un bon confort sanitaire.

Loisirs : 🍴 ✕ 🏃 🛶 🏊 🏊	
Services : 🔑 🚿 🚿 ⛽ 📶 laverie 🚐	**G P S** E : 4.8919 N : 44.02118

SOSPEL

06380 - Carte Michelin **341** F4 - 3 523 h. - alt. 360
▶ Paris 967 - Breil-sur-Roya 21 - L'Escarène 22 - Lantosque 42

△ Domaine Ste-Madeleine

✆ 04 93 04 10 48, www.camping-sainte-madeleine.com

Pour s'y rendre : rte de Moulinet (4,5 km au nord-ouest par D 2566, rte du col de Turini)

Ouverture : de déb. avr. à fin sept.

3 ha (90 empl.) fort dénivelé, en terrasses, pierreux, herbeux

Empl. camping : 29€ ✷✷ ⇦ 🗐 ⚡ (10A) - pers. suppl. 6€

Location : (de déb. avr. à fin sept.) - ✗ - 3 🛖 - 10 🏠. Sem. 320 à 695€

🚐 borne artisanale 3€

En terrasses ombragées sous les oliviers. Sanitaires et locatifs anciens.

Nature : 🌿 ⬅ ♋♋
Loisirs : 🛝
Services : ⚬🔌 🚽 📶 📷

GPS E : 7.41575
N : 43.8967

TARADEAU

83460 - Carte Michelin **340** N5 - 1 694 h. - alt. 74
▶ Paris 853 - Marseille 107 - Toulon 66 - Monaco 111

⛰ La Vallée de Taradeau

📞 04 94 73 09 14, www.campingdetaradeau.fr

Pour s'y rendre : chemin de la Musardière (rte de Vidauban, D 73)

Ouverture : Permanent

1,5 ha (80 empl.) plat, pierreux, gravier

Empl. camping : (Prix 2018) 34€ ♦♦ ⛺ 🔲 🔌 (10A) - pers. suppl. 10€ - frais de réservation 18€

Location : (Prix 2018) Permanent - 4 🛖 - 18 🏠 - 3 bungalows toilés - 6 tentes lodges - 1 cabanon. Nuitée 45 à 200€ - Sem. 245 à 1 197€ - frais de réservation 18€

🚐 borne artisanale
Locatif varié et de bon confort.

Nature : 🌄 🏡 ♋♋
Loisirs : 🍴 🍽 🎦 🎲 ≋ hammam jacuzzi
🏊 🛝 spa
Services : ⚬🔌 📶 laverie 🐕

GPS E : 6.42755
N : 43.44118

---

*Guide Michelin (hôtels et restaurants),
Guide Vert (sites et circuits touristiques) et
cartes routières Michelin sont complémentaires.
Utilisez-les ensemble.*

LE THOR

84250 - Carte Michelin **332** C10 - 8 099 h. - alt. 50
▶ Paris 688 - Avignon 18 - Carpentras 16 - Cavaillon 14

⛰ Capfun Domaine Le Jantou 👥

📞 04 90 33 90 07, www.capfun.com/camping-france-provence_alpes_cote_d_azur-jantou-FR

Pour s'y rendre : 535 chemin des Coudelières (1,2 km à l'ouest par sortie nord vers Bédarrides, accès conseillé par D 1 (contournement))

Ouverture : de déb. avr. à mi-sept.

6 ha/4 campables (230 empl.) plat, herbeux

Empl. camping : (Prix 2018) 42€ ♦♦ ⛺ 🔲 🔌 (10A) - pers. suppl. 7€ - frais de réservation 27€

Location : (Prix 2018) Permanent♿ (1 mobile home) - 159 🛖 - 6 🏠 - 6 tentes lodges. Sem. 135 à 1 250€ - frais de réservation 27€

Cadre agréable avec quelques emplacements près de la Sorgue et des animations adaptées aux jeunes enfants.

Nature : 🌄 🏡 ♋♋
Loisirs : 🍴 🍽 🎦 🎲 🤸 🚣 🧗 🎯 🛝 🏊 🎿
Services : ⚬🔌 🍽 🛒 🚽 📶 laverie 🐕
réfrigérateurs
À prox. : 🛒

GPS E : 4.98282
N : 43.92969

LES THUILES

04400 - Carte Michelin **334** H6 - 374 h. - alt. 1 130
▶ Paris 752 - Marseille 221 - Digne-les-Bains 82 - Gap 62

⛰ Le Fontarache

📞 04 92 81 90 42, www.camping-fontarache.fr - alt. 1 108

Pour s'y rendre : lieu-dit : Les Thuiles Basses (sortie est du bourg, D 900 rte de Barcelonnette)

Ouverture : de déb. juin à mi-sept.

6 ha (150 empl.) non clos, plat, gravier, pierreux, herbeux

Empl. camping : 27€ ♦♦ ⛺ 🔲 🔌 (6A) - pers. suppl. 7€ - frais de réservation 15€

Location : (de déb. juin à mi-sept.) - 22 🛖 - 2 🏠. Nuitée 29 à 110€ - Sem. 203 à 775€ - frais de réservation 15€

🚐 borne artisanale 4€

Préférer les emplacements près de la rivière, plus éloignés de la route.

Nature : ⬅ 🏡 ♋♋
Loisirs : 🍴 🍽 🛝 terrain multisports
Services : ⚬🔌 🚿 📶 laverie
À prox. : 🚴 🎣 🐕 ≋ (plan d'eau) 🚣 sports en eaux vives

GPS E : 6.57537
N : 44.3924

VAISON-LA-ROMAINE

84110 - Carte Michelin **332** D8 - 6 153 h. - alt. 193
▶ Paris 664 - Avignon 51 - Carpentras 27 - Montélimar 64

⛰ Capfun Le Carpe Diem 👥

📞 04 90 36 02 02, www.camping-carpe-diem.com

Pour s'y rendre : rte de St-Marcellin (2 km au sud-est à l'intersection du D 938, rte de Malaucène et du D 151)

Ouverture : de déb. avr. à fin oct.

10 ha/6,5 campables (356 empl.) en terrasses, peu incliné, plat, herbeux

Empl. camping : (Prix 2018) 45€ ♦♦ ⛺ 🔲 🔌 (10A) - pers. suppl. 7€ - frais de réservation 27€

Location : (Prix 2018) (de déb. avr. à fin oct.) - ♿ (1 mobile home) - 385 🛖 - 1 cabane perchée. Nuitée 37 à 197€ - Sem. 147 à 1 379€ - frais de réservation 27€

🚐 borne artisanale

Originale reconstitution d'un amphythéâtre autour de la piscine et nombreuses activités pour les enfants.

Nature : 🌄 ⬅ ♋♋
Loisirs : 🍴 🍽 🎦 🎲 🤸 🚣 🧗 🎯 🛝 🏊 🎿
Services : ⚬🔌 🚿 📶 laverie 🛒 🐕

GPS E : 5.08945
N : 44.23424

⛰ Le Soleil de Provence 👥

📞 04 90 46 46 00, www.camping-soleil-de-provence.fr

Pour s'y rendre : à St-Romain-en-Viennois (3,5 km au nord-est par D 938, rte de Nyons et chemin à drte.)

Ouverture : de déb. avr. à mi-oct.

4 ha (194 empl.) en terrasses, peu incliné, plat, herbeux, pierreux

Empl. camping : (Prix 2018) 17€ ♦♦ ⛺ 🔲 🔌 (10A) - pers. suppl. 5€ - frais de réservation 50€

Location : (Prix 2018) (de déb. avr. à mi-oct.) - 🚫 - 26 🛖. Nuitée 35 à 112€ - Sem. 250 à 790€ - frais de réservation 99€

🚐 borne AireService 2€

Préférer les emplacements côté Mont-Ventoux, plus calmes, plus ombragés.

Nature : ⬅ Ventoux et montagnes de Nyons
🏡 ♋
Loisirs : 🎦 🎲 diurne 🤸 🚣 🛝 🏊
Services : ⚬🔌 🚽 🔲 🍽 🚿 📶 laverie

GPS E : 5.10527
N : 44.26786

⛰ Théâtre Romain

Camping le Théâtre Romain

✆ 04 90 28 78 66, www.camping-theatre.com

Pour s'y rendre : quartier des Arts, chemin du Brusquet (au nord-est de la ville, accès conseillé par rocade)

Ouverture : de mi-mars à déb. nov.

1,2 ha (82 empl.) plat, herbeux, gravillons

Empl. camping : 32€ ♦♦ ⛟ 🅴 (4) (10A) - pers. suppl. 9€ - frais de réservation 11€

Location : (de mi-mars à déb. nov.) - 16 🚐. Nuitée 35 à 115€ - Sem. 220 à 730€ - frais de réservation 11€

🚐 borne artisanale 5€ - 🚱 14€

Dans un quartier pavillonnaire, avec des emplacements bien ombragés.

Nature : 🏞 ♀♀
Loisirs : 🏠 🏊 ⛵
Services : 🔑 🎱 🏊 🚿 🛜 🚰
À prox. : ✂

GPS — E : 5.07843 N : 44.24505

VALLOUISE

05290 - Carte Michelin **334** G3 - 728 h. - alt. 1 123
▶ Paris 747 - Gap 81 - Chambéry 182 - Marseille 256

⛰ Huttopia Vallouise 👥👤

✆ 04 92 23 30 26, www.huttopia.com

Pour s'y rendre : chemin des Chambonnettes (à 100 m du bourg)

Ouverture : de fin mai à fin sept.

6 ha (160 empl.) plat, herbeux, pierreux

Empl. camping : 32€ ♦♦ ⛟ 🅴 (4) (10A) - pers. suppl. 7€ - frais de réservation 15€

Location : (de fin mai à fin sept.) - ♿ (1 chalet) - 20 🏠 - 41 tentes lodges. Nuitée 41 à 155€ - Sem. 287 à 1 085€ - frais de réservation 15€

🚐 borne artisanale 7€

Bordé par deux torrents et proche de la station, avec des emplacements ombragés ou plein soleil.

Nature : 🏞 ♀
Loisirs : 🍴 ✗ 🏠 🎱 🏊‍♂️ 🏊 ⛵
Services : 🔑 🏊 🛜 laverie
À prox. : ✂ 🐟

GPS — E : 6.49 N : 44.84388

Créez votre voyage sur voyages.michelin.fr

VENCE

06140 - Carte Michelin **341** D5 - 19 183 h. - alt. 325
▶ Paris 923 - Antibes 20 - Cannes 30 - Grasse 24

⛰ Domaine de la Bergerie

✆ 04 93 58 09 36, www.camping-domainedelabergerie.com

Pour s'y rendre : 1330 chemin de la Sine (4 km à l'ouest par D 2210, rte de Grasse et chemin à gauche)

Ouverture : de fin mars à mi-oct.

30 ha/13 campables (450 empl.) en terrasses, plat, herbeux, pierreux

Empl. camping : (Prix 2018) 36€ ♦♦ ⛟ 🅴 (4) (5A) - pers. suppl. 6€ - frais de réservation 20€

Location : (Prix 2018) (de fin mars à mi-oct.) - ✂ - 6 🚐 - 2 🏠 - 8 cabanons. Nuitée 26 à 140€ - Sem. 180 à 880€ - frais de réservation 20€

🚐 borne artisanale 5€

Très agréable cadre naturel autour d'une ancienne bergerie joliment restaurée.

Nature : 🏊 🚣 ♒
Loisirs : 🍴 ✗ 🏊‍♂️ ✂ 🏊
Services : 🔑 🎱 – 4 sanitaires individuels (🚿🛁 wc) 🏊 🚿 🛜 laverie 🚰 🚱
À prox. : parcours sportif

GPS — E : 7.08981 N : 43.71253

LE VERNET

04140 - Carte Michelin **334** G7 - 123 h. - alt. 1 200
▶ Paris 729 - Digne-les-Bains 32 - La Javie 16 - Gap 68

⛺ Lou Passavous

✆ 04 92 35 14 67, www.loupassavous.com

Pour s'y rendre : rte Roussimal (800 m au nord)

Ouverture : de déb. mai à mi-sept.

1,5 ha (60 empl.) non clos, peu incliné, plat, herbeux, pierreux

Empl. camping : 29€ ♦♦ ⛟ 🅴 (4) (6A) - pers. suppl. 6€ - frais de réservation 15€

Location : (de déb. mai à mi-sept.) - ✂ - 2 🚐 - 2 bungalows toilés - 4 tentes lodges. Nuitée 50 à 60€ - Sem. 475 à 650€ - frais de réservation 15€

Cadre verdoyant traversé par un petit ruisseau, le Bès.

Nature : 🏊 ≤ ♀♀
Loisirs : 🍴 ✗ 🏊‍♂️ 🏊
Services : 🔑 🎱 🏊 🛜 🚰 🚱
À prox. : ✂ 🏊

GPS — E : 6.39139 N : 44.28194

🔺🔺🔺 ... ⛺

Besonders angenehme Campingplätze, ihrer Kategorie entsprechend.

VEYNES

05400 - Carte Michelin **334** C5 - 3 166 h. - alt. 827
▶ Paris 660 - Aspres-sur-Buëch 9 - Gap 25 - Sisteron 51

⛺ Les Prés

✆ 04 92 65 20 24, www.camping-les-pres.com - alt. 960

Pour s'y rendre : lieu-dit : le Petit Vaux (3,4 km au nord-est par D 994 rte de Gap, puis 5,5 km par D 937 rte de Superdevoluy et chemin à gauche par le pont sur le Béoux)

Ouverture : de déb. juin à fin sept.

0,35 ha (22 empl.) non clos, plat et peu incliné, herbeux

Empl. camping : 16€ ♦♦ ⛟ 🅴 (4) (10A) - pers. suppl. 3€

Location : (de déb. juin à fin sept.) - 4 🚐 - 3 bungalows toilés - 3 tentes lodges. Nuitée 55 à 70€ - Sem. 230 à 465€ - frais de réservation 10€

Au calme, ambiance familiale avec des espaces verts pour les jeux et la détente.

Nature : 🏊 ♀♀
Services : 🔑 🛜 🚰

GPS — E : 5.84995 N : 44.58842

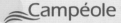

Campéole — NOS CAMPINGS DANS LES ALPES DU SUD — campeole.com

LE CLOS DU LAC ★★★

Massif des Écrins et Lac de Serre-Ponçon : un panorama unique !

Emplacements campeurs, mobil-homes. Camping calme et nature à 1485 m d'altitude. Point d'observation idéal pour les amateurs d'astronomie.

Route des Lacs - 05160 Saint-Apollinaire
+33 (0)4 92 44 27 43 - clos-du-lac@campeole.com

LE COUROUNBA ★★★

Dans le Parc des Écrins, au plus près de la nature

Emplacements campeurs, mobil-homes, piscine écologique chauffée, spa, sauna et jacuzzi. Plus de 700 chemins de randonnées aux alentours.

Le Pont du Rif - 05120 Les Vigneaux
+33 (0)4 92 23 02 09 - courounba@campeole.com

LES VIGNEAUX

05120 - Carte Michelin 334 H4 - 491 h. - alt. 1 125
▶ Paris 740 - Chambéry 176 - Gap 76 - Marseille 251

⚠ Campéole Le Courounba

𝒫 04 92 23 02 09, www.campeole.com/etablissement/post/le-courounba-les-vigneaux

Pour s'y rendre : lieu-dit : Le Pont-du-Rif (1 km à l'ouest)

Ouverture : de mi-mai à mi-sept.

12 ha/7 campables (250 empl.) plat, herbeux, pierreux, étang

Empl. camping : (Prix 2018) 35€ ✳✳ ⇔ 国 [ɬ] (10A) - pers. suppl. 8€
Location : (Prix 2018) (de mi-mai à mi-sept.) - ৬ (1 mobile home) - 90 🚐. Nuitée 37 à 153€ - Sem. 259 à 1 071€
🚐 borne AireService

Piscine écologique. Entre le torrent et la forêt, les mobile homes sont équipés de grandes terrasses.

Nature : ≤ 🌳
Loisirs : 🍴 ✗ 🏠 ☕🛝 ≋s jacuzzi ✂ ⤢ 🏹 parcours VTT terrain multisports
Services : ⚬🗝 🏢 ♨ 📶 laverie ⤵

G P S : E : 6.52594 N : 44.82452

The Guide changes, so renew your guide every year.

VILLAR-LOUBIÈRE

05800 - Carte Michelin 334 E4 - 48 h. - alt. 1 026
▶ Paris 648 - La Chapelle-en-Valgaudémar 5 - Corps 22 - Gap 43

⚠ Municipal Les Gravières

𝒫 04 92 23 85 39, www.eauvivepassion.fr/camping-villar-loubiere.html

Pour s'y rendre : 700 m à l'est par rte de la Chapelle-en-Valgaudémar et chemin à dr.

2 ha (50 empl.) non clos, plat, herbeux, pierreux, bois

Adresse idéale pour les amateurs de sports en eaux vives, dans un cadre boisé au bord de deux ruisseaux.

Nature : 🌊 🌳
Loisirs : 🏠 ✂ 🏹 sports en eaux vives
Services : 🗄

G P S : E : 6.1464 N : 44.82373

VILLARS-COLMARS

04370 - Carte Michelin 334 H7 - 246 h. - alt. 1 225
▶ Paris 774 - Annot 37 - Barcelonnette 46 - Colmars 3

⚠ Le Haut-Verdon

𝒫 04 92 83 40 09, www.lehautverdon.com - accès très déconseillé par le col d'Allos

Pour s'y rendre : 0,6 km au sud par D 908 rte de Castellane

3,5 ha (109 empl.) non clos, plat, pierreux

Location : - 8 🚐 - 4 🏠.
🚐 borne AireService
Préférer les emplacements au bord du Verdon.

Nature : ≤ 🌲 🌳
Loisirs : 🍴 ✗ 🏠 ≋ ⤢ ✂ 🏹 ⤢
Services : ⚬🗝 🏢 📶 📱 ⤵

G P S : E : 6.60573 N : 44.1604

VILLECROZE

83690 - Carte Michelin 340 M4 - 1 128 h. - alt. 300
▶ Paris 835 - Aups 8 - Brignoles 38 - Draguignan 21

⚠ Le Ruou ♣♣

𝒫 04 94 70 67 70, www.leruou.com - peu d'emplacements pour tentes et caravanes

Pour s'y rendre : lieu-dit : Les Esparrus (5,4 km au sud-est par D 251, rte de Barbebelle et D 560, rte de Flayosc, accès conseillé par D 560)

Ouverture : de déb. juin à déb. sept.

4,3 ha (134 empl.) fort dénivelé, en terrasses, plat, herbeux

Empl. camping : (Prix 2018) 40€ ✳✳ ⇔ 国 [ɬ] (10A) - pers. suppl. 7€ - frais de réservation 25€
Location : (Prix 2018) (de déb. juin à déb. sept.) - 71 🚐 - 16 🏠 - 12 bungalows toilés. Nuitée 40 à 155€ - Sem. 280 à 1 085€ - frais de réservation 25€
🚐 borne artisanale 5€

Emplacements en terrasses sous les pins avec vue sur le parc aquatique pour certains.

Nature : 🌳
Loisirs : 🍴 ✗ 🏠 🛝 ⤢ ✂ 🏹
Services : ⚬🗝 ⤵ 📶 laverie ⤵

G P S : E : 6.29795 N : 43.55542

VILLENEUVE-LOUBET-PLAGE

06270 - Carte Michelin **341**
▶ Paris 919 - Marseille 191 - Nice 24 - Monaco 38

⚑ La Vieille Ferme

📞 04 93 33 41 44, www.vieilleferme.com

Pour s'y rendre : 296 bd des Groules (2,8 km au sud par N 7, rte d'Antibes et à dr.)

Ouverture : de déb. janv. à mi-oct.

2,9 ha (153 empl.) en terrasses, plat, herbeux, gravillons

Empl. camping : 35€ ✶✶ ⟺ 🔳 ⁅⁆ (10A) - pers. suppl. 6€ - frais de réservation 28€

Location : Permanent - 32 🏠. Sem. 365 à 960€ - frais de réservation 28€

Nature : ⌂ 💢💢		G
Loisirs : 🖼 🅖diurne jacuzzi ⚲ 🔲 (découverte en saison)		P
Services : ⚬━ 🎪 👤 🚿 ⚒ 🔖 laverie 🔖 cases réfrigérées	E : 7.12579 N : 43.61967	S

⚑ Parc des Maurettes

📞 04 93 20 91 91, www.parcdesmaurettes.com

Pour s'y rendre : 730 av. du Dr-Lefèbvre, à 300 m de la gare et 500 m de la plage (par N 7)

Ouverture : de déb. janv. à mi-nov.

2 ha (108 empl.) en terrasses, plat, herbeux, gravier, pierreux

Empl. camping : (Prix 2018) 44€ ✶✶ ⟺ 🔳 ⁅⁆ (10A) - pers. suppl. 6€ - frais de réservation 26€

Location : (Prix 2018) (de déb. janv. à mi-nov.) - 14 🏠 - 2 ⚏ - 3 bungalows toilés - 2 cabanons - 3 studios. Nuitée 49 à 155€ - Sem. 309 à 1 148€ - frais de réservation 26€

�ᴮ borne artisanale 6€

En zone urbaine, bien ombragé, avec un agréable espace relax'balnéo.

Nature : ⌂ 💢💢		G
Loisirs : 🖼 🅱s jacuzzi ⚲		P
Services : ⚬━ 🅿 🎪 ⚒ 🔖 ⚒ laverie	E : 7.12964 N : 43.63111	S
À prox. : 🛒		

⚑ L'Hippodrome

📞 04 93 20 02 00, www.camping-hippodrome.com

Pour s'y rendre : 5 av. des Rives (à 400 m de la plage, derrière le centre commercial Géant Casino)

0,8 ha (57 empl.) plat, herbeux, gravillons

Location : - 15 studios.

🛒ᴮ borne flot bleu

En zone urbaine et en deux parties distinctes.

Nature : ⌂ 💢💢		G
Loisirs : 🖼 ⚲ 🔲 (découverte en saison)		P
Services : ⚬━ 🎪 👤 ⚒ 🔖 ⚒ laverie réfrigérateurs	E : 7.13771 N : 43.64199	S
À prox. : 🛒 ✗		

VILLES-SUR-AUZON

84570 - Carte Michelin **332** E9 - 1 296 h. - alt. 255
▶ Paris 694 - Avignon 45 - Carpentras 19 - Malaucène 24

⚑ Les Verguettes

📞 04 90 61 88 18, www.provence-camping.com

Pour s'y rendre : rte de Carpentras (sortie ouest par D 942)

2 ha (78 empl.) en terrasses, peu incliné, plat, herbeux, pierreux

Empl. camping : (Prix 2018) 36€ ✶✶ ⟺ 🔳 ⁅⁆ (10A) - pers. suppl. 8€ - frais de réservation 19€

Location : (Prix 2018) (de déb. avr. à déb. oct.) - 9 🏠 - 4 ⚏ - 2 tentes lodges. Nuitée 50 à 200€ - Sem. 250 à 1 000€ - frais de réservation 19€

🛒ᴮ borne artisanale

Cadre agréable avec pour plusieurs emplacements vue sur le Mont-Ventoux.

Nature : 🐾 ≼ le Mont-Ventoux ⌂ 💢💢		G
Loisirs : 🍴 ✗ 🖼 🅜 ⚲ terrain multisports		P
Services : ⚬━ 🎪 👤 ⚒ 🔖 ⚒ 🔖 🔖 réfrigérateurs	E : 5.22834 N : 44.05686	S

*Wilt u een stad of streek bezichtigen ?
Raadpleed de **groene Michelingidsen.***

VIOLÈS

84150 - Carte Michelin **332** C9 - 1 546 h. - alt. 94
▶ Paris 659 - Avignon 34 - Carpentras 21 - Nyons 33

⚑ Les Favards

📞 04 90 70 90 93, www.camping-favards.com

Pour s'y rendre : rte d'Orange (1,2 km à l'ouest par D 67)

Ouverture : de déb. avr. à déb. oct.

20 ha/1,5 (49 empl.) plat, herbeux

Empl. camping : 27€ ✶✶ ⟺ 🔳 ⁅⁆ (10A) - pers. suppl. 8€

Sur les terres d'un vignoble avec vente au caveau : vin, confit de vin et autres produits très locaux.

Nature : 🐾 ≼ ⌂ 💢		G
Loisirs : 🍴 ✗ ⚲		P
Services : ⚬━ 🔖 🔖 ⚒ cases réfrigérées	E : 4.93528 N : 44.16229	S

VISAN

84820 - Carte Michelin **332** C8 - 1 956 h. - alt. 218
▶ Paris 652 - Avignon 57 - Bollène 19 - Nyons 20

⚑ L'Hérein

📞 04 90 41 95 99, www.campingvisan.com

Pour s'y rendre : rte de Bouchet (1 km à l'ouest par D 161, rte de Bouchet, près d'un ruisseau)

Ouverture : Permanent

3,3 ha (75 empl.) plat, herbeux, pierreux

Empl. camping : 24€ ✶✶ ⟺ 🔳 ⁅⁆ (16A) - pers. suppl. 5€ - frais de réservation 10€

Location : (de déb. avr. à mi-oct.) - 5 🏠. Nuitée 45 à 75€ - Sem. 285 à 365€ - frais de réservation 10€

🛒ᴮ borne artisanale 14€ - 🌙 ⁅⁆16€

*Bijzonder prettige terreinen die bovendien opvallen
in hun categorie.*

*Situé dans" l'Enclave des Papes", avec un bon confort sanitaire
et aussi la vente de fruits et légumes de producteurs locaux.*

Nature : 🐾 ⌂ ♑♑
Loisirs : ♟ ✕ 🏛 🛶⛵ 🛷
Services : 🔑 Ⓟ 🛁 ⚗ ♒ 📶 laverie 🐕

G P S E : 4.93601
N : 44.31236

VOLONNE

04290 - Carte Michelin **334** E8 - 1 658 h. - alt. 450
▶ Paris 718 - Château-Arnoux-St-Aubin 4 - Digne-les-Bains 29
- Forcalquier 33

⛰ Sunêlia L'Hippocampe 👥

📞 04 92 33 50 00, www.l-hippocampe.com

Pour s'y rendre : rte Napoléon (500 m au sud-est par D 4)

Ouverture : de fin avr. à mi-sept.

8 ha (447 empl.) plat, herbeux, verger

Empl. camping : 50€ 👫👫 🚗 🔲 🔌 (10A) - pers. suppl. 8€ - frais de
réservation 30€

Location : (de fin avr. à mi-sept.) - 212 🚐 - 30 🏠 - 16 bungalows
toilés - 12 tentes lodges. Nuitée 50 à 263€ - Sem. 300 à 1 841€
- frais de réservation 30€

🚐 borne artisanale 5€ - 7 🔲 22€ - 🐕 8€

*Au bord de la Durance avec du locatif varié et de très bon
confort pour certains mobile homes ou chalets.*

Nature : 🐾 ≤ ⌂ ♑♑
Loisirs : ♟ ✕ 🏛 📺 salle d'animations 🏃
🚴 🎯 ✕ 🛷 ⛵ 🛶 discothèque pédalos 🚣
terrain multisports
Services : 🔑 🛁 ⚗ ♒ 📶 laverie 🗜 🐕

G P S E : 6.0173
N : 44.1054

P. Jacques/hemis.fr/Getty Images

Terre de contrastes et carrefour d'influences, la région Rhône-Alpes offre mille et une facettes. Du haut des montagnes alpines, la beauté touche au sublime : ce paradis des skieurs dominé par le montBlanc, toit de l'Europe, déploie un spectacle unique de cimes immaculées et glaciers éblouissants. Quittez cette nature préservée, et vous plongez dans l'intense animation de la vallée du Rhône, symbolisée par la course puissante du fleuve. Des voies romaines au TGV, la principale artère de circulation entre Nord et Midi s'est forgé une réputation de locomotive économique. Sur cette « grand-route des vacances », les touristes bien inspirés s'échappent des bouchons routiers pour goûter la cuisine des bouchons lyonnais et celle des tables renommées qui ont fait de la capitale des Gaules un royaume du palais.

Rhône-Alpes is a land of contrasts and a crossroads of culture. Its lofty peaks are heaven on earth to skiers, climbers and hikers are drawn by the beauty of its glittering glaciers and tranquil lakes, and stylish Chamonix and Courchevel set the tone in alpine chic. Step down from the roof of Europe, past herds of cattle on the mountain pastures, and into the bustle of the Rhône valley: from Roman roads to TGVs, the main arteries between north and south have forged the region's reputation for economic drive. Holidaymakers rush through Rhône-Alpes in their millions every summer, but those in the know always stop to taste its culinary specialities. The region abounds in restaurants, the three-star trend-setters and Lyon's legendary neighbourhood bouchons making it a true kingdom of cuisine.

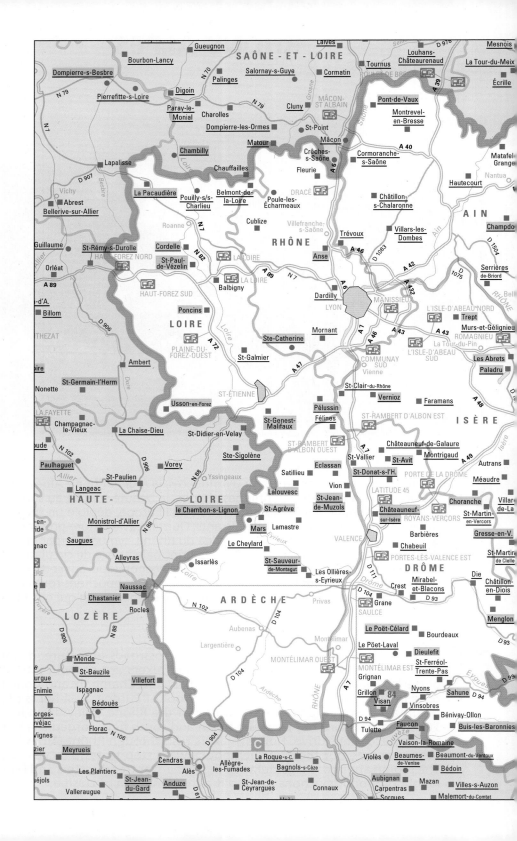

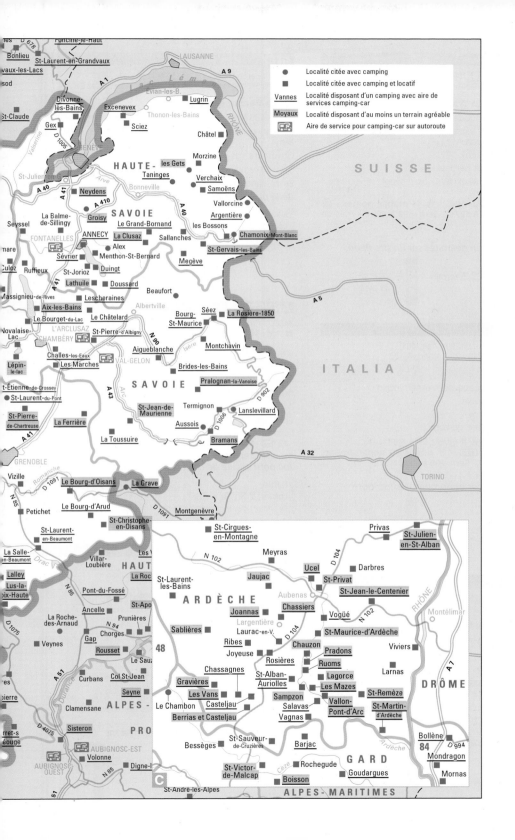

Legend:

- ● Localité citée avec camping
- ■ Localité citée avec camping et locatif
- Vannes Localité disposant d'un camping avec aire de services camping-car
- Moyaux Localité disposant d'au moins un terrain agréable
- 🚐 Aire de service pour camping-car sur autoroute

SUISSE

ITALIA

HAUTE-SAVOIE

SAVOIE

LAUSANNE

Foncine-le-Haut
Bonlieu
St-Laurent-en-Grandvaux
vaux-les-Lacs
sod
St-Claude
Divonne-les-Bains
Gex
Évian-les-B.
Lugrin
Excenevex
Thonon-les-Bains
Sciez
Châtel
Morzine
les Gets
Verchaix
Taninges
Samoëns
Neydens
Vallorcine
Argentière
La Balme-de-Sillingy
Groisy
les Bossons
Seyssel
Le Grand-Bornand
Chamonix-Mont-Blanc
FONTANELLES
ANNECY
La Clusaz
Sallanches
mare
Alex
St-Gervais-les-Bains
Sévrier
Menthon-St-Bernard
Megève
Culoz
St-Jorioz
Duingt
Ruffieux
Lathuile
Doussard
Massignieu-de-Rives
Beaufort
Lescheraines
Aix-les-Bains
Albertville
Séez
Le Châtelard
Bourg-St-Maurice
La Rosière-1850
Le Bourget-du-Lac
Le Châtelard
St-Pierre-d'Albigny
Novalaise-Lac
CHAMBÉRY
Montchavin
Aigueblanche
Challes-les-Eaux
VAL-GELON
Brides-les-Bains
Lépin-le-lac
Les Marches
Pralognan-la-Vanoise
t-Étienne-de-Crossey
St-Laurent-du-Pont
St-Jean-de-Maurienne
Termignon
Lanslevillard
St-Pierre-de-Chartreuse
La Ferrière
Aussois
La Toussuire
Bramans
GRENOBLE
Vizille
La Grave
Le Bourg-d'Oisans
Petichet
Le Bourg-d'Arud
Montgenèvre
St-Christophe-en-Oisans
St-Laurent-en-Beaumont
La Salle-en-Beaumont
Villar-Loubière
La Roc
Lalley
Lus-la-ix-Haute
Pont-du-Fossé
St-Apo
Ancelle
Prunières
La Roche-des-Arnaud
Chorges
Veynes
Gap
Rousset
Le Sau
Curbans
Col St-Jean
Seyne
Clamensane
Sisteron
Volonne
AUBIGNOSC-EST
AUBIGNOSC-OUEST
Digne-l

TORINO

Inset map C:

ARDÈCHE

DRÔME

GARD

ALPES-MARITIMES

St-Cirgues-en-Montagne
Privas
St-Julien-en-St-Alban
Meyras
St-Laurent-les-Bains
Jaujac
Ucel
Darbres
St-Privat
St-Jean-le-Centenier
Aubenas
Joannas
Chassiers
Vogüé
Montélimar
Sablières
Largentière
Laurac-en-V.
St-Maurice-d'Ardèche
Ribes
Chauzon
Viviers
Joyeuse
Rosières
Pradons
Chassagnes
Ruoms
Larnas
Gravières
St-Alban-Auriolles
Lagorce
Les Mazes
Les Vans
Sampzon
St-Remèze
Le Chambon
Casteljau
Vallon-Pont-d'Arc
St-Martin-d'Ardèche
Berrias et Casteljau
Salavas
Vagnas
Bollène
Bessèges
St-Sauveur-de-Cruzières
Barjac
Mondragon
St-Victor-de-Malcap
Rochegude
Goudargues
Mornas
Boisson
St-André-les-Alpes

LES ABRETS

38490 - Carte Michelin **333** G4 - 3 186 h. - alt. 398
▶ Paris 514 - Aix-les-Bains 45 - Belley 31 - Chambéry 38

⚏ "C'est si bon" Le Coin Tranquille ♣♁

✆ 04 76 32 13 48, www.coin-tranquille.com

Pour s'y rendre : 6 chemin de Vignes (2.3 km à l'est par RN 6, rte du Pont-de-Beauvoisin et rte à gauche)

Ouverture : de déb. avr. à déb. nov.

4 ha (196 empl.) peu incliné, plat, herbeux

Empl. camping : 39€ ♣♣ ⇦ 🔲 ⚡ (10A) - pers. suppl. 8€ - frais de réservation 16€

Location : (de déb. avr. à déb. nov.) - ⚐ (1 mobile home) - 🅿 - 1 🛖 - 14 🏠. Nuitée 87 à 127€ - Sem. 399 à 889€ - frais de réservation 31€

🚮 borne artisanale

De beaux emplacements bien délimités sur un site fleuri.

Nature : ⬡ ≤ 🏕 🌳🌳		
Loisirs : ♟ ✗ 🏠 🏹 🚣 🚲 🎿 📺 ⛲ terrain multisports	**G**	E : 5.60814
Services : ⛽ 🚿 🏧 🛏 ♨ laverie 🧺 ⛟	**P S**	N : 45.5414

AIGUEBLANCHE

73260 - Carte Michelin **333** M4 - 3 129 h. - alt. 461
▶ Paris 641 - Lyon 174 - Chambéry 74 - Albertville 25

⚏ Marie-France

✆ 06 09 47 32 30, www.campingresidencesmariefrance.fr

Pour s'y rendre : 453 av. de Savoie

Ouverture : de mi-mars à mi-nov.

0,5 ha (30 empl.) en terrasses, plat, herbeux

Empl. camping : 19€ ♣♣ ⇦ 🔲 ⚡ (10A) - pers. suppl. 4€

Location : Permanent - 4 🛖 - 1 gîte - 10 appartements - 10 studios. Nuitée 35 à 100€ - Sem. 290 à 600€

🚮 borne artisanale - 10 🔲 8€

Emplacements bien ombragés et nombreuses locations.

Nature : ≤ 🏕 🌳🌳		
Loisirs : 🏠 🎿	**G**	E : 6.489
Services : ⛽ 🛏 ♨ 🏧	**P**	N : 45.50717
À la base de loisirs : ♟ ✗ 🏊 🏹 🎣 ⛲ 📺 ⛟ 🚣 ⛵ 🚶 parcours sportif	**S**	

AIX-LES-BAINS

73100 - Carte Michelin **333** I3 - 26 819 h. - alt. 200 - ⚓
▶ Paris 539 - Annecy 34 - Bourg-en-Bresse 115 - Chambéry 18

⚏ International du Sierroz

✆ 04 79 61 89 89, www.camping-sierroz.com

Pour s'y rendre : bd Robert-Barrier (2,5 km au nord-ouest)

Ouverture : de déb. mai à fin oct.

5 ha (255 empl.) plat, herbeux, gravier

Empl. camping : (Prix 2018) 26€ ♣♣ ⇦ 🔲 ⚡ (10A) - pers. suppl. 5€

Location : (Prix 2018) (de mi-mars à mi-nov.) - ⚐ (1 mobile home) - 🎣 - 36 🛖 - 7 bungalows toilés. Sem. 260 à 719€

🚮 borne AireService 5€

Tout près du lac et en deux parties distinctes (annexe à 500 m).

Nature : 🏕 🌳🌳		
Loisirs : ♟ ✗ 🏠 🏹	**G**	E : 5.88628
Services : ⛽ 🛏 ♨ 🚿 ♨ 🏧 laverie ⛟	**P S**	N : 45.70104
À prox. : 🚵 🚶 🐎		

ALEX

74290 - Carte Michelin **328** K5 - 980 h. - alt. 589
▶ Paris 545 - Albertville 42 - Annecy 12 - La Clusaz 20

⚠ La Ferme des Ferrières

✆ 06 64 88 79 94, www.camping-des-ferrieres.com

Pour s'y rendre : 1,5 km à l'ouest par D 909, rte d'Annecy et chemin à dr.

Ouverture : de déb. juin à fin sept.

5 ha (200 empl.) peu incliné, plat, herbeux

Empl. camping : (Prix 2018) 18€ ♣♣ ⇦ 🔲 ⚡ (6A) - pers. suppl. 4€

Belle prairie ombragée pour ce camping à la ferme.

Nature : ⬡ ≤ 🌳🌳		
Loisirs : ♟ 🏠 🚣	**G**	E : 6.22346
Services : ⛽ 🚮 🛏 🏧	**P S**	N : 45.89015

Renouvelez votre guide chaque année.

ANNECY

74000 - Carte Michelin **328** J5 - 51 012 h. - alt. 448
▶ Paris 544 - Chambéry 51 - Genève 42 - Lyon 138

⚏ Municipal Le Belvédère

✆ 04 50 45 48 30, www.annecy.fr

Pour s'y rendre : 8 rte du Semnoz (au sud par la D 41)

Ouverture : de fin mars à mi-oct.

3 ha (102 empl.) en terrasses, plat, herbeux, gravier

Empl. camping : (Prix 2018) 29€ ♣♣ ⇦ 🔲 ⚡ (16A) - pers. suppl. 7€

Location : (Prix 2018) (de fin mars à mi-oct.) - ⚐ (10 chalets) - 12 🏠. Nuitée 77 à 99€ - Sem. 450 à 720€

🚮 borne artisanale

Joli petit village de chalets et forêt attenante.

Nature : ⬡ 🌳🌳		
Loisirs : ♟ ✗ 🏠 🏹 ⛲	**G**	E : 6.13237
Services : ⛽ 🛏 🧺 🚿 🏧 laverie	**P S**	N : 45.89025

ANSE

69480 - Carte Michelin **327** H4 - 5 604 h. - alt. 170
▶ Paris 436 - L'Arbresle 17 - Bourg-en-Bresse 57 - Lyon 27

⚏ O'thentic Portes du Beaujolais

✆ 04 74 67 12 87, www.camping-beaujolais.com/fr

Pour s'y rendre : 495 av. Jean-Vacher (sortie sud-est, rte de Lyon et 600 m par chemin à gauche av. le pont)

Ouverture : Permanent

7,5 ha (198 empl.) plat, herbeux

Empl. camping : (Prix 2018) 32€ ♣♣ ⇦ 🔲 ⚡ (16A) - pers. suppl. 5€ - frais de réservation 3€

Location : (Prix 2018) Permanent - 43 🛖 - 26 🏠. Nuitée 60 à 190€ - Sem. 299 à 1 190€ - frais de réservation 15€

🚮 borne eurorelais

Au confluent de l'Azergues et de la Saône.

Nature : 🏕 💧		
Loisirs : ♟ ✗ 🏠 centre balnéo 🏊 hammam 🏹 🚲 📺 ⛲	**G**	E : 4.72616
Services : ⛽ 🛏 ♨ 🚿 🏧 🧺 ⛟	**P S**	N : 45.94106
À prox. : 🚣		

ARGENTIÈRE

74400 - Carte Michelin **328** O5 - alt. 1 252
▶ Paris 619 - Annecy 106 - Chamonix-Mont-Blanc 10 - Vallorcine 10

⚠ Le Glacier d'Argentière

𝒫 0450541736, www.campingchamonix.com

Pour s'y rendre : 161 chemin des Chosalets (1 km au sud par rte de Chamonix, à 200 m de l'Arve)

Ouverture : de mi-mai à mi-sept.

1 ha (80 empl.) incliné, herbeux

Empl. camping : (Prix 2018) ♟ 6€ ⇦ 3€ 🅴 6€ – ⚡ (10A) 5€
Location : (Prix 2018) (de mi-mai à mi-sept.) - 1 bungalow toilé - 2 tentes lodges. Nuitée 42€ - Sem. 252€
🛒 borne artisanale 15€

Nature : ⩽ ♀
Loisirs : ✗ 🕳
Services : ☡ (juil.-août) 🗲 ⏛ laverie

| | | E : 6.92363 |
| G P S | | N : 45.9747 |

Choisissez votre restaurant sur **restaurant.michelin.fr**

ARTEMARE

01510 - Carte Michelin **328** H5 - 1 112 h. - alt. 245
▶ Paris 506 - Aix-les-Bains 33 - Ambérieu-en-Bugey 47 - Belley 18

⚠ Sites et Paysages Le Vaugrais

𝒫 0479873734, www.camping-savoie-levaugrais.com

Pour s'y rendre : à Cerveyrieu, 2 chemin le Vaugrais (700 m à l'ouest par D 69d, rte de Belmont)

Ouverture : de mi-mars à fin oct.

1 ha (54 empl.) plat, herbeux

Empl. camping : 36€ ♟♟ ⇦ 🅴 ⚡ (10A) - pers. suppl. 7€
Location : (Prix 2018) (de déb. avr. à fin oct.) - 5 🚐 - 2 🏠. Sem. 220 à 700€ - frais de réservation 12€
Au bord du Séran avec accès par un petit pont.

Nature : ⩟ ⩽ ♀
Loisirs : ▼ 🕳 🗲 🚲 🥾 🏊
Services : ☡ 🗲 ⏛ 🖥 ♨

| | | E : 5.68383 |
| G P S | | N : 45.87465 |

AUSSOIS

73500 - Carte Michelin **333** N6 - 677 h. - alt. 1 489
▶ Paris 670 - Albertville 97 - Chambéry 110 - Lanslebourg-Mont-Cenis 17

⚠ Municipal la Buidonnière

𝒫 0479203558, www.camping-aussois.com

Pour s'y rendre : rte de Cottériat (sortie sud par D 215, rte de Modane et chemin à gauche)

Ouverture : Permanent

4 ha (160 empl.) en terrasses, peu incliné, herbeux, pierreux

Empl. camping : 23€ ♟♟ ⇦ 🅴 ⚡ (10A) - pers. suppl. 8€
🛒 borne eurorelais 2€
Vue panoramique et beaucoup de caravanes de propriétaires-résidents.

Nature : ❄ 🗻 ⩽ Parc de la Vanoise ⛀ ♀
Loisirs : 🕳 🗲 ✗ 🎯 (bassin) parcours sportif
Services : ☡ 🎽 ⏛ laverie

| | | E : 6.74586 |
| G P S | | N : 45.22432 |

AUTRANS

38880 - Carte Michelin **333** G6 - 1 676 h. - alt. 1 050 - Sports d'hiver : 1 050/1 650 m
▶ Paris 586 - Grenoble 36 - Romans-sur-Isère 58 - St-Marcellin 47

⚠ Yelloh! Village au Joyeux Réveil 👥

𝒫 0476953344, www.camping-au-joyeux-reveil.fr

Pour s'y rendre : lieu-dit : le Château (sortie nord-est par rte de Montaud et à dr.)

Ouverture : de mi-mai à déb. sept.

1,5 ha (100 empl.) plat, herbeux

Empl. camping : 48€ ♟♟ ⇦ 🅴 ⚡ (6A) - pers. suppl. 8€
Location : (de mi-mai à déb. sept.) - 🗲 - 52 🚐 - 6 cabanons. Nuitée 31 à 205€ - Sem. 217 à 1 435€
Quelques locatifs grand confort autour de piscines et toboggans adaptés aux jeunes enfants.

Nature : 🗻 ♀
Loisirs : ▼ ✗ 🕳 🎯 🏃 centre balnéo ♨ hammam jacuzzi 🗲 🏊 🥾
Services : ☡ 🎽 🛆 ⏛ laverie 🐾

| | | E : 5.54844 |
| G P S | | N : 45.17555 |

BALBIGNY

42510 - Carte Michelin **327** E5 - 2 809 h. - alt. 331
▶ Paris 423 - Feurs 10 - Noirétable 44 - Roanne 29

⚠ La Route Bleue

𝒫 0477272497, www.campingdelaroutebleue.com

Pour s'y rendre : lieu-dit : Pralery (2,8 km au nord-ouest par N 82 et D 56 à gauche, rte de St-Georges-de-Baroille)

Ouverture : de mi-mars à fin oct. - 🍴

2 ha (100 empl.) peu incliné, plat, herbeux

Empl. camping : 22€ ♟♟ ⇦ 🅴 ⚡ (16A) - pers. suppl. 7€
Location : (de mi-avr. à fin sept.) - 2 🚐. Nuitée 60 à 80€ - Sem. 280 à 460€
Emplacements ombragés ou ensoleillés en bord de la Loire.

Nature : 🗻 ♀♀
Loisirs : ▼ ✗ 🏊
Services : ☡ 🗲 laverie
À prox. : 🏊

| | | E : 4.15725 |
| G P S | | N : 45.82719 |

Créez votre voyage sur **voyages.michelin.fr**

LA BALME-DE-SILLINGY

74330 - Carte Michelin **328** J5 - 4 891 h. - alt. 480
▶ Paris 524 - Dijon 250 - Grenoble 111 - Lons-le-Saunier 136

⚠ La Caille

𝒫 0450688521, www.domainedelacaille.com

Pour s'y rendre : 18 chemin de la Caille (4 km au nord sur N 508 dir. Frangy et chemin à dr.)

4 ha/1 campable (50 empl.) peu incliné, plat, herbeux
Location : (🅿) - 8 🚐 - 13 🏠 - 7 🛏 - 2 gîtes.
Autour de l'auberge sont disposés les gîtes, les chalets en bois, les mobile homes et le camping.

Nature : 🗻 ⛀ ♀
Loisirs : ▼ ✗ 🕳 🗲 🏊
Services : ☡ 🗲 laverie 🐾

| | | E : 6.03609 |
| G P S | | N : 45.97828 |

BARBIÈRES

26300 - Carte Michelin **332** D4 - 771 h. - alt. 426
▶ Paris 586 - Lyon 124 - Valence 23 - Grenoble 79

⛰ Le Gallo-Romain

✆ 0475474407, www.legalloromain.net

Pour s'y rendre : rte du Col-de-Tourniol (1,2 km au sud-est par D 101)

4 ha (75 empl.) en terrasses, plat et peu incliné, herbeux, pierreux
Location : - 14 .

Emplacements en terrasses ombragées au bord de la Barberolle.

Nature : 🐟 ⬅ 🔲 ⏸⏸		G
Loisirs : 🍸 🗙 🔲 🛶 🥾		P
Services : 🕳 🔥 🛜 laverie 🔌 réfrigérateurs	E : 5.15092 N : 44.94456	S

Guide Michelin (hôtels et restaurants),
Guide Vert (sites et circuits touristiques) et
cartes routières Michelin sont complémentaires.
Utilisez-les ensemble.

BEAUFORT

73270 - Carte Michelin **333** M3 - 2 206 h. - alt. 750
▶ Paris 601 - Albertville 21 - Chambéry 72 - Megève 37

⛺ Municipal Domelin

✆ 0479383388, www.mairie-beaufort73.com

Pour s'y rendre : au bourg (RD 925)

Ouverture : de déb. juin à fin sept.

2 ha (100 empl.) peu incliné, plat, herbeux

Empl. camping : (Prix 2018) 19€ ⚦⚦ 🚐 🔲 ⚡ (10A) - pers. suppl. 4€

Belle pelouse en partie ombragée mais un des sanitaires bien faible en confort.

Nature : 🐟 ⬅ ⏸		G
Services : 🕳 (juil.-août) 🛜 laverie	E : 6.56403 N : 45.7218	P S

BELMONT-DE-LA-LOIRE

42670 - Carte Michelin **327** F3 - 1 515 h. - alt. 525
▶ Paris 405 - Chauffailles 6 - Roanne 35 - St-Étienne 108

⛺ Municipal les Écureuils

✆ 0477637225, www.belmontdelaloire.fr

Pour s'y rendre : au petit parc de loisirs du plan d'eau (1,4 km à l'ouest par D 4, rte de Charlieu et chemin à gauche)

0,6 ha (28 empl.) en terrasses, peu incliné à incliné, herbeux, gravier
Location : - 9 🏠.
🏕 borne artisanale - 2 🔲

En terrasses au-dessus du petit parc de loisirs avec des emplacements délimités, des chalets bois entourés de grands sapins.

Nature : 🐟 🔲 ⏸		G
Loisirs : 🛶 poneys		P
Services : 🛜	E : 4.33819 N : 46.1662	S
À prox. : laverie 🎿 🐎 terrain multisports		

BENIVAY-OLLON

26170 - Carte Michelin **332** E8 - 66 h. - alt. 450
▶ Paris 689 - Lyon 227 - Valence 126 - Avignon 71

⛰ Domaine de l'Écluse

✆ 0475280732, www.campecluse.com

Pour s'y rendre : lieu-dit : Barastrage (1 km au sud sur D 347)

Ouverture : de mi-avr. à fin sept.

4 ha (88 empl.) en terrasses, plat, herbeux, pierreux, gravillons

Empl. camping : (Prix 2018) 28€ ⚦⚦ 🚐 🔲 ⚡ (6A) - pers. suppl. 7€
- frais de réservation 30€

Location : (Prix 2018) (de mi-mars à fin sept.) - ♿ (1 chalet)
- 🎿 (de déb. juil. à fin août) - 10 🏠 - 10 🏠 - 2 gîtes. Nuitée 80 à 120€ - Sem. 315 à 875€ - frais de réservation 30€

Jolie vue sur le Mont-Ventoux de la piscine et de la terrasse du bar-restaurant. Bon confort sanitaire avec un espace enfant complet.

Nature : 🐟 ⬅ 🔲 ⏸⏸		G
Loisirs : 🍸 🗙 🔲 🛶 🛶 🥾		P
Services : 🕳 🔥 🛜 🔲	E : 5.19181 N : 44.28971	S

The Guide changes, so renew your guide every year.

BERRIAS-ET-CASTELJAU

07460 - Carte Michelin **331** H7 - 643 h. - alt. 126
▶ Paris 668 - Aubenas 40 - Largentière 29 - St-Ambroix 18

⛰ La Source 👥

✆ 0475393913, www.camping-source-ardeche.com

Pour s'y rendre : lieu-dit : La Rouvière (1,5 km nord-est, rte de Casteljau)

Ouverture : de fin avr. à mi-sept.

2,5 ha (93 empl.) plat, herbeux, pierreux

Empl. camping : (Prix 2018) 35€ ⚦⚦ 🚐 🔲 ⚡ (10A) - pers. suppl. 9€
Location : (Prix 2018) (de fin avr. à mi-sept.) - ♿ (1 mobile home)
- 22 🏠 - 4 🏠 - 1 tente lodge - 2 cabanes perchées - 2 cabanons. Sem. 260 à 905€

Locatif varié avec des chalets de bon confort, un espace piscine agréable et un petit ruisseau, le Berre, qui borde le terrain.

Nature : 🐟 🔲 ⏸⏸		G
Loisirs : 🗙 🔲 🛶 🛶 🛶 spa ferme animalière		P
Services : 🕳 🔥 🛜 🔲 🔌	E : 4.20646 N : 44.37725	S

⛰ Les Cigales

✆ 0475393033, www.camping-cigales-ardeche.com

Pour s'y rendre : lieu-dit : La Rouvière (1 km au nord-est, rte de Casteljau)

Ouverture : de déb. avr. à fin sept.

3 ha (110 empl.) en terrasses, peu incliné, plat, herbeux

Empl. camping : 31€ ⚦⚦ 🚐 🔲 ⚡ (10A) - pers. suppl. 7€
Location : (de déb. avr. à fin sept.) - 24 🏠 - 7 🏠 - 3 gîtes. Nuitée 60 à 100€ - Sem. 250 à 680€

Emplacements ombragés, en terrasses, avec une agréable piscine.

Nature : 🐟 ⏸⏸		G
Loisirs : 🍸 🔲 🛶 🎿 🛶		P
Services : 🕳 🚐 🔥 🛜 🔲 🔌	E : 4.21133 N : 44.37829	S

BOURDEAUX

26460 - Carte Michelin **332** D6 - 621 h. - alt. 426
▷ Paris 608 - Crest 24 - Montélimar 42 - Nyons 40

⛰ Yelloh! Village Les Bois du Châtelas ▲▴

✆ 04 75 00 60 80, www.chatelas.com

Pour s'y rendre : rte de Dieulefit (1,4 km au sud-ouest par D 538)

Ouverture : de mi-avr. à déb. sept.

17 ha/7 campables (169 empl.) fort dénivelé, en terrasses, peu incliné, pierreux, herbeux

Empl. camping : (Prix 2018) 50€ ★★ ⇔ 🔲 🔌 (10A) - pers. suppl. 9€

Location : (Prix 2018) (de mi-avr. à déb. sept.) - 59 🛖 - 25 🏠 - 1 chalet sur pilotis - 7 tentes lodges - 3 tipis - 1 gîte. Nuitée 35 à 224€ - Sem. 245 à 1 568€

Vue panoramique sur les montagnes environnantes pour de nombreux emplacements avec du locatif varié et de bon confort.

Nature : 🦢 ⟨ 🌳 ♀♀
Loisirs : 🍷 ✕ 🎪 🕹 ↟↟ 🎠 centre balnéo ⛲ hammam jacuzzi 🏋 🚲 🏖 🏊 🎿 tir à l'arc terrain multisports
Services : ⟶ 🏧 🛉 🚿 ♻ 🛜 laverie ⛽ 🔧
À prox. : 🍴

G P S E : 5.12783
N : 44.57832

Si vous recherchez :

🦢 un terrain très tranquille,
P un terrain ouvert toute l'année,
▲▴ des équipements et des loisirs adaptés aux enfants,
🏊 un parc aquatique,
B un centre balnéo,
🎭 des animations sportives, culturelles ou de détente, consultez la liste thématique des campings.

LE BOURG-D'ARUD

38520 - Carte Michelin **333** J8
▷ Paris 628 - L'Alpe-d'Huez 25 - Le Bourg-d'Oisans 15 - Les Deux-Alpes 29

⛰ Le Champ du Moulin

✆ 04 76 80 07 38, www.champ-du-moulin.com

Pour s'y rendre : sortie ouest par D 530

Ouverture : de déb. juin à mi-sept.

1,5 ha (80 empl.) non clos, plat, herbeux, pierreux

Empl. camping : 31€ ★★ ⇔ 🔲 🔌 (10A) - pers. suppl. 7€ - frais de réservation 17€

Location : (de déb. juin à mi-sept.) - 4 🛖 - 10 🏠 - 2 tentes lodges - 1 gîte - 3 appartements. Sem. 350 à 630€ - frais de réservation 17€

🚐 borne artisanale

Entouré par les montagnes de l'Oisans, au bord du Vénéon et à 500 m du téléphérique pour monter à la station Les 2 Alpes.

Nature : 🌸 🦢 ♀♀
Loisirs : 🍷 ✕ 🎪 ⛲ 🦢
Services : ⟶ 🏧 🛉 ♻ 🛜 laverie 🔧
à la base de loisirs : : 🏋 🍴 🎿 🎿 sports en eaux vives

G P S E : 6.11986
N : 44.98596

LE BOURG-D'OISANS

38520 - Carte Michelin **333** J7 - 3 381 h. - alt. 720
▷ Paris 614 - Briançon 66 - Gap 95 - Grenoble 52

⛰ Les Castels Le Château de Rochetaillée ▲▴

✆ 04 76 11 04 40, www.camping-le-chateau.fr

Pour s'y rendre : à Rochetaillée, chemin de Bouthéon (7 km au nord par D1091 et à drte par D 526)

Ouverture : de fin avr. à mi-sept.

2,6 ha (143 empl.) plat, herbeux

Empl. camping : 48€ ★★ ⇔ 🔲 🔌 (10A) - pers. suppl. 10€ - frais de réservation 10€

Location : (de fin avr. à mi-sept.) - 🦽 (1 mobile home) - 51 🛖 - 3 🛏 - 1 cabanon. Nuitée 62 à 90€ - Sem. 320 à 1 090€ - frais de réservation 10€

🚐 borne artisanale - 5 🔲 48€ - 🚌 15€

Autour d'une jolie demeure bourgeoise avec des installations adaptées aux enfants et jeunes adolescents.

Nature : ⟨ 🌳 ♀♀
Loisirs : 🍷 ✕ 🎪 🕹 ↟↟ 🎠 ⛲ hammam jacuzzi 🏋 🅜 🏊 🎿 mur d'escalade terrain multisports
Services : ⟶ 🏧 🛉 🚿 ♻ 🛜 laverie ⛽

G P S E : 6.00512
N : 45.11543

⛰ RCN Belledonne ▲▴

✆ 04 76 80 07 18, www.rcn.fr

Pour s'y rendre : à Rochetaillée (7.1 km au nord par D1091 et à drte par D 44 rte de Vaujauny)

Ouverture : de déb. mai à fin sept.

3,5 ha (180 empl.) plat, herbeux

Empl. camping : (Prix 2018) 46€ ★★ ⇔ 🔲 🔌 (10A) - pers. suppl. 7€ - frais de réservation 20€

Location : (Prix 2018) (de déb. mai à fin sept.) - 32 🛖 - 6 cabanons. Sem. 317 à 1 491€ - frais de réservation 20€

Ensemble très verdoyant et bien ombragé.

Nature : 🦢 ⟨ ♀♀
Loisirs : 🍷 ✕ 🎪 🕹 ↟↟ ⛲ hammam 🏋 🚲 🏊 🎿
Services : ⟶ 🅿 🏧 🛉 🛜 laverie ⛽ 🔧

G P S E : 6.01095
N : 45.11331

⛰ Le Colporteur ▲▴

✆ 04 92 20 92 23, www.camping-colporteur.com

Pour s'y rendre : lieu-dit : Le Mas du Plan (au sud de la localité, accès par r. de la Piscine)

3,3 ha (135 empl.) plat, herbeux

Location : 🦽 (1 chalet) - 6 🛖 - 1 🏠 - 1 gîte.

🚐 borne artisanale

Au bord d'une petite rivière avec du locatif varié et pour certains de bon confort.

Nature : 🦢 🌳 ♀♀
Loisirs : 🍷 ✕ 🎪 ↟↟ 🎿
Services : ⟶ 🛉 🛜 laverie 🔧
À prox. : 🏇 🏊 🎿

G P S E : 6.03546
N : 45.0527

Teneinde deze gids beter te kunnen gebruiken, DIENT U DE VERKLARENDE TEKST AANDACHTIG TE LEZEN.

⛰ Sites et Paysages À la Rencontre du Soleil

☎ 04 76 79 12 22, www.rencontre-du-soleil.com

Pour s'y rendre : hameau de Bassey (1,7 km au nord-est, rte de l'Alpe d'Huez sur D 211)

Ouverture : de déb. mai à fin sept.

1,6 ha (77 empl.) plat, herbeux

Empl. camping : 45€ ✶✶ ⬅ 🅿 💧 (10A) - pers. suppl. 9€ - frais de réservation 20€

Location : Permanent 🅿 - 12 🚐 - 11 🏠 - 1 appartement. Nuitée 80 à 160€ - Sem. 450 à 1 150€ - frais de réservation 20€

Emplacements ombragés et locatif de bon confort installé en petits villages paysagés, fleuris.

Nature : 🐾 ≤ 🌳 ♀♀
Loisirs : ✗ 🏡 🏊 🏄 🏐 (découverte en saison) terrain multisports
Services : ⚿ 🍴 🛒 🎣 laverie 🛒
À prox. : 🛒

G P S E : 6.03716
N : 45.06296

⛰ La Cascade

☎ 04 76 80 02 42, www.lacascadesarenne.com

Pour s'y rendre : hameau de Bassey (1,5 km au nord-est sur D 211 rte de l'Alpe-d'Huez, près de la Sarennes)

Ouverture : de mi-déc. à fin sept.

2,4 ha (140 empl.) plat, herbeux, pierreux

Empl. camping : (Prix 2018) 35€ ✶✶ ⬅ 🅿 💧 (16A) - pers. suppl. 9€

Location : (Prix 2018) (de mi-déc. à fin sept.) - 18 🏠. Nuitée 57 à 108€ - Sem. 364 à 756€

Au pied de la belle cascade avec des chalets paysagés de bon confort.

Nature : 🐾 ≤ 🌳 ♀♀
Loisirs : 🏡 🏄 🏐
Services : ⚿ 🍴 🛒 🎣 laverie
À prox. : 🛒

G P S E : 6.03988
N : 45.06446

LE BOURGET-DU-LAC

73370 - Carte Michelin 333 I4 - 4 277 h. - alt. 240
▶ Paris 531 - Aix-les-Bains 10 - Annecy 44 - Chambéry 13

⛰ International l'Île aux Cygnes

☎ 04 79 25 01 76, camping@lebourgetdulac.fr

Pour s'y rendre : 501 bd E.-Coudurier (1 km au nord, au bord du lac)

Ouverture : de déb. avr. à fin sept.

2,5 ha (267 empl.) plat, gravillons, herbeux

Empl. camping : (Prix 2018) 20€ ✶✶ ⬅ 🅿 💧 (6A) - pers. suppl. 4€ - frais de réservation 10€

Location : (Prix 2018) (de déb. avr. à fin sept.) - 🚐 (1 mobile home) - 10 🚐. Sem. 280 à 800€ - frais de réservation 10€

🚐 borne Urbaflux 3€ - 29 💧 13€ - 🚐 💧 13€

Les emplacements camping-cars sont à l'entrée du camping.

Nature : 🐾 ≤ ♀♀ ⛲
Loisirs : ✗ 🏡 🎯 diurne 🏄 🚲 🏊 (plage) 🛶
Services : ⚿ 🎣 🛒 🎣 laverie 🛒
À prox. : 🛒 🚴 🎣 ⚓

G P S E : 5.86308
N : 45.65307

BOURG-ST-MAURICE

73700 - Carte Michelin 333 N4 - 7 650 h. - alt. 850 - Sports d'hiver : aux Arcs : 1 600/3 226 m
▶ Paris 635 - Albertville 54 - Aosta 79 - Chambéry 103

⛰ Huttopia Bourg-St-Maurice

☎ 04 79 07 03 45, www.huttopia.com

Pour s'y rendre : rte des Arcs, RD 119 (sortie nord-est par N 90, rte de Séez puis 500 m par rte à dr., près d'un torrent)

Ouverture : de fin mai à fin oct.

3,5 ha (153 empl.) plat, herbeux, pierreux, bois, goudronné

Empl. camping : 29€ ✶✶ ⬅ 🅿 💧 (10A) - pers. suppl. 7€ - frais de réservation 15€

Location : Permanent - 6 🚐 - 37 🏠 - 10 bungalows toilés - 15 tentes lodges (avec sanitaires). Nuitée 41 à 136€ - Sem. 287 à 952€ - frais de réservation 15€

🚐 borne flot bleu 7€ - 24 💧 23€ - 🚐 💧 23€

Navette gratuite pour le funiculaire.

Nature : ❄ 🐾 ≤ ♀♀
Loisirs : 🏡 🏄
Services : ⚿ 🍴 🎣 laverie
Au parc de loisirs : ✂ 🏊 🏐 🐎 🏇 parcours sportif

G P S E : 6.78373
N : 45.6221

BRAMANS

73500 - Carte Michelin 333 N6 - 388 h. - alt. 1 200
▶ Paris 673 - Albertville 100 - Briançon 71 - Chambéry 113

⛰ Le Val d'Ambin

☎ 04 79 05 03 05, www.camping-bramansvanoise.com

Pour s'y rendre : 602 rte de l'Église (700 m au nord-est - accès conseillé par le Verney, sur N6)

Ouverture : Permanent

6 ha (166 empl.) non clos, vallonné, en terrasses, plat, herbeux, étang

Empl. camping : ✶ 4€ ⬅ 2€ – 💧 (12A) 4€

Location : Permanent ♿ (1 chalet) - 10 🏠 - 5 bungalows toilés - 2 tentes lodges. Nuitée 39 à 159€ - Sem. 179 à 789€

🚐 borne eurorelais 2€ - 10 💧 12€ - 🚐 11€

Belle situation au pied de l'église, avec du locatif de qualité.

Nature : 🐾 ≤ ♀
Loisirs : 🏡 🏄 ✂ 🐟
Services : ⚿ 🍴 🎣 🎣 laverie
À prox. : 🍴 ✗

G P S E : 6.78144
N : 45.22787

BRIDES-LES-BAINS

73570 - Carte Michelin 333 M5 - 560 h. - alt. 580
▶ Paris 612 - Albertville 32 - Annecy 77 - Chambéry 81

⛰ La Piat

☎ 04 79 55 22 74, www.camping-brideslesbains.com

Pour s'y rendre : av. du Comte-Greyfié-de-Bellecombe

2 ha (80 empl.) en terrasses, plat, herbeux

Location : - 5 🚐 - 2 roulottes.

🚐 borne artisanale

En terrasses un peu ombragées, proche du centre-ville.

Nature : 🐾 ♀
Services : ⚿ 🍴 🎣 🎣 laverie

G P S E : 6.56172
N : 45.453

BUIS-LES-BARONNIES

26170 - Carte Michelin **332** E8 - 2 291 h. - alt. 365
▶ Paris 685 - Carpentras 39 - Nyons 29 - Orange 50

⚠ La Fontaine d'Annibal

✆ 04 75 28 03 12, www.vacances-baronnies.com

Pour s'y rendre : rte de Séderon (1 km au nord, chemin à gauche juste après le pont sur l'Ouvèze.)

Ouverture : de déb. avr. à déb. oct.

(50 empl.) en terrasses, peu incliné, herbeux, pierreux

Empl. camping : 23 € ♦♦ ⚙ 🚐 📧 (10A) - pers. suppl. 6 €

Location : (de déb. avr. à déb. oct.) - ⚐ (chambres) - 3 🚐 - 8 🏠 - 36 ⌂ - 4 bungalows toilés - 2 tentes lodges - 8 appartements. Nuitée 50 à 133 € - Sem. 255 à 933 €

Possibilité de restauration au village vacances avec réservation.

Nature : 🏞 ⊡
Loisirs : ☕ ✕ 🏠 🎣
Services : ⚬🚰 ▥ 🛁 ♨ ⚶ 🛜 laverie
À prox. : 🍴 🐎

GPS E : 5.28187
N : 44.28438

⚠ Sites et Paysages L'Orée de Provence

✆ 04 75 28 10 78, www.loree-de-provence.com

Pour s'y rendre : rte du Col-d'Ey (6.5 km au nord par D 546 et D 108)

130 ha (113 empl.) fort dénivelé, en terrasses, plat, pierreux

Location : - 4 🏠 - 2 chalets sur pilotis - 6 cabanons - 20 gîtes.
🚐 borne artisanale

Emplacements bien ombragés sous une pinède au calme, éloignés des différentes activités et loisirs. Confort sanitaire simple et ancien.

Nature : 🏞 ⊲ ♀♀
Loisirs : ☕ ✕ 🏠 salle d'animations 🏸 🎯 hammam jacuzzi 🚴 🏐 🎣 🏊
Services : ⚬🚰 🛜 laverie 🔧 🧺

GPS E : 5.27366
N : 44.30327

⚠ La Via Natura Les Éphélides

✆ 04 75 28 10 15, www.ephelides.com

Pour s'y rendre : chemin des Tuves (1,4 km au sud-ouest par av. de Rieuchaud)

Ouverture : de mi-mai à mi-sept.

2 ha (40 empl.) plat, herbeux, pierreux

Empl. camping : (Prix 2018) 24 € ♦♦ ⚙ 🚐 📧 (16A) - pers. suppl. 5 € - frais de réservation 15 €

Location : (Prix 2018) (de mi-avr. à mi-oct.) - ⚐ (2 chalets) - 6 🚐 - 5 🏠. Nuitée 36 à 102 € - Sem. 220 à 720 € - frais de réservation 15 €

En partie sous les cerisiers, près de l'Ouvèze. Espace accueil chevaux.

Nature : 🏞 ⊲ ♀
Loisirs : 🏸 🎯 🎣
Services : ⚬🚰 🛁 📧
À prox. : 🍴 🐎 skate-board

GPS E : 5.26793
N : 44.21875

⚠ Domaine de la Gautière

✆ 04 75 28 02 68, www.camping-lagautiere.com

Pour s'y rendre : lieu-dit : La Gautière (5 km au sud-ouest par D 5, puis à dr.)

Ouverture : de déb. avr. à fin oct.

6 ha/3 campables (40 empl.) en terrasses, peu incliné, herbeux, pierreux

Empl. camping : ♦ 8 € ⚙ 🚐 📧 8 € - ⚐ (10A) 5 € - frais de réservation 10 €

Location : (de déb. avr. à fin oct.) - 7 🚐 - 3 🏠. Sem. 370 à 850 € - frais de réservation 15 €

🚐 borne artisanale 3 €

En grande partie sous les oliviers.

Nature : 🏞 ⊲ ♀
Loisirs : 🏠 🎣
Services : ⚬🚰 🛁 🛜 📧 🧺

GPS E : 5.24258
N : 44.2517

CASTELJAU

07460 - Carte Michelin **331** H7
▶ Paris 665 - Aubenas 38 - Largentière 28 - Privas 69

⚠ La Rouveyrolle

✆ 04 75 39 00 67, www.campingrouveyrolle.fr - peu d'emplacements pour tentes et caravanes

Pour s'y rendre : Hameau : La Rouveyrolle (à l'est du bourg)

3 ha (100 empl.) plat, herbeux, pierreux

Location : ⚐ (2 mobile home) - 75 🚐.
🚐 3 📧

De grands espaces nature au bord de la rivière, des mobile homes grand et très grand confort mais aussi des sanitaires très anciens.

Nature : 🏞 ⊡ ♀♀
Loisirs : ☕ ✕ 🏠 🏸 🎣 🚴 🎣 🏊 🏐 🎣
Services : ⚬🚰 🛜 laverie 🔧 🧺
À prox. : 🚲 🛶

GPS E : 4.22222
N : 44.39583

⚠ Chaulet Plage

✆ 04 75 39 30 27, www.chaulet-plage.com

Pour s'y rendre : Terres du Moulin (600 m au nord, rte de Chaulet-Plage)

Ouverture : de déb. avr. à mi-nov.

1,5 ha (55 empl.) en terrasses, plat, herbeux, pierreux

Empl. camping : (Prix 2018) 15 € ♦♦ ⚙ 🚐 📧 (6A) - pers. suppl. 5 €

Location : (Prix 2018) (de déb. avr. à mi-nov.) - ⚙ - 6 🏠 - 6 appartements. Nuitée 71 à 101 € - Sem. 483 à 707 €

🚐 borne artisanale

Emplacements en terrasses qui descendent jusqu'au snack-bar au bord du Chassezac.

Nature : 🏞 ♀♀
Loisirs : ☕ ✕ 🎣 🎣 🎣
Services : ⚬🚰 🛁 🛜 laverie 🔧 🧺

GPS E : 4.21528
N : 44.40453

This Guide is not intended as a list of all the camping sites in France ; its aim is to provide a selection of the best sites in each category.

⛺ Le Pousadou

📞 04 75 39 04 05, www.pousadou.fr

Pour s'y rendre : Domaine de Cassagnole, lieu-dit : Les Tournaires

23 ha/1,7 (52 empl.) plat, herbeux

Au milieu des vignes du domaine, près de la rivière, avec le bureau d'accueil directement au caveau.

Nature : 🌿 ⟨ 🗻	**G** E : 4.21788
Loisirs : 🏖️ 🚶	**P** N : 44.40158
Services :– 52 sanitaires individuels (🚿🚰 wc)	**S**
À prox. : 🚣	

CHABEUIL

26120 - Carte Michelin **332** D4 - 6 568 h. - alt. 212
▪ Paris 569 - Crest 21 - Die 59 - Romans-sur-Isère 18

⛰️ Capfun Le Grand Lierne 👫

📞 04 75 59 83 14, www.grandlierne.com 🌿 (de déb. juil. à fin août)

Pour s'y rendre : 5 km au nord-est par D 68, rte de Peyrus, D 125 à gauche et D 143 à dr. - par A 7 sortie Valence-Sud et dir. Grenoble

Ouverture : de mi-avr. à mi-sept.

3,6 ha (320 empl.) plat, herbeux, pierreux

Empl. camping : (Prix 2018) 42€ 🏕️🏕️ 🚗 🔲 🔌 (10A) - pers. suppl. 7€ - frais de réservation 27€

Location : (Prix 2018) (de mi-avr. à mi-sept.) - 🚹 (1 mobile home) - 🌿 - 289 🛖 - 3 🏠 - 11 tentes lodges. Nuitée 51 à 227€ - Sem. 203 à 1 589€ - frais de réservation 27€

🚐 borne eurorelais

Beaucoup de locatifs dans un cadre boisé avec des aménagements de qualité adaptés aux familles.

Nature : 🌿 🗻 🎶	**G** E : 5.065
Loisirs : 🍽️🍴 🏖️ 🎯🚶🏊🎿 🔲 🎱 ⛷️ terrain multisports	**P** N : 44.91572
Services : 🔥 🏪 🛁 📶 laverie 🧊 🛒 cases réfrigérées	**S**

CHALLES-LES-EAUX

73190 - Carte Michelin **333** I4 - 5 073 h. - alt. 310 - ♨️
▪ Paris 566 - Albertville 48 - Chambéry 6 - Grenoble 52

⛰️ Municipal le Savoy

📞 04 79 72 97 31, www.camping-challesleseaux.com

Pour s'y rendre : av. du Parc (par r. Denarié, à 100 m de la N 6)

Ouverture : de déb. avr. à fin sept.

2,8 ha (88 empl.) plat, herbeux, gravillons

Empl. camping : 22€ 🏕️🏕️ 🚗 🔲 🔌 (10A) - pers. suppl. 5€ - frais de réservation 10€

Location : (de déb. avr. à fin sept.) - 🚹 (2 chalets) - 2 🛖 - 8 🏠 - 2 cabanons. Nuitée 100 à 120€ - Sem. 337 à 505€ - frais de réservation 10€

🚐 22 🔲 22€

Beaux emplacements bordés de haies, à proximité d'un plan d'eau.

Nature : 🌿 ⟨ 🗻 🌿	**G** E : 5.98418
Loisirs : 🏖️ 🏊 🚴 ⛷️	**P** N : 45.55152
Services : 🔥 🏪 🛁 🛒 📶 laverie	**S**
À prox. : 🍴 🏖️ (plage) 🚣	

CHAMONIX-MONT-BLANC

74400 - Carte Michelin **328** O5 - 9 054 h. - alt. 1 040
Tunnel du Mont-Blanc : péage en 2018 : aller simple : 44,40€ autos, 58,80€ caravanes, 161,20/324 P. L., 29,40€ motos - Renseignements ATMB/GEIE 📞 04 50 55 55 00
▪ Paris 610 - Albertville 65 - Annecy 97 - Aosta 57

⛺ La Mer de Glace

📞 04 50 53 44 03, www.chamonix-camping.com

Pour s'y rendre : à Les-Praz-de-Chamonix, 200 chemin de la Bagna (aux Bois, à 80 m de l'Arveyron (accès direct))

Ouverture : de mi-mai à fin sept. - 🚻

2 ha (150 empl.) plat, herbeux, pierreux

Empl. camping : 36€ 🏕️🏕️ 🚗 🔲 🔌 (10A) - pers. suppl. 10€

🚐 borne artisanale

Dans un cadre boisé avec des emplacements délimités ou plus naturels en sous-bois.

Nature : 🌿 ⟨ massif du Mont-Blanc 🗻 🌿	**G** E : 6.89142
Loisirs : 🏖️ 🏊	**P** N : 45.93846
Services : 🔥 🏪 🛁 📶 laverie	**S**

CHAMPDOR

01110 - Carte Michelin **328** G4 - 462 h. - alt. 833
▪ Paris 486 - Ambérieu-en-Bugey 38 - Bourg-en-Bresse 51 - Hauteville-Lompnes 6

⛺ Municipal le Vieux Moulin

📞 06 50 54 28 98, www.champdor-corcelles.jimdo.com

Pour s'y rendre : rte de Corcelles (800 m au nord-ouest par D 57a)

Ouverture : Permanent

1,6 ha (62 empl.) plat, herbeux

Empl. camping : (Prix 2018) 🏕️ 4€ 🚗 🔲 7€ – 🔌 (12A) 5€

Location : (Prix 2018) Permanent 🚹 (2 chalets) - 2 yourtes - 3 cabanons. Nuitée 15 à 90€ - Sem. 340 à 380€

🚐 borne AireService 2€

Sur les hauteurs du Bugey, près de deux plans d'eau naturels, l'un pour la baignade, l'autre pour la pêche.

Nature : 🌿	**G** E : 5.59138
Loisirs : 🏖️ 🏊	**P** N : 46.023
Services : (juil.-août) 🔥 🏪 📶 🔲	**S**
À prox. : 🍴 🏖️ (bassin) 🚣	

CHASSAGNES

07140 - Carte Michelin **331** H7
▪ Paris 644 - Lyon 209 - Privas 67 - Nîmes 85

⛰️ Domaine des Chênes

📞 04 75 37 34 35, www.domaine-des-chenes.fr - peu d'emplacements pour tentes et caravanes

Pour s'y rendre : à Chassagnes-Haut

Ouverture : de déb. avr. à fin sept.

2,5 ha (122 empl.) plat, herbeux, pierreux

Empl. camping : (Prix 2018) 35€ 🏕️🏕️ 🚗 🔲 🔌 (25A) - pers. suppl. 9€ - frais de réservation 25€

Location : (Prix 2018) (de déb. avr. à fin sept.) - 🚹 (1 mobile home) - 25 🛖 - 13 🏠 - 1 bungalow toilé - 8 tentes lodges. Nuitée 28 à 228€ - Sem. 196 à 1 596€ - frais de réservation 25€

🚐 borne artisanale - 🚐 🔌 20€

Locatif varié dont certains mobile homes grand confort, des propriétaires-résidents et peu d'emplacements pour tentes et caravanes.

Nature : 🏖 ⛰ ⒺⒺ
Loisirs : 🍴 ✗ 🏠 🎣 ⛵ hammam jacuzzi 🏊
Services : 🛒 🚿 📶 🖥
À prox. : 🚣 🚴 🛶

G P S
E : 4.13218
N : 44.39899

CHASSIERS

07110 - Carte Michelin **331** H6 - 1 008 h. - alt. 340
▶ Paris 643 - Aubenas 16 - Largentière 4 - Privas 48

⛰ Sunêlia Domaine Les Ranchisses ♿♟

☎ 04 75 88 31 97, www.lesranchisses.fr

Pour s'y rendre : rte de Rocher (1,6 km au nord-ouest, accès par D 5, rte de Valgorge)

Ouverture : de mi-avr. à mi-sept.

6 ha (226 empl.) en terrasses, peu incliné, plat, herbeux

Empl. camping : 56€ ✯✯ 🚗 🔲 🅿 (10A) - pers. suppl. 11€ - frais de réservation 15€

Location : (de mi-avr. à mi-sept.) - 113 🛖. Nuitée 132 à 322€ - frais de réservation 30€

🚐 borne artisanale

En deux parties distinctes de part et d'autre de la route, reliées par un tunnel. Préférer les emplacements proches de la rivière, plus calmes, plus ombragés. Espace balnéo très complet.

Nature : ⛰ ⒺⒺ
Loisirs : 🍴 ✗ 🏠 🎣 ★ 🛁 centre balnéo ⛵ hammam jacuzzi 🚴 ⛹ 🎾 🏊 🚣 🛶 🏑 Lawn Bowls terrain multisports skate parc
Services : 🔑 🚻 🚿 🧺 📶 laverie 🖥 🔧

G P S
E : 4.28536
N : 44.56137

Dans notre guide, les indications d'accès à un terrain sont généralement indiquées à partir du centre de la localité.

CHÂTEAUNEUF-DE-GALAURE

26330 - Carte Michelin **332** C2 - 1 557 h. - alt. 253
▶ Paris 531 - Annonay 29 - Beaurepaire 19 - Romans-sur-Isère 27

⛰ Iris Parc Le Château de Galaure ♿♟

☎ 04 75 68 65 22, www.irisparc.fr/camping-le-chateau-de-galaure/

Pour s'y rendre : rte de St-Vallier (800 m au sud-ouest par D 51)

Ouverture : de fin avr. à fin sept.

12 ha (400 empl.) plat, herbeux

Empl. camping : (Prix 2018) 45€ ✯✯ 🚗 🔲 🅿 (10A) - pers. suppl. 8€ - frais de réservation 20€

Location : (Prix 2018) (de fin avr. à fin sept.) - ♿ (4 mobile homes) - 192 🛖 - 110 tentes lodges. Sem. 260 à 1 100€ - frais de réservation 20€

🚐 borne Sanistation

Plaisant domaine verdoyant et ombragé.

Nature : ⒺⒺ
Loisirs : 🍴 ✗ 🏠 🎣 ★ 🚴 🏊 ⛵ (plage) 🏊 skate-board
Services : 🛒 🚿 📶 🖥 🔧 🔧
À prox. : 🎾 🏊 🛶 parcours de santé

G P S
E : 4.95194
N : 45.22512

CHÂTEAUNEUF-SUR-ISÈRE

26300 - Carte Michelin **332** C3 - 3 707 h. - alt. 118
▶ Paris 561 - Lyon 98 - Valence 13 - Privas 55

⛰ Sunêlia Le Soleil Fruité ♿♟

☎ 04 75 84 19 70, www.lesoleilfruite.com

Pour s'y rendre : lieu-dit : Les Pêches (4 km, sortie Valence nord n° 14, direction Châteauneuf sur Isère, par D 877 proche du cabaret "les Folies du Lac")

Ouverture : de fin avr. à mi-sept.

4 ha (138 empl.) plat, herbeux

Empl. camping : (Prix 2018) 37€ ✯✯ 🚗 🔲 🅿 (10A) - pers. suppl. 8€ - frais de réservation 16€

Location : (Prix 2018) (de fin avr. à mi-sept.) - 34 🛖. Sem. 335 à 940€ - frais de réservation 16€

🚐 borne artisanale

De beaux emplacements rectilignes, ombragés autour d'un sanitaire de bon confort.

Nature : 🏖 ⛰ ⒺⒺ
Loisirs : 🍴 ✗ 🏠 🎣 ★ 🚴 🚴 🏊 🏊 🛶
Services : 🛒 🚿 📶 laverie 🔧

G P S
E : 4.89372
N : 44.99707

Use this year's Guide.

CHÂTEL

74390 - Carte Michelin **328** O3 - 1 213 h. - alt. 1 180 - Sports d'hiver : 1 200/2 100 m
▶ Paris 578 - Annecy 113 - Évian-les-Bains 34 - Morzine 38

⛰ L'Oustalet ♿♟

☎ 04 50 73 21 97, www.oustalet.com - alt. 1 110

Pour s'y rendre : 1428 rte des Freinets (2 km au sud-ouest par la rte du col de Bassachaux, au bord de la Dranse)

Ouverture : de mi-juin à déb. sept. et de fin déc. à mi-avr.

3 ha (100 empl.) plat et peu incliné, gravillons, herbeux, pierreux

Empl. camping : 37€ ✯✯ 🚗 🔲 🅿 (10A) - pers. suppl. 7€ - frais de réservation 12€

Location : (de mi-juin à déb. sept. et de fin déc. à mi-avr.) - ♿ - 16 🛖 - 1 appartement. Sem. 420 à 819€ - frais de réservation 12€

En deux parties distinctes de part et d'autre de la petite route avec une jolie vue sur la vallée de l'Abondance.

Nature : ❄ 🏖 ⛰
Loisirs : 🏠 🎣 diurne ★ ⛵ 🚴 🎾 🏊 🛶
Services : 🛒 🚻 🚿 📶 laverie 🛒
À prox. : 🍴 ✗ 🔧 🚴 🏑

G P S
E : 6.82981
N : 46.25755

LE CHÂTELARD

73630 - Carte Michelin **333** J3 - 645 h. - alt. 750
▶ Paris 562 - Aix-les-Bains 30 - Annecy 30 - Chambéry 35

⚠ Les Cyclamens

✆ 0479548019, www.camping-cyclamens.com

Pour s'y rendre : vers sortie nord-ouest et chemin à gauche, rte du Champet

Ouverture : de déb. avr. à fin oct.

0,7 ha (34 empl.) plat, herbeux

Empl. camping : (Prix 2018) 19€ ✦✦ ⇌ 🗐 ⚡ (10A) - pers. suppl. 5€ - frais de réservation 4€

Location : (Prix 2018) Permanent - 1 cabane perchée. Nuitée 30 à 40€ - Sem. 195 à 270€

🚐 borne artisanale 4€ - 4 🗐 15€
Une partie ombragée et une prairie ensoleillée.

Nature : 🌄 ♀♀	**G**	E : 6.13263
Loisirs : 🏓 ⚡	**P**	
Services : ⌐ 🚿⛷🖥 laverie	**S**	N : 45.68782

*To visit a town or region : use the **MICHELIN Green Guides**.*

CHÂTILLON-EN-DIOIS

26410 - Carte Michelin **332** F5 - 561 h. - alt. 570
▶ Paris 637 - Die 14 - Gap 79 - Grenoble 97

⚠ Le Lac Bleu

✆ 0475218530, www.lacbleu-diois.com

Pour s'y rendre : quartier la Touche (4 km au sud-ouest par D 539, rte de Die et D 140, de Menglon, chemin à gauche, av. le pont)

10 ha/3 campables (120 empl.) plat, herbeux, pierreux

Location : ♿ (1 mobile home) - 53 🚌 - 6 bungalows toilés - 2 tipis.

🚐 borne artisanale - 6 🗐
Emplacements autour du plan d'eau avec du locatif varié et un confort sanitaire faible.

Nature : 🌄 <♀♀⚡	**G**	E : 5.45332
Loisirs : ♀ ✗ 🏓 🏃 jacuzzi 🚲🗐 ⚓ (plan d'eau) 🎣 ⚡	**P**	
Services : ⌐ 🖥🖥⛷	**S**	N : 44.68457
À prox. : parcours dans les arbres		

CHÂTILLON-SUR-CHALARONNE

01400 - Carte Michelin **328** C4 - 4 899 h. - alt. 177
▶ Paris 418 - Bourg-en-Bresse 28 - Lyon 55 - Mâcon 28

⚠ Municipal du Vieux Moulin

✆ 0474550479, www.camping-vieuxmoulin.com

Pour s'y rendre : r. Jean-Jaurès (sortie sud-est par D 7, rte de Chalamont, au bord de la Chalaronne, à 150 m d'un étang - accès direct)

Ouverture : de mi-avr. à fin sept.

3 ha (125 empl.) plat, herbeux

Empl. camping : (Prix 2018) 20€ ✦✦ ⇌ 🗐 ⚡ (10A) - pers. suppl. 4€ - frais de réservation 15€

Location : (Prix 2018) (de déb. avr. à fin sept.) - ♿ (1 chalet) - 5 🏠. Nuitée 52 à 169€ - Sem. 339 à 465€ - frais de réservation 15€

🚐 borne eurorelais - 19 🗐 15€

Cadre verdoyant et ombragé bordé par un ruisseau et en face d'un important parc aquatique-balnéo en partie couvert.

Nature : 🌄 ♀♀	**G**	E : 4.96228
Loisirs : 🏓 ⚡ 🎣	**P**	
Services : ⌐ 🚿⛷🖥 laverie		N : 46.11654
À prox. : 🐎 centre balnéo ⚓ hammam jacuzzi ✗ 🛷 🎿 ⚓ terrain multisports	**S**	

CHAUZON

07120 - Carte Michelin **331** I7 - 341 h. - alt. 128
▶ Paris 649 - Aubenas 20 - Largentière 14 - Privas 51

⚠ La Digue

✆ 0475396357, www.camping-la-digue.fr - croisement difficile pour caravanes

Pour s'y rendre : lieu-dit : Les Aires (1 km à l'est du bourg, à 100 m de l'Ardèche (accès direct))

Ouverture : de fin mars à mi-sept.

7 ha/3 campables (141 empl.) en terrasses, plat, herbeux

Empl. camping : (Prix 2018) 15€ ✦✦ ⇌ 🗐 ⚡ (6A) - pers. suppl. 5€ - frais de réservation 11€

Location : (Prix 2018) (de fin mars à mi-sept.) - 38 🚌 - 8 🏠. Sem. 350 à 1 100€ - frais de réservation 11€

Emplacements ombragés avec du locatif grand confort pour certains mobile homes.

Nature : 🌄 ♀♀	**G**	E : 4.37337
Loisirs : ♀ ✗ ⚡ ✗ 🎿 ⚓ ⚓	**P**	
Services : ⌐ 🖥⛷🖥 🖥 ⚓	**S**	N : 44.48437

Si vous recherchez :

🛷   un terrain très tranquille,

P   un terrain ouvert toute l'année,

👫   des équipements et des loisirs adaptés aux enfants,

🎿   un toboggan aquatique,

B   un centre balnéo,

🎭   des animations sportives, culturelles ou de détente, consultez la liste thématique des campings.

LE CHEYLARD

07160 - Carte Michelin **331** I4 - 3 289 h. - alt. 450
▶ Paris 598 - Aubenas 50 - Lamastre 21 - Privas 47

⚠ Municipal Le Cheylard

✆ 0475290953, www.camping-le-cheylard.com

Pour s'y rendre : lieu-dit : Le Vialon (1,7 km au nord par D 120 rte de St Agrève, au bord de l'Eynieux)

1,5 ha (61 empl.) peu incliné, plat, herbeux

Location : - 4 🚌 - 4 bungalows toilés - 1 gîte.

🚐 borne artisanale
Au bord d'un petit plan d'eau de la rivière.

Nature : 🌄 ♀♀	**G**	E : 4.42011
Loisirs : ⚓ 🎣	**P**	
Services : ⌐ ⛷🖥 🖥	**S**	N : 44.9155

CHORANCHE

38680 - Carte Michelin **333** F7 - 132 h. - alt. 280
▶ Paris 588 - La Chapelle-en-Vercors 24 - Grenoble 52 - Romans-sur-Isère 32

⛰ Le Gouffre de la Croix

☎ 04 76 36 07 13, www.camping-vercors.com

Pour s'y rendre : lieu-dit : Combe Bernard (au sud-est du bourg, rte de Chatelas)

Ouverture : de fin avr. à mi-sept.

2,5 ha (52 empl.) non clos, en terrasses, plat, herbeux

Empl. camping : (Prix 2018) 30€ ♥♥ ⬛ 🔲 (6A) - pers. suppl. 6€ - frais de réservation 17€

Location : (Prix 2018) (de fin avr. à mi-sept.) - 🚫 - 4 ⏍ - 1 tente lodge. Nuitée 45 à 78€ - Sem. 200 à 540€ - frais de réservation 17€

Cadre naturel et boisé au fond de la vallée bordée par la rivière : La Bourne.

Nature : ⬡ ⬡⬡	
Loisirs : ⛺✗ ⬡	GPS E : 5.39447
Services : ⬡⬡⬡ laverie ⬡	N : 45.06452

Utilisez le guide de l'année.

LA CLUSAZ

74220 - Carte Michelin **328** L5 - 1 876 h. - alt. 1 040 - Sports d'hiver : 1 100/2 600 m
▶ Paris 564 - Albertville 40 - Annecy 32 - Bonneville 26

⛰ Capfun Le Plan du Fernuy

☎ 04 50 02 44 75, www.capfun.com

Pour s'y rendre : 1800 rte des Confins (1,5 km à l'est)

Ouverture : de mi-déc. à mi-sept.

1,3 ha (80 empl.) en terrasses, peu incliné, plat, herbeux, gravier

Empl. camping : 45€ ♥♥ ⬛ 🔲 (13A) - pers. suppl. 7€ - frais de réservation 27€

Location : (de mi-déc. à mi-sept.) - 🚫 - 27 ⏍ - 12 ⬡ - 3 appartements - 1 studio. Nuitée 58 à 130€ - Sem. 231 à 2 422€ - frais de réservation 27€

🚐 borne artisanale 10€

Locatif de qualité pour les saisons d'été et d'hiver autour d'une piscine couverte.

Nature : ❄ ⬡ ⬡ chaîne des Aravis ⬡⬡	
Loisirs : ⛺⬡ ⬡	GPS E : 6.45174
Services : ⬡⬡⬡⬡⬡ laverie	N : 45.90948

CORDELLE

42123 - Carte Michelin **327** D4 - 896 h. - alt. 450
▶ Paris 409 - Feurs 35 - Roanne 14 - St-Just-en-Chevalet 27

⛰ Flower Le Mars

☎ 04 77 64 94 42, www.camping-de-mars.com

Pour s'y rendre : presqu'île de Mars (4,5 km au sud par D 56 et chemin à dr.)

Ouverture : de déb. avr. à mi-oct.

1,2 ha (63 empl.) en terrasses, peu incliné, plat, herbeux

Empl. camping : 27€ ♥♥ ⬛ 🔲 (10A) - pers. suppl. 7€

Location : (de déb. avr. à mi-oct.) - 🚫 (1 mobile home) - 8 ⏍ - 2 ⬡ - 2 bungalows toilés. Nuitée 45 à 114€ - Sem. 225 à 798€

🚐 borne artisanale

Emplacements bien délimités, ombragés et pour certains superbe vue dominant la vallée de la Loire.

Nature : ⬡ ⬡⬡	
Loisirs : ⛺✗ ⬡⬡⬡ ⬡	GPS E : 4.06101
Services : ⬡⬡⬡⬡⬡ laverie ⬡	N : 45.91668
À prox. : ⬡	

CORMORANCHE-SUR-SAÔNE

01290 - Carte Michelin **328** B3 - 1 051 h. - alt. 172
▶ Paris 399 - Bourg-en-Bresse 44 - Châtillon-sur-Chalaronne 23 - Mâcon 10

⛰ Le Lac 🏖

☎ 03 85 23 97 10, www.lac-cormoranche.com

Pour s'y rendre : lieu-dit : Les Luizants (sortie ouest par D 51a et 1,2 km par rte à dr., à la base de loisirs)

Ouverture : de déb. mai à fin sept.

48 ha/4,5 campables (117 empl.) plat, herbeux, sablonneux, bois

Empl. camping : (Prix 2018) 24€ ♥♥ ⬛ 🔲 (10A) - pers. suppl. 6€ - frais de réservation 9€

Location : (Prix 2018) (de déb. mai à fin sept.) - 🚫 (1 mobile home) - 10 ⏍ - 12 ⬡ - 6 tipis - 4 cabanes perchées. Nuitée 26 à 129€ - Sem. 182 à 630€ - frais de réservation 9€

🚐 borne artisanale

Emplacements bien ombragés avec du locatif varié face à une agréable petite base nautique.

Nature : ⬡ ⬡	
Loisirs : ⛺✗ ⬡ salle d'animations ⬡⬡	GPS E : 4.82573
⬡⬡ (plage) ⬡⬡	N : 46.25105
Services : ⬡⬡⬡⬡⬡ laverie ⬡	

We recommend that you consult the up to date price list posted at the entrance of the site. Inquire about possible restrictions. The information in this Guide may have been modified since going to press.

CREST

26400 - Carte Michelin **332** D5 - 7 857 h. - alt. 196
▶ Paris 585 - Die 37 - Gap 129 - Grenoble 114

⛰ Les Clorinthes 🏖

☎ 04 75 25 05 28, www.lesclorinthes.com

Pour s'y rendre : quai Soubeyran (sortie sud par D 538 puis chemin à gauche apr. le pont, près du complexe sportif municipal.)

Ouverture : de déb. mai à mi-sept.

4 ha (170 empl.) peu incliné, plat, herbeux

Empl. camping : 29€ ♥♥ ⬛ 🔲 (6A) - pers. suppl. 8€ - frais de réservation 21€

Location : (de déb. mai à mi-sept.) - 🚫 (1 chalet) - 10 ⏍ - 4 ⬡ - 2 tentes lodges. Sem. 364 à 385€ - frais de réservation 21€

Bel ombrage de platanes et tilleuls, près de la Drôme.

Nature : ⬡⬡	
Loisirs : ⛺✗ ⬡ ⬡diurne ⬡⬡⬡⬡	GPS E : 5.0277
Services : ⬡⬡⬡⬡ laverie ⬡	N : 44.724
À prox. : ⬡ ⬡ skate parc	

CUBLIZE

69550 - Carte Michelin **327** F3 - 1 242 h. - alt. 452
▶ Paris 422 - Amplepuis 7 - Chauffailles 29 - Roanne 30

⛰ Campéole le Lac des Sapins

🖉 04 74 89 52 83, www.campeole.com/camping/post/le-lac-des-sapins-cublize - peu d'emplacements pour tentes et caravanes
Pour s'y rendre : r. du Lac (800 m au sud, au bord du Reins et à 300 m du lac (accès direct))
Ouverture : de fin mars à fin sept.
4 ha (182 empl.) plat, herbeux
Empl. camping : (Prix 2018) 27 € ✠✠ ⬅ 🅴 🔌 (10A) - pers. suppl. 6 €
Location : (Prix 2018) (de fin mars à fin sept.) - 24 🚐 - 26 🏠 - 6 tentes lodges. Nuitée 56 à 163 € - Sem. 371 à 1 141 €

Nature : 🏞 ≤ 🏕		G
Loisirs : 🍴 ✗ 🛶 🎯 terrain multisports		P
Services : ⚓ 🚐 ♨ 🛜 laverie	E : 4.37849	S
À la base de loisirs : 🛝 🏊 🛶 ⛵	N : 46.0132	

Donnez-nous votre avis sur les terrains que nous recommandons.
Faites-nous connaître vos observations et vos découvertes par mail à l'adresse :
leguidecampingfrance@tp.michelin.com.

CULOZ

01350 - Carte Michelin **328** H5 - 2 920 h. - alt. 248
▶ Paris 512 - Aix-les-Bains 24 - Annecy 55 - Bourg-en-Bresse 88

⛰ Le Colombier

🖉 04 79 87 19 00, www.camping-alpes.net
Pour s'y rendre : Île de Verbaou (1,3 km à l'est, au carr. du D 904 et D 992, au bord d'un ruisseau)
Ouverture : de fin mars à mi-sept.
1,5 ha (81 empl.) plat, herbeux, gravillons
Empl. camping : (Prix 2018) 19 € ✠✠ ⬅ 🅴 🔌 (10A) - pers. suppl. 5 € - frais de réservation 15 €
Location : (Prix 2018) (de fin mars à mi-sept.) - 9 🚐 - 3 bungalows toilés. Nuitée 33 à 65 € - Sem. 218 à 720 € - frais de réservation 25 €
🚐 6 🅴 19 €

Emplacements ombragés et délimités, tout près d'un petit plan d'eau réservé à la baignade.

Nature : ≤ 🏕 🌳		G
Loisirs : 🍴 🛶 🚲		P
Services : ⚓ ♨ 🛜 laverie 🦽	E : 5.79346	S
À prox. : 🎯 🛝 🏊	N : 45.85158	

DARBRES

07170 - Carte Michelin **331** J6 - 252 h. - alt. 450
▶ Paris 618 - Aubenas 18 - Montélimar 34 - Privas 21

⛰ Les Lavandes

🖉 04 75 94 20 65, www.les-lavandes-darbres.com
Pour s'y rendre : au bourg
Ouverture : de mi-avr. à mi-sept.
1,5 ha (73 empl.) en terrasses, plat, herbeux, pierreuxEmpl. camping : (Prix 2018) 31 € ✠✠ ⬅ 🅴 🔌 (6A) - pers. suppl. 5 € - frais de réservation 15 €

Location : (de mi-avr. à mi-sept.) - 12 🏠. Nuitée 55 à 95 € - Sem. 270 à 680 € - frais de réservation 15 €

Presque au centre du bourg avec jolie vue de la terrasse du bar, de la piscine et de quelques emplacements sur la hauteur.

Nature : 🏞 🌳		G
Loisirs : 🍴 ✗ 🛶 🎯		P
Services : ⚓ ♨ 🛜 laverie 🦽	E : 4.50402	S
	N : 44.64701	

DARDILLY

69570 - Carte Michelin **327** H5 - 8 384 h. - alt. 338
▶ Paris 457 - Lyon 13 - Villeurbanne 21 - Vénissieux 26

⛰ Huttopia Lyon

🖉 04 78 35 64 55, www.camping-lyon.com/
Pour s'y rendre : Porte de Lyon (2.8 km au nord-est - par A 6 : sortie Limonest - à 10 km au nord de Lyon)
Ouverture : Permanent
6 ha (150 empl.) plat, herbeux
Empl. camping : 30 € ✠✠ ⬅ 🅴 🔌 (10A) - pers. suppl. 5 € - frais de réservation 15 €
Location : Permanent - 70 🚐 - 8 tentes lodges. Nuitée 50 à 118 € - Sem. 280 à 660 € - frais de réservation 15 €
🚐 borne flot bleu 8 € - 🔌 🔌 27 €

Préférer les emplacements les plus éloignés de l'autoroute.

Nature : 🌳		G
Loisirs : 🍴 ✗ 🎪 🛶 🎯		P
Services : ⚓ 🚿 ♨ 🦽 🛜 laverie	E : 4.76125	S
	N : 45.81817	

Ne prenez pas la route au hasard !
MICHELIN *vous apporte à domicile ses conseils routiers, touristiques, hôteliers :* **viamichelin.fr !**

DIE

26150 - Carte Michelin **332** F5 - 4 357 h. - alt. 415
▶ Paris 623 - Gap 92 - Grenoble 110 - Montélimar 73

⛰ La Pinède 🔥

🖉 04 75 22 17 77, www.camping-pinede.com - accès par pont étroit
Pour s'y rendre : 1,7 à l'ouest km par D 93, rte de Crest puis 1 km par chemin à gauche
Ouverture : de mi-mai à déb. sept.
8,5 ha/2,5 campables (163 empl.) fort dénivelé, en terrasses, plat, pierreux, gravillons, herbeux, rochers
Empl. camping : 30 € ✠✠ ⬅ 🅴 🔌 (10A) - pers. suppl. 9 € - frais de réservation 30 €
Location : (de mi-mai à déb. sept.) - ♿ (1 chalet) - 56 🚐 - 22 🏠. Nuitée 75 à 150 € - Sem. 265 à 1 050 € - frais de réservation 30 €

Emplacements bien ombragés au bord de la Drôme avec une base de canoë-kayak. Vente de "Clairette de Die".

Nature : 🏞 🏕 🌳		G
Loisirs : 🍴 ✗ 🎪 🤸 centre balnéo 🈴 hammam jacuzzi 🛶 🚲 🎯 🛝 🛶		P
Services : ⚓ 🚿 ♨ 🦽 🛜 🔲 🍴 🦽 réfrigérateurs	E : 5.35354	S
	N : 44.7573	

⛰ Le Glandasse

☎ 04 75 22 02 50, www.camping-glandasse.com - Hauteur maxi 2.80 m (tunnel)

Pour s'y rendre : 550 rte de Gap (1 km au sud-est par D 93, puis chemin à dr.)

Ouverture : de mi-avr. à fin sept.

3,5 ha (120 empl.) peu incliné, plat, herbeux, pierreux, gravier

Empl. camping : 29 € ✦✦ ⟷ ⊡ ⟦⟧ (10A) - pers. suppl. 7 € - frais de réservation 10 €

Location : (de mi-avr. à fin sept.) - ⅙ (1 chalet) - 2 ⟦⟧ - 21 ⟨⟩. Nuitée 45 à 82 € - Sem. 280 à 574 € - frais de réservation 10 €

Préférer les emplacements au bord de la Drôme, plus au calme et bien ombragés.

Nature : ⟨⟩ ⩽ ⟨⟩
Loisirs : ⟨⟩ ✕ ⟨⟩ jacuzzi ⟨⟩ terrain multisports
Services : ⟨⟩ laverie

G P S E : 5.38403 N : 44.73993

⛰ Le Riou Merle

☎ 04 75 22 21 31, www.camping-lerioumerle-drome.com

Pour s'y rendre : rte de Romeyer (au nord, par D 742)

Ouverture : de déb. avr. à fin sept.

2,5 ha (97 empl.) plat, herbeux, bois

Empl. camping : (Prix 2018) 29 € ✦✦ ⟷ ⊡ ⟦⟧ (10A) - pers. suppl. 7 €
Location : (Prix 2018) (de déb. avr. à fin sept.) - 9 ⟦⟧ - 3 ⟨⟩. Nuitée 40 à 91 € - Sem. 280 à 640 €

⟨⟩ borne artisanale

Tout proche du centre ville avec un restaurant ouvert sur l'extérieur.

Nature : ⩽ ⟨⟩
Loisirs : ⟨⟩ ✕ ⟨⟩ ⟨⟩
Services : ⟨⟩ ⟨⟩

G P S E : 5.37776 N : 44.75441

DIEULEFIT

26220 - Carte Michelin **332** D6 - 3 028 h. - alt. 366
▶ Paris 614 - Crest 30 - Montélimar 29 - Nyons 30

⛰ Le Domaine des Grands Prés

☎ 04 75 49 94 36, www.domaineprovencal.com

Pour s'y rendre : quartier les Grands-Prés (sortie ouest par D 540, rte de Montélimar, près du Jabron - accès direct au bourg par chemin piétonnier)

Ouverture : de mi-mars à déb. nov.

1,8 ha (81 empl.) plat, herbeux

Empl. camping : (Prix 2018) 25 € ✦✦ ⟷ ⊡ ⟦⟧ (10A) - pers. suppl. 8 €
Location : (Prix 2018) (de mi-mars à déb. nov.) - 8 ⟨⟩ - 3 bungalows toilés - 8 tentes lodges - 2 tipis - 6 yourtes - 4 cabanes perchées - 1 gîte. Nuitée 35 à 140 € - Sem. 265 à 980 € - frais de réservation 8 €

Bel ensemble avec du locatif varié, insolite et souvent de grand confort.

Nature : ⟨⟩ ⟨⟩
Loisirs : ⟨⟩ ⟨⟩ ⟨⟩
Services : ⟨⟩ laverie
À prox. : ⟨⟩ ⟨⟩

G P S E : 5.06149 N : 44.52141

⛰ Huttoia Dieulefit ♠♠

☎ 04 75 54 63 94, www.huttopia.com

Pour s'y rendre : quartier d'Espeluche (3 km au nord par D 540 rte de Bourdeaux puis chemin à gauche)

Ouverture : de mi-avr. à mi-oct.

17 ha/5 campables (164 empl.) en terrasses, vallonné, plat, herbeux

Empl. camping : 27 € ✦✦ ⟷ ⊡ ⟦⟧ (16A) - pers. suppl. 8 €
Location : (de mi-avr. à mi-oct.) - ⊕ - 20 ⟨⟩ - 14 chalets sur pilotis - 57 tentes lodges. Nuitée 42 à 235 € - Sem. 294 à 1 645 €

Site agréable avec un champ de lavande ! Plus d'emplacement caravane et camping-car.

Nature : ⟨⟩ ⩽ ⟨⟩
Loisirs : ⟨⟩ ✕ ⟨⟩ ⟨⟩ (étang)
Services : ⟨⟩ ⊕ ⟨⟩ laverie ⟨⟩

G P S E : 5.05826 N : 44.53987

DIVONNE-LES-BAINS

01220 - Carte Michelin **328** J2 - 7 926 h. - alt. 486 - ⟨⟩
▶ Paris 488 - Bourg-en-Bresse 129 - Genève 18 - Gex 9

⛰ Huttopia Divonne-Les-Bains ♠♠

☎ 04 50 20 01 95, www.huttopia.com

Pour s'y rendre : 2465 Vie de L'Etraz (3 km au nord, après Villard)

Ouverture : Permanent

8 ha (253 empl.) fort dénivelé, en terrasses, plat et peu incliné, pierreux, herbeux

Empl. camping : (Prix 2018) 27 € ✦✦ ⟷ ⊡ ⟦⟧ (16A) - pers. suppl. 7 € - frais de réservation 15 €
Location : (Prix 2018) Permanent - 38 ⟦⟧ - 28 ⟨⟩ - 28 tentes lodges. Nuitée 48 à 134 € - frais de réservation 15 €

⟨⟩ borne artisanale 7 €

Cadre boisé avec un confort sanitaire simple et du locatif varié et souvent de bon confort.

Nature : ⟨⟩ ⟨⟩
Loisirs : ⟨⟩ ✕ ⟨⟩ ⟨⟩ ⟨⟩ ⟨⟩
Services : ⟨⟩ ⟨⟩ laverie ⟨⟩

G P S E : 6.1178 N : 46.37137

DOUSSARD

74210 - Carte Michelin **328** K6 - 3 473 h. - alt. 456
▶ Paris 555 - Albertville 27 - Annecy 20 - La Clusaz 36

⛰ Campéole la Nublière ♠♠

☎ 04 50 44 33 44, www.campeole.com/camping/post/la-nubliere-doussard

Pour s'y rendre : 30 allée de la Nublière (1,8 km au nord)

Ouverture : de fin avr. à fin sept.

9,2 ha (467 empl.) plat, herbeux, pierreux

Empl. camping : (Prix 2018) 35 € ✦✦ ⟷ ⊡ ⟦⟧ (10A) - pers. suppl. 8 €
Location : (Prix 2018) (de fin avr. à fin sept.) - 56 ⟦⟧ - 10 ⟨⟩ - 40 bungalows toilés. Nuitée 42 à 157 € - Sem. 294 à 1 099 €

⟨⟩ borne AireService

Situation agréable au bord du lac (plage) avec du locatif varié.

Nature : ⟨⟩ ⟨⟩
Loisirs : salle d'animations ⟨⟩ ⟨⟩ ⟨⟩ terrain multisports
Services : ⟨⟩ ⟨⟩ laverie
À prox. : ⟨⟩ ✕ ⟨⟩ ⟨⟩ parapente

G P S E : 6.21763 N : 45.79014

Campéole — NOS CAMPINGS EN RHÔNE-ALPES — campeole.com

LA PINÈDE
★ ★ ★

L'accès direct au Lac Léman... passionnément !

+33 (0)4 50 72 85 05
pinede@campeole.com

LE LAC DES SAPINS
★ ★ ★ ★

La plus grande baignade écologique d'Europe !

+33 (0)4 74 89 52 83
lacdessapins@campeole.com

LE VAL DE COISE
★ ★ ★ ★

Au bord de la rivière Coise, le camping au naturel

+33 (0)4 77 54 14 82
val-de-coise@campeole.com

LA NUBLIÈRE
★ ★ ★

Mon plus beau raccourci pour le Lac d'Annecy

+33 (0)4 50 44 33 44
nubliere@campeole.com

⛰ La Ferme de Serraz

✆ 04 50 44 30 68, www.lafermedelaserraz.com

Pour s'y rendre : r. de la Poste (au bourg, sortie est près de la poste)

3,5 ha (197 empl.) peu incliné, plat, herbeux

Location : - 40 🚐.

🚐 borne artisanale

Ensemble bien ombragé avec de nombreux emplacements de tour-opérateurs.

Nature : 🌳🌳
Loisirs : ⛉ ✗ 🎦 🛶 🚴 🛶
Services : 🔌 🗑 ♨ 🚾 ✿ 📶 laverie

G P S : E : 6.22588 / N : 45.77508

Renouvelez votre guide chaque année.

DUINGT

74410 - Carte Michelin **328** K6 - 891 h. - alt. 450
▶ Paris 548 - Albertville 34 - Annecy 12 - Megève 48

⛺ Municipal les Champs Fleuris

✆ 04 50 68 57 31, www.camping-duingt.com

Pour s'y rendre : 631 voie Romaine, Les Perris (1 km à l'ouest)

Ouverture : de mi-avr. à mi-sept.

1,3 ha (112 empl.) en terrasses, peu incliné, plat, herbeux

Empl. camping : 33 € ✶✶ 🚗 📵 🅿 (10A) - pers. suppl. 6 € - frais de réservation 5 €

Location : (de mi-avr. à mi-sept.) - 6 🚐 - 3 tentes lodges. Nuitée 98 à 125 € - Sem. 360 à 880 € - frais de réservation 5 €

🚐 borne flot bleu 4 € - 40 📵 26 €

Emplacements en terrasses, parfois ombragés et du locatif varié.

Nature : 🌳🌳
Loisirs : 🛶
Services : 🔌 📶 laverie

G P S : E : 6.18882 / N : 45.82658

ÉCLASSAN

07370 - Carte Michelin **331** K3 - 910 h. - alt. 420
▶ Paris 534 - Annonay 21 - Beaurepaire 46 - Condrieu 42

⛰ L'Oasis

✆ 04 75 34 56 23, www.oasisardeche.com - accès aux emplacements par forte pente, mise en place et sortie des caravanes à la demande

Pour s'y rendre : lieu-dit : Le Petit Chaléat (4,5 km au nord-ouest par rte de Fourany et chemin à gauche)

Ouverture : de fin avr. à déb. sept.

4 ha (63 empl.) en terrasses, plat, herbeux, pierreux

Empl. camping : ✶ 5 € 🚗 3 € 📵 24 € – 🅿 (6A) 4 €

Location : (de fin avr. à déb. sept.) - 4 🚐 - 14 🏠 - 12 tentes lodges. Nuitée 60 à 120 € - Sem. 250 à 850 €

Emplacements en terrasses qui ont gardé un côté nature, au bord de l'Ay pour certains.

Nature : 🌳 🌲 🏞
Loisirs : ⛉ ✗ 🎦 🛶 🐬
Services : 🔌 ♨ 🚾 ✿ 📶 📺

G P S : E : 4.73944 / N : 45.17889

*Choisissez votre restaurant sur **restaurant.michelin.fr***

EXCENEVEX

74140 - Carte Michelin **328** L2 - 988 h. - alt. 375
▶ Paris 564 - Annecy 71 - Bonneville 42 - Douvaine 9

⛰ Campéole La Pinède

✆ 04 50 72 85 05, www.campeole.com/camping/post/la-pinede-excenevex-plage - peu d'emplacements pour tentes et caravanes

Pour s'y rendre : 10 av. de la Plage (1 km au sud-est par D 25)

Ouverture : de fin avr. à fin sept.

12 ha (501 empl.) vallonné, peu incliné, plat, herbeux, sablonneux

Empl. camping : (Prix 2018) 35 € ✶✶ 🚗 📵 🅿 (16A) - pers. suppl. 8 €

Location : (Prix 2018) (de fin avr. à fin sept.) - ♿ (2 mobile homes) - 73 🚐 - 20 🏠 - 57 bungalows toilés - 6 tentes lodges. Nuitée 34 à 157 € - Sem. 238 à 1 099 €

🚐 borne artisanale

Agréable site boisé en bordure d'une plage du lac Léman mais préférer les emplacements les plus éloignés de la route.

Nature : 🏞 ♀♀
Loisirs : 🎦 🎭salle d'animations 🎿 🎣 jacuzzi 🚣 🚵 🎳 terrain multisports
Services : 🚿 🍴 🛖 🛜 laverie ⚡
À prox. : 🍷 🍴 🛶 🎿 ⛵ 🎣 ⚓ pédalos

G P S E : 6.35799
N : 46.34543

FARAMANS

38260 - Carte Michelin **333** D5 - 906 h. - alt. 375
▶ Paris 518 - Beaurepaire 12 - Bourgoin-Jallieu 35 - Grenoble 60

⚠ Les Eydoches

🕿 0474542178, www.camping-bievre-isere.com - peu d'emplacements pour tentes et caravanes

Pour s'y rendre : 515 av. des Marais (sortie est par D 37, rte de la Côte-St-André)

Ouverture : Permanent

1 ha (60 empl.) plat, herbeux

Empl. camping : 22€ 👫 🚗 🔲 ⚡ (10A) - pers. suppl. 3€
Location : (Prix 2018) Permanent🏕 - 8 🚐 - 2 🏠 - 5 tentes lodges. Nuitée 35 à 65€ - Sem. 200 à 480€
🚐 borne artisanale 7€ - 3 🔲 15€ - 🚐⚡17€
Au milieu des installations sportives municipales.

Nature : ♀
Loisirs : 🏊
Services : 🚿 🛖 🎿 🛜 🛜 📶
À prox. : 🍴 🎿 🎾 terrain multisports, golf (4 trous), practice

G P S E : 5.17562
N : 45.39348

*Avant de prendre la route, consultez **www.viamichelin.fr** : votre meilleur itinéraire, le choix de votre hôtel, restaurant, des propositions de visites touristiques.*

FÉLINES

07340 - Carte Michelin **331** K2 - 1 475 h. - alt. 380
▶ Paris 520 - Annonay 13 - Beaurepaire 31 - Condrieu 24

⛰ Bas-Larin

🕿 0475348793, www.camping-bas-larin.com

Pour s'y rendre : 88 rte de Larin-le-Bas (2 km au sud-est, par N 82, rte de Serrières et chemin à dr.)

Ouverture : de déb. avr. à fin sept.

1,5 ha (67 empl.) en terrasses, peu incliné à incliné, herbeux

Empl. camping : 21€ 👫 🚗 🔲 ⚡ (10A) - pers. suppl. 3€ - frais de réservation 6€
Location : (de déb. avr. à fin sept.) - 11 🚐 - 1 🏠 - 3 bungalows toilés - 1 tente lodge. Nuitée 40 à 47€ - Sem. 255 à 329€ - frais de réservation 6€
🚐 borne artisanale 7€ - 20 🔲 20€
Bel ombrage sur des emplacements en terrasse. Préférer les plus éloignés de la route (ancienne nationale).

Nature : 🏞 ♀♀
Loisirs : 🍷 🍴 🎦 🚣 🎿 m 🏊
Services : 🚿 🛖 🎿 🛜 🛜

G P S E : 4.74665
N : 45.3086

LA FERRIÈRE

38580 - Carte Michelin **333** J6 - 226 h. - alt. 926
▶ Paris 613 - Lyon 146 - Grenoble 52 - Chambéry 47

⚠ Neige et Nature

🕿 0476451984, www.neige-nature.fr - alt. 900

Pour s'y rendre : chemin de Montarmand (à l'ouest du bourg, au bord du Bréda)

Ouverture : de mi-mai à déb. sept.

1,2 ha (44 empl.) en terrasses, peu incliné, plat, herbeux

Empl. camping : 24€ 👫 🚗 🔲 ⚡ (10A) - pers. suppl. 6€
Location : Permanent - 2 🚐 - 2 🏠. Nuitée 55 à 99€ - Sem. 350 à 690€
🚐 borne artisanale - 20 🔲 19€
Cadre soigné dominant le petit ruisseau et la piscine gonflable.

Nature : 🏔 ⛰ ♀
Loisirs : 🎦 ⛲ (bassin)
Services : 🚿 🎿 🛖 🎿 🛜 🛜 🎿

G P S E : 6.08331
N : 45.3184

FLEURIE

69820 - Carte Michelin **327** H2 - 1 250 h. - alt. 320
▶ Paris 410 - Bourg-en-Bresse 46 - Chauffailles 44 - Lyon 58

⛰ La Grappe Fleurie

🕿 0474698007, www.beaujolais-camping.com

Pour s'y rendre : r. de la Grappe-Fleurie (600 m au sud du bourg par D 119e et à dr.)

Ouverture : de mi-avr. à mi-oct.

2,5 ha (85 empl.) plat, herbeux

Empl. camping : 28€ 👫 🚗 🔲 ⚡ (10A) - pers. suppl. 7€ - frais de réservation 5€
Location : (de mi-avr. à mi-oct.) - 20 🚐 - 4 🏠 - 3 bungalows toilés - 2 tonneaux. Nuitée 31 à 110€ - Sem. 350 à 700€ - frais de réservation 15€
Au cœur du vignoble, avec quelques locatifs très régionaux.

Nature : 🏔 ⛰ ♀
Loisirs : 🎣 🚣 🎾 🎳
Services : 🚿 🎿 🎿 🛜 🛜 laverie
À prox. : ⚡ 🍴

G P S E : 4.7001
N : 46.18854

LES GETS

74260 - Carte Michelin **328** N4 - 1 254 h. - alt. 1 170 - Sports d'hiver : 1 170/2 000 m
▶ Paris 579 - Annecy 77 - Bonneville 33 - Chamonix-Mont-Blanc 60

⚠ Le Frêne

🕿 0450758060, www.alpensport-hotel.com - alt. 1 315

Pour s'y rendre : lieu-dit : Les Cornus (sortie sud-ouest par D 902 puis 2,3 km par rte des Platons à dr.)

Ouverture : de fin juin à déb. sept. - ℟

0,3 ha (40 empl.) fort dénivelé, non clos, en terrasses, plat, herbeux

Empl. camping : (Prix 2018) 29€ 👫 🚗 🔲 ⚡ (16A) - pers. suppl. 9€
Une petite route très peu fréquentée traverse le camping.

Nature : 🏔 ⛰ Aiguille du Midi, massif du Mt-Blanc 🏞 ♀
Loisirs : 🎦 jacuzzi 🚣 🏊
Services : 🚿 🎿 🛜 🛜 🛜

G P S E : 6.64296
N : 46.15065

GEX

01170 - Carte Michelin **328** J3 - 9 882 h. - alt. 626
▶ Paris 490 - Genève 19 - Lons-le-Saunier 93 - Pontarlier 110

⚠ Municipal les Genêts

✆ 04 50 42 84 57, www.auxamisdugolin.com

Pour s'y rendre : chemin des Genêts (1 km à l'est par D 984 rte de Divonne-les-Bains et chemin à dr.)

Ouverture : de déb. mars à fin oct.

3,3 ha (140 empl.) plat et peu incliné, gravillons, herbeux

Empl. camping : 19€ ♦♦ 🚗 🅔 🔌 (16A) - pers. suppl. 4€
Location : (de déb. mars à fin oct.) - 8 🚐 - 2 tipis - 2 cabanons. Nuitée 38 à 86€ - Sem. 120 à 515€ - frais de réservation 15€
🚰 borne artisanale 4€ - 80 🅔 17€

Cadre verdoyant, parfois ombragé, avec un confort sanitaire ancien et modeste.

Nature : 🌿 🞧 ☘
Loisirs : 🍽 ✗ 🖼 🛶 mini ferme
Services : 🔌 ▥ 🧺 ♨ 🚻 laverie
À prox. : ✂ 🛶
GPS E : 6.06841
N : 46.33564

*Utilisez les **cartes MICHELIN**, complément indispensable de ce guide.*

LE GRAND-BORNAND

74450 - Carte Michelin **328** L5 - 2 195 h. - alt. 934 - Sports d'hiver : 1 000/2 100 m
▶ Paris 564 - Albertville 47 - Annecy 31 - Bonneville 23

⛰ L'Escale

✆ 04 50 02 20 69, www.campinglescale.com

Pour s'y rendre : rte de la Patinoire (à l'est du bourg, à prox. de l'église, près du Borne)

Ouverture : de mi-déc. à fin sept.

2,8 ha (149 empl.) en terrasses, peu incliné, plat, herbeux, pierreux

Empl. camping : (Prix 2018) 27€ ♦♦ 🚗 🅔 🔌 (10A) - pers. suppl. 7€ - frais de réservation 12€
Location : (Prix 2018) Permanent - 24 🚐 - 30 🏠 - 2 🛏 - 1 gîte - 20 appartements - 6 studios. Nuitée 40 à 120€ - Sem. 350 à 800€ - frais de réservation 12€
🚰 borne artisanale

Nombreux locatifs autour d'un petit espace aquatique en partie couvert.

Nature : 🌺 < ☘
Loisirs : 🍽 ✗ 🖼 🛶 ✂ 🖾 🛶
Services : 🔌 ▥ ♨ 🚻 laverie 🛶
À prox. : 🛖 🎿 parcours sportif
GPS E : 6.42817
N : 45.94044

⚠ Le Clos du Pin

✆ 04 50 02 27 61, www.le-clos-du-pin.com - alt. 1 015 - peu d'emplacements pour tentes et caravanes

Pour s'y rendre : 1,3 km à l'est par rte du Bouchet, au bord du Borne

Ouverture : de mi-juin à mi-sept. et de déb. déc. à mi-mai

1,3 ha (61 empl.) peu incliné, herbeux

Empl. camping : 25€ ♦♦ 🚗 🅔 🔌 (10A) - pers. suppl. 5€ - frais de réservation 8€

Location : (de mi-juin à mi-sept. et de déb. déc. à mi-mai) - 1 🚐 - 1 appartement. Nuitée 70 à 100€ - Sem. 300 à 990€

Nombreux mobile homes de propriétaires-résidents. Préférer les emplacements les plus éloignés de la route.

Nature : 🌺 🌿 < chaîne des Aravis ☘
Loisirs : 🖼
Services : 🔌 🚐 ▥ ♨ 🚻 🚻 laverie
GPS E : 6.44281
N : 45.93971

GRANE

26400 - Carte Michelin **332** C5 - 1 730 h. - alt. 175
▶ Paris 583 - Crest 10 - Montélimar 34 - Privas 29

⛰ Hip Village Les 4 Saisons

✆ 04 75 62 64 17, www.camping-4saisons.com

Pour s'y rendre : sortie sud-est, 900 m par D 113, rte de la Roche-sur-Grâne

Ouverture : de déb. avr. à fin sept.

2 ha (80 empl.) en terrasses, peu incliné, plat, herbeux, sablonneux

Empl. camping : 31€ ♦♦ 🚗 🅔 🔌 (6A) - pers. suppl. 6€
Location : (de déb. avr. à fin sept.) - 6 🚐 - 10 🏠 - 4 tentes lodges. Nuitée 40 à 120€ - Sem. 280 à 840€

Emplacements en terrasses souvent bien ombragées avec une vue sur la campagne et les montagnes pour quelques uns.

Nature : 🌿 🞧 ☘☘
Loisirs : 🍽 🖼 🛶 ✂ 🛶
Services : 🔌 ♨ 🧺 🚻 🚻 🖾 🛶
À prox. : ✂
GPS E : 4.92671
N : 44.72684

Avant de vous installer, consultez les tarifs en cours, affichés obligatoirement à l'entrée du terrain, et renseignez-vous sur les conditions particulières de séjour. Les indications portées dans le guide ont pu être modifiées depuis la mise à jour.

GRAVIÈRES

07140 - Carte Michelin **331** G7 - 391 h. - alt. 220
▶ Paris 636 - Lyon 213 - Privas 71 - Nîmes 92

⛰ Le Mas du Serre

✆ 04 75 37 33 84, www.campinglemasduserre.com

Pour s'y rendre : lieu-dit : Le Serre (1,3 km au sud-est par D 113 et chemin à gauche, à 300 m du Chassezac)

Ouverture : de déb. avr. à fin sept.

1,5 ha (82 empl.) en terrasses, peu incliné, plat, herbeux

Empl. camping : 25€ ♦♦ 🚗 🅔 🔌 (7A) - pers. suppl. 7€
Location : (de déb. avr. à fin sept.) - 6 🚐 - 1 gîte. Nuitée 55 à 100€ - Sem. 390 à 710€
🚰 borne artisanale

Belle situation autour d'un ancien mas.

Nature : 🌿 < ☘☘
Loisirs : 🍽 ✗ 🛶 🛶
Services : 🔌 🚐 🚻 🖾
À prox. : 🛶
GPS E : 4.1016
N : 44.41475

GRESSE-EN-VERCORS

38650 - Carte Michelin 333 G8 - 394 h. - alt. 1 205 - Sports d'hiver : 1 300/1 700 m
▶ Paris 610 - Clelles 22 - Grenoble 48 - Monestier-de-Clermont 14

⚑ Les 4 Saisons

☎ 0476343027, www.camping-les4saisons.com

Pour s'y rendre : 1,3 km au sud-ouest, au lieu-dit la Ville

Ouverture : de déb. mai à mi-oct.

2,2 ha (85 empl.) en terrasses, plat, herbeux, gravillons, pierreux

Empl. camping : 27€ ★★ ⇌ 🖵 ⚡ (10A) - pers. suppl. 5€ - frais de réservation 6€

Location : (Prix 2018) (de déb. mai à mi-oct.) - ⚓ - 6 🚐 - 3 🏠 - 2 cabanons. Nuitée 35 à 105€ - Sem. 245 à 740€ - frais de réservation 16€

🚐 borne artisanale 5€

Situation agréable au pied du massif du Vercors.

Nature : ☼ ⅏ ⬳ massif du Vercors ♀	GPS
Loisirs : ▼✗ 🏠 ⚓ ⛵	E : 5.55559
Services : ⊶ ▥ 🛜 laverie	N : 44.8965
À prox. : ⚲ ⚓	

GRIGNAN

26230 - Carte Michelin 332 C7 - 1 564 h. - alt. 198
▶ Paris 629 - Crest 46 - Montélimar 25 - Nyons 25

⚑ Les Truffières

☎ 0475469362, www.lestruffieres.com ⚓

Pour s'y rendre : 1100 chemin Belle-Vue-d'Air, quartier Nachony (2 km au sud-ouest par D 541, rte de Donzère et D 71, rte de Chamaret)

Ouverture : de déb. avr. à mi-oct.

1 ha (85 empl.) plat, herbeux, pierreux, bois

Empl. camping : (Prix 2018) 22€ ★★ ⇌ 🖵 ⚡ (10A) - pers. suppl. 5€ - frais de réservation 12€

Location : (Prix 2018) (de déb. avr. à mi-oct.) - ⚓ - 14 🚐 - 2 tentes lodges - 2 cabanons. Nuitée 55 à 110€ - Sem. 230 à 760€ - frais de réservation 15€

Emplacements en sous-bois avec beaucoup d'espaces ombragés pour la détente.

Nature : ⅏ ⬳ ♒	GPS
Loisirs : ✗ 🏠 ⚓	E : 4.89121
Services : ⊶ 🛜 laverie	N : 44.41163
À prox. : ⚲	

GROISY

74570 - Carte Michelin 328 K4 - 2 976 h. - alt. 690
▶ Paris 534 - Dijon 228 - Grenoble 120 - Lons-le-Saunier 146

⚑ Le Moulin Dollay

☎ 0450680031, www.moulindollay.fr

Pour s'y rendre : 206 r. du Moulin-Dollay (2 km au sud-est, intersection D 2 et N 203, au bord d'un ruisseau, au lieu-dit Le Plot)

Ouverture : de déb. avr. à fin sept.

3 ha (30 empl.) plat, herbeux, pierreux, bois

Empl. camping : 23€ ★★ ⇌ 🖵 ⚡ (6A) - pers. suppl. 5€

🚐 borne artisanale 5€ - 6 🖵 16€ - 🔌 ⚡16€

Nature : ⬳ ♀♀	GPS
Loisirs : 🏠	E : 6.19076
Services : ⊶ ⇌ ▥ ♨ ⚲ 🛜 laverie	N : 46.00224

HAUTECOURT

01250 - Carte Michelin 328 F4 - 760 h. - alt. 370
▶ Paris 442 - Bourg-en-Bresse 20 - Nantua 24 - Oyonnax 33

⚑ L'Île de Chambod

☎ 0474372541, www.campingilechambod.com

Pour s'y rendre : 3232 rte du Port (4,5 km au sud-est par D 59, rte de Poncin puis rte à gauche, à 300 m de l'Ain (plan d'eau))

Ouverture : de mi-avr. à mi-sept.

2,4 ha (110 empl.) plat, herbeux

Empl. camping : (Prix 2018) ★ 4€ ⇌ 4€ 🖵 4€ – ⚡ (10A) 5€

Location : (Prix 2018) Permanent - 7 🚐 - 4 bungalows toilés. Nuitée 37 à 95€ - Sem. 259 à 665€ - frais de réservation 20€

🚐 borne artisanale 3€

Nature : ⬳ ⬳ ♀♀	GPS
Loisirs : ▼✗ 🏠 ⚲ 🚲 ⚓ 🏊 ⚓	E : 5.42819
Services : ⊶ ♨ 🛜 laverie	N : 46.12761
À prox. : ⚓	

ISSARLÈS

07470 - Carte Michelin 331 G4 - 165 h. - alt. 946
▶ Paris 574 - Coucouron 16 - Langogne 36 - Le Monastier-sur-Gazeille 18

⚑ La Plaine de la Loire

☎ 0624492279, www.campinglaplainedelaloire.fr - alt. 900

Pour s'y rendre : Le Moulin du Lac, pont de Laborie (3 km à l'ouest par D 16, rte de Coucouron et chemin à gauche av. le pont, au bord de la Loire)

Ouverture : de déb. mai à fin sept.

1 ha (50 empl.) plat, herbeux

Empl. camping : (Prix 2018) 17€ ★★ ⇌ 🖵 ⚡ (10A) - pers. suppl. 4€

Location : (Prix 2018) (de mi-mai à fin sept.) - ⚓ - 1 cabanon. Nuitée 35 à 55€ - Sem. 360 à 400€

Idéal pour qui cherche le calme, la nature, la pêche !

Nature : ⬳ ⬳ ♀♀	GPS
Loisirs : ✗ ⚓ ⚓ ⚓ ⚓	E : 4.05207
Services : ⊶ ⇌ 🛜	N : 44.818

JAUJAC

07380 - Carte Michelin 331 H6 - 1 212 h. - alt. 450
▶ Paris 612 - Privas 44 - Le Puy-en-Velay 81

⚑ Bonneval

☎ 0475932709, www.campingbonneval.com ✉ 07380 Fabras

Pour s'y rendre : lieu-dit : Les Plots à Fabras (2 km au nord-est par D 19 et D 5, rte de Pont-de-Labeaume, à 100 m du Lignon et des coulées basaltiques)

Ouverture : de déb. avr. à fin sept.

3 ha (60 empl.) en terrasses, peu incliné, plat, herbeux

Empl. camping : (Prix 2018) 30€ ★★ ⇌ 🖵 ⚡ (10A) - pers. suppl. 6€

Location : (Prix 2018) Permanent - 4 🚐 - 4 🏡 - 1 tente lodge - 2 gîtes. Sem. 320 à 760€ - frais de réservation 10€

Emplacements ombragés ou ensoleillés, locatif varié et un bon confort sanitaire adapté aux familles.

Nature : ⬳ ⬳ la chaîne du Tanargue ♀♀	GPS
Loisirs : ▼ ⚓ ⚓ ⚲ ⚓	E : 4.25825
Services : ⊶ (saison) ⇌ ▥ ♨ 🛜 ⚓	N : 44.64168
À prox. : ⚓	

JOANNAS

07110 - Carte Michelin **331** H6 - 342 h. - alt. 430
▶ Paris 650 - Aubenas 23 - Largentière 8 - Privas 55

⛰ Sites et Paysages La Marette

La Marette

𝒫 04 75 88 38 88, www.lamarette.com

Pour s'y rendre : rte de Valgorge
(2,4 km à l'ouest par D 24, après le lieu-dit : La Prade)

Ouverture : Permanent

4 ha (97 empl.) vallonné, en terrasses, plat, herbeux, bois

Empl. camping : (Prix 2018)
33€ ✦✦ ⇌ ▣ 🅗 (10A) - pers. suppl. 6€

Location : (Prix 2018) (de déb. mai à déb. sept.) - 21 🛖 - 19 🏠.
Nuitée 31 à 52€ - Sem. 330 à 580€

Nombreuses petites terrasses individuelles dans un cadre naturel et bien ombragé.

Nature : 🦎 ⌂ 🎋
Loisirs : ⚑ ✕ 🏠 ⛵ 🗲 🎿
Services : ⚬━ ♨ 🖲 🛒 🔗
À prox. : 🚣

GPS E : 4.22913
N : 44.56662

⛰ Le Roubreau

𝒫 04 75 88 32 07, www.leroubreau.com .

Pour s'y rendre : rte de Valgorge (1,4 km à l'ouest par D 24 et chemin à gauche)

Ouverture : de mi-avr. à mi-sept.

3 ha (100 empl.) peu incliné, plat, herbeux, pierreux

Empl. camping : 34€ ✦✦ ⇌ ▣ 🅗 (6A) - pers. suppl. 6€ - frais de réservation 9€

Location : (de mi-avr. à mi-sept.) - 18 🛖 - 13 🏠 - 5 tentes lodges. Nuitée 30 à 117€ - Sem. 200 à 820€ - frais de réservation 9€

🚐 borne raclet 5€

Emplacements et locatif bien ombragés au bord du Roubreau et un bon confort sanitaire.

Nature : 🦎 ⌂ 🎋
Loisirs : ⚑ ✕ 🏠 🗲 ⛵ 🎿 🐬
Services : ⚬━ ♨ 🖲 🛒 🔗
À prox. : 🚣

GPS E : 4.23865
N : 44.55964

JOYEUSE

07260 - Carte Michelin **331** H7 - 1 640 h. - alt. 180
▶ Paris 650 - Alès 54 - Mende 97 - Privas 55

⛰ La Nouzarède

𝒫 04 75 39 92 01, www.camping-nouzarede.fr

Pour s'y rendre : au nord du bourg par rte du Stade, à 150 m de la Beaume (accès direct)

2 ha (103 empl.) plat, herbeux, pierreux

Location : - 48 🛖 - 1 🏠.

En face d'une aire de loisirs avec poneys, bien équipé et un bon confort sanitaire.

Nature : ⌂ 🎋
Loisirs : ⚑ ✕ 🏠 🗲 🎿 🐴
Services : ⚬━ 🏧 ♨ 🛒 📶 🖲 🔗
À prox. : 🎾 🚴 🚣

GPS E : 4.23526
N : 44.48368

LAGORCE

07150 - Carte Michelin **331** I7 - 700 h. - alt. 120
▶ Paris 648 - Aubenas 23 - Bourg-St-Andéol 34 - Privas 54

⛰⛰ Village Vacances Les Castels Domaine de Sévenier

(pas d'emplacement tentes et caravanes)

𝒫 04 75 88 29 44, www.domaine-sevenier.fr

Pour s'y rendre : quartier Sévenier (1,6 km au sud par la D 1 rte de Vallon-Pont-d'Arc)

4 ha vallonné

Location : Permanent♿ (3 chalets) - 56 🏠. Nuitée 61 à 367€ - Sem. 399 à 2 387€ - frais de réservation 20€

Bel ensemble de chalets dont certains sont équipés pour accueillir les jeunes enfants ou les grandes familles. Formule hôtelière sur demande.

Nature : 🦎
Loisirs : ⚑ ✕ 🎮 ⛱ jacuzzi 🗲 🎿
Services : ⚬━ 🖲 📶 🖲 🔗

GPS E : 4.41153
N : 44.4338

*Give us your opinion of the camping sites we recommend.
Let us know of your remarks and discoveries :
leguidecampingfrance@tp.michelin.com.*

LALLEY

38930 - Carte Michelin **333** H9 - 205 h. - alt. 850
▶ Paris 626 - Grenoble 63 - La Mure 30 - Sisteron 80

⛰ Sites et Paysages Belle Roche

𝒫 04 76 34 75 33, www.campingbelleroche.com - alt. 860

Pour s'y rendre : chemin de Combe-Morée (au sud du bourg par rte de Mens et chemin à dr.)

Ouverture : de fin mars à mi-oct.

2,4 ha (60 empl.) terrasse, plat, herbeux, pierreux

Empl. camping : (Prix 2018) 30€ ✦✦ ⇌ ▣ 🅗 (10A) - pers. suppl. 8€

Location : (Prix 2018) (de fin mars à mi-oct.) - 6 🛖 - 1 tente lodge - 1 cabanon. Nuitée 35 à 110€ - Sem. 175 à 750€ - frais de réservation 13€

🚐 borne AireService 6€

Situation agréable face au village.

Nature : 🦎 ≤ ⌂ 🎋
Loisirs : ⚑ ✕ 🗲 🚴 🎿
Services : ⚬━ 📶 🖲 🔗
À prox. : 🎾 terrain multisports

GPS E : 5.67889
N : 44.75472

LALOUVESC

07520 - Carte Michelin **331** J3 - 496 h. - alt. 1 050
▶ Paris 553 - Annonay 24 - Lamastre 25 - Privas 80

⛰ Municipal le Pré du Moulin

𝒫 04 75 67 84 86, www.lalouvesc.com

Pour s'y rendre : chemin de l'Hermuzière (au nord de la localité)

Ouverture : de déb. mai à fin sept.

2,5 ha (70 empl.) en terrasses, peu incliné, herbeux

Empl. camping : (Prix 2018) ✦ 3€ ⇌ 2€ ▣ 3€ – 🅗 (6A) 3€

Location : (Prix 2018) (de déb. mai à fin sept.) - 5 🚐 - 10 🏠 - 5 cabanes perchées. Nuitée 40 à 50€ - Sem. 150 à 350€

Locatif varié mais d'un confort modeste et ancien pour certains.

Nature : 🐟 ⌇ 🌳
Loisirs : 🛖 ⛸ ✗
Services : ⌿ ⛩ 📶 📮

G P S
E : 4.53392
N : 45.12388

LAMASTRE

07270 - Carte Michelin **331** J4 - 2 501 h. - alt. 375
▶ Paris 577 - Privas 55 - Le Puy-en-Velay 72 - Valence 38

🏔 Le Retourtour

📞 0475064071, www.campingderetourtour.com

Pour s'y rendre : 1 r. de Retourtour

Ouverture : de mi-avr. à fin sept.

2,9 ha (130 empl.) plat et peu incliné, gravillons, herbeux

Empl. camping : 28€ ✶✶ 🚐 🅴 🔌 (13A) - pers. suppl. 5€ - frais de réservation 10€

Location : (de mi-avr. à fin sept.) - 21 🚐 - 3 bungalows toilés - 2 tentes lodges. Nuitée 44 à 109€ - Sem. 225 à 715€ - frais de réservation 10€

Emplacements bien ombragés, près d'un plan d'eau.

Nature : 🐟 🌳🌳
Loisirs : 🍴 ✗ 🛖 🎣 ⛸ 🚶 terrain multisports
Services : ⌿ 🅿 🛁 📶 📮 🛒
À prox. : 🏖 (plage)

G P S
E : 4.56483
N : 44.99164

Avant de vous installer, consultez les tarifs en cours,
affichés obligatoirement à l'entrée du terrain,
et renseignez-vous sur les conditions particulières de séjour.
Les indications portées dans le guide ont pu être modifiées
depuis la mise à jour.

LANSLEVILLARD

73480 - Carte Michelin **333** O6 - 457 h. - alt. 1 500 - Sports d'hiver : 1 400/2 800 m
▶ Paris 689 - Albertville 116 - Briançon 87 - Chambéry 129

⛺ Caravaneige de Val Cenis

📞 0479059052, www.camping-valcenis.com

Pour s'y rendre : r. sous l'Église (sortie sud-ouest, rte de Lanslebourg, au bord d'un torrent)

Ouverture : de mi-déc. à fin sept.

3 ha (100 empl.) plat, herbeux, pierreux

Empl. camping : 25€ ✶✶ 🚐 🅴 🔌 (10A) - pers. suppl. 8€ - frais de réservation 6€

🚐 borne flot bleu 5€

Un vrai bon confort sanitaire.

Nature : ❄ ⌇ 🌳
Loisirs : 🍴 ✗ 🛖 🏊 ⛸
Services : ⌿ 🚽 📶 laverie 🛁
À prox. : ✗ 🚶

G P S
E : 6.90928
N : 45.29057

LARNAS

07220 - Carte Michelin **331** J7 - 97 h. - alt. 300
▶ Paris 631 - Aubenas 41 - Bourg-St-Andéol 12 - Montélimar 24

🏔 Capfun Le Domaine d'Imbours 🧑‍🤝‍🧑

📞 0475543950, www.domaine-imbours.com

Pour s'y rendre : 2,5 km au sud-ouest par D 262 - pour caravanes, de Bourg-St-Andéol passer par St-Remèze et Mas du Gras (D 4, D 362 et D 262)

Ouverture : de fin mars à fin sept.

270 ha/10 campables (694 empl.) peu incliné, plat, herbeux, pierreuxEmpl. camping : (Prix 2018) 41€ ✶✶ 🚐 🅴 🔌 (6A) - pers. suppl. 7€ - frais de réservation 27€

Location : (Prix 2018) (de fin mars à fin sept.) - 412 🚐 - 64 🏠 - 100 🛏 - 32 tentes lodges - 100 gîtes. Nuitée 33 à 128€ - Sem. 133 à 2 758€ - frais de réservation 27€

Nature : 🐟 🌳🌳
Loisirs : 🍸 ✗ 🛖 🎣 🚣 ⛸ 🚴 ✗ 🚶 🏊 🏊 terrain multisports
Services : ⌿ 🅿 🛁 📶 🛁 🛒 🛁
À prox. : ✗ 🐎

G P S
E : 4.5764
N : 44.4368

*Créez votre voyage sur **voyages.michelin.fr***

LATHUILE

74210 - Carte Michelin **328** K6 - 960 h. - alt. 510
▶ Paris 554 - Albertville 30 - Annecy 18 - La Clusaz 38

🏔 L'Idéal

📞 0450443297, www.campingideal.com

Pour s'y rendre : 715 rte de Chaparon (1,5 km au nord)

Ouverture : de déb. mai à mi-sept.

3,2 ha (300 empl.) plat et peu incliné, herbeux

Empl. camping : (Prix 2018) 39€ ✶✶ 🚐 🅴 🔌 (10A) - pers. suppl. 8€
Location : (Prix 2018) (de déb. mai à mi-sept.) - ♿ (1 mobile home) - 78 🚐 - 6 appartements - 4 studios. Nuitée 90 à 240€ - Sem. 180 à 1 440€

Beaucoup d'espace et du locatif varié autour d'un espace aquatique complet.

Nature : 🐟 ⌇ 🌳
Loisirs : 🍸 ✗ 🛖 jacuzzi ⛸ ✗ 🚶 🏊 🏊 terrain multisports
Services : ⌿ 🛁 📶 laverie 🛁 🛁

G P S
E : 6.20582
N : 45.79537

🏔 Les Fontaines 🧑‍🤝‍🧑

📞 0450443122, www.campinglesfontaines.com

Pour s'y rendre : 1295 rte de Chaparon (2 km au nord, à Chaparon)

Ouverture : de déb. mai à mi-sept.

3 ha (170 empl.) en terrasses, incliné, plat, herbeux

Empl. camping : (Prix 2018) 40€ ✶✶ 🚐 🅴 🔌 (6A) - pers. suppl. 8€ - frais de réservation 16€

Location : (Prix 2018) (de déb. mai à mi-sept.) - ✗ (de déb. juil. à fin août) - 59 🚐 - 3 🏠 - 4 bungalows toilés - 8 tipis. Sem. 190 à 1 200€ - frais de réservation 16€

Du locatif varié, parfois insolite.

Nature : 🐟 ⌇ 🌳🌳
Loisirs : 🍸 ✗ 🛖 ⛸ ✗ 🏊 (découverte en saison) 🏊 terrain multisports
Services : ⌿ 🚽 🛁 📶 laverie 🛁 🛁

G P S
E : 6.20444
N : 45.80037

⛰ La Ravoire

🕿 0450443780, www.campinglaravoire.com

Pour s'y rendre : rte de la Ravoire (2,5 km au nord)

Ouverture : de mi-avr. à mi-sept.

2 ha (124 empl.) plat, herbeux

Empl. camping : 25€ ✹✹ ⬲ 🔲 🔌 (10A) - pers. suppl. 7€ - frais de réservation 16€

Location : (de mi-avr. à mi-sept.) - 46 🚐 - 4 🏠. Sem. 300 à 1 400€

Agréable cadre de verdure près du lac.

	GPS
Nature : 🐟 ⟟ 🌳🌳	E : 6.20975
Loisirs : 🍽 ✗ 🛖 ⛵ ⛵ ⛵ terrain multisports	N : 45.80244
Services : 🔑 ⛽ ⛔ 📶 laverie	
À prox. : 🎣	

⚠ Le Taillefer

🕿 0450443030, www.campingletaillefer.com

Pour s'y rendre : 1530 rte de Chaparon (2 km au nord, à Chaparon)

Ouverture : de déb. mai à fin sept.

1 ha (32 empl.) non clos, en terrasses, incliné, plat, herbeux

Empl. camping : 20€ ✹✹ ⬲ 🔲 🔌 (6A) - pers. suppl. 6€

Pelouse légèrement ombragée et un sanitaire propre mais très ancien.

	GPS
Nature : 🐟 ⟟	E : 6.20565
Loisirs : 🍽 🛖 ⛵ 🚲	N : 45.80231
Services : 🔑 ⛔ 📶 📷	

LAURAC-EN-VIVARAIS

07110 - Carte Michelin **331** H6 - 885 h. - alt. 182

▶ Paris 646 - Alès 60 - Mende 102 - Privas 50

⚠ Les Châtaigniers

🕿 0630816638, www.chataigniers-laurac.com

Pour s'y rendre : 515 rte de La Rabette (au sud-est du bourg, accès conseillé par D 104)

Ouverture : de déb. avr. à fin sept.

1,2 ha (71 empl.) peu incliné, plat, herbeux

Empl. camping : (Prix 2018) ✹ 4€ ⬲ 🔲 22€ – 🔌 (10A) 4€

Location : (de déb. avr. à fin sept.) - 🚿 (de mi-juil. à mi-août) - 14 🚐. Nuitée 55 à 75€ - Sem. 215 à 680€

Partie haute plus ombragée, partie basse ensoleillée avec emplacements délimités.

	GPS
Nature : 🌳🌳	E : 4.29497
Loisirs : 🛖 ⛵ 🛷	N : 44.50429
Services : 🔑 ⛔ 📶 📷	
À prox. : 🛶	

Ne pas confondre :
⚠ ... à ... ⛰⛰ : *appréciation* **MICHELIN**
et
★ ... à ... ★★★★★ : *classement officiel*

LÉPIN-LE-LAC

73610 - Carte Michelin **333** H4 - 407 h. - alt. 400

▶ Paris 555 - Belley 36 - Chambéry 24 - Les Échelles 17

⚠ Le Curtelet

🕿 0479441122, www.camping-le-curtelet.com

Pour s'y rendre : 1,4 km au nord-ouest

Ouverture : de mi-avr. à fin sept.

1,3 ha (91 empl.) peu incliné, plat, herbeux

Empl. camping : (Prix 2018) 25€ ✹✹ ⬲ 🔲 🔌 (10A) - pers. suppl. 6€ - frais de réservation 10€

Location : (Prix 2018) (de mi-avr. à fin sept.) - 🚿 - 2 🚐. Nuitée 55 à 89€ - Sem. 385 à 623€ - frais de réservation 10€

	GPS
Nature : 🐟 ⟟🌳🌳⛰	E : 5.77916
Loisirs : 🍽 ⛵ ⛱ (plage) 🎣	N : 45.54002
Services : 🔑 (juil.-sept.) ⛔ 📶 laverie	
À prox. : 🎿 🏇	

LESCHERAINES

73340 - Carte Michelin **333** J3 - 731 h. - alt. 649

▶ Paris 557 - Aix-les-Bains 26 - Annecy 26 - Chambéry 29

⚠ Municipal l'Île

🕿 0479638000, www.savoie-camping.com

Pour s'y rendre : à la base de loisirs Les Îles du Chéran (2,5 km au sud-est par D 912, rte d'Annecy et rte à dr., à 200 m du Chéran)

Ouverture : de fin avr. à fin sept.

7,5 ha (215 empl.) non clos, en terrasses, peu incliné, plat, herbeux

Empl. camping : 23€ ✹✹ ⬲ 🔲 🔌 (10A) - pers. suppl. 5€

Location : (Prix 2018) (de mi-avr. à fin sept.) - 13 🚐 - 5 🏠. Nuitée 45 à 98€ - Sem. 285 à 685€

🚐 borne eurorelais 4€

Près d'un plan d'eau, bordé par la rivière et la forêt.

	GPS
Nature : 🐟 ⟟ ⟟ 🌳 ⛰	E : 6.11207
Loisirs : 🛖	N : 45.70352
Services : 🔑 ⛽ ⛔ ⛔ 📶 laverie	
À la base de loisirs : 🍽 ✗ ⛵ ⛵ 🏇 ⛱ ⛵ 🎣 parcours dans les arbres terrain multisports	

The Guide changes, so renew your guide every year.

LUGRIN

74500 - Carte Michelin **328** N2 - 2 260 h. - alt. 413

▶ Paris 584 - Annecy 91 - Évian-les-Bains 8 - St-Gingolph 12

⛰ Vieille Église

🕿 0450760195, www.campingvieilleeglise.fr

Pour s'y rendre : 53 rte des Préparraux (2 km à l'ouest, à Vieille-Église)

Ouverture : de déb. avr. à fin oct.

1,6 ha (97 empl.) en terrasses, peu incliné, plat, herbeux

Empl. camping : 23€ ✹✹ ⬲ 🔲 🔌 (10A) - pers. suppl. 7€ - frais de réservation 5€

Location : (de déb. avr. à fin oct.) - ♿ (1 mobile home) - 30 🚐 - 1 🛏 - 1 tente lodge - 1 tente sur pilotis - 1 cabane perchée - 2 gîtes - 1 appartement - 1 studio. Nuitée 45 à 120€ - Sem. 295 à 840€ - frais de réservation 5€

🚐 borne artisanale 7€ - 🚐 🔌 22€

Vue sur le lac Léman pour quelques emplacements.

Nature : < ▱ ♉♉
Loisirs : ▭ ▰▰ ⚓ 丞
Services : ⊶ ⚲ ⊗ 🛜 laverie ⚙

G E : 6.64655
P
S N : 46.40052

LUS-LA-CROIX-HAUTE

26620 - Carte Michelin **332** H6 - 507 h. - alt. 1 050
▶ Paris 638 - Alès 207 - Die 45 - Gap 49

"C'est si bon" Champ La Chèvre

✆ 0492585014, www.campingchamplachevre.com

Pour s'y rendre : au sud-est du bourg, près de la piscine

Ouverture : de déb. avr. à mi-sept.

3,6 ha (110 empl.) en terrasses, peu incliné, plat, herbeux

Empl. camping : 29€ ✚✚ ⚗ 🅴 ⚡ (10A) - pers. suppl. 8€
Location : (de déb. avr. à fin sept.) - 8 🚐 - 9 🏠 - 3 bungalows toilés - 5 tentes lodges - 3 cabanons. Nuitée 30 à 135€ - Sem. 250 à 945€ - frais de réservation 5€
🚐 borne artisanale - 10 🅴 18€
Proche du centre du village avec du locatif varié.

Nature : 🌲 < ♀
Loisirs : ♟ ✗ ▭ ⚓ 📺
Services : ⊶ 🝙 🛜 ⊗ 📇⚙
À prox. : 🚲 ✕

G E : 5.70998
P
S N : 44.6629

LES MARCHES

73800 - Carte Michelin **333** I5 - 2 453 h. - alt. 328
▶ Paris 572 - Albertville 43 - Chambéry 12 - Grenoble 44

⚠ La Ferme du Lac

✆ 0479281348, www.campinglafermedulac.fr

Pour s'y rendre : 1 km au sud-ouest par N 90, rte de Pontcharra et D 12 à dr.

Ouverture : de mi-avr. à mi-sept.

2,6 ha (100 empl.) plat, herbeux

Empl. camping : (Prix 2018) 20€ ✚✚ ⚗ 🅴 ⚡ (10A) - pers. suppl. 5€
Location : (Prix 2018) (de mi-avr. à mi-sept.) - 10 🚐 - 1 🏠. Sem. 245 à 425€
🚐 borne artisanale 4€ - 10 🅴 20€ - ⚡11€
Préférer les emplacements les plus éloignés de la route.

Nature : ▱ ♉♉
Loisirs : ▭ 丞
Services : ⊶ ⊗ 🛜 📇

G E : 5.99327
P
S N : 45.49595

MARS

07320 - Carte Michelin **331** H3 - 279 h. - alt. 1 060
▶ Paris 579 - Annonay 49 - Le Puy-en-Velay 44 - Privas 71

⚠ La Prairie

✆ 0475302447, www.camping-laprairie.com

Pour s'y rendre : lieu-dit : Laillier (au nord-est du bourg par D 15, rte de St-Agrève et chemin à gauche)

Ouverture : de mi-mai à mi-sept.

0,6 ha (30 empl.) plat, sablonneux, herbeux

Empl. camping : (Prix 2018) ✚ 4€ ⚗ 2€ 🅴 5€ – ⚡ (6A) 3€

Location : (Prix 2018) (de mi-mai à mi-sept.) - 2 🚐 - 1 🏠. Sem. 210 à 600€
🚐 borne artisanale 4€
Emplacements soignés autour de la maison d'habitation.

Nature : 🌲 <
Loisirs : ✗ ⚓ 🚲
Services : ⊶ 🝙 🗒 🛜
À prox. : 🏌 golf (18 trous)

G E : 4.32632
P
S N : 45.02393

MASSIGNIEU-DE-RIVES

01300 - Carte Michelin **328** H6 - 591 h. - alt. 295
▶ Paris 516 - Aix-les-Bains 26 - Belley 10 - Morestel 37

⚠ Le Lac du Lit du Roi

✆ 0479421203, www.camping-savoie.com

Pour s'y rendre : lieu-dit : La Tuillère (2,5 km au nord par rte de Belley et chemin à dr.

Ouverture : de fin mars à mi-oct.

4 ha (132 empl.) en terrasses, plat, herbeux

Empl. camping : 32€ ✚✚ ⚗ 🅴 ⚡ (16A) - pers. suppl. 5€ - frais de réservation 15€
Location : (de fin mars à mi-oct.) - 24 🚐 - 5 🏠 - 3 bungalows toilés - 2 tipis. Nuitée 30 à 135€ - Sem. 206 à 945€ - frais de réservation 25€
Au bord du plan d'eau formé par le canal du Rhône, avec les cygnes qui observent la petite plage. Bordé par la Via-Rhôna (Genève-Marseille).

Nature : 🌲 < Canal du Rhône, collines et village ▱ ♀ ⚘
Loisirs : ♟ ✗ ⚓ 🚲 丞 🎣 🏊 paddle
Services : ⊶ ⊗ 🝙 🗒 🛜 laverie
À prox. : ⚓

G E : 5.77001
P
S N : 45.76861

Gebruik de gids van het lopende jaar.

MATAFELON-GRANGES

01580 - Carte Michelin **328** G3 - 653 h. - alt. 453
▶ Paris 460 - Bourg-en-Bresse 37 - Lons-le-Saunier 56 - Mâcon 75

⚠ Les Gorges de l'Oignin

✆ 0474768097, www.camping-ain-jura.com

Pour s'y rendre : r. du Lac (900 m au sud du bourg par chemin, au bord du Lac de L'Oignin)

Ouverture : de mi-avr. à fin sept.

2,6 ha (128 empl.) en terrasses, plat, herbeux, gravier

Empl. camping : 26€ ✚✚ ⚗ 🅴 ⚡ (10A) - pers. suppl. 7€ - frais de réservation 16€
Location : (de mi-avr. à fin sept.) - ♿ (1 chalet) - 🚫 (de mi-avr. à fin juin) - 2 🚐 - 10 🏠. Sem. 232 à 692€ - frais de réservation 16€

Emplacements en terrasses en partie ombragées dominant le lac.

Nature : 🌲 < ▱ ♉♉
Loisirs : ♟ ✗ ⚓ 丞
Services : ⊶ ⊗ 🝙 🗒 🛜 laverie
À prox. : 🌊 🏊

G E : 5.55723
P
S N : 46.25534

LES MAZES

07150 - Carte Michelin **331** I7
▶ Paris 669 - Lyon 207 - Privas 58 - Nîmes 83

⚲ La Plage Fleurie ♠♠

📞 04 75 88 01 15, www.laplagefleurie.com

Pour s'y rendre : 3,5 km à l'ouest

Ouverture : de fin avr. à déb. sept.

12 ha/6 campables (300 empl.) en terrasses, plat et peu incliné, herbeux

Empl. camping : (Prix 2018) 55 € ♣♣ ⇔ ▣ ⒤ (10A) - pers. suppl. 9 € - frais de réservation 20 €
Location : (Prix 2018) (de fin avr. à déb. sept.) - 203 🚐 - 6 🏠. Sem. 295 à 2 100 € - frais de réservation 25 €

🚐 borne eurorelais

Au bord de l'Ardèche, avec plage de sable ou belle pelouse et quelques mobile homes de très grand confort.

Nature : ⌇ ⋞ 🗘🗘
Loisirs : ♈ ✗ 🎬 ⊡ 🕹 🏊 ≋ ⤼ ⌆ ⫘ (plage) 🏕 ⤳ 🎣 pataugeoire
Services : 🔗🖙 🖲 🛜 🖻 💧 ⤹
GPS : E : 4.3546 N : 44.40837

⚲ Arc-en-Ciel ♠♠

📞 04 75 88 04 65, www.arcenciel-camping.com

Pour s'y rendre : par la D 579

Ouverture : de mi-avr. à déb. sept.

5 ha (218 empl.) plat et peu incliné, pierreux, herbeux

Empl. camping : (Prix 2018) 44 € ♣♣ ⇔ ▣ ⒤ (6A) - pers. suppl. 8 € - frais de réservation 20 €
Location : (Prix 2018) (de mi-avr. à mi-sept.) - 66 🚐 - 21 bungalows toilés - 2 tentes sur pilotis. Nuitée 40 à 132 € - frais de réservation 20 €

🚐 borne artisanale

Au bord de l'Ardèche, avec plage de sable ou pelouse. Offre locative diverse en variété comme en confort.

Nature : ⌇ 🗘🗘
Loisirs : ♈ ✗ 🎬 🕹 jacuzzi 🏊 ⤼ ≋ (plage) 🏕 ⤳ ⫘ parc aquatique
Services : 🔗🖙 🖲 🛜 🖻 💧 ⤹
GPS : E : 4.3512 N : 44.41177

⚲ Beau Rivage

📞 04 75 88 03 54, www.beaurivage-camping.fr

Pour s'y rendre : par la D 579

Ouverture : de fin avr. à déb. sept.

2 ha (86 empl.) en terrasses, plat, herbeux

Empl. camping : 44 € ♣♣ ⇔ ▣ ⒤ (10A) - pers. suppl. 8 € - frais de réservation 16 €
Location : (de fin avr. à déb. sept.) - ⤳ - 14 🚐. Nuitée 50 à 125 € - Sem. 350 à 880 € - frais de réservation 25 €

Situé au milieu des vignes et au bord de l'Ardèche, idéal pour le calme.

Nature : ⌇ ▭ 🗘🗘
Loisirs : ♈ ✗ 🎬 🕹 🏊 ⤼ ≋ ⤳ ⫘
Services : 🔗🖙 🖲 🛜 🖻 💧 ⤹
GPS : E : 4.3649 N : 44.4103

MÉAUDRE

38112 - Carte Michelin **333** G7 - 1 321 h. - alt. 1 012 - Sports d'hiver : 1 000/1 600 m
▶ Paris 588 - Grenoble 38 - Pont-en-Royans 26 - Tullins 53

⚲ Les Eymes

📞 04 76 95 24 85, www.camping-les-eymes.com

Pour s'y rendre : 3,8 km au nord par D 106c, rte d'Autrans et rte à gauche

Ouverture : de mi-avr. à fin sept.

1,3 ha (44 empl.) non clos, en terrasses, peu incliné, plat, herbeux, pierreux, bois

Empl. camping : (Prix 2018) 26 € ♣♣ ⇔ ▣ ⒤ (10A) - pers. suppl. 7 € - frais de réservation 2 €
Location : (Prix 2018) Permanent - 9 🚐 - 5 🏠 - 1 tente lodge. Nuitée 55 à 120 € - Sem. 300 à 720 € - frais de réservation 10 €

🚐 borne artisanale 5 €

Jolie vue sur la vallée et les montagnes boisées et vente de produits locaux.

Nature : ⌇ ⋞ 🗘
Loisirs : ✗ ⤳
Services : 🔗🖙 🛜 laverie ⤹
GPS : E : 5.51574 N : 45.14468

⚠ Les Buissonnets

📞 04 76 95 21 04, www.camping-les-buissonnets.com - peu d'emplacements pour tentes et caravanes

Pour s'y rendre : lieu-dit : Les Grangeons (500 m au nord-est par D 106 et rte à dr., à 200 m du Méaudret)

Ouverture : de mi-déc. à mi-oct.

2,8 ha (109 empl.) peu incliné, plat, herbeux

Empl. camping : ♣ 16 € – ⒤ (6A) 4 €
Location : Permanent 🅿 - 17 🚐. Sem. 305 à 509 €

🚐 borne artisanale 5 €

Emplacements souvent sans véhicule, stationnés sur le parking. De grands espaces verts pour la détente ou les jeux collectifs.

Nature : ❄ ⌇ ⋞ 🗘🗘
Loisirs : 🎬 ⤼
Services : 🖙 🖲 🛜 laverie
À prox. : 🍴 ⤳
GPS : E : 5.53243 N : 45.12955

MEGÈVE

74120 - Carte Michelin **328** M5 - 3 907 h. - alt. 1 113 - Sports d'hiver : 1 113/2 350 m
▶ Paris 598 - Albertville 32 - Annecy 60 - Chamonix-Mont-Blanc 33

⚠ Bornand

📞 04 50 93 00 86, www.camping-megeve.com - alt. 1 060

Pour s'y rendre : à Demi Quartier, 57 rte du Grand-Bois (3 km au nord-est par N 212, rte de Sallanches et rte de la télécabine à dr.)

Ouverture : de déb. juil. à fin août

1,5 ha (55 empl.) non clos, en terrasses, incliné, plat, herbeux

Empl. camping : (Prix 2018) ♣ 5 € ⇔ ▣ 5 € – ⒤ (6A) 4 €
Location : (Prix 2018) Permanent ⤳ - 4 🏠. Sem. 350 à 620 €

🚐 borne artisanale 5 €

Ensemble de vrais chalets en bois très savoyards !

Nature : ⌇ ⋞ 🗘
Loisirs : 🎬
Services : 🔗🖙 🛒 🛜 laverie
GPS : E : 6.64161 N : 45.87909

Benutzen Sie den Hotelführer des laufenden Jahres.

MENGLON

26410 - Carte Michelin **332** F6 - 406 h. - alt. 550
▶ Paris 645 - Lyon 183 - Valence 80 - Grenoble 90

⚞ L'Hirondelle ⚋

℘ 04 75 21 82 08, www.campinghirondelle.com

Pour s'y rendre : bois de St-Ferréol (2,8 km au nord-ouest par D 214 et D 140, rte de Die, près de la D 539 (accès conseillé))

Ouverture : de déb. mai à mi-sept.

7,5 ha (180 empl.) non clos, plat, herbeux, pierreux

Empl. camping : 46 € ⚋⚋ ⚌ ▣ ⚡ (10A) - pers. suppl. 12 € - frais de réservation 25 €

Location : (de déb. mai à mi-sept.) - 20 ⛺ - 20 ⌂ - 6 chalets sur pilotis - 18 tentes lodges - 14 tentes sur pilotis. Nuitée 50 à 210 € - Sem. 350 à 1 470 € - frais de réservation 25 €
⛽ 4 ▣ 32 € - ⚡25 €

Cadre naturel et sauvage au bord du Bez avec des petites plages aménagées. Certains locatifs sont grand confort.

Nature : ⚲ ⟨ ▱ 〰
Loisirs : ⚑ ✗ 🎱 ◎nocturne ⚴⚵⚶ ⚲
⚲ terrain multisports
Services : ⚙ ⚹ – 5 sanitaires individuels (🚿⚡ wc) 🛜 laverie ⚒ ⚲

À prox. : parcours dans les arbres

| | E : 5.44746 |
| G P S | N : 44.68143 |

Use this year's Guide.

MENTHON-ST-BERNARD

74290 - Carte Michelin **328** K5 - 1 876 h. - alt. 482
▶ Paris 552 - Lyon 148 - Annecy 9 - Genève 51

⚞ Le Clos Don Jean

℘ 04 50 60 18 66, www.campingclosdonjean.com

Pour s'y rendre : 435 rte du Clos-Don-Jean

Ouverture : de déb. juin à fin août

1 ha (64 empl.) peu incliné, plat, herbeux

Empl. camping : (Prix 2018) 26 € ⚋⚋ ⚌ ▣ ⚡ (6A) - pers. suppl. 5 €
Location : (Prix 2018) (de déb. juin à mi-sept.) - 9 ⛺. Nuitée 65 à 85 € - Sem. 280 à 535 €

Vue sur l'imposant château de Menthon.

Nature : ⚲ ⟨ ⚲
Loisirs : 🎱
Services : ⚙ ⚹ 🛜 ▣

| | E : 6.19699 |
| G P S | N : 45.86298 |

MEYRAS

07380 - Carte Michelin **331** H5 - 842 h. - alt. 450
▶ Paris 609 - Aubenas 17 - Le Cheylard 54 - Langogne 49

⚞ Domaine de La Plage

℘ 04 75 36 40 59, www.lecampingdelaplage.com - peu d'emplacements pour tentes et caravanes

Pour s'y rendre : lieu-dit : Neyrac-les-Bains (3 km au sud-ouest par N 102, rte du Puy-en-Velay)

Ouverture : de déb. avr. à fin oct.

0,8 ha (45 empl.) en terrasses, plat, pierreux, herbeux

Empl. camping : (Prix 2018) 40 € ⚋⚋ ⚌ ▣ ⚡ (10A) - pers. suppl. 8 €

Location : (Prix 2018) (de déb. avr. à mi-nov.) - 25 ⛺ - 12 ⌂ - 3 gîtes. Nuitée 65 à 140 € - Sem. 270 à 990 €

En contrebas de la route. Préférer les emplacements au bord de l'Ardèche.

Nature : ⟨ ▱ 〰
Loisirs : ⚑ ✗ 🎱 salle d'animations ⚴⚵ ⚲
⚲ ⚲ ⚲ terrain multisports
Services : ⚙ 🏧 ⚹ ⚹ 🛜 laverie ⚲

À prox. : ⚲

| | E : 4.26067 |
| G P S | N : 44.67315 |

⚞ Le Ventadour

℘ 04 75 94 18 15, www.leventadour.com

Pour s'y rendre : au Pont de Rolandy (3,5 km au sud-est, par N 102, rte d'Aubenas, au bord de l'Ardèche)

Ouverture : de mi-avr. à mi-sept.

3 ha (115 empl.) plat et peu incliné, herbeux

Empl. camping : 32 € ⚋⚋ ⚌ ▣ ⚡ (10A) - pers. suppl. 7 € - frais de réservation 15 €

Location : (de mi-avr. à mi-sept.) - 20 ⛺ - 1 ⌂. Nuitée 89 à 113 € - Sem. 229 à 790 € - frais de réservation 15 €

Préférer les emplacements au bord de la rivière, plus éloignés de la route.

Nature : ▱ ⚲
Loisirs : ⚑ ✗ ⚴⚵ ⚶ ⚲ (plage) ⚲
Services : ⚙ 🏧 ⚹ 🛜 laverie ⚲
À prox. : ⚲

| | E : 4.28291 |
| G P S | N : 44.66757 |

MIRABEL-ET-BLACONS

26400 - Carte Michelin **332** D5 - 904 h. - alt. 225
▶ Paris 595 - Crest 7 - Die 30 - Dieulefit 33

⚞ Gervanne

℘ 04 75 40 00 20, www.gervanne-camping.com

Pour s'y rendre : quartier Bellevue (à Blacons)

Ouverture : de déb. avr. à fin sept.

5 ha (174 empl.) plat et peu incliné, herbeux

Empl. camping : 29 € ⚋⚋ ⚌ ▣ ⚡ (6A) - pers. suppl. 8 € - frais de réservation 15 €

Location : (de déb. avr. à fin sept.) - ⚲ (1 chalet) - ⚲ - 3 ⛺ - 18 ⌂ - 4 bungalows toilés - 3 tentes lodges - 1 cabane perchée. Nuitée 45 à 119 € - Sem. 315 à 805 € - frais de réservation 15 €
⛽ borne artisanale 4 € - 3 ▣ 16 €

Cadre verdoyant au confluent de la Gervanne et la Drôme avec du locatif varié de bon confort et la terrasse du bar face à la petite cascade.

Nature : ⚲ ⚲ ⚲
Loisirs : ⚑ ✗ 🎱 ⚴⚵ ⚶ ⚲ ⚲ ⚲
Services : ⚙ ⚹ 🛜 laverie ⚒ ⚲
À prox. : parcours de santé

| | E : 5.08917 |
| G P S | N : 44.71083 |

MONTCHAVIN

73210 - Carte Michelin **333** N4 - alt. 1 206
▶ Paris 672 - Lyon 206 - Chambéry 106 - Albertville 57

⛰ Caravaneige de Montchavin

✆ 0479078323, www.campingmontchavin.com - alt. 1 250

Pour s'y rendre : lieu-dit : Montchavin

Ouverture : Permanent

1,33 ha (90 empl.) en terrasses, plat, herbeux

Empl. camping : ⚤ 9€ ⇦ 3€ ▣ 17€ – ⚡ (10A) 10€

Location : Permanent⚤ - 2 ⬛. Nuitée 50 à 100€ - Sem. 200 à 700€

🚐 borne artisanale 5€

Superbe situation dominante.

Nature : ❄ ⬟ ⩤ vallée de la Tarentaise, Bourg-St-Maurice et le Mt-Blanc ◍◍	**G P S**	E : 6.73933
Loisirs : ⌂		N : 45.56058
Services : ⚬⇥ ▥ ⅀ laverie		
À prox. : ⬟ ⥲ ✕ ✖ ⬚ ⎓ parc aquatique		

*To visit a town or region : use the **MICHELIN Green Guides**.*

MONTREVEL-EN-BRESSE

01340 - Carte Michelin **328** D2 - 2 363 h. - alt. 215
▶ Paris 395 - Bourg-en-Bresse 18 - Mâcon 25 - Pont-de-Vaux 22

⛰ La Plaine Tonique ⚤⚤

✆ 0474308052, www.laplainetonique.com

Pour s'y rendre : 599 rte d'Etrez, à la base de loisirs (500 m à l'est par D 28, à la base de plein air)

Ouverture : de fin avr. à déb. sept.

27 ha/15 campables (548 empl.) peu incliné, plat, herbeux

Empl. camping : (Prix 2018) ⚤ 8€⇦ ▣ 17€ ⚡ (10A) - frais de réservation 13€

Location : (Prix 2018) (de fin avr. à déb. sept.) - ♿ (2 chalets) - ⚤ - 37 ⬛ - 43 ⌂ - 54 ⬚ - 10 tentes lodges - 8 tipis - 1 gîte. Sem. 389 à 899€ - frais de réservation 13€

🚐 borne eurorelais 3€ - 6 ▣ 8€

Sur les terres d'une très importante base de loisirs, emplacements ombragés et locatif varié.

Nature : ⬚ ◍◍ ⛰	**G P S**	E : 5.136
Loisirs : ⥲ ✕ ⬛ ⛳ ⩪ ⬚ ⥂ ⤏ ⚲ ⍾ ⌂ ⬚ ⩥ ⩓ ◐ 🛶 parcours sportif pédalos paddle		N : 46.33902
Services : ⚬⇥ ⬚ ⅀ ⅄ ⛽ ⑂ laverie ⬚ ⤏ point d'informations touristiques		

MONTRIGAUD

26350 - Carte Michelin **332** D2 - 496 h. - alt. 462
▶ Paris 560 - Lyon 97 - Valence 51 - Grenoble 75

⛰ La Grivelière

✆ 0475717071, www.camping-lagriveliere.com

Pour s'y rendre : rte de Roybon (3 km à l'est par D 228 et rte à droite, au bord de la Verne)

Ouverture : de déb. avr. à fin sept.

2,6 ha (59 empl.) plat, herbeux

Empl. camping : 27€ ⚤⚤ ⇦ ▣ ⚡ (10A) - pers. suppl. 5€ - frais de réservation 10€

Location : Permanent - 5 ⬛ - 1 ⌂ - 2 tentes lodges. Nuitée 50 à 120€ - Sem. 250 à 800€ - frais de réservation 10€

🚐 borne artisanale

Emplacements au bord d'un petit ruisseau.

Nature : ⬟ ⬚ ◍◍	**G P S**	E : 5.16711
Loisirs : ⥲ ✕ ⬛ ⩪ ⥂		N : 45.22176
Services : ⚬⇥ ⬚ ⅀ ▣ ⤏		

MORNANT

69440 - Carte Michelin 327 H6 - 5 438 h. - alt. 380
▶ Paris 478 - Givors 12 - Lyon 26 - Rive-de-Gier 13

⚑ La Trillonière

✆ 04 78 44 16 47, www.la-trillonniere.fr

Pour s'y rendre : bd Gén.-de-Gaulle (sortie sud, carr. D 30 et D 34, près d'un ruisseau)

Ouverture : de déb. juin à fin sept.

1,5 ha (60 empl.) peu incliné, plat, herbeux

Empl. camping : (Prix 2018) 25 € ✚✚ ⇔ 🔲 🔌 (10A) - pers. suppl. 5 €

Location : (Prix 2018) Permanent ⏦ - 6 🏠. Sem. 600 €

🚐 borne artisanale 5 €

Au pied de la cité médiévale. Arrêt de bus pour Lyon.

Services : 🛜 🖦
À prox. : ✂ ⤵

G P S E : 4.67073
N : 45.61532

Utilisez le guide de l'année.

MORZINE

74110 - Carte Michelin 328 N3 - 2 930 h. - alt. 960 - Sports d'hiver : 1 000/2 100 m
▶ Paris 586 - Annecy 84 - Chamonix-Mont-Blanc 67 - Cluses 26

⚑ Les Marmottes

✆ 04 50 75 74 44, www.campinglesmarmottes.com - alt. 938

Pour s'y rendre : lieu-dit : Essert-Romand (3,7 km au nord-ouest par D 902, rte de Thonon-les-Bains et D 329 à gauche)

Ouverture : de mi-juin à déb. sept.

0,5 ha (26 empl.) plat, herbeux, gravier

Empl. camping : (Prix 2018) 25 € ✚✚ ⇔ 🔲 🔌 (6A) - pers. suppl. 7 € - frais de réservation 10 €

Location : (Prix 2018) (de mi-juin à déb. sept.) - ⏦ - 2 🚐 - 1 🛏 - 1 studio. Sem. 370 à 609 € - frais de réservation 10 €

Préférer les emplacements les plus éloignés de la route très fréquentée en journée. Bus pour Morzine.

Nature : ❄ ≼ ♀
Loisirs : 🏠
Services : ⊶ 🛒 ▥ ♨ 🛜 laverie

G P S E : 6.67725
N : 46.19487

MURS-ET-GELIGNIEUX

01300 - Carte Michelin 328 G7 - 236 h. - alt. 232
▶ Paris 509 - Aix-les-Bains 37 - Belley 17 - Chambéry 42

⚑ Île de la Comtesse 👥

✆ 04 79 87 23 33, www.ile-de-la-comtesse.com

Pour s'y rendre : 1 km au sud-ouest sur D 992

Ouverture : de fin avr. à mi-sept.

3 ha (120 empl.) pierreux, plat, herbeux

Empl. camping : 19 € ✚✚ ⇔ 🔲 🔌 (6A) - pers. suppl. 8 € - frais de réservation 14 €

Location : (de fin avr. à mi-sept.) - ♿ (1 chalet) - ⏦ - 17 🚐 - 16 🏠 - 8 bungalows toilés. Nuitée 50 à 120 € - Sem. 189 à 890 € - frais de réservation 28 €

🚐 borne eurorelais 6 €

Près du Rhône avec un plan d'eau pour la baignade et un petit port de plaisance.

Nature : ≼ ☐ ♀♀
Loisirs : 🍽 ✗ 🏠 🏃 🚣 🚴 🏊 🎿
Services : ⊶ ♨ 🛜 laverie 🚿
À prox. : 🚤 ⚓ ski nautique , bateaux électriques

G P S E : 5.64876
N : 45.63993

NEYDENS

74160 - Carte Michelin 328 J4 - 1 486 h. - alt. 560
▶ Paris 525 - Annecy 36 - Bellegarde-sur-Valserine 33 - Bonneville 34

⚑ Sites et Paysages La Colombière

✆ 04 50 35 13 14, www.camping-la-colombiere.com

Pour s'y rendre : 166 chemin Neuf (à l'est du bourg)

Ouverture : de déb. avr. à fin oct.

2,5 ha (156 empl.) peu incliné, plat, herbeux, gravier

Empl. camping : 45 € ✚✚ ⇔ 🔲 🔌 (10A) - pers. suppl. 8 € - frais de réservation 13 €

Location : Permanent - 36 🚐 - 8 🏠. Nuitée 46 à 200 € - Sem. 322 à 1 300 € - frais de réservation 13 €

🚐 borne artisanale 5 € - 8 🔲 14 € - 🚐 🔌 21 €

Emplacements bien délimités et vrais chalets en bois à la location.

Nature : ♨ ≼ ☐ ♀
Loisirs : 🍽 ✗ 🏠 ⊙ diurne ♨ hammam 🏃 🚴 ⤵
Services : ⊶ ▥ ♨ - 4 sanitaires individuels (🚿 ⌂ wc) 🛒 🛜 🛜 laverie 🚿

G P S E : 6.10578
N : 46.11997

Avant de vous installer, consultez les tarifs en cours, affichés obligatoirement à l'entrée du terrain, et renseignez-vous sur les conditions particulières de séjour. Les indications portées dans le guide ont pu être modifiées depuis la mise à jour.

NOVALAISE-LAC

73470 - Carte Michelin 328 H4 - 1 712 h. - alt. 427
▶ Paris 524 - Belley 24 - Chambéry 21 - Les Échelles 24

⚑ Le Grand Verney

✆ 04 79 36 02 54, www.camping-legrandverney.info - peu d'emplacements pour tentes et caravanes

Pour s'y rendre : Le Neyret (1,2 km au sud-ouest par C 6)

Ouverture : de déb. avr. à fin oct.

2,5 ha (116 empl.) en terrasses, peu incliné, plat, herbeux

Empl. camping : (Prix 2018) 20 € ✚✚ ⇔ 🔲 🔌 (10A) - pers. suppl. 5 €

Location : (Prix 2018) (de déb. avr. à fin oct.) - ♿ (2 mobile homes) - 22 🚐. Nuitée 75 à 85 € - Sem. 340 à 640 €

Nombreux propriétaires-résidents et encore quelques places pour tentes et caravanes.

Nature : ♨ ≼ ☐ ♀♀
Loisirs : ⤵
Services : ⊶ 🛒 🛜 🖦

G P S E : 5.78371
N : 45.5683

NYONS

26110 - Carte Michelin **332** D7 - 7 104 h. - alt. 271
▶ Paris 653 - Alès 109 - Gap 106 - Orange 43

⚏ Les Terrasses Provençales

✆ 04 75 27 92 36, www.lesterrassesprovencales.com

Pour s'y rendre : à Ventérol, Les Barroux - Novezan (7 km au nord-ouest par D 538, puis D 232 à dr.)

2,5 ha (70 empl.) fort dénivelé, en terrasses, plat, pierreux, gravillons, herbeux, rochers

Location : - 9 🛏 - 40 tentes lodges.
🚐 borne artisanale - 6 🔲

Emplacements sur de nombreuses terrasses, parfois individuelles.

Nature : 🏞 ≤ 🗔 00	**G** E : 5.08047
Loisirs : ♟ ✕ 🏠 🚲 ⚊	**P** N : 44.40949
Services : ⚭ 🏕 🛁 🛜 laverie	**S**

⚑ L'Or Vert

✆ 04 75 26 24 85, www.camping-or-vert.com ✂ (de déb. avr. à fin juin)

Pour s'y rendre : à Aubres, quai de la Charité (3 km au nord-est par D 94, rte de Serres, au bord de l'Eygues)

Ouverture : de déb. avr. à fin sept.

1 ha (79 empl.) en terrasses, plat, herbeux, gravillons, pierreux, petit verger

Empl. camping : (Prix 2018) 28 € ✸✸ 🚗 🔲 🔌 (6A) - pers. suppl. 7 €
Location : (Prix 2018) (de déb. avr. à fin sept.) - ✂ - 7 🏠. Nuitée 40 à 120 € - Sem. 280 à 815 € - frais de réservation 10 €

Emplacements dominant la rivière et ses piscines naturelles idéales pour la baignade. Bon confort sanitaire.

Nature : 🏞 ≤ 🗔 00	**G** E : 5.16272
Loisirs : ✕ 🏠 ⚊ ⚊ ⚊	**P** N : 44.37273
Services : ⚭ 🚿 🛁 🛜 🔲 réfrigérateurs	**S**

En juin et septembre les campings sont plus calmes, moins fréquentés et pratiquent souvent des tarifs « hors saison ».

LES OLLIÈRES-SUR-EYRIEUX

07360 - Carte Michelin **331** J5 - 927 h. - alt. 200
▶ Paris 593 - Le Cheylard 28 - Lamastre 33 - Montélimar 53

⚏ Capfun Domaine des Plantas ♣♟

✆ 04 75 66 21 53, www.capfun.com/camping-france-rhone_alpes-plantas-FR.html

Pour s'y rendre : 3 km à l'est du bourg par rte étroite, accès près du pont, au bord de l'Eyrieux

27 ha/7 campables (172 empl.) en terrasses, plat, pierreux, herbeux
Location : (Prix 2018) (de mi-avr. à mi-sept.) - 174 🛏 - 7 🏠
- 8 tentes lodges. Nuitée 44 à 168 € - Sem. 175 à 2 352 € - frais de réservation 27 €

Locatif varié en mode d'hébergement comme en confort.

Nature : 🏞 ≤ 🗔 00	**G** E : 4.63565
Loisirs : ♟ ✕ 🏠 🎬 🏃 ⚊ ⚊ 🎱 ⚊ ⚊ ⚊	**P** N : 44.8087
Services : ⚭ 🛁 🛜 laverie 🛒	**S**
À prox. : 🚣 🐎	

⚏ Le Mas de Champel ♣♟

✆ 04 75 66 23 23, www.masdechampel.com

Pour s'y rendre : au Domaine de Champel (au nord du bourg par D 120, rte de la Voulte-sur-Rhône et chemin à gauche, près de l'Eyrieux)

Ouverture : de mi-avr. à fin sept.

4 ha (95 empl.) en terrasses, plat, herbeux

Empl. camping : 32 € ✸✸ 🚗 🔲 🔌 (6A) - pers. suppl. 8 € - frais de réservation 15 €
Location : (de mi-avr. à fin sept.) - 42 🛏 - 12 bungalows toilés
- 2 tentes lodges - 3 tentes sur pilotis - 1 tipi. Nuitée 60 à 142 €
- Sem. 175 à 994 € - frais de réservation 25 €

Divers locatifs de confort variable et agréable petite plage au bord de la rivière.

Nature : 🏞 ≤ 00	**G** E : 4.6146
Loisirs : ♟ ✕ 🏠 🌙 nocturne 🏃 ⚊ jacuzzi 🏃 🚲 ⚊ ⚊ ⚊	**P** N : 44.80603
Services : ⚭ 🔲 🛁 🛜 laverie 🛒	**S**

⚏ Eyrieux-Camping ♣♟

✆ 04 75 66 30 08, www.eyrieuxcamping.com

Pour s'y rendre : lieu-dit : La Feyrère (sortie est par D 120, rte de la Voulte-sur-Rhône et chemin à dr., à 100 m de l'Eyrieux (accès direct))

Ouverture : de déb. avr. à mi-nov.

3 ha (94 empl.) en terrasses, plat, herbeux

Empl. camping : 16 € ✸✸ 🚗 🔲 🔌 (10A) - pers. suppl. 5 € - frais de réservation 10 €
Location : Permanent♿ (1 mobile home) - 41 🛏 - 34 🏠. Nuitée 50 à 349 € - Sem. 160 à 2 443 € - frais de réservation 10 €

Locatif varié de confort simple à grand confort.

Nature : 🏞 ≤ 🗔 00	**G** E : 4.63072
Loisirs : ♟ ✕ 🏃 ⚊ ⚊ 🚲 ⚊ ⚊ ⚊ terrain multisports	**P** N : 44.80764
Services : ⚭ 🛁 🛜 laverie ⚊ 🛒 réfrigérateurs	**S**

LA PACAUDIÈRE

42310 - Carte Michelin **327** C2 - 1 078 h. - alt. 363
▶ Paris 370 - Lapalisse 24 - Marcigny 21 - Roanne 25

⚑ Municipal Beausoleil

✆ 04 77 64 11 50, www.la-pacaudiere.fr

Pour s'y rendre : lieu-dit : Beausoleil (700 m à l'est par D 35, rte de Vivans et à dr., près du terrain de sports et du collège)

Ouverture : de déb. mai à fin sept.

1 ha (35 empl.) peu incliné, herbeux

Empl. camping : ✸ 4 € 🚗 2 € 🔲 2 € – 🔌 (6A) 3 €
Location : (de déb. mai à fin sept.) - ♿ (1 chalet) - ✂ - 5 🏠
- 2 tentes lodges - 1 appartement. Nuitée 59 à 78 € - Sem. 272 à 370 €
🚐 30 🔲 15 €

Joli petit village de chalets et emplacements tous près des installations sportives municipales.

Nature : 🏞 🗔 0	**G** E : 3.87236
Loisirs : 🏠 ⚊	**P** N : 46.17562
Services : ⚭ 🛁 🛜 🔲	**S**
À prox. : ✂ ⚊ ⚊	

PALADRU

38850 - Carte Michelin **333** G5 - 1 044 h. - alt. 503
▶ Paris 523 - Annecy 84 - Chambéry 47 - Grenoble 43

⚠ Le Calatrin

☏ 0476323748, www.camping-paladru.fr

Pour s'y rendre : 799 r. de la Morgerie (à la sortie du bourg, dir. Charavines)

Ouverture : de déb. avr. à fin sept.

2 ha (60 empl.) en terrasses, plat, herbeux

Empl. camping : 23€ ♦♦ ⬚ 🖭 (10A) - pers. suppl. 8€
Location : (de déb. avr. à fin sept.) - 4 🏠 - 2 tentes lodges.
Nuitée 44 à 90€ - Sem. 240 à 640€
🚐 borne artisanale 4€
Emplacements en terrasses ombragés ou ensoleillés qui descendent jusqu'au bord du lac.

Nature : 🦢 ≤ 💯
Loisirs : 🏠 🛶
Services : ⚬🛒 🛏 🛗 🖼
À prox. : 🍷 ✕ 🏖 (plage) ⚓ base nautique

GPS E : 5.54673
N : 45.47077

PÉLUSSIN

42410 - Carte Michelin **327** - 3 511 h. - alt. 420
▶ Paris 515 - Grenoble 112 - Lyon 53 - Saint-Étienne 40

⚠ Sites et Paysages Bel'Epoque du Pilat 👥

☏ 0474876660, www.camping-belepoque.fr

Pour s'y rendre : au lieu-dit : La Vialle, rte de Malleval (2.7 km au sud par la D 79)

Ouverture : de déb. avr. à fin sept.

3,5 ha (80 empl.) vallonné, en terrasses, peu incliné à incliné, plat, pierreux, herbeux

Empl. camping : (Prix 2018)
28€ ♦♦ ⬚ 🖭 (6A) - pers. suppl. 7€ - frais de réservation 10€
Location : (Prix 2018) (de déb. avr. à fin sept.) - 5 🚐 - 1 🏠 - 2 tentes lodges. Nuitée 49 à 105€ - Sem. 245 à 735€ - frais de réservation 10€
🚐 borne eurorelais - 🛒 11€
Emplacements en sous-bois avec du locatif varié et de bon confort.

Nature : 🦢 💬 💯
Loisirs : 🍷 🛝 🛶 🚲 ✂ 🏊
Services : ⚬🛒 🛏 🛗 🖼 🍴
À prox. : 🏇

GPS E : 4.69147
N : 45.41388

PÉTICHET

38119 - Carte Michelin **333** H7
▶ Paris 592 - Le Bourg-d'Oisans 41 - Grenoble 30 - La Mure 11

⚠ Ser-Sirant

☏ 0476839197, www.campingsersirant.fr

Pour s'y rendre : à St-Théoffrey, au lac de Laffrey (sortie est et chemin à gauche)

Ouverture : de déb. mai à fin sept.

2 ha (100 empl.) en terrasses, plat, herbeux, pierreux, bois

Empl. camping : 30€ ♦♦ ⬚ 🖭 (10A) - pers. suppl. 6€ - frais de réservation 10€

Location : (de déb. mai à fin sept.) - 7 🚐 - 6 🏠 - 2 bungalows toilés. Nuitée 90 à 150€ - Sem. 250 à 795€ - frais de réservation 17€
Au bord du lac avec de grands espaces verts et à côté d'une jolie petite base nautique.

Nature : 🦢 💯 🏖
Loisirs : 🍷 🏠 🛶 🛶 barques
Services : ⚬🛒 🛏 🛗 laverie
À prox. : 🦆 ⚓

GPS E : 5.77759
N : 45.00038

LE POËT-CÉLARD

26460 - Carte Michelin **332** D6 - 133 h. - alt. 590
▶ Paris 618 - Lyon 156 - Valence 53 - Avignon 114

⚠⚠ Yelloh! Village Le Couspeau

☏ 0475533014, www.couspeau.fr - alt. 600

Pour s'y rendre : quartier Bellevue (1,3 km au sud-est par D 328A)

Ouverture : de fin mai à déb. sept.

6 ha (133 empl.) en terrasses, peu incliné, plat, herbeux

Empl. camping : 47€ ♦♦ ⬚ 🖭 (10A) - pers. suppl. 8€
Location : (de fin mai à déb. sept.) - 48 🚐 - 31 🏠 - 2 tentes lodges. Nuitée 30 à 269€ - Sem. 210 à 1 883€
🚐 borne artisanale 1€
Situation dominante et panoramique.

Nature : 🦢 ≤ 💬 🌿
Loisirs : 🍷 ✕ 🛶 🚲 ✂ 🖼 (petite piscine) 🛷 🏕 terrain multisports parc aquatique
Services : ⚬🛒 🛗 🛏 🛗 laverie 🍴

GPS E : 5.11152
N : 44.59641

Avant de vous installer, consultez les tarifs en cours, affichés obligatoirement à l'entrée du terrain, et renseignez-vous sur les conditions particulières de séjour. Les indications portées dans le guide ont pu être modifiées depuis la mise à jour.

LE POËT-LAVAL

26160 - Carte Michelin **332** D6 - 922 h. - alt. 311
▶ Paris 619 - Crest 35 - Montélimar 25 - Nyons 35

⚠ Municipal Lorette

☏ 0475910062, www.campinglorette.fr

Pour s'y rendre : quartier Lorette (1 km à l'est par D 540, rte de Dieulefit)

Ouverture : de déb. mai à fin sept.

2 ha (60 empl.) peu incliné à incliné, herbeux

Empl. camping : 16€ ♦♦ ⬚ 🖭 (6A) - pers. suppl. 4€
🚐 borne artisanale
Emplacements plus ou moins ombragés au bord du Jabron (sans eau l'été).

Nature : 🦢 ≤ 💯
Loisirs : 🛶 🛷 🛶
Services : 🛏 🛗 🚽 🛗 🖼
À prox. : ✂

GPS E : 5.02277
N : 44.52922

PONCINS

42110 - Carte Michelin **327** D5 - 869 h. - alt. 339
▶ Paris 446 - Lyon 77 - St-Étienne 50 - Clermont-Ferrand 109

⚠ Village Vacances Le Nid Douillet

(pas d'emplacement tentes et caravanes)

𝒫 04 77 27 80 36, www.le-nid-douillet.com

Pour s'y rendre : lieu-dit : Les-Baraques-des-Rotis (rte de Montbrison-les-Baraques-des-Rotis)

2 ha plat, herbeux

Location : ♿ (1 chalet) - 6 ⌂ .

Tout petit village de chalets dans un paysage verdoyant et fleuri.

Nature : 🐟 ♀	
Loisirs : 🏠 🛷 🛝	**G** E : 4.1615
Services : 🔌 📶	**P** N : 45.7123
À prox. : 🐎	**S**

Renouvelez votre guide chaque année.

PONT-DE-VAUX

01190 - Carte Michelin **328** C2 - 2 187 h. - alt. 177
▶ Paris 380 - Bourg-en-Bresse 40 - Lons-le-Saunier 69 - Mâcon 24

🏔 Aux Rives du Soleil 👥

𝒫 03 85 30 33 65, www.rivesdusoleil.com

Pour s'y rendre : lieu-dit : le Port (3.7 km au nord-ouest par D 933A, rte de Cluny.)

Ouverture : de mi-avr. à mi-oct.

8 ha (160 empl.) plat, herbeux

Empl. camping : (Prix 2018) 🚶 7€ 🚗 14€ – 🔌 (6A) 4€ - frais de réservation 17€

Location : (Prix 2018) (de mi-avr. à mi-oct.) - 10 🏚 - 12 bungalows toilés. Nuitée 45 à 134€ - Sem. 315 à 938€ - frais de réservation 17€

Sur une presqu'île au confluent de la Saône et du Reyssouze, au bord de l'écluse, avec de grands espaces verts idéaux pour la détente ou les jeux collectifs.

Nature : 🗗 ♀♀	
Loisirs : 🍷 🍴 🏠 🎣 🏇 🛷 🚲 🛝 🪂 mini ferme	**G** E : 4.89892
Services : 🔌 📶 🛁 📶 laverie 🧺	**P** N : 46.44701
À prox. : ⚓	**S**

🏔 Champ d'Été

𝒫 03 85 23 96 10, www.camping-champ-dete.com

Pour s'y rendre : lieu-dit : Reyssouze-Les-Quatre-Vents (à 800m au nord-ouest par D 933)

3,5 ha (140 empl.) plat, herbeux

Location : ♿ (1 chalet) - 3 🏚 - 30 ⌂ - 1 tente lodge - 2 roulottes - 1 gîte.

🚐 borne artisanale - 5 📧

De grands espaces verts près d'un plan d'eau dédié à la pêche.

Nature : 🐟 ⟨ 🗗 ♀♀	
Loisirs : 🏠 🏇 🛷 terrain multisports	**G** E : 4.93301
Services : 🔌 🛁 🚿 📶 laverie	**P** N : 46.42966
À prox. : 🍴 🛁 🛝 🛷 🛝	**S**

⚠ Les Ripettes

𝒫 03 85 30 66 58, www.camping-les-ripettes.com

Pour s'y rendre : lieu-dit : Les Tourtes (4 km à l'est p D 46, rte de Chavannes-sur-Reyssouze)

Ouverture : de déb. avr. à fin sept.

2,5 ha (54 empl.) plat, herbeux

Empl. camping : 24€ 👫 🚗 📧 🔌 (10A) - pers. suppl. 5€
Location : (de déb. avr. à fin sept.) - 🛖 - 1 tente lodge. Nuitée 45 à 65€ - Sem. 315 à 455€

🚐 4 📧 20€

De grands emplacements ombragés, de 300 à 400 m2 pour certains.

Nature : 🐟 🗗 ♀♀	
Loisirs : 🛷	**G** E : 4.98073
Services : 🔌 📶 laverie	**P** N : 46.44449
	S

POUILLY-SOUS-CHARLIEU

42720 - Carte Michelin **327** D3 - 2 582 h. - alt. 264
▶ Paris 393 - Charlieu 5 - Digoin 43 - Roanne 15

⚠ Municipal les Ilots

𝒫 04 77 60 80 67, www.pouillysouscharlieu.fr

Pour s'y rendre : rte de Marcigny (sortie nord par D 482, rte de Digoin et à dr., au bord du Sornin)

Ouverture : de mi-mai à mi-sept.

1 ha (50 empl.) plat, herbeux

Empl. camping : (Prix 2018) 14€ 👫 🚗 📧 🔌 (15A) - pers. suppl. 3€
🚐 borne artisanale - 🚐 🔌14€

Petite prairie en partie ombragée bordée par la rivière avec un confort sanitaire faible ancien mais bien tenu.

Nature : 🐟 ♀♀	
Loisirs : 🏠 🛷	**G** E : 4.11135
Services : 🔌 🚿 🛁 📶 📧	**P** N : 46.15101
À prox. : 🍴 🛝	**S**

*Choisissez votre restaurant sur **restaurant.michelin.fr***

POULE-LES-ÉCHARMEAUX

69870 - Carte Michelin **327** F3 - 1 045 h. - alt. 570
▶ Paris 446 - Chauffailles 17 - La Clayette 25 - Roanne 47

⚠ Municipal les Écharmeaux

𝒫 06 79 30 46 62, www.poulelesecharmeaux.fr/tourisme/camping-municipal

Pour s'y rendre : à l'ouest du bourg

Ouverture : de déb. mai à fin sept.

0,5 ha (24 empl.) en terrasses, plat, herbeux

Empl. camping : 12€ 👫 🚗 📧 🔌 (6A) - pers. suppl. 2€

Emplacements en terrasses individuelles surplombant un étang.

Nature : 🐟 ⟨ 🗗	
Loisirs : 🍴	**G** E : 4.4598
Services : 🚿 🛁 📧	**P** N : 46.14871
À prox. : 🛝	**S**

PRADONS

07120 - Carte Michelin **331** I7 - 421 h. - alt. 124
▶ Paris 647 - Aubenas 20 - Largentière 16 - Privas 52

�automountain Les Coudoulets ♣♣

✆ 04 75 93 94 95, www.coudoulets.com

Pour s'y rendre : chemin de l'Ardèche (au nord-ouest du bourg)

Ouverture : de mi-avr. à mi-sept.

3,5 ha/2,5 campables (123 empl.) plat et peu incliné, herbeux, pierreux

Empl. camping : 42€ ♣♣ ⇔ ⊞ ⚡ (16A) - pers. suppl. 8€ - frais de réservation 10€

Location : (de mi-avr. à mi-sept.) - 35 ⊡ - 3 tentes lodges - 4 gîtes. Nuitée 50 à 145€ - Sem. 350 à 1 015€ - frais de réservation 10€

⊞ borne artisanale
Bel ombrage au bord de la rivière avec un bon confort sanitaire et des animations adaptées aux familles.

Nature : 🌊 ⌨ 🌳🌳	
Loisirs : ♈ ✕ ⊙diurne ≁ ⛵ jacuzzi 🌊 ▤ 🏊 ⚊ ⚱	**G P S** E : 4.3572 N : 44.47729
Services : ⚬⚬ ⚕ – 4 sanitaires individuels (⚍⚍⚍ wc) 🀤 laverie	
À prox. : ♒	

�’mountain Le Pont

✆ 04 75 93 93 98, www.campingdupontardeche.com

Pour s'y rendre : 225 rte du Cirque-de-Gens (300 m à l'ouest par D 308, rte de Chauzon)

Ouverture : de déb. avr. à mi-sept.

2 ha (80 empl.) plat, herbeux, pierreux

Empl. camping : 21€ ♣♣ ⇔ ⊞ ⚡ (10A) - pers. suppl. 5€ - frais de réservation 12€

Location : (de déb. avr. à mi-sept.) - 20 ⊡ - 3 🏠 - 2 tentes lodges - 1 gîte. Nuitée 40 à 85€ - Sem. 210 à 595€ - frais de réservation 12€

⊞ borne eurorelais
Préférer les emplacements côté escalier pour accéder à l'Ardèche, plus éloignés de la route.

Nature : ⌨ 🌳🌳	
Loisirs : ♈ ✕ ⊞ ≁≁ 🏊 ⚱ 🐟	**G P S** E : 4.35337 N : 44.47392
Services : ⚬⚬ 🀤 ▤	
À prox. : ♒	

�’mountain Laborie ♣♣

✆ 04 75 89 18 37, www.campingdelaborie.com

Pour s'y rendre : rte de Ruoms (1,8 km au nord-est par rte d'Aubenas)

Ouverture : de mi-avr. à mi-sept.

3 ha (100 empl.) plat, herbeux

Empl. camping : (Prix 2018) 35€ ♣♣ ⇔ ⊞ ⚡ (10A) - pers. suppl. 7€ - frais de réservation 10€

Location : (Prix 2018) (de mi-avr. à mi-sept.) - ⚶ - 19 ⊡ - 5 bungalows toilés. Sem. 250 à 720€ - frais de réservation 10€

Préférer les emplacements côté rivière, plus éloignés de la route.

Nature : 🌳🌳	
Loisirs : ♈ ✕ ⊞ ≁≁ ≁ 🏊 ⚱ 🐟	**G P S** E : 4.3783 N : 44.48161
Services : ⚬⚬ ⚕ 🀤 ▤	
À prox. : ♒	

PRALOGNAN-LA-VANOISE

73710 - Carte Michelin **333** N5 - 754 h. - alt. 1 425 - Sports d'hiver : 1 410/2 360 m
▶ Paris 634 - Albertville 53 - Chambéry 103 - Moûtiers 28

�’mountain Alpes Lodges - Le Parc Isertan

✆ 04 79 08 75 24, www.alpes-lodges.com

Pour s'y rendre : quartier Isertan (au sud du bourg)

Ouverture : de mi-déc. à fin sept.

4,5 ha (152 empl.) non clos, en terrasses, plat, herbeux, pierreux

Empl. camping : 28€ ♣♣ ⇔ ⊞ ⚡ (10A) - pers. suppl. 5€ - frais de réservation 7€

Location : (de mi-déc. à fin sept.) - 3 ⊡ - 4 🏠 - 8 tentes lodges - 4 tipis - 12 appartements - 4 studios - 1 tente. Nuitée 40 à 90€ - Sem. 160 à 1 060€ - frais de réservation 20€

⊞ borne AireService 5€ - 6 ⊞ 18€ - 🚐 18€
Agréable domaine au bord d'un torrent.

Nature : ❄ 🌊 ≤	
Loisirs : ♈ ✕ ⊞ 🌊	**G P S** E : 6.72883 N : 45.37189
Services : ⚬⚬ ▥ ⚕ 🀤 ≁	
À prox. : ≁≁ ✂ ♞ 🏊 ⚶ escalade patinoire terrain multisports	

PRIVAS

07000 - Carte Michelin **331** J5 - 8 461 h. - alt. 300
▶ Paris 596 - Alès 107 - Mende 140 - Montélimar 34

�’mountain "C'est si bon" Ardèche Camping ♣♣

✆ 04 75 64 05 80, www.ardechecamping.fr

Pour s'y rendre : chemin du camping (1,5 km au sud par D 2, rte de Montélimar, au bord de l'Ouvèze)

Ouverture : de mi-avr. à fin sept.

5 ha (170 empl.) en terrasses, peu incliné, plat, herbeux

Empl. camping : 36€ ♣♣ ⇔ ⊞ ⚡ (10A) - pers. suppl. 9€ - frais de réservation 20€

Location : (de mi-avr. à fin sept.) - 20 ⊡ - 20 🏠 - 4 bungalows toilés. Nuitée 30 à 142€ - Sem. 210 à 994€ - frais de réservation 20€

⊞ borne artisanale 8€
Proche du centre-ville avec des installations adaptées aux familles avec de jeunes enfants.

Nature : 🌊 ≤ ♀	
Loisirs : ♈ ✕ ≁≁ ≁≁ 🚲 🌊 🏊 ⚶ 🐟 terrain multisports	**G P S** E : 4.59698 N : 44.72597
Services : ⚬⚬ ⚕ 🀤 ▤ ≁	
À prox. : 🛒	

RIBES

07260 - Carte Michelin **331** H7 - 266 h. - alt. 380
▶ Paris 656 - Aubenas 30 - Largentière 19 - Privas 61

⛰ Les Cruses

✆ 0475395469, www.campinglescruses.com

Pour s'y rendre : lieu-dit : Le Champcros (1 km au sud-est du bourg, par D 450)

Ouverture : de mi-avr. à mi-sept.

0,7 ha (47 empl.) en terrasses, plat, pierreux

Empl. camping : 32€ ♥♥ ⟶ 🅴 ⚡ (10A) - pers. suppl. 7€ - frais de réservation 17€

Location : (Prix 2018) (de déb. avr. à mi-sept.) - 8 🛖 - 18 🏠. Nuitée 55 à 134€ - Sem. 280 à 943€ - frais de réservation 17€

🚐 borne raclet 1€ - 5 🅴 32€ - 🔌 11€

À l'ombre de châtaigniers centenaires, emplacements dominant les vignes ardéchoises.

Nature : 🌊 🌳🌳	G
Loisirs : ✕ 🏠 jacuzzi 🏊 🛝	P
Services : ⟶ (juil.-août) 🅿 🚿 🚰 📶 📶 🔌	S E : 4.20757
À prox. : 🚴	N : 44.4927

---

*Créez votre voyage sur **voyages.michelin.fr***

LA ROSIÈRE 1850

73700 - Carte Michelin **333** O4 - alt. 1 850 - Sports d'hiver : 1 100/2 600 m
▶ Paris 657 - Albertville 76 - Bourg-St-Maurice 22 - Chambéry 125

⛰ La Forêt

✆ 0611399636, www.camping-la-rosiere.com - alt. 1 730

Pour s'y rendre : 2 km au sud par N 90, rte de Bourg-St-Maurice - accès direct au village

Ouverture : de déb. déc. à fin sept.

1,5 ha (67 empl.) non clos, en terrasses, peu incliné, plat, herbeux, pierreux

Empl. camping : 18€ ♥♥ ⟶ 🅴 ⚡ (10A) - pers. suppl. 6€

Location : (de mi-déc. à fin sept.) - 🛖 - 6 🛖. Sem. 340 à 795€

🚐 borne artisanale 4€

Agréable situation au milieu des pins avec vue panoramique.

Nature : ❄ ≤ Mt-Pourri, Aiguille Rouge, Arc 2000 🌳🌳	G
Loisirs : 🍽 ✕ 🏊 🛝 (petite piscine)	P
Services : ⟶ 🏧 📶 laverie	S E : 6.85425
À prox. : ✕ 🍴	N : 45.6234

ROSIÈRES

07260 - Carte Michelin **331** H7 - 1 121 h. - alt. 175
▶ Paris 649 - Aubenas 22 - Largentière 12 - Privas 54

⛰ Domaine Arleblanc

✆ 0475395311, www.arleblanc.com

Pour s'y rendre : sortie nord-est, rte d'Aubenas et 2,8 km par chemin à dr., longeant le centre commercial Intermarché

Ouverture : de fin mars à fin oct.

10 ha/6 campables (167 empl.) plat, herbeux

Empl. camping : (Prix 2018) 36€ ♥♥ ⟶ 🅴 ⚡ (6A) - pers. suppl. 9€ - frais de réservation 16€

Location : (Prix 2018) (de fin mars à fin oct.) - ♿ (1 mobile home) - 34 🛖 - 6 🏠 - 4 gîtes - 4 appartements. Nuitée 54 à 66€ - Sem. 408 à 847€ - frais de réservation 16€

Vaste domaine autour d'un ancien prieuré du 12e s. et au bord de la Beaume. Idéal pour la baignade ou la pêche.

Nature : 🌊 🌳🌳	G
Loisirs : 🍽 ✕ 🏊 🛝 ✗ 🏐 🛝 🏊 🚣	P
Services : ⟶ 🏧 🅿 🚿 🚰 📶 laverie 🔌 🚰	S E : 4.27221
À prox. : 🚴	N : 44.46552

⛰ La Plaine

✆ 0475395135, www.campinglaplaine.fr

Pour s'y rendre : lieu-dit : Les Plaines (700 m au nord-est par D 104)

Ouverture : de déb. avr. à mi-sept.

4,5 ha/3,5 campables (128 empl.) plat, herbeux, peu incliné

Empl. camping : 35€ ♥♥ ⟶ 🅴 ⚡ (10A) - pers. suppl. 7€ - frais de réservation 20€

Location : (de déb. avr. à mi-sept.) - 52 🛖 - 2 🏠. Sem. 210 à 840€ - frais de réservation 20€

Bon ombrage des emplacements délimités et petit étang pour les amateurs de pêche.

Nature : 🏕 🌳🌳	G
Loisirs : 🍽 🏠 🏋 ✗ 🏐 🛝 🏊	P
Services : ⟶ 🅿 📶 📶	S E : 4.26677
À prox. : 🚁 🚴	N : 44.48608

⛰ Les Platanes

✆ 0475395231, www.campinglesplatanesardeche.com

Pour s'y rendre : lieu-dit : La Charve (sortie nord-est, rte d'Aubenas et 3,7 km par chemin à dr., longeant le centre commercial Intermarché)

Ouverture : de mi-mars à mi-oct.

2 ha (90 empl.) plat, herbeux

Empl. camping : 32€ ♥♥ ⟶ 🅴 ⚡ (16A) - pers. suppl. 6€

Location : (de mi-mars à mi-oct.) - 🛖 (de déb. juil. à fin août) - 29 🛖. Nuitée 52 à 120€ - Sem. 275 à 850€

🚐 borne artisanale 15€

Emplacements tentes et caravanes au bord de la rivière sous les micocouliers, mobile homes de l'autre côté de la petite route.

Nature : 🌊 ≤ 🌳🌳	G
Loisirs : 🍽 ✕ 🏠 🏋 🛝 🚣 🛶	P
Services : ⟶ 🏧 🅿 📶 🚿 🔌 🚰 🚰	S E : 4.27766
	N : 44.45702

⛰ Les Hortensias

✆ 0475399138, www.leshortensias.com

Pour s'y rendre : quartier Ribeyre-Bouchet (1,8 km au nord-ouest par D 104, rte de Joyeuse, D 303, rte de Vernon à dr., et chemin à gauche)

Ouverture : de mi-avr. à fin sept.

1 ha (43 empl.) plat, herbeux, sablonneux

Empl. camping : (Prix 2018) 29€ ♥♥ ⟶ 🅴 ⚡ (10A) - pers. suppl. 5€

Location : (Prix 2018) (de mi-avr. à fin sept.) - 20 🛖 - 2 bungalows toilés - 1 gîte. Sem. 180 à 820€

🚐 3 🅴 11€

Au milieu des vignes, terrain calme, locatif varié et peu de places pour tentes et caravanes.

Nature : 🐚 🗔 ⚲⚲
Loisirs : 🛶
Services : ⚬━ 🛜 📷
À prox. : 🚤 (plan d'eau) 🐎 🛥

G P S — E : 4.23976 / N : 44.48755

RUFFIEUX

73310 - Carte Michelin **333** I2 - 800 h. - alt. 282
▶ Paris 517 - Aix-les-Bains 20 - Ambérieu-en-Bugey 58 - Annecy 51

⛰ **Saumont**

🕿 0479542626, www.campingsaumont.com

Pour s'y rendre : lieu-dit : Saumont (1,2 km à l'ouest, accès sur D 991, près du carr. du Saumont, vers Aix-les-Bains)

Ouverture : de mi-avr. à fin sept.

1,6 ha (66 empl.) non clos, plat, herbeux, gravier

Empl. camping : 24€ ★★ 🚐 🔲 🔌 (10A) - pers. suppl. 5€ - frais de réservation 10€

Location : (Prix 2018) (de mi-avr. à fin sept.) - 18 🛖 - 1 🏠. Nuitée 30 à 115€ - Sem. 230 à 780€ - frais de réservation 10€

Quelques emplacements en sous-bois, au bord d'un ruisseau.

Nature : 🗔 ⚲⚲
Loisirs : 🍴 🚵 🎣 🛶 🛥
Services : ⚬━ 🎱 🚿 🛜 laverie

G P S — E : 5.83663 / N : 45.8486

Gebruik de gids van het lopende jaar.

RUOMS

07120 - Carte Michelin **331** I7 - 2 249 h. - alt. 121
▶ Paris 651 - Alès 54 - Aubenas 24 - Pont-St-Esprit 49

⛰ **Sunêlia Aluna Vacances** 👥

🕿 0475939315, www.alunavacances.fr

Pour s'y rendre : rte de Lagorce (2 km à l'est par D 559)

Ouverture : de déb. avr. à déb. nov.

10 ha (430 empl.) en terrasses, peu incliné, plat, herbeux, pierreux

Empl. camping : 57€ ★★ 🚐 🔲 🔌 (10A) - pers. suppl. 14€ - frais de réservation 35€

Location : (de déb. avr. à déb. nov.) - 🦽 (2 mobile-homes) - 262 🛖 - 2 tentes lodges. Nuitée 45 à 274€ - Sem. 315 à 1 918€ - frais de réservation 35€

Festival de musique Aluna chaque année à la mi-juin, avec 4 à 7 concerts par soir, qui attire plus de 30 000 personnes sur 3 jours.

Nature : 🐚 🗔 ⚲⚲
Loisirs : 🍴 🍽 🎭 🎮 🤸 🏌 centre balnéo hammam jacuzzi 🚵 🎱 🔲 🛶 🏊 terrain multisports
Services : ⚬━ 🚿 🛜 laverie 🛒 🛥
À prox. : 🐎

G P S — E : 4.3526 / N : 44.44962

⛰ **Tohapi Domaine de Chaussy** 👥

(pas d'emplacement tentes et caravanes)

🕿 0475939966, www.domainedechaussy.com

Pour s'y rendre : quartier du Petit-Chaussy (2,3 km à l'est par D 559, rte de Lagorce)

18 ha/5,5 campables (250 empl.) vallonné

Location : (Prix 2018) (de déb. avr. à fin sept.) - 252 🛖 - 40 🛏 - 17 gîtes. Nuitée 60 à 120€ - Sem. 250 à 1 600€ - frais de réservation 25€

Nombreuses activités sportives pour la famille.

Nature : 🐚 ⚲⚲
Loisirs : 🍴 🍽 🎭 🎮 🤸 🏌 hammam jacuzzi 🚵 🚴 🏊 parcours de santé parcours VTT
Services : ⚬━ 🚿 🛜 laverie 🛥 🛒

G P S — E : 4.36913 / N : 44.4472

⛰ **RCN La Bastide en Ardèche** 👥

🕿 0475396472, www.rcn.nl/fr

Pour s'y rendre : rte d'Alès, D111, au pont (4 km au sud-ouest, à Labastide)

Ouverture : de fin mars à mi-sept.

7 ha (300 empl.) plat, herbeux, pierreux

Empl. camping : (Prix 2018) 56€ ★★ 🚐 🔲 🔌 (6A) - pers. suppl. 8€ - frais de réservation 20€

Location : (Prix 2018) (de fin mars à mi-sept.) - 67 🛖. Sem. 290 à 1 460€ - frais de réservation 20€

Belle situation au bord de l'Ardèche, avec plage de sable. Préférer les emplacements les plus éloignés de la route.

Nature : < ⚲⚲
Loisirs : 🍴 🍽 🎭 🤸 🚵 🏐 🛶 (plage) 🏊 🛥
Services : ⚬━ 🚿 🚲 🚰 🛜 laverie 🛥 🛒

G P S — E : 4.32524 / N : 44.42326

⛰ **La Grand'Terre** 👥

🕿 0475396494, www.camping-lagrandterre.com

Pour s'y rendre : 3,5 km au sud

Ouverture : de déb. avr. à mi-sept.

10 ha (296 empl.) plat, pierreux, sablonneux

Empl. camping : 48€ ★★ 🚐 🔲 🔌 (15A) - pers. suppl. 10€ - frais de réservation 10€

Location : (de déb. avr. à mi-sept.) - 🦽 - 73 🛖. Nuitée 44 à 199€ - Sem. 220 à 1 393€ - frais de réservation 10€

🚐 borne AireService - 15 🔲 13€

Cadre très boisé pour la majorité des emplacements et agrémenté d'une belle plage de sable au bord de l'Ardèche.

Nature : 🐚 ⚲⚲⚲
Loisirs : 🍴 🍽 🎭 🎮 🤸 🏌 🚵 🚴 🛶 🏊 🛥 (plage) 🏊 terrain multisports
Services : ⚬━ 🚿 🛜 laverie 🛥 🛒

G P S — E : 4.33192 / N : 44.42522

⛰ **La Chapoulière** 👥

🕿 0475396498, www.lachapouliere.com

Pour s'y rendre : 3,5 km au sud

Ouverture : de déb. avr. à fin oct.

2,5 ha (164 empl.) plat et peu incliné, herbeux

Empl. camping : 40€ ★★ 🚐 🔲 🔌 (9A) - pers. suppl. 9€

Location : (de déb. avr. à fin oct.) - 🦽 - 19 🛖 - 10 🏠 - 1 gîte. Nuitée 45 à 183€ - Sem. 312 à 1 278€

🚐 borne artisanale

Belle pelouse au bord de l'Ardèche, avec quelques emplacements surplombant la rivière.

Nature : 🐚 ⚲⚲
Loisirs : 🍴 🍽 🎭 🎮 🤸 🏌 🛟 hammam 🛶 🛥 🎣 🐎 massages terrain multisports
Services : ⚬━ 🚿 🛜 📷 🛥 🛒

G P S — E : 4.32972 / N : 44.43139

⚑ Sites et Paysages Le Petit Bois ♣⚘

☎ 0475396072, www.campinglepetitbois.fr

Pour s'y rendre : 87 r. du Petit-Bois (800 m au nord du bourg, à 80 m de l'Ardèche)

Ouverture : de déb. avr. à fin sept.

2,5 ha (110 empl.) en terrasses, plat et peu incliné, herbeux, pierreux, rochers

Empl. camping : 42€ ♣♣ ⇌ 🄴 🔌 (10A) - pers. suppl. 7€

Location : (de déb. avr. à fin sept.) - 17 🚐 - 21 🏠 - 3 tentes lodges. Nuitée 40 à 240€ - Sem. 150 à 1 680€ - frais de réservation 20€

🚱 borne artisanale - 10 🄴 15€

Vue panoramique sur l'Ardèche et la falaise pour quelques locatifs, grand confort pour certains et accès à la rivière par chemin à forte pente.

Nature : 🏞 ☲ ♋
Loisirs : 🍽 ✗ 🍴 ♣♣ ⛺ hammam ⚓ 🎿 (découverte en saison) ⛵ ⛷ ⛵ terrain multisports
Services : ⚷ ⛱ 🛜 laverie

GPS E : 4.33789 N : 44.45882

⚑ Yelloh! Village La Plaine ♣⚘

☎ 0475396583, www.yellohvillage-la-plaine.com

Pour s'y rendre : quartier la Grand-Terre (3,5 km au sud)

Ouverture : de mi-avr. à mi-sept.

4,5 ha (212 empl.) peu incliné, plat, herbeux, sablonneux

Empl. camping : 54€ ♣♣ ⇌ 🄴 🔌 (10A) - pers. suppl. 9€

Location : (de mi-avr. à mi-sept.) - ⛵ - Ⓟ - 88 🚐. Nuitée 39 à 270€ - Sem. 273 à 1 890€

🚱 borne eurorelais

Entre les vignes et l'Ardèche, emplacements bien ombragés avec quelques locatifs grand confort.

Nature : 🏞 ⩽ ◁ ♒
Loisirs : 🍽 ✗ 🍴 🎮 ♣♣ 🎿 ⚓ 🐎 🚲 🎿 ⛵ ⛷ ⛵ terrain multisports
Services : ⚷ ▥ ⛱ 🚗 🛜 laverie 🚙

GPS E : 4.33596 N : 44.42666

⚑ Les Paillotes

☎ 0475396205, www.campinglespaillotes.com - peu d'emplacements pour tentes et caravanes

Pour s'y rendre : chemin de l'Espédès (600 m au nord par D 579, rte de Pradons et chemin à gauche)

Ouverture : de mi-avr. à fin sept.

1 ha (45 empl.) plat, herbeux

Empl. camping : (Prix 2018) 43€ ♣♣ ⇌ 🄴 🔌 (10A) - pers. suppl. 9€ - frais de réservation 10€

Location : (Prix 2018) (de mi-avr. à fin sept.) - 30 🚐 - 5 tentes lodges - 2 gîtes. Nuitée 85 à 195€ - Sem. 225 à 1 035€ - frais de réservation 30€

Emplacements bien délimités autour d'une importante base de canoës, mais peu de places pour tentes et caravanes.

Nature : ☲ ♋
Loisirs : 🍽 ✗ ⚓ 🎿 ⛷
Services : ⚷ ⛱ 🚗 🚲 🛜 🄴

GPS E : 4.34184 N : 44.45938

Benutzen Sie den Hotelführer des laufenden Jahres.

⚠ Le Carpenty

☎ 0475397429, www.camping-ruoms-ardeche.com

Pour s'y rendre : 3,6 km au sud par D 111

Ouverture : de déb. avr. à fin sept.

0,7 ha (45 empl.) plat, herbeux, pierreux

Empl. camping : ♣ 7€ ⇌ 🄴 30€ – 🔌 (10A) 10€ - frais de réservation 10€

Location : (de déb. avr. à fin sept.) - 32 🚐 - 2 tentes lodges. Nuitée 32 à 120€ - Sem. 175 à 840€ - frais de réservation 10€

Bel espace vert au bord de l'Ardèche. Préférer les emplacements les plus éloignés de la route et du pont.

Nature : ☲ ♋
Loisirs : 🍽 ✗ ⚓ 🎿 ⛷ ⛵ terrain multisports
Services : ⚷ 🛜 🄴 🚲

GPS E : 4.32842 N : 44.42695

SABLIÈRES

07260 - Carte Michelin **331** G6 - 144 h. - alt. 450
▶ Paris 629 - Aubenas 48 - Langogne 58 - Largentière 38

⚑ La Drobie

☎ 0475369522, www.ladrobie.com

Pour s'y rendre : lieu-dit : Le Chambon (3 km à l'ouest par D 220 et rte à dr., au bord de rivière - pour caravanes : itinéraire conseillé depuis Lablachère par D 4)

Ouverture : de mi-avr. à fin sept.

1,5 ha (80 empl.) en terrasses, peu incliné, pierreux, herbeux

Empl. camping : (Prix 2018) 21€ ♣♣ ⇌ 🄴 🔌 (10A) - pers. suppl. 7€ - frais de réservation 5€

Location : (Prix 2018) (de mi-mars à fin oct.) - 3 🚐 - 10 🏠 - 6 cabanons - 1 gîte. Nuitée 45 à 90€ - Sem. 240 à 615€ - frais de réservation 5€

Emplacements en bord de rivière avec un bon confort sanitaire. Restaurant de qualité ouvert à l'année.

Nature : 🏞 ⩽
Loisirs : 🍽 ✗ ⚓ 🎿 ⛷ ⛵
Services : ⚷ ⛱ 🛜 🄴 🚙 🚲

GPS E : 4.04863 N : 44.54368

Ce guide n'est pas un répertoire de tous les terrains de camping mais une sélection des meilleurs campings dans chaque catégorie.

SAHUNE

26510 - Carte Michelin **332** E7 - 322 h. - alt. 330
▶ Paris 647 - Buis-les-Baronnies 27 - La Motte-Chalancon 22 - Nyons 16

⚑ Yelloh! Village Les Ramières

☎ 0475274045, www.lesramieres.com

Pour s'y rendre : lieu-dit : Le Moulin (2.5 km au sud par petit chemin après le pont)

Ouverture : de déb. avr. à déb. sept.

20 ha/10 campables (83 empl.) fort dénivelé, en terrasses, plat, pierreux, herbeux

Empl. camping : 43€ ♣♣ ⇌ 🄴 🔌 (10A) - pers. suppl. 8€

Location : (de déb. avr. à déb. sept.) - 45 ⊞ - 11 ⌂ - 11 tentes lodges - 1 studio. Nuitée 30 à 235€ - Sem. 210 à 1 645€

Emplacements en terrasses ensoleillées avec jolie vue sur la vallée et certains locatifs de grand confort.

Nature : ⪁ ⌂ ⚲
Loisirs : ♈ ✕ ⌂ ⚬ ⚘ jacuzzi ⚓ ⚡ ⚲ ⚞ ⚟
⚞ terrain multisports
Services : ⚬⚊ ⚰ ⚴ ⚶ ⚷ ⚸ ⚹
À prox. : parcours dans les arbres

GPS E : 5.25001
N : 44.39913

⩓ Vallée Bleue

⚲ 04 75 27 44 42, www.lavalleebleue.com

Pour s'y rendre : sortie sud-ouest par D 94, rte de Nyons, au bord de l'Eygues

Ouverture : de déb. avr. à fin sept.

3 ha (60 empl.) plat, pierreux, herbeux

Empl. camping : ⚘ 8€ ⚙ ⊡ 11€ – ⚡ (10A) 4€
Location : (de déb. avr. à fin sept.) - 2 ⌂. Nuitée 50 à 200€ - Sem. 350 à 950€

⚲ borne artisanale
Préférer les emplacements en bord de rivière plus éloignés de la route.

Nature : ⪁ ⚲⚲
Loisirs : ♈ ✕ ⚓ ⚞ ⚲ terrain multisports
Services : ⚬⚊ ⚰ ⚴ ⚶ ⚷ ⚸ ⚹

GPS E : 5.26139
N : 44.41148

ST-AGRÈVE

07320 - Carte Michelin **331** I3 - 2 522 h. - alt. 1 050
◨ Paris 582 - Aubenas 68 - Lamastre 21 - Privas 64

⩓ Le Riou la Selle

⚲ 04 75 30 29 28, www.camping-riou.com

Pour s'y rendre : 2,8 km au sud-est par D 120, rte de Cheylard, D 21, rte de Nonières à gauche et chemin de la Roche, à dr.

Ouverture : de mi-avr. à déb. oct.

1 ha (29 empl.) en terrasses, peu incliné, plat, herbeux

Empl. camping : (Prix 2018) 24€ ⚘⚘ ⚙ ⊡ ⚡ (6A) - pers. suppl. 6€
Location : (Prix 2018) (de mi-avr. à déb. oct.) - 2 ⊞ - 2 ⌂. Nuitée 50 à 125€ - Sem. 300 à 590€

Au calme, agréable sous-bois avec du locatif simple en confort.

Nature : ⚲ ⌂ ⚲⚲
Loisirs : ♈ ✕ ⚓ ⚲
Services : ⚬⚊ (juil.-août) ⚰ ⚴ ⚶ ⚷ ⚸

GPS E : 4.40462
N : 44.98892

Use this year's Guide.

ST-ALBAN-AURIOLLES

07120 - Carte Michelin **331** H7 - 994 h. - alt. 108
◨ Paris 656 - Alès 49 - Aubenas 28 - Pont-St-Esprit 55

⩓⩓ Sunêlia Le Ranc Davaine ⚑⚑

⚲ 04 75 39 60 55, www.camping-ranc-davaine.fr

Pour s'y rendre : rte de Chandolas (2,3 km au sud-ouest par D 208)

Ouverture : de mi-avr. à mi-sept.

13 ha (435 empl.) plat et peu incliné, herbeux, pierreux

Empl. camping : 58€ ⚘⚘ ⚙ ⊡ ⚡ (10A) - pers. suppl. 14€ - frais de réservation 35€

Location : (de mi-avr. à mi-sept.) - ⚲ (1 mobile home) - ⚲
- 305 ⊞ - 2 tentes lodges. Nuitée 50 à 309€ - Sem. 350 à 2 136€ - frais de réservation 35€

⚲ 16 ⊡ 40€

Bel ombrage sous les chênes verts autour d'un parc aquatique et ludique en partie couvert et accès direct à la rivière.

Nature : ⚲ ⚲⚲
Loisirs : ♈ ✕ ⚓ ⚬ ⚘ ⚞ centre balnéo ⚟ hammam jacuzzi ⚓ ⚡ ⚲ ⚞ ⚲ ⚟ ⚲ discothèque
Services : ⚬⚊ ⚰ ⚴ ⚶ ⚷ ⚸ laverie ⚹ ⚺

GPS E : 4.26868
N : 44.40014

ST-AVIT

26330 - Carte Michelin **332** C2 - 326 h. - alt. 348
◨ Paris 536 - Annonay 33 - Lyon 81 - Romans-sur-Isère 22

⩓ Domaine la Garenne ⚑⚑

⚲ 04 75 68 62 26, www.domaine-la-garenne.com

Pour s'y rendre : 156 chemin de Chablezin

Ouverture : de fin avr. à fin sept.

14 ha/6 campables (112 empl.) non clos, en terrasses, peu incliné à incliné, plat, herbeux

Empl. camping : (Prix 2018) 36€ ⚘⚘ ⚙ ⊡ ⚡ (6A) - pers. suppl. 7€ - frais de réservation 12€
Location : (Prix 2018) (de fin avr. à fin sept.) - ⚲ - 37 ⊞ - 7 ⌂ - 6 bungalows toilés - 1 tente sur pilotis. Nuitée 52 à 160€ - Sem. 250 à 1 120€ - frais de réservation 12€

⚲ borne artisanale 14€
Beaucoup d'espaces verts pour la détente et de grands emplacements fleuris.

Nature : ⚲ ⪁ ⚲⚲
Loisirs : ✕ ⌂ ⚘ ⚓ ⚲ ⚞
Services : ⚬⚊ ⚴ ⚶ ⚷ ⚸

GPS E : 4.9549
N : 45.20176

*To visit a town or region : use the **MICHELIN Green Guides**.*

ST-CHRISTOPHE-EN-OISANS

38520 - Carte Michelin **333** K8 - 123 h. - alt. 1 470
◨ Paris 635 - L'Alpe-d'Huez 31 - La Bérarde 12 - Le Bourg-d'Oisans 21

⚠ Municipal la Bérarde

⚲ 04 76 79 20 45, www.camping-berarde.com - croisement parfois impossible hors garages de dégagement - alt. 1 738

Pour s'y rendre : lieu-dit : La Bérarde (10,5 km au sud-est par D 530, d'accès difficile aux caravanes (forte pente))

Ouverture : de déb. juin à fin sept.

2 ha (115 empl.) non clos, en terrasses, peu incliné, plat, herbeux, pierreux, rochers

Empl. camping : (Prix 2018) ⚘ 6€ ⚙ 3€ – ⚡ (10A) 3€
Location : (Prix 2018) (de déb. juin à fin sept.) - 1 ⌂ - 2 tentes lodges - 2 cabanons. Nuitée 30 à 55€ - Sem. 200 à 330€

Dans un site exceptionnel et sauvage au bord du torrent Le Vénéon.

Nature : ⚲ ⪁ Parc National des Écrins ⚲
Loisirs : ⌂ ⚞
Services : ⚬⚊ ⚰ ⚸
À prox. : ⚲ ♈ ✕

GPS E : 6.28443
N : 44.93459

ST-CIRGUES-EN-MONTAGNE

07510 - Carte Michelin **331** G5 - 248 h. - alt. 1 044
▶ Paris 586 - Aubenas 40 - Langogne 31 - Privas 68

🏕 Les Airelles

📞 04 75 38 92 49, www.camping-les-airelles.fr

Pour s'y rendre : rte de Lapalisse (sortie nord par D 160, rte du Lac-d'Issarlès, rive droite du Vernason)

Ouverture : de déb. avr. à fin oct.

0,7 ha (50 empl.) en terrasses, peu incliné, herbeux, pierreux

Empl. camping : 17 € ♣♣ ⬅ 🔲 (⚡) (6A) - pers. suppl. 5 €

Location : (de déb. avr. à fin oct.) - 10 🛖. Nuitée 105 à 110 € - Sem. 330 à 450 €

🚐 borne AireService 4 €

Emplacements sur les rives du Vernazon.

Nature : 🏞 ≤ 🎋	
Loisirs : 🍽 ✗ 🍴 🚲 🛶 🐟	**G** E : 4.0949
Services : ⛽ 🔥 laverie	**P** N : 44.75648
À prox. : 🛶 🚴🍴	**S**

Utilisez le guide de l'année.

ST-CLAIR-DU-RHÔNE

38370 - Carte Michelin **333** B5 - 3 886 h. - alt. 160
▶ Paris 501 - Annonay 35 - Givors 26 - Le Péage-de-Roussillon 10

🏔 Le Daxia

📞 04 74 56 39 20, www.campingledaxia.com

Pour s'y rendre : rte du Péage, 23 av. du Plateau-des-Frères (2,7 km au sud par D 4 et chemin à gauche, accès conseillé par N 7 et D 37)

Ouverture : de déb. avr. à fin sept.

7,5 ha (120 empl.) plat, herbeux

Empl. camping : (Prix 2018) 23 € ♣♣ ⬅ 🔲 (⚡) (6A) - pers. suppl. 5 € - frais de réservation 15 €

Location : (Prix 2018) (de déb. avr. à fin sept.) - 🍽 - 5 🏠 - 3 🛏 - 2 studios. Nuitée 30 à 92 € - Sem. 170 à 500 € - frais de réservation 20 €

🚐 borne artisanale - 11 🔲 23 €

Beaux emplacements délimités er beaucoup d'espaces verts au bord de la Varèze.

Nature : 🏞 🛋 🎋	
Loisirs : 🍽 ✗ 🍴 🛶 🚣 🛝 🐟 mini ferme	**G** E : 4.78214
Services : ⛽ 🔥 laverie 🚿	**P** N : 45.4241
	S

ST-DONAT-SUR-L'HERBASSE

26260 - Carte Michelin **332** C3 - 3 825 h. - alt. 202
▶ Paris 545 - Grenoble 92 - Hauterives 20 - Romans-sur-Isère 13

🏔 Domaine du Lac de Champos

📞 04 75 45 17 81, www.lacdechampos.com

Pour s'y rendre : 2 km au nord-est par D 67

Ouverture : de fin avr. à déb. sept.

43 ha/6 campables (98 empl.) terrasse, plat, gravillons, herbeux

Empl. camping : 16 € ♣♣ ⬅ 🔲 (⚡) (10A) - pers. suppl. 4 €

Location : (de déb. avr. à déb. nov.) - ♿ (2 chalets) - 21 🏠 - 4 tentes lodges. Nuitée 99 à 149 € - Sem. 199 à 599 € - frais de réservation 8 €

🚐 5 🔲 12 € - 🔌 (⚡)15 €

Sur les terres d'une agréable base de loisirs. Préférer les emplacements et chalets proches de la rivière ou du lac, plus éloignés de la route.

Nature : 🎋	
Loisirs : 🍽 ✗ 🍴 🔆diurne 🛶 🐟 🏊 (plage) 🛶 🐟 🦢 pédalos	**G** E : 5.00543
Services : ⛽ 🔥 laverie	**P** N : 45.13615
	S

🏔 Domaine des Ulèzes

Domaine des Ulèzes

📞 04 75 47 83 20, www.camping-des-ulezes.fr

Pour s'y rendre : rte de Romans (sortie sud-est par D 53 et chemin à dr., près de l'Herbasse)

Ouverture : de déb. avr. à fin oct.

2,5 ha (85 empl.) plat, herbeux

Empl. camping : 16 € ♣♣ ⬅ 🔲 (⚡) (10A) - pers. suppl. 5 € - frais de réservation 3 €

Location : (de déb. avr. à fin oct.) - 8 🛖 - 3 bungalows toilés. Nuitée 40 à 105 € - Sem. 260 à 735 € - frais de réservation 15 €

🚐 7 🔲 16 € - 🔌 (⚡)19 €

Nombreux petits sanitaires proches des emplacements très agréables.

Nature : 🏞 🛋 🎋	
Loisirs : ✗ 🍴 🛶 🛝 🐟	**G** E : 4.99285
Services : ⛽ 🔥 🚿 🍴 🔥 📶 🖥	**P** N : 45.11914
À prox. : 🍽 🐟	**S**

ST-ETIENNE-DE-CROSSEY

38960 - Carte Michelin **344** D8 - 2 572 h. - alt. 449
▶ Paris 557 - Chambéry 39 - Grenoble 31 - Lyon 91

🏕 Municipal de la Grande Forêt

📞 06 74 97 80 95, www.st-etienne-de-crossey.fr

Pour s'y rendre : rte de St-Nicolas (0.5 km au nord-ouest)

Ouverture : de mi-juin à mi-sept.

0,3 ha (20 empl.) plat, herbeux

Empl. camping : (Prix 2018) 14 € ♣♣ ⬅ 🔲 (⚡) (6A) - pers. suppl. 4 €

🚐 borne artisanale 5 €

Préférer les emplacements les plus éloignés de la route. Bon confort sanitaire.

Nature : 🛋 🎋	
Services : 🚿 🖥	**G** E : 5.63255
À prox. : 🍴	**P** N : 45.38642
	S

ST-FERRÉOL-TRENTE-PAS

26110 - Carte Michelin **332** E7 - 228 h. - alt. 417
▶ Paris 634 - Buis-les-Baronnies 30 - La Motte-Chalancon 34 - Nyons 14

🏔 Le Pilat

📞 04 75 27 72 09, www.campinglepilat.com

Pour s'y rendre : rte de Bourdeau (1 km au nord par D 70)

Ouverture : de déb. avr. à fin sept.

1 ha (90 empl.) plat, herbeux, pierreux

Empl. camping : ✶ 8 € ⬅ 🔲 12 € – (⚡) (6A) 5 €

Location : (de déb. avr. à fin sept.) - 21 🚐 - 2 tentes lodges - 1 gîte. Nuitée 60 à 95€ - Sem. 290 à 840€

🚐 borne artisanale

Emplacements en bord de rivière avec un tout petit plan d'eau ou face au champ de lavande au centre du terrain.

Nature : 🏕 ♀♀
Loisirs : ▼ ✕ 🏠 🛶 ⚓ ≋ (plan d'eau) 🛶 🐟
Services : ⚡ ▥ 🚿 📶 laverie 🧺

GPS E : 5.21195
N : 44.43406

ST-GALMIER

42330 - Carte Michelin **327** E6 - 5 596 h. - alt. 400
▶ Paris 457 - Lyon 82 - Montbrison 25 - Montrond-les-Bains 11

🏔 Campéole Val de Coise ♟♟

✆ 0477541482, www.campeole.com/camping/post/le-val-de-coise-st-galmier - peu d'emplacements pour tentes et caravanes

Pour s'y rendre : rte de la Thiery (2 km à l'est par D 6 et chemin à gauche)

Ouverture : de fin mars à fin sept.

3,5 ha (92 empl.) en terrasses, peu incliné, plat, herbeux

Empl. camping : (Prix 2018) 24€ ✦✦ 🚗 🔲 ⚡ (10A) - pers. suppl. 6€
Location : (Prix 2018) (de fin mars à fin sept.) - 11 🚐 - 5 🏠 - 4 bungalows toilés. Nuitée 32 à 99€ - Sem. 224 à 693€
🚐 borne AireService 1€

Emplacements en terrasses, ombragés qui descendent jusqu'à la rivière la Coise.

Nature : ♀♀
Loisirs : 🏠 🎡 ✦✦ 🛶 🛝
Services : ⚡ 🚿 📶 laverie
À prox. : 🐟

GPS E : 4.33552
N : 45.59308

Deze gids is geen overzicht van alle kampeerterreinen maar een selektie van de beste terreinen in iedere categorie.

ST-GENEST-MALIFAUX

42660 - Carte Michelin **327** F7 - 2 916 h. - alt. 980
▶ Paris 528 - Annonay 33 - St-Étienne 16 - Yssingeaux 46

🏔 Municipal de la Croix de Garry

✆ 0685409538, www.st-genest-malifaux.fr - alt. 928 - peu d'emplacements pour tentes et caravanes

Pour s'y rendre : lieu-dit : La Croix de Garry (sortie sud par D 501, rte de Montfaucon-en-Velay, près d'un étang et à 150 m de la Semène)

Ouverture : de mi-avr. à mi-oct. - 🏕

2 ha (85 empl.) en terrasses, peu incliné, plat, herbeux

Empl. camping : (Prix 2018) 17€ ✦✦ 🚗 🔲 ⚡ (16A) - pers. suppl. 5€
Location : (Prix 2018) Permanent 🚿 (1 chalet) - 🚐 - 8 🏠 - 1 gîte. Nuitée 110€ - Sem. 300 à 430€

À l'écart du bourg, au bord d'un plan d'eau idéal pour la pêche et le repos, avec un bon confort sanitaire.

Nature : 🐟 ≤ ♀
Loisirs : 🛶
Services : ▥ 🚿 📶 📷
À prox. : 🎿 🐟

GPS E : 4.42258
N : 45.33357

ST-GERVAIS-LES-BAINS

74170 - Carte Michelin **328** N5 - 5 673 h. - alt. 820 - ♨ - Sports d'hiver : 1 400/2 000 m
▶ Paris 597 - Annecy 84 - Bonneville 42 - Chamonix-Mont-Blanc 25

🏔 Les Dômes de Miage

✆ 0450934596, www.natureandlodge.fr - alt. 890

Pour s'y rendre : 197 rte des Contamines (2 km au sud par D 902, au lieu-dit les Bernards)

Ouverture : de mi-mai à mi-sept.

3 ha (150 empl.) plat, herbeux

Empl. camping : (Prix 2018) 32€ ✦✦ 🚗 🔲 ⚡ (12A) - pers. suppl. 6€ - frais de réservation 10€
Location : Permanent 🚿 - 1 🏠 - 1 appartement. Nuitée 90 à 240€ - Sem. 630 à 1 680€
🚐 borne artisanale

Cadre très verdoyant et belle pelouse traversée par un petit ruisseau. À la location, ancien et joli mazot (1828) et un appartement de bon confort.

Nature : ≤ ♀
Loisirs : 🛶
Services : ⚡ ▥ 🚿 📶 laverie 🧺
À prox. : ▼ ✕ 🐟

GPS E : 6.72022
N : 45.87355

ST-JEAN-DE-MAURIENNE

73300 - Carte Michelin **333** L6 - 8 374 h. - alt. 556
▶ Paris 641 - Lyon 174 - Chambéry 75 - St-Martin-d'Hères 105

🏔 Municipal les Grands Cols

✆ 0479642802, www.campingdesgrandscols.com

Pour s'y rendre : 422 av. du Mont-Cenis

2,5 ha (80 empl.) en terrasses, plat, herbeux

Location : ♿ (1 mobile home) - 7 🚐.

Cadre verdoyant et mobile homes en terrasses bien situés.

Nature : 🐟 ≤ montagnes 🏕 ♀♀
Loisirs : ✕ 🏠 terrain multisports
Services : ⚡ 🚿 ♻ 📶 laverie
À prox. : 🚴

GPS E : 6.3515
N : 45.2716

ST-JEAN-DE-MUZOLS

07300 - Carte Michelin **331** K3 - 2 444 h. - alt. 123
▶ Paris 541 - Annonay 34 - Beaurepaire 53 - Privas 62

🏔 Le Castelet

✆ 0475080948, www.camping-lecastelet.com

Pour s'y rendre : 113 rte du Grand Pont (2,8 km au sud-ouest par D 238, rte de Lamastre, au bord du Doux et à côté de la petite gare de Tournon - St-Jean-de-Muzols)

Ouverture : de fin avr. à mi-sept.

3 ha (66 empl.) en terrasses, plat, herbeux, pierreux

Empl. camping : (Prix 2018) 27€ ✦✦ 🚗 🔲 ⚡ (10A) - pers. suppl. 7€
Location : (Prix 2018) (de fin avr. à mi-sept.) - 8 🚐. Sem. 270 à 930€
🚐 borne AireService

Emplacements en terrasses qui descendent jusqu'à la rivière, en contrebas des vignes.

Nature : 🐟 ≤ 🏕 ♀♀
Loisirs : ▼ 🏠 🛶 ⚓ 🛝 ≋ 🐟
Services : ⚡ 🚿 📶 📷

GPS E : 4.78564
N : 45.0681

ST-JEAN-LE-CENTENIER

07580 - Carte Michelin **331** J6 - 668 h. - alt. 350
▶ Paris 623 - Alès 83 - Aubenas 20 - Privas 24

ᨡᨡ Les Arches

✆ 04 75 36 75 19, www.camping-les-arches.com
Pour s'y rendre : lieu-dit : Le Cluzel (1,2 km à l'ouest par D 458a et D 258, rte de Mirabel puis chemin à dr.)
Ouverture : de fin avr. à fin sept.
10 ha/5 campables (177 empl.) en terrasses, peu incliné, plat, herbeux
Empl. camping : 36€ ★★ ⛺ 🅿 ⚡ (10A) - pers. suppl. 7€ - frais de réservation 13€
Location : Permanent - 29 🏠 - 2 gîtes. Nuitée 120 à 160€ - Sem. 275 à 975€ - frais de réservation 13€
🚐 borne artisanale -
Emplacements et locatifs ensoleillés ou ombragés, avec vue ou au bord du petit plan d'eau naturel, proche d'une cascade.

Nature : 🐟 ⌂ ♨		**G** E : 4.52576
Loisirs : 🍴 🍽 ⛵ 🚲 🎣 🏊		**P**
Services : 🔌 🛒 🚿 🛜 🖥 🧺		**S** N : 44.58759

The Guide changes, so renew your guide every year.

ST-JORIOZ

74410 - Carte Michelin **328** J5 - 5 716 h. - alt. 452
▶ Paris 545 - Albertville 37 - Annecy 9 - Megève 51

ᨡᨡ Europa ♣♣

✆ 04 50 68 51 01, www.camping-europa.com ⛵
Pour s'y rendre : 1444 rte d'Albertville (1,4 km au sud-est)
Ouverture : de déb. mai à mi-sept.
3 ha (190 empl.) plat, herbeux, pierreux
Empl. camping : (Prix 2018) 40€ ★★ ⛺ 🅿 ⚡ (6A) - pers. suppl. 9€ - frais de réservation 28€
Location : (Prix 2018) (de fin avr. à mi-sept.) - ⛵ - 61 🚐 - 4 🏠. Nuitée 48 à 160€ - Sem. 400 à 1 500€ - frais de réservation 28€
Bel ensemble aquatique et locatif mobile homes de bon confort.

Nature : ≤ ♨		**G** E : 6.18185
Loisirs : 🍴 🍽 🎮 🏓 ⛵ 🚲 🏊 🏊‍♂️ terrain multisports		**P**
Services : 🔌 🛒 🚿 🛜 🧺		**S** N : 45.83

ᨡᨡ International du Lac d'Annecy

✆ 04 50 68 67 93, www.camping-lac-annecy.com
Pour s'y rendre : 1184 rte d'Albertville (1 km au sud-est)
Ouverture : de mi-avr. à mi-sept.
2,5 ha (163 empl.) plat, herbeux
Empl. camping : (Prix 2018) 50€ ★★ ⛺ 🅿 ⚡ (10A) - pers. suppl. 9€
Location : (Prix 2018) (de mi-avr. à mi-sept.) - ♿ (1 mobile home) - ⛵ - 42 🚐 - 3 🏠 - 4 tentes lodges. Nuitée 42 à 186€ - Sem. 294 à 1 302€
En deux parties distinctes de part et d'autre de la Voie Verte.

Nature : ♨		**G** E : 6.17845
Loisirs : 🍴 🍽 🎣 ⛵ 🚲 🏊 🏊‍♂️ terrain multisports		**P**
Services : 🔌 🛒 🚿 🛜 🧺		**S** N : 45.83078

ᨡᨡ Le Solitaire du Lac

✆ 04 50 68 59 30, www.campinglesolitaire.com - croisement difficile
Pour s'y rendre : 615 rte de Sales (1 km au nord)
Ouverture : de mi-avr. à fin sept.
3,5 ha (185 empl.) plat, herbeux
Empl. camping : (Prix 2018) 30€ ★★ ⛺ 🅿 ⚡ (5A) - pers. suppl. 6€ - frais de réservation 10€
Location : (Prix 2018) (de mi-avr. à fin sept.) - ⛵ - 14 🚐 - 1 🏠. Nuitée 61 à 95€ - Sem. 315 à 819€ - frais de réservation 10€
Espace verdoyant qui s'étend en prairie jusqu'au lac.

Nature : 🐟 ♨		**G** E : 6.14875
Loisirs : 🎣 ⛵ 🚲 🏊‍♂️		**P**
Services : 🔌 🛒 🚿 🛜 laverie 🧺		**S** N : 45.84177

ST-JULIEN-EN-ST-ALBAN

07000 - Carte Michelin **331** K5 - 1 311 h. - alt. 131
▶ Paris 587 - Aubenas 41 - Crest 29 - Montélimar 35

△ L'Albanou

✆ 04 75 66 00 97, www.camping-albanou.com
Pour s'y rendre : chemin de Pampelonne (1,4 km à l'est par N 304, rte de Pouzin et chemin de Celliers à dr., près de l'Ouvèze)
Ouverture : de déb. avr. à fin oct.
1,5 ha (87 empl.) plat, herbeux
Empl. camping : (Prix 2018) 29€ ★★ ⛺ 🅿 ⚡ (10A) - pers. suppl. 6€ - frais de réservation 3€
Location : (Prix 2018) (de déb. avr. à fin oct.) - 3 🚐. Sem. 340 à 695€ - frais de réservation 5€
🚐 borne artisanale
Beaux emplacements délimités sous les platanes et les tilleuls.

Nature : 🐟 ⌂ ♨		**G** E : 4.71369
Loisirs : 🍽 jacuzzi ⛵ 🏊		**P**
Services : 🔌 🛜 🖥 🧺		**S** N : 44.75651

De gids wordt jaarlijks bijgewerkt.
Doe als wij, vervang hem, dan blijf je bij.

ST-LAURENT-DU-PONT

38380 - Carte Michelin **333** H5 - 4 496 h. - alt. 410
▶ Paris 560 - Chambéry 29 - Grenoble 34 - La Tour-du-Pin 42

△ Municipal les Berges du Guiers

✆ 04 76 55 20 63, www.camping-chartreuse.com
Pour s'y rendre : av. de la Gare (sortie nord par D 520, rte de Chambéry et à gauche)
Ouverture : de mi-juin à mi-sept.
1 ha (45 empl.) plat, herbeux
Empl. camping : 19€ ★★ ⛺ 🅿 ⚡ (5A) - pers. suppl. 5€
🚐 borne artisanale 3€
Emplacements au bord du ruisseau avec de grands espaces verts et passerelle reliant le village.

Nature : 🐟 ≤ ♨		**G** E : 5.73615
Loisirs : 🎣		**P**
Services : 🔌 🛒 🚿 🛜 🖥		**S** N : 45.39068
À prox. : ⛵ 🎾 🧹 🏊		

ST-LAURENT-EN-BEAUMONT

38350 - Carte Michelin 333 I8 - 436 h. - alt. 900
▶ Paris 613 - Le Bourg-d'Oisans 43 - Corps 16 - Grenoble 51

🏔 Belvédère de l'Obiou

📞 0476304080, www.camping-obiou.com

Pour s'y rendre : lieu-dit : Les Égats (1,3 km au sud-ouest par N 85)

Ouverture : de mi-avr. à mi-oct.

1 ha (45 empl.) en terrasses, peu incliné, plat, herbeux

Empl. camping : (Prix 2018) 30€ ✸✸ 🚐 🔲 (10A) - pers. suppl. 7€ - frais de réservation 12€

Location : (Prix 2018) (de déb. mai à fin sept.) - 7 🚍 - 2 🛏. Sem. 245 à 777€ - frais de réservation 17€

🅿 borne artisanale 5€ - 2 🔲 13€

Cadre soigné, fleuri mais préférer les emplacements les plus éloignés de la route.

Nature : ≤ 오
Loisirs : ✗ 🏓 🚗 🔲
Services : 🔌 ▦ 🖥 🛜 laverie 🖤
À prox. : 🍸

GPS E : 5.83779
N : 44.87597

ST-LAURENT-LES-BAINS

07590 - Carte Michelin 331 F6 - 156 h. - alt. 840
▶ Paris 603 - Aubenas 64 - Langogne 30 - Largentière 52

⛺ Le Ceytrou

📞 0466460203, le-ceytrou.upweb.fr

Pour s'y rendre : 2,1 km au sud-est par D 4

2,5 ha (60 empl.) en terrasses, plat et peu incliné, herbeux, pierreux
Location : - 12 🚍.

Agréable situation au cœur des montagnes du Vivarais cévenol.

Nature : 🌄 ≤ 오
Loisirs : 🍸✗ 🏓 🎿 ⛷ 🎣 🚣
Services : 🔌 🚿 🛜 🖥

GPS E : 3.97962
N : 44.59922

ST-MARTIN-D'ARDÈCHE

07700 - Carte Michelin 331 J8 - 886 h. - alt. 46
▶ Paris 641 - Bagnols-sur-Cèze 21 - Barjac 27 - Bourg-St-Andéol 13

🏔 Le Pontet 👥

📞 0475046307, www.campinglepontet.com

Pour s'y rendre : lieu-dit : Le Pontet (1,5 km à l'est par D 290, rte de St-Just et chemin à gauche)

Ouverture : de déb. avr. à fin sept.

1,8 ha (97 empl.) en terrasses, plat, herbeux

Empl. camping : (Prix 2018) 26,30€ ✸✸ 🚐 🔲 (10A) - pers. suppl. 5,90€ - frais de réservation 10€

Location : (Prix 2018) Permanent - 18 🚍. Nuitée 40 à 110€ - Sem. 210 à 770€ - frais de réservation 30€

🅿 borne artisanale 3€ - 🖤🔲8€

Entouré de vignes, très bien ombragé, avec la piscine de l'autre côté de la petite route.

Nature : 🌄 오오
Loisirs : 🍸✗ 🏓 🏃 ⛷ 🎿
Services : 🔌 🖥 🛜 🖥 🖤

GPS E : 4.58453
N : 44.30409

🏔 Les Gorges

📞 0475046109, www.camping-des-gorges.com

Pour s'y rendre : chemin de Sauze (1,5 km au nord-ouest)

Ouverture : de déb. mai à mi-sept.

3 ha (145 empl.) en terrasses, plat, herbeux, pierreux

Empl. camping : (Prix 2018) 43€ ✸✸ 🚐 🔲 (10A) - pers. suppl. 10€ - frais de réservation 30€

Location : (Prix 2018) (de déb. mai à mi-sept.) - 26 🚍. Nuitée 49 à 150€ - Sem. 343 à 1 050€ - frais de réservation 30€

🅿 borne artisanale

Bien ombragé, avec un accès aux bords de l'Ardèche.

Nature : ≤ falaises 🏞 오오
Loisirs : 🍸✗ 🏓 🚗 ⛷ 🎿 🎣 🚣 ⛵ terrain multisports
Services : 🔌 ▦ 🚿 🛜 🖥 🖤 🖤

GPS E : 4.55547
N : 44.31155

🏔 Huttopia le Moulin

📞 0475046620, europe.huttopia.com/site/camping-le-moulin

Pour s'y rendre : sortie sud-est par D 290, rte de St-Just et à dr. (D 200), au bord de l'Ardèche

Ouverture : de fin avr. à mi-oct.

6,5 ha (200 empl.) peu incliné, plat, herbeux, sablonneux

Empl. camping : 39€ ✸✸ 🚐 🔲 (10A) - pers. suppl. 8€ - frais de réservation 15€

Location : (de fin avr. à mi-oct.) - 28 🚍 - 55 tentes lodges. Nuitée 46 à 166€ - Sem. 258 à 1 162€ - frais de réservation 15€

🅿 borne artisanale 7€

Terrain champêtre et sauvage au bord de l'Ardèche.

Nature : 오
Loisirs : ✗ 🏓 🚗 🎿 🎣 🚣
Services : 🔌 🚿 🛜 🖥 🖤

GPS E : 4.57122
N : 44.30035

ST-MARTIN-DE-CLELLES

38930 - Carte Michelin 333 G8 - 157 h. - alt. 750
▶ Paris 616 - Lyon 149 - Grenoble 48 - St-Martin-d'Hères 49

⛺ La Chabannerie

📞 0476340038, www.camping-trieves.com

Pour s'y rendre : Lotissement La Chabannerie (1,2 km au nord par D 252A)

Ouverture : de déb. avr. à fin sept.

2,5 ha (30 empl.) en terrasses, plat et peu incliné, herbeux, pierreux

Empl. camping : 23€ ✸✸ 🚐 🔲 (10A) - pers. suppl. 4€ - frais de réservation 15€

🅿 borne eurorelais 3€ - 8 🔲 12€ - 🖤9€

Cadre naturel et sauvage sous une jolie pinède de montagne.

Nature : 🌄 ≤ 🏞 오오
Loisirs : 🏓 🎿
Services : 🔌 ▦ 🛜 🖥 🖤

GPS E : 5.62371
N : 44.85125

ST-MARTIN-EN-VERCORS

26420 - Carte Michelin **332** F3 - 378 h. - alt. 780
▶ Paris 601 - La Chapelle-en-Vercors 9 - Grenoble 51 - Romans-sur-Isère 46

⛰ La Porte St-Martin

✆ 04 75 45 51 10, www.camping-laportestmartin.com

Pour s'y rendre : sortie nord par D 103

Ouverture : de fin avr. à fin sept.

1,5 ha (66 empl.) fort dénivelé, en terrasses, incliné, plat, herbeux, pierreux, gravier

Empl. camping : (Prix 2018) 20€ ♣♣ ⬅ 🅴 🄵 (10A) - pers. suppl. 7€
Location : (Prix 2018) (de déb. mai à fin sept.) - ⚡ - 3 🏠
- 2 appartements. Sem. 230 à 650€
🚐 borne AireService 5€

Quelques emplacements "natures" isolés sur les hauteurs.

Nature : 🌿 ≤ 🌳		G
Loisirs : 🍴 🗙 🏠 🚴 🏊 (petite piscine)		P
Services : ◉🍴 🛜 🄿 🖼		S

E : 5.44336
N : 45.02456

Jährlich eine neue Ausgabe.
Aktuellste Informationen, jährlich für Sie.

ST-MAURICE-D'ARDÈCHE

07200 - Carte Michelin **331** I6 - 312 h. - alt. 140
▶ Paris 639 - Aubenas 12 - Largentière 16 - Privas 44

⛰ Le Chamadou ♣♣

✆ 04 75 37 00 56, www.camping-le-chamadou.com ✉ 07120 Balazuc

Pour s'y rendre : lieu-dit : Mas de Chaussy (à 500 m d'un étang)

Ouverture : de déb. avr. à fin sept.

1 ha (86 empl.) peu incliné, plat, herbeux

Empl. camping : (Prix 2018) 33€ ♣♣ ⬅ 🅴 🄵 (10A) - pers. suppl. 8€
- frais de réservation 19€
Location : (Prix 2018) (de déb. avr. à fin sept.) - ⚡ - 11 🚐
- 24 🏠 - 3 gîtes. Nuitée 33 à 141€ - Sem. 230 à 990€ - frais de réservation 19€

Autour d'un joli mas en pierre au milieu du vignoble ardéchois.

Nature : 🌿 🏡 🌳		G
Loisirs : 🍴 🗙 🏠 🚴 🛶 🏊 🛝 mini ferme		P
terrain multisports		
Services : ◉🍴 🛜 🄿 🖼		S
À prox. : 🛶		

E : 4.40384
N : 44.50826

ST-PAUL-DE-VÉZELIN

42590 - Carte Michelin **327** D4 - 303 h. - alt. 431
▶ Paris 415 - Boën 19 - Feurs 30 - Roanne 26

⛰ La Via Natura Arpheuilles

✆ 04 77 63 43 43, www.camping-arpheuilles.com

Pour s'y rendre : 4 km au nord, à Port Piset, près du fleuve (plan d'eau)

Ouverture : de fin avr. à déb. sept.

3,5 ha (87 empl.) en terrasses, peu incliné, herbeux

Empl. camping : (Prix 2018) 30€ ♣♣ ⬅ 🅴 🄵 (10A) - pers. suppl. 6€

Location : (de mi-avr. à déb. sept.) - ♿ (1 chalet) - 14 🚐 - 8 🏠
- 4 tentes lodges - 5 tentes sur pilotis. Nuitée 50 à 150€ - Sem.
490 à 710€

Sur une presqu'île en bord de Loire avec plage, baignade et locatif varié de bon confort.

Nature : 🌿 ≤ 🌳 ⌂		G
Loisirs : 🍴 🗙 🏠 🌀diurne 🚴 🛶 🏊 🐟 🛶		P
terrain multisports		
Services : ◉🍴 🛜 🄿 🛜 laverie 🐟		S

E : 4.06314
N : 45.91178

ST-PIERRE-D'ALBIGNY

73250 - Carte Michelin **333** J4 - 3 269 h. - alt. 410
▶ Paris 587 - Aix-les-Bains 43 - Albertville 27 - Annecy 52

⛰ Lac de Carouge

✆ 06 25 91 38 31, www.campinglacdecarouge.fr

Pour s'y rendre : 2,8 km au sud par D 911 et chemin à gauche, à 300 m de la N 6

Ouverture : de fin avr. à déb. sept.

1,9 ha (81 empl.) plat, herbeux

Empl. camping : 26€ ♣♣ ⬅ 🅴 🄵 (10A) - pers. suppl. 4€
Location : (de fin avr. à déb. sept.) - 16 🚐 - 3 🏠 - 2 bungalows toilés. Nuitée 50 à 150€ - Sem. 245 à 720€
🚐 borne artisanale 4€

Cadre agréable, ombragé, près de la base nautique.

Nature : 🏡 🌳		G
Loisirs : 🍴		P
Services : ◉🍴 🛜 🄿 🛜 laverie		S
À prox. : 🛶 🏊 (plage) 🐟 pédalos télé-ski		
nautique , pédalos		

E : 6.17092
N : 45.56057

Teneinde deze gids beter te kunnen gebruiken,
DIENT U DE VERKLARENDE TEKST AANDACHTIG TE LEZEN.

ST-PIERRE-DE-CHARTREUSE

38380 - Carte Michelin **333** H5 - 999 h. - alt. 885 - Sports d'hiver :
900/1 800 m
▶ Paris 571 - Belley 62 - Chambéry 39 - Grenoble 28

⛰ Sites et Paysages De Martinière

✆ 04 76 88 60 36, www.campingdemartiniere.com

Pour s'y rendre : rte du Col-de-Porte (3 km au sud-ouest par D 512, rte de Grenoble)

Ouverture : de mi-mai à mi-sept.

1,5 ha (100 empl.) non clos, peu incliné, plat, herbeux

Empl. camping : 30€ ♣♣ ⬅ 🅴 🄵 (10A) - pers. suppl. 8€ - frais de réservation 8€
Location : (de mi-mai à mi-sept.) - ⚡ - 4 🚐 - 3 🏠 - 2 chalets sur pilotis - 2 tentes sur pilotis - 1 cabanon. Nuitée 27 à 121€
- Sem. 189 à 850€ - frais de réservation 8€
🚐 borne artisanale - 3 🅴 30€

Site agréable au cœur de la Chartreuse avec vue imprenable sur les montagnes.

Nature : 🌿 ≤ 🏡 🌳		G
Loisirs : 🗙 🏠 🛶 🏊		P
Services : ◉🍴 🏧 🛜 🄿 🖼		S

E : 5.79717
N : 45.32583

ST-PRIVAT

07200 - Carte Michelin **331** I6 - 1 588 h. - alt. 304
▶ Paris 631 - Lyon 169 - Privas 26 - Valence 65

⚠ Flower Le Plan d'Eau

𝒫 0475354498, www.campingleplandeau.fr

Pour s'y rendre : rte de Lussas (2 km au sud-est par D 259, au bord de l'Ardèche)

Ouverture : de fin avr. à mi-sept.

3 ha (100 empl.) plat, herbeux, pierreux

Empl. camping : 23€ ⚹⚹ ⇦ 国 ⚡ (8A) - pers. suppl. 3€ - frais de réservation 20€

Location : (de fin avr. à mi-sept.) - 25 🛖. Nuitée 63 à 141€ - Sem. 196 à 987€ - frais de réservation 20€

Bel ombrage sous les acacias avec des emplacements près de l'Ardèche.

Nature : ⛰ ⌂ 🌿🌿
Loisirs : 🍽 🍴 🏄 🚴 🛝 🏊 🎣 terrain multisports
Services : ⚬🛒 🛁 🌐 laverie

G P S — E : 4.43296 N : 44.61872

Renouvelez votre guide chaque année.

ST-REMÈZE

07700 - Carte Michelin **331** J7 - 863 h. - alt. 365
▶ Paris 645 - Barjac 30 - Bourg-St-Andéol 16 - Pont-St-Esprit 27

⚠ Domaine de Briange

𝒫 0475041443, www.campingdebriange.com

Pour s'y rendre : rte de Gras (2 km au nord par D 362)

Ouverture : de déb. mai à mi-sept.

4 ha (80 empl.) peu incliné, plat, herbeux, pierreux, sablonneux

Empl. camping : (Prix 2018) 43€ ⚹⚹ ⇦ 国 ⚡ (6A) - pers. suppl. 11€

Location : (Prix 2018) (de déb. avr. à fin déc.) - ♿ (1 chalet) - 25 🛖 - 6 bungalows toilés - 1 cabane perchée. Nuitée 64 à 207€

Nombreux locatifs variés, certains de bon confort et pour beaucoup éloignés les uns des autres.

Nature : ⛰ ♀
Loisirs : 🍴 🏄 🎾 🛝
Services : ⚬🛒 🌐 🌐
À prox. : 🚴

G P S — E : 4.5139 N : 44.40615

⚠ La Résidence d'Été

𝒫 0475042687, www.campinglaresidence.com

Pour s'y rendre : r. de la Bateuse

Ouverture : de mi-avr. à fin sept.

1,6 ha (60 empl.) en terrasses, peu incliné à incliné, herbeux, pierreux, verger

Empl. camping : (Prix 2018) 31€ ⚹⚹ ⇦ 国 ⚡ (10A) - pers. suppl. 9€

Location : (Prix 2018) (de mi-avr. à fin sept.) - 21 🛖. Nuitée 55 à 129€ - Sem. 600 à 906€

🚐 borne artisanale 5€ - 🔋⚡17€

Tout proche du centre-ville, avec un bel espace nature sous les cerisiers.

Nature : ⛰ ⌂ 🌿🌿
Loisirs : 🍴 🏄 🛝
Services : ⚬🛒 🌐 🌐 🛁
À prox. : 🚴

G P S — E : 4.50437 N : 44.39105

ST-SAUVEUR-DE-CRUZIÈRES

07460 - Carte Michelin **331** H8 - 535 h. - alt. 150
▶ Paris 674 - Alès 28 - Barjac 9 - Privas 81

⚠ La Claysse

𝒫 0475354065, www.campingdelaclaysse.com - Pour caravanes et camping-cars, accés par le haut du village.

Pour s'y rendre : lieu-dit : La Digue (au nord-ouest du bourg, au bord de la rivière)

5 ha/1 campable (58 empl.) en terrasses, plat, herbeux

Location : - 13 🛖.

En contrebas de la route et emplacements au bord de la rivière. Production et vente d'huile d'olive.

Nature : ⌂ 🌿🌿
Loisirs : 🍴 🏠 🏄 🚴 🛝 🏊 🎣 massages
Services : ⚬🛒 🛁 🌐 🌐
À prox. : escalade

G P S — E : 4.25085 N : 44.29984

ST-SAUVEUR-DE-MONTAGUT

07190 - Carte Michelin **331** J5 - 1 144 h. - alt. 218
▶ Paris 597 - Le Cheylard 24 - Lamastre 29 - Privas 24

⚠ L'Ardéchois

𝒫 0475666187, www.ardechois-camping.fr

Pour s'y rendre : 8,5 km à l'ouest par D 102, rte d'Albon

Ouverture : de mi-mai à fin sept.

37 ha/5 campables (107 empl.) en terrasses, plat, herbeux

Empl. camping : 38€ ⚹⚹ ⇦ 国 ⚡ (10A) - pers. suppl. 8€ - frais de réservation 23€

Location : (de mi-mai à fin sept.) - 19 🛖 - 9 🛖. Nuitée 120 à 150€ - Sem. 420 à 860€ - frais de réservation 69€

🚐 borne artisanale

En deux parties distinctes de part et d'autre de la route avec des emplacements au bord de la Glueyre.

Nature : ⛰ ⬿ 🌿🌿
Loisirs : 🍽 🍴 🏠 🏄 🚴 🛝 🏊 🎣
Services : ⚬🛒 🛁 🌐 laverie 🛁
À prox. : 🚴

G P S — E : 4.52294 N : 44.82893

ST-VALLIER

26240 - Carte Michelin **332** B2 - 4 000 h. - alt. 135
▶ Paris 526 - Annonay 21 - St-Étienne 61 - Tournon-sur-Rhône 16

⚠ Municipal les Îsles de Silon

𝒫 0475232217, www.saintvallier.com

Pour s'y rendre : lieu-dit : Les Îles (au nord, près du Rhône)

Ouverture : de mi-mars à mi-nov. 🐾

1,35 ha (77 empl.) plat, herbeux, pierreux

Empl. camping : (Prix 2018) ⚹ 3€ ⇦ 国 4€ – ⚡ (10A) 3€

Location : (Prix 2018) (de déb. avr. à mi-nov.) - 🦅 - 4 🛖. Nuitée 40 à 100€ - Sem. 270 à 420€

Bordé par le Rhône et la Via Rhôna.

Nature : ⬿ ⌂ 🌿🌿
Loisirs : 🏄
Services : ⚬🛒 🌐 laverie
À prox. : 🍴 🎾 🛝 🏊 ⛷ parc aquatique

G P S — E : 4.81237 N : 45.1879

STE-CATHERINE

69440 - Carte Michelin **327** G6 - 911 h. - alt. 700
▶ Paris 488 - Andrézieux-Bouthéon 38 - L'Arbresle 37 - Feurs 43

⚠ Municipal du Châtelard

✆ 04 78 81 80 60, mairie-saintecatherine.fr - alt. 800

Pour s'y rendre : lieu-dit : le Châtelard (2 km au sud)

4 ha (61 empl.) en terrasses, plat, herbeux

🚐 borne artisanale

Nature : 💧 ≪ Mont Pilat et Monts du Lyonnais 🏞	**G** E : 4.57344
Loisirs : 🏛	**P** N : 45.58817
Services : 📶 🔊	**S**

SALAVAS

07150 - Carte Michelin **331** I7 - 530 h. - alt. 96
▶ Paris 668 - Lyon 206 - Privas 58 - Nîmes 77

⚠ Le Péquelet

✆ 04 75 88 04 49, www.lepequelet.com

Pour s'y rendre : lieu-dit : Le Cros (sortie sud par D 579, rte de Barjac et 2 km par rte à gauche)

Ouverture : de déb. avr. à fin sept.

2 ha (60 empl.) plat, herbeux

Empl. camping : 36€ ★★ 🚗 🔲 🔌 (10A) - pers. suppl. 9€ - frais de réservation 10€

Location : (de déb. avr. à fin sept.) - 13 🚐 - 5 🏠 - 2 appartements. Nuitée 40 à 140€ - Sem. 280 à 980€ - frais de réservation 10€

🚐 borne artisanale

Au bord de l'Ardèche et bordé par des vignes.

Nature : 🐟 🎋 🏔	**G** E : 4.39806
Loisirs : 🍴 🏛 🏊 🎣 🚴	**P** N : 44.39075
Services : 📶 🔥 📶 🔊 🔥	**S**

*Choisissez votre restaurant sur **restaurant.michelin.fr***

SALLANCHES

74700 - Carte Michelin **328** M5 - 15 619 h. - alt. 550
▶ Paris 585 - Annecy 72 - Bonneville 29 - Chamonix-Mont-Blanc 28

⚠ Tohapi Les Îles

✆ 04 30 05 15 04, www.campinglesiles.fr

Pour s'y rendre : 245 chemin de la Cavettaz (2 km au sud-est, au bord d'un ruisseau et à 250 m d'un plan d'eau)

Ouverture : de déb. avr. à mi-sept.

4,6 ha (260 empl.) plat, herbeux, pierreux

Empl. camping : 23€ ★★ 🚗 🔲 🔌 (10A) - pers. suppl. 5€ - frais de réservation 25€

Location : (de déb. avr. à mi-sept.) - 80 🚐 - 5 🏠. Nuitée 55 à 84€ - Sem. 616 à 1 162€ - frais de réservation 25€

Cadre très boisé tout proche d'une importante base de loisirs.

Nature : 🎋	**G** E : 6.65103
Loisirs : 🍴 🗙 🏛 🌞 diurne 🚶 🚴	**P** N : 45.92404
Services : 📶 🔥 🔊 🔥 📶 laverie 🔥	**S**
À prox. : 🏊 🏖 (plage) 🚣 ⚓ bateaux électriques	

LA SALLE-EN-BEAUMONT

38350 - Carte Michelin **333** I8 - 297 h. - alt. 756
▶ Paris 614 - Le Bourg-d'Oisans 44 - Gap 51 - Grenoble 52

⛰ Le Champ Long

✆ 04 76 30 41 81, www.camping-champlong.com - mise en place et sortie des caravanes à la demande 🚫

Pour s'y rendre : lieu-dit : Le Champ-Long (2,7 km au sud-ouest par N 85, rte de la Mure et chemin à gauche)

Ouverture : de déb. avr. à mi-oct.

5 ha (88 empl.) non clos, fort dénivelé, en terrasses, plat, herbeux

Empl. camping : 29€ ★★ 🚗 🔲 🔌 (10A) - pers. suppl. 5€ - frais de réservation 15€

Location : (de déb. avr. à mi-oct.) - 🚫 - 10 🏠. Nuitée 62 à 115€ - Sem. 310 à 790€ - frais de réservation 15€

🚐 4 🔲 24€

Nombreuses petites terrasses individuelles et locatif parfois ancien.

Nature : 🐟 ≪ Vallée et lac 🏞 🎋	**G** E : 5.85562
Loisirs : 🍴 🗙 🏛 🍸 jacuzzi 🎣 🏊	**P** N : 44.84468
Services : 📶 🔥 📶 laverie 🔥	**S**

*Créez votre voyage sur **voyages.michelin.fr***

SAMOËNS

74340 - Carte Michelin **328** N4 - 2 311 h. - alt. 710
▶ Paris 598 - Lyon 214 - Annecy 82 - Genève 63

⛰ Club Airotel Le Giffre

Camping Caravaneige Le Giffre

✆ 04 50 34 41 92, www.camping-samoens.com

Pour s'y rendre : lieu-dit : La Glière

Ouverture : Permanent

7 ha (212 empl.) plat, herbeux, pierreux

Empl. camping : (Prix 2018) 28€ ★★ 🚗 🔲 🔌 (10A) - pers. suppl. 5€

Location : (Prix 2018) Permanent 🚫 - 2 🚐 - 6 🏠 - 4 bungalows toilés - 1 tente sur pilotis. Nuitée 56 à 100€ - Sem. 199 à 680€

🚐 borne flot bleu 6€ - 6 🔲 27€

Dans un site agréable, près d'un lac et d'un parc de loisirs.

Nature : ≪ 🎋	**G** E : 6.71917
Loisirs : 👐 🎣	**P** N : 46.07695
Services : 📶 🔥 🔥 📶 laverie	**S**
À prox. : 🍴 🗙 🎣 🏓 🏊 🏖 🚴 parcours sportif , practice golf sur eau	

SAMPZON

07120 - Carte Michelin **351** I7 - 224 h. - alt. 120
▶ Paris 660 - Lyon 198 - Privas 56 - Nîmes 85

⚠ Yelloh! Village Soleil Vivarais 👥

✆ 04 75 39 67 56, www.soleil-vivarais.com

Pour s'y rendre : au pont (rte de Vallon Pont d'Arc)

Ouverture : de déb. avr. à mi-sept.

12 ha (350 empl.) plat, herbeux, pierreux

Empl. camping : (Prix 2018) 62€ ★★ 🚗 🔲 🔌 (10A) - pers. suppl. 10€

Location : (Prix 2018) (de déb. avr. à mi-sept.) - 263 🛏 - 5 🏠.
Sem. 275 à 1 200€

Bordé par une belle plage de l'Ardèche avec des mobile homes de bon et de très bon confort. Pataugeoire ludique couverte.

Nature : 🌳 ≤ 🌳🌳
Loisirs : 🍸 ✕ 🍴 🎮 👫 jacuzzi 🏊 🚴 🎿 🖼 🛶 (plage) 🎣🐟 laverie 🔌 🚿
Services : 🚰 🏢 🔥 🛜 laverie 🔌 🚿

GPS E : 4.35528
N : 44.42916

⚠ Le Mas de la Source

📞 04 75 39 67 98, www.campingmasdelasource.com

Pour s'y rendre : La Tuillière

1,2 ha (30 empl.) en terrasses, plat, herbeux
Location : - 11 🛏 - 2 bungalows toilés.

Sur la presqu'île de Sampzon avec un accès à l'Ardèche. Agréable et ombragé.

Nature : 🌳 🏕 🌳🌳
Loisirs : 🏊 🛶 🎣
Services : 🔥 🛜 🖥

GPS E : 4.3466
N : 44.42242

⚠ Sun Camping

📞 04 75 39 76 12, www.suncamping.com

Pour s'y rendre : 10 chemin des Piboux (200 m de l'Ardèche)

Ouverture : de déb. avr. à mi-sept.

1,2 ha (70 empl.) en terrasses, plat, herbeux

Empl. camping : 🚐🖥 31€ – 🔌 (10A) 5€ - frais de réservation 10€
Location : Permanent - 19 🛏 - 2 bungalows toilés. Nuitée 39 à 105€ - Sem. 189 à 735€ - frais de réservation 15€

Sur la presqu'île de Sampzon avec du locatif mobile homes de bon confort.

Nature : 🌳 🌳🌳
Loisirs : 🍸 ✕ 🏊 🛶
Services : 🚰 (juil.-août) 🔥 🛜 laverie
À prox. : 🔌 🚿 🏊

GPS E : 4.35352
N : 44.42895

🔺🔺🔺 ... 🔺
Besonders angenehme Campingplätze, ihrer Kategorie entsprechend.

SATILLIEU

07290 - Carte Michelin **331** J3 - 1 616 h. - alt. 485
▶ Paris 542 - Annonay 13 - Lamastre 36 - Privas 87

⚠ Municipal le Grangeon

📞 04 75 67 84 86, www.lalouvesc.com

Pour s'y rendre : chemin de l'Hermuzière (1,1 km au sud-ouest par D 578a, rte de Lalouvesc et à gauche)

1 ha (52 empl.) en terrasses, plat, herbeux
Location : - 5 🛏 - 10 🏠.

Emplacements et chalets bien ombragés, au bord de l'Ay et avec un petit plan d'eau agréable.

Nature : 🌳 🏕 🌳🌳
Loisirs : 🍸 ✕ 🏓
Services : 🚰 🔥 🛜 🖥
À prox. : 🏊 (plan d'eau)

GPS E : 4.60389
N : 45.14438

SCIEZ

74140 - Carte Michelin **328** L3 - 5 269 h. - alt. 406
▶ Paris 561 - Abondance 37 - Annecy 69 - Annemasse 24

⚠ Le Chatelet

📞 04 50 72 52 60, www.camping-chatelet.com - peu d'emplacements pour tentes et caravanes

Pour s'y rendre : 658 chemin des Hutins-Vieux (3 km au nord-est par N 5, rte de Thonon-les-Bains et rte du port de Sciez-Plage à gauche, à 300 m de la plage)

Ouverture : de déb. avr. à fin oct.

2,5 ha (121 empl.) plat, herbeux, pierreux
Empl. camping : 26€ 👫 🚐 🖥 🔌 (10A) - pers. suppl. 6€ - frais de réservation 8€
Location : (de déb. mars à fin oct.) - ♿ (1 chalet) - 14 🏠 - 2 tentes lodges - 2 cabanons. Nuitée 28 à 148€ - Sem. 189 à 1 036€ - frais de réservation 12€
🚐 borne artisanale 4€

Quelques emplacements pour tentes et caravanes mais nombreux mobile homes de propriétaires-résidents.

Nature : 🌳
Loisirs : 🏊 🚴 terrain multisports
Services : 🚰 🏢 🔥 🛜 laverie
À prox. : ✕ 🏊 🚣 pédalos

GPS E : 6.39705
N : 46.34079

The Guide changes, so renew your guide every year.

SÉEZ

73700 - Carte Michelin **333** N4 - 2 332 h. - alt. 904
▶ Paris 638 - Albertville 57 - Bourg-St-Maurice 4 - Moûtiers 31

⚠ Le Reclus

📞 04 79 41 01 05, www.campinglereclus.com

Pour s'y rendre : rte de Tignes (sortie nord-ouest par N 90, rte de Bourg-St-Maurice, au bord du Reclus)

Ouverture : Permanent

1,5 ha (108 empl.) en terrasses, peu incliné, herbeux, pierreux
Empl. camping : 23€ 👫 🚐 🖥 🔌 (10A) - pers. suppl. 6€ - frais de réservation 5€
Location : Permanent - 5 🛏 - 4 🏠 - 4 🏡 - 6 yourtes. Nuitée 50 à 90€ - Sem. 350 à 690€ - frais de réservation 10€
🚐 borne artisanale 5€ - 6 🖥 14€

Préférer les emplacements les plus éloignés de la route.

Nature : ❄ 🌳🌳
Loisirs : 🏓 🏊
Services : 🚰 🏢 🛜 laverie

GPS E : 6.7927
N : 45.62583

SERRIÈRES-DE-BRIORD

01470 - Carte Michelin **328** F6 - 1 143 h. - alt. 218
▶ Paris 481 - Belley 29 - Bourg-en-Bresse 57 - Crémieu 24

⚠ Le Point Vert

✆ 04 74 36 13 45, www.camping-ain-bugey.com - peu d'emplacements pour tentes et caravanes

Pour s'y rendre : rte du Point-Vert (2,5 km à l'ouest, à la base de loisirs)

1,9 ha (137 empl.) plat, herbeux

Location : - 5 🛖.

🚐 borne artisanale

Au bord d'un plan d'eau près du Rhône avec de nombreux mobile homes et caravanes de propriétaires-résidents.

Nature : 🐟 ⩽ ♨ ⚠	**G** E : 5.42731
Loisirs : 🏠 ⏰diurne 🏇 🏊 🚴 🏊 🎣	**P** N : 45.81633
pédalos	**S**
Services : 🔌 🏕 ♨ 🛒 laverie 🏠	
À prox. : 🍷 🍴 🛶 🔪 🚤 (plage) 🎣 ⚓ paddle	

Gebruik de gids van het lopende jaar.

SÉVRIER

74320 - Carte Michelin **328** J5 - 3 835 h. - alt. 456
▶ Paris 541 - Albertville 41 - Annecy 6 - Megève 55

⚠ Le Panoramic

✆ 04 50 52 43 09, www.camping-le-panoramic.com

Pour s'y rendre : 22 chemin des Bernets (3,5 km au sud)

Ouverture : de mi-avr. à fin sept.

3 ha (189 empl.) plat, peu incliné, herbeux

Empl. camping : 30€ 🚶🚶 🚗 🔲 🔌 (10A) - pers. suppl. 6€ - frais de réservation 10€

Location : (de mi-avr. à fin sept.) - 🚲 - 20 🛖 - 18 🏠 - 3 appartements - 3 studios. Nuitée 40 à 140€ - Sem. 280 à 970€ - frais de réservation 10€

🚐 borne artisanale 7€

En deux parties distinctes, situation surplombant le lac.

Nature : ⩽ ♨	**G** E : 6.1417
Loisirs : 🍷 🍴 🏠 ⏰diurne 🏊 🎣	**P** N : 45.84308
Services : 🔌 🏕 ♨ laverie 🏠 🚰	**S**

SEYSSEL

74910 - Carte Michelin **328** I5 - 2 262 h. - alt. 252
▶ Paris 517 - Aix-les-Bains 32 - Annecy 40

⚠ Le Nant-Matraz

✆ 04 50 48 56 40, www.camping-seyssel.com

Pour s'y rendre : 15 rte de Genève (sortie nord par D 992)

1 ha (67 empl.) plat et peu incliné, herbeux

Location : - 1 🏠 - 3 tipis - 1 yourte - 3 cabanons.

Préférer les emplacements qui dominent le Rhône.

Nature : 🏕 ♨	**G** E : 5.83574
Loisirs : 🍷 🍴 🏊 (petite piscine)	**P** N : 45.96339
Services : 🔌 🏕 ♨ laverie	**S**
À prox. : 🎣	

TANINGES

74440 - Carte Michelin **328** M4 - 3 414 h. - alt. 640
▶ Paris 570 - Annecy 68 - Bonneville 24 - Chamonix-Mont-Blanc 51

⚠ Municipal des Thézières

✆ 04 50 34 25 59, www.prazdelys-sommand.com

Pour s'y rendre : les Vernays-sous-la-Ville (sortie sud, rte de Cluses, au bord du Foron et à 150 m du Giffre)

Ouverture : Permanent

2 ha (113 empl.) plat, herbeux, pierreux

Empl. camping : (Prix 2018) 12€ 🚶🚶 🚗 🔲 🔌 (10A) - pers. suppl. 3€

🚐 borne artisanale 5€ - 11 🔲 12€

Dans un joli parc verdoyant et ombragé, au bord d'un petit torrent.

Nature : 🐟 ⩽ ♨	**G** E : 6.58837
Loisirs : 🎣	**P** N : 46.09866
Services : 🔌 🏛 ♨ laverie	**S**
À prox. : 🏠 🏊 🔪	

TERMIGNON

73500 - Carte Michelin **333** N6 - 423 h. - alt. 1 290
▶ Paris 680 - Bessans 18 - Chambéry 120 - Lanslebourg-Mont-Cenis 6

⚠ Les Mélèzes

✆ 06 71 33 70 10, www.camping-termignon-lavanoise.com

Pour s'y rendre : rte du Doron (au bourg, au bord d'un torrent)

Ouverture : de déb. mai à mi-oct.

0,7 ha (66 empl.) plat, herbeux

Empl. camping : (Prix 2018) 16€ 🚶🚶 🚗 🔲 🔌 (10A) - pers. suppl. 3€

Location : (de déb. juin à fin sept.) - 🚲 - 2 🛖 - 2 cabanons. Nuitée 50 à 95€ - Sem. 300 à 470€

Emplacements ombragés le long de l'Arc.

Nature : 🐟 ⩽ ♨	**G** E : 6.81535
Loisirs : 🏠 🎣	**P** N : 45.27815
Services : 🔌 (de mi-juin à mi-sept.) 🚿 🏛	**S**
♨ 🖨	

LA TOUSSUIRE

73300 - Carte Michelin **333** K6 - alt. 1 690
▶ Paris 651 - Albertville 78 - Chambéry 91 - St-Jean-de-Maurienne 16

⚠ Caravaneige du Col

✆ 04 79 83 00 80, www.camping-du-col.com - alt. 1 640

Pour s'y rendre : 1 km à l'est de la station, sur la rte de St-Jean-de-Maurienne

Ouverture : de déb. juin à déb. sept. et de mi-déc. à déb. avr.

0,8 ha (40 empl.) plat, herbeux

Empl. camping : (Prix 2018) 30€ 🚶🚶 🚗 🔲 🔌 (10A) - pers. suppl. 6€

Location : (Prix 2018) (de déb. juin à déb. sept. et de mi-déc. à déb. avr.) - 7 🛖 - 3 🏠 - 2 appartements. Sem. 200 à 980€

🚐 borne artisanale 8€ - 20 🔲 30€

Navette gratuite pour la station.

Nature : ❄ ⩽ Les Aiguilles d'Arves ♀	**G** E : 6.2739
Loisirs : 🍷 🍴 🏠 ⏰diurne 🎿 🏊 🎣	**P** N : 45.25727
Services : 🔌 🏛 🏕 ♨ laverie	**S**

TREPT

38460 - Carte Michelin 333 E3 - 1 741 h. - alt. 275
▶ Paris 495 - Belley 41 - Bourgoin-Jallieu 13 - Lyon 52

Les 3 Lacs du Soleil ♠♣

📞 04 74 92 92 06, www.camping-les3lacsdusoleil.com

Pour s'y rendre : lieu-dit : La Plaine Serrière (2,7 km à l'est par D 517, rte de Morestel et chemin à dr., près de deux plans d'eau)

Ouverture : de fin avr. à déb. sept.

25 ha/3 campables (160 empl.) plat, herbeux

Empl. camping : 38€ ✦✦ ⇦ ▣ (6A) - pers. suppl. 8€
Location : (de mi-avr. à déb. sept.) - 30 ⏣ - 7 ⌂ - 20 bungalows toilés - 10 tentes lodges. Sem. 300 à 945€
⊞ borne flot bleu - 20 ▣ - ♻ (ဧ)16€

Beaucoup d'espaces verts pour la détente et un lac dédié à la baignade, aux pédalos et toboggans aquatiques.

Nature : ⧫ ΩΩ ⚞
Loisirs : ♈ ✕ ⤬ ⊡ diurne ⚡ ⅙ jacuzzi
♕ ⚔ ⤬ ⧫ (plage) ⚞ ⤬ barques
pédalos parcours de santé
Services : ⊶ ♨ ⇪ laverie

G P S | E : 5.33447
N : 45.69039

Benutzen Sie den Hotelführer des laufenden Jahres.

TRÉVOUX

01600 - Carte Michelin 328 B5 - 6 702 h. - alt. 177
▶ Paris 444 - Bourg-en-Bresse 51 - Lyon 38 - Mâcon 54

Sites et Paysages Kanopée Village

📞 04 74 08 44 83, www.kanopee-village.com

Pour s'y rendre : r. Robert Baltié

Ouverture : de déb. avr. à fin sept.

3,5 ha (182 empl.) plat, herbeux, gravillons

Empl. camping : (Prix 2018) 32€ ✦✦ ⇦ ▣ (10A) - pers. suppl. 5€
- frais de réservation 3€
Location : (Prix 2018) Permanent♿ (4 mobile homes) - 20 ⏣
- 10 ⌂ - 10 chalets sur pilotis. Nuitée 70 à 240€ - Sem. 380 à 1 249€
- frais de réservation 15€
⊞ 7 ▣ 5€ - ♻ 13€

Sur les bords de Saône avec des locatifs de bon confort dont certains avec de grandes capacités de couchages.

Nature : ⇚ ⊡ ♀
Loisirs : ⤬ ⚡ ⚔ ⊚
Services : ⊶ ▥ ⇪ laverie
À prox. : ✕ ⇪ ⚞ ⚓

G P S | E : 4.76769
N : 45.93984

TULETTE

26790 - Carte Michelin 332 C8 - 1 915 h. - alt. 147
▶ Paris 648 - Avignon 53 - Bollène 15 - Nyons 20

Les Rives de l'Aygues

📞 04 75 98 37 50, www.lesrivesdelaygues.com

Pour s'y rendre : rte de Cairanne (3 km au sud par D 193 et chemin à gauche)

Ouverture : de fin avr. à déb. oct.

3,6 ha (100 empl.) non clos, plat, herbeux, pierreux, gravillons

Empl. camping : 24€ ✦✦ ⇦ ▣ (10A) - pers. suppl. 4€ - frais de réservation 10€

Location : (de mi-avr. à déb. oct.) - 3 ⏣ - 6 ⌂ - 1 tente lodge
- 1 tente sur pilotis. Nuitée 68 à 117€ - Sem. 293 à 820€ - frais de réservation 10€

Cadre sauvage et naturel au milieu des vignes et au bord de l'Eygues.

Nature : ⧫ ⊡ ΩΩ
Loisirs : ♈ ✕ ⤬ ⚔ ⚞
Services : ⊶ ▥ ⚞ ⇪ ▣ ⚓

G P S | E : 4.933
N : 44.2648

UCEL

07200 - Carte Michelin 331 I6 - 1 929 h. - alt. 270
▶ Paris 626 - Aubenas 6 - Montélimar 44 - Privas 31

Domaine de Gil ♠♣

📞 04 75 94 63 63, www.domaine-de-gil.com ✄ (de mi-juil. à mi-août)

Pour s'y rendre : rte de Vals (sortie nord-ouest par D 578b)

Ouverture : de déb. mai à fin sept.

4,8 ha/2 campables (80 empl.) plat, herbeux, pierreux

Empl. camping : 41€ ✦✦ ⇦ ▣ (10A) - pers. suppl. 8€ - frais de réservation 22€
Location : (de déb. mai à fin sept.) - ✄ - 52 ⏣. Nuitée 56 à 186€
- Sem. 196 à 1 302€ - frais de réservation 22€
⊞ borne artisanale

Bel ombrage des emplacements et des mobile homes avec un espace nature très agréable au bord de l'Ardèche.

Nature : ⧫ ⇚ ΩΩ ⚞
Loisirs : ♈ ✕ ⤬ ⊡ nocturne ⚡ ⅙ jacuzzi
⚔ ♕ ⤬ ⚞ ⊡ terrain multisports
Services : ⊶ ♨ ⚞ ⚞ ⇪ laverie ⤬ ⚞

G P S | E : 4.37959
N : 44.64308

Informieren Sie sich über die gültigen Gebühren, bevor Sie Ihren Platz beziehen. Die Gebührensätze müssen am Eingang des Campingplatzes angeschlagen sein. Erkundigen Sie sich auch nach den Sonderleistungen. Die im vorliegenden Band gemachten Angaben können sich seit der Überarbeitung geändert haben.

USSON-EN-FOREZ

42550 - Carte Michelin 327 C7 - 1 410 h. - alt. 925
▶ Paris 472 - Issoire 86 - Montbrison 41 - Le Puy-en-Velay 52

Village Vacances Les Chalets du Haut Forez

(pas d'emplacement tentes et caravanes)

📞 04 27 64 09 35, contact@chaletsduhaut-forez.com

Pour s'y rendre : le plan d'eau, rte d'Apinac (1.3 km à l'est par la D 104)

0,5 ha (19 empl.) en terrasses
Location : ♿ (1 chalet) - 14 ⌂ - 1 roulotte - 4 cabanons.

Locatif varié surplombant en partie les 2 plans d'eau.

Nature : ⧫
Loisirs : ♈ ⚔
Services : laverie
À prox. : ⚞ (plan d'eau) ⧫ parcours dans les arbres

G P S | E : 3.95538
N : 45.39223

VAGNAS

07150 - Carte Michelin **331** I7 - 521 h. - alt. 200
▶ Paris 670 - Aubenas 40 - Barjac 5 - St-Ambroix 20

⛰ La Rouvière-Les Pins

✆ 0475386141, www.rouviere07.com

Pour s'y rendre : lieu-dit : La Rouviere (sortie sud par rte de Barjac puis 1,5 km par chemin à dr.)

Ouverture : de déb. avr. à fin sept.

2 ha (100 empl.) en terrasses, peu incliné, plat, herbeux

Empl. camping : (Prix 2018) 26€ ★ ★ ⇌ 🄴 🄗 (6A) - pers. suppl. 7€ - frais de réservation 15€

Location : (Prix 2018) (de mi-avr. à fin sept.) - 2 🛏 - 2 🏠 - 3 bungalows toilés - 2 appartements. Sem. 190 à 876€ - frais de réservation 15€

🚰 borne artisanale

Grands espaces au millieu des vignes !

Nature : 🌿 🎣
Loisirs : ♟ 🏠 🏇 🏊
Services : ⚬ 🖥 🛁 🧺 🚿 📷 🛒

GPS E : 4.34194
N : 44.3419

Use this year's Guide.

VALLON-PONT-D'ARC

07150 - Carte Michelin **331** I7 - 2 337 h. - alt. 117
▶ Paris 658 - Alès 47 - Aubenas 32 - Avignon 81

⛰ Nature Parc l'Ardéchois ♟♟

✆ 0475880663, www.ardechois-camping.com

Pour s'y rendre : rte des Gorges-de-l'Ardèche (1,5 km au sud-est par D 290)

Ouverture : de déb. avr. à mi-oct.

5 ha (240 empl.) plat, herbeux

Empl. camping : 60€ ★ ★ ⇌ 🄴 🄗 (6A) - pers. suppl. 12€ - frais de réservation 40€

Location : (de déb. avr. à mi-oct.) - 22 🛏 - 8 🏠. Nuitée 78 à 295€ - Sem. 546 à 2 065€ - frais de réservation 40€

🚰 borne artisanale 10€

Cadre verdoyant avec quelques emplacements grand confort et un bel aménagement en terrasse au-dessus de l'Ardèche.

Nature : 🌿 ≤ 🎣 🌲
Loisirs : ♟ 🍴 🏠 🏇 🎣 hammam 🏊 🐴 ⛵ 🏊 massages terrain multisports
Services : ⚬ 🖥 🛁 🧺 🚿 📷 laverie 🛒
À prox. : 🏇

GPS E : 4.39673
N : 44.39672

⛰ La Roubine ♟♟

✆ 0475880456, www.camping-roubine.com

Pour s'y rendre : rte de Ruoms (1,5 km à l'ouest)

Ouverture : de fin avr. à mi-sept.

7 ha/4 campables (135 empl.) plat, herbeux, sablonneux

Empl. camping : 60€ ★ ★ ⇌ 🄴 🄗 (10A) - pers. suppl. 11€ - frais de réservation 30€

Location : (Prix 2018) (de fin avr. à mi-sept.) - ♿ (1 mobile home) - 38 🛏. Nuitée 65 à 286€ - Sem. 455 à 2 002€ - frais de réservation 30€

🚰 borne artisanale

Bel ensemble au bord de l'Ardèche avec quelques mobile homes grand confort et sanitaires de qualité. Location voiture électrique.

Nature : 🌿 🎣 🌲
Loisirs : ♟ 🍴 🏠 🏇 🏊 centre balnéo ⛵ jacuzzi 🏊 🐴 ⛵ terrain multisports
Services : ⚬ 🖥 🛁 🚿 laverie 🛒
À prox. : 🏊

GPS E : 4.37835
N : 44.40636

⛰ Mondial-Camping ♟♟

✆ 0475880044, www.mondial-camping.com

Pour s'y rendre : rte des Gorges-de-l'Ardèche (1,5 km au sud-est)

4 ha (240 empl.) plat, herbeux

Location : - 26 🛏 - 7 bungalows toilés.

🚰 borne artisanale

Cadre verdoyant au bord de l'Ardèche, avec quelques emplacements bien délimités.

Nature : ≤ 🎣 🌲
Loisirs : ♟ 🍴 🏠 🏇 🐴 ⛵ 🏊 terrain multisports
Services : ⚬ 🖥 🛁 🧺 🚿 laverie 🛒
À prox. : 🏇

GPS E : 4.40139
N : 44.39695

⛰ International

✆ 0475880099, www.camping-ardeche-international.com

Pour s'y rendre : 65 impasse La Plaine-Salavas (1 km au sud-ouest)

Ouverture : de déb. avr. à fin sept.

2,7 ha (120 empl.) peu incliné, plat, herbeux, sablonneux

Empl. camping : 41€ ★ ★ ⇌ 🄴 🄗 (10A) - pers. suppl. 9€ - frais de réservation 10€

Location : (de déb. avr. à fin sept.) - 14 🛏 - 2 🏠. Nuitée 50 à 130€ - Sem. 269 à 900€ - frais de réservation 10€

🚰 borne artisanale 20€

Préférer les emplacements au bord de l'Ardèche, plus éloignés du pont.

Nature : 🎣 🌲
Loisirs : ♟ 🍴 🏊 🏊
Services : ⚬ 🖥 🛁 🚿 📷 🛒

GPS E : 4.38203
N : 44.39925

⛰ Yelloh! Villages L'Esquiras

✆ 0475880416, www.camping-esquiras.com

Pour s'y rendre : chemin du Fez (2,8 km au nord-ouest par D 579, rte de Ruoms et chemin à dr. apr. la station-service Intermarché)

Ouverture : de déb. avr. à fin sept.

2 ha (106 empl.) peu incliné, plat, herbeux, pierreux

Empl. camping : 49€ ★ ★ ⇌ 🄴 🄗 (10A) - pers. suppl. 8€

Location : (de déb. avr. à fin sept.) - 49 🛏 - 1 🏠. Nuitée 35 à 194€

🚰 borne artisanale 18€

Cadre verdoyant avec un grand espace détente et des mobile homes de bon confort.

Nature : 🌿 ≤ 🎣
Loisirs : ♟ 🍴 🏠 🏇 🏊 ⛵ ♨
Services : ⚬ 🛁 🚿 📷
À prox. : parcours dans les arbres

GPS E : 4.37913
N : 44.41536

*Utilisez les **cartes MICHELIN**,*
complément indispensable de ce guide.

🏔 La Rouvière 👥

📞 04 75 37 10 07, www.campinglarouviere.com

Pour s'y rendre : à Chames, rte des Gorges (6,6 km au sud-est par D 290)

3 ha (153 empl.) en terrasses, peu incliné, sablonneux

Location : - 39 🚐 - 3 🏠 - 3 bungalows toilés - 3 cabanons.

Au bord de l'Ardèche, avec une activité loisirs canoë très organisée.

Nature : 🌿🌿⛰	**G** E : 4.42649
Loisirs : ✗ 🛝 🛷 🎣 🏊 terrain multisports	**P** N : 44.37796
Services : 🔑🛁🚿📶📺🖥	**S**

🏕 Le Midi

📞 04 75 88 06 78, www.camping-ardecher-midi.com

Pour s'y rendre : rte des Gorges-de-l'Ardèche (6,5 km au sud-est par D 290, à Chames)

Ouverture : Permanent

1,6 ha (52 empl.) en terrasses, peu incliné, sablonneux, herbeux

Empl. camping : (Prix 2018) 32€ 👫 🚐 📺 💧 (10A) - pers. suppl. 9€ - frais de réservation 10€

Location : (de déb. avr. à fin sept.) - 8 🚐. Nuitée 60 à 140€ - Sem. 380 à 950€ - frais de réservation 10€

Emplacements sous les acacias, avec une activité loisirs canoë très organisée et grand espace au bord de la rivière. Accueil de groupes.

Nature : 🌳 🏞 🌿🌿⛰	**G** E : 4.42093
Loisirs : 🛷 🎣 🏊	**P** N : 44.37672
Services : 🔑🛁📶🖥	**S**
À prox. : 🧺 ✗	

VALLORCINE

74660 - Carte Michelin **328** O4 - 419 h. - alt. 1 260 - Sports d'hiver : 1 260/1 400 m

▶ Paris 628 - Annecy 115 - Chamonix-Mont-Blanc 19 - Thonon-les-Bains 96

🏕 Les Montets

📞 06 79 02 18 81, www.camping-montets.fr - alt. 1 300

Pour s'y rendre : 671 rte du Treuil, lieu-dit : Le Montet (2,8 km au sud-ouest par N 506, accès par chemin de la gare, lieu-dit le Buet)

Ouverture : de déb. juin à mi-sept.

1,7 ha (75 empl.) non clos, en terrasses, peu incliné, plat, herbeux, pierreux

Empl. camping : (Prix 2018) 🚶 5€ 🚐 2€ 📺 7€ – 💧 (6A) 4€

Site agréable au bord d'un ruisseau et longé par la petite voie ferrée reliant St-Gervais au Châtelart (Suisse).

Nature : 🌳 ⛰🌿	**G** E : 6.92376
Loisirs : ✗	**P** N : 46.02344
Services : 🔑 🅿 🚿 🖥	**S**
À prox. : 🏊 🎣	

🏔 ... 🏕
Terrains particulièrement agréables dans leur ensemble et dans leur catégorie.

LES VANS

07140 - Carte Michelin **331** G7 - 2 805 h. - alt. 170

▶ Paris 663 - Alès 44 - Aubenas 37 - Pont-St-Esprit 66

🏕 Le Pradal

📞 06 89 21 37 35, www.camping-lepradal.com

Pour s'y rendre : 1,5 km à l'ouest par D 901

Ouverture : de mi-mars à déb. nov.

1 ha (36 empl.) en terrasses, peu incliné, pierreux, herbeux

Empl. camping : 25€ 👫 🚐 📺 💧 (10A) - pers. suppl. 7€

Location : (de mi-mars à déb. nov.) - 4 🚐 - 1 🏠 - 1 gîte. Nuitée 55 à 100€ - Sem. 220 à 670€

🚐 borne artisanale 5€ - 6 📺 13€ - 🚐 13€

De nombreux emplacements en petites terrasses individuelles entourées de haies.

Nature : 🌿🌿	**G** E : 4.11023
Loisirs : 🍹 🏖 🏊 terrain multisports	**P** N : 44.40809
Services : 🔑🛁🚿📶	**S**

*To visit a town or region : use the **MICHELIN Green Guides**.*

VERCHAIX

74440 - Carte Michelin **328** N4 - 661 h. - alt. 800

▶ Paris 580 - Annecy 74 - Chamonix-Mont-Blanc 59 - Genève 52

🏕 Municipal Lac et Montagne

📞 04 50 90 10 12, www.mairie-verchaix.fr - alt. 660

Pour s'y rendre : 1,8 km au sud par D 907, au bord du Giffre

2 ha (104 empl.) non clos, plat, herbeux, pierreux

🚐 4 📺

Préférer les emplacements les plus éloignés de la route.

Nature : ⛰🌿	**G** E : 6.67527
Loisirs : 🛷 🎣 🏊	**P** N : 46.09001
Services : 🔑 🖥 📶 laverie	**S**
À prox. : 🍹 ✗ 🎿	

VERNIOZ

38150 - Carte Michelin **333** C5 - 1 182 h. - alt. 250

▶ Paris 500 - Annonay 38 - Givors 25 - Le Péage-de-Roussillon 12

🏔 Aloé Le Bontemps

📞 04 66 60 07 00, www.camping-lebontemps.fr

Pour s'y rendre : 5 imp. du Bontemps (4,5 km à l'est par D 37 et chemin à dr. à St-Alban-de-Varèze)

Ouverture : de mi-avr. à fin sept.

6 ha (192 empl.) plat, herbeux, étang

Empl. camping : 20€ 👫 🚐 📺 💧 (10A) - pers. suppl. 6€

Location : (de mi-avr. à fin sept.) - ♿ (1 chalet) - 25 🚐 - 1 🏠. Nuitée 30 à 125€ - Sem. 180 à 875€

🚐 10 📺 15€

Au bord de la rivière et de deux étangs avec beaucoup d'espaces verts idéals pour la détente.

Nature : 🌳 🏞 🌿🌿	**G** E : 4.92836
Loisirs : 🍹 ✗ 🏖 🎮 salle d'animations 🎣 🛷 🚲 🎣 🏓 🏊 (découverte en saison) 🎿	**P** N : 45.42798
Services : 🔑 🖥 🛁 🚿 🚰 📶 laverie 🧺	**S**

VILLARD-DE-LANS

38250 - Carte Michelin **333** G7 - 4 031 h. - alt. 1 040
▶ Paris 584 - Die 67 - Grenoble 34 - Lyon 123

⛰ Capfun Domaine de L'Oursière ▲▪

✆ 04 76 95 14 77, www.camping-oursiere.fr

Pour s'y rendre : av. du Gén.-de-Gaulle (sortie nord par D 531, rte de Grenoble, chemin piétonnier reliant le village)

Ouverture : de mi-mai à mi-sept. et de mi-déc. à fin mars

4 ha (189 empl.) peu incliné, plat, herbeux, gravier, pierreux

Empl. camping : (Prix 2018) 24 € ★★ ⇌ 🅱 🅿 (10A) - pers. suppl. 7 €
- frais de réservation 11 €

Location : (Prix 2018) (de mi-mai à mi-sept. et de mi-déc. à fin mars) - 79 🚐 - 4 🏠. Nuitée 33 à 69 € - Sem. 231 à 763 € - frais de réservation 27 €

🚐 borne artisanale 5 € - 20 🅴 21 €

Terrain en longueur traversé par un petit ruisseau.

Nature : ❄ 🐾 ≼	
Loisirs : 🎦 🏕 🛶 🎣 🏓 🏊 cinéma terrain multisports	**GPS** E : 5.55639 N : 45.0775
Services : ⚷ 🏢 🛉 🛜 laverie 🚲	

VILLARS-LES-DOMBES

01330 - Carte Michelin **328** D4 - 4 328 h. - alt. 281
▶ Paris 433 - Bourg-en-Bresse 29 - Lyon 37 - Villefranche-sur-Saône 29

⛰ Le Nid du Parc ▲▪

Camping le Nid du Parc

✆ 04 74 98 00 21, www.lenidduparc.com
- peu d'emplacements pour tentes et caravanes

Pour s'y rendre : 164 av. des Nations (sortie sud-ouest, RD 1083 rte de Lyon et à gauche, au pied du château d'eau.)

Ouverture : de déb. avr. à déb. nov.

5 ha (168 empl.) peu incliné, plat, herbeux

Empl. camping : 30 € ★★ ⇌ 🅱 (6A) - pers. suppl. 6 €

Location : (de déb. avr. à déb. nov.) - 🚐 - 1 🏠 - 2 tentes lodges - 9 tentes sur pilotis - 3 tipis. Nuitée 65 à 160 € - Sem. 385 à 1 120 € - frais de réservation 10 €

🚐 borne AireService 5 € - 54 🅴 25 € - 🚐🅿15 €

Emplacements en partie ombragés, au bord de la Chalaronne, avec du locatif varié.

Nature : 🐾 🗔 🞌🞌	
Loisirs : ✗ 🎦 🏕 🛶 🚲 🛼	**GPS** E : 5.03039 N : 45.99749
Services : ⚷ 🛉 🛜 laverie	
À prox. : ✗ 🎿	

VINSOBRES

26110 - Carte Michelin **332** D7 - 1 109 h. - alt. 247
▶ Paris 662 - Bollène 29 - Grignan 24 - Nyons 9

⛰ Capfun Le Sagittaire ▲▪

✆ 04 75 27 00 00, www.le-sagittaire.com

Pour s'y rendre : lieu-dit : le Pont de Mirabel (angle des D 94 et D 4, près de l'Eygues (accès direct))

Ouverture : de fin mars à fin sept.

14 ha/8 campables (297 empl.) plat, herbeux, gravillons

Empl. camping : (Prix 2018) 50 € ★★ ⇌ 🅱 🅿 (10A) - pers. suppl. 7 € - frais de réservation 27 €

Location : (Prix 2018) (de fin mars à fin sept.) - 🚲 (1 mobile home) - 237 🚐 - 44 🏠 - 1 gîte. Nuitée 47 à 243 € - Sem. 189 à 1 701 € - frais de réservation 27 €

🚐 borne AireService 4 €

Bel ensemble aquatique avec piscines couverte et découverte, toboggans mais aussi lagon avec sa plage de sable blanc. Préférer les emplacements les plus éloignés de la route.

Nature : ≼ 🗔 🞌🞌	
Loisirs : 🍴 ✗ 🎦 🗖 🏕 🛶 🎣 🏓 🏊 🞌 (plage) 🛶 terrain multisports	**GPS** E : 5.0822 N : 44.3284
Services : ⚷ 🏢 🛉 - 8 sanitaires individuels (🞌🚐 wc) 🛜 laverie 🚲 🚲	

⛺ Municipal

✆ 04 75 27 61 65, camping-municipal@club-internet.fr

Pour s'y rendre : quartier Champessier (au sud du bourg par D 190, au stade)

1,9 ha (70 empl.) plat, herbeux, pierreux

Location : - 1 🚐.

Nature : 🞌🞌	
Services : ⚷ 🛜 🗄 réfrigérateurs	**GPS** E : 5.06594 N : 44.32912
À prox. : terrain multisports	

VION

07610 - Carte Michelin **331** K3 - 905 h. - alt. 128
▶ Paris 537 - Annonay 30 - Lamastre 34 - Tournon-sur-Rhône 7

⛰ L'Iserand

✆ 04 75 08 01 73, www.iserandcampingardeche.com

Pour s'y rendre : 1307 r. Royale (1 km au nord par N 86, rte de Lyon)

Ouverture : de mi-avr. à mi-sept.

1,3 ha (60 empl.) en terrasses, pierreux, herbeux

Empl. camping : 20 € ★★ ⇌ 🅱 🅿 (10A) - pers. suppl. 5 €

Location : (de mi-avr. à mi-sept.) - 🚲 - 12 🏠. Nuitée 45 à 95 € - Sem. 220 à 670 €

Préférer les emplacements les plus éloignés de la route.

Nature : ≼ 🞌🞌	
Loisirs : 🍴 ✗ 🛶 🎣 🏓	**GPS** E : 4.80027 N : 45.12117
Services : ⚷ 🛜 🗄 🚲	

VIZILLE

38220 - Carte Michelin **333** H7 - 7 592 h. - alt. 270
▶ Paris 582 - Le Bourg-d'Oisans 32 - Grenoble 20 - La Mure 22

⛰ Le Bois de Cornage

✆ 06 83 18 17 87, www.campingvizille.com

Pour s'y rendre : chemin du Camping (sortie nord vers N 85, rte de Grenoble et av. de Venaria à dr.)

Ouverture : de déb. avr. à fin oct.

2,5 ha (115 empl.) en terrasses, peu incliné, herbeux

Empl. camping : 23 € ★★ ⇌ 🅱 🅿 (16A) - pers. suppl. 6 € - frais de réservation 10 €

Location : Permanent - 22 🚐 - 6 bungalows toilés. Nuitée 57 à 88 € - Sem. 196 à 650 € - frais de réservation 10 €

En partie ombragé d'arbres centenaires.

Nature : 🐾 ≼ 🞌🞌	
Loisirs : ✗ 🛶 🏊	**GPS** E : 5.76948 N : 45.08706
Services : ⚷ 🛜 laverie 🚲	

PROFITEZ DU CAMPING À 500 M DU PARC DES OISEAUX !

CAMPING ★★★★
LE NID DU PARC

VOGÜÉ

07200 - Carte Michelin **331** I6 - 917 h. - alt. 150
▶ Paris 638 - Aubenas 9 - Largentière 16 - Privas 40

Domaine du Cros d'Auzon

🕿 04 75 37 75 86, www.domaine-cros-auzon.com

Pour s'y rendre : 2,5 km au sud par D 579 et chemin à dr.

Ouverture : de déb. avr. à mi-sept.

18 ha/6 campables (170 empl.) plat, herbeux, sablonneux, pierreux

Empl. camping : 36€ ♣♣ ⬜ 🔲 (6A) - pers. suppl. 8€ - frais de réservation 12€

Location : (de déb. avr. à déb. oct.) - ♿ (5 mobile homes) - 39 🚐 - 3 🏠 - 16 🛏 - 18 chambres (hôtel). Nuitée 43 à 178€ - Sem. 180 à 1 250€ - frais de réservation 12€

🚮 borne AireService - 🚐 ⛽36€

Une partie basse au bord de la rivière avec des emplacements ombragés et une partie haute avec l'espace vie : parc aquatique, restaurant, hôtel.

Nature : 🏞 🖼 🐴
Loisirs : 🍴 🍽 🏠 ⛹ 🏊 ⛷ 🎿 🏓 🛶
Services : 🔌 🛁 🚿 🚰 🛜 laverie 🧺
À prox. : 🏊

Les Roches

🕿 04 75 37 70 45, www.campinglesroches.fr

Pour s'y rendre : quartier Bausson (1,5 km au sud par D 579, à Vogüé-Gare et à 200 m de l'Auzon et de l'Ardèche)

Ouverture : de fin avr. à mi-sept.

2,5 ha (100 empl.) vallonné, herbeux, plat, rochers

Empl. camping : (Prix 2018) 33€ ♣♣ ⬜ 🔲 (6A) - pers. suppl. 8€

Location : (Prix 2018) (de fin avr. à mi-sept.) - 8 🚐. Sem. 350 à 650€

🚮 borne AireService 4€

Emplacements ombragés sur de nombreuses petites terrasses, dans un cadre sauvage, au milieu des rochers.

Nature : 🏞 🐴
Loisirs : 🍴 🖼 ⛹ 🏊
Services : 🔌 🚿 🛁 🛜 laverie réfrigérateurs
À prox. : 🚴 Voie verte à 50m

E : 4.41406
N : 44.542

Hip Village Les Peupliers

🕿 04 75 37 71 47, www.ardeche-lespeupliers.fr

Pour s'y rendre : lieu-dit : Gourgouran (2 km au sud par D 579 et chemin à dr., à Vogüé-Gare)

Ouverture : de déb. avr. à fin sept.

3 ha (100 empl.) plat, herbeux, pierreux, sablonneux

Empl. camping : 33€ ♣♣ ⬜ 🔲 (16A) - pers. suppl. 7€ - frais de réservation 12€

Location : (de déb. avr. à fin sept.) - 10 🚐 - 11 🏠 - 5 cabanons. Nuitée 37 à 146€ - Sem. 233 à 919€ - frais de réservation 12€

🚮 borne eurorelais 4€ - 🚐 14€

Quelques emplacements au bord de l'Ardèche et des locatifs parfois anciens.

Nature : 🏞 🐴
Loisirs : 🍴 🍽 🏠 ⛹ 🏊 🛶 🐟
Services : 🔌 🛁 🛜 laverie
À prox. : 🚣

E : 4.411
N : 44.53765

Les Chênes Verts

🕿 04 75 37 71 54, www.camping-chenesverts.com

Pour s'y rendre : Champ Redon (1,7 km au sud-est par D 103)

Ouverture : de mi-juin à mi-sept.

2,5 ha (37 empl.) en terrasses, plat, herbeux, pierreux

Empl. camping : 25€ ♣♣ ⬜ 🔲 (16A) - pers. suppl. 5€

Location : (de déb. avr. à fin sept.) - 26 🏠. Nuitée 59 à 120€ - Sem. 285 à 860€ - frais de réservation 25€

Locatifs bien ombragés, en terrasse au-dessus de la route, mais peu d'emplacements pour tentes et caravanes.

Nature : 🐴
Loisirs : 🍽 🏠 ⛹ 🏊
Services : 🔌 🛁 🛜 🖼 🧺

E : 4.42075
N : 44.54425

Utilisez le guide de l'année.

CANILLO

AD100 - Carte Michelin **343** H9 - 4 826 h. - alt. 1 531
▶ Andorra-la-Vella 13 - Barcelona 207 - Foix 88 - Perpignan 152

⚠ Santa-Creu

✆ (00-376) 85 14 62, www.elsmeners.com

Pour s'y rendre : au bourg (au bord du Valira-del-Orient (rive gauche))

Ouverture : de mi-juin à mi-sept.

0,5 ha en terrasses, peu incliné, herbeux

Empl. camping : ✦ 4€ ⇐ 4€ ▣ 4€ ⚡ (5A)
Pelouse ombragée proche du centre-ville.

Nature : ≤ ♀	**G** E : 1.59978
Loisirs : ♈	**P** N : 42.56579
Services : ⌒⇥ ⟲ ☑ 🛜 🖵	**S**

⚠ Jan-Ramon

✆ (00-376) 75 14 54, www.elsmeners.com

Pour s'y rendre : ctra. General (400 m au nord-est par rte de Port d'Envalira, au bord du Valira del Orient (rive gauche))

Ouverture : de mi-juin à mi-sept.

0,6 ha plat, herbeux

Empl. camping : ✦ 4€ ⇐ 4€ ▣ 4€ ⚡ (5A)
Location : (de mi-juin à mi-sept.) - 5 🏠 - 15 appartements.
Nuitée 85 à 100€ - Sem. 455 à 1 255€
⛽ borne artisanale
Agréable pelouse partiellement ombragée, mais nuisance de la route toute proche.

Nature : ≤ ♀	**G** E : 1.59975
Loisirs : ♈ ✕	**P** N : 42.56594
Services : ⌒⇥ ☑ 🛜 🖵 🚿	**S**

LA MASSANA

AD400 - Carte Michelin **343** H9 - 9 744 h. - alt. 1 241
▶ Andorra-la-Vella 6 - Barcelona 204 - Foix 101 - Perpignan 164

⛰ Xixerella

✆ (00-376) 73 86 13, www.xixerellapark.com - alt. 1 450

Pour s'y rendre : à Xixerella (3,5 km au nord-est par CG 4 puis à Erts rte à gauche)

5 ha en terrasses, peu incliné, pierreux, herbeux

Location : - 13 🏠 - 28 appartements.
Pelouse ombragée pour tentes et caravanes, locatif varié et de qualité.

Nature : ≤ ♀♀	**G** E : 1.48882
Loisirs : ♈ ✕ 🏠 ⛱ hammam jacuzzi ⛷ 🏊	**P** N : 42.55327
Services : ⌒⇥ ▥ ⛱ 🛜 laverie 🚿 🚐	**S**

ORDINO

AD300 - Carte Michelin **343** H9 - 4 322 h. - alt. 1 304
▶ Andorra-la-Vella 8 - Barcelona 207 - Foix 105 - Perpignan 168

⛰ Borda d'Ansalonga

✆ (00-376) 85 03 74, www.campingansalonga.com

Pour s'y rendre : ctra. Gal del Serrat (2,3 km au nord-ouest par rte du Circuit de Tristania, au bord du Valira del Nord)

3 ha plat, herbeux

Pelouse ombragée. Préférer les emplacements près du ruisseau, plus éloignés de la route.

Nature : ≤ ♀♀	**G** E : 1.52162
Loisirs : ♈ ✕ 🏠 ⛷ 🏊	**P** N : 42.56855
Services : ⌒⇥ ▥ 🛜 laverie 🚿	**S**

Michelin Travel Partner

Société par actions simplifiée au capital de 15 044 940 EUR.27 cours de l'Île-Seguin - 92100 Boulogne-Billancourt (France)
R.C.S. Nanterre 433 677 721

Toute reproduction, même partielle et quel qu'en soit le support est interdite sans autorisation préalable de l'éditeur.

Dépôt légal : janvier 2019
Compogravure : Nord Compo, Villeneuve d'Ascq
Impression et brochage : Printer Trento, Trento (Italie)
Maquette : Jean-Luc Cannet

Imprimé en Italie : janvier 2019

Usine certifiée 140001

Sur du papier issu de forêts bien gérées